Dicionário analítico
do Ocidente medieval

FUNDAÇÃO EDITORA DA UNESP

Presidente do Conselho Curador
Mário Sérgio Vasconcelos

Diretor-Presidente
Jézio Hernani Bomfim Gutierre

Superintendente Administrativo e Financeiro
William de Souza Agostinho

Conselho Editorial Acadêmico
Danilo Rothberg
Luis Fernando Ayerbe
Marcelo Takeshi Yamashita
Maria Cristina Pereira Lima
Milton Terumitsu Sogabe
Newton La Scala Júnior
Pedro Angelo Pagni
Renata Junqueira de Souza
Sandra Aparecida Ferreira
Valéria dos Santos Guimarães

Editores-Adjuntos
Anderson Nobara
Leandro Rodrigues

JACQUES LE GOFF
JEAN-CLAUDE SCHMITT

Dicionário analítico do Ocidente medieval

Volume I

Coordenação da tradução

Hilário Franco Júnior

Dictionnaire raisonné de l'Occident médiéval,
sob a direção de Jacques Le Goff e Jean-Claude Schmitt
© 1997 Librairie Arthème Fayard.

© 2017 Editora Unesp

Direitos de publicação reservados à:
Fundação Editora da Unesp (FEU)
Praça da Sé, 108
01001-900 – São Paulo – SP
Tel.: (0xx11) 3242-7171
Fax: (0xx11) 3242-7172
www.editoraunesp.com.br
www.livrariaunesp.com.br
atendimento.editora@unesp.br

Dados Internacionais de Catalogação na Publicação (CIP)
Vagner Rodolfo CRB-8/9410

D545
    Dicionário analítico do Ocidente medieval: volume 1 / Jacques Le Goff, Jean-Claude Schmitt (Orgs.); tradução coordenada por Hilário Franco Júnior. – São Paulo: Editora Unesp, 2017.

    Tradução de: *Dictionnaire raisonné de l'Occident médiéval*
    Inclui índice.
    ISBN: 978-85-393-0685-5

    1. História geral. 2. Europa. 3. Idade Média. 4. Ocidente Medieval. 5. Dicionário. I. Le Goff, Jacques. II. Schmitt, Jean-Claude. III. Franco Júnior, Hilário. IV. Título.

2017-345
                                            CDD: 940.1
                                            CDU: 94(4)"04/14"

Editora afiliada:

Sumário

Apresentação . 9

Prefácio à edição brasileira . 11

Prefácio . 13

Além . 25

Alimentação . 41

Amor cortês . 55

Animais . 67

Anjos . 80

Artesãos . 95

Assembleias . 105

Bíblia . 120

Bizâncio e o Ocidente . 135

Bizâncio visto do Ocidente . 147

Dicionário analítico do Ocidente medieval

Caça . *158*

Castelo . *173*

Catedral . *196*

Cavalaria . *210*

Centro/periferia . *227*

Cidade . *247*

Clérigos e leigos . *268*

Corpo e alma . *285*

Corte . *302*

Cotidiano . *318*

Deus . *338*

Diabo . *358*

Direito(s) . *373*

Escatologia e milenarismo . *395*

Escolástica . *411*

Escrito/ oral . *429*

Estado . *444*

Fé . *459*

Feitiçaria . *473*

Feudalismo . *489*

Flagelos . *512*

Guerra e cruzada . *529*

Sumário

Guilda . 546

Heresia . 561

História . 583

Idade média . 599

Idades da vida . 617

Igreja e papado . 632

Imagens . 658

Império . 675

Indivíduo . 691

Islã . 703

Índice onomástico . 723

Sumário iconográfico . 735

Lista de autores . 741

Lista de tradutores . 745

Apresentação

Se toda a história das ciências é feita complementarmente de obras de tese (isto é, de novas propostas, de revisão e mesmo revolução dos conhecimentos aceitos até então) e de síntese (que nunca são meros resumos de teses, e sim seleção e articulação delas de uma maneira própria), talvez isso seja mais importante na História do que em outras áreas do conhecimento. De fato, se poucas pessoas fora do círculo de estudantes e especialistas leem sínteses, e muito menos teses, de Física, Matemática ou Biologia, por exemplo, muito técnicas e abstratas para o cidadão comum, as obras de História – daí seu sucesso de público nas últimas décadas – parecem mais diretamente dizer respeito a todos. Não é preciso entender os princípios básicos da teoria da gravitação para andar com os pés no chão, ou os mecanismos da fisiologia para sentir sono e fome, mas, para melhor exercer seu papel político, social, econômico e cultural, é importante que cada cidadão das democracias ocidentais do século XXI conheça a trajetória histórica de sua sociedade e a de outras com as quais ela se relaciona mais intimamente. Saber as condições dela no passado, as opções que se lhe apresentaram, as razões e as consequências das escolhas feitas, são elementos fundamentais para o indivíduo melhor avaliar seu mundo e a si mesmo. É um chavão, mas verdadeiro, que sem compreender o passado ficamos condenados a repeti-lo no essencial, mesmo que na aparência as diferenças sejam muitas.

Esse raciocínio é particularmente pertinente em relação ao período conhecido por Idade Média, ao mesmo tempo bastante próximo e bastante distante de nós, e cujo conhecimento é imprescindível, já que aquele foi o momento no qual surgiram os alicerces da civilização ocidental. No entanto, não é fácil ter um contato sólido e razoavelmente rápido com a história medieval. As obras de tese são inúmeras, necessariamente polêmicas e pressupondo uma erudição fora do alcance do não especialista. As obras de síntese tornam-se cada vez mais difíceis de ser elaboradas diante da rápida expansão da produção de conhecimento e de seu inevitável, embora perigoso, subproduto, a excessiva especialização.

Daí o imenso valor e utilidade do presente *Dicionário analítico*. Concebido e dirigido por dois dos mais prestigiosos medievalistas do momento, ele reúne outros 66 especialistas de 9 nacionalidades, equipe que em 82 artigos radiografa a medievalística na passagem do século XX para o XXI. Dizemos radiografa, e não fotografa, pois não se trata apenas de revelar o estado atual do conhecimento, com cada estudioso fazendo o balanço de sua área, como também de problematizar essa exposição, de indicar as lacunas ainda existentes, as interpretações frágeis, as hipóteses promissoras. O *Dicionário analítico* sintetiza e organiza a rica e inovadora produção das últimas décadas e sugere caminhos a trilhar. Por isso ele será, sem dúvida, muito bem recebido pelo público brasileiro, tanto os estudiosos quanto os curiosos da Idade Média, época que paradoxalmente parece nos atrair e continuar presente quanto mais o avançar inexorável do tempo nos distancia dela.

HILÁRIO FRANCO JÚNIOR

Prefácio à edição brasileira

Desde que uma missão científica francesa – composta dentre outros por Fernand Braudel, Claude Lévi-Strauss, Jean Glenisson e Roger Bastide, então jovens professores e pesquisadores – organizou a Faculdade de Filosofia, Ciências e Letras (atualmente Faculdade de Filosofia, Letras e Ciências Humanas) da Universidade de São Paulo, a partir de 1935, os laços intelectuais entre a França e o Brasil não diminuíram, apesar do avanço geral da influência norte-americana desde a segunda metade do século passado.

Isso é sobretudo verdadeiro em relação à historiografia, da qual uma das maiores obras – a justamente célebre *O Mediterrâneo e o mundo mediterrânico na época de Filipe II* (1949), de Braudel – teve parte de sua gestação em São Paulo, onde o autor, segundo ele mesmo confessaria mais tarde, viveu os anos mais felizes de sua vida. A geração seguinte dos *Annales* desenvolveu e aprofundou aqueles laços graças a estágios de pesquisadores brasileiros na França e à tradução no Brasil de dezenas de livros produzidos por ela. O mesmo empenho, de uma parte e de outra, prossegue atualmente.

Representantes da terceira e quarta gerações dos *Annales,* os diretores deste *Dicionário analítico,* que já têm várias obras publicadas no Brasil, alegram-se que também ele esteja desde agora acessível a um maior número de pesquisadores, estudantes e apreciadores da Idade Média. Se o presente *Dicionário analítico do Ocidente medieval* puder ser útil aos brasileiros, estimu-

Dicionário analítico do Ocidente medieval

lando as reflexões e pesquisas medievalistas no Brasil e contribuindo para reforçar a amizade franco-brasileira, nossas esperanças em relação a esta tradução estarão confirmadas.

Jacques Le Goff
Jean-Claude Schmitt
Tradução de Hilário Franco Júnior

Prefácio

Este *Dicionário analítico do Ocidente medieval* nasceu do desejo de preencher uma lacuna. Dentre o rico conjunto de obras que reúnem os conhecimentos recentemente adquiridos sobre a Idade Média, faltava um livro como este. Entretanto, o interesse pela Idade Média é particularmente intenso em nossa sociedade e esses dez séculos de história foram o principal objeto da recente renovação da disciplina histórica. Da mesma forma que no século XIX, que chamamos o "século da história" – mas uma história dominada pelos fantasmas dos românticos e pelo culto ao acontecimento por parte dos positivistas –, a Idade Média foi no século XX o terreno privilegiado de uma renovação metodológica que associa rigor científico e imaginação, que interroga o passado por meio do presente, mas sem cair no anacronismo.

É verdade que já existem outros dicionários que se propõem a responder, por meio de um grande número de verbetes específicos, as legítimas demandas de informações sobre aspectos pontuais da sociedade e da civilização medievais: o reinado de um soberano, uma instituição particular, a biografia e a obra de um autor. Esses dicionários, dirigidos a especialistas ou a um público mais amplo, multiplicaram-se nos últimos anos, numa prova evidente de sua utilidade.[1] Mas parece-nos que nenhum deles respon-

---

1 Assim, foram publicados exclusivamente sobre a história da Idade Média: o *Dictionnary of the Middle Ages,* sob a direção de Joseph Strayer (Nova York: Charles

Dicionário analítico do Ocidente medieval

de às ambições desta obra: não apenas fornecer informações, mas traduzir o constante desenvolvimento de um saber – a história da Idade Média –, trazer até nós as hipóteses dos pesquisadores, revelar seus debates, esclarecer uma história em transformação, tudo fundamentado em análises e conhecimentos precisos.

Como todo dicionário, este segue uma ordem alfabética, que é neutra e facilita a consulta. Mas os verbetes que o compõem não estão simplesmente justapostos uns aos outros de maneira arbitrária. Através de um jogo de remissões cruzadas, eles formam um sistema, definem subconjuntos que favorecem a compreensão das diversas esferas constitutivas da sociedade e da cultura medievais. Ao mesmo tempo, a vantagem de um dicionário é de não impor *a priori* nenhuma ordem de leitura: toda entrada, no começo, no meio ou no final da obra, é válida, e deve permitir, pouco a pouco, uma apropriação progressiva do conjunto de uma matéria imensa e complexa. Não há aqui, como em um livro comum, um percurso obrigatório, linear, e sim um feixe de atalhos do qual cada pessoa pode se servir a seu modo.

Para satisfazer essa ambição, deveríamos propor verdadeiros artigos, suficientemente ricos e extensos para apresentar em sua complexidade os diversos domínios da pesquisa e os diferentes temas e componentes da história medieval que nos pareciam ser mais importantes. Não se tratava de apresentar todos os temas possíveis. Guiamo-nos por uma concepção precisa da História e da Idade Média, e por conseguinte fizemos certas opções. Quisemos ao mesmo tempo não nos perder em detalhes e evitar as noções gerais que convêm tanto à Idade Média quanto a outras épocas. Fixamos uma escala média, banindo o muito grande – por exemplo, os setores tradicionais da historiografia como "arqueologia", "história da arte", "história econômica" (conservando somente "literatura", para questionarmos a legitimidade dessa noção) – e o muito pequeno – os nomes de "personagens históricos" ("Carlos Magno", "Joana d'Arc") e mais genericamente os

---

Scribner's, 1982-1989), o *Lexicon des Mittelalters* (Munique e Zurique: Artemis--&-Winkler, 1980-1998) e, em francês, o *Dictionnaire de la France médiévale*, de Jean Favier (Paris: Fayard, 1993), assim como o *Dictionnaire encyclopédique du Moyen Âge*, sob a direção de André Vauchez (Paris: Cerf, 1997).

nomes próprios (por exemplo, "Veneza"). As únicas exceções são: "Roma", que aqui designa mais do que a cidade com esse nome, a memória da Roma antiga e o coração da Igreja latina; "Bizâncio", entendida em sua mútua relação com o Ocidente; "Jerusalém", compreendida como um lugar mítico, o centro ideal das representações do mundo na Idade Média. Do mesmo modo, fatos sociais particulares, tais como "talha", "ordenação de cavaleiro", "heráldica" ou "cônego", não constituem títulos de artigos, mas, apesar disso, não são esquecidos. Eles fazem parte de conjuntos mais vastos que lhes conferem todo seu sentido, por exemplo, nos artigos "Cavalaria", "Símbolo" ou "Assembleias". Igualmente, grandes acontecimentos como concílios, batalhas decisivas, conflitos (Guerra dos Cem Anos), rupturas (Grande Cisma) são apresentados num contexto mais fundamental: a história da Igreja, dos Estados, das nações.

Algumas entradas impunham-se como características da sociedade e da cultura medievais: "Amor cortês", "Catedral", "Cavalaria", "Feudalismo", "Escolástica", "Senhorio" etc. Mas seu tratamento neste dicionário é original, uma vez que os autores empenharam-se em mostrar como esses objetos tradicionais, e mesmo emblemáticos da história da Idade Média, foram submetidos a profundas renovações nos últimos anos.

Várias entradas referem-se a temas que só retêm a atenção dos historiadores há pouco tempo: "Memória", "Maravilhoso", "Morte e mortos" ou "Sexualidade" já contam com pesquisas importantes. Outros, como "Flagelos", "Jogo", "Ordem(ns)" ou "Ritos", designam campos que acabam de ser abertos.

Outros verbetes ainda marcam um esforço explícito de reformulação de problemas, de acordo com as orientações fundamentais de nossa reflexão: não se trata de "arte" (podemos falar de "arte" na Idade Média como o fazemos a partir do Renascimento?), mas de "Imagens". Também não encontraremos um verbete "Religião", não só porque ele recobre um campo muito vasto, mas porque duvidamos que esse conceito, tal como concebido desde a época das Luzes, dê conta satisfatoriamente da extensão e das múltiplas funções das práticas e crenças características do cristianismo medieval, como veremos nos verbetes "Anjos", "Deus", "Diabo", "Fé", "Igreja e papado" e outros, nenhum dos quais se deixando confinar numa definição exata de *a* religião. Podemos dizer o mesmo da "política" e da "economia": é por intermédio das noções de "Corte", "Estado", "Justiça e paz" ou "Rei" que compreenderemos a especificidade do político na época medieval, e também a gênese de ideias, instituições e práticas nas quais reconhecemos desde alguns anos a "gênese do Estado moderno". Quanto ao moderno conceito de economia, ele não é apropriado para abranger a produção, as trocas e o consumo de bens materiais na Idade Média, quando preços e salários não são determinados pela "lei do mercado" tal como a concebemos hoje, mas pelas hierarquias sociais e por todos os tipos de sujeição extraeconômica, relativas tanto ao exercício do poder senhorial ou real quanto às crenças religiosas.

Por fim, várias entradas deste *Dicionário analítico* não exprimem noções únicas, mas pares de noções: "Centro/periferia", "Clérigos e leigos", "Corpo e alma", "Masculino/feminino". Quisemos mostrar, dessa forma, que as realidades históricas raramente são unívocas, que devem ser entendidas numa tensão entre dois polos opostos, quer se trate da representação do espaço, da organização social ou geográfica, ou da concepção da pessoa. Esses pares de noções subentendem uma dialética que frequentemente põe em marcha a história.

Tal é o plano através do qual quisemos apreender aquilo que se convencionou chamar de "Idade Média" — noção também submetida a discussão — não para esgotar a matéria, mas para esclarecer seus principais domínios: as bases materiais e a ecologia ("Animais", "Mar", "Natureza"); as forças produtivas e as redes de troca ("Artesãos", "Cidade", "Mercadores", "Moeda", "Senhorio", "Terra", "Trabalho"); os espaços da existência ("Alimentação", "Cotidiano", "Parentesco", "Sexualidade"); as relações de dominação ("Feudalismo", "Igreja e papado", "Justiça e paz", "Liberdade e servidão") e as hierarquias sociais ("Masculino/feminino", "Clérigos e leigos", "Nobreza", "Marginais"); as representações da pessoa ("Corpo e alma", "Indivíduo"), os modos de expressão ("Escrito/oral") e as maneiras de pensar e de sentir ("Amor cortês", "Razão"); as atividades simbólicas ("Caça", "Imagens", "Ritos", "Símbolo") e as crenças ("Anjos", "Deus", "Diabo", "Feitiçaria", "Milagre", "Santidade"); as atividades intelectuais ("Escolástica", "Medicina"), os lugares do saber ("Universidade") e a im-

Prefácio

posição das normas ("Direito", "Pecado", "Pregação"); as fraturas internas ("Heresia", "Judeus") e os limites externos ("Bizâncio", "Islã"). Podemos constatar que nessa simples enumeração, intencionalmente incompleta, nenhuma orientação de leitura e sobretudo nenhuma subordinação entre um tipo de fenômeno e outro se impõem *a priori*. Em primeiro lugar contam os cruzamentos, os reagrupamentos, os jogos de oposição e de repercussão entre as vastas noções que propomos. O plano do conjunto e cada um dos verbetes foram concebidos para valorizar esses recortes, e dar ao leitor os meios de imaginar e de estabelecer por si mesmo outras relações.

Esta apresentação parece-nos oferecer duas vantagens suplementares. Primeiramente, integrar em nossa análise e em nossa reflexão uma nova orientação da história tão presente nos dias de hoje na visão dos historiadores: a história do imaginário. Todo fenômeno, todo acontecimento histórico, deve ser apreendido em dois registros, cuja confrontação constitui a realidade histórica: o registro dos "fatos" (supondo-se que os historiadores possam alcançá-los) que se impõem às sociedades e o das representações desses fatos, que as sociedades elaboram utilizando-se do prisma deformante das sensibilidades e das paixões, conferindo-lhes uma dimensão vital e afetiva essencial.

Em seguida, reencontrar a compreensão que os clérigos da Idade Média – e de forma mais difusa todos os homens e mulheres daquele longo período – tinham do funcionamento da sociedade e da história, que é tradução, encarnação, do pensamento divino onipresente ou mesmo onipotente: a busca da *ordem* oculta na natureza da humanidade e em sua história, numa multiplicidade de componentes, concorrendo todos para alguns princípios fundamentais que conduzem a humanidade para sua salvação ou sua condenação. Disciplina leiga, a História deve "desconstruir" as coerências que aparecem ao espírito histórico crítico como construções ideológicas do passado; mas deve levar em consideração a tendência fundamental da Idade Média em buscar uma ordem oculta.

O leitor poderá, sem dúvida, lamentar uma ou outra lacuna. Mas, se considerar a totalidade das entradas e suas múltiplas relações, garantimos que ele encontrará neste *Dicionário analítico* bem mais do que tinha esperado a princípio. Além disso, poderíamos antecipar suas questões: por que, ele

Dicionário analítico do Ocidente medieval

talvez se perguntará, nosso dicionário comporta uma entrada "Tempo", mas não há uma entrada "Espaço"? Porque nos parece, tratando-se da Idade Média, que existe uma falsa simetria entre essas duas noções: se é verdade que o Tempo é uma categoria da ideologia medieval, fazendo parte tanto da escatologia oficial como do calendário, o Espaço dependeria de usos sociais variados que preferimos tratar em artigos distintos: entre outros, "Além", "Caça", "Centro/periferia", "Mar", "Universo".

Este *Dicionário analítico* não é produto de uma "escola" de historiadores, menos ainda o manifesto de um "clã". Quisemos simplesmente transmitir os resultados da renovação da história medieval, que nos parecem consideráveis desde o impulso dado por Marc Bloch (1886-1944), prolongado por uma plêiade de medievalistas, na França (em primeiro lugar por Georges Duby, falecido em 1996) e em outros países. Apostamos na diversidade de sensibilidades, abordagens e aptidões, buscando primeiramente garantir a colaboração de medievalistas considerados, no plano internacional, dentre os melhores em cada um dos domínios que gostaríamos que fossem abordados. Esta é também a razão pela qual, longe de nos fecharmos no círculo dos historiadores franceses, escolhemos perto de um terço de nossos colaboradores no exterior: oito italianos, três americanos, dois alemães, dois ingleses, um belga, uma polonesa, um russo e um suíço. Não há nisso nenhuma surpresa: como mostra uma obra coletiva como esta, a pesquisa histórica é hoje internacional por seus autores, por suas fontes de informação, pelas bibliografias em várias línguas que – de maneira necessariamente resumida – acompanham cada artigo. Assim, não há um clã, mas, sem dúvida, uma *koiné* de historiadores, de concepções do ofício e de métodos universalmente partilhados, que são as condições de nossas trocas e de uma real colaboração. De onde vem esse bom entendimento?

A história medieval, tal como é escrita na virada do ano 2000, tem uma dívida com a grande ruptura epistemológica que afetou as ciências sociais no começo do século XX, resumida, dentre outros, pelos nomes de Émile Durkheim (1858-1917), Max Weber (1864-1920) ou, num domínio menos frequentado pelos historiadores, Sigmund Freud (1856-1939). Suas críticas radicais às certezas "positivas" do século precedente possi-

Prefácio

bilitaram uma revisão completa das finalidades e dos métodos da pesquisa histórica. Não se trata mais de querer atingir através de documentos disponíveis *a* realidade dos fatos do passado. Os historiadores, hoje em dia, buscam compreender sobretudo as lógicas de funcionamento das sociedades que eles estudam em todas as suas dimensões materiais, sociais, ideológicas, imaginárias. Para tanto, utilizam métodos, quantitativos e qualitativos, tão rigorosos quanto possível. Entretanto, sabem que obterão um resultado parcial, o qual será logo questionado por outros historiadores que disporão de novos documentos, métodos mais afinados e, sobretudo, de problemáticas diferentes, estabelecidas num outro ambiente cultural e científico. Em suma, o avanço inexorável do tempo presente do historiador é o principal fator da mudança de percepção do tempo passado da história. É a dialética do presente e do passado, da história na qual vivemos e da história que procuramos escrever, que explica o fato de o campo de estudo estar sempre aberto e de cada geração de historiadores dever por sua vez retomá-lo. Mas essa relação do presente e do passado não é unívoca: basta inverter essa ordem para compreender também como o esforço que fazemos para entender as lógicas do passado nos é útil para compreender as do presente. Não para estabelecer necessariamente analogias ou até continuidades, bem ao contrário. As heranças medievais são numerosas, na topografia das cidades (não são ainda visíveis os traços das antigas muralhas?), em nossas referências culturais, éticas, religiosas (como negar o peso, em nossas sociedades leigas, do judeo-cristianismo?), em nossa língua (as línguas europeias não nasceram na Idade Média?) e em muitos monumentos em pedra (catedrais e castelos). Mas é possível que a constatação da distância irremediável entre nós e a Idade Média seja ainda mais instrutiva que a busca das semelhanças. É pelo fato de não mais estarmos na Idade Média que podemos, tentando compreendê-la, compreender melhor a nós mesmos, na relatividade histórica de nossas instituições, de nossas crenças, de nossas maneiras de viver. É mantendo o passado a uma boa distância crítica que nos proporcionamos os meios para melhor refletir sobre o presente: tal poderia ser o programa ao mesmo tempo científico, pedagógico e cívico para o qual este *Dicionário analítico* pretende, à sua maneira, contribuir.

Dicionário analítico do Ocidente medieval

Pois a Idade Média que propomos está ao mesmo tempo próxima e longínqua. Ela está próxima porque, à camada das heranças pré-históricas e antigas, adicionou (e frequentemente substituiu por) contribuições que sentimos, que vivemos hoje como heranças fundamentais, criações originais de identidade: paisagens urbanas e rurais, conflitos e compromissos entre a razão e a fé, relações difíceis entre o Estado e a sociedade, organização escolar e universitária, sensibilidade artística e literária. Tantas coisas nos vêm da Idade Média: o livro (no fim da Antiguidade, o *codex* começa a substituir os rolos), nossas roupas (a camisa e a calça fizeram abandonar a toga antiga), o calendário, o gênero literário do romance, as atitudes em relação aos pobres, as reações diante das epidemias (há vários reflexos da lepra e da peste no caso da aids) etc.

Mas a Idade Média está igualmente longe. Ela nos parece frequentemente estranha, e esse charme exótico constitui uma parte importante da fascinação que exerce. Para tomarmos alguns exemplos aleatórios, o milagre e o Diabo não são mais onipresentes, a morte súbita não é mais considerada a pior dentre as mortes e, apesar da arte abstrata (que de alguma forma nos aproxima de uma certa estética medieval), nosso olho acostumou-se, desde o Renascimento, a conceber a pintura e a ver a realidade exterior segundo as regras da perspectiva. Como não destacar o abismo que separa as condições materiais de nossa existência e as da Idade Média (e dos séculos posteriores), quer se trate do hábitat, dos meios de transporte e de comunicação, do trabalho e dos lazeres? E se os crentes continuam convencidos da existência de um Além, se novas formas de milenarismo — com frequência mais rudes que as especulações apocalípticas dos clérigos da Idade Média — seduzem alguns de nossos contemporâneos, perdemos o costume de pensar visando à eternidade.

A fascinação pela Idade Média não nos deve fazer esquecer que essa "bela" Idade Média estava muitas vezes longe da lenda áurea imaginada pelos românticos em oposição à visão da Idade das Trevas "gótica" dos humanistas e dos homens do Iluminismo. O "homem medieval" (se pudermos atribuir uma realidade a essa abstração) vivia frequentemente impotente diante das dificuldades da natureza; a vida cotidiana era austera, a expectativa de vida era pequena, a mulher (apesar do culto à Virgem),

Prefácio

depreciada. Ele se esforçava por praticar a caridade, mas, ao mesmo tempo, ignorava a tolerância, e a palavra "liberdade" significava para ele mais um privilégio do que independência. Mas a criatividade dos homens e das mulheres da Idade Média, do "trabalhador" ao teólogo e aos artistas, era grande e ainda mais admirável por precisar ultrapassar os entraves, as fraquezas, os riscos e os preconceitos de uma humanidade frágil.

A inspiração geral desta obra vem de Marc Bloch, um dos fundadores dos *Annales*, revista que desde 1929 contribuiu mais que qualquer outra para a rápida evolução da ciência histórica. Mesmo que um dicionário, embora "analítico", não se compare nem a um manifesto como *Apologia da história ou o ofício de historiador*, nem ao programa evolutivo de uma revista como os *Annales*, o leitor encontrará aqui mais de uma sugestão vinda dessa corrente historiográfica: o interesse pela "história-problema", ou seja, por perguntar mais do que buscar os "fatos"; um pensamento que se refere à estrutura, a relações, e não a objetos isolados, mas sem renunciar à história dos acontecimentos (com a condição de apreendê-los em seu contexto verdadeiro), nem à história-relato (com a condição de elucidar o estatuto da "intriga" construída pelo historiador), nem à biografia (se ela permitir repensar as relações entre indivíduo e sociedade em uma dada época). São igualmente propostas a inscrição dos fenômenos na complexidade do social e na longa duração; uma compreensão do passado à luz do presente e vice-versa; enfim, a convicção de que a história tem tudo a ganhar ao se confrontar com outras disciplinas, e notadamente com outras ciências sociais (antropologia e etnologia, sociologia, linguística etc.).

Há mais ou menos vinte anos, uma parte importante desses novos caminhos colocou-se sob a etiqueta de "antropologia histórica". Tal marca é claramente perceptível neste dicionário, porque já há vários anos nossos trabalhos de medievalistas estão nessa esfera de influência. A expressão "antropologia histórica" torna explícita nossa ambição interdisciplinar: trata-se de enriquecer a reflexão dos historiadores no contato com a antropologia social e cultural, tomando desta métodos (por exemplo, a análise estrutural, tal como definida por Claude Lévi-Strauss) e também objetos e problemas até então pouco familiares aos historiadores: veremos mais de

Dicionário analítico do Ocidente medieval

um exemplo disso, notadamente a propósito do "Maravilhoso", do "Parentesco" ou dos "Ritos", ou na renovação de questões clássicas, como "Senhorio". Mas é claro – e bom – que nem todos os verbetes do dicionário seguem uma única abordagem. É melhor que a gama de modelos e métodos esteja largamente aberta, e que os historiadores passem seu tempo a experimentar "novas abordagens", confrontando suas próprias concepções àquilo que percebem das realidades do passado e das representações que os homens do passado deram a si próprios do mundo no qual viviam.

Jacques Le Goff e Jean-Claude Schmitt
Tradução de Vivian Coutinho de Almeida

Nossa gratidão vai primeiramente a todos os autores, colegas e amigos, por sua contribuição e seu engajamento, a nosso lado, nesta obra coletiva. Foi Ran Halévi que teve a iniciativa e decidiu nos confiar sua responsabilidade: nós lhe agradecemos pelo rigor com que nos guiou, ao mesmo tempo deixando-nos livres em nossas escolhas científicas.

Enfim, devemos exprimir nossa gratidão a Christine Ehm, Christine Bonnefoy, Aline Debert e Catherine Duby pela ajuda preciosa que nos deram em diversos momentos da preparação do manuscrito.

Além

O Além dos homens e mulheres do Ocidente medieval é o do cristianismo. Apenas os judeus não creem nele, pois mesmo os heréticos têm uma visão do Além que, em geral, só se diferencia da visão cristã por características relativamente secundárias. Esse Além recolhe as heranças vindas do paganismo greco-romano, das religiões e crenças orientais, do Antigo Testamento e do judaísmo, mas é fundado sobretudo nos Evangelhos e no Novo Testamento em geral.

Uma religião de salvação

O cristianismo é uma religião de salvação, aquela que teve maior sucesso por volta do início da era cristã, época que já foi qualificada como "idade da angústia". A preocupação dos homens e mulheres com o pós-morte ocupava então um lugar essencial. Tal cuidado não concernia somente ao "estado" dos indivíduos, mas também à localização de suas vidas futuras. O cristianismo professa a ressurreição dos corpos, cujo modelo e garantia é a ressurreição de Jesus após sua morte terrestre na cruz. O destino da humanidade ressuscitada não depende apenas da vontade de Deus todo-poderoso, pois este respeita as regras que fixou, fazendo a situação dos homens e mulheres no Além depender de como se comportaram durante sua vida terrena. Um sistema binário distingue e opõe os lugares do Além

Dicionário analítico do Ocidente medieval

e seus habitantes humanos. Depois da ressurreição, que ocorre no fim do mundo, os "bons" vivem eternamente num lugar de delícias, o Paraíso, enquanto os "maus" são condenados a permanecer também eternamente num lugar de suplícios, o Inferno. No fim dos tempos, um julgamento final presidido por Cristo deve enviar, de forma definitiva e por toda a eternidade, os bons para o Paraíso e os maus para o Inferno.

Após rever todas as passagens das Sagradas Escrituras que fundamentam a existência do Além e definem suas principais características, examinaremos os problemas que se colocam sobre o tema para os cristãos da Antiguidade tardia e da Idade Média. Depois evocaremos os relatos de viajantes no Além que permitiram àqueles cristãos conhecer os dois lugares opostos e essenciais do Além: o Paraíso para os bons, os eleitos, e o Inferno para os maus, os danados. Veremos como, a partir do século XII, a geografia do Além muda profundamente com a invenção de um terceiro lugar intermediário, o Purgatório, e com a associação de dois lugares complementares, os dois limbos. Após haver circunscrito as relações que, na Idade Média, o Além estabelece entre os vivos e os mortos, assinalaremos a evolução e os problemas dessas relações em fins da Idade Média.

O Aqui e o Além

A crença nesse Além confere à vida dos cristãos medievais características particulares. A vida aqui embaixo é um combate, um combate pela salvação, por uma vida eterna; o mundo é um campo de batalha onde o homem se bate contra o Diabo, quer dizer, em realidade, contra si mesmo. Pois, herdeiro do Pecado Original, o homem está arriscado a se deixar tentar, a cometer o mal e a se danar. Confrontam-se nele o vício e a virtude, pondo em jogo seu destino eterno. Vindo das tradições guerreiras pertencentes tanto à herança romana quanto à herança bárbara, o tema gnóstico do combate dos vícios e das virtudes, que se introduz muito cedo na literatura e na iconografia cristãs, faz descer sobre a terra, na alma de cada cristão, a perspectiva do Além. Sobre esse campo de batalha de vida ou morte que é o mundo, o homem tem por aliados Deus, a Virgem, os santos, os anjos e a Igreja, e sobretudo sua fé e suas virtudes; mas tem também inimigos: Satã, os demônios, os héreticos e, sobretudo, seus vícios e a vulnerabilidade advinda do Pecado Original. A presença do Além deve ser sempre consciente e viva para o cristão, pois ele arrisca a salvação a cada instante de sua existência, e mesmo se ele não está consciente, esse combate por sua alma é travado sem trégua aqui embaixo. O cotidiano vivido do cristão ou da cristã da Idade Média é feito de uma trama escatológica. Daí o pavor da morte súbita. Quem pode nesse combate pretender estar a cada instante puro de todo pecado e em luta contra Satã? O Além é uma dimensão imediata da vida neste mundo.

Fundamentos escriturais

A oposição entre os lugares do Além e seus habitantes é fundamentalmente atestada pelos Evangelhos e pelo Antigo Testamento. Nos três Evangelhos ditos "sinóticos", a versão de Mateus (25,31-46) diz que depois do Juízo Final, no fim do mundo, Cristo fará os bons (os "justos") sentar-se à sua direita e os maus à sua esquerda, e declarará aos da esquerda: "Apartai-vos de mim, malditos, para o fogo eterno preparado para o Diabo e para os seus anjos [os demônios]", e aos da direita: "Vinde, benditos de meu Pai, recebei por herança o Reino [dos Céus] preparado para vocês desde a fundação do mundo". E Mateus conclui: "E irão estes [os malditos] para o castigo *eterno, enquanto os justos irão para a vida eterna*". João, no seu Evangelho (5,25-9), situa na própria ressurreição a separação entre os ressuscitados e a diferença de suas destinações e de seus destinos: "vem a hora em que todos os que repousam nos sepulcros ouvirão a sua voz [do Filho de Deus] e sairão; os que tiverem feito o bem, para uma ressurreição de vida; os que tiverem praticado o mal, para uma ressurreição de julgamento [quer dizer, de condenação]".

A confirmação da existência do Paraíso, que remete ao Jardim do Éden, ao "Paraíso das delícias" criado por Deus segundo o relato do Gênesis, no Antigo Testamento, encontra-se no Evangelho de Lucas, na Segunda epístola de São Paulo aos coríntios e no Apocalipse. Lucas conta que Jesus, antes de expirar na cruz, diz ao bom ladrão crucificado à sua direita: "Em verdade, eu te digo, hoje estarás comigo no Paraíso" (Lucas 23,43). Paulo afirma haver sido "arrebatado" ao terceiro céu, quer dizer, ao Paraíso: "foi arrebatado até o Paraíso e ouviu palavras inefáveis" (2 Coríntios 12,4).

E o Apocalipse (2,7) declara: "Quem tem ouvidos, ouça o que o Espírito diz às Igrejas: ao vencedor, conceder-lhe-ei comer da árvore da vida que está no Paraíso de Deus".

O Paraíso do Além, ou Paraíso celeste, deve ser distinguido do Paraíso terrestre, o Éden, do qual ele é a duplicata eterna (o Paraíso terrestre continua existindo num recanto inacessível da terra, vazio de habitantes, com exceção, talvez, de dois justos do Antigo Testamento, preservados da morte, Elias e Henoc). Do mesmo modo, é preciso distinguir o Inferno, lugar de suplícios para os eternamente condenados, dos Infernos próximos do *sheol* judaico e do Hades ou Tártaro pagão greco-romano, onde esperam os justos que não conheceram o Cristo. Estes, forçosamente não batizados, tiveram que esperar que Jesus, entre sua morte e sua ressurreição, descesse à terra e os livrasse, inclusive o primeiro par humano, Adão e Eva, salvos apesar do Pecado Original.

A existência de um Inferno que se afasta da imagem antiga dos Infernos para se aproximar daquela do Inferno dos danados onde reina Satã, é atestada pela parábola do rico mau e do pobre Lázaro, no Evangelho de Lucas (16,22-6), na qual o rico mau está "na mansão dos mortos [o Hades], em meio a tormentos", vê de longe o pobre Lázaro no seio de Abraão (quer dizer, o lugar de repouso que é a antecâmara do Paraíso) e suplica a Abraão que lhe envie Lázaro para molhar "a ponta de seu dedo para me refrescar a língua, pois estou torturado nesta chama". Isso é impossível, pois se o mau pode ver Lázaro, este não pode ir aos Infernos: um abismo separa o Hades do Paraíso, e o rico está condenado a torturas perpétuas. Esse texto é a certidão de nascimento do Inferno cristão. Ele também funda nas Sagradas Escrituras a aspiração ao estabelecimento de relações entre vivos e mortos, inclusive no caso-limite, desesperado, do apelo de um condenado sem remissão por toda a eternidade pela intervenção de quem quer que seja, mesmo de um eleito. Os esforços para construir um sistema de intercessões, pelo qual vivos e mortos ajudam-se mutuamente para ganhar o Paraíso e escapar do Inferno, vão representar uma parte importante da devoção medieval. Essa solidariedade diante do Além será um dos principais cimentos de diversos grupos humanos: famílias carnais e famílias espirituais. Na Idade Média, o Além foi o cacife no jogo devocional e social.

Além

As práticas ligando vivos e mortos e as instituições de memória frequentemente tiveram o Além como cacife, e também como instrumento para as estratégias terrestres, a busca de alianças e de poderes aqui embaixo.

No Novo Testamento, o evento mais espetacular concernente ao Inferno é a descida de Cristo aos Infernos, que é atestada pelos apóstolos Pedro e Paulo. Pedro, na sua primeira Epístola, desenvolvendo o que diz Atos dos apóstolos, que afirma que Deus "libertou" seu filho "das angústias do Hades", declara que é "em espírito" que Jesus, "morto na carne, [...] foi também pregar aos espíritos em prisão" (1 Pedro 3,18-22). Paulo, na Epístola aos romanos (10,6), interpreta as palavras de Moisés no Deuteronômio – "Quem descerá ao abismo?" – como significando que Cristo se levantará de entre os mortos. Esse episódio faz de Cristo o sucessor dos deuses e dos heróis (Gilgamesh, por exemplo, na mitologia oriental) que são levados a vencer a morte em seu antro, como veremos mais adiante. Cristo é o deus vitorioso e libertador que funda o cristianismo como religião de vida.

Detalhes mais numerosos e precisos serão dados por textos apócrifos judaicos e cristãos entre os séculos I e V, apesar das condenações dos Pais da Igreja, em particular Santo Agostinho. De modo geral, desde os primeiros séculos do cristianismo e durante a Idade Média, o Além suscitou toda uma literatura apócrifa e relatos à margem da ortodoxia católica.

O Além foi um dos grandes domínios do imaginário medieval. Inspirou uma importante literatura de ficção e uma rica iconografia, testemunhando a fecundidade da atividade criativa dos artistas medievais. Ele se constituiu num grande reservatório de imagens encarnando a ideologia e a sensibilidade cristãs e desempenhando um papel concreto na luta escatológica do cristão: escada para subir ao Céu, balança que pesa a alma, boca ou poços do Inferno nos quais se tenta não cair, fogo ao qual escapar...

Data e espera do julgamento

Desde os primórdios do cristianismo, o sistema Juízo Final/Inferno/Paraíso colocou difíceis problemas aos cristãos. A localização dos dois lugares do Além em relação à terra foi rapidamente estabelecida: o Inferno está situado sob a terra, o Paraíso encontra-se no Céu, e os termos "Céu" e "Paraíso" tornaram-se sinônimos, embora a cartografia do Além tenha, durante longo tempo, feito a distinção entre muitos céus, dos quais o Paraíso seria o mais alto, o Céu superior. De modo geral, coexistiram um céu cósmico natural, cujo conhecimento decorria da ciência, amplamente emprestado pelos medievais da cosmologia grega antiga, e um Céu metafísico, residência eterna de Deus e dos eleitos.

As duas principais questões postas pelo Além são a data do julgamento, pelo qual Deus envia alguém falecido ao Céu ou ao Inferno, e a possibilidade de retardar o julgamento definitivo pelo período que vai da morte individual ao Juízo Final. Sobre o primeiro ponto, defrontaram-se duas posições que foram, ambas, admitidas pela Igreja medieval. Para uns, todos os mortos deveriam esperar o Juízo Final no fim dos tempos antes de conhecer sua sorte no Além. Para outros, Deus acolhe no Paraíso, imediatamente depois da morte, os eleitos indiscutíveis, os santos que escapam ao Juízo Final ou este não é para eles senão uma formalidade, uma confirmação sem surpresa.

Quanto à possibilidade de uma espera num lugar particular para os futuros eleitos, diversas soluções foram consideradas. Nos primeiros séculos cristãos, imaginou-se um lugar de repouso, o *refrigerium*, em tudo oposto ao fogo devorador que caracteriza o Inferno. Uma outra concepção, que durou até o século XIII e que produziu uma abundante iconografia, fez os futuros eleitos esperarem no "seio de Abraão". Os elementos constitutivos da ideia expressa nessas diversas concepções eram a ausência de castigos, de penas, de suplícios para esses mortos privilegiados, privados no entanto da maior felicidade de que gozam no Paraíso os eleitos definitivos: a graça de ver Deus face a face, a "visão beatífica". O seio de Abraao reconforta por um imaginário de retorno ao Pai e de envolvimento num calor maternal. Essas concepções iriam ser subvertidas pela invenção do Purgatório, no século XII.

Relatos de viagem ao Além

Como seria possível, para os mortais, conhecer durante a vida o Inferno e o Paraíso, ao menos nas suas principais características? Apenas pelas parcas

Além

notícias dadas pela Bíblia, sobretudo pelos Evangelhos, os vivos poderiam ser informados pelos relatos de viagem ao Além. Tais relatos, cuja origem encontra-se na literatura apocalíptica judaica e cristã do início da era cristã, desenvolveram-se no Ocidente latino sobretudo a partir do século VII. Trata-se de relatos feitos por homens a quem Deus havia dado a graça de visitar, em geral conduzidos por um anjo ou um arcanjo, o Inferno e o Paraíso, com exceção do santuário paradisíaco no qual Ele próprio residia, furtando-se à vista de todos (menos dos anjos e talvez dos santos) até a eternidade que começava após o Juízo Final.

Um evangelho apócrifo de origem grega, o *Evangelho de Nicodemo ou Atos de Pilatos,* conta a descida de Cristo aos Infernos, de onde ele faz sair, para conduzir ao Paraíso, os justos do Antigo Testamento, patriarcas e profetas que não foram batizados por terem vivido antes da Encarnação. O 4º livro de Esdras, que não tem a estrutura de uma viagem, dá detalhes sobre a sorte dos mortos. O Apocalipse de Pedro descreve sobretudo a escatologia dos últimos tempos e o Apocalipse de Paulo, também de origem grega e reescrito diversas vezes em latim desde o século V, descreve o Além tal como visto por São Paulo, "arrebatado no corpo" em sua viagem destinada a converter os não crentes ou incrédulos. São Paulo foi o primeiro dos "heróis cristãos" que, como Eneias entre os romanos pagãos, teria feito a viagem ao Além e retornado para contá-la. Depois de ter visto os anjos guardiães encarregados de relatar a Deus as boas e as más ações dos homens, Paulo é levado ao Céu por um anjo que o faz atravessar o firmamento onde se encontram os anjos bons e os anjos maus (os demônios). Lá começa a ascensão da alma do justo e da alma do ímpio e tem lugar o julgamento do mentiroso. Paulo é depois transportado ao terceiro Céu (ele não visitará os outros, que se estendem até o sétimo), onde encontra Henoc e Elias; a oriente, ele visita a Terra das Promessas e a Cidade do Cristo; a ocidente, as Trevas exteriores, onde são torturados os danados. Estes suplicam a Deus que lhes dê um descanso, o *refrigerium.* Paulo e o arcanjo Miguel fazem preces por eles e Cristo vem anunciar que lhes concede perpetuamente um repouso (sabático) de um dia e uma noite por semana. Por fim, o anjo leva Paulo para o Paraíso terrestre, onde ele vê a Virgem e os justos do Antigo Testamento. O Apocalipse de Paulo é o protótipo das viagens medievais ao Além e do imaginário medieval do Além, tendo conhecido um grande sucesso na Idade Média.

Os principais relatos latinos de viagem ao Além apresentam-se sob a forma de "visões", as quais beneficiam sobretudo os monges, uma vez que o mosteiro era considerado um lugar intermediário entre a terra e o Além, entre a terra e o Paraíso. Exemplos dessas visões são a do monge espanhol Bonellus e a de Barontus, monge da região de Berry, no século VII; a visão de Drythelm, relatada pelo anglo-saxão Beda, no início do século VIII; a visão de Wetti, monge de Reichenau, no começo do século IX; a do imperador Carlos, o Gordo, em 888; a do monge de Monte Cassino, Alberico de Settefrati, no começo do século XII, e a de seu contemporâneo, o irlandês Tnugdal; por fim, a do camponês inglês Thurkill, no início do século XIII. No século XII, a viagem do cavaleiro Owein ao "purgatório de São Patrício", na Irlanda, relatada por um cisterciense inglês, consagra a transformação da paisagem do Além pela localização do Purgatório.

As descrições do Paraíso e do Inferno feitas nesses relatos mostram que o Além cristão recolheu a maioria de seus elementos no imaginário dos aléns anteriores. Elas devem pouco ao Antigo Testamento e à tradição judaica, com exceção dos dois temas paradisíacos do Jardim do Éden e da Jerusalém Celestial. O Inferno judaico, que pouco distingue entre tumba e Além, é um mundo triste e sombrio, o Sheol, que não gerou descrições. As principais heranças de imagens, no que diz respeito aos suplícios infernais, vêm da Índia e sobretudo do Irã e do Egito. Entre os babilônicos, na *Epopeia de Gilgamesh,* seu amigo Enkidu visita os Infernos e os descreve. Na Grécia antiga, Orfeu, Pólux, Teseu, Hércules, Ulisses (no livro 11 da *Odisseia*) descem aos Infernos, embora a grande herança venha de Roma, com a viagem de Eneias, no livro 6º da *Eneida*, de Virgílio. É sobre a terra que está situado o duplo Além, onde, depois da descida por um vestíbulo, a travessia do campo dos mortos sem sepultura e a passagem do rio Estige, alcança-se uma bifurcação que leva, à esquerda, ao Tártaro (Inferno), trevas cheias de gemidos e estrondos, e à direita aos Campos Elísios (Paraíso), luminosos prados de onde se elevam cantos de felicidade.

Certos elementos das visões paradisíacas ou infernais foram tomados dos folclores pagãos, notadamente célticos e germânicos. Esses vestígios folclóricos que se encontram nas descrições do Purgatório, nos séculos XII e XIII, suscitaram reservas de teólogos de alto nível intelectual, como São Tomás de Aquino, que recusavam esse imaginário "popular" e pagão.

O julgamento: Paraíso ou Inferno?

A imagem cristã do Além está, no essencial, fixada desde a Alta Idade Média. Para chegar a ele, é necessário passar seja pelo julgamento coletivo do Juízo Final, seja por um julgamento individual. No primeiro caso, o ator principal é Cristo, juiz tronado em um tribunal que lembra a antiga justiça romana. Os veredLtos são dados depois da consulta aos livros guardados pelos anjos, onde são consignadas as boas e as más ações dos homens. No segundo caso, o momento capital é a pesagem das almas, efetuada depois da ressurreição pelo arcanjo Gabriel. O porteiro do Paraíso, São Pedro, e o senhor do Inferno, Satã, disputam a alma pesando-a num ou noutro prato da balança. Obtido o veredito, os eleitos sobem ao Paraíso, para os quais São Pedro abre a porta, enquanto os danados são jogados na boca do Inferno.

O Paraíso é um lugar de paz e alegria, desfrutadas pelos eleitos através de seus principais sentidos: flores e luz para os olhos, cânticos para os ouvidos, odores suaves para o nariz, gosto de frutos deliciosos para a boca, panos aveludados para os dedos (pois os pudicos eleitos vestem, em geral, belas togas brancas, só alguns artistas devolvem a eles a nudez da inocência do Paraíso terrestre antes da Queda). Algumas vezes, o Paraíso é circundado de altos muros de pedras preciosas e compreende espaços concêntricos protegidos, eles também, por muros, cada espaço ficando mais luminoso, mais perfumado, mais saboroso, mais harmonioso, à medida que se aproxima do centro em que reside Deus e que mantém reservada a visão beatífica. O Paraíso do Gênesis era um jardim de acordo com as realidades climáticas e imaginárias dos orientais; o Paraíso do Ocidente medieval, mundo de cidades antigas e novas, foi concebido sobretudo sob forma urbana, no interior de uma muralha, tendo como modelo a Jerusalém Celestial. Esse Paraíso era estritamente reservado aos bons "batizados", sendo o batismo o passaporte necessário (mas não suficiente) para o Paraíso.

Dicionário analítico do Ocidente medieval

O Inferno é caracterizado por um fogo sempre renascente que queima ininterruptamente os danados, emitindo apenas fumaça enegrecida e iluminando com vermelhões horríveis um mundo de trevas, de gritos, de ruídos apavorantes, de fedor. É um Inferno vermelho e negro. O pior é que os danados sofrem perpetuamente os cruéis suplícios infligidos por horrendos demônios. Quando se entrevê a paisagem, ela é horrível, composta de montanhas escarpadas, de vales profundos, de rios e lagos fétidos, cheia de metal em fusão, de répteis e de monstros. Chega-se a esse Inferno seja pela queda em um poço, seja pela prova, impossível de vencer, de caminhar sobre precipícios por uma ponte cada vez mais estreita e mais escorregadia. Algumas vezes, o Inferno é dividido em diversos recintos, encerrando as diferentes categorias de pecadores condenados; outras vezes, é um só lugar, mas estruturado em círculos especializados segundo o castigo infligido aos danados, ou em planos cada vez mais escuros e ardentes que conduzem ao último e mais profundo, onde reina Satã em pessoa.

Se o Além cristão medieval recolheu uma grande parte do imaginário dos aléns pagãos, apresenta, no entanto, uma diferença de estrutura essencial. Inferno e Paraíso não estão justapostos sob a terra, mas orientados entre o alto e o baixo, orientação simbólica fundamental do sistema espacial cristão: o Céu superior, o bem, no alto; o Inferno inferior, o mal, embaixo.

A assimilação Céu-Paraíso exprime a concepção fundamental do cristianismo, o qual, mais que as religiões e filosofias anteriores, define o itinerário da alma, a realização da ascese salvadora, como uma ascensão para o alto, para o Céu, isto é, para Deus. É refazer o movimento que coroa a vida terrestre de Jesus e da Virgem: Ascensão, Assunção, que resgata da descida aos Infernos. Uma imagem do Antigo Testamento conheceu grande fortuna na iconografia medieval do Além celeste. É a da escada de Jacó (Gênesis 28,10-22): "Teve um sonho: eis que uma escada se erguia sobre a terra e o seu topo atingia o céu, e anjos de Deus subiam e desciam por ela. Eis que Iahweh estava de pé diante dele e lhe disse: 'Eu sou Iahweh, o Deus de Abraão, teu pai, e o Deus de Isaac. A terra sobre a qual dormiste, eu a dou a ti e à tua descendência'". Essa visão, que exprimia a divina vocação do povo de Israel para possuir a Terra Prometida, foi deslocada pela Igreja e pelos artistas medievais para evocar as relações constantes entre o

Céu e a terra, o papel dos anjos, a possibilidade dos favoritos de Deus de se elevarem por uma escada simbólica interpretada como a dos graus de perfeição. Ela serve de lição para mostrar homens de diferentes estados religiosos: leigos, clérigos, monges, elevando-se, pelo desejo e pela virtude, para o Céu, embora frequentemente, chegados a uma certa altura e tomados pela concupiscência do mundo, baixem os olhos para a terra (por exemplo, o eremita para o seu pequeno jardim) e caiam, frustrando sua salvação. A Igreja restabelecia, assim, uma hierarquia espiritual no caminho do Além celestial. Ademais, a evocação dos anjos lembra que, segundo a concepção hierárquica do Pseudo-Dioniso, mesmo entre os anjos e os arcanjos, modelos da sociedade terrestre, há uma hierarquia. No Paraíso e no Inferno há igualdade de alegria ou de tormento, mas na Baixa Idade Média, como em *A divina comédia*, de Dante, cada vez mais eleitos e danados são separados em círculos evocando a classificação horizontal dos "estados" terrestres, por vício ou virtude dominante.

De modo geral, é preciso não esquecer as relações de troca permanentes que unem no espaço e no tempo os vivos e os mortos, Deus, Satã e os homens. O Além eterno está sempre presente na vida terrestre. Continuamente, os anjos, mais raramente o Filho de Deus e a Virgem, sobem e descem entre o Céu e a terra, entre Deus e os homens, e o mesmo fazem, vindos do Inferno, demônios malvados e o próprio Satã. O Além participa da história terrestre. Visões, milagres e maravilhas, independentes das viagens excepcionais de alguns privilegiados, estabelecem no Ocidente medieval os laços entre o Aqui e o Além.

O poder da Igreja

A peça essencial do sistema não foi o Paraíso, mas o Inferno. A Igreja Católica, para incitar os fiéis a trabalhar por sua salvação, apresenta-lhes mais o medo do Inferno do que o desejo do Paraíso. Diante da morte, eles temiam menos a própria morte do que o Inferno. Assim se instala, apesar de algumas nuanças, um cristianismo do medo. Essas práticas mostram como a Igreja medieval utiliza o Além para assentar sua dominação sobre os cristãos e justificar a ordem do mundo pela qual ela vela. Em seu ensinamento sobre o Juízo Final, ela dá um papel essencial, como porteiro do Paraíso, a São Pedro, o chefe da Igreja. Sobretudo, em sua pastoral, ela põe em evidência, notadamente na pregação, a função do Além criado por Deus para corrigir as desigualdades e as injustiças da sociedade terrena. Lembrando que todos os homens são irmãos, filhos de Deus, e a seus olhos desiguais apenas por sua fé e seu comportamento, ela acalmava os excessos dos poderosos e dos maus daqui de baixo, mas sobretudo a impaciência dos pobres e dos oprimidos, pela evocação dos misericordiosos. Assim se explica por que, desde Santo Agostinho, a Igreja combateu tão energicamente todos os revolucionários e reformadores que apelaram para o advento da terra de santos que fará reinar a justiça no fim dos tempos, durante o longo período do Milênio de que fala o Apocalipse. Ela condenou os milenaristas como heréticos. O Além foi, assim, em outra visão da história que tinha suas referências escriturais, mais um elemento nas lutas ideológicas da Idade Média.

Nova geografia do Além: um terceiro lugar, o Purgatório

O Além cristão bipolar permaneceu sem modificações até o século XII. Grandes mudanças religiosas e sociais levaram então ao nascimento de uma nova sociedade que transformou sua visão do mundo não somente Aqui, mas também no Além. Santo Agostinho havia dividido os homens em quatro categorias: os "completamente bons", destinados ao Paraíso; os "completamente maus", enviados ao Inferno; os "não totalmente bons" e os "não totalmente maus", dos quais não se sabia muito bem a sorte que Deus lhes reservava. Imaginou-se que os defuntos que pela ocasião da morte só estavam carregados de pecados "leves" desfaziam-se deles sofrendo "penas purgatórias" por meio de um "fogo purgatório", semelhante ao fogo do Inferno e situado em "lugares purgatórios". A localização desses lugares continuava muito vaga. O papa Gregório Magno, em fins do século VI, imaginou que eles poderiam se encontrar na terra, mas a solução mais frequente foi distinguir no Inferno uma geena inferior, o Inferno propriamente dito, de onde não se saía nunca, e uma geena superior, de onde se poderia, depois de um tempo mais ou menos longo de suplícios e purgação, subir ao Paraíso. Na segunda metade do século XII, inventou-se um lugar independente para esses eleitos sob sursis, o Purgatório. Esse foi o "terceiro lugar do Além", intermediário entre o Paraíso e o Inferno, lugar que desaparecerá no Juízo Final, esvaziado de seus habitantes, todos elevados ao Céu. O tempo de estadia no Purgatório dependia de três fatores. Ele era, primeiro, proporcional à quantidade de pecados (chamados doravante "veniais", isto é, remissíveis, por oposição aos pecados mortais, irremissíveis para evitar o fogo do Inferno) dos quais o defunto estava carregado no momento de sua morte. Dependia, em seguida, dos "sufrágios" (preces, esmolas, missas) que os vivos, parentes ou amigos, pagavam para abreviar o tempo de purgatório de certas "almas". Por fim, a Igreja, mediante pagamento em dinheiro, podia obter para certos defuntos o perdão integral ou parcial de seu tempo restante de purgatório. Tais foram as "indulgências", que a Igreja tornou objeto de um comércio cada vez maior a partir do século XIII. O Purgatório, enfim, era de sentido único: não se saía dele senão para ir ao Paraíso, não se podia "retroceder" para o Inferno.

Foi grande a importância desse terceiro lugar, que esvaziava parcialmente o Inferno e substituía o sistema binário do Além por um sistema mais complexo e mais flexível, adequado à evolução dos "estados" sociais na terra e que foi largamente difundido pelos frades das Ordens Mendicantes criadas no começo do século XIII (dominicanos, franciscanos). Ele assegurou o triunfo do julgamento individual no momento da morte e, completando o sistema da confissão individual obrigatória para todos os vivos ao menos uma vez por ano, determinado pelo IV Concílio de Latrão (1215), contribuiu grandemente para a afirmação do indivíduo em relação aos grupos e às ordens, o que caracteriza o fim da Idade Média. O Purgatório transformou as estruturas e os comportamentos sociais do Aqui. Esteve na origem de uma matematização dos pecados e das penitências que engendrou, nesse tempo de desenvolvimento do comércio e dos mercadores, uma "contabilidade do Além". Enfim, aumentou consideravelmente o poder da Igreja (que no século XIII fez da existência do Purgatório um dogma) sobre os mortos, estendendo ao Além do Purgatório, por intermédio dos sufrágios e das indulgências, que dependiam dela, um poder de jurisdição que anteriormente pertencia apenas a Deus.

O sistema dos "cinco lugares"

Foi nessa época de organização da nova sociedade terrestre, em meados do século XIII, que se fixaram a cartografia e o sistema do Além (de São Bernardo a São Tomás de Aquino). Aos três lugares fundamentais – Paraíso, Purgatório, Inferno – acrescentaram-se dois limbos: Limbo dos Patriarcas, antiga residência dos justos antes da encarnação do Cristo e da instituição do batismo, esvaziado por Jesus quando de sua descida aos Infernos, de onde ele fez seus habitantes subirem ao Céu; Limbo das Crianças, residência das crianças mortas antes de terem recebido o batismo. Durante longo tempo, esses infelizes foram enviados ao Inferno, mas a liberalização e a casuística dos séculos XII e XIII criaram para eles esse lugar especial de repouso sem penas (embora privado da visão beatífica).

A nova organização do Além inspirou a grande obra-prima da literatura cristã medieval, *A divina comédia*, de Dante (começo do século XIV), na qual o poeta, guiado por Virgílio, visita todos os lugares do Além: os círculos do Inferno, encerrando os danados por categorias de pecados mortais, os do Purgatório, figurado como uma montanha que se galga para chegar às belezas e às alegrias do Paraíso.

Além e governo da sociedade terrestre

Uma nova visão do Paraíso enriquece também o imaginário do Além no fim da Idade Média. No período precedente, enquanto o Céu aparecia cada vez mais como a cidade-modelo regida pelo bom governo, o Inferno assemelhava-se cada vez mais com a cidade do mal, do mau governo pervertido por um Satã encarnando o mau senhor feudal ou o tirano vicioso e cruel. Nos séculos XIV e XV, o modelo da monarquia moderna em construção inspirou a transformação da sociedade paradisíaca numa corte celeste onde, ao redor do monarca divino, ao redor de um Deus-Sol, agrupavam-se harmoniosamente modelos de beleza e de obediência, os coros de anjos e de arcanjos, os santos e as santas aureolados. Essa era a corte celeste, a corte do Paraíso, que entronizou uma imagem gloriosa da monarquia terrestre caminhando em direção ao absolutismo. O cerimonial da corte foi o reflexo dos esplendores do Paraíso.

O Além cristão medieval não mudou quase nada nos tempos modernos. A Reforma, a começar por Lutero, recusou o Purgatório, não atestado na Bíblia, considerada fonte de vergonhosas manipulação e exploração por parte da Igreja. O estudo de textos e de imagens do século XV permite a questão: os homens e as mulheres do fim da Idade Média ainda acreditavam no Inferno? Essa crença, apesar dos esforços da Igreja, parece então muito atenuada. É que os cristãos, manifestando o surgimento de uma sensibilidade moderna, tinham naquele momento menos medo do Inferno do que da etapa que precede o Além: a morte.

JACQUES LE GOFF
Tradução de José Carlos Estêvão

Ver também

Anjos – Bíblia – Deus – Pecado

Orientação bibliográfica

BASCHET, Jérôme. *Les Justices de l'au-delà*: les représentations de l'Enfer en France et en Italie (XIIᵉ-XVᵉ siècle). Roma: École Française de Rome, 1993.

BERNSTEIN, Alan. *The Formation of Hell*. Ithaca: Cornell University Press, 1993.

BYNUM, Caroline W. *The Ressurrection of the Body in Western Christianity from 200 to 1336*. Nova York: Columbia University Press, 1995.

CAROZZI, Claude. *Le Voyage de l'âme dans l'au-delà d'après la littérature latine (Vᵉ-XIIIᵉ siècle)*. Roma: École Française de Rome, 1994.

_____. *Eschatologie et au-delà*: recherches sur l'*Apocalypse* de Paul. Aix-en-Provence: Université de Provence, 1994.

CHIFFOLEAU, Jacques. *La Comptabilité de l'au-delà*: les hommes, la mort et la religion dans la région d'Avignon à la fin du Moyen Âge (v.1320-v.1480). Roma: École Française de Rome, 1980.

CICCARESE, Maria Pia (ed.). *Visioni dell'aldilà in Occidente*: fonti, modelli, testi. Florença: EDB, 1987.

DELUMEAU, Jean. *Mil anos de felicidade*: uma história do Paraíso. São Paulo: Companhia das Letras, 1997.

DINZELBACHER, Peter. *An der Schwelle zum Jenseits*: Sterbevisionem im interkulturellen Vergleich. Friburgo, Bresgau: Herder 1989.

HECK, Christian. *L'Échelle céleste dans l'art du Moyen Âge*: une image de la quête du Ciel. Paris: Flammarion, 1997.

HIMMEL, Holle, Fegefeuer. Das Jenseits im Mittelalter: eine Ausstellung des Schweizerischen Landesmuseums in Zusammenarbeit mit dem Schnütgen-Museum und der Mittelalterabteilung des Wallraf-Richartz-Museums der Stadt Köln. Catálogo de Peter Jezler. Zurique, 1994.

KAPLLER, Claude (ed.). *Apocalypses et voyages dans l'au-delà*. Paris: Cerf, 1987.

LANG, Bernhard; McDANNELL, Colleen. *Heaven, a History*. New Haven: Yale University Press, 1988.

LE GOFF, Jacques. *O nascimento do Purgatório* [1981]. Lisboa: Estampa, 1993.

MORGAN, Alison. *Dante and the Medieval Other World*. Cambridge: Cambridge University Press, 1990.

PATCH, Howard Rallin. *The Other World*: According to Description in Mediaeval Literature. Cambridge (Mass.): Harvard University Press, 1950.

RUSSELL, Jeffrey B. *Storia del Paradiso*. Bari: Laterza, 1996.

SCHMITT, Jean-Claude. *Os vivos e os mortos na sociedade medieval* [1994]. São Paulo: Companhia das Letras, 1999.

VOERGRIMMLER, Herbert. *Geschichte der Hölle*. Munique: W. Fink, 1993.

VOVELLE, Michel. *As almas do Purgatório ou o trabalho de luto*. São Paulo: Editora Unesp, 2010.

Alimentação

A Idade Média herdou da Antiguidade dois modelos de produção e de alimentação rigorosamente opostos. A cultura grega e a cultura romana tinham traçado os contornos específicos de seu espaço ideal, organizando ao redor da cidade um campo metodicamente cultivado, o *ager.* Comparado a esse espaço, o terreno não cultivado (o *saltus*) adquiria uma significação negativa, como um lugar que não era humano, civil, produtivo. Certamente existiam formas marginais de exploração dos bosques e pântanos, mas a economia dominante dava clara prioridade, mesmo no plano ideológico, às práticas de cultivo: a horticultura, a cerealicultura (trigo) e a arboricultura (videira e oliveira), às quais se juntava uma criação essencialmente ovina. Daí resultava um regime alimentar muito rico em produtos de origem vegetal, à base de mingaus de farinha e de pão, vinho, azeite e legumes, completado com um pouco de carne e sobretudo com queijo (geralmente criavam-se cabras e ovelhas por causa de seu leite e de sua lã, mais do que por sua carne). Por outro lado, os alimentos de origem animal eram de primeira importância na cultura alimentar das populações célticas e germânicas, que praticavam – e promoviam ideologicamente – uma economia essencialmente silvopastoril, fundada na exploração de bosques e pastagens naturais mais que nas atividades de cultivo da terra. A caça, a pesca e a criação selvagem (sobretudo de porcos, que encontravam uma abundante alimentação nas florestas de planície e de montanhas baixas, fornecida principalmente pelos carvalhos)

Dicionário analítico do Ocidente medieval

eram as principais fontes de alimentação. A cerealicultura era praticada de maneira extensiva e intermitente. A dieta dessas populações era, portanto, baseada na carne, principalmente de caça e de porcos, de onde elas tiravam também a gordura empregada no cozimento ou como tempero. Inversamente, os alimentos vegetais desempenhavam um papel secundário, com os legumes sendo talvez mais importantes que os cereais. Tendo ignorado por muito tempo o emprego do vinho, antes de entrarem em contato com a civilização romana, essas populações tomavam bebidas fermentadas obtidas a partir de cereais (a cerveja), de frutas do bosque (a cidra) ou de leite de jumenta.

Perfeitamente coerentes e conscientes, esses dois modelos alimentares opunham-se como signos de identidade e de diferenciação culturais: à ideologia da "civilização" urbano-rural correspondia a mitologia dos bosques e da vida "selvagem", e à tríade pão-vinho-azeite, necessária e suficiente para definir o espaço da "civilização" dentro do qual evoluíam os mundos grego e latino, equivalia, na área céltica e germânica, a epopeia do porco concebido como a origem da vida e a própria essência do alimento e da nutrição. Aparentemente, trata-se da oposição entre "cultura" e "natureza"; na realidade, é confronto de duas culturas diferentes.

Durante a Alta Idade Média, essa oposição persistiu. Houve, entretanto, uma certa aproximação, graças a um duplo processo de integração — uma espécie de aculturação recíproca — que começou no século V ou VI e atingiu a maioridade durante os séculos seguintes. De certa forma, ocorreu no plano dos sistemas de produção e dos modelos de alimentação o mesmo fenômeno verificado no plano social e institucional: a criação progressiva de uma cultura mista "romano-germânica", totalmente inédita e original.

De um lado, o modelo "agrícola" da alimentação mediterrânea viu sua zona de aplicação crescer em direção ao norte, fosse por causa da fascinação que a civilização greco-romana e suas realizações materiais exerciam sobre os conquistadores "bárbaros", fosse por acompanhar a crescente difusão da fé e da cultura cristãs que, coerentemente com suas origens mediterrâneas, tinham feito do pão, do vinho e do azeite os alimentos consagrados de uma liturgia específica. De outro lado, o monasticismo contribuiu para a difusão de um estilo alimentar fundamentalmente vegetariano, visto como mais adequado ao ascetismo e à fuga do mundo. Foi também e sobretudo por essas razões que o pão e o vinho conheceram, ao longo dos primeiros séculos da Idade Média, uma extraordinária promoção de sua imagem, vindo a se transformar em valores alimentares largamente partilhados pela sociedade europeia – aliás, eles progressivamente perderam sua conotação mediterrânea original desde o momento em que, com a conquista árabe, o próprio Mediterrâneo tornou-se uma zona de contato com um mundo diferente, no qual aqueles alimentos não desempenhavam um papel tão essencial ou eram até proibidos, caso do vinho. Mesmo o uso do azeite difundiu-se no norte, embora se defrontasse, por razões de cultura e de gosto mais do que por razões de clima, com uma persistente predileção pelas gorduras animais. Entretanto, também aí as práticas litúrgicas e sobretudo a obrigação eclesiástica de não consumir produtos de origem animal durante certos dias da semana (a quarta e a sexta-feira) ou do ano (as quaresmas maiores e menores) favoreceram o emprego do óleo vegetal como substituto do toucinho e da banha, e contribuíram decisivamente para a criação de uma cultura alimentar mais complexa e mais diversificada.

Reciprocamente, a dominação política e social das tribos germânicas acarretou uma difusão maior de suas culturas, e sobretudo uma nova maneira de conceber a paisagem dos bosques e terrenos incultos: estes não eram mais vistos como obstáculos às atividades produtivas do homem, e sim como espaços igualmente produtivos, potencialmente exploráveis. A economia tomou então uma orientação de tipo silvopastoril (quando as condições climáticas e ambientais permitiam). O lugar da carne tornou-se central no regime alimentar, enquanto a importância da cerealicultura diminuía. Uma atenção particular foi dada à caça, à pesca em água doce (mais do que à pesca marítima, privilegiada pelos gregos e romanos) e, sobretudo, à pastagem dos porcos: conforme um costume de origem tipicamente germânica, começou-se a avaliar a importância dos bosques baseada no número de porcos que estes podiam alimentar (*silva ad saginandum porcos...*). Abandonando ou reduzindo a tradicional cultura do trigo (que só permaneceu central nas regiões mais impregnadas pela herança cultural romana, como no sul da Itália), enfatizou-se o cultivo de cereais mais grosseiros, que exigiam poucos cuidados: a cevada, a aveia, a espelta, o milho miúdo, o painço, o sorgo e sobretudo o centeio, verdadeira "invenção" da Alta Idade Média, pois os romanos tinham-no visto como uma erva daninha e ele se tornaria entre os séculos VII e IX o cereal mais cultivado na maioria dos países europeus.

Alimentação e sociedade

A Alta Idade Média viu então predominar um modelo "misto" de regime alimentar, no qual cereais e legumes coexistiam com a carne e o peixe: todos importantes, todos indispensáveis para assegurar a sobrevivência cotidiana da maioria, ou o prazer da elite. Sobrevivência ou prazer: a alternativa indica evidentemente a discriminação social. Mas deve-se ainda ressaltar que, durante a Alta Idade Média, a variedade e a diversificação do regime alimentar beneficiaram a todos, camponeses e senhores, *pauperes* (os "pobres", os "fracos") e *potentes* (os "poderosos"). Isso se explica pela concomitância de dois fatores decisivos: de um lado, os recursos ambientais e alimentares eram bem abundantes (e variados) para uma população que tinha começado a diminuir na Antiguidade Tardia, de modo que o pequeno número de pessoas a alimentar compensava de certa forma o nível técnico elementar do sistema de produção; de outro lado, o tipo de organização que regia as relações socioeconômicas — relações de poder, de propriedade e de produção — não excluía ninguém do uso efetivo dos recursos disponíveis: em tempos normais, o uso do território, os direitos de caça e de pesca, de pastagem e de colheita eram exercidos por todos, tanto nas terras dominiais quanto nas campesinas. Em suma, os produtos da caça, da pesca e da criação eram encontrados em todas as mesas, ao lado dos produtos da agricultura.

Existiam, é verdade, diferenças sociais no comportamento alimentar; contudo, elas diziam respeito mais às quantidades consumidas, que eram muito elevadas nas classes superiores, mesmo se é difícil avaliá-las quanto a pesos e calorias. O próprio fato de comer muito era visto na ética aristocrática (e em contradição com os valores da ética cristã, e particularmente os da cultura monástica) como um sinal de distinção social, de força e de nobreza. O episódio relatado por Liutprando de Cremona no século X, segundo o qual se recusou a coroa de rei dos francos ao duque de Espoleto por causa de seu apetite muito fraco ("não é digno de reinar sobre nós aquele que se contenta com uma pequena refeição"), é emblemático de uma realidade social e cultural na qual o alimento estava revestido de uma função semiótica bem precisa. A equação "poder = alimento" (que pode também ser lida em sentido inverso e que não mais exprime uma possibilidade, e sim uma obrigação social, como ilustra precisamente o caso de Guido de Espoleto) só pode adquirir tal significação numa sociedade e numa cultura angustiadas pelo problema da fome cotidiana: é isso que se deve ter em mente quando se observa uma diversificação geral do regime alimentar, pois, mesmo sendo mais rica que durante certas épocas posteriores, a alimentação não estava mais assegurada ou garantida. A penúria e a escassez são realidades bem conhecidas durante o período medieval. Especifiquemos, contudo, que, por causa da grande variedade de recursos econômicos e alimentares dos quais provavelmente se beneficiou a Alta Idade Média, a própria noção de escassez (designada nos documentos sob a forma genérica de *fames,* "fome") estava recoberta de uma significação multiforme e complexa: a "escassez" não se devia somente a uma colheita perdida (como nos séculos seguintes, marcados por uma profunda "agrarização" da economia e por uma "cerealização" do sistema alimentar), mas também pelo congelamento dos rios, impedindo a pesca, ou por um aumento da mortalidade dos animais selvagens, ou ainda pelo ressecamento dos frutos dos carvalhos, que deixava os porcos famintos. Tais eram as múltiplas preocupações da sociedade da Alta Idade Média, entre os séculos V ou VI e os séculos IX ou X.

Enfim, não se devem esquecer as componentes simbólicas e ideológicas da alimentação: a comunhão, a frequência dos jejuns, a condenação da gula, da indigestão e da embriaguez, com a *julce* estando ligada à *luxuria e* provocando pesadelos.

A expansão demográfica, encorajada desde o século IX ou X por uma situação alimentar globalmente favorável e verificada ao longo dos séculos seguintes com maior intensidade, pôs em crise o sistema de produção e provocou uma transformação gradual do regime alimentar das camadas inferiores da sociedade. De fato, por causa do caráter extensivo dos modos de produção, o crescimento da população acarretou um desenvolvimento da

Dicionário analítico do Ocidente medieval

agricultura em detrimento das atividades silvopastoris e um aumento das superfícies cultivadas em detrimento das pastagens e dos bosques. As menções de *novalia* ou de *runca* – terras recentemente desmatadas para a produção de cereais – multiplicam-se rapidamente nos documentos do período entre 1050 e o final do século XIII. As modificações da paisagem foram acompanhadas por uma transformação decisiva das relações sociais, econômicas e jurídicas: a exploração dos recursos silvestres e pastoris, que já tendiam a diminuir por si próprios, foi progressivamente reservada com maior ou menor rigor aos grupos dominantes da sociedade, sobretudo à classe nobre e, às vezes, às comunidades urbanas. Ao contrário, os seculares direitos das coletividades rurais foram questionados e, cada vez mais, contestados e limitados. A abolição ou pelo menos a regulamentação dos direitos de exploração dos espaços incultos – que prosseguiu de maneira cada vez mais sistemática a partir de meados da Idade Média – é talvez o acontecimento maior da história alimentar das camadas subalternas. Ela provocou uma diferenciação social dos regimes alimentares, ou melhor, uma tendência de essa diferenciação social (que de certa forma sempre existiu) exprimir-se especificamente no que se referia à qualidade. A alimentação das classes inferiores foi desde então essencialmente baseada em produtos de origem vegetal (cereais e legumes), enquanto o consumo de carne (principalmente de caça, mas também de carne fresca) tornou-se apanágio de poucos e foi sendo cada vez mais claramente visto como um sinal exterior de prestígio. A caça não era mais um direito comum e revestiu-se de todos os traços característicos de um privilégio. As atividades pastoris da maior parte dos camponeses foram concentradas e confinadas no interior dos domínios e sua importância global diminuiu sensivelmente. Em certo sentido, poderíamos dizer que a antiga oposição entre a cultura da carne e a do pão, que simbolizavam duas "civilizações" alimentares diferentes, ressurgiu sob uma forma radicalmente nova, revestindo a partir de então uma significação social.

Desde então, dos pontos de vista psicológico e nutricional, a "fome de carne" se impôs como um dos caracteres dominantes da alimentação "pobre", em perfeita complementaridade com a alimentação "rica", firmemente ligada ao valor preeminente da carne – carne que era realidade para alguns, mas um sonho para muitos. Assim, o fantasma "popular" da abundância, expressado pela invenção do país da Cocanha ou pela nostalgia de míticas Idades de Ouro, exprimia à sua maneira os objetivos alimentares (comer muito e *mostrar* isso) que os grupos privilegiados da sociedade perseguiam de forma sistemática. As duas atitudes impunham-se uma à outra, bem como à posição concorrente do monasticismo, que, ao exaltar a moderação alimentar e a abstinência de carne, terminava por confirmar — ao recusá-los — o domínio desses valores culturais.

Cidade e campo

A seguir vimos se desenhar em plena Idade Média – sobretudo em países como a Itália ou Flandres, mas também um pouco por toda parte – uma nova oposição entre os modelos de consumo "urbano" e "rural". Na cidade, o papel central que desempenhava o mercado permitiu que, doravante, uma grande parte da população recorresse a ele para garantir seu abastecimento. Enquanto os camponeses, excluídos das atividades silvopastoris, eram obrigados a contar com a produção de seu domínio e se viam levados a uma lógica de autossuficiência, as camadas urbanas tinham a possibilidade de aproveitar as oportunidades do mercado, que oferecia produtos variados e de qualidade. A essas vantagens vinham juntar-se medidas de ordem legislativa e política, às vezes apoiadas na força armada, por meio das quais as autoridades municipais se esforçavam – nem sempre com sucesso, é preciso dizer – em garantir um aprovisionamento regular e privilegiado no interior das muralhas da cidade. Os efeitos da economia de mercado sobre o regime alimentar foram, entretanto, contraditórios: se em tempos normais as camadas populares urbanas gozavam efetivamente de uma situação privilegiada, nos momentos difíceis, pelo contrário, elas se encontravam ainda mais dramaticamente expostas que os camponeses, fosse porque o nível dos preços podia tornar inacessíveis os produtos postos à venda, fosse porque a penúria de alimentos no mercado não podia ser compensada pelo recurso à própria produção (que ainda continuava a ocupar um certo lugar na organização dos citadinos: pensemos nas hortas, realidade onipresente da paisagem urbana).

Dicionário analítico do Ocidente medieval

A oposição entre *cives* ("citadinos") e *rustici* ("camponeses"), que em tempos normais era vantajosa para os primeiros, envolvia as camadas urbanas em seu conjunto e "seccionava" dessa forma em sentido vertical a estratificação horizontal da sociedade. Para começar, os citadinos comiam mais carne, e de forma mais variada: nas regiões onde a cultura das pastagens tinha registrado os maiores progressos, às vezes eles consumiam mesmo carne bovina (enquanto em outros lugares os bois permaneciam exclusivamente instrumentos de trabalho). Além disso, é geralmente para a cidade – para as casas de particulares ou para o mercado público – que se encaminhava o trigo, justamente esse trigo cuja produção em quantidades crescentes os cidadãos proprietários de domínios rurais empenhavam-se em estimular: eis por que os habitantes das cidades comiam pão branco de trigo, enquanto os camponeses geralmente continuavam a consumir cereais inferiores, sob forma de pão preto, de mingaus de farinha e de sopas. Bonvesino de la Riva nos informa, por exemplo, que, no século XIII, os camponeses do território milanês consumiam painço, feijões e castanhas "em lugar do pão" (*panis loco*). O modelo de alimentação "rural" associava, portanto, cereais inferiores, leguminosas – feijões e sobretudo favas, tradicionalmente cultivadas ao mesmo tempo que os cereais – e castanhas, cuja cultura cada vez mais difundida é uma inovação própria da Idade Média central (séculos XI-XIII): do mesmo modo que as terras de baixa altitude tinham sido desmatadas e conquistadas para a agricultura, nas de altitude superior, a tradicional floresta de carvalhos foi frequentemente convertida em floresta de castanheiras, essas "árvores de pão" (segundo a pitoresca expressão empregada na época) da qual se pode obter farinha tanto quanto dos cereais. Os dois fenômenos (expansão de terras cultivadas em detrimento da floresta e expansão das castanheiras em detrimento dos carvalhos) são contemporâneos e têm a mesma significação econômica e alimentar.

O fato de terem se libertado dos modelos rurais de consumo alimentar era para as camadas urbanas um importante motivo de orgulho e um fator de identificação: até a forma de comer demonstrava que pertenciam a uma comunidade privilegiada. Nos períodos de escassez, quando era preciso se contentar com cereais inferiores no lugar da farinha de trigo, a população descontente exprimia sua raiva por sentir-se rebaixada a um nível alimentar do qual ela tinha penosamente escapado. Quanto ao consumo de carne, é significativo que a "moda" urbana tenha consistido – na Itália, na França e em outros lugares – em abandonar ao menos em parte os produtos à base de carne de porco, que eram os mais típicos da alimentação tradicional, substituindo-os por outras carnes: sobretudo a ovina e, quando possível, a bovina.

O pão e a fome

Nas cidades da Baixa Idade Média, o lugar da carne na alimentação cotidiana manteve-se globalmente em nível bem elevado. Os cálculos efetuados pelos especialistas permitiram evidenciar, em diversos países europeus, como o Império germânico, a França e a Itália, níveis de consumo bastante diferentes – superiores nas regiões continentais, inferiores nas regiões mediterrâneas –, mas sempre maiores que os verificados nas épocas moderna e contemporânea. Desde aquele período, contudo, a predominância de produtos vegetais na alimentação popular parece incontestável. Os documentos e as crônicas dos séculos XII e XIII revelam-nos o papel a partir de então preponderante que desempenhavam os farináceos (cereais, leguminosas e castanhas) no regime alimentar das populações urbanas e rurais. Se outros produtos contribuíam para assegurar a sobrevivência cotidiana, somente eles eram efetivamente insubstituíveis. Todo o resto começava a ser visto como um complemento, como um "acompanhamento" da base cerealífera: a melhor prova é a difusão do termo *companatico* ("aquilo que se come com o seu pão") nas línguas da área românica, as mais marcadas pela cultura do pão. A documentação é, a partir de então, marcada de maneira obsessiva pela menção do "pão" – aliás, um nome quase simbólico que designava todos os alimentos fornecidos pelo trabalho dos campos: como dissemos, tratava-se mais comumente de sopas e de mingaus de farinha. Os contratos agrários falam das culturas como "terras de pão", e o produto dos campos era chamado, por antonomásia, a "colheita do pão". Em suma, a noção de "escassez" – tão complexa e polissêmica ao longo da Alta Idade Média – tornava-se mais simples e quase se confundia com a penúria de cereais. Além disso, o fenômeno era cada vez mais mediatizado, visto que se encontrava então ligado à economia de mercado: *caristia* ou *carum* ("carestia") – que são os termos mais frequentemente empregados na documentação da época – não designam mais a simples *fames,* a falta de comida, mas de forma precisa os períodos em que os produtos eram "caros", muito custosos.

Medimos assim a gravidade das crises que, como rajadas, atingiram a economia europeia entre os últimos decênios do século XIII e os primeiros do século XIV. Após ter provocado entre 1200 e 1250 uma situação de relativo bem-estar alimentar, sobretudo nas cidades, mas também em parte nos campos, o crescimento agrícola não conseguiu mais compensar o aumento demográfico. A partir de 1270, este começa a diminuir seu ritmo e mesmo a estagnar: não porque tenha sido atingida uma situação de equilíbrio alimentar, mas porque a exploração do solo tinha alcançado o limite máximo, cultivando terrenos marginais impróprios para os cereais e provocando assim a diminuição global dos rendimentos. À queda da produtividade e da produção agrícolas veio somar-se, no começo do século XIV, uma série de fases de escassez muito acentuada: independentemente das causas circunstanciais de suas aparições (como sempre, condições climáticas adversas contra as quais a agricultura da época era impotente), essas crises foram o sinal de um mal-estar estrutural, de um desequilíbrio de fundo – no contexto técnico e econômico-social da época – entre a população e os recursos. Sobreveio em seguida a tristemente célebre peste negra, que fez explodir a taxa de mortalidade nos anos 1347-1351: a epidemia atingiu uma população fisiologicamente enfraquecida pela escassez, o que talvez explique como pôde expandir-se com tamanha facilidade.

O desmoronamento demográfico provocou um recuo das culturas em relação aos espaços incultos e da agricultura em relação às atividades pastoris. Entretanto, esse fenômeno não se traduziu, no nível alimentar, na interrupção das tendências plurisseculares.

Apesar de uma certa "reconquista" esporádica, as camadas rurais continuaram impedidas de se beneficiar dos espaços incultos e as sujeições jurídicas e econômicas continuaram em vigor. A reconversão de vários espaços antes cultivados em pastagens e o decorrente desenvolvimento da criação ovina visavam sobretudo satisfazer as exigências comerciais (aprovisionamento dos mercados urbanos) e manufatureiras (produção de lã para a indústria têxtil).

Cozinha de sabores, cozinha de valores

Os modelos alimentares das classes dominantes (nobreza e alta burguesia) encontraram na Idade Média sua perfeita expressão gastronômica nos livros de receitas: esse novo gênero literário, de finalidade profissional, nasceu na Europa entre os séculos XIII e XIV. Destinados aos cozinheiros das cortes ou das famílias urbanas ricas, esses textos permitem compreender que mudanças decisivas ocorreram no gosto e na cultura gastronômica em comparação com a época romana. Se certos aspectos dessa cultura se mantiveram (por exemplo, a tendência de misturar os sabores: o amargo com o doce, o doce com o salgado), outros eram novos e originais: assim, enquanto a cozinha romana tinha utilizado as especiarias com parcimônia, limitando-se quase exclusivamente à pimenta, agora se recorria a elas de forma intensa, aconselhando-se o emprego de uma grande variedade de aromas, do gengibre ao cravo-da-índia, passando pela canela, para acompanhar todo tipo de prato – carnes, mingaus de farinha, peixes, legumes. Sabiamente dosados e contrastados, esses sabores conferiam à cozinha medieval um gosto forte e picante. As especiarias, muito caras e por isso muito procuradas como sinais exteriores de riqueza e de poder, entravam igualmente na composição de molhos, acompanhamento indispensável das carnes; ácidos e pouco gordurosos, obtidos a partir de produtos como o vinho, o vinagre e o suco de frutas cítricas, esses molhos eram radicalmente diferentes, por sua consistência e seu sabor, dos molhos doces e gordurosos, à base de manteiga e óleo, que seriam empregados a partir do século XVII. Assim, parecem desenhar-se os contornos de uma *koiné* gastronômica europeia: esta evidentemente admitia particularidades regionais (vários pratos tinham nomes que indicavam sua proveniência geográfica, que, mesmo falsa, atestava essa consciência das diversidades locais), mas revelava sobretudo a existência de regras e de modelos estéticos comuns, assim como uma grande circulação de ideias e de homens entre os diversos

Dicionário analítico do Ocidente medieval

países da Europa. Dava-se grande atenção não só aos sabores e à consistência das carnes, mas também ao seu aspecto, e em particular à sua cor: vários ingredientes eram aconselhados não tanto em função de seu sabor quanto com o objetivo de obter uma determinada cor (o açafrão para o amarelo, o óleo de amêndoa ou o creme de arroz para o branco).

No final da Idade Média, a qualidade dos alimentos terminou por funcionar, de maneira cada vez mais explícita e rigorosa, como um sinal exterior de prestígio, que a ideologia das classes dominantes tendia a fixar pedindo que a estabilidade dos estereótipos alimentares refletisse a estabilidade desejada dos papéis sociais. Tal atitude não era absolutamente nova: desde a Alta Idade Média pretendia-se avaliar a "qualidade" de uma pessoa em função da "qualidade" de sua alimentação, e insistia-se na necessidade, para todos, de comer *juxta suam qualitatem* ("conforme a sua qualidade"). Mas o fenômeno tinha então um caráter sobretudo quantitativo (tratava-se somente de saber se as pessoas comiam muito ou pouco): foi ao longo dos séculos seguintes que ele adquiriu também uma significação qualitativa e serviu de base ideológica para a diferenciação real e crescente entre os regimes alimentares dos *pauperes* e dos *potentes.* Em fins da Idade Média, o aspecto qualitativo era então claramente predominante e cada espécie de alimento (os tipos de pão, os gêneros de carne, os peixes, os legumes, as frutas) eram objeto de uma "identificação" e de uma "prescrição" sociais. Os tratados de agronomia aconselhavam aos camponeses o consumo de produtos grosseiros – o centeio e o sorgo, por exemplo – apresentando-os como adaptados a seu modo de vida. Os tratados médicos teorizavam, de maneira explícita e "cientificamente" rigorosa, a diversidade de regimes alimentares de camponeses e nobres, prometendo males e doenças a quem comesse alimentos inadaptados à sua categoria: o rico teria problemas de digestão se tomasse sopas pesadas, e o estômago rude do pobre não saberia assimilar pratos seletos e refinados. A relação entre a "qualidade" do alimento e a "qualidade" da pessoa era, portanto, postulada como uma verdade absoluta e ontológica, e chegava-se a estabelecer correspondências entre a hierarquia humana e a hierarquia "natural", entre as posições sociais e a "escala" de recursos alimentares: por exemplo, eram considerados mais "nobres", e assim bons para os nobres, os alimentos que se encontravam na

Alimentação

copa das árvores, como as frutas, ou nos ares, como as aves; pelo contrário, julgavam-se mais indignos, e portanto bons para o povo, os alimentos que se encontram no solo, ou mesmo abaixo dele. Não foi por acaso que uma tal ideologia alimentar foi precisada, definida e codificada entre os séculos XIV e XVI, isto é, ao longo de um período caracterizado, ao mesmo tempo, por uma grande mobilidade social e por uma tendência das classes dominantes de radicalizarem a afirmação de seus privilégios e se fecharem. Transmitida pela Idade Média aos tempos modernos, essa ideologia devia ser, por alguns séculos ainda, um ponto de referência incontornável da cultura europeia. A cada um o que lhe pertence – e que cada um permaneça em seu lugar.

MASSIMO MONTANARI
Tradução de Vivian Coutinho de Almeida

Ver também

Caça – Cidade – Cotidiano – Nobreza

Orientação bibliográfica

ALIMENTACIÒ I SOCIETAT A LA CATALUNYA MEDIEVAL. Barcelona: CSIC, 1988.

BITSCH, I.; EHLERT, T.; VON ERTZDORFF, X. (eds.). *Essen und Trinken' in Mittelalter und Neuzeit*. Sigmaringem: Thorbecke, 1987.

BOLENS, Lucie. *La Cuisine andalouse, un art de vivre, XI*ᵉ*-XIII*ᵉ *siècle*. Paris: Albin Michel, 1990.

BRUNET, Jacqueline; REDON, Odile. *Tables florentines*: écrire et manger avec Franco Sacchetti. Paris: Stock, 1994.

CIVILTÀ DELLA TAVOLA DAL MEDIOEVO AL RINASCIMENTO. Veneza: Neri Pozza, 1983.

DESPORTES, Françoise. *Le Pain au Moyen Âge*. Paris: Odile Jacob, 1987.

DION, Roger. *Histoire de la vigne et du vin en France des origines au XIX*ᵉ *siècle* [1959]. Paris: Flammarion, 1990.

HENISCH, Bridget Ann. *Fast and Feast*: Food in Medieval Society. University Park (Penn.): The Pennsylvania State University Press, 1976.

LA SOCIABILITÉ À TABLE, COMMENSALITÉ ET CONVIVIALITÉ À TRAVERS LES ÂGES. Colóquio de Ruão (1990). Ruão: Université de Rouen, 1992.

LACHIVER, Marcel. *Vins, vignes et vignerons*: histoire du vignoble français. Paris: Fayard, 1988.

LAMBERT, Carole (org.). *Du Manuscrit à la table*: essais sur la cuisine au Moyen Âge. Montréal; Paris: Les Presses de l'Université de Montréal; Champion-Slatkine, 1992.

LAURIOUX, Bruno. *Le Moyen Âge à table*. Paris: Adam Biro, 1989.

_____. *Le Règne de Taillevent*: livres et pratiques culinaires à la fin du Moyen Âge. Paris: Publications de la Sorbonne, 1997.

MANGER ET BOIRE AU MOYEN ÂGE. Atas do Colóquio de Nice (1982). Paris: Les Belles Lettres, 1984. 2v.

MAURIZIO, Adam. *Histoire de l'alimentation végétale depuis la préhistoire jusqu'à nos jours*. Paris: Payot, 1932.

MONTANARI, Massimo. *L'alimentazione contadina nell'Alto Medioevo*. Nápoles: Liguori, 1979.

PINI, Antonio Ivan. *Vite e vino nel Medioevo*. Bolonha: Clueb, 1989.

REDON, Odile; SABAN, Françoise; SERVENTI, Silvano. *La Gastronomie au Moyen Âge*. Paris: Stock, 1991.

STOUFF, Louis. *Ravitaillement et alimentation en Provence aux XIVE et XVE siècles*. Paris e Haia: Editions de l'École des Hautes Études en Sciences, 1970.

TANNAHIL, Reay. *Food in History*. 3.ed. Londres: Crown, 1989.

Amor cortês[1]

A expressão "amor cortês", designando a relação entre um homem e uma mulher, foi usada pela primeira vez por Gaston Paris, em 1883, em um artigo sobre *O cavaleiro da charrete,* de Chrétien de Troyes, romance que relata o amor mais que perfeito de Lancelote por Guinevere, esposa do rei Artur. Esse laço o faz praticar proezas espantosas e prestar ilimitada obediência às ordens de sua dama. Trata-se do *fine amor*: na produção lírica, trovadores e *trouvères*[2] usavam as expressões *vraie amour* e *fine amour* para falar do amor perfeito e acabado, depurado como o ouro mais "fino".

Essa relação ideal aparece como verdadeiro objeto cultural e seus testemunhos são sempre de textos ditos literários. Fala-se de "amor cortês" – de *fine amor* – em primeiro lugar para a abundante produção de poemas de amor nos domínios das línguas d'oc e d'oïl, e depois para as intrigas romanescas, de que a França do norte deixou florescente produção. Portanto, o romance

---

1 *Courtois* deriva de *cour, court* = corte, sendo, portanto, "relativo à corte", "cortesão". O presente verbete explica a acepção especial que a palavra ganhou, passando a significar também "cortês", aquele que pratica a "cortesia" *(courtoisie)*. Adotamos o termo em seu sentido original e só excepcionalmente no derivado, quando o contexto o exige. [N.T.]

2 *Troubadour,* "trovador", é o poeta lírico que vivia nas cortes do sul da França; *trouvère* é seu correspondente do norte, que não tem em português um vocábulo específico para designá-lo. [N.T.]

Dicionário analítico do Ocidente medieval

dito "cortesão", baseado nos destinos de "finos amantes", demonstrará grande vitalidade. O que se chamou "ideologia cortesã" ou "modelo cortesão" permaneceu firmemente até o século XV, através da repetição de esquemas narrativos, de uma retórica amorosa rica em metáforas e de uma sensível reavaliação da tradição, simultaneamente, na poesia do século XV e no romance.

Conceito enigmático e desconcertante para o público atual, o amor cortês – a representação da dama e do poeta que a celebra e a "serve" – tornou-se, com frequência, um dos clichês de nossa Idade Média imaginária. Qual é a realidade dos textos e a relação dessa literatura com a sociedade que a engendrou?

À época da gênese dos textos, o amor cortês não é um conceito unânime. Essa representação plural define ora o amor de um cavaleiro por uma dama casada e inacessível, ora um amor mais carnal, portanto adúltero, ora, ainda, o vínculo entre jovens que aspiram ao casamento. Assim, a ideologia do *fine amor* incita às nuanças: o espírito pode ser bem diferente entre os poetas do sul e do norte da França, sem falar dos que formularam a doutrina, como André Capelão, autor de um *Tratado sobre o amor* (*Tractatus de amore*), de 1184. Quanto aos romances, alguns casais ilustram perfeitamente o *fine amor* (Lancelote e Guinevere), mas não se pode falar de *fine amor* no âmbito de um casamento desejado e procurado. Mesmo na área d'oc, a ideologia de Jaufré Rudel não é a do trovador Marcabru, e os que enclausuram a relação amorosa em molduras doutrinais não falam em nome dos que exprimem a súplica amorosa ou fazem-na exprimir por meio de seus heróis.

Cortesia e "fine amor"

Para entender o "grande canto de amor" dos *trouvères*, bem como a *canso* dos poetas occitânicos, é preciso seguir o insistente conselho de Jean Frappier e distinguir "a cortesia" em sentido próprio do *fine amor*. A "cortesia" é o ideal do comportamento aristocrático, uma arte de viver que implica polidez, refinamento de costumes, elegância, e ainda, além dessas qualidades puramente sociais, o sentido da honra cavaleirosa. É no contexto desse comportamento ideal que pôde se instalar o *fine amor*, relação amorosa que, ao cabo de numerosas etapas, estabeleceu uma arte de amar.

Na lírica, o amor cortês aparece como uma relação virtualmente adúltera: a dama é casada, é objeto de uma corte amorosa e de uma súplica cujos mensageiros são os poemas. A súplica amorosa é calcada no modelo feudo-vassálico. "Minha Senhora" (*mi dona*, "meu senhor" em occitânico), tal é a expressão de requerimento: o poeta está ao serviço da dama como o vassalo ao do senhor; ele deve-lhe "homenagem", cerimônia pela qual um cavaleiro se declara o homem de um senhor. Certamente, os gestos do ritual feudal não são aqui especificados, mas trata-se de uma questão de "posse"[3] (no vocabulário social: "tomar posse de um feudo") pelo beijo. Após ter bem "servido" sua dama, o poeta terá talvez direito a um *guerredon* ("recompensa", isto é, um olhar, um beijo, talvez uma declaração de amor, sempre incerta, ou mesmo uma verdadeira união carnal, o que se chama "o algo a mais"). A petição amorosa deve estar sempre ligada ao valor pessoal. Aquele que deseja tornar-se amante de uma dama se mostrará leal e cortês, dedicará toda a atenção a fazer o elogio da amada, e, particularmente na França do norte, dentro da problemática romanesca do aperfeiçoamento pessoal, mostrar-se-á exemplar nos torneios e combates. O termo *prouesse*, em língua d'oïl, frequentemente refere-se a virtudes guerreiras, enquanto *proeza*, em língua d'oc, engloba o conjunto das qualidades do "fino amante".

Entretanto, a ética do amor cortês não se resume à imitação do serviço feudal: no âmbito do que surge como uma verdadeira religião do amor, a dama é objeto de um culto. A alegoria do deus Amor serve para revelar a submissão ao sentimento que, doravante, é a única razão de viver do poeta. A intensidade da vida interior é amplamente sugerida pela lírica, bem como por passagens dos romances nas quais o herói se encontra cativo de uma imagem fascinante, em estado de *dorveille* ("torpor") – como Percival diante

---

3 No original, *saisine*, palavra do vocabulário jurídico que indica a posse legal de um herdeiro, a posse de bens de raiz. [N.T.]

das três gotas de sangue na neve — e de êxtase, como Lancelote entregando-se a gestos de adoração no momento em que, enfim, vai receber a recompensa de uma noite de amor.

O culto do desejo

Articulados e entrelaçados ao longo dos textos, esses termos assinalam que o *fine amor* só se conquista ao fim de um longo percurso. Talvez o *guerredon* seja apenas a alegria de um espetáculo — ver a dama se revelar, nua —, porém, algumas vezes, o poeta pode esperar bem mais, o que está explicitamente descrito em *O cavaleiro da charrete,* cujo "sentido", proposto ou imposto ao romancista por Maria de Champanhe é ilustrar a "vassalagem" perfeitamente realizada. Na lírica, essas etapas são claramente expressas: antes de atingir a alegria final, é preciso aceitar a provação da castidade (*assag,* em língua d'oc), extraordinário domínio do desejo, mesmo quando o amante está deitado nu ao lado de sua dama. O *fine amor* é uma erótica do controle do desejo. Assim, o amante suspira (*fenhador,* em língua d'oc) e adora, frequentemente de longe. Se ele espera ser aceito, tornar-se-á suplicante (*precador*) e poderá exprimir mais claramente seu pedido, sem contudo insistir. Se ele for enfim aceito (*entendedor, merceians*), poderá ser admitido ao *assag* e talvez se torne amante carnal (*drut*). A harmonia almejada chama-se *joy* (o termo *gauc* era reservado ao prazer puramente físico), vocábulo expressivo dessa elevação plena de alegria que transforma o ser pela força do desejo. Essas longas etapas são menos conhecidas na cortesia do norte, no "grande canto do amor cortês", em que as promessas mais sensuais são menos explícitas. Os favores da dama são dificilmente obtidos: a dama cortesã parece quase ausente. Desde então, o amor cortês é uma arte de amar inacessível ao comum dos mortais, ao mesmo tempo disciplina da paixão e religião do amor. No espelho da cortesia como virtude de sociabilidade, o amor parece o "extremo refinamento da cortesia" (J. Frappier).

No plano literário, dois tipos de composição revelam a importância desse ideal amoroso: a canção de amor (*canso,* em língua d'oc), imitada pelos poetas do norte, e o romance, desenvolvido sobretudo em língua d'oïl. A delicada arte da prática amorosa e da esperança sempre insaciável prestam-se a numerosas modulações e a requintes formais de qualidade surpreendente. Por exemplo, a tonalidade do *fine amor* entre os trovadores é bastante matizada. De Guilherme IX, poeta de canções atrevidas, ou de Marcabru, denunciando os embustes do *fine amor*, a Bernardo de Ventadour, poeta da alegria, ou a Jaufré Rudel, poeta do "amor distante", em suma, de uma clara arte poética a uma arte hermética, a produção lírica mostra-se complexa. Entre os *trouvères*, mantém-se grande distância entre a dama e aquele que a corteja, o objeto amado é frequentemente inacessível: até a palavra parece audaciosa demais, "ultraje" e desmesura. O reverente suspirante treme, sua vida depende de um único olhar de sua dama, o amor é loucura, na verdade uma bela loucura. Cativo do desejo, o poeta morre de amor, mas, como a fênix, renasce das cinzas. O tormento causado pelo amor é simultaneamente prazer e morte. Ao olhar da dama é atribuído poder de vida e morte.

Se a cortesia do norte aparece de bom grado como o conjunto de virtudes da sociabilidade da qual faz parte a arte de amar, a *cortezia* dos trovadores está mais intimamente associada ao *fine amor*. A *cortezia* está ligada à *mezura* — autocontrole e domínio do desejo —, sugerindo que a dama deve saber recompensar aquele que a "serviu" fielmente. A *mezura* designa a atitude interior do amante cortês, sua paciência e humildade. Quanto a *joven* ("juventude"), além das qualidades próprias de uma faixa etária, significa generosidade, disponibilidade para a dádiva, para a liberalidade e, evidentemente, para o serviço das damas, ultrapassando de longe as regras da simples galanteria. Porque a vida sem amor é nada. Assim, a todo momento, o poeta diz-se obcecado pela dor de nunca conseguir o amor de sua dama, fascinado por sua beleza e possuído pela fantasia de uma aproximação discreta. Os amantes, se chegam a esse ponto de intimidade, estão sempre em perigo: devem temer os *bajuladores* (*losengiers*, em língua d'oïl). O culto secreto a que se devota o discípulo do *fine amor* é passível de espreita e o nome da dama jamais deve ser revelado. Assim, a regra do segredo explícita nas canções de amor fornece a dinâmica essencial das narrativas, romances ou *Lais* de Maria de França. E não surpreende nada que o tema do "amor distante" seja desenvolvido por Jaufré Rudel, cuja *Vida* — curta biografia redigida, mais tarde, a partir da temática de seus poemas — conta que ele se

Dicionário analítico do Ocidente medieval

apaixonou por uma condessa de Trípoli sem nunca tê-la visto, e que, ferido na cruzada,[4] morreu nos braços dela.

Doutrina e contextos

Podemos entrever o que se prestava à doutrina e à teoria. O *Tratado*, de André Capelão, foi redigido em um meio de mecenato propício à criação literária, o círculo de Maria de Champanhe, que incentivou a composição de *O cavaleiro da charrete*. Fora de qualquer perspectiva de culpa – e contrariamente ao *Tristão*, de Béroul –, aquele romance dedica-se às etapas da crescente devoção de Lancelote ao culto de sua dama. Essa humanidade romanesca, por ideal que seja, afasta-se bastante do livro de André Capelão, que define o amor cortês conforme o acesso permitido pelo nível social – ele é proibido aos clérigos e plebeus – para, em seguida, vincular-se ao amor perfeito, definido segundo os "julgamentos de amor" patrocinados por grandes damas. Mas, após haver enunciado as regras do amor, excluído do contexto do matrimônio, o autor finalmente desiste de seguir pelos caminhos do amor cortês, que anula a moral cristã. Eis um ponto de tensão extrema entre a elaboração literária e os valores da sociedade, que faculta a gênese do amor e assegura sua recepção.

As origens do amor dito cortesão têm sido longamente debatidas. Entre as possíveis fontes figura a poesia latina praticada nas cortes da Idade Média, e que foi objeto de uma notável tradição no século XII. Sugeriu-se igualmente – pelo menos para um dos motivos recorrentes da poesia de amor, a *reverdie*, renovação primaveril que fecunda a palavra poética – uma inspiração popular, mesmo folclórica, mas a lírica cortesã é tão sutil que a base popular não pode ser invocada para explicar seu florescimento. Enfim, a poesia do *fine amor* poderia ter origem árabe-andaluza: desde o século IX,

---

4 Por paralelismo com Igreja (substantivo abstrato, a comunidade de cristãos, a instituição) e igrejas (substantivo concreto, o edifício de culto), falamos em Cruzada (a ideia, o espírito, a instituição) e cruzadas (as expedições militares formadas por cristãos contra os inimigos de sua fé). Em alguns contextos, os dois sentidos estão juntos e nesses casos grafamos com maiúscula. [Nota do coordenador da tradução. As notas posteriores desse coordenador estão indicadas apenas com as iniciais HFJ.]

encontram-se na cultura oriental teorias do puro amor e uma verdadeira ciência do erotismo. Da mesma forma, evocou-se a possível influência da heresia cátara, com certos críticos acreditando encontrar na lírica cortesã uma paixão do tipo religioso, que poderia esclarecer as manifestações de veneração a que se entrega o amante.

Outros contextos, muito diversos, mencionam aspectos do *fine amor*. O romance, cuja matéria provém do fundo antigo, possui seguramente traços cortesãos: o amor aparece como fatal em *Eneias,* no *Romance de Tebas* ou no *Romance de Troia.* Mas é sobretudo a "matéria de Bretanha" que se presta às narrativas de amor. Particularmente para Maria de França, é preciso ser sensível às inflexões do *fine amor* (por exemplo, no *Lai da madressilva* ou no *Lai do rouxinol*). Quanto aos fragmentos que transmitiram a lenda de Tristão e Isolda, um deles, e não dos menores, pois serviu de modelo ao *Tristão* alemão de Gottfried de Estrasburgo, é geralmente considerado uma versão cortesã comparado ao texto de Béroul.

Ora, o esquema de *Tristão* evoca transgressão e culpa. Como imaginar o *fine amor* isento de toda condenação, senão pelo cenário do amor de Lancelote e Guinevere, tido como emblemático da perfeição? No sentido estrito do *fine amor,* existe outro romance verdadeiramente cortesão? Não há melhor ilustração do "serviço amoroso", das possibilidades romanescas de uma ética amorosa, pois Lancelote aceita chegar à infâmia da charrete e à vergonha pública de combater da pior maneira por obediência a sua dama. Entretanto, os casais adúlteros aparecem em outros romances: *Flamenca,* no domínio d'oc, ou *O castelão de Coucy,* que Jakemes compôs no século XIII tomando por herói um famoso *trouvère,* o cavaleiro Guy de Thourotte, morto na cruzada, cujo coração foi servido como delicada iguaria a sua amante, relíquia e penhor amoroso transformado em barbárie pelo ciúme do esposo. Ator importante em todas as intrigas cortesãs, quer na lírica, quer no romance, o *losengier* – isto é, o bajulador, o espião – profana o amor, delata-o e o destrói. Se a dama parece distante e evasiva, de difícil acesso, é porque não pode haver amor no casamento, e mesmo que a súplica amorosa possa às vezes conduzir à alegria da plenitude, a relação entre a dama e o amante deve permanecer secreta. Secreta por razões de prudência, secreta também para evitar qualquer profanação de olhares indiscretos, que é o que tragicamente experimentam os amantes de uma narrativa do século XIII, *A castelã de Vergi*. O maledicente vigia os amantes, espia-os para contar ao marido a novidade escandalosa e sua presença maléfica conduz a dinâmica de numerosos romances, a começar pela lenda de Tristão.

Metáforas e interioridade

A temporalidade do gênero romanesco permite desenvolver especialmente as etapas do desejo e estabelecer uma sutil retórica do sentimento: de início, a metáfora da flecha, isto é, a beleza do objeto amado que atravessa o coração do amante e o torna cativo para sempre; em seguida, a exaltação amorosa, a perda da consciência e o êxtase, o caráter psicossomático da paixão, as atitudes quase místicas, as imagens da chaga incurável causada pelo amor, o amante falando de seu coração como de um outro eu. Marcando profundamente a concepção ocidental da mulher e do desejo, o amor cortês permitiu que se criasse e se perpetuasse uma linguagem de temas e símbolos sem a qual não se compreenderia a corrente do preciosismo no Grande Século. É nos primeiros tempos do gênero romanesco que particularmente se molda a arte do monólogo interior, do diálogo consigo mesmo. Aliás, nem é necessário utilizar um amor proibido: as técnicas romanescas do mergulho na interioridade das personagens servem igualmente às situações difíceis que devem resolver os jovens cavaleiros de Chrétien de Troyes, Yvain ou Érec, tentando encontrar equilíbrio entre o amor e o heroísmo, o apego à esposa e a realização pessoal, único meio de preservar a relação amorosa. A façanha implica bravura e coragem, o amor exige-as de modo absoluto. Desse ângulo, Cligès, Yvain e Érec cumprem seu percurso em direção à relação conjugal.

O modelo cortesão fecundou o mundo romanesco. *O romance da rosa*, de Guilherme de Lorris, no século XIII, tira da lírica cortesã a representação de uma demanda amorosa que se mantém sob o signo do desejo. O autor da primeira parte desse romance, considerado inacabado, parece ter seguido um propósito educativo e ter explorado o que pudesse fomentar uma pedagogia do ser. Georges Duby percebeu bem que ele é exemplo da perfeição cortês, da notável fidelidade do romance aos modelos da cultura cortesã, pois as alegorias imitam os sutis caminhos do amor e o despertar da sensualidade juvenil.

A retórica amorosa e a posição soberana da mulher ainda aparecem em textos do século XIV e XV que descrevem a iniciação do jovem cavaleiro no heroísmo e no amor. Entretanto, *João de Saintré,* um romance de Antônio de la Sale, escrito em 1456, deturpa sutilmente os valores cortesãos. Nestes, a dama educa o rapaz, mas essa iniciação desenvolve-se em clima de suspeita e mesmo de rejeição dos códigos sociais e estéticos. Disso é testemunha a obra de Alain Chartier, *A bela dame sans merci* (1424), no qual a dama, cruel como quer a tradição, recusa a metáfora do olhar que torna o amante cativo: "Saiba que os olhos são feitos para olhar. Não me importo com o efeito que produzem. Quem os teme deve se proteger deles".

Em 1400, é fundada a Corte do Amor, em Paris, instituição pela qual a sociedade do início do século quer criar uma forma jurídica cuja imagem "enraizada no modelo da cortesia" (J. Cerquiglini-Toulet) parece ter como finalidade usar a ideia de "serviço amoroso" para estabelecer "regulamentos sociais". Como na tradição, amor e mérito continuam ligados, mas dessa vez para outros fins.

Uma promoção da mulher?

Se a herança cortesã serve para traduzir a inquietação de uma sociedade que procura manter uma imagem gloriosa de si mesma, sabe-se que, desde sua elaboração no final do século XII, a situação transgressiva dos protagonistas envolvidos – configuração triangular, pois inclui um "jovem" no caminho da iniciação, uma dama e um senhor, seu esposo – sugere tensões implícitas entre uma sociedade regrada e a sociedade que desfruta das obras. Assim, o amor cortês permanece, ainda hoje, como objeto de avaliações e abordagens interpretativas muito vivas. Entre as mais recentes, a erótica cortesã foi vista como uma "técnica sutil de não amar", uma maneira de dizer o amor "para não o fazer", numa palavra, medo da mulher diante de quem o homem mostraria a insuficiência da própria sexualidade, "o *fine amor* como arte de distanciar a mulher pelas palavras" (J.-Ch. Huchet). Com efeito, o conhecimento das sociedades em cujo seio o modelo

Dicionário analítico do Ocidente medieval

cortesão foi elaborado, aceito e perpetuado, mostra bem que se trata de uma superioridade da mulher completamente imaginária. Do olhar da dama dependem a vida e a alegria do poeta, da atenção de Guinevere depende o êxtase de Lancelote ante o pente nos cabelos de ouro.

O modelo cortesão permite falar de uma promoção da condição feminina na época feudal? Sem dúvida, a mulher aparece em posição dominante, o amante é realmente um vassalo que empenha sua fé como um homem completamente fiel. Estão presentes todos os elementos de uma sonhada coesão social, e o contrato vassálico libera os mecanismos do discurso amoroso, mas ele aparece aqui como um jogo a serviço das relações entre o feminino e o masculino. Ora, "os homens eram na verdade os donos desse jogo" (G. Duby). As relações entre literatura e sociedade são então questionadas. Para Erich Köhler, o modelo da dama aceitando a homenagem de seus cavaleiros sem levar em conta sua fortuna revelava um sonho de hipergamia, próprio do grupo de jovens nobres sem terras e sem esposas, oriundos da pequena e média nobreza, defendendo-se de uma aristocracia que se fortalece. Abordagem sociológica do romance não como reflexo da sociedade, mas como "seu grito de agonia" (J. Le Goff), pois a literatura parece expressar "a consciência histórica da época em que foi produzida", as tensões entre a realidade e o ideal.

Sob a construção simbólica de uma posição de superioridade da mulher, concebida por poetas encarregados de alimentar sonhos, o amor cortês surge como um objeto cultural. O historiador incita a não ver nas belas realizações poéticas e romanescas uma realidade vivida. Nas práticas matrimoniais da aristocracia feudal, o casamento era objeto de negociações que pouco consideravam as inclinações do coração. E o público a quem se dirigiam poetas e romancistas era constituído de "machos celibatários dos quais a cavalaria estava cheia" (G. Duby). Alimentando-lhes o ardor, a literatura cortesã torna-se "instrumento de uma hábil pedagogia". Pode-se ver o amor cortês, portanto, como um código de comportamento regulador do que poderia tornar-se descomedimento sexual. A esposa do senhor, a Senhora, torna-se educadora. Aos olhos do historiador das sociedades, o modelo cortesão instiga a habilidade, incita à amizade, ao respeito a vínculos, ao desenvolvimento de virtudes viris, sendo os torneios, no final das contas, "exibições de cortesia". Por outro lado, o modelo cortesão provavelmente contribuiu para a educação das mulheres. Contudo, no tratado que um pai do fim do século XIV dirigia a suas filhas (*O livro do cavaleiro da Torre Landry para instrução de suas filhas*), as intrigas romanescas serão lucidamente avaliadas em sua perigosa função de identificação: as mocinhas, as jovens, estão autorizadas a sonhar com os livros, mas devem saber impor prudentes limites ao sonho do amor cortês.

DANIELLE RÉGNIER-BOHLER
Tradução de Lênia Márcia Mongelli

Ver também

Cavalaria – Idade Média – Literatura(s) – Masculino/feminino

Orientação bibliográfica

BEZZOLA, Reto R. *Les Origines et la formation de la littérature courtoise em Occident.* Paris: Champion, 1944-1963. 5v.

BOZZOLO, Carla; LOYAU, Hélène; ORNATO, Monique. Hommes de culture et hommes de pouvoir à la cour amoureuse. *Pratiques de la culture écrite au Moyen Âge. Actes du colloque CNRS en hommage à Gilbert Ouy,* 1992. Louvain-la-Neuve: Fédération Internationale des Instituts d'Études Médiévales, 1995. p.245-78.

CERQUIGLINI-TOULET, Jacqueline. Rites du désir et amour des signes. In: *La Couleur de la mélancolie*: la fréquentation des livres au XIVe siècle, 1300-1415. Paris: Hatier, 1993. p.49-56.

DUBY, Georges. A propósito do amor chamado cortês. In: *Idade Média, idade dos homens*: do amor e outros ensaios [1988]. Tradução brasileira. São Paulo: Companhia das Letras, 1989. p.59-65.

_____. O *Roman de la rose*. In: *Idade Média, idade dos homens*: do amor e outros ensaios [1988]. Tradução brasileira. São Paulo: Companhia das Letras, 1989. p.66-93.

_____. O modelo cortês. In: *História das mulheres no Ocidente.* Tradução portuguesa. Porto: Afrontamento, 1990. p.331-52. v.I.

FRAPPIER, Jean. Vues sur les conceptions courtoises dans les littératures d'oc et d'oïl au XIIe siècle". In: *Cahiers de Civilisation Médiévale.* Poitiers: Universidade de Poitiers, 1959.

Dicionário analítico do Ocidente medieval

FRAPPIER, Jean. *Amour courtois et Table Ronde.* Genebra: Librairie Droz, 1973.

HUCHET, Jean-Charles. *L'amour discourtois.* Toulouse: Privat, 1987.

KÖHLER, Erich. *L'Aventure chevaleresque*: idéal et réalité dans le roman courtois [1956]. Tradução francesa por Eliane Kaufholz, prefácio de Jacques Le Goff. Paris: Gallimard, 1974.

LAZAR, Moshé. *Amour courtois et fin'amors dans la littérature du XIIe siècle.* Paris: Librairie C. Klincksieck, 1964.

MARCHELLO-NIZIA, Christiane. Amour courtois, société masculine et figures du pouvoir. *Annales ESC*, Paris, n.36, p.969-82, 1981.

_____. Codes vestimentaires et langage amoureux au XVe siècle. *Europe*, "Le Moyen Âge maintenant", Paris, v.61, n.654, p.36-42.

REY-FLAUD, Henri. *La Névrose courtoise.* Paris: Navarin, 1983.

ROUGEMONT, Denis de. *O amor e o Ocidente* [1939]. Tradução brasileira. Rio de Janeiro: Guanabara, 1988.

Animais

Os animais da Idade Média ficaram mais bem conhecidos nas duas ou três últimas décadas, graças a um novo tipo de zoo-história que não mais se baseia somente em documentos impressos (textos, representações), e sim, de forma mais sólida, em vestígios deixados por esses animais e que podem ser estudados graças aos métodos aperfeiçoados pelos arqueozoólogos da Pré-História.

Tais vestígios são principalmente os tecidos ósseos, exumados durante as escavações; mas podem-se igualmente estudar as gorduras, os restos de chifres, os pelos, os couros (milhões de pergaminhos ainda esperam métodos específicos que revelem o máximo de informações), as (raras) peles, os traços de dentes de ratos, cães e gatos sobre ossos roídos, os traços de patas deixadas na argila de telhas ou tijolos perenizados pelo cozimento... A genética regressiva, os fatores sorológicos e as formas das espécies atuais permitem conhecer melhor os ancestrais (por exemplo, o carneiro de Ouessant) e quase "recriá-los": os auroques a partir dos grandes touros atuais, os cavalos selvagens a partir dos pequenos cavalos da Europa oriental...

A colaboração entre arqueólogos, zoólogos, etnozootécnicos, veterinários, médicos... permitiu que iconólogos, historiadores da arte, eco-historiadores, geógrafos, sociólogos, juristas, teólogos e linguistas criassem uma nova disciplina que fundamenta melhor, com dados concretos, as interpretações de inúmeros textos (bestiários, enciclopédias, contas senhoriais, livros de

Dicionário analítico do Ocidente medieval

cozinha, relatos de viagem, hagiografias, alusões em textos religiosos), de tradições folclóricas ou de um rico imaginário.

O início da domesticação

É difícil distinguir claramente os animais domésticos dos selvagens. Com efeito, um filhote bruscamente privado de sua mãe durante uma caçada pode se afeiçoar ao primeiro animal (o homem, por exemplo) que passa: é a *Prägung* ("impressão") de K. Lorenz. Animais selvagens podem ser mantidos confinados para fornecer produtos mortos, com ou sem o prazer da caça: é a *Tierhaltung* ("detenção, retenção"): daí os viveiros, as "reservas de cervos, lebres, animais vermelhos e negros" (*garenne*, "reserva", vem de *warden*, "guardar"). O melhor exemplo na Idade Média é o coelho, às vezes condicionado em tocas artificiais de onde é desalojado pelo furão e capturado com rede, arco ou ave caçadora. É um começo de criação (*herding*), mas sem controle da reprodução (*breeding*) e sem preocupação de tornar o selvagem mais familiar (*taming*). O coelho difunde-se lentamente graças aos monges e aos senhores, que os instalam nessas tocas como um depósito de carne viva: originário da Espanha e do litoral do Mediterrâneo, ele chega à Inglaterra no século XII, à Boêmia e à Polônia nos séculos XI-XIII, enfim à Hungria no século XV. Sua expansão cessa nos limites da terra gelada, que ele não pode cavar (*pergélisol*), e começa a ser criado em espaços organizados na Inglaterra e depois no continente (séculos XIV-XV).

A verdadeira atividade de criação define-se de maneira socioeconômica, mas também biológica e cultural. Não podemos dissociar "o conjunto de modificações nas relações dos grupos humanos com as espécies vegetais ou animais, cujo efeito é substituir uma exploração sem contrapartida (predação) por uma relação simbiótica da qual essas espécies tiram proveito", da definição dada em 1992 por A. Gautier de "um processo de microevolução iniciado pelo isolamento de um número restrito de indivíduos de uma espécie selvagem particular, em um nicho ecológico especial, estabelecido pelo homem e que obriga esses animais a viver e a se reproduzir sob sua tutela e em seu proveito". Dessa forma, são buscados produtos de alimentação (carne, gordura, ovos, leite, até moluscos ou mel), de vestuário

Animais

(couro, lã, seda, crina, plumas, pele), de ornamentação, de energia e força (boi, cavalo, asno, mula), de comportamentos bem orientados (gato e sobretudo cachorro) de uma companhia objeto de numerosas transferências; e, às vezes, tudo isso ao mesmo tempo. Acima de tudo, nesse processo, o homem manifesta sua vontade de dominação sobre os seres vivos em seu conjunto e, em particular, sobre aqueles que podem claramente expressar sua submissão, mesmo porque, na Criação (Gênesis 1, 28), Deus claramente convocou o homem para dominar os animais.

A submissão, amansamento ou adestramento individuais de certos animais selvagens aconteceu durante toda a Idade Média, mas a verdadeira domesticação estendeu-se por milênios e ainda está em curso, com a constituição de espécies ou de raças diferentes das primitivas.

O porco

A Idade Média conhece um caso-limite com o porco, pouco diferente do javali nos seus caracteres morfológicos: pele negra, pelos acinzentados, focinho, no velho porco dentes análogos às presas do velho javali, relativa magreza do corpo, musculoso devido às longas errâncias na floresta, quando da colheita da glande (ou da busca de detritos). Doméstico por natureza, familiar por sua longa coabitação com o homem, de cuja casa consome os detritos, amansado pois não tem medo do fogo ou do dono, ele também não deixa de devorar bebês desprotegidos, morder ou pisotear jovens ou menos jovens; particularmente "maus" são o porco reprodutor e as porcas (infanticidas e cúmplices involuntárias da bestialidade do macho). Muito apreciados no começo da Idade Média pelos germanos e consumidos desde o Baixo Império Romano (as florestas eram medidas segundo o número de porcos que podiam alimentar), esses animais cujo presunto, *rillettes* (carne desfiada e frita na gordura), banha, pele e crina continuam muito valorizados, após o século XI veem sua importância relativa decrescer comparativamente àqueles que não fornecem somente produtos mortos: bovinos, ovinos, caprinos, equinos. Deve-se também lembrar que os desmatamentos ocorrem à custa das florestas de árvores folhadas (carvalhos, faias). Nozes e glandes tornam-se raras e, nas regiões de castanheiras, os homens têm prioridade no consumo das castanhas...

Dicionário analítico do Ocidente medieval

O carneiro

A proporção do consumo de carne de carneiro aumentou de forma evidente, sobretudo nos países que criam esse animal principalmente pela lã. Ademais, fazia-se seleção de raças, e os animais, que não temem mais o homem, são objeto de cuidados e de proteção nos cercados ou nos currais, tornam-se cordeiros obedientes e confiantes em seu pastor-guia. O carneiro fornece tudo: lã, leite (queijo, coalhada), pele (couro, tosão, peliça), carne, chifres, cascos, ossos e tripas, com os quais se podiam fazer instrumentos musicais. Enfim, esse carneiro "de pé de ouro" (no conjunto cinza e lanoso, bem agrupado e enquadrado) fecunda com suas fezes os pastos, em particular os terrenos incultos ou os terrenos ceifados, nos quais se deixaram os restolhos altos para que pudesse pastar.

O carneiro é criado em todos os lugares, do Mar do Norte (e das Far Oer, ilhas do carneiro) e do Báltico ao conjunto do Mediterrâneo. A França conhece-o muito *a fortiori*, da Normandia ao Languedoc: reconheceu-se recentemente nas *Très riches heures du duc de Berry*, pintadas pelos irmãos Limbourg, a representação de um *berrichon* (carneiro da região de Berry). Além disso, um estudo genético revelou o arcaísmo do *ouessantin* (carneiro da ilha de Ouessant), refugiado no extremo Ocidente e que ficou fora da "merinização" do século XVIII.

O mundo ibérico foi o primeiro que viu suas raças transformarem-se com a introdução de raças "berberes", seguindo a expansão islâmica dos séculos VIII e IX. Disso resultou o merino, cuja importância é fundamental, sobretudo após a batalha de Las Navas de Tolosa (1212), que deu a Castela a famosa Meseta, com o deslocamento coletivo de milhões de carneiros (pelo menos três milhões nos séculos XIV e XV), a transumância anual do sul em direção ao norte e vice-versa, ou seja, 850 quilômetros na ida e na volta. Disso resultou, de um lado, a riqueza de Castela, baseada por vários séculos no merino com sua fina lã, além de couro, carne, peliças e tosões dos animais mortos ou sacrificados em tão longo caminho; de outro lado, a floresta residual do planalto central (a Meseta) foi quadriculada por uma rede de *cañadas,* da qual descobrimos pouco a pouco a extraordinária densidade. Além das importantes consequências sociais que entrevemos, com choques entre criadores, agricultores e habitantes das cidades, reforça-se também a ideia, outrora formulada sem base suficiente, de que o merino "pastou" uma floresta inteira, fragilizada por uma leve mutação do meio (clima).

A Inglaterra também foi profundamente marcada pelo carneiro; admite-se que a seleção de subespécies destinadas à lã foi realizada nos mosteiros cistercienses (século XII), evidentemente tomando por base raças anteriores, clima, a grama gordurosa e úmida, a comercialização fácil para a Flandres produtora de tecidos de lã. Por volta de meados do século XIV, desde princípios da Guerra dos Cem Anos, a Inglaterra começou a tratar diretamente sua excelente lã, melhorada ainda mais graças a alguns merinos que teriam sido levados por uma das infantas como dote, quando dos cruzamentos entre a dinastia de Castela e os herdeiros dos Plantagenetas. Daí resultaram fatos fundamentais: a riqueza do país (vários milhões de animais para apenas dois milhões e meio de homens) e também o começo do sistema de *enclosures*, que converteu em pastagens (*enclos* = cercados) numerosos terrenos (então fossilizados e atualmente bem visíveis na fotografia aérea); os camponeses expulsos reuniram-se em torno das cidades manufatureiras, que os empregaram sobretudo para tratar a lã: o carneiro "comedor de homens" certamente contribuiu para desalojá-los, mas sua lã forneceu-lhes a matéria-prima para novas atividades.

O boi

Ao lado daquele animal perfeitamente doméstico, aureolado pelo simbolismo do Cristo, Cordeiro de Deus, e de São João Batista com o cordeiro crucífero, devemos evocar a importância igualmente grande do boi, atributo do evangelista Lucas e presente no tetramorfo. Símbolo da paixão do Cristo e do espírito de sacrifício do cristão, ele foi representado no topo das torres da catedral de Laon.

Além de seu leite, queijos, manteiga, couro, pelo, os bovinos oferecem seu paciente e gigantesco trabalho. O grande boi romano, descendente (após quantos cruzamentos?) do boi das turfeiras e do grande auroque autóctone, tinha um tamanho bem mais imponente que os pequenos exemplares medievais, que depois do ano 1000 recuperaram o tamanho médio dos animais gauleses; apesar disso, não devemos prejulgar a força de trabalho deles, pois, embora menores, esses animais eram do século XI ao XVI mais atarracados, vigorosos e musculosos. O resultado de sua ação coletiva é evidente: desmatamento e cultivo regular de milhões de novos hectares, criação do agrossistema e da paisagem atuais. Os bovinos estão em todos os lugares, com variedades bem individualizadas, da Hungria ao Báltico alemão, à França e à Inglaterra; a manteiga escandinava conquista o sul e afasta a banha, o sebo e os óleos vegetais (papoula, colza, oliva) que logo ficam rançosos; os queijos de vaca fazem concorrência aos de ovelha (ou de cabra) e a Europa "carnívora" de Braudel desenvolveu-se principalmente a partir da carne de boi.

Nos séculos XIV e XV, quando diminui a pressão humana, o gado, dispondo de mais pastagens, provavelmente mais nutritivas, é mais bem vigiado e cuidado, e seu porte aumenta antes mesmo das seleções do século XVI e das novas solicitações das quais é objeto.

As aves

As aves são onipresentes: os ovos ou a carne de galináceos figuram, do século VIII ao XII, tanto na mesa camponesa quanto nos censos dos proprietários ou do senhor; havia galinhas, mas também pombos, patos, gansos, galinhas-d'angola (às vezes chamadas de "galinhas-da-índia"; os perus só seriam importados da América no século XVI); pavões e cisnes servem tanto para alimento como para o prestígio de lagos ou fossos. Todos estão de certa maneira familiarizados com o homem, criados e controlados por ele.

O cavalo

O cavalo é fundamentalmente consagrado à guerra, sobretudo após as invasões dos bárbaros da estepe, cujo avanço foi rápido e cobriu distâncias enormes: godos que partiram do Dniepre e chegaram à bota italiana ou ao sul da Espanha, vândalos que passaram da Silésia à Andaluzia e depois por Cartago... A cavalaria pesada foi a base das conquistas dos grandes Carolíngios, Pepino e Carlos Magno. Desde essa época usa-se o *sagmarius*, cavalo de carga e de tração, para as carroças, ao lado do *destrier* (cavalo de combate, com freio, ferradura, sela alta, estribo, testeira) para o cavaleiro com esporas, do palafrém (cavalo de passeio), da égua para as damas, do rocim (cavalo de uso comum) e do cavalo robusto para charrete e arado. Este último começa a se difundir nos séculos XII e XIII, por exemplo, nas terras pesadas, onde sua velocidade de trabalho, mais que sua força, faz concorrência ao passo lento dos bois; é verdade que é preciso um "combustível" caro para esse novo trator: a aveia.

O cavalo é muito importante para a classe cavaleiresca: os poemas épicos, os romances de corte, estendem-se longamente na biografia desses nobres corcéis, respondendo assim à expectativa dos leitores ou ouvintes. Todo *destrier* tem um nome, não somente o grande Bayard dos quatro Aymon, ou Veillantif (cavalo de Rolando), mas também Beaucent (de Guilherme da Aquitânia), Ferrant (de Girard de Roussilon), Broiefort (de Ogier, o Dinamarquês)...

Mesmo sem nome, e substituído sem remorso após sua morte em combate, o cavalo de guerra permanece o mais nobre dos animais; sua estrebaria localiza-se o mais perto possível da casa de seu senhor e ele é frequentemente mais bem acomodado e tratado que muitos servos. O cavalo de fazenda trabalha mais rápido e por mais tempo que o boi, mas é caro e frágil; as ossadas encontradas mostram que são utilizados até seu limite, em uma idade avançada, 13 anos, às vezes mais; sua morte não rende nada a seu proprietário a não ser o couro, em razão do tabu hipofágico.

Gato e cachorro

O gato, muito mais integrado no Ocidente do que se pensava até hoje, pouco entra na intimidade dos homens; as ossadas que começamos a encontrar em quantidade são sobretudo de animais semisselvagens que provavelmente vivem em bandos de jovens (a duração da vida parece não exceder dois anos), malcuidados, malnutridos, mal-amados, mantidos no estado famélico que sua função exige: caçar ratos. Apesar da grande desconfiança que inspira, dos vícios sombrios que representa — luxúria feminina, noite, paganismo, feitiçaria, sabá e Diabo –, ele pode às vezes ser mimado por monges ou mulheres. Mas, no círculo dos homens, ele está ainda longe de ser um concorrente do cão, já diversificado em várias raças que assumem funções particulares: a Antiguidade distinguia o lebréu longilíneo, o spitz de cauda enrolada, o pequeno bichon, doce e carinhoso, os dogues, os molossos, os pastores, os bassês.

A Idade Média ocidental, gaulesa ou germânica, louva o fiel e eficaz companheiro de caça; a doce galga repousa ao lado das damas; já existem então cães que não servem para nada além de serem acariciados, ou cães de guarda que defendem os rebanhos dos predadores (lobos ou ladrões), mas não ajudam a reunir os carneiros; também aparecem novas raças, como o são-hubert de orelhas longas (século XI), o grifo tártaro, que São Luís teria trazido da Terra Santa, o fraldiqueiro, descoberto por acaso num cruzamento de raças etc.

Trabalhadores negligenciados por muito tempo

O bicho-da-seda da amoreira, produto de cuidadosas seleções feitas na China desde o terceiro milênio, chegou pelos oásis da Ásia Central (Tourfan, Khotan?), por volta de meados do século VI, dentro da bengala oca de dois monges de Monte Athos, é o que relata Procópio de Cesareia. O Peloponeso ficou então repleto de amoreiras (daí seu nome medieval de Moreia), mas a seda bizantina era monopólio de Estado e o bicho-da-seda só se difundiu realmente a partir da Sicília, após o ano 1000, e concentrou-se na Espanha muçulmana. A aclimatação do bicho à amoreira-preta, sem eliminar a branca, permitiu que fosse levado através da Toscana (onde a cidade de Luca trabalhava sedas importadas) em direção ao norte da Itália, Bolonha, Veneza, Lombardia, Piemonte. Daí ele passou à Provença, depois às Cévennes no fim da Idade Média, e começou a se desenvolver graças a Luís XI. Apesar de sua importância econômica e social, assim como sua influência sobre um ambiente recriado por ele (amoreira, altitude, temperatura amena, umidade ou secura do lugar), o bicho-da-seda é bem menos conhecido dos zoólogos que dos agrônomos e camponeses.

O mesmo se dá com a colhedora e fecundadora das flores, a produtora de mel e cera. Os zoólogos falam dela com bastante frequência, seguindo os gregos e os conselhos dos bem informados apicultores romanos, da Hymette em Caere (Cerveteri) ou em Hybla (Sicília): os discípulos medievais de Catão ou de Varrão tratam e cuidam das abelhas, para as quais deixam uma parte do mel e pastas de figo úmidas e gordurosas para lhes permitir passar o inverno em colmeias bem vedadas e iluminadas, localizadas próximas da casa. Bem inseridas no espaço doméstico e familiar, elas permanecem, contudo, totalmente selvagens, e o enxame não capturado retoma imediatamente uma vida livre, comparável à que leva nas florestas eslavo-germânicas.

Selvagens domesticados

Ao lado dos animais domésticos ou daqueles cujas raças são controladas pelo homem, mesmo que parcialmente, devemos colocar os selvagens domesticados ou domados: os *liopardi* levados de Djerba (Zerbi di Barberia) para a Sicília e a Itália, os mencionados em torno de Ludovico, o Mouro, os enviados como presente a Luís XI, os que foram domados no Aragão do século XV. Os cadernos de de'Grassi em Bérgamo, os desenhos de Pisanello ou as pinturas de Benozzo Gozzoli (do círculo dos Médici), de Carpaccio ou de Bellini em Veneza, evocam frequentemente o guepardo, mais raramente o lince (com suas suíças e garras retráteis, mas sem cristas de pelo nas orelhas). Trata-se de animais de caça de prestígio, mesmo de animais de companhia, frágeis, caros e pouco numerosos. O selvagem domado por excelência é o pássaro de rapina, de voo alto (falcão) e baixo (açor). As recentes escavações arqueológicas do pátio do Louvre revelaram a volataria de Carlos V, inclusive uma cabeça de águia, rei dos pássaros, que possivelmente pertencia à equipe monárquica de caça.

Os rebeldes

Há também os verdadeiros selvagens, rebeldes ou em conflito, ou fora da ação e da influência direta dos homens.

Dicionário analítico do Ocidente medieval

Os predadores ainda eram numerosos em todo o Ocidente: o próprio Renart, encarnação da astúcia, seus primos texugo (Grimbert) ou gato selvagem (Tibert), e o denso cortejo dos mustelídeos, doninha ou fuinha em torno dos galinheiros ou nos celeiros, martas nas florestas, animais malcheirosos do tipo fueta ou *vison* (que "bufa"), gato-de-algália dos países mediterrâneos, pequeno lince do sul, grande lince do norte; animais das planícies e florestas, de ratos do campo e lebres aos esquilos ou cervídeos; animais das águas continentais, lontra ou castor, perca, tenca, linguado, truta, cadoz, lampreia... e também salmões, sáveis, enguias, esturjões; ou animais das águas marinhas, arenque, sardinha, atum... baleia, cachalote ou golfinho... Todos esses animais foram vistos e descritos na Idade Média, não tanto de acordo com a ciência antiga como pela experiência (pelo menos passiva). Acrescentemos os anfíbios (salamandra, tritão, rã, sapo), de reputação pouco convidativa, e os répteis (serpentes, cobras ou víboras, sáurios e lagartos crocodilescos...). A serpente, herdeira de répteis benfeitores e malfeitores das culturas tradicionais e da Antiguidade, é diabolizada pelo judeo-cristianismo. No Gênesis (3,1), ela é "o mais astuto de todos os animais dos campos, que Iahweh Deus tinha feito". É sob forma de uma serpente que Satã tenta Eva e leva o primeiro casal humano ao Pecado Original e à luxúria. Na Idade Média, ela encarna por excelência o Diabo.

É provavelmente o reino dos pássaros que mais ficou conservado na memória, sobretudo na imagem: garriça, melro, tentilhão, pintarroxo, melhanico, cotovia, andorinha, cegonha... pega, corvo, coruja, garça real, gaivota, pelicano, albatroz... Sua animalidade reveste-se de charme celeste. Eles religam a terra ao céu.

Por outro lado, o universo dos invertebrados pouco chamou a atenção, exceto alguns flagelos visíveis, por exemplo, as grandes invasões de gafanhotos dos séculos VI, IX (em 873), XII e XIV ou o pulular de parasitas prejudiciais à agricultura (gorgulhos). O conhecimento das formigas, cupins, moscas ou cochonilhas não incitava a estudar os anófeles, vetores então desconhecidos das febres malárias, e ainda menos as minhocas, cujo papel nos campos era inteiramente desconhecido.

Desse imenso domínio, cuja exploração mal começou, evoquemos brevemente três selvagens não tão desconhecidos que marcaram duradouramente o mundo medieval.

O urso é sobretudo visto na ponta da corda do bufão. Somente os caçadores e os pastores montanheses das florestas protegidas pela altitude (Maciço Central, Pireneus, norte da Meseta, Jura, Alpes, Cárpatos, Bálcãs), têm oportunidade de ver ursos marrons diferentes daqueles apresentados pelo folclore, pela hagiografia ou pelo *Romance de Renart...*

As invasões bárbaras e mesmo as guerras com o Leste, provavelmente, trouxeram para o Ocidente grandes lobos germânicos ou "siberianos", mais fortes e perigosos que os pequenos lobos antigos que recolheram Rômulo e Remo, louvaram Apolo Lykios e frequentaram as lupercais – e que quase só atacavam os rebanhos. Dos burgúndios a Carlos Magno, os novos lobos foram vigiados e caçados por razões de segurança. É o lobo "autóctone" que foi exterminado nas ilhas (na Inglaterra, entre Edgar, o Pacífico, e Henrique Plantageneta, na Sicília na época de Frederico II, depois na Irlanda, Córsega, Sardenha, Creta...). Ele se manteve na Bretanha, na Península Ibérica e no sul da Itália. Foi permanentemente combatido por "cavaleiros, padres e camponeses"; éditos senhoriais ou reais lembravam regularmente esse dever, com frequência revigorado pelo pagamento de prêmios. Quando o homem fraqueja, o lobo acorre e devora. É o caso na Galícia ou na Andaluzia, e também em Paris durante a Guerra dos Cem Anos, em 1421, 1423, 1438-1439, quando lobos aparentemente especializados em antropofagia percorrem o campo e penetram nas cidades. Tal foi o destino de Carlos, o Temerário, caído diante de Nancy e reencontrado, dizem, em parte devorado pelos lobos. Há outros exemplos desses predadores mal-afamados, que ao passar devoram uma criança, uma menina rechonchuda ou uma velha um pouco coriácea; ataques a homens jovens foram excepcionais. O lobo, diabolizado pelos homens da Idade Média, foi, entre outros, símbolo do herege.

Ao contrário do lobo, o rato preto, que há duas ou três décadas os pesquisadores da Idade Média procuram estudar, quase não deixou traços na literatura, nem mesmo nas escavações. Talvez fosse muito comum para que se falasse dele, ou estava ausente, ou seus ossos desapareceram, ou durante muito tempo não foram sistematicamente procurados. A questão é importante desde que, por ocasião da pandemia de peste, dita de Hong-Kong, no fim do século XIX, Simond (1898) pôde provar o papel do rato negro e de sua pulga na extensão do flagelo. Podemos dizer que o mesmo aconteceu nas pandemias precedentes, notadamente na primeira, dita de Justiniano (a partir do século VI)? Certamente existem ossos de ratos negros da época romana (em vários depósitos ingleses, savoiardos, germânicos...), mas não apareceram em vários outros lugares que também foram cuidadosamente escavados, sobretudo em regiões onde grassou a doença. A peste de Justiniano seria então uma "demia" cujo principal propagador teria sido o próprio homem. A partir do ano 1000, representações, ossos, traços de dentes sobre os destroços de cozinha, tornam-se mais frequentes. Mas a peste só retornou três séculos e meio depois (1347-1348). A presença do rato, quase contínua, não parece assim uma condição suficiente para "explicar" uma pandemia: o rato certamente traz menos a peste do que o lobo a raiva...

Animais reais e imaginários

Os animais pouco ou mal conhecidos aparecem nos bestiários lado a lado com animais puramente imaginários. O leão, aos pés de São Jerônimo e companheiro de Yvain, herói romanesco de Chrétien de Troyes, destrona o urso como rei dos animais. O elefante, com um exemplar do qual o califa Harun al-Rachid presentou Carlos Magno, assombra a imaginação dos cristãos medievais. O unicórnio, símbolo da virgindade, também parece real nesse mundo que acredita no maravilhoso. As versões latinas do *Physiologus*, enciclopédia animal vinda do Oriente, familiarizam um pouco os homens da Idade Média com os animais exóticos ou fantásticos carregados de simbolismo e de moralização. Os grandes senhores e os reis organizaram, sobretudo em fins da Idade Média, parques de animais, ancestrais de nossos zoológicos, dos quais a rua Lions-Saint-Paul, próxima ao Hôtel Saint-Paul, residência parisiense dos reis da França no século XIV, guardou a lembrança.

Os conhecimentos sobre os animais medievais, reais e imaginários, tornam-se mais precisos a cada ano; todo estudo de conjunto ou de detalhe deve ser, mais ainda que em outros domínios, mantido escrupulosamente atualizado.

ROBERT DELORT
Tradução de Vivian Coutinho de Almeida

Animais

Ver também

Alimentação – Caça – Maravilhoso – Natureza – Símbolo

Orientação bibliográfica

ANTI, E. *Santi e animali nell'Italia Padana (Secoli IV-XII)*. Bolonha: Clueb, 1988.

AUDOIN-ROUZEAU, Fréderique. Hommes et animaux en Europe: corpus des données historiques et archéozoologiques. *Dossiers de Documentation Archéologique*, Paris, n.16, 1992.

BECK, Corinne; RÉMY, Élisabeth. *Le Faucon, favori des princes*. Paris: Gallimard, 1990.

BIANCIOTTO, Gabriel. *Bestiaires du Moyen Âge*. Paris: Stock, 1980.

BOBIS, Laurence. *Les Neuf vies du chat*. Paris: Gallimard, 1991.

DELORT, Robert. *Les Animaux ont une histoire*. Paris: Seuil, 1994.

L'HOMME, L'ANIMAL DOMESTIQUE ET L'ENVIRONNEMENT, DU MOYEN ÂGE AU XVIIIᵉ SIÈCLE. Nantes: Ouest Éditions, 1993.

LANGDON, John. *Horses, Oxen and Technological Innovation:* the Use of Draught Animals in English Farming from 1066 to 1500. Cambridge: Cambridge University Press, 1986.

VAN DEN ABEELE, Baudoin. *La Fauconnerie dans les lettres françaises du XIIᵉ au XIVᵉ siècle*. Leuven: Leuven University Press, 1990. [Mediaevalia Lovaniensia XXV.]

VOISENET, Jacques. *Bestiaire chrétien*: l'imagerie animale des auteurs du Haut Moyen Âge (Vᵉ-XIᵉ siècle). Toulouse: Presses Universitaires du Mirail, 1994.

Anjos

O homem medieval viveu sob o olhar e em companhia dos anjos. A figura celeste aparece não somente nos textos teológicos, místicos, nos relatos das visões, das vidas de santos, nos sermões ou nas coletâneas de milagres, mas também numa iconografia superabundante. Tal onipresença é, sem dúvida alguma, uma das características maiores do cristianismo medieval. Já se disse que a filosofia moderna começou no momento em que os filósofos deixaram de falar de anjos. As datas tradicionais de início e de fim da Idade Média coincidem aproximadamente com os marcos da história da angelologia e enquadram os momentos mais notáveis da presença angélica no Ocidente.

Às obras de Santo Agostinho e de São Gregório Magno, pilares da tradição angelológica medieval, vem se juntar, no começo do século IX, *A hierarquia celeste*, então atribuída a Dioniso, o Areopagita, discípulo ateniense de São Paulo, o que lhe assegurava uma incontestável autoridade. Desde fins do século IV e a vitória sobre o paganismo apareceram as primeiras imagens de anjos. Em nenhum momento a representação de anjos foi posta em causa, apesar da querela das imagens, e pôde inclusive se prevalecer da legitimidade que lhe conferiu o II Concílio de Niceia (787). O monaquismo beneditino elaborou uma espiritualidade do anjo, enquanto se enraizava no Ocidente o culto do arcanjo São Miguel.

Na outra extremidade do período medieval, um conjunto de eventos delimita os contornos de uma transformação profunda, que revela uma rigorosa limitação e uma irremediável degradação da figura angélica. A angelologia torna-se uma questão de segundo plano em teologia, o papel dos anjos nos textos espirituais fica reduzido. Em compensação, o fim do século XV vê eclodir oficialmente a devoção dos anjos da guarda. Na iconografia, é por volta de 1420-1430 que aparece um novo tipo de representação, que se impõe na época moderna: o *putto,* menininho nu e rechonchudo, faz sua entrada nos manuscritos iluminados e na pintura.

A onipresença da figura angélica na Idade Média não significa, no entanto, uniformidade. A existência de uma tradição angelológica fundadora implica, sim, uma permanência dessa figura, mas a extensão de seu campo e suas modalidades variaram evidentemente durante esses mil anos de história do cristianismo. Ora, a avaliação da temática angélica, de seu papel, de sua evolução e de seus modos não foi objeto de um estudo global de ordem histórica e antropológica. Mesmo a própria história da espiritualidade quase não se interessou pela angelologia cristã. Essa singularidade historiográfica contrasta fortemente com o lugar dado aos estudos dos "seres intermediários" em filosofia e em história das religiões. É desse horizonte científico que provêm questões essenciais, suscetíveis de alimentar o estudo da figura do anjo na Idade Média. Henry Corbin mostrou a amplitude de que se reveste a angelologia do Islã,[1] e estudos comparados permitiram destacar a importância dos seres celestes na experiência religiosa das sociedades tradicionais.

Debruçar-se sobre o anjo medieval não é somente preencher uma lacuna da pesquisa e trazer materiais para uma história comparada das religiões, é ainda contribuir para melhor definir os contornos do cristianismo medieval, suas articulações mentais, seus sistemas de representação, assim como suas mutações e seu recorte cronológico. Notadamente, trata-se de reconstituir um conjunto espiritual, as fases de sua evolução e sua dimen-

---

1 Em francês, como em português, islam/islã indica ao mesmo tempo a religião e a civilização nela baseada. Mas, para evitar ambiguidades, por Islã, com maiúscula, entendemos o conjunto territorial e cultural fundamentado em uma religião, o islamismo – correspondente ao que é "Cristandade" para o mundo do cristianismo. [HFJ]

Dicionário analítico do Ocidente medieval

são sociocultural, e de estabelecer como se pôde passar de um cristianismo "angelolófilo" a um cristianismo no qual a presença angélica é singularmente diminuída.

A tradição angelológica no Ocidente

A angelologia não foi uma prioridade na reflexão dos Pais da Igreja. Eles começaram esforçando-se por definir as relações entre as três pessoas da Trindade e por construir uma cristologia ortodoxa. Por outro lado, a angelologia era um tema delicado, em virtude da devoção popular aos seres invisíveis e das especulações gnósticas. As polêmicas suscitadas por certos pontos da obra de Orígenes testemunham que se tratava de uma situação perigosa.

No Ocidente, é Santo Agostinho que lançou as bases de uma doutrina ortodoxa, definindo a natureza angélica como puramente espiritual e livre. Comentando o Gênesis, ele se dedicou a uma interpretação angelológica dos temas da luz, da origem do mal e do conhecimento de Deus. Enunciou as principais funções dos seres celestes, que decorrem de seu estado de servidores do rei dos Céus: celebram a glória divina, regem todo o Universo, as nações, os elementos, os indivíduos e transmitem a vontade divina. O mundo angélico está, pois, ao mesmo tempo, voltado para Deus, que ele glorifica, e para o mundo visível, que ele sustém e no qual intervém. Agostinho insistiu igualmente sobre a correspondência profunda que une o anjo e o homem: as duas criaturas são inteligentes e criadas à imagem de Deus, embora uma seja espiritual, a outra corporal.

Fiel ao ensinamento de Agostinho, Gregório Magno difundiu a ideia segundo a qual o homem é chamado a ocupar no Céu os lugares abandonados pelos anjos caídos, e introduziu no Ocidente a lista dos nove coros celestes que conheceu em Constantinopla (serafins, querubins e tronos, dominações, potestades e virtudes, principados, arcanjos e anjos). Mas a noção de hierarquia angélica permanece ainda misteriosa, traduz graus de conhecimento e diferenças de funções. É preciso esperar a chegada das obras do Pseudo-Dioniso, o Areopagita, traduzidas e comentadas em meados do século IX por João Escoto Erígena, para que a noção de hierarquia celeste dê lugar a um ensinamento místico de grande amplitude, embora sem posteridade imediata.

A Alta Idade Média é fortemente marcada pela devoção aos arcanjos em geral e, sob influência oriental, a São Miguel em particular. No Ocidente, o culto a São Miguel, cujo ponto de partida é a aparição no Monte Gargano, por volta de 492, difundiu-se nas terras célticas (Skellig Michaël irlandês, Mont-Saint-Michel) e depois se difundiu por toda parte. Em 789, Carlos Magno reconhece oficialmente os três arcanjos Miguel, Gabriel e Rafael, e em 813 impõe em seus Estados o 29 de setembro como data da festa de São Miguel. É enquanto potência divina, guardião do povo cristão, combatente contra o demônio e protetor do Império, que o arcanjo foi valorizado. Tal culto é o elemento mais visível de uma devoção aos anjos desenvolvida pelo monaquismo beneditino. Ele denota também a vontade de limitar e controlar a devoção aos seres invisíveis, pois permitiu à Igreja canalizar tendências politeístas e cristianizar os lugares outrora consagrados aos deuses galo-romanos ou aos gênios locais. Carol Heitz mostrou que as pequenas torres angélicas dos mosteiros, de início independentes das igrejas, foram progressivamente integradas aos edifícios, como mostra a planta de Saint-Gall, por volta de 820. As capelas altas dedicadas a São Miguel são as herdeiras desse processo.

A limitação do número de arcanjos regrou oficialmente o problema da devoção aos nomes angélicos conhecidos por meio dos apócrifos. Eles eram usados como potências protetoras pelos próprios clérigos, como testemunham as figuras gravadas sobre a tumba do abade Mellebaude no hipogeu de Dunes, em Poitiers (século VII), e a prece aos anjos do padre Adalberto, condenado em 745. Os anjos apócrifos desapareceram da devoção em fins do século VIII. Mas pode-se perguntar sobre a permanência deles na zona rural, onde a invocação de nomes angélicos ou demoníacos respondia a necessidades de proteção ou de cura. O quarto arcanjo, Uriel, coberto pela autoridade de Isidoro de Sevilha e de Beda, o Venerável, foi a principal vítima dessa reorganização, embora tenha sobrevivido nas regiões mediterrâneas sob influência oriental: ele ainda é encontrado em fins do século XII nos mosaicos da Capela Palatina construída em Palermo por Rogério II da Sicília, mas também nas humildes igrejas de camponeses na Catalunha.

Dicionário analítico do Ocidente medieval

O que conta na devoção, doravante, não é mais a potência ativa dos nomes angélicos, mas um modo de relação fraternal entre os anjos e os homens, assim como a ligação, frequente na liturgia, entre as criaturas. A expansão do monaquismo e a difusão da regra beneditina asseguraram a promoção de uma espiritualidade na qual o anjo desempenha um papel muito importante, e engendraram a formação de um sistema angelofânico do qual convém analisar os aspectos essenciais.

O desenvolvimento de um sistema angelofânico

O anjo é considerado um ser cuja vocação é manifestar-se aos homens e com eles estabelecer relações. Tanto os textos como as imagens destacam um espaço-tempo intermediário, que permite manifestar o mundo celeste e elevar ao Céu o mundo humano.

No contexto de um cristianismo centrado na escatologia e na visão antecipada da Jerusalém Celeste, a figura angélica tomou uma dimensão excepcional. Seu mais eloquente testemunho é, no século XII, o afresco da tribuna do transepto norte de Notre-Dame de Puy-en-Velay. O arcanjo São Miguel, que pisoteia o dragão, chega a cinco metros de altura: é a maior personagem da pintura mural francesa. O ser celeste é uma figura teofânica, que exprime a ação divina. Os anjos que adornam as cúpulas das igrejas são os habitantes de uma cidade celeste que os homens são chamados a alcançar. E a liturgia é o tempo privilegiado que permite a união dos dois tipos de criaturas, celeste e terrestre. A simbólica arquitetural faz algumas vezes do edifício de culto a imagem exemplar da Jerusalém Celeste, onde as torres são guardadas pelos anjos, como em Saint-Michel-de-Cuxa.

A convicção, que remonta a Agostinho e a Gregório Magno, segundo a qual o homem é destinado a ocupar os lugares abandonados no Céu pelos anjos decaídos, fundou uma verdadeira "antropologia angélica", para retomar a expressão forjada recentemente por Robert Bultot. Tal polaridade espiritual dá um sentido superior ao ser humano e estabelece uma concepção das relações do homem com o mundo. Até o século XII, o ideal monástico é considerado como a mais perfeita tradução terrestre da vida angélica. Pela virgindade, contemplação e celebração do louvor a Deus, o monge aproxi-

84

ma-se do anjo. A salmodia comunitária reflete Aqui a vida celeste, é como uma abertura do Céu sobre a terra e uma antecipação do Reino. O coro é atualização litúrgica do reino de Deus: antecipa a reunião prometida para o fim dos tempos. Nos seus *Louvores da Santa Cruz*, Rábano Mauro, monge de Fulda, sublinha que os nove coros angélicos e Adão encontram-se unidos num mesmo louvor ("Aleluia-Amém"), expresso na forma da cruz. A convicção de que a vida monástica é a expressão mais pura da polaridade angélica do homem é acompanhada, com frequência, por um discurso negativo em relação ao mundo e por todos os comportamentos que dizem respeito à natureza, como testemunha a obra de Pedro Damiano, no século XI.

O anjo não é somente um modelo celeste, mas um companheiro e um iniciador. Vinda da tradição do deserto, essa concepção é valorizada na literatura hagiográfica, em particular de tradição anglo-irlandesa. O anjo é, ao mesmo tempo, um ideal espiritual e o agente de desvelamento dos mistérios celestes, portanto da aquisição de um conhecimento iluminante. A manifestação angélica é uma descida do Céu à terra que santifica o homem, o tempo e o espaço. A visita e a visão dos anjos aparece como signo da santidade do monge e de sua semelhança com os habitantes do Céu. É desse modo que os relatos de aparições de anjos ocupam um livro inteiro da *Vida* de São Colombano, monge irlandês e evangelizador da Inglaterra (521-597). A ligação entre os anjos e os homens aparece, então, como muito próxima; os anjos estão tanto sobre a terra quanto no Céu, sempre prontos a se manifestar aos homens de Deus: São Cuberto construiu seu eremitério de pedra em fins do século VII com a ajuda de um anjo.

Durante toda a Alta Idade Média, o peso de modelos veterotestamentários é considerável: naquela época, a representação das relações entre anjo e homem se enraíza em episódios bem conhecidos, tais como a hospitalidade de Abraão, o combate de Jacó e sua visão da escada celestial, as anunciações aos profetas. Mas, à medida que a piedade se polariza no mistério da Encarnação e na humanidade do Cristo, o papel dos anjos articula-se mais estreitamente com Cristo e as relações deles com os homens se modificam.

No século XI, a reflexão teológica sobre os anjos aprofundou-se graças a Santo Anselmo, que meditou sobre a queda do Diabo e o destino espiritual do homem. A correspondência constante entre estado angélico e estado humano subjaz a toda sua obra, embora ele rejeite toda relação de causalidade entre a queda dos anjos e a criação de Adão. O homem deve completar no Céu o número dos anjos, mas Deus o criou por ele próprio e não somente para remediar o drama celeste. No século XII, encontra-se essa concepção e essa atenção pela natureza em Honório Augustodunensis. Esses novos elementos anunciam uma modificação no sistema vindo da "antropologia angélica".

Nos séculos XI e XII, a figura angélica desabrocha na experiência religiosa e nas expressões artísticas da fé. As imagens dos anjos multiplicam-se no interior de cenas que põem em jogo Deus e os homens. Entre os dois, o anjo encontra seu lugar e suas funções. Estas parecem fundamentais: os anjos são inseparáveis da manifestação de Deus em glória; eles permitem representar o drama da origem do mal e do fim dos tempos; são os mensageiros da vontade divina, os reveladores de segredos celestes, os guias e os companheiros do homem, Aqui e no Além. Seu papel não é somente o de pôr em movimento as imagens e, através de um código simbólico apropriado, torná-las narrativas, mas de desvelar temporalmente um espaço e um tempo diversos do espaço-tempo terrestre.

São Bernardo concede um amplo espaço aos anjos na ascensão mística; eles preparam a alma para a visão de Deus e apresentam a ela imagens das realidades celestes. A literatura visionária testemunha também a importância da temática angélica: as visões de Hildegarda de Bingen são, de certo modo, angelomórficas, mesmo que a figura angélica tenha sido remodelada por uma imaginação simbólica poderosamente original. Mas, por outro lado, tendências racionalizantes presentes na cultura religiosa levam a figura angélica na direção da alegoria e tendem a reduzir sua dimensão visionária.

Na esteira do impulso reformador do século X, do movimento cluniacense e de aspirações espirituais favoráveis à reforma gregoriana, assiste-se à emergência da figura do anjo da guarda individual. Trata-se de um desfecho lógico da devoção carolíngia, no sentido de que o anjo da guarda aparece como uma particularização das funções do arcanjo São Miguel. Multiplicam-se as preces privadas ao anjo da guarda, sob o patronato de João de Fécamp, de São João Gualberto ou de Santo Anselmo. Os cistercienses ampliam o movimento no século XII, como testemunham os sermões de São Bernardo. Na obra de Honório Augustodunensis encontra-se a primeira exposição precisa sobre os anjos da guarda. Os relatos de visões mostram um contato mais personalizado e mais afetivo com o ser celeste: a monja Elizabeth de Schönau evoca em muitos momentos "seu anjo". A iconografia elabora fórmulas que traduzem a mesma ideia, notadamente no caso da relação entre Tobias e Rafael.

Essa emergência deve, sem dúvida, estar vinculada a uma relativa "descoberta do indivíduo" no século XII. Isso posto, o protetor e guia pessoal desempenha um papel apenas limitado e está ligado a um mundo angélico hierarquizado. Até meados do século XII, essa hierarquia ainda é vista como uma superposição graduada de seres celestes. Por outro lado, a insistência da pregação sobre o julgamento pessoal depois da morte e a transformação do Além, com a afirmação do Purgatório no fim do século XII, contribuíram para valorizar claramente o papel do anjo da guarda, cuja atividade se estende às almas sofredoras.

Tensões, aprofundamentos e mutações

Alguns fatores fizeram o sistema angelofânico ocidental evoluir gradualmente a partir de fins do século XII. A introdução da obra de Avicena colocou os teólogos latinos em presença de uma angelologia muçulmana, criticada por Guilherme de Auvergne no seu tratado sobre o universo. Aristóteles e Averróis introduziram a noção de inteligência separada, que permite reconsiderar a natureza angélica. O fortalecimento da heresia cátara valoriza o papel da angelologia nas concepções metafísicas heterodoxas e o perigo de especulações nesse domínio. Ela leva a Igreja, pela primeira vez, a formular no IV Concílio de Latrão (1215) sua doutrina sobre a criação dos seres invisíveis: trata-se de afirmar a unidade fundamental do universo criado e o livre-arbítrio angélico. Os comentários de Joaquim de Fiore e depois dos espirituais franciscanos sobre o Apocalipse de João e sobre a figura do Anjo do Sétimo Selo (Apocalipse 7, 2), nutriram um imaginário místico e uma ousada especulação sobre o sentido da História. São Francisco foi identificado a esse anjo, que abre a Idade do Espírito.

Dicionário analítico do Ocidente medieval

Caída no esquecimento desde o século X, a *Hierarquia celeste*, do Pseudo-Dioniso, o Areopagita, foi objeto de novas traduções e exegeses. Hugo de São-Victor e depois, no século XIII, Alberto Magno, Roberto Grosseteste e Boaventura comentaram o texto e o utilizaram largamente em suas próprias obras. Mesmo São Tomás de Aquino, do qual se sublinha com demasiada frequência apenas o aristotelismo, cita o Pseudo-Dioniso mais do que o Estagirita.

A maturação intelectual induzida por essas múltiplas contribuições conduziu a uma reformulação da angelologia cristã não somente nas grandes sumas de teologia, mas também nas obras enciclopédicas, das quais o *Speculum naturale*, de Vicente de Beauvais, é, no fim do século XIII, o melhor exemplo. Duas ideias, a de luz e a de hierarquia, parecem ter se beneficiado mais do trabalho de reflexão realizado a partir do *corpus* dionisino. No século XIII, esses dois temas conjugam-se de maneira nova na figura do anjo. A iconografia dos nove coros celestes mostra que a hierarquia angélica é compreendida no sentido da participação mística na vida divina e da irradiação gradual da luz espiritual.

Mas a presença angélica tende a se articular estreitamente com a devoção à humildade do Cristo sofredor. A humanização do anjo é o corolário daquela: a "antropologia angélica" transforma seu conteúdo e seus modos de expressão. A mediação do sacrifício do Cristo parece permitir a manifestação de anjos superiores, os serafins, formas últimas dos estados espirituais e do amor de Deus. O crescimento quantitativo da presença angélica nas imagens traduz o desejo de ver os habitantes do Céu acompanhar os homens sobre a terra. Duas expressões essenciais são o forte crescimento da devoção aos anjos da guarda e, na outra extremidade da escala celeste, a manifestação dos serafins. Esse companheirismo vertical, supra-humano, vem completar o companheirismo dos fiéis, tal como se afirma no movimento das confrarias; ele também tem relação com a amplitude que toma a pregação: o anjo é uma figura cômoda para exortar à prática sacramental, ao aperfeiçoamento pessoal e para representar a vigilância celeste.

As novas contribuições culturais, a pressão da heresia, a influência dionisina, o desenvolvimento das Ordens Mendicantes, o crescimento do papel dos leigos, esclarecem as evoluções constatadas no sistema angelofânico.

Anjos

A luz une-se à piedade marial, em pleno desenvolvimento, para fazer do anjo um servo da Virgem, um ser mais feminino, de traços suavizados, com um corpo mais delicado, mais leve. O díptico de Wilton (1390) leva a seu paroxismo essa imagem feminina do anjo. As visões de Mechtilde de Hackeborn mostram anjos banhados na luz celeste e inseparáveis da manifestação hierárquica da glória divina. A conclusão do itinerário espiritual de Francisco de Assis, em geral reduzido à recepção dos estigmas da paixão de Cristo, aparece antes como realização do "homem hierárquico", ou seja, do ser que integrou os estados angélicos. Os caminhos da mística reencontram assim o discurso puramente doutrinal dos escolásticos. Mas a luminosidade e a feminilidade da figura angélica é acompanhada pela expressão de sentimentos humanos. Poder-se-ia evocar não apenas o "anjo sorridente" da catedral de Reims, mas também os "anjos chorosos" das crucificações pintadas por Duccio, Cimabue ou Giotto.

Os anjos são reveladores da tonalidade do sentimento religioso da sociedade. A aparição do anjo da guarda sob forma de criança, em Mechtilde de Hackborn ou em Gertrude de Helfta, traduz de outra maneira a valorização da feminilidade, da suavidade e do amor. O tema da exaltação da Virgem acima dos coros angélicos faz dela a mãe de todas as criaturas celestes, e não somente dos homens. Tal reformulação do parentesco entre anjos e homens por meio da piedade marial parece haver preparado a "infantilização" da imagem de anjo de fins da Idade Média.

O declínio dos ideais da realização monástica, na qual o anjo aparece como modelo espiritual a imitar, a nova insistência sobre a natureza humana de Cristo e os sofrimentos da Paixão e o maior conhecimento da natureza conduziram ao abandono da "antropologia angélica"? Na realidade, assiste-se a um alargamento de suas modalidades. A imitação de Cristo torna-se o eixo da devoção, a partir da qual se redefine a imitação dos anjos. O itinerário de São Francisco é exemplar, no sentido de que nele coexistem a imitação dos anjos e a imitação de Cristo, realizadas, uma e outra, sem contradição, no seu corpo: a estigmatização completou a realização do homem angélico. Contudo, tem-se, em geral, a impressão de uma distinção crescente entre as duas formas de piedade.

Dicionário analítico do Ocidente medieval

O fortalecimento das elites laicas, o desenvolvimento de uma piedade mais individual e a miniaturização dos suportes de devoção, conduziram no século XIV a uma importante modificação do sistema angelofânico e da linguagem das imagens. O fundo e a forma conjugam-se para produzir um enfraquecimento da figura angélica. Tende a desaparecer seu caráter teofânico em proveito da expressão de sentimentos humanos e das atitudes religiosas do fiel. A humanidade dos anjos seguiu a humanidade do Cristo e da Virgem.

O triunfo dos anjos da guarda

As imagens de devoção destinadas aos leigos de alta posição são caracterizadas pelo emprego de um código de signos que provocou o apequenamento da figura angélica na sua função de mediadora e de mensageira de Deus. A transmissão, função no entanto essencial do anjo, passa por outros canais, e por Deus Pai em pessoa. O ser celeste parece manter sua importância apenas como séquito luminoso de Deus, nas alturas celestes, e como protetor, individual ou coletivo.

O fim do século XIV é, a esse respeito, um momento decisivo. Em Aragão, toma impulso a nova devoção aos anjos da guarda, em parte sob a influência do franciscano Francisco Eximenis e do dominicano São Vicente Ferrer. Trata-se, de início, de um culto rendido aos anjos das cidades, como em Valência, em 1390. Segundo Jean Delumeau, a necessidade de segurança diante das calamidades do tempo, a peste em particular, dá origem ao desenvolvimento dessa veneração. Mas, sem dúvida, também é preciso ver nisso uma forma da cidade de reconhecer-se como imagem da Jerusalém Celeste. Reunida atrás de seus muros, sob a proteção de seu anjo, a sociedade urbana reflete a assembleia dos habitantes da cidade santa. A frágil felicidade dos citadinos pode ter suscitado a necessidade de tornar mais próxima e mais humana a figura angélica.

Durante a segunda metade do século XV, a maior parte das cidades de Aragão celebrava seu anjo. O aspecto defensivo que caracteriza essa celebração relaciona-se com São Miguel, cujo culto conhece então um segundo alento: Colette Beaune mostrou como o arcanjo São Miguel tornou-se, graças à Guerra dos Cem Anos, e depois de um sensível eclipse no século XIII, o protetor da realeza francesa contra o Inglês. O anjo é, com a Virgem e os santos, uma das figuras essenciais capazes de responder ao progresso de uma piedade mais individual, mas que se manifesta pela identificação a uma nação, a um grupo social, a uma confraria. Na Península Ibérica, o fim do período medieval coincide com a generalização do culto aos anjos das cidades e com a proclamação da festa do anjo de Portugal (1504).

A reflexão sobre a significação do anjo da guarda individual é retomada no final do século XIV pelos sermões de Ludolfo da Saxônia, Vicente Ferrer e João Gerson, e termina com o reconhecimento da primeira festa solene dos anjos da guarda pela bula pontifícia de 1518, a pedido do bispo de Rodez, Francisco de Estaing. Assim, a devoção aos anjos da guarda, individuais ou coletivos, aparece como o legado essencial da angelologia medieval à piedade moderna.

Em Gerson, tal devoção ainda está ligada à ascensão mística, de acordo com a perspectiva dionisina; todavia, parece que o anjo surge mais frequentemente como uma resposta à necessidade de proteção. Dois aspectos destacam-se nessa figura: o guardião-combatente e o guia da alma. O primeiro traço, mais precoce, se enraíza na função guerreira de São Miguel e ocupa seu lugar na visão do mundo como teatro de um combate sem trégua entre anjos e demônios. A onipresença angélica parece fazer eco à onipresença do Diabo. É difícil não vislumbrar, por trás da "explosão demográfica dos anjos" nas iluminuras e nas margens dos livros de horas, suportes da piedade das elites laicas, uma resposta aos medos e angústias da salvação. O universo angélico fornecia uma inesgotável reserva de intercessores e a visão reconfortante de um universo povoado de espíritos benfazejos.

O anjo-guia ganha importância em razão da insistência da pastoral sobre a salvação pessoal. Miguel permanece o modelo do guardião e guia da alma, embora a ele se junte o arcanjo Rafael, promovido a patrono dos viajantes no século XV. Desde a década de 1330, a *Peregrinação da alma*, de Guilherme de Digulleville, valoriza a dupla formada pela alma e seu anjo da guarda. No fim do século XV, *A arte de bem morrer* põe em cena o anjo e o demônio ao redor do leito do moribundo. A morte é o momento-chave do combate terrestre entre os dois campos: o anjo é aquele que prepara

Dicionário analítico do Ocidente medieval

o agonizante, que orienta seus pensamentos, que lhe permite frustrar as últimas artimanhas do demônio. A devoção ao protetor individual é tanto mais forte quanto mais se dissemina a crença nos imensos poderes do demônio, posta em relevo por uma poderosa iconografia. Satã não parece mais ligado à sua natureza angélica, e sim ter adquirido uma tal autonomia que surge como rival de Deus.

A devoção ao anjo da guarda provocou práticas ilícitas, mesmo porque a própria Igreja atribuía aos anjos possibilidades de ação concreta. A invocação das potências celestes para fins utilitários e a transmissão de conhecimentos por parte dos anjos caracterizam a "arte angélica", suscetível de bloquear o caminho dos ardis do demônio. A devoção ao anjo da guarda insere-se na consciência da assimilação escatológica dos homens aos seres celestes, estes representando o estado espiritual esperado por aqueles. Os monges não têm mais o monopólio da "angelidade", pois os leigos doravante acedem a ela por meio de sua participação na liturgia e de sua vida devota. Além disso, o próprio conteúdo da noção de vida angélica se alarga: atribui-se aos anjos atividades intelectuais ou materiais, embora a imitação dos anjos não se reduza à de sua função contemplativa e litúrgica. Essa evolução é inseparável do interesse marcadamente crescente pelos anjos inferiores, quer dizer, pelos anjos ativos, em contato permanente com o universo físico e com os homens.

Mas a relação com o anjo toma, desde o século XV, uma coloração sentimental que enfraquece seriamente sua significação. O movimento dinâmico que une o Céu e a terra é concebido mais como um vai-e-vem de anjos da guarda, conselheiros e intercessores aos quais se solicita ajuda, do que como participação gradual na luz divina. Em tal esquema, a hierarquia angélica se esbate e os anjos superiores, serafins, querubins e tronos, não têm mais lugar.

A respeito da imagem de anjo, os visionários do século XV quase não se afastam de seus predecessores do XIII: Francisca Romana e Margarida Kempe viam seus anjos da guarda sob o aspecto de uma criança, à qual a primeira delas atribui a idade de 9 anos, o que é uma maneira nova de afirmar que ele pertence ao último dos coros celestes. Parece que se assiste a um processo de rejuvenescimento do ser angélico, que toma a forma de uma "feminização" ou de uma "infantilização". De início homem jovem, o anjo passa a ser visto depois como andrógino, adolescente, criança e nenê. De fato, o século XV cria a imagem do *putto,* esse sincretismo entre o anjo e o Cupido antigo, que veio a ser uma das representações mais correntes do ser celeste nos séculos XVI e XVII. O rejuvenescimento do sobrenatural estaria relacionado com a própria ideia de Renascimento? É a mitologia greco-latina que é solicitada nesse processo, mais do que as bases bíblicas, apesar da alusão evangélica aos anjos das crianças (Mateus 18,10). A imagem sincrética do *putto* associou-se ao fenômeno de crescimento quantitativo da presença angélica nos manuscritos, para empobrecer singularmente o peso espiritual do ser angélico.

Por detrás de uma aparência de uniformidade doutrinal, abalada, porém, por heresias ou influências estrangeiras, percebe-se uma gradual modificação do sistema angelofânico da tradição cristã ocidental. Essa evolução é caracterizada pelo distanciamento do substrato bíblico, sobre o qual se havia desenvolvido a dimensão teofânica do anjo. A imitação de Cristo, na sua natureza humana e sofredora, suplantou a imitação dos anjos, concebida primeiro de modo litúrgico e contemplativo, depois em termos de integração de estados espirituais hierarquizados e de participação na luz divina. A "antropologia angélica" não desapareceu, mas abriu-se a novas formas, respondendo às necessidades dos leigos. Em compensação, o declínio do anjo como forma de manifestação do Cristo e como potência mediadora ressalta o desmoronamento do sentido teofânico bíblico. À "angelidade" do homem sucedeu progressivamente a humanidade do anjo. O processo parece correspondente ao de Cristo. Tornado confidente, conselheiro e intercessor, o anjo experimenta sentimentos humanos e adota as atitudes do devoto. As tendências opostas da iconografia do fim da Idade Média, atribuindo ao ser celeste uma corporeidade etérea, luminosa e feminina, ou, ao contrário, a pesada corporeidade do *putto,* traduzem uma certa ruptura na tradição. O fim da hegemonia do modelo monástico, centrado sobre a imitação dos anjos, a diversificação das vias espirituais nascida da evolução da sociedade medieval, a pressão das heresias, as tendências ao sincretismo intelectual ou artístico, explicam em boa medida a amplitude da transformação da figura angélica e a sobrevivência do anjo da guarda, que permanece

Dicionário analítico do Ocidente medieval

sozinho, face a face com o homem, após a Idade Média. Assim, os anjos aparecem como reveladores das inflexões e das mutações do cristianismo ocidental; exprimem sua tonalidade particular.

PHILIPPE FAURE
Tradução de José Carlos Estêvão

Ver também

Além – Corpo e Alma – Diabo – Escatologia e milenarismo – Imagens – Indivíduo

Orientação bibliográfica

LES ANGES ET LES ARCHANGES DANS L'ART ET LA SOCIÉTÉ À L'ÉPOQUE PRÉROMANE ET ROMANE. *Cahiers de Saint-Michel-de-Cuxa*, n.28, 1997.

CASSAGNES-BROUQUET, Sophie. *Les Anges et les démons.* Rodez: Rouergue, 1993.

CATTIN, Yves; FAURE, Philippe. *Les Anges et leur image.* Saint-Léger-Vauban: Zodiaque, 1999.

DELUMEAU, Jean. *Rassurer et protéger.* Paris: Fayard, 1989.

HECK, Christian. *L'Echelle céleste dans l'art du Moyen Âge*: une image de la quête du ciel. Paris: Flammarion, 1997.

MILLÉNAIRE MONASTIQUE DU MONT-SAINT-MICHEL. Paris: Lethielleux, 1967-1971. 5v.

STAPERT, Aurélia. *L'Ange roman, dans la pensée et dans l'art.* Paris: Berg International, 1975.

TAVARD, Georges. *Les Anges.* Paris: Cerf, 1971.

VILLETTE, Jeanne. *L'Ange dans l'art occidental, du XIIe au XVIe siècle.* Paris: H. Laurens, 1940.

Artesãos

O termo "artesanato" evoca antes de tudo uma habilidade – ou saber fazer. A palavra deriva do italiano *arte,* que supõe a qualidade, e mesmo a virtuosidade, de execução de uma série de operações técnicas a partir de um material ou de um conjunto de matérias-primas; o objetivo buscado é a obtenção de um produto vendável.

O desenvolvimento da indústria a partir do fim do século XVIII contribuiu indiretamente para revalorizar a habilidade artesanal, mesmo que a tenha confinado a operações e produtos para os quais o trabalho manual continua insubstituível. Diante do produto mercantil feito em série – que também incorpora uma habilidade do operário cujos vestígios estão apagados –, o produto "feito à mão", mesmo que repetitivo, supõe uma apreciação e uma experiência dos sentidos e, consequentemente, uma herança adquirida e transmitida pela prática.

Na *Grande Encyclopédie,* François Quesnay descreve o produto do artesanato como fruto da repetição, pois há séculos a sociedade tinha certeza de que a mercadoria responde a critérios definidos e garantidos por textos regulamentares. A indústria, pelo contrário, é uma "faculdade da alma", que supõe a invenção e se desenvolve, portanto, fora das normas estabelecidas.

A revalorização do trabalho manual traduz, sem dúvida, a desilusão do consumidor diante dos automatismos e dos produtos saídos de moldes,

Dicionário analítico do Ocidente medieval

numa época em que a vida cotidiana foi invadida, até no pão de cada dia, por substitutos da "bela obra".

O trabalho do artesão, seja ele padeiro ou ourives, refere-se ao mesmo tempo ao conhecimento dos materiais escolhidos, à segurança de gestos repetidos, à consideração eventual dos desejos dos clientes. É nessa relação com o consumidor identificado e exigente que se exprime melhor a virtude do artesão: a tradição que enobrece as coisas, as relações pessoais com comanditários ou fregueses. Mas há variações, pois o ourives que executa um modelo único nunca perdeu o prestígio, como o padeiro que não cozinha nem modela. Do serviço prestado até a criação artística, o artesanato é, percebe-se, uma categoria ambígua da produção e do comércio, que os historiadores tomaram emprestado ao vocabulário administrativo para descrever ou evocar, a partir do século XIX, vários ofícios muito antigos. Eles o fizeram por referência, de um lado, à indústria que se expandia e, por outro lado, à noção de "Antigo Regime" maltratada pela lei Le Chapelier de 1791.

Não é revelador que fosse em relação a um estado do maquinismo do fim do século XVIII que os observadores e teóricos do trabalho e da mais-valia uniram numa palavra – artesanato – o complexo mundo dos antigos ofícios, para melhor opô-lo à indústria e a seus intermináveis prenúncios que chamaríamos mais tarde de "protoindústria"? Os historiadores das sociedades antigas e, em particular, os medievalistas, ratificaram plenamente essa visão da produção, que tinha o mérito de ser global e que sob o termo "artesanato" satisfazia a concepção frequentemente modesta, e às vezes nostálgica, do trabalho material, medida do valor dos homens e das coisas.

Corporações

Sabe-se da força da ideia "corporativa" na representação de uma sociedade de ordem(ns), habilmente utilizada e recomposta pelo discurso da "reação" política, para quem as divisões, privilégios e hierarquias organizadoras são bem-vindas, na medida em que deixam pouco espaço para as reivindicações horizontais que unem os trabalhadores. E é verdade que o artesanato se adaptava ao corporativismo nas representações hieráticas e nas reconstruções ideológicas do "velho bom tempo".

Artesãos

Embora os agrupamentos de produtores por ofícios tenham sido revolucionários antes de se tornarem conservadores, a imagem que se destacou na visão historicista do passado nacional é frequentemente a do corporativismo tardio e enrugado das sociedades urbanas medievais, mais que a das lutas acirradas conduzidas nas mesmas cidades da Europa, dois ou três séculos antes, pelos defensores da liberdade de empreendimento contra o poder dos senhores territoriais.

A noção de artesanato, e ainda mais a de corporação, serve a alguns como um escudo aos privilégios, mascarando pela proclamada igualdade das oportunidades, a desigualdade social presente em todos os ofícios, e os organiza em um sistema hierarquizado da vida política.

Seria necessário ainda especificar em qual época, em qual meio, a quais ofícios se faz referência quando se coloca sob o signo do artesanato, e até das corporações, o conjunto produtivo de todos os objetos da vida material e os atores que possuíam capacidade e herdaram conhecimento para produzir esses objetos.

O que seria uma "idade do artesanato" abrangendo doze séculos? Por que estender a seiscentos anos de história ocidental a estagnação corporativa que tomou conta de certos ofícios na Europa no século XV ou XVI?

Abandonemos então, pelo menos provisoriamente, um termo que não fazia sentido para os contemporâneos de Luís XI, ainda menos para os de São Luís. Não o substituímos automaticamente pelo termo "indústria", que viria anacronicamente desfigurar todas as formas de atividades de produção não agrícolas, mas conservemos da definição da *Grande Encyclopédie* o elemento qualitativo ("faculdade da alma") que acompanha a grande empresa, qualquer que seja a época em que apareça: se admitirmos que o gosto e os meios de empreender não são no século XVIII uma novidade absoluta, admitiremos também que um vasto setor das atividades de produção, nas cidades e fora delas, sempre escapou a uma definição estreita e fechada da vida profissional.

O têxtil foi, provavelmente, o principal setor de atividade produtiva não agrícola das sociedades antigas, se levarmos em conta todas as formas de consumo e o número de pessoas envolvidas: mulheres e filhas de camponeses e de artesãos – qualquer que fosse a profissão do esposo ou do pai — assumem regularmente trabalhos que dependem ou da economia doméstica, ou, pelo viés do *Verlag*, de uma economia capitalista: fiar, urdir, tecer, costurar, tricotar, bordar, lavar, remendar, passar, e tantas outras tarefas de produção e de manutenção de peças de tecido, de mobília e de decoração, de vestimentas, de roupas de casa e de ornamentos eclesiásticos, que vão do mais rústico ao mais suntuoso, e que não entram no âmbito do que se convencionou chamar de "artesanato".

Tomemos o exemplo bem estudado da arte da lã florentina, que reúne todos os operadores de uma cadeia de fabricação dividida no plano técnico em sete fases de trabalho. Descrever essas fases é passar, de uma operação a outra, pelos quadros sociais mais diversos: do canto da oficina onde é feita a seleção dos tosões e a limpeza preliminar da lã, até o estendedouro onde a peça de trinta metros de comprimento será preparada dezoito meses mais tarde, distinguimos o estabelecimento comercial do mercador-empresário que controla o processo produtivo e a contabilidade desde a compra da lã até a venda do tecido no varejo, o modesto ambiente doméstico da fiadeira, as tinas e os pigmentos do tintureiro, a oficina onde trabalham, conforme o caso, um ou vários tecelões.

Qual desses trabalhadores será considerado pelo historiador das técnicas ou do trabalho como um artesão? Nem o mercador, nem a fiadeira, nem os operários da preparação do couro. O tintureiro? O tecelão? De acordo com seu nível de independência em relação ao empresário, eles podem ou ser autônomos, proprietários de seus instrumentos de trabalho e mestres, tendo seu lugar no processo da produção e da encomenda, ou ser pessoas submetidas ao empregador, a quem se ligam pelo fornecimento das matérias-primas, prazos de entrega, adiantamentos sobre o pagamento, instalação no local de trabalho ou no alojamento.

Vê-se pelo exemplo da produção de tecidos, uma das mais difundidas nas cidades e nos campos, independentemente da qualidade do produto acabado, quantos destinos individuais bem diferentes devem ser levados em conta por uma história social dos ofícios. Olhando de perto, o termo "artesanato" dificilmente recobre a realidade de processos operatórios complexos, e se fosse preciso limitar seu emprego para nomear a competência profissional, a maestria do objeto produzido, o serviço prestado à clientela, só levaríamos em conta, como vimos, o trabalho de uma pequena unidade de produção e de venda no varejo com matéria-prima fornecida pelo cliente.

É preciso, sem dúvida, considerar uma outra dimensão dos ofícios para apreciar, com o distanciamento necessário, o que implica o uso do termo "artesanato": a administração coletiva de um agrupamento profissional. A justaposição das palavras "artes e ofícios" não seria reveladora, em francês e em italiano, da impossível redução a um denominador comum dos ofícios regulamentados e daqueles que não o são, dos agrupamentos que receberam ou conquistaram o reconhecimento oficial de sua legitimidade e das ocupações profissionais que não gozam desse reconhecimento porque são minoritárias, degradantes ou consideradas perigosas à ordem social?

A organização pode ser imposta pelo poder público; ela foi frequentemente, a partir do século XI, reivindicada e conquistada por associações juramentadas de ofícios, sob o pretexto de manifestar uma solidariedade corporativa em relação aos mais fracos do grupo, ou de administrar coletivamente o abastecimento e a repartição das matérias-primas e de fazer reconhecer, diante de uma concorrência que se tornou fraudulenta, a qualidade dos produtos acabados.

Essa atividade reguladora nos setores indispensáveis à vida das populações tomou uma direção claramente política: nas regiões e cidades mais desenvolvidas da Europa medieval, a força econômica e financeira dos ofícios organizados é um elemento-chave das lutas entre facções pelo controle ou pela cogestão da política urbana. Atingindo sucessos temporários ou duradouros, os homens de ofício contribuíram, a partir do final do século XII, para uma renovação parcial das elites, que, quando chegavam ao poder, conservavam somente o papel financeiro ou mercantil de sua profissão de origem.

Administrar, regulamentar, julgar: os mestres dos principais ofícios (alimentação, vestimentas, equipamento doméstico) construíram uma organização interna da profissão e uma representação social do trabalho que, com sensíveis diferenças, reencontramos em toda a Europa. Por toda a parte, os mestres, acostumados a se comportar como empresários, dirigem as condições técnicas e práticas do trabalho e da produção: a regulamentação deu lugar ao aprendizado e às etapas que levam os operários que dispõem de

Dicionário analítico do Ocidente medieval

recursos financeiros à condição de mestre. Por toda a parte, de outro lado, a vida festiva dos ofícios propõe, por meio de procissões e desfiles, uma classificação de profissões que reflete uma hierarquia social. Essa imagem é, naturalmente, variável de acordo com o tamanho da cidade ou o lugar que ela ocupa num espaço territorial.

Assim, numa cidade muito pequena como Hattingen, na Vestfália, uma única organização reúne os membros dos ofícios de serviço e de bairro: mercadores, padeiros, sapateiros, açougueiros, tecelões e alfaiates. Em outra pequena cidade da Vestfália, Breckerfeld, onde a indústria de aço emprega toda a população, a guilda do ofício principal trata, em nome da coletividade, com os homens de negócio da metrópole próxima, Colônia, que vendem seus produtos.

Em Pisa, no século XIII, os ofícios do couro que dominam a economia urbana são divididos em sete ramos, cada um com seu estatuto. Na mesma época, poucas cidades da Bretanha chegam a ter ofícios organizados.

Poderíamos multiplicar os exemplos contraditórios, quer a liberdade de produzir sem o controle de seus pares, quer a impossibilidade de certas profissões se constituírem em ofícios protegidos: em Pádua, no século XIII, todo açougueiro pode vender a carne no varejo, mesmo que não esteja inscrito na fraternidade (*fratalia*) do ofício, enquanto em Pisa, pelo menos durante várias décadas, os talhadores de pedra não estão autorizados a constituir uma associação.

É nas etapas técnicas que as clivagens são mais fortes entre ofício nobre e ocupação obscura, como vimos pelo exemplo da arte da lã em Florença. De forma geral, as atitudes contraditórias que vemos entre uma cidade e outra são menores se considerarmos a história dos ofícios na longa duração de cada organismo urbano. As diferenças no tempo e no espaço são sensíveis, mas a evolução de conjunto tende na Europa para um controle estatutário cada vez mais completo. O surgimento de ofícios por sucessivas divisões e uma crescente especialização caminham junto com o reforço do controle da comuna, do senhor territorial ou do príncipe, mas sobretudo de homens de negócios que dirigem a vida econômica no plano regional ou internacional. A influência destes últimos foi decisiva para conservar, dentro ou fora dos ofícios organizados, uma massa de profissionais sem qualificação e assalariados: B. Geremek foi o primeiro a ressaltar a importância destes no artesanato parisiense do século XIII.

Categorias

Se – como ocorreu violentamente em Florença por ocasião do levante dos Ciompi, em 1378 – os mercadores-empresários que regem a vida dos ofícios se opõem aos assalariados, dos quais uma poderosa minoria é de mestres sem esse título ou mestres rebaixados, a posição intermediária é ocupada pelos artesãos? Ou seja, por homens ou mulheres – nos ofícios da seda – de competência técnica reconhecida e cuja relativa autonomia é garantida pela própria mediocridade de seus recursos financeiros?

Diante de ofícios elitistas que tentam estabelecer uma fronteira cada vez mais rígida entre os notáveis (*artifices veri*, diz-se em Pisa) e os submissos, assalariados pagos por dia, afirma-se uma terceira categoria, mais complexa no século XV do que tinha sido no século XIII, e que não se pode reduzir às funções de serviço, reparação ou acabamento. Ela encarna uma mobilidade social, indiferente ao enrijecimento dos ofícios privilegiados; plena de potencialidade de inovação técnica, ela acompanha, com o favor dos príncipes, a evolução das grandes companhias; é ignorada pela história do capitalismo triunfante porque não gera lucros suficientes para ocupar o primeiro plano.

Se tomarmos, com H. Samsonowicz, o exemplo da cidade de Danzig no começo da época moderna, constatamos que para uma população de 30.000 habitantes, da qual um terço é constituído por homens de negócios, 50% dos ativos fazem parte de ofícios organizados, 30% de ofícios livres e 20% de grandes companhias, sobretudo os estaleiros navais.

Levar em conta as indústrias que trabalham para o Estado ou sob seu controle, como as minas de prata, os arsenais, as casas da moeda, mas também as atividades que requerem investimentos de capitais importantes e arriscados, como a metalurgia, a vidraçaria, a produção de papel ou, no último terço do século XV, a imprensa, é assistir ao desenvolvimento de profissões novas, que não se encaixam nas definições tradicionais dos ofícios: um construtor de navio, um mestre refinador de metais, um engenheiro hidráulico, são artesãos?

Dicionário analítico do Ocidente medieval

É, sem dúvida, importante considerar que os mesmos homens são capazes de trabalhar em contextos bem diversos, e que, apesar das barreiras erguidas pelos ofícios, podem ser levados a se definir diferentemente de sua formação inicial e de seu pertencimento a uma fraternidade. Dentro de uma mesma unidade de produção, um artesão pode trabalhar ou para a demanda local ou para a exportação: um fabricante de manoplas articuladas de Colônia, capital do armamento no século XIV, é um especialista reconhecido e respeitado ao mesmo tempo pelo homem de negócios renano que vende seus produtos sofisticados no mercado de Bruges ou Londres, e pelo grande senhor alemão ou brabantês que lhe faz encomendas por conta própria.

Na mesma cidade, um mestre pedreiro pode fazer contato com um particular para a construção de uma escada em caracol ou a reconstrução de uma adega. Ele também pode ser recrutado com o título de engenheiro ou de mestre de obras para a construção de uma grande igreja: independentemente de o ofício ao qual pertence estar organizado ou não, ele escapa totalmente às regras que fixam na sua cidade as modalidades de trabalho e de remuneração.

Portanto, no interior de uma profissão, a idade, a rede familiar, o suporte financeiro, o nível da encomenda são fatores que introduzem relações desiguais entre os mestres. Alguns, por exemplo, contam com fundos externos — caso do peleteiro friulano que no século XV investe na oficina de um ferreiro, caso do homem de negócios veneziano especializado na produção e venda de tecidos de seda e que se associa a um cuteleiro, talvez seu vizinho ou seu compadre — e adquirem uma posição social invejável, enquanto outros mestres são obrigados pelo endividamento crônico a trabalhar para seus confrades como assalariados.

Um assalariado é sempre artesão? Um mercador de seda ainda o é? Essas questões não pretendem estabelecer um espaço perfeitamente definido — que seria o do artesanato — entre a dependência do operário de aterros, que trabalha por dia, e a liberdade do negociante, que especula com o tempo. Pelo contrário, parece que a própria noção de artesanato é inoperante para definir globalmente um modo de produção ou uma época da história do trabalho anterior ao advento do capitalismo.

Se do século XI até o fim do Antigo Regime alguns ofícios organizaram com o apoio dos poderes públicos formas de defesa mútua, de solidariedade profissional e de monopólio setorial, tal sistema de regulamentação nunca abarcou todo o campo da produção e das trocas. Ele próprio foi, nas cidades e nos campos, alimentado e mantido, mas também deformado e enfraquecido, por outras formas de iniciativa individual ou de empresas coletivas que nunca deixaram de realizar o abastecimento de matérias-primas, a entrega de produtos semiacabados e a exportação de produtos elaborados. Teria existido um grande comércio na Idade Média apenas com produtos do artesanato?

A qualidade está apenas nos homens: entre o capital vagabundo e o trabalho diariamente remunerado, os artesãos afirmaram e conservaram sua identidade profissional graças à precisão insubstituível de gestos aprendidos e transmitidos, ao domínio das ferramentas e da administração da oficina ou da loja, à função exercida na proximidade do mercado e dos consumidores.

Mesmo quando a oficina era somente uma etapa, ou até a etapa final num processo de produção, a marca que o mestre imprimia ao produto acabado e, a partir do século XV, a assinatura colocada sobre um painel pintado, atestam o valor agregado pelo acabamento artesanal nos setores de ponta da produção mercantil.

PHILIPPE BRAUNSTEIN
Tradução de Vivian Coutinho de Almeida

Ver também

Cidade – Guilda – Mercadores – Trabalho

Orientação bibliográfica

ARTIGIANI E SALARIATI: IL MONDO DEL LAVORO NELL'ITALIA DEI SECOLI XIIe-XVe. Pistoia: Giugno, 1984.

BARRAL I ALTET, Xavier (org.). *Artistes, artisans et production artistique au Moyen Âge*. Atas do Colóquio Internacional de Rennes. Paris: Picard, 1986-1990.

BRAUNSTEIN, Phillipe. L'Industrie à la fin du Moyen Âge: un objet historique nouveau? In: BERGERON, L.; BOURDELAIS, P. (eds.). *La France n'est-elle pas douée pour l'industrie?* Paris: Belin, 1998. p.25-40.

COORNAERT, Émile. *Les Corporations en France avant 1789*. Paris: Gallimard, 1941.

GEREMEK, Bronislav. *Le Salariat dans l'artisanat parisien aux XIIIe-XVe siècles*. Paris e Haia: Mouton, 1968.

IRSIGLER, Franz. *Die wirtschaftliche Stellung der Stadt Köln im 14. und 15. Jahrhundert*. Wiesbaden: Steiner, 1979.

LAMBRECHTS, Pascale; SOSSON, Jean-Pierre. *Les Métiers au Moyen Âge*: aspects économiques et sociaux. Atas do Colóquio Internacional de Louvain-la-Neuve. Louvain-la-Neuve: Institut d'Études Médiévales, 1994.

STELLA, Alessandro. *La Révolte des Ciompi*: les hommes, les lieux, le travail. Paris: Éditions de l'École des Hautes Études en Sciences Sociales, 1993.

WOLFF, Philippe; MAURO, Frédéric (orgs.). *L'Âge de l'artisanat (Ve-XVIIIe siècles)*. In: PARIAS, Henri-Louis. *Histoire générale du travail*. v.II. Paris: Nouvelle Librairie de France, 1960.

Assembleias

Embora pudessem ter recorrido à palavra *synagoge,* utilizada para designar as liturgias judaicas, os primeiros tradutores do Novo Testamento para o grego escolheram um termo que pertencia ao vocabulário institucional das cidades gregas para nomear a assembleia dos crentes em Jesus Cristo: a *ekklesia* de uma cidade, sua "igreja", era então a assembleia de seus cidadãos reunidos para formar o povo soberano. A evolução semântica ressalta a admirável facilidade dos primeiros cristãos em se imaginar nos quadros da vida político-social do mundo greco-romano; se isso foi motivado pelo desejo de se diferenciarem da religião dos filhos de Israel, revela sobreudo a importância que tinha a seus olhos o fato de pertencerem a um grupo socialmente organizado.

De fato, a adesão à mensagem do Cristo ultrapassava os limites da consciência individual e fazia as pessoas entrarem numa comunidade de irmãos. O acolhimento da salvação, por meio da água batismal, abria ao neófito o acesso à partilha regular do pão entre crentes residentes em um mesmo lugar. Essas assembleias eram a tal ponto "constituintes" que deram seu nome à nova religião que se estendia até os limites do mundo ocidental.

A história dessa expansão cobre mais de um milênio, no curso do qual a Igreja não se contentou em difundir a crença em Jesus Cristo. Estabelecendo uma cristandade, ela propagou também formas de organização e modelou as sociedades à sua imagem, tal como nos mostram os notavelmente

Dicionário analítico do Ocidente medieval

extensos arquivos eclesiásticos, que são, em geral, o único prisma através do qual podemos observar a Idade Média. Até a reforma gregoriana (segunda metade do século XI), quase não existe assembleia conhecida que não seja da Igreja. Em seguida, a afirmação de um domínio específico dos clérigos deixou aos leigos o caminho livre para se associarem com finalidades particulares. No âmbito do governo civil, durante vários séculos, predominou a implacável lei do mais forte, sob a qual há pouco espaço para instituições coletivas. Conseguindo eliminar o conciliarismo, os papas contribuíram consideravelmente para a emergência de uma forma de Estado que nada tem de democracia.

A longa prática das assembleias da Igreja

Quer tenham escrupulosamente cumprido seu dever dominical – desde 506, um concílio realizado em Agde tornou a missa obrigatória aos domingos – ou preferido ignorar a convocação do sino, os cristãos da época medieval viveram num tempo marcado por exortações a fazer uma pausa em suas ocupações e se dirigir a Deus. Inspirado na sucessão das estações, o calendário litúrgico contribuía para transcender o curso regular dos dias e colocava os heróis epônimos locais em um "panteão" com as dimensões do universo católico.

Ainda que os dados quantitativos sobre comparecimento à missa sejam muito raros e de exploração delicada, é certo que a participação ativa dos fiéis na refeição eucarística perdeu importância enquanto era exaltado o papel sacrificial e consagratório do celebrante, a ponto de ser considerado um ato meritório a recitação solitária das preces do cânone por parte de um único religioso. Contudo, mesmo no crepúsculo da Idade Média, a missa nunca deixou de ser uma ocasião de reunião e a igreja paroquial um lugar de afirmação de identidade. Prova da crescente vontade de associar os vivos e os mortos conhecidos dos assistentes à comemoração da paixão do Cristo, é a insistência nos dois mementos, o rápido desenvolvimento das missas votivas, a inclusão nas preces da homilia de pedidos ditados pelo pertencimento a uma entidade política e a introdução do ritual da paz. Este último, onde a troca do beijo na boca foi substituída pela circulação de um objeto destinado a ser beijado, veio contrabalançar o uso da prece para os amigos, a qual supunha, pelo menos implicitamente, a maldição dos inimigos.

A construção de uma igreja para nela celebrar a missa constituiu um acontecimento, se não fundador, pelo menos fundamental na história das comunidades rurais. Antes que se estabelecesse a rede de paróquias, a partir do século X, os cristãos da Idade Média formaram células de vida ao redor dos corpos de seus ancestrais. Não se tem certeza se a implantação dos cemitérios precedeu ou seguiu a dos edifícios de culto, mas o esquema da aldeia organizada em torno de sua igreja-necrópole prevaleceu em todo o Ocidente. A instalação de pias batismais no santuário conferindo-lhe a categoria de igreja paroquial implantou um sistema no qual cada fiel era ritualmente introduzido, desde seu nascimento, no seio de uma comunidade por muito tempo confundida com a sociedade.

Enquanto se formavam as paróquias, a ordem clerical impunha-se como uma das componentes maiores do mundo medieval e se apropriava da própria noção de Igreja. A separação entre clérigos, únicos habilitados a entrar no coro, e a massa de leigos, abrigados no resto do edifício, caracterizavam aqueles locais. Dotado de uma estrutura piramidal, o clero, entretanto, nem sempre obedeceu aos impulsos de cima para baixo. Até o fim do século XI, o exercício da colegialidade episcopal prevaleceu sobre a primazia romana. Mais tarde, após um período de relativo equilíbrio, a monarquia pontifical desenvolveu-se e finalmente superou um período de terríveis dificuldades, durante as quais as assembleias conciliares apareceram como rivais do papa no exercício da soberania. Mas, quer tenham servido ou não ao desenvolvimento do poder pontifical (tanto do papa quanto do bispo), as reuniões de clérigos de todos os escalões – deado, diocese, província, região, circunscrição política ou mundo cristão – foram uma constante na vida da Igreja medieval. Teoricamente aceitos para assistir a essas reuniões, os leigos só foram em geral lá representados por seus chefes políticos.

No primeiro Concílio de Niceia (325), vemos que a celebração de assembleias conciliares era considerada um costume. A tradição fixou em oito o número dessas reuniões excepcionais, qualificadas de ecumênicas e convocadas pelo imperador do Oriente, que de Niceia ao IV Concílio de Constantinopla, em 869, trouxeram respostas precisas às controvérsias

Dicionário analítico do Ocidente medieval

dogmáticas e disciplinares que agitavam a Cristandade. Após a ruptura com a ortodoxia (1054), a Igreja latina reatou por conta própria esse modo de resolução de antagonismos. Os canonistas revalorizaram então o antigo princípio *Quod omnes tangit ab obmnibus debet tractari* ("aquilo que concerne a todos deve ser tratado por todos"), essencial para o desenvolvimento de todo corpo social e político. Na assembleia de todos os bispos, sucessores dos apóstolos, eles viam a Igreja reunida e visitada pelo Espírito Santo. Buscava-se também a unanimidade para cada decisão e, inversamente, eram vistos como cismáticos aqueles que se abstinham intencionalmente de participar da celebração ou que se recusavam a aplicar os decretos firmados naquela ocasião. Somente os bispos deliberavam e votavam, as demais pessoas convocadas desempenhavam um papel de assistência ou de conselho.

Ostentando ou não a etiqueta de ecumênicos (apesar da ausência quase total das Igrejas orientais), todas as grandes assembleias conciliares que se seguiram à de Latrão I (1123) tiveram uma grande repercussão no Ocidente, seja porque tomaram decisões políticas plenas de consequências (deposição do imperador Frederico II em Lyon I, em 1245), seja porque envolveram um grande número de pessoas (segundo as estimativas, entre 800 e 1.200 padres em Latrão IV, em 1215), seja porque duraram vários anos, o recorde pertencia ao Concílio de Basileia (1431-1449), que se colocou como verdadeiro parlamento da Igreja.

Contrariamente a vários concílios gerais, com frequência reunidos por iniciativa do poder laico, o caráter eclesiástico dos concílios reunidos pelo bispo metropolitano em uma província eclesiástica não precisa ser demonstrado. A antiga disciplina, codificada pelo Concílio de Latrão IV, determinava a organização de um concílio, mesmo que sua celebração fosse anual, com o objetivo de corrigir abusos e regulamentar os costumes. Além dos bispos da província, o arcebispo convidava os principais dignitários eclesiásticos, tanto regulares como seculares, para sessões de aproximadamente uma semana. A instituição parece ter funcionado notavelmente no século XIII. Ela ocupou um lugar de destaque no pensamento dos reformadores dos séculos posteriores: eles viam nela tanto um eficaz instrumento de purificação moral como um contrapeso necessário às pretensões absolutistas da cúria romana.

Assembleias

As decisões das assembleias conciliares das épocas antigas sempre constituíram uma referência de grande autoridade. Fielmente compiladas em épocas nas quais a escrita era rara, elas formam o coração das coleções canônicas e, por conseguinte, o fundo insubmersível do direito da Igreja. A legislação pontifical, com o reforço das "falsas decretais" isidorianas, tendia a substituí-lo, mas sempre precisou se harmonizar com esse antigo e venerável patrimônio que funcionava por meio de um colegiado. Em especial, a nomeação dos bispos pela assembleia de clérigos e de fiéis da cidade era vista como regra. Na prática diocesana, ocorreu uma dupla evolução: os procedimentos que, como a aclamação, eram os mais aptos a camuflar as imposições foram, progressivamente, eliminados em benefício da escolha feita por um grupo restrito de homens de boa reputação. Ao mesmo tempo, a composição desse colégio eleitoral tendeu a se manter, excluindo todos aqueles que não fossem cônegos da catedral. Nos séculos XII e XIII, esses últimos desempenharam plenamente seu papel de grandes eleitores, beneficiando-se da tranquilidade de seu claustro para organizar escrutínios quando não chegavam a um acordo sobre um nome: cada um exprimia então, oralmente ou por escrito, sua opinião para escrutinadores designados pelo conjunto dos votantes, os quais contabilizavam em seguida os votos e proclamavam os resultados. Os cônegos encontraram-se, *de facto*, desprovidos de suas prerrogativas a partir do final do século XIII, diante das pressões conjugadas dos príncipes e do papa; os recursos apresentados na cúria pelos perdedores das votações favoreceram as intervenções pontificais, a tal ponto que se caminhou quase imperceptivelmente em direção a um regime centralizador, visto, no entanto, como de exceção.

Para governar, o bispo devia reunir suas ovelhas em sínodos. O cânone de um concílio realizado em Toledo em 693 é a primeira codificação da matéria; ele prescreve aos bispos que reúnam, ao menos uma vez por ano, os membros do clero e o povo de sua diocese para informá-los das decisões tomadas em nível provincial. O povo logo desapareceu dessas reuniões, mas não as próprias reuniões, apesar das aparências. A maioria das assembleias sinodais só são conhecidas por meio de menções fortuitas, pois geralmente contentavam-se em lembrar os estatutos anteriores. Mas, mesmo na ausência do bispo, os sínodos continuaram a acontecer sob a presidência de um vigário. Assim, foi mantido em escala local o sentimento de pertencimento a uma coletividade mais vasta, com pretensões universalistas.

O melhor exemplo de um regime de assembleias dispondo de um real poder de decisão é fornecido pelo clero regular. Ao saírem da missa, os membros de cada comunidade reuniam-se na sala capitular, em torno do superior, para examinar as modalidades da vida comum. A disposição e as atribuições do capítulo eram codificadas pela regra, mas cada casa tinha estatutos detalhando a divisão de tarefas e estabelecendo os princípios de funcionamento a serviço do bem comum. As decisões deviam ser tomadas por unanimidade, ou pelo menos por uma grande maioria. Em circunstâncias excepcionais, como a escolha do abade ou do superior, e quando a *major et senior pars* tinha dificuldade a se firmar, recorria-se ao voto.

Os cônegos seculares organizavam-se de forma similar. Beneficiando-se de uma liberdade maior que a dos religiosos, muitos deles participaram da construção de estruturas estatais nos principados, aproveitando depois sua preciosa experiência na gestão de um patrimônio comum e sua não menos importante habilidade na arte de harmonizar interesses contraditórios. Para conselhos e chancelarias laicos, eles transferiram seus hábitos em matéria de deliberações, elaboração de moções e redação de processos verbais das sessões.

As assembleias no mundo laico

Dada a ausência de fontes, é duvidoso que as assembleias de chefes de família, que se diz estarem na origem das comunidades rurais, não participem do mito da idade de ouro primitiva. Com efeito, durante a Alta Idade Média e até meados do século XIII, quase não se veem os habitantes de uma região agir coletivamente, a não ser para aprovar uma decisão ou a escolha de delegados. No que concerne às cidades, o desenvolvimento do movimento comunal no fim do século XI e no XII apresenta grupos constituídos sem que se possa de forma geral saber como se organizavam. De início unidos em uma *conjuratio* pela necessidade de se opor à dominação senhorial, eles, de acordo com um esquema teórico amadurecido nas escolas, evoluíram para uma *universitas* dedicada à gestão dos interesses coletivos. Com um século de atraso em relação às cidades, os vilarejos acabaram também por se dotar de cartas de franquia que definiam seus direitos e seus deveres.

A consciência que esses grupos tinham de formar um corpo social transparece mais pelas insígnias simbólicas (selo e cofre destinados aos arquivos) e pelos representantes que escolhiam – bem como pelos lugares para acolhê-los (torre municipal ou mercado dos cidadãos) – do que por sua capacidade em se unir. É muito difícil saber como se adquiria ou se perdia o estatuto de membro de uma comunidade de habitantes. Quando o pregoeiro público anunciava uma assembleia na igreja, na praça ou perto de uma porta da cidade, as pessoas sabiam certamente quem era convocado, mas, com exceção do sul da França, eles raramente se preocuparam em elaborar listas de pessoas com outros fins além dos fiscais. Mesmo se a adesão ou os sufrágios dos chefes de família (dentre os quais encontramos, por vezes, algumas mulheres) são sempre idealmente necessários para a nomeação do prefeito e dos jurados da cidade ou do vilarejo, as fontes mostram que eles estavam muito pouco ocupados em discutir ou em votar.

Nas aglomerações importantes, a multiplicação de eleitores intermediários e de procedimentos de votação para nomear os vereadores minimizou o papel das assembleias e favoreceu a formação ou a manutenção de uma oligarquia mais ou menos sujeita à renovação. Na época da revolta dos Ciompi florentinos, em 1378, as urnas contendo os nomes dos poucos cidadãos elegíveis foram simbolicamente jogadas ao fogo. No campo, mesmo se as paróquias e as comunidades rurais fossem territorialmente idênticas, as duas nunca foram confundidas, clérigos e senhores não se submetiam às mesmas instâncias jurídicas ou fiscais.

Realidade contemporânea do progresso urbano, o desenvolvimento das associações de ofícios e das confrarias permitiu que muitos homens da Idade Média participassem de assembleias depositárias de uma certa forma de autoridade. Destinados em primeiro lugar a regular a produção dos bens de consumo e o exercício das atividades econômicas, os ofícios dotaram-se de estatutos que fixavam as condições de ingresso na corporação (juramento, pagamento de uma contribuição) e as modalidades de indicação dos dirigentes. Apesar de sua estrutura hierárquica, que assegurava aos mestres a subordinação dos aprendizes e dos companheiros, estes

Dicionário analítico do Ocidente medieval

últimos geralmente participavam das reuniões convocadas para deliberar sobre os problemas mais importantes, para indicar os jurados encarregados de administrar a comunidade e fazer respeitar as regras. Em certos ofícios, entretanto, a renovação dos jurados fazia-se por votação.

Os ofícios foram frequentemente associados ao exercício da vida municipal. A divisão da população em vários subgrupos facilitava a organização de reuniões "de base". Mas a multiplicação dos escalões antes do patamar da eligibilidade e a eliminação sorrateira de certos ofícios reservaram a algumas famílias o acesso aos cargos eletivos ou destinados por sorteio.

As confrarias, às vezes estreitamente ligadas aos ofícios, reuniam as pessoas sob o princípio da livre adesão a um objetivo comum. No dia da festa anual, os confrades reuniam-se para uma missa, um banquete (que nem sempre terminava em bebedeira) e a celebração de uma reunião durante a qual a equipe dirigente prestava contas de sua gestão e ficava submetida à renovação. Era também a ocasião de uma leitura solene dos estatutos e de uma exortação dirigida a todos. A multiplicação das confrarias até nos vilarejos mostra a vitalidade do "mundo associativo" medieval.

As universidades de mestres e estudantes ofereciam, por seu lado, modelos de organização mais democráticos. Algumas vezes inteiramente regidas, como em Bolonha, pela comunidade dos estudantes, elas tomavam a maior parte das decisões em assembleias gerais e votavam com a ajuda de feijões brancos e pretos. Em Paris, enquanto o chanceler (um dignitário da catedral) representava a autoridade de tutela e presidia às colações de grau, o verdadeiro chefe da corporação era o reitor da faculdade de Artes. Investido de poderes bem extensos, esse jovem (ele tinha normalmente menos de 30 anos) permanecia pouco tempo no comando, já que era eleito por três meses. A organização da faculdade de Artes em "nações" permitiu enfrentar o afluxo de estudantes multiplicando as instâncias de deliberação. Mesmo os antigos graduados podiam continuar a participar das assembleias, reforçando assim o peso que a universidade pretendia exercer sobre os assuntos que diziam respeito ao conjunto da sociedade. Dentre seus meios de ação figurava o direito dos mestres de fazer greve.

Embora tenham animado setores da vida comunal, profissional, espiritual ou intelectual, todas essas "universidades" reconhecem dever sua existência à assembleia de seus membros. Assembleia convocada com maior ou menor frequência, mais ou menos distante, às vezes quase mítica, mas de todo modo concebida como depositária dos poderes exercidos por aqueles que normalmente a representavam. A prática da democracia direta fazia parte, portanto, da paisagem mental dos homens do Ocidente medieval. Mas todas essas corporações tinham em comum um enraizamento muito local e o fato de envolver um número relativamente restrito de pessoas. Mental e materialmente, era sempre possível conceber uma reunião, pelo menos por meio de um sutil sistema de encaixe hierárquico. Foi assim que se pôde desenvolver na Alemanha e na Itália, no limitado espaço territorial de uma cidade e seus arredores, um original modo de organização política que aliava regime de assembleias e funcionamento oligárquico.

Na escala de um reino, a transmissão de autoridade era totalmente invertida. Os príncipes não deviam a ninguém, a não ser a Deus, o fato de estarem encarregados de seu povo. A multidão de anônimos nunca era convocada, mesmo virtualmente, para uma assembleia; sem desaparecer totalmente, a palavra "cidadão" e a ideia de cidadania viram-se estreitamente confinadas às cidades e tornadas quase sinônimos de burguês e de burguesia. Entre o rei e seus súditos, a relação era de mão única: esses últimos não deviam intervir no governo. Os teóricos do poder monárquico recorriam naturalmente à imagem do corpo humano, comum na Bíblia e na história romana, para descrever a complexidade das relações de dependência entre os indivíduos. Dessa forma, eles podiam explicar que o rei certamente tinha necessidade de seus membros inferiores para se deslocar, mas que, citando um orador de uma assembleia do clero de 1406, julgar as coisas e os acontecimentos não era "função do pé".

Entretanto, ninguém pensava em descrever o príncipe, fosse suserano ou senhor de menor envergadura, como um autocrata: o "chefe" era obrigado a ter olhos penetrantes e orelhas afinadas na pessoa de seus conselheiros.[1] Uma cabeça hipertrofiada comandava um ventre flácido. Pela boa teoria feudal, em torno do príncipe deveriam primeiramente estar seus

---

1 O autor usa aspas por fazer um jogo de palavras com *chef*, que em francês significa "comandante" e "cabeça". [HFJ]

vassalos, mas as situações que reclamavam o conselho deles logo ultrapassaram o espaço tradicional da ajuda nos quatro casos.[2] Uma plêiade de conselheiros gravitava em torno do palácio principesco, uns escolhidos dentre os membros de sua família, outros profissionais da escrita ou do direito formados nas universidades. Esse conselho, por mais que se reunisse frequentemente, não era propriamente falando uma assembleia, na medida em que sua existência e sua composição dependiam inteiramente da vontade do príncipe.

Assembleias para tempos de crise

Quando suas necessidades financeiras, notadamente com respeito à guerra, eram urgentes, os reis convocavam os Estados Gerais (na França) ou o Parlamento (na Inglaterra). A palavra era dada aos contribuintes para que consentissem com o montante do imposto. Mas a instituição, análoga em seu princípio, evoluiu de forma bem diferente nos dois países. As câmaras inglesas conseguiram reunir-se regularmente e, confiando em seus mandatos eletivos, os deputados dos condados participantes da Câmara dos Comuns viram-se em posição de se fazer ouvir, mesmo quando não eram convidados a falar. No século XIV, mais ainda que no XV, o Parlamento londrino desempenhou um papel às vezes decisivo no governo do reino.

A história dos Estados Gerais franceses aparece, em comparação, como um fracasso. Como sua convocação nunca obedeceu a regras precisas, eles estavam a serviço da realeza, pois reunir num mesmo local bispos, barões e delegados das cidades importantes já era um acontecimento. Filipe, o Belo, foi o primeiro a pensar em ter seu apoio, em 1302, durante sua luta contra o papa Bonifácio VIII. Os Estados Gerais, reunidos quase anualmente e em circunstâncias dramáticas no começo da Guerra dos Cem Anos, foram convocados somente três vezes no século XV. De uma assembleia a outra,

---

2 O vassalo deveria ajudar financeiramente seu senhor em quatro circunstâncias: quando ele armava seu filho mais velho cavaleiro, quando ele casava sua filha mais velha, quando era preciso pagar um resgate para libertá-lo do cativeiro, quando ele partia para a Cruzada. [N.T.]

Assembleias

sua composição variou muito. A questão de sua representatividade era discutida toda vez, e em termos diferentes para cada uma das três ordens.

É preciso aqui recordar a considerável evolução sofrida pela noção de representação sob o efeito de dois séculos de democracia parlamentar. Para nós, sem eleição popular não existe representante. Ora, na Idade Média, a eleição divina contava pelo menos tanto quanto ela. Um povo era primeiramente representado por seu rei ou por toda pessoa a quem este decidia delegar uma parte de seus poderes. Em uma assembleia de estados, a convocação real criava um representante tanto quanto a eleição por parte de um conselho da cidade. Eleitos ou nomeados, todos podiam legitimamente comparecer, tratar, declarar e concluir, de acordo com a terminologia em uso nas procurações que fundamentavam seus poderes. Todos iam responder ao chamado e às questões do rei, e, logo depois de recebida a ordem, voltavam para suas casas. Fora da vontade real, a assembleia não tinha existência legal.

Além disso, várias reuniões predominantemente eclesiásticas, tradicionalmente recenseadas dentre os concílios gerais ou provinciais, mereceriam colocar-se na linhagem de assembleias de caráter político. Uma parte da ambiguidade provém das imbricações entre os domínios temporal e espiritual, assim como das incertezas terminológicas (do latim *concilium* saíram igualmente os termos "concílio" e "conselho"). Em princípio, a presença de um legado e a submissão das decisões à aprovação do pontífice romano garantiam que a reunião ocorria em comunhão com a Igreja universal. Mas não é certo que todas essas assembleias se desenrolavam segundo o ritual e a liturgia que fariam delas verdadeiras celebrações religiosas.

Os assuntos ligados às cruzadas, inclusive aquela contra os albigenses, foram também tratados em "concílios" da mesma forma que as querelas principescas ou senhoriais que punham a paz e a ordem pública em perigo, ou os problemas dinásticos ligados à moral (repúdio de Ingeburge da Dinamarca por Filipe Augusto), ou ainda as revoltas comunais contra as jurisdições eclesiásticas. Inversamente, a forma pela qual foram resolvidos certos problemas de disciplina eclesiástica modelou duradouramente a organização social. Por exemplo, o celibato imposto aos padres — exigência que progrediu nas legislações conciliares ao longo do século XI e foi definitivamente implantado no Concílio de Latrão II em 1139 — permitiu a delimitação da propriedade eclesiástica, retirada dos circuitos normais de transmissão.

Dicionário analítico do Ocidente medieval

No fim da Idade Média, em consequência do cisma de 1378, a própria instituição conciliar viu-se no centro de debates que tiveram uma considerável repercussão na cultura política ocidental. A divisão da Cristandade, durante mais de trinta anos, em duas obediências rivais, em torno de dois papas igualmente autorizados a se proclamar legítimos, ofereceu aos teóricos do poder a ocasião de se interrogar sobre a natureza e o modo de funcionamento do organismo eclesial. E da mesma maneira que parecera natural estender a denominação "corpo místico" a qualquer sociedade política, a reflexão sobre as virtudes curativas da reunião dos fiéis em assembleia (*congregatio fidelium*), sobretudo quando esse mesmo corpo político estava doente ou privado da cabeça, prestou-se a várias outras contaminações.

Apesar das convocações ao concílio lançadas desde 1380, durante muito tempo o remédio pareceu inaplicável naquele caso. Como o papa fazia o concílio desde o instante em que o convocava, devia-se esperar que os dois pontífices, um estabelecido em Roma, o outro em Avignon, promovessem cada um de seu lado uma assembleia dedicada a seus interesses. Na falta de outras soluções para resolver o cisma pela força ou pela persuasão, o problema situou-se no plano teórico. Qual era a finalidade do poder pontifical? Um papa ainda devia ser obedecido a partir do momento em que causava a ruína do edifício que estava encarregado de construir? Quem devia substituí-lo se ele próprio se colocava fora da lei da Igreja?

Consultando as fontes do direito canônico, segundo o qual um papa que se tornou herege era submetido à jurisdição do concílio, os juristas, à frente dos quais estava Francisco Zabarella, aplicaram-se em diferenciar a administração do poder da plenitude do poder, aquela confiada desde seu princípio ao papa, esta guardada pela universidade dos crentes em Jesus Cristo. A reunião destes em concílio manifestava a existência desse conjunto e ao mesmo tempo oferecia uma representação da Igreja. Mas é a um teólogo, Pedro de Ailly, que devemos a mais simples justificação do movimento insurrecional em relação aos dois pretendentes ao papado: como todo corpo atingido em sua substância, a Igreja tinha boas razões para encontrar em si mesma a energia e o meio de assegurar sua conservação.

Em 1408, confiantes nesse arsenal de argumentos e exasperados pelas retratações de seus respectivos papas, os cardeais dos dois colégios con-

Assembleias

vocaram um concílio em Pisa. A 10 de maio de 1409, uma assembleia de quinhentas pessoas de diversas origens declarou solenemente que ela representava a Igreja, depôs os dois papas rivais e pediu aos cardeais presentes que entrassem em conclave para dar-lhes um único sucessor.

No entanto, o restabelecimento da unidade não foi imediato, pois os pontífices condenados mantiveram sua influência em territórios importantes. Para vencer suas resistências, foi preciso que um leigo, o "rei dos romanos", Sigismundo, aspirando à coroa imperial, pusesse toda sua energia e sua autoridade na balança, enquanto o papa de Pisa perdia o controle da situação. No novo concílio, reunido em Constança, os padres dotaram-se de meios de ação promulgando dois decretos destinados a encerrar a deriva absolutista da monarquia pontifical. O decreto *Haec sancta* (6 de abril de 1415) proclamava que todo fiel, inclusive o papa, deveria se conformar às decisões de um concílio universal, já que, imagem fiel da Igreja, uma tal assembleia era inspirada pelo Espírito Santo e recebia seu poder diretamente de Cristo, e não do vigário que o tinha convocado. A 9 de outubro de 1417, após a deposição do papa de Pisa e a reunião da quase totalidade dos dissidentes, porém antes da eleição do pontífice que seria universalmente reconhecido, o decreto *Frequens* veio completar o dispositivo prescrevendo a celebração regular (a cada dez anos) de concílios gerais.

Das duas assembleias convocadas como aplicação desse decreto, a que começou em Basileia em 1431 desenvolveu de maneira sistemática a doutrina da superioridade do concílio sobre o papa, e alguns participantes pretenderam mesmo transferir-lhe o dogma da infalibilidade. Entre Eugênio IV e os primeiros padres conciliares o clima degenerou rapidamente para a luta aberta. Um concílio cujo principal objetivo era a reforma "da cabeça e dos membros" só poderia inspirar desconfiança na cúria. Os participantes do Concílio de Basileia erigiram-se em instância regular de governo da Igreja, dotando-se de uma chancelaria e de um tribunal, fazendo as nomeações episcopais e recebendo súplicas e pedidos de absolvição. Eles fizeram o processo de Eugênio IV, pronunciaram sua destituição e nomearam, para sucedê-lo, um príncipe leigo: Amadeu VIII de Savoia. Este reinou nove anos sob o nome de Félix V, solidamente enquadrado por uma assembleia na qual quase não havia mais bispos e que pronunciou sua própria dissolução

Dicionário analítico do Ocidente medieval

em 1449. Por ter permitido à "multidão" ditar sua lei, a fase cismática do Concílio de Basileia foi severamente julgada até mesmo pelos que tinham sido conciliaristas convictos, como o papa Pio II ou o cardeal Nicolau de Cusa. Sabiamente recolhidos em Florença e depois em Roma, os desiludidos do conciliarismo tiveram a satisfação de promulgar decretos de união – sem futuro – com a Igreja ortodoxa antes do encerramento, em 1447, daquela que foi a última grande assembleia conciliar da época medieval.

A vitória do papado sobre os adeptos de Basileia determinou duradouramente o futuro da Igreja Católica Romana, mas não anulou a necessidade de reformas e o desejo de decisões colegiadas. A enorme produção de textos dogmáticos ou panfletários, ligados ao cisma e suas decorrências, testemunha uma fecundidade intelectual exemplificada pela riqueza da tradição manuscrita e depois impressa das obras de Gerson e de Pedro de Ailly. A teoria da soberania do carmelita Jean Bodin e, mais tarde, as justificativas lançadas pelos revolucionários ingleses de 1688 situam-se na mesma linha de pensamento. A constância dos esforços realizados pelos guardiões do conservadorismo pontifical para excluir as assembleias de Pisa, Constância e Basileia da lista dos concílios ecumênicos explica-se então não somente por uma tradição de desconfiança para com os prolongamentos que desembocaram no galicanismo, mas ainda pela preocupação em censurar tudo que, na história da Igreja, pôde servir como referência aos promotores dos regimes de tipo parlamentar.

HELÈNE MILLET

Tradução de Vivian Coutinho de Almeida

Ver também

Clérigos e leigos – Estado – Guilda – Igreja e papado – Universidade

Orientação bibliográfica

ALBERIGO, Giuseppe. *Chiesa conciliare*: identità e significato del conciliarismo. Brescia: Paideia, 1981.

Assembleias

BOURIN, Monique; DURAND, Robert. *Vivre au village au Moyen Âge*. Paris: Temps Actuels, 1984.

CONGAR, Yves. *L'Église de Saint Augustin à l'époque moderne*. Paris: Cerf, 1970.

DE LUBAC, Henri. *Corpus mysticum*: l'eucharistie et l'Église au Moyen Âge [1944]. Paris: Aubier, 1949.

GAUDEMET, Jean. *Les Élections dans l'Église latine des origines au XVIᵉ siècle*. Paris: Lanore, 1979.

GUENÉE, Bernard. *O Ocidente nos séculos XIV e XV (Os Estados)* [1971]. Tradução brasileira. São Paulo: Pioneira, 1981.

MICHAUD-QUANTIN, Pierre. *Universitas*: expression du mouvement communautaire dans le Moyen Âge latin. Paris: J. Vrin, 1970.

RIGAUDIÈRE, Albert. *Gouverner la ville au Moyen Âge*. Paris: Anthropos, 1993.

TIERNEY, Brian. *Foundations of the Conciliar Theory*: the Contribution of the Medieval Canonists from Gratian to the Great Schism [1955]. Cambridge: Cambridge University Press, 1968.

VERGER, Jacques. *As universidades na Idade Média* [1973]. Tradução brasileira. São Paulo: Editora Unesp, 1990.

VINCENT, Catherine. *Les Confréries dans le royaume de France, XIIIᵉ-XVᵉ siècle*. Paris: Albin Michel, 1994.

Bíblia

Uma sociedade tradicional pode muito bem dispensar a escrita. Mas as sociedades do Ocidente medieval pensavam de outra maneira. É que elas eram herdeiras do mundo greco-romano, que tanto contribuiu com a história da cultura escrita, e talvez, mais que isso, em virtude da opção que os reinos da Europa medieval, um após o outro, fizeram pelo cristianismo e sua forma romana. Colocando-se sob o estandarte da cruz, eles assumiam as Escrituras cristãs, reconheciam a superioridade da escrita, segurança contra o esquecimento, memória da lei. No entanto, as culturas da Alta Idade Média privilegiaram a oralidade em todos os atos cotidianos, principalmente os da liturgia, que se apoiavam em textos batidos, codificados. Contradição ou sábia combinação? Como se opera a magia da escrita em um mundo que concede tanto espaço à oralidade? Mais ainda, como a escrita passa pelas provas da diglossia e do plurilinguismo?

Estas são questões importantes, pelas quais se vê que a história da Bíblia não é só a de um livro ou de sua recepção, de sua leitura e de seus leitores, nem mesmo de suas funções e usos, mas também a das peregrinações de seu texto e de seus conteúdos pelos códigos sociais. O historiador das culturas medievais detecta aí, em especial, as aventuras do poder simbólico e de seus detentores. Eis o fato: esse livro, sem dúvida, alimentou e inspirou a melhor parte das criações intelectuais da Idade Média. Mas essa realidade encontra-se obnubilada pela incômoda herança da historiografia: por

Bíblia

longo tempo, ela foi contornada, ignorada por historiadores ansiosos por livrar-se de temas religiosos, abandonada às mãos de teólogos que pouco se preocupavam com a história das sociedades do passado. Felizmente, a partir da década de 1980, trabalhos de grande valor corrigiram essa visão do assunto. Para melhor examinar esses avanços, excluem-se aqui os problemas postos pelas comunidades judaicas: de fato, os leitores da *Torá* estão confinados, desde o fim da Antiguidade, às tradições do *Talmude*, mas abrem-se à inovação por volta dos séculos XI e XII, graças a uma rica literatura de perguntas e respostas sobre todos os problemas da sociedade (*responsa*), literatura que até hoje não foi de modo satisfatório comparada às compilações cristãs de sentenças. Nestas, só se observou o cristianismo latino, de submissão romana. A história das bíblias no mundo bizantino coloca para o historiador vários outros problemas, não sendo o menor deles que a língua grega permaneceu influente em todas as culturas nacionais do Império, enquanto os países ocidentais defrontaram-se com o pluralismo da torre de Babel.

O Livro

Para os redatores de inventários da Baixa Idade Média, a Bíblia inicialmente é um objeto material, um livro, uma espécie de manual presente em todo lugar, em todas as bibliotecas das instituições eclesiásticas, igrejas, mosteiros, confrarias, e mesmo em casas particulares, sobretudo de clérigos, mas também de leigos, burgueses, príncipes e mesmo camponeses quando a taxa de analfabetismo diminuiu um pouco no final da Idade Média. O objeto estava destinado a ser utilizado, tanto que se pode supor com razão que a invenção, por volta do século III, do códice em formato de livro chapeado e do qual se viram as páginas, em substituição ao cilindro para desenrolar, tem relação com a necessidade dos membros das igrejas cristãs de assiduamente visitar a Bíblia e poder nela circular com desembaraço. Entretanto, a passagem do rolo ao livro não resolveu todas as dificuldades práticas. Os cristãos tornaram a Bíblia dos judeus consideravelmente mais pesada, embora o Novo Testamento seja bem mais fino do que o maciço conjunto do Antigo Testamento. A Bíblia permanece uma

121

Dicionário analítico do Ocidente medieval

obra pesada, em dois ou mais volumes. Durante a grande atividade missionária dos séculos VI e VII, foi necessário prover as novas igrejas: os ateliês italianos foram convidados a recopiar, para os grupos pioneiros, os textos sagrados em escritas comumente mais legíveis, a oncial e a semioncial,[1] de porte maior, dando assim origem às grandes "pandectas"[2] em vários tomos, de que fala Cassiodoro. A criação da minúscula carolíngia em país franco, sob Carlos Magno e por iniciativa de seus conselheiros próximos, facilitou a produção relativamente rápida dos livros e, sobretudo, sua circulação. A escrita carolíngia era mais fácil do que as anteriores – razão principal de ter sido mantida pelos inventores da imprensa – além de não comprometer a apresentação material das obras. Aliás, a evolução das culturas do Ocidente não levou necessariamente à diminuição do formato das bíblias, pois nos séculos XI e XII, período de maior crescimento e expansão do cristianismo latino, época de considerável demanda por causa da reforma religiosa, fabricavam-se bíblias imensas, chamadas "gigantes". A ideia da Bíblia de bolso não surgiu, na verdade, antes do século XIII das universidades. Os ateliês parisienses até fizeram disso uma especialidade, a partir da década de 1230. Quando apareceu a imprensa, com certeza o livro ganhou em difusão, antes pela maior rapidez da cópia e pelo seu menor custo, do que pela facilidade de seu manejo, pouco maior em comparação ao manuscrito. O formato das bíblias não é, na verdade, o melhor indício para avaliar a difusão do livro; as marcas de uso e de posse são, sem dúvida, mais expressivas.

Porém, é precisamente a partir do século IX que começam a se multiplicar nas bíblias os apoios à leitura e à interpretação. Desde o fim da Antiguidade, "editores" e "livreiros" tinham equipado os dois testamentos com um prólogo, juntando ao Novo Testamento uma "lista de cânones".[3] Os

---

1 *Oncial*: escrita em letras maiúsculas, usada nas inscrições e nos títulos dos livros. [N.T.]

2 Pandectas era originalmente o nome da recopilação das decisões de antigos juristas, feita por ordem do imperador Justiniano. Em português, "pandecta" refere-se a caracteres tipográficos e "pandectas" a um tipo de inicial maiúscula. [N.T.]

3 Cânone, "norma, regra para distinguir o verdadeiro do falso", é o termo utilizado desde o século IV para indicar que a Igreja reconhece um texto bíblico como efetivamente inspirado por Deus. Mas a preocupação era anterior, e já em fins do século I estabeleceram-se os princípios do futuro cânone do Novo Testamento e,

122

Bíblia

autores dos prólogos, quer se tratasse de São Jerônimo ou de anônimos que às vezes eram reconhecidos dissidentes, faziam questão de introduzir o leitor nas intenções do copista sagrado, no plano da obra e no seu significado eclesial. As "listas de cânones" reproduziam fielmente um modelo criado por Eusébio de Cesareia, que procurou representar de maneira clara e visível as concordâncias entre os relatos dos quatro Evangelhos. Temos o direito de duvidar da eficácia desses instrumentos, de sua utilidade concreta para os leitores e intérpretes medievais da Bíblia. Prólogos, lista de cânones e "interpretações de nomes hebraicos" são continuamente reproduzidos nas bíblias completas até por volta de 1230, embora estivessem ultrapassados, inadaptados às necessidades de mestres e alunos. Os comentadores quase não se preocupam com isso antes de meados do século XII, quando introduzem em seus próprios livros prólogos modernos e diferentes recortes do assunto, sem relação com as antigas seções por capítulos.

No decorrer do primeiro terço do século XIII, estabilizou-se o ordenamento das partes da Bíblia. Surgiram outros instrumentos mais práticos, que se juntaram aos índices: o moderno sistema de capítulos (Estevão Langton, em torno de 1200?), que se impôs por volta de meados do século sobre as divisões precedentes, e, sobretudo, os "índex", cuja compilação serve às necessidades de mestres encarregados do ensino bíblico, e mais ainda às dos pregadores, que nessa época são solicitados, nos seus sermões, a comentar um tema da Escritura que resuma as intenções da liturgia. Acrescentem-se, na mesma linha e direção, as "sumas de autoridades" transcritas por pregadores do reino capetíngio, principalmente dominicanos, que enfrentam os contestadores meridionais a golpes de citações bíblicas bem colocadas.

Coincidência notável, os eruditos, que até então pouco se importavam em uniformizar o texto da Bíblia, interessam-se por isto entre 1235 e 1280. Versões de origem muitas vezes diferente circulavam ao mesmo tempo na Alta Idade Média. Uma primeira tentativa, respondendo à pulsão

---

em fins do século II, surgiu a primeira lista cristã dos livros do Antigo Testamento. Depois de muitos debates, em fins do século IV fixou-se a relação canônica dos 46 textos veterotestamentários e 27 neotestamentários. [HFJ]

Dicionário analítico do Ocidente medieval

reformadora, aconteceu sob Carlos Magno (quando Alcuíno corrigiu as bíblias de Tours e Teodulfo realizou uma revisão mais filológica das bíblias de tradição visigótica). A segunda, no segundo terço do século XIII, é claramente normativa: difunde-se então um texto da Bíblia menos impreciso, talvez revisado, dito "parisiense" em razão de suas supostas origens. Essa tentativa corresponde também a exigências científicas. Os dominicanos do convento Saint-Jacques de Paris publicam então uma lista de variantes textuais e a primeira concordância "verbal",[4] que substitui os índices por assuntos. Os fatos e desafios mostram claramente a característica singular da Bíblia: ela é um monumento.

Um esteio, uma referência

Os escritos da Bíblia constituem a lei dos cristãos, um código ou norma intangível, inexpugnável, marcada por um sinal sagrado. Sobre o livro santo pronunciam-se juramentos, compromissos de fé, promessas essenciais; alguns, especialmente monges como São Bonifácio, carregam excertos dela consigo durante suas viagens missionárias. Até o redor do ano 1000, e contra as proibições formais dos legisladores, os prelados recém-empossados usam-na como um horóscopo para fazer previsões sobre seu governo (*sortes apostolorum*), caso dos arcebispos de Sens nos séculos IX e X. Às vezes, em certas regiões, mesmo os guerreiros não hesitam em levar para o combate uma bíblia de alto valor: escudo protetor e signo de eleição para seus guardiães, sentença do Julgamento para o inimigo, ela lamentavelmente pode ser roubada e voltar-se contra o portador, como foi a amarga experiência com a *Bíblia de Armagh*, em Down, em 1177.

Com o passar do tempo, a compilação da Bíblia tornou-se uma referência fundamental no Ocidente, ultrapassando seu primitivo papel de testemunho autêntico. A *Torá*, que representava a norma jurídica do antigo Israel e a principal herança do judeo-cristianismo, não tinha a menor chance de intervir no direito romano; ao contrário, a compilação das Escrituras cris-

---

4 Concordância bíblica é um índice alfabético das palavras empregadas na Bíblia e que indica os textos que as contêm. [N.T.]

124

Bíblia

tãs (Antigo e Novo Testamento) conquistou alguns espaços nos códigos do Império. Ela penetrou menos as leis "bárbaras" do continente do que as das ilhas. Talvez só os clérigos irlandeses, nos séculos VII e VIII, sonharam adaptá-las, realizar a fusão de seus códigos jurídicos com a Bíblia. As sociedades medievais resistiram fortemente a essa tentação extrema. É um erro que já se cometeu, ler no monge Graciano (c.1140) que a Lei de Cristo devia ser a fonte primeira e o fundamento do direito eclesiástico. Apesar de tudo, muitos radicais desejavam que a Bíblia fosse considerada por todos como último recurso e o principal instrumento de mudança social.

Houve um tempo no qual algumas pessoas não duvidaram disso. Desde o início do século XI, as Escrituras sagradas não são mais atributo de letrados. Elas escapam ao ciumento monopólio dos que se formaram, em longa aprendizagem nas escolas da catedral ou do mosteiro, no domínio do livro e de sua leitura. Por volta de 1015-1030, grupos anteriormente considerados ignorantes e incultos reclamam disso, alto e firme. Em Monteforte, na Itália, no Périgord, na Aquitânia, na Champanha, na Flandres, eles invocam a palavra do Novo Testamento e os "preceitos evangélicos" (às vésperas do século XI, Leutardo de Vertus expulsa a mulher por anseio de castidade, e muito depois dele, cerca de 1170, Valdo de Lyon almeja a beatitude da pobreza). Eles não estão sozinhos, pois parece que na mesma época e da mesma maneira, nas comunidades judaicas do reino franco e talvez do vale do Reno, alguns reencontram o caminho da *Torá,* da palavra bíblica, da interpretação literal, portanto do fundamentalismo religioso. Esse alvorecer do século XI é um momento essencial, em que a memória da Bíblia alimenta os alambiques onde fervilha a contestação religiosa, suscita a esperança de novas regras. Entretanto, sejamos cautelosos. Hoje o historiador não tem mais o direito de restringir tais fenômenos à esfera do religioso, segundo categorias ultrapassadas e uma desacreditada tipologia dos fatos históricos. De fato, erraríamos se negássemos enfaticamente os vínculos das heresias ou dissidências com outras manifestações da cultura do tempo.

A rápida proliferação dos escritos em línguas vulgares, especialmente na Inglaterra, na Flandres e no norte da Aquitânia, não ilumina, ainda que com pouca luz, a irrupção dessas comunidades textuais, de que Brian Stock se tornou o apóstolo brilhante? Uma vez que, salvo em algumas regiões

Dicionário analítico do Ocidente medieval

ainda submetidas à influência bizantina, os ocidentais não conheciam outro veículo para a Bíblia além do latim, a diglossia dos meios cultos não se foi agravando e, com ela, o estatuto erudito da Bíblia? Já os concílios do século IX (Tours em 813, cânone 17; Mogúncia em 847, cânone 2) reconheciam que os livros sagrados e as formas litúrgicas só poderiam ser compreendidos por intermédio dos comentadores, que deviam traduzi-los nas línguas românicas e em germânico. Ou, mais amplamente, a entrada dos reinos da Europa central na obediência romana e latina, em fins do século X, não pode ser entendida como entrada na vassalidade pontifical, e, desse modo, em uma vasta comunidade que se reconhece menos pela obediência formal ao papa do que pela fidelidade à estranha mistura de um código sagrado e de normas tradicionais que os romanos, intérpretes privilegiados, difundem por escrito em instruções cada vez mais rigorosas? E o endurecimento, tão frequentemente observado pelos historiadores, das regras impostas aos homens e aos próprios mestres, a imposição generalizada de uma ordem mais severa à qual os príncipes não conseguiam doravante escapar com facilidade sem serem punidos por sentença de origem espiritual, os juramentos da "paz de Deus", o "encastelamento", tudo isto não revela os remoinhos de uma reinterpretação geral das formas da existência social, em torno e em consequência de uma norma que se apressam em fixar por escrito, se já não o estava? De fato, o rei, os príncipes de Aquitânia e de Blois recorrem, desde então, a intérpretes qualificados que, como o bispo Fulberto de Chartres, proferem seus julgamentos em epístolas que eles inserem em suas próprias compilações. A profunda transformação atinge não somente a história da cultura, mas toda a história das sociedades ocidentais.

Exegese

Como a diglossia dos eclesiásticos fez deles especialistas da língua sagrada, ainda que igualmente responsáveis pela pastoral, a saída para esses homens é retomar a obra dos Pais, de São Jerônimo, de Agostinho de Hipona, de Gregório Magno e de Isidoro de Sevilha. Revitalizada no século IX, a exegese medieval da Bíblia responde a uma necessidade pedagógica: mãe da pregação, ela deve nutrir o espírito, educar a voz dos que falam nos mosteiros, nas catedrais e nas paróquias; impregna o tecido cultural, despreza as fronteiras políticas. Do século IX ao XII, ela continua confinada a algumas sés importantes, ligadas ao poder, porém periféricas, particularmente Auxerre, Laon, Reims, Reichenau, Fulda, Ratisbona, Verona. Os principais comentadores bíblicos, Valfrido Estrabão, Aimon de Auxerre e seu discípulo Heiric, Rábano Mauro, são os representantes do novo monaquismo carolíngio; imitados por uma coorte de anônimos, eles cedem lugar apenas aos reformadores do fim do século XI e início do XII, Bruno, o Cartuxo, Bruno de Segni e, sobretudo, Anselmo de Laon. Todas suas obras circulam, enriquecem o patrimônio comum do texto sagrado, acrescentando-lhe a suma de suas interpretações. Até a primeira metade do século XII, mais raramente depois, os comentadores procedem por acumulação. A escrita, entre os Carolíngios identificada principalmente à história, conduz sempre ao sentido espiritual. Os núcleos mais fecundos da nova exegese no século XII estão ancorados no coração das cidades: os mestres das catedrais, eles mesmos próximos dos poderes políticos, formam as futuras elites. Nessa corrente distinguem-se claramente as exegeses monásticas, de que os beneditinos germânicos (Ruperto de Deutz, Hildegarda de Bingen) e os cistercienses (São Bernardo) são os melhores intérpretes. As primeiras gerações desses exegetas, desejosos de reatar com as origens patrísticas, renunciam ao comentário e dedicam-se ao sermão acerca da Bíblia, com acentuada preferência pelo Cântico dos cânticos.

A partir de 1090, a corrente inovadora propaga-se pelas cidades, no contexto da reforma eclesiástica e do evangelismo laico. Mestres inventivos aperfeiçoam instrumentos de um pensamento religioso no qual a Bíblia recupera todos os seus direitos. Muito rapidamente, produz-se uma normatização eclesiástica, que atinge simultaneamente o direito e a exegese. O código jurídico de Graciano e o *corpus* da *Glosa* bíblica (apresentando o texto bíblico em coluna e, nas margens ou entre as linhas, as sentenças selecionadas) são de fato contemporâneos. O conjunto da *Glosa*, originária de Laon, é aprimorado em Paris, e todos os estudos que não se limitam à forma externa e examinam os conteúdos mostram que ele não está fixado antes de, aproximadamente, 1210-1220. Não deixa de impressionar a coincidência entre a obra dos glosadores do direito em Bolonha e o empreendimento parisiense da *Glosa*: em um e outro caso, reuniram-se iniciativas dispersas. Normatização? Absolutamente não, mas com certeza ordenamento, dentro do espírito das reorganizações políticas do século XII.

Entre todas as comunas e futuras capitais de reinos, Paris destaca-se por seu papel condutor: entre 1125 e 1145, a escola de Saint-Victor (Hugo, Ricardo e André), fortemente apoiada por Luís VI, herdou a *Glosa,* cuja ambição amplia, empenhando-se na tentativa, esquecida desde meados do século IX, de reinterpretar o mundo e a sociedade através da Bíblia. A exegese de Saint-Victor de Paris prossegue no claustro da catedral – com Pedro Lombardo, autor de glosas bem difundidas dos Salmos e das Epístolas de São Paulo, Pedro Comestor e Pedro, o Cantor – e depois na Universidade. É nesse ambiente intelectual que se estabelecem as regras fundamentais de interpretação dos textos (correspondências ou "tipologias" do Antigo e do Novo Testamento, teoria dos quatro sentidos da Escritura, recurso à epístola). Mesmo a ideia de comentar a Bíblia inteira em um curso, por vários anos, surgiu na escola da catedral de Paris. Nesse meio de extraordinária produtividade, os mestres extraem as sentenças de seus comentários e as reúnem em compilações sistemáticas: assim, a reflexão sobre a Bíblia está na origem das primeiras sumas teológicas. A *Aurora,* de Pedro Riga, cônego de Reims, não é fortemente marcada por suas fontes parisienses, dentre as quais a mais evidente é a *História escolástica*, de Pedro Comestor? Um empreendimento paralelo é *Historiae sacrae gesta ab origine mundi*, do enigmático Leonino, o grande mestre da música parisiense no tempo de Filipe Augusto.

O impulso das disciplinas universitárias, entre os séculos XIII e XV, não abafa a voga da exegese. Ensinada nas faculdades de Teologia, ela se expande por todas as faculdades, sobretudo em Paris, que permanece o chefe de fila e o jardim mais fértil. É menos apreciada nos centros de estudos das Ordens Mendicantes, especialmente dominicanos (Hugo de Saint-Cher, Roberto Holcot, São Tomás de Aquino, que depois do século IX é o primeiro a consultar os padres gregos) e franciscanos (Guilherme de Middletown, Nicolau de Lyre), onde só se comentam alguns livros. Os dominicanos, que em 1308 quiseram criar centros especializados de estudos bíblicos, desistiram disso em 1312, tão grande era o prestígio da teologia especulativa. Falta ainda uma síntese sólida sobre a contribuição dos seculares ou

Bíblia

dos religiosos, dos mendicantes, dos cônegos de outras categorias ou dos monges, para uma história literária da exegese medieval, que enumeraria as redes intelectuais através dos reinos do Ocidente e as peculiaridades locais da forma literária, do estilo e das regras de interpretação. Sabe-se somente que, por mais que perdure o vínculo entre exegese e pregação, o sermão liberta-se da prática científica da exegese e deixa de irrigá-la, oscilando entre a tentação da lógica e as vias fáceis da moralidade. Depois de 1340, a exegese mergulha na anemia, seus adeptos só se reanimam nas pregações urbanas, onde se espremem multidões cada vez mais numerosas.

Uma Bíblia para todos, a Bíblia do povo?

Será que a Bíblia se difundiu verdadeiramente quando, a partir do século XI, começou a mudar de aparência, quando recebeu muitos elementos exógenos, quando se tornou um desafio de primeira importância? O Livro permanece, com certeza, o manual das comunidades cristãs. Mas é realmente visitado? Os grandes fluxos de circulação dizem respeito, na verdade, à Bíblia latina. Podemos afirmar que ela é lida em voz alta e comentada nos mosteiros, porque desde o século XI as codificações dos costumes locais prescrevem sua leitura em voz alta durante o tempo litúrgico (o latim também era a língua litúrgica em toda a Europa ocidental), nas escolas de catedrais a partir do século XI, nas universidades que continuam esse trabalho no XIII. Mas, e os cônegos das catedrais e os serventuários[5] das paróquias urbanas ou rurais? E os membros das confrarias, as pessoas privadas? Não é de forma alguma certeza que, antes do século XII, todas as paróquias possuíssem o texto completo da Bíblia. Não falamos dos leigos, que parecem estar desprovidos dela até o aparecimento das bíblias de bolso: como os serventuários das paróquias, eles possuem apenas partes dos livros santos. Estas são sobretudo os saltérios, os "livros das perícopes"[6] nos círculos otonianos (séculos X e XI) e os evangeliários, como o de Henrique,

---

5 *Desservant:* eclesiástico que serve em uma capela ou paróquia. [N.T.]

6 Perícopes são passagens das Escrituras, geralmente das epístolas ou dos evangelhos, para serem lidas no culto ou no sermão. [N.T.]

o Leão, obras principalmente litúrgicas, na linha dos livros carolíngios de orações, para uso devocional, e, às vezes, o Novo Testamento.

Isso significa que a posse e a leitura da Bíblia estavam proibidas aos não clérigos, aos leigos? Atualmente não se aceita mais a lenda sombria de uma Inquisição obstinada em destruir qualquer reunião de leigos que poderiam fazer da Bíblia uma leitura imediata e sem controle. Em compensação, desde Alexandre III, os eclesiásticos reclamam que não se faça mais uma leitura *sine glossa*, sem esclarecimento interpretativo, do mesmo modo que para eles é impensável permitir que os livros de direito circulem sem estar acompanhados de glosas. Querendo iniciar-se na Bíblia, Pedro Valdo curva-se à nova regra e encomenda a dois amigos, cônegos da igreja de Lyon, uma tradução românica do texto com a glosa "de um grande número de livros da Bíblia", e apresenta a obra à cúria em 1179. Mais desconfiado, São Francisco de Assis recomendava em testamento a seus companheiros evitar a tentação de fazer um comentário da regra dos Irmãos Menores. Ele sabia dos perigos que corria a escrita nas mãos dos sábios de seu tempo.

A idade de ouro da exegese medieval situa-se no século XII e parece culminar com o recurso aos Evangelhos apócrifos da infância de Cristo. A oposição entre uma Bíblia dos eruditos e uma Bíblia do povo não passa de fantasia pós-romântica, que não resiste por muito tempo ao exame dos textos e das imagens. São também abandonadas as teses simplistas que queriam acreditar numa distribuição sexual das línguas escritas, como o latim para os homens e o anglo-normando para as mulheres. Fortes razões levam mesmo a duvidar que os leigos tenham utilizado somente obras em línguas vernáculas, enquanto o latim teria permanecido exclusividade dos clérigos. Vemo-lo nas origens das obras parabíblicas em alto-alemão antigo ou em francês antigo, principalmente nos primeiros glossários (*Samanunga*, de Santo Emmeram, em alto-alemão antigo), nos "quatro Evangelhos em um só" (adaptação de um modelo criado por Taciano, no século II) e nos empreendimentos de Aelfrico de Eynsham (fim do século X) destinados aos bispos e aos agentes da pregação. Todavia, a explosão, na segunda metade do século XII, das traduções-adaptações da Bíblia, principalmente nas línguas românicas, segue a história do gosto aristocrático e das devoções fidalgas. Até por volta de 1360, as elites respeitam a regra da Bíblia glosada.

Bíblia

Ateliês a serviço de cortes laicas, em Paris nos séculos XII e XIII, em West-minster no XIII ou em Praga do XIV, continuamente recopiam uma literatura bíblica de grande qualidade.

De livros específicos como os Salmos (saltério de Laurette da Alsácia, *Eructavit* para Maria de Champanhe), os Provérbios (Samson de Nanteuil) e o Cântico dos cânticos, geralmente recheados de glosas, passa-se logo às primeiras adaptações francesas da *História escolástica* (Herman de Valenciennes). No século XIII, são as *Bíblias moralizadas*[7] da família capetíngia (cerca de 1220-1230) e os *Apocalipses* anglo-franceses da corte do rei da Inglaterra (os mais belos exemplares foram realizados aproximadamente entre 1240 e 1280), depois as principais versões da *História escolástica*, associada ao *Espelho histórico*, de Vicente de Beauvais (*General Estoria*, em castelhano, 1272-1284) ou à *Bíblia do século XIII*,[8] na *Bíblia histórica*, de Guiart des Moulins (por volta de 1295). Na *História escolástica,* insere-se uma complexa genealogia de textos em línguas ocidentais nos séculos XIV e XV, o *Stjorn* islando-norueguês do rei Haakon V Magnusson, a *Bíblia rimada* catalã, o *Cursor mundi* em médio inglês (em torno de 1300) e o *Espelho da salvação do homem* (aproximadamente 1400) ou a *História bíblica,* em médio-alemão (primeira metade do século XIV), em grande parte extraída da *Weltchronik*, de Rodolfo von Ems. Na verdade, é necessário esperar a segunda metade do século XIV para que os reis, Carlos V da França ou Venceslau da Boêmia, e também reformadores audaciosos como João Wyclif (primeira versão de 1382, segunda por volta de 1390) ousem encomendar autênticas traduções. Mas os dissidentes já haviam se antecipado na tarefa (Evangelhos bósnios de Hval e, logo, as traduções hussitas).

As histórias bíblicas são largamente exploradas na decoração das igrejas e nas ricas residências particulares, na pintura mural, na escultura ou no vitral. Sabe-se, pelos *Títulos bíblicos*, do poeta Prudêncio, que as paredes

---

7 A *Bíblia moralizada* (às vezes chamada também de *Bíblia historiada* ou *Bíblia alegorizada*) é aquela estruturada em duas colunas, nas quais se colocam o texto bíblico e ao lado seu comentário, tendo embaixo duas imagens, uma correspondente ao texto e outra ao comentário. [HFJ]

8 Nome dado a uma versão bíblica, provavelmente de inspiração dominicana, feita por volta de 1280, e que seguia o texto estabelecido em Paris. [HFJ]

de certas igrejas antigas eram ilustradas com o duplo ciclo do Antigo e do Novo Testamento. Essa tradição persiste por toda a Idade Média, cujos pintores às vezes opõem cenas veterotestamentárias (do lado norte) às da vida e paixão de Cristo (do lado sul), ou dispõem-nas em espiral em torno da nave, de cima para baixo, em vários registros. Nos grandes vitrais dos anos 1180 (vidraça do Bom Samaritano da catedral de Sens), nas *Bíblias moralizadas* e nas *Bíblias dos pobres* (zona germânica, mais ou menos a partir de 1310), os idealizadores dos programas iconográficos também exprimem a tipologia do Antigo e do Novo Testamento, que eles levam a um alto nível de refinamento, associando-a à representação do conjunto da história universal. Os criadores das bíblias de luxo também mandam pintar ciclos de determinados livros (Ezequiel, Apocalipse), de histórias dos patriarcas (José) ou de Cristo (um ciclo da Vida de Cristo adorna os saltérios aristocráticos a partir do século XII): são tantos *corpus* que sua história atenta permitiria descrever as mudanças do gosto e as aventuras do espírito. Sem um conhecimento elementar da Bíblia, essas grandes demonstrações por imagens permanecem letra morta para o espectador e para o historiador.

Balanço

Foi na Bíblia, para eles verdadeira "suma de toda a humanidade", que a partir do século XII e na Baixa Idade Média os intelectuais recolheram os novos argumentos da teoria política ou econômica. Com os Carolíngios, eles tinham aprendido o rico potencial da Bíblia e as regras elementares de sua interpretação. No Gênesis, liam as origens ambíguas do poder, e São Bernardo extraiu as consequências disso no esquema dos Dois Gládios, inspirado no Evangelho de Lucas (22,38). No Pentateuco, procuravam nos livros históricos (Reis e Juízes, Esdras) e nos Profetas (Daniel) os grandes ideais de toda reforma religiosa, política e administrativa, bem como regras práticas do imposto nas igrejas (o dízimo, problema dos monges do século IX) e da assistência humanitária (os direitos do pobre). Graças aos retores cristãos da Antiguidade, os eruditos conheciam os artifícios da polêmica. A Bíblia oferecia-lhes um arsenal de qualidade, que lhes era disputado por dissidentes ou "heréticos". Ainda que, no século XIII, os sábios parisienses tivessem se preocupado com as imprecisões das versões bíblicas, eles não tentaram, nem seus pares, reduzir a exegese a algo monolítico. A imensidão de uma Bíblia prolixa, a impregnação inconstante pela liturgia e o gosto por enunciados contraditórios (já manifesto no *Sim e não*, de Abelardo) sem dúvida explicam a impressão de uma "Bíblia em migalhas", mal dominada tanto por clérigos quanto por leigos. É possível que a tônica da pregação tenha, entre os séculos XI e XII, sido desviada do Antigo para o Novo Testamento. Mas isso não implica uma renúncia aos livros hebraicos; a Bíblia é a mesma para todos os cristãos, apesar das afirmações de alguns que se deixavam cegar por sua paixão de polemistas. Contudo, as escolhas prioritárias são perceptíveis ao longo da Idade Média, conforme os grandes ímpetos da restauração e da reforma, que se repartem, sumariamente, entre correntes evangélicas (movimentos penitenciais), proféticas (joaquimismo) ou místicas (beguinas, *devotio moderna*).

As recentes reavaliações dos instrumentos pedagógicos utilizados no século XVI atestam, enfim, que os reformadores tomaram dos legados da Idade Média uma parte considerável de suas inovações. Das Escrituras disponíveis em todas as línguas vernáculas bem antes de 1517, eles receberam uma Bíblia pesquisada no longo transcorrer de um milênio, um Livro que não havia cessado de provocar nos homens da Igreja e nas sociedades laicas uma aspiração igualitária, sempre desmentida. Talvez ambígua, também prometeica, a Bíblia do Ocidente medieval atiçava mil fogos e consumia a angústia dos homens em suas sutis oscilações.

GUY LOBRICHON
Tradução de Lênia Márcia Mongelli

Ver também

Escolástica – Heresia – Pregação – Razão – Universidade

Orientação bibliográfica

BERNDT, Rainer. *André de Saint-Victor († 1175), exégète et théologien.* Turnhout: Brepols, 1991.

Dicionário analítico do Ocidente medieval

BIBLES ITALIENNES. *Mélanges de l'École Française de Rome. Moyen Âge*, Roma, n.105, p.825-86, 1993.

BOGAERT, Pierre-Maurice. La Bible latine, des origines au Moyen Âge: aperçu historique, état des questions. *Revue Théologique de Louvain*, n.19, p.137-59 e 276-314, 1988.

BRINKMANN, Hennig. *Mittelalterliche Hermeneutik*. Tübingen: Niemeyer, 1970.

BUC, Philippe. *L'Ambiguïté du Livre*: prince, pouvoir et peuple dans les commentaires de la Bible au Moyen Âge. Paris: Beauchesne, 1994.

CAHN, Walter. *La Bible romane*. Paris e Lausanne: Office du Livre, 1982.

DE POERCK, Guy. La Bible et l'activité traductrice dans les pays romans avant 1300. In: *Grundriss der romanischen Literaturen des Mittelalters*. Heidelberg: Carl Winter, 1968. p.21-48. v.VI/1.

RICHÉ, Pierre; LOBRICHON, Guy (orgs.). *Le Moyen Âge et la Bible*. Paris: Beauchesne, 1984.

SMALLEY, Beryl. *The Study of the Bible in the Middle Ages*. Oxford: B. Blackwell, 1984.

STOCK, Brian. *The Implications of Literacy*: Written Language and Models of Interpretation in the Eleventh and Twelfth Centuries. Princeton: Princeton University Press, 1983.

Bizâncio e o Ocidente

Bizâncio ignorou quase totalmente a geografia, contudo inventada pelos gregos antigos e florescida na Idade Média entre seu inimigo e vizinho, o Islã. Alguns termos técnicos e um fragmento de portulano do século X, eis toda sua bagagem "geográfica", a não ser que se acrescente a *Topografia cristã* de Cosmas Indicopleustas (cerca de 550), na qual as descrições apenas servem de apoio a uma cosmografia teológica e polêmica, e, no século X, os tratados de Constantino Porfirogêneta, *De thematibus* e *De administrando imperio*, cujos fins são diplomático-administrativos.

Essa "cegueira geográfica" dos bizantinos não se deve ao acaso, e sim à concepção romano-bizantina do poder imperial, encarnação terrestre do poder de Deus, que sacraliza não apenas o soberano mas também a totalidade dos territórios e pessoas que reconhecem sua supremacia. Desse modo, vistos do Império, os espaços exteriores, pagãos ou "cristãos rebeldes", formam uma "barbárie" que, para os antigos e ainda para Cosmas Indicopleustas, no século VI, cerca o ecúmeno e são considerados inexistentes porque não reconhecem a autoridade de Constantinopla; eles nem mesmo podem ser descritos, pois ainda pertencem ao mundo do caos. Psellos escreveu que, desde o Cáucaso e o país dos árabes até o dos "celtas", não existia nada, a não ser uma "barbárie periférica", no seio da qual não havia diferença essencial entre bárbaros do Oriente e bárbaros do Ocidente. Tais princípios não devem, contudo, levar-nos a supor que os bizantinos tivessem sido tão ignorantes com respeito ao mundo exterior quanto os textos que nos legaram deixam transparecer: é preciso não esquecer que Bizâncio possuía um excelente sistema de informação sobre os bárbaros, sem o qual soberanos como Justiniano ou Miguel VIII não teriam podido montar as complexas redes diplomáticas que por tanto tempo deram ao Império o domínio das relações internacionais.

Um tenaz desinteresse pelo Ocidente

Em um Império que soube manter até seus últimos momentos escolas laicas muito semelhantes às do mundo greco-romano, e que se proclamará sempre romano, o fato de seu programa escolar do *enkykliospaideusis* ("educação geral"), do qual o cristianismo apenas expurgou os traços pagãos demasiadamente visíveis, não reservar qualquer lugar à geografia – mesmo nos períodos de apogeu cultural dos séculos IX-X ou dos séculos XIII-XV – não nos deve surpreender: trata-se de um saber que permanece implícito, que se evita o máximo possível reproduzir porque é "técnico", como a estenografia ou o direito, estes também excluídos e considerados pouco dignos. Ana Comneno, que conhece bem o Ocidente, pede desculpas a seu leitor quando se vê obrigada a dar algumas informações a respeito dos "bárbaros" ou simplesmente citar seus nomes. Se os bizantinos são os homens mais cultos da Idade Média, eles possuem também uma cultura cujos contornos foram enrijecidos pela cristianização, pois o povo romano considera-se duplamente privilegiado, tanto por sua velha cultura grega quanto por ter sido eleito por Deus. Também não é casual que os gregos medievais comecem a fornecer verdadeiros ensinamentos sobre o mundo exterior no momento em que, conscientes de certa esclerose de seu sistema educativo, soberanos dos séculos XIII ao XV, como Andrônico II, João Cantacuzeno e Manuel II Paleólogo, dotam o Império de um ensino superior parcialmente inspirado na experiência universitária ocidental e cuja qualidade levará Enéas Sílvio Piccolomini, o futuro papa Pio II, a dizer que ninguém podia se considerar verdadeiramente culto antes de ter completado sua educação em Constantinopla.

Bizâncio e o Ocidente

Os revezes de Bizâncio não modificam de maneira alguma, antes do século XV, uma tenaz mentalidade "romanocentrista" que, em relação aos ocidentais, admite sua presença colonial no Império, porém jamais se rebaixa a descrever seus locais de origem: sobre o imperador Henrique IV, aliado de seu pai Aleixo, Ana Comneno limita-se a dizer que domina os "chefes das regiões célticas". Passada a alta época, a própria palavra Europa designa muito raramente o continente europeu, sendo utilizada quase sempre para indicar as províncias europeias do Império, como se os bárbaros romanos, germânicos e eslavos fossem indignos de aí viver. No máximo, admitir-se-á que ocupem uma "Europa exterior" cujos limites seriam a costa oriental do Adriático e as colunas de Hércules, e que rodeia o Império com sua nociva insignificância. A Europa "bárbara" tem tão pouco prestígio que, em 1031, Romano III evita conduzir uma expedição contra os ocidentais por considerá-los muito fáceis de vencer, preferindo atacar os árabes de Alep, um adversário digno desse nome. É verdade que as amputações sofridas após 1071 revalorizam o conceito de Europa, mas apenas em proveito das províncias bizantinas, coração residual do Império.

Contudo, Bizâncio reservou, entre os bárbaros do Ocidente, um lugar especial aos francos, "novo nome" dos germanos segundo Procópio. Sob o vocábulo *Fraggia*, tendeu-se desde então a agrupar sem distinção todos os povos do ocidente europeu. Não resta dúvida de que, ao empregar o plural quando fala das pilhagens de todas as Franças por parte de Átila, o Porfirogêneta tinha em mente a futura partilha do Ocidente em diversos reinos "bárbaros", porque, em sua época, o termo *Fraggia* designava os impérios ocidentais, carolíngio e depois otônida, aliados e/ou adversários constantes de Bizâncio no oeste. É verdade que existem "reinos" no Ocidente, mas, vistos de Bizâncio, eles encontram-se submetidos desde a época de Carlos Magno a um soberano principal (*monokratôr*, e não *autokratôr*) que vela pelos destinos daquilo que o Porfirogêneta denomina a "Grande Francia", e da qual percebe o caráter cada vez mais germânico: Saxônia e Francia são para ele sinônimos. Dessa Francia, no sentido de Império do Ocidente, provêm os refugiados que formam Veneza, sobre a qual o Porfirogêneta digna-se a explicar a origem, porque o Tratado de Aix, em 812, fizera dela uma terra bizantina.

O declínio do Império

Entre os séculos X e XIV, tempo em que conquistas normandas, cruzadas, invasão econômica latina, conflitos e rupturas com Roma fazem que o Ocidente passe a ser cada vez mais o principal adversário de Bizâncio, nenhuma mudança significativa é feita na ideologia imperial, de modo que ninguém teve a ideia de descrevê-lo melhor a fim de explicar sua crescente superioridade. Os longos períodos de inércia pelos quais passam os latinos, no meio de um magma bárbaro desprovido de referências espaciais e temporais, não foram narrados, e bastarão alguns traços de sua "barbárie cotidiana" para explicar suas aparições cada vez mais violentas no verdadeiro mundo, o Império. Só de um caos, no qual um papa como Gregório VII pode se permitir mandar castrar os embaixadores de Henrique IV, é que naturalmente surgem autênticos monstros como Roberto Guiscardo e Boemundo, que, segundo Ana Comneno, sonham apenas em conquistar Constantinopla. Este era o objetivo inconfessável desde então atribuído a todos os latinos, a começar pelos cruzados nos quais Bizâncio, que jamais admitiu a ideia de guerra santa, que tanto reprovava nos muçulmanos, viu apenas conquistadores banais: duas vezes anunciada na *Alexíada* por uma nuvem de gafanhotos, a perversidade da Cruzada ficou depois provada pela falta de fé de uma expedição que, para os gregos, só se justificaria com a restituição ao Império das terras que os turcos lhe haviam arrancado. Raros são os gregos que conseguem distinguir o ocidental abertamente predador – como Boemundo em 1107-1108, Rogério II, o "tirano da Sicília", em 1147-1148, Guilherme II em 1185 – dos peregrinos armados que atravessam as fronteiras imperiais pouco antes ou pouco depois de terem sido claramente violadas por outros latinos. Mesmo os aliados ocidentais de Bizâncio, como os venezianos, genoveses e pisanos, continuam a ser bárbaros que, além de devorarem por dentro a economia imperial, não hesitam em insultar o próprio *basileus*, caso dos venezianos que em 1149, enquanto ajudavam Manuel Comneno a retomar Corfu dos normandos, apoderaram-se de sua galera e nela fantasiaram um negro com os ornamentos imperiais. O Ocidente é, desse modo, geralmente visto como uma coalizão "bárbara" contra o Império que ela inveja: em 1190, enquanto Ricardo Coração-de-

Bizâncio e o Ocidente

-Leão se apropria de Chipre, Barba-Ruiva está a dois passos de atacar Constantinopla, contra a qual seu filho, Henrique VI, prepara uma verdadeira cruzada, e pouco importa aos gregos que tenham sido outros latinos que, em 1204, perpetram enfim o crime por muito tempo premeditado. Desde 1182, o povo de Constantinopla tinha dado mostras de que o ódio não era exclusivo das elites e do poder, ao massacrar todos os latinos que pôde.

Confirmando os piores temores de Bizâncio, o ano de 1204 apenas reforçou o desprezo que sentia pelo mundo ocidental, o qual não procura descrever. Os latinos estão no Império, mas as explicações tradicionais bastam: as narrativas de Jorge Acropólita, Paquímero e Grégoras a respeito das campanhas de Manfredo e de Carlos de Anjou são exemplares a esse respeito porque, embora forneçam muitos detalhes relativos aos conflitos desencadeados nos Bálcãs, nada informam sobre a configuração da Itália do século XIII, tempo em que – segundo o testemunho do canonista Demétrio Chomatenos, por volta de 1230 – os ortodoxos continuavam a fazer peregrinação a Roma. Mesmo os unionistas, para quem o Ocidente seria o único recurso contra os turcos, não se esforçam em esboçar uma descrição, o que poderia ter contribuído para atrair uma maioria renitente à união das igrejas.

Paquímero, que chama os latinos de romanos, mostra algum interesse pelos genoveses e venezianos apenas ao relatar um episódio ocorrido em 1276, no qual Miguel VIII concede as minas de alume da Foceia à família Zaccaria e desperta a oposição dos genoveses da metrópole, que pretendem continuar a transportar alume do Mar Negro, enquanto os de Pera aguardam com prudência. Ele nos revela algo muito novo, um verdadeiro saber geopolítico do Ocidente, confirmando que o silêncio bizantino a respeito dos latinos era de fato fruto de censura, e não de ignorância: ao explicar a sucessão das talassocracias veneziana e genovesa, ele ressalta a importância do tipo de navios (longos, e depois redondos) que faziam a fortuna das repúblicas italianas, e também a superioridade do sistema de navegação de Gênova. O episódio de 1276 demonstra seu bom conhecimento das tensões que opunham a própria Gênova, os genoveses do Oriente e os grandes concessionários como os Zaccaria. Sem dúvida, ele sabe mais do que revela acerca dos sistemas políticos latinos, o que se pode deduzir de seus

Dicionário analítico do Ocidente medieval

esforços para encontrar equivalentes gregos aos títulos dos representantes das repúblicas italianas no Império: podestade genovês, bailio veneziano, cônsul pisano. Além disso, nosso autor especifica que os funcionários são delegados em Constantinopla pela "assembleia geral de seu povo", detalhe que mostra que Paquímero conhece o sistema de administração comunal de Veneza, Gênova e Pisa, embora não insista nesse ponto. A propósito do episódio de 1276, ele trata justamente do enriquecimento simultâneo de Veneza e de sua "assembleia". Pode-se, portanto, pressentir que o escritor guarda para si maiores conhecimentos, como também é o caso, um pouco mais tarde, de Nicéforo Grégoras ou de João Cantacuzeno, nos quais o *iceberg* também continua submerso.

À medida que o Império declina, há, porém, cada vez menos lugar para dúvidas: a elite bizantina deve escolher entre a submissão aos turcos e a união com o Ocidente, e sabe, doravante, perfeitamente bem de quem fala quando evoca este último. Com apenas uma exceção, sobre a qual voltaremos, ela continua fiel à tradição de quase mutismo porque, quaisquer que fossem suas opções, a completa desaparição do Império era-lhe impensável. Doukas, em cujo pensamento se revela uma mistura entre a tradição imperial e a descoberta do outro, conhece bem os soberanos que participam da cruzada de Nicópolis porque, quando apresenta Manuel II pedindo socorro aos reis da França e da Hungria, vale-se de termos específicos que supõem o conhecimento dos designativos do soberano em cada um daqueles reinos: *rex* na França, *krales* na Hungria. Ao enumerar os povos e soberanos cruzados, o "rei de Flandres", numerosos ingleses, nobres franceses e uma quantidade apreciável de italianos, não apenas revela sua capacidade de perceber a diversidade existente nas nações latinas, mas demonstra ter conhecimento dos poderes de cada uma: a atribuição equivocada do título real ao duque da Borgonha realça a preeminência então mantida pelos grandes duques do Ocidente. Entretanto, embora saiba nomear as principais cidades italianas, permanece na tradição "romana", ao retomar a velha equivalência entre França e Germânia, algo que se confirma em sua narração da viagem de João VIII à Itália, por ocasião do Concílio de Florença: para ele, o imperador passou "à França", aliou-se com "os francos", tornando-se ele próprio "franco", termos em que subsiste a antiga imagem de um Ocidente dominado pelo Sacro Império.

Doukas sabe mais do que diz a respeito da Itália, mas menciona os doges genoveses apenas para esclarecer que o podestade da Foceia era filho do doge Jorge Adorno, membro de uma das "mais nobres famílias" de Gênova, o que permite supor que conhecia o sistema oligárquico da cidade. E é a título de simples item que menciona a feroz guerra travada no princípio do século XV entre Gênova e a Catalunha, que dificultava o acesso dos genoveses aos portos italianos, franceses, espanhóis e ingleses e paralisava o transporte de alume, e desse modo lança alguma luz sobre a indústria de lanifício desses diferentes países. Percebe-se, ademais, que ele sabe muito acerca de Veneza, primeiramente quando mostra os tessalonicenses em 1423 prestando juramento de fidelidade à "comuna dos venezianos, como os venezianos de sangue, nascidos e criados em Veneza", o que permite entender que tinha algum conhecimento do sistema comunal veneziano e mesmo das condições de aquisição da cidadania veneziana; em seguida, quando evoca os "navios mercantes venezianos voltando de Palus Maeoticus, do rio Tanais e de Trebizonda", uma alusão à *muda* da alta Romênia, cujas metas eram o Mar de Azov, Tana e Trebizonda. No entanto, de acordo com a antiga prática bizantina, ele evoca esses temas apenas para esclarecer dois episódios da história imperial, a sedição de Tessalônica e a derradeira defesa de Constantinopla. Quanto a seu contemporâneo Sphrantzis, que percorreu boa parte da Itália depois da queda de Mistra, fornece apenas um dado, e falso, sobre a história daquele país, sempre em relação com a queda da capital bizantina, quando se refere a uma reunião do *Maggior Consiglio* no decurso da qual o doge veneziano Francisco Foscari se opôs aos projetos de paz com a Hungria, que teria permitido uma intervenção unificada de todos os latinos em favor da cidade.

Um testemunho excepcional, embora tardio

O saldo dos conhecimentos que os gregos medievais deixam ver a respeito do Ocidente seria muito negativo não fosse a obra de Laônico Chalkokondylis, que, embora contenha muitos erros sobre fatos, lugares e datas, prova que numerosas informações relativas aos países latinos circulavam no Oriente cristão antes e depois de 1453. Esse ateniense excepcional realizou seus estudos em Mistra, onde Ciríaco de Ancona, que aí o encontrou em 1447, diz que ele tinha se iniciado tanto nas letras gregas quanto nas letras latinas, algo muito novo. Ele encontrou na Moreia um terreno duplamente favorável ao aprendizado do mundo ocidental, pois se tratava de um pequeno Estado grego quase autônomo, onde os sonhos imperiais se desvaneciam e onde subsistia uma forte presença latina, inclusive nas alianças matrimoniais de seus soberanos, portanto um lugar em que havia numerosos informantes dispostos a falar do mundo ocidental a quem quisesse ouvi-los. Sem dúvida, como Sphrantzis, ele deixou Mistra após esta ser conquistada pelos turcos, em 1460, retirando-se para sua cidade natal, onde parece não ter recebido qualquer notícia do Ocidente: se sua *História* encerra-se com um relato sobre o reino de Matias Corvino, é apenas em virtude das intervenções desse soberano húngaro nas questões otomanas. É da Hungria que lhe vem parte de suas informações sobre a Alemanha, a propósito da eleição imperial de Sigismundo, ou sobre a Boêmia — cujos habitantes são pela primeira vez denominados, em grego, de tchecos. Em Mistra, onde o latino era antes de tudo o veneziano, o genovês ou o catalão, não surpreende que tivesse a seu dispor fontes de informação italianas ou ibéricas. Dessa forma, é claramente a Itália e a Espanha que ele conhece melhor, e que lhe servem de referência para o resto do Ocidente: por isso imagina a existência de um sistema comunal onipresente, limitando todos os poderes soberanos, e crê numa rigorosa continuidade entre as conquistas de Carlos Magno e a *Reconquista,* da qual narra alguns episódios. Só esses povos navegadores, graças a seus contatos hanseáticos, teriam podido ensinar-lhe a posição exata do estuário do Reno e das grandes cidades flamengas, Bruges, Écluse, Antuérpia, Gand, ou a existência de Colônia, Estrasburgo, Nuremberg, e até mesmo dos cavaleiros teutônicos — os quais elogia por sua luta contra os bárbaros do norte e pela prosperidade de seu "santuário": ele não insiste sobre a afluência para os grandes portos flamengos de navios provenientes do Mediterrâneo, Espanha, Inglaterra, e também das "margens oceânicas da Alemanha" e da Dinamarca? Disso resulta uma visão muito "litorânea" do Ocidente, tanto que, quando Laônico menciona suas áreas continentais, comete estranhos erros, como um Reno que nasce nos Pireneus ou um reino de Granada limítrofe com a França.

Essas mesmas fontes trazem, além de menções a Londres e ao Kent, uma longa descrição do fluxo e refluxo das marés no estuário do Tâmisa, mas, antes de tudo, seu livro é o único testemunho bizantino conhecido a respeito da Guerra dos Cem Anos. Nele consta uma boa descrição da tomada de Calais, da campanha de Azincourt e da queda de Paris, uma menção à loucura de Carlos VI, "protegido por seus nobres a fim de curar seu mal", e um curto relato dos grandes feitos de Joana d'Arc, de quem nosso autor ignora o nome e crê tenha sido simplesmente "morta no decurso dessa guerra". No conjunto, mostra-se muito favorável aos ingleses, como o eram os venezianos, seus prováveis informantes na matéria. Ao relatar a história de Joana d'Arc, comenta com certa complacência que a "confiança" imprópria dos franceses numa mulher seria um exemplo da "superstição" na qual recaem com frequência os povos em desgraça, situação bem merecida pelos franceses, dos quais traça um retrato pouco brilhante, apresentando-os repletos de imprevidência e de orgulho desmedido, assim renovando e "confirmando" um *topos* que remontava às irrupções normandas. No mesmo sentido vão a importância que confere ao "tirano da Borgonha" – que sabe estar teoricamente submetido ao rei da França, mas que denomina igualmente de "rei de Flandres" – ou os elogios aos ingleses e alemães, os primeiros pelo seu grande número e os últimos por sua excelente organização política. De resto, revela claramente sua fonte de informação no momento em que, ao tratar dos navios que se deslocam até Londres, destaca de modo particular as frotas venezianas que para lá são "regularmente" despachadas, numa imagem muito precisa da *muda* de Flandres.

É de Aragão, mas pelo lado italiano, que lhe vêm informações abundantes e variadas sobre a Península Ibérica, a propósito das conquistas de Afonso, o Magnânimo, que merecem uma descrição fantasiosa de Aragão, de Castela (chamada Ibéria), de Navarra e do reino "africano" de Granada. Mas há detalhes muito precisos, como aqueles sobre o estatuto particular de Barcelona, onde o rei é apenas "governador" (*eparkhôn*) em razão do sistema dos *fueros*, que limita a autoridade dos soberanos, e sobre a persistência das referências às antigas *taifas* muçulmanas (Valência continua um reino). Quanto

Dicionário analítico do Ocidente medieval

a Álvaro de Luna, cuja "gesta" devia circular na Grécia do século XV, seus altos feitos a serviço de João II de Castela (que Laônico denomina *dommos Iôannês,* don Juan), tanto contra seu senhor natural, Afonso, quanto contra Granada, são relatados com detalhes tão precisos que só podiam provir de um informante direto: na descrição do sítio de Granada, em 1431, em que Álvaro convence o rei que tinha mais a ganhar deixando subsistir uma cidade pela qual chegava todo o ouro da África, fica suposto o conhecimento do velho sistema das *parias.* Se ele parece ignorar tudo sobre o mundo ibérico após 1453, ano da desgraça de Álvaro, é porque, sem dúvida, seu informante aragonês manteve silêncio voluntariamente sobre tais fatos.

No entanto, é a Itália que ele conhece melhor. Como bom grego, naturalmente ele tem pouca simpatia por Roma, mesmo se aqueles que reconhecem a autoridade do papa sejam para ele os "romanos", termo até sua época rigorosamente reservado a Bizâncio. Embora conheça a crise conciliar e saiba o que são cardeais e conclaves, reproduz boatos – sem dúvida saídos do Concílio de Florença, no qual seu mestre Pleton esteve presente – relativos à lenda da papisa Joana, que para ele explicaria o mítico "reconhecimento da virilidade" ao qual seria submetido o novo eleito. Consciente da tradicional divisão da Itália em partidos guelfo e gibelino, sabe também que, embora certas cidades e principados inclinem-se majoritariamente por um ou por outro (Veneza, Roma e a Marca são guelfas; Gênova e Milão, gibelinas), a minoria está sempre presente em todos eles: é o caso de Bolonha, para onde o papa envia Bessarion, encarregando-o de fazer cessar as lutas entre facções. Bem informado sobre as instituições comunais italianas, tem predileção pelas mais "democráticas", sobretudo por Florença, da qual descreve bem o complexo sistema e minimiza as convulsões partidárias, enquanto realça o caos político genovês e insiste sobre a oligarquia veneziana, da qual conhece bem toda a organização (observa que são os 2.000 membros do Grande Conselho que "votam e elegem os titulares de todo o poder"). É aliás Veneza, tão presente no Oriente, que merece mais destaque: é a única cidade italiana que ele verdadeiramente enaltece, mostrando-a toda pavimentada de tijolos, onde se vai apenas a pé ou de barco, mas sobretudo notável por seu porto e seu arsenal, dos quais é o único grego a dar uma descrição. Procura também explicar as bases econômicas da cidade ao detalhar suas *mude,* que nomeia na ordem exata de importância no século XV: Levante, Berbéria, Oceano, România. Depois, trata de sua conquista da *Terra Ferma* até a paz de Lodi, ocasião em que assinala o papel desempenhado na Itália pelos *condottieri,* Malatesta, Carmagnola, Sforza, que contribuem para transformar certas cidades maiores em verdadeiras potências territoriais em detrimento das mais fracas, das quais conhece igualmente os pequenos príncipes, os Este de Ferrara, os Scaliger de Verona, os Malatesta da Marca e de Rimini.

Seria, pois, um grande engano considerar Chalkokondylis o "descobridor" bizantino do Ocidente sem levar em conta que foi também o primeiro grego a descrever o Oriente. Nele emerge o que seus predecessores censuraram em virtude de uma ideologia "romana" que ele julga ilegítima e que o sultão otomano, chamado por ele *basileos,* pode herdar enquanto não vem um novo império que ele deseja verdadeiramente grego. Sob sua pena, é portanto a morte de Bizâncio que nos revela um saber que a própria existência do Império impunha manter implícito, mas também revela uma nova disposição para conhecer os outros, o que explica sua relativa renovação.

MICHEL BALARD E ALAIN DUCELLIER
Tradução de José Rivair Macedo

Ver também

Centro/periferia – Guerra e cruzada – Império – Islã – Memória – Roma – Universo

Orientação bibliográfica

AHRWEILER, Hélène. *L'Idéologie politique de l'Empire byzantin.* Paris: Presses Universitaires de France, 1975.

DÖLGER, Franz. *Byzanz und die Europäische Staatenwelt.* Ettal: Buch-Kunstverlag, 1953.

DUCELLIER, Alain. La France et les Îles Britanniques vues par un byzantin du XVe siècle: Laonikos Chalkokondylis. *Économies et sociétés au Moyen Âge.* Paris, 1973.

_____. La Péninsule Ibérique d'après Laonikos Chalkokondylis, chroniqueur byzantin du XVe siècle. *Norba, Revista de Historia,* Cáceres, 1984.

Dicionário analítico do Ocidente medieval

LECHNER, Kilian. *Hellenen und Barbaren im Weltbild der Byzantiner*. Munique: Ludwig--Maximilians-Universität, 1954.

LEMERLE, Paul. *Le Premier Bumanisme byzantin*. Paris: Presses Universitaires de France, 1971.

_____. *Cinq Études sur le XIe siècle*. Paris: Presses Universitaires de France, 1977.

PERTUSI, Agostino. *Il pensiero politico bizantino*. Bolonha: Pàtron, 1990.

WOLSKA-CONUS, Wanda. *La Topographie chrétienne de Cosmas Indicopleustès*: théologie et science au VIe siècle. Paris: Cerf, 1968.

Bizâncio visto do Ocidente

"Há centenas e centenas de anos, a ave divina permanece na extremidade da Europa, perto dos montes de onde saiu e, à sombra de suas asas sagradas, daí governa o mundo, passando de mão em mão. Numa dessas mudanças, ela pousou sobre a minha. Eu fui Júlio César e sou Justiniano..." (Dante, *A divina comédia,* "Paraíso", VI, 4-10). Interrogando a alma de Justiniano durante seu percurso pelo Paraíso, Dante demonstra ter consciência da unidade e da continuidade do Império, simbolizado pela águia que partiu de Troia para Roma antes de se fixar em Constantinopla, de onde governaria toda a Cristandade. Para o poeta, Bizâncio personifica a ideia de um império regido segundo leis, tal como sonhava que o Ocidente fosse governado.

A imagem que sugere difere daquela encontrada em crônicas e documentos oficiais de chancelaria. Com efeito, os textos narrativos não se interessam muito pelo velho império oriental; seus autores substituem de bom grado pela história-batalha a compreensão profunda de um mundo tornado estranho ao Ocidente. Os documentos oficiais, para uso dos governantes, propõem uma visão mais concreta do Outro, uma visão mais fundamentada na relação de forças e na ideologia que sustenta o exercício do poder. Assim, as oscilações da imagem de Bizâncio ao longo dos séculos resultam de considerações políticas e estratégicas, de interesses religiosos

Dicionário analítico do Ocidente medieval

ou econômicos que levam o Ocidente primeiro a respeitar a romanidade cristã e depois a tratar com indiferença e desprezo um mundo que redescobre com simpatia apenas no tempo do humanismo e do Renascimento.

O prestígio de Bizâncio

Até o princípio do século VIII, Bizâncio desfruta de grande prestígio no Ocidente. Pelo menos formalmente, este reconhece a superioridade do sucessor cristão do Império Romano. A divisão de 395 nunca foi vista pelos contemporâneos como uma ruptura definitiva; mesmo a invasão dos bárbaros pode ser considerada fator de renovação do ideal universalista porque restitui sua cabeça a um império vitimado até então por uma divisão contra a natureza. Assim, a restituição das insígnias imperiais a Constantinopla por Odoacro, em 476, não significa para o Ocidente a desaparição total da ideia ou mesmo da realidade imperial: ela reconhece a eminência e dignidade única do soberano bizantino. Este recebe a herança de uma noção nascida no Ocidente, segundo a qual o imperador tem preponderância sobre os reinos, isto no momento em que os povos germânicos transformaram as províncias do Império Romano em vários reinos. A chancelaria bizantina elabora o esquema de toda uma hierarquia de soberanias sob a presidência do *basileus,* que está em seu ponto mais alto. Não é somente uma reivindicação ideológica. O Império intervém na Gália, na Espanha, acolhe em suas cortes os príncipes provenientes das famílias reais bárbaras. De acordo com Gregório de Tours, Clóvis orgulhava-se de ter recebido as insígnias consulares do imperador Anastácio, e Chilperico, medalhas de ouro de Tibério, ao passo que, por volta de 630, Dagoberto relaciona-se com Heráclio prometendo-lhe a paz perpétua, como fiel servidor.

O respeito por Bizâncio não era menor na península italiana. Aspirando assumir a direção dos povos germânicos espalhados na România, Teodorico parece ter desempenhado esse papel como delegado do poder imperial único. Ele aceita o título áulico de "mestre das milícias" e manifesta o desejo de reconquistar a Itália e governá-la em nome do imperador. O fracasso, sem dúvida, deve-se à recusa dos ostrogodos por parte da popu-

Bizâncio visto do Ocidente

lação italiana, profundamente ligada à ortodoxia conciliar. Daí a relativa facilidade da reconquista levada a cabo por Justiniano (535-554), que sabe se aproveitar da fraqueza do reino ostrogodo. Mas o prestígio de Bizâncio na Itália é rapidamente abalado pela conquista lombarda, desde 568. Seria, entretanto, errôneo considerar os invasores como adversários irredutíveis do Império Bizantino. A maioria dos duques lombardos, mais ou menos seduzida pelo ouro de Bizâncio, expressa seu grande respeito pelo Império: alguns deles aí encontram refúgio e proteção quando a sorte muda; outros colocam-se a seu serviço e, até 751, data da tomada do exarcado pelo rei lombardo Astulfo, Ravena e Pentápole permanecem símbolos vivos de que toda a península pertence ao Império.

Com efeito, embora três quartos de seu território tenham sido invadidos pelos lombardos, a Itália continua oficialmente imperial e as pretensões "romanas" de Bizâncio continuam muito vivas. O papado e os bispos do Ocidente reconhecem a posição eminente de um imperador que preside os concílios ecumênicos e transforma seus cânones em leis do Império. Gregório Magno (590-604), obrigado a lidar com os lombardos, continua profundamente ligado ao Império. Na querela com o papado em 590-591, os bispos da região veneziana pedem para ser julgados pelo tribunal de Constantinopla, fazendo valer o direito de todo súdito do Império de apelar perante a justiça suprema do imperador. Todavia, a ideia de uma romanidade cristã englobando Oriente e Ocidente e unida sob a autoridade do soberano de Constantinopla não resiste ao choque das invasões – muçulmanas no Oriente, lombardas e depois carolíngias na Itália –, às evoluções culturais divergentes, aos sobressaltos das heresias orientais diante das quais o papa aparece como o mais importante guardião da ortodoxia de Niceia. Na primeira metade do século VIII, Bizâncio deixa de ser para o Ocidente um poder tutelar, salvo em raras regiões da Itália mantidas sob sua dominação direta.

Desconfiança e incompreensão

Vários fatores políticos e religiosos concorreram para tornar o Império Bizantino cada vez mais estranho ao mundo ocidental. Do ponto de vista

Dicionário analítico do Ocidente medieval

político, o acontecimento decisivo é a intervenção carolíngia na Itália. Com efeito, depois da queda de Ravena, o papa Estêvão II não obteve do imperador Constantino V o apoio que pedia contra os lombardos. Volta-se, então, para Pepino, o Breve, que oferece ao papado o reconquistado exarcado de Ravena, fundamento do futuro patrimônio de São Pedro. Bizâncio considera-se traído e rompe com o papado. Em Roma, é então elaborada uma célebre falsificação, a "Doação de Constantino", segundo a qual, no momento em que partiu para fundar Constantinopla, Constantino teria transferido ao papa Silvestre todo o poder sobre Roma e a Itália. A ideia essencial do documento (correntemente usado na Idade Média) é excluir os bizantinos da península e estabelecer os direitos do papa à sua sucessão, fazendo do pontífice o receptor das insígnias imperiais, praticamente identificando-o com o imperador.

Um novo motivo de discórdia ocorre em 800, com a coroação imperial de Carlos Magno, considerada por Bizâncio um ato de rebelião, como a insuportável pretensão da Velha Roma de retomar para si o direito de fazer o imperador. Confrontado com uma violenta reação antiocidental em Bizâncio, Carlos Magno contemporiza. Em vez de se intitular *imperator Romanorum*, qualificação que Constantinopla não podia admitir, contenta-se em ser chamado "governador do Império Romano" e em 812 negocia um compromisso com o *basileus* Miguel Rangabe: a unidade política do mundo romano é restaurada sob a forma de dois impérios irmãos, Bizâncio abandonando o norte da Itália, a Ístria e a Dalmácia, Carlos Magno renunciando ao título de imperador dos romanos. O universalismo do Império do Oriente resta em teoria intacto. Luís II, em sua carta a Basílio I (871), procura voltar atrás nessas concessões e nega ao *basileus* seu título de imperador dos romanos, situando na Igreja-mãe de Roma a fonte do poder imperial. Basílio I responde-lhe ponto por ponto, mas depois a querela se apazigua em razão do enfraquecimento e desaparecimento do Império Carolíngio.

A restauração do Império em 962 não teve na origem um caráter antibizantino. Fiel à tradição franca, Oto I pretende apenas a paridade entre os dois impérios. Porém, diante da oposição de Bizâncio à sua atuação na Itália do Sul, e à recusa de Nicéforo Focas em reconhecer seu título imperial, ele acentua o caráter romano do seu poder, como se pode ver na narração da infrutífera embaixada de seu enviado Liutprando de Cremona a Constantinopla (968). Pela primeira vez são lançadas invectivas contra Bizâncio, que nada teria feito para socorrer o papado; só Oto I é autêntico imperador dos romanos. Então, no auge de seu poder, Bizâncio replica, manifestando seu desprezo em relação ao embaixador de Oto e defendendo com vigor suas possessões da Itália do Sul. O conflito de interesses, concretos e antagônicos, leva dessa forma grande parte do Ocidente a se opor ao universalismo imperial bizantino.

No plano religioso, diversas crises abalam a romanidade cristã e distanciam progressivamente o catolicismo romano da ortodoxia de Constantinopla. Em primeiro lugar, nota-se uma incompreensão crescente entre as duas partes da Cristandade, cada uma passando a ignorar a língua da outra. Em Roma, só alguns especialistas da chancelaria pontifícia conhecem algo do grego; em Bizâncio, não se faz muito esforço para aprender o latim. As divergências de mentalidade avultam por ocasião da crise iconoclasta. O papa Gregório II (715-731) excomunga o imperador Leão III Isáurico, enquanto seu sucessor Gregório III condena o iconoclasmo. Como bem sublinha mais tarde o cronista veneziano André Dândolo, os editos iconoclastas separam as populações italianas do Império e justificam a atribuição da coroa imperial a Carlos Magno. Desde o princípio do século IX, os francos começam a desconfiar da retidão dos gregos: estes são cristãos duvidosos e de uma espiritualidade estranha. Ao respeito inicial sobrevém a desconfiança, que alimenta uma incompreensão crescente.

Rivalidades e rupturas

Essa incompreensão mútua acentua-se no século IX, devido às rivalidades pela dominação espiritual e política das populações ainda pagãs, em vias de conversão, quer dizer, os eslavos. Duas concepções de missão se opõem: no Ocidente, onde a Igreja é relativamente independente do poder imperial, a missão é concebida como defesa da Igreja Romana e depende antes de tudo da iniciativa do trono romano. Em Bizâncio, a colaboração entre os dois poderes – Igreja e Estado – para a gestão do Império e sua expansão no exterior é tal que a cristianização equivale à helenização e ao crescimento do corpo político. Daí as tensões entre as duas partes da Cristandade para assegurar a dominação dos novos convertidos. Roma domina a Croácia-Dalmácia e fixa duravelmente as fronteiras da ortodoxia nos limites sérvio-croatas – como se pode ver ainda hoje. Na Bulgária, o *khan* Bóris de início aproxima-se de Roma, mas pende finalmente para o lado de Bizâncio, enquanto a Morávia, inicialmente evangelizada pela missão dos irmãos Constantino-Cirilo e Metódio, liga-se ao domínio franco. O choque das duas correntes missionárias é o pano de fundo das primeiras fraturas entre as duas igrejas.

A primeira delas ocorreu no momento da conversão dos búlgaros. O cisma chamado "de Fócio" era, de fato, uma querela entre as duas correntes que dividiam a Igreja bizantina. Mas Roma condena Fócio, um dos maiores sábios bizantinos, em razão das condições anticanônicas de sua ascensão ao trono patriarcal em 858. A querela, encerrada no concílio de 879-880, dá ocasião para formular as diferenças entre as duas igrejas, tanto do ponto de vista disciplinar quanto do ponto de vista dogmático. A interpretação da primazia romana e o problema da "procedência do Espírito Santo" (*Filioque*) seriam doravante a pedra de toque de uma ortodoxia que Bizâncio reivindica diante do Ocidente. A segunda fratura, bem conhecida, é aquela de 1054, o cisma de Miguel Cerulário e a excomunhão recíproca do patriarca e dos legados pontifícios. Ela se produz no momento em que as duas igrejas disputam a jurisdição sobre a Itália do Sul e em que o papado, por meio da reforma pontifical, começa a afirmar o caráter universal de seu poder.

Apenas as repúblicas marítimas italianas, outrora bizantinas, continuam até o século XI muito fiéis ao Império. Não é o caso de Gênova, que foi logo absorvida pelo domínio lombardo, ou de Pisa, mas é o caso sobretudo de Veneza e Amalfi. A Venécia mantém-se por muito tempo província bizantina e só lentamente se liberta da tutela de Constantinopla. O passado bizantino dá a Veneza uma legitimidade que ela perderia caso rompesse com o Império. Embora os juízos de valor sobre Bizâncio sejam raros nas fontes venezianas da Alta Idade Média, sente-se uma relação de amor e ódio, de dependência e progressivo distanciamento. A importância de Constantinopla está sempre destacada: os doges, os patriarcas e seus parentes vão para lá com frequência e recebem títulos áulicos do *basileus*.

Bizâncio visto do Ocidente

O lugar reservado à história bizantina nas crônicas venezianas testemunha o grande vigor desses laços até pelo menos o século XI. O mesmo ocorre com Amalfi, onde os duques, agraciados também com títulos bizantinos, consideram Constantinopla sua segunda pátria. Indo além, a família Mauro-Pantaleone, solidamente estabelecida na capital imperial, quer fazer do Império uma muralha contra a conquista normanda. Até o fim do século XI, venezianos e amalfitanos consideram-se aliados fiéis de Bizâncio. São também os principais propagadores das obras de arte bizantinas no Ocidente medieval, com seus tecidos de púrpura e paramentos de altar (muitos conservados ainda hoje nos tesouros de igrejas), portas de bronze para a ornamentação de catedrais e basílicas de Roma e da Itália do Sul, ícones bizantinos introduzidos desde o século X na península por São Nilo de Rossano. A arte bizantina exerce uma verdadeira sedução, que conhece seu apogeu durante o século XII na Itália normanda (capela Palatina de Palermo, Monreale).

A queda de Constantinopla

As cruzadas destruirão essa imagem ainda favorável de Bizâncio. Os chefes da primeira cruzada esperavam ajuda e assistência da parte de Aleixo I Comneno, em troca do juramento de fidelidade que quase todos tinham sido obrigados a lhe prestar. Ora, no sítio de Antioquia, em 1098, ficaram entregues à própria sorte, à espera do socorro imperial. Boemundo, filho de Roberto Guiscardo, inimigo irredutível de Bizâncio, espalha a ideia de traição dos gregos por ocasião de seu retorno triunfal à França e à Itália, onde procura organizar uma cruzada contra Bizâncio (1106-1107). O tema ganha maior dimensão no decurso do século XII: os gregos, claramente contrários a toda ideia de guerra santa, são suspeitos de querer sabotar os esforços dos ocidentais em favor da Terra Santa. Eudes de Deuil, cronista da segunda cruzada, reproduz a impaciência dos cavaleiros franceses que acompanhavam Luís VII quando ele encontra o *basileus* Manuel I Comneno. A partir de meados do século XII, amadurece a ideia de que Constantinopla representa um obstáculo no itinerário dos cruzados que rumam para Jerusalém. Isaac II Ângelo não entra em tratativas com Saladino no momento em que a cruzada alemã conduzida por Frederico Barba-Ruiva penetra no Império? Ameaçado pela conquista de sua capital, ele negocia, forçado, o tratado de Andrinopla, que abre às tropas germânicas o acesso à Ásia Menor.

Do lado das repúblicas marítimas italianas, a mudança de atitude em relação a Bizâncio segue vias paralelas. As fontes genovesas do século XII ainda são pouco explícitas. A crônica de Caffaro e seus continuadores menciona apenas a capital do Império e o imperador de Constantinopla — jamais qualificado de imperador dos romanos. As embaixadas genovesas querem se aproveitar da crescente fraqueza do Império para obter igualdade de tratamento com as outras repúblicas marítimas italianas. Em Veneza, os cronistas procuram mostrar que sua pátria separa-se do Império contra sua vontade e atribuem a responsabilidade da ruptura a Manuel Comneno. Quando o *basileus* pede apoio da frota veneziana contra os normandos de Rogério II, o patriarca Henrique Dândolo, ancestral do doge da quarta cruzada, opõe-se com firmeza, recusando socorrer cismáticos contra fiéis à fé romana. A intervenção de tropas bizantinas na Itália em nome de um universalismo imperial decadente irrita a Sereníssima. O rancor transforma-se em cólera e ódio quando, em 12 de março de 1171, todos os venezianos estabelecidos no Império são presos e seus bens confiscados. Os interesses vitais da república estão em jogo; as autoridades venezianas não cessam de reclamar indenizações, sempre considerando que a perfídia imperial torna impossível qualquer tentativa de entendimento. O caminho encontra-se aberto para o desvio da quarta cruzada rumo a Constantinopla, que a historiografia veneziana justifica com base em exigências religiosas: restabelecer a unidade cristã pela reunião das igrejas.

Em fins do século XII, o Império é visto pelos ocidentais como "o homem doente da Europa". Devastado pelos normandos na efêmera tomada de Tessalônica (1185), depois pelo imperador germânico Henrique VI, a tentativa para dominá-lo completa-se por ocasião da quarta cruzada. As modalidades de uma divisão que beneficiou principalmente Veneza importam menos que o sentido do acontecimento. Pela primeira vez, Constantinopla é conquistada: verdadeiro castigo de Deus, justificado pelos crimes dos gregos e de seus chefes, desgarrados de sua fé. O doge de

Bizâncio visto do Ocidente

Veneza intitula-se "dominador de um quarto e meio do império da România", enquanto o imperador latino de Constantinopla (o único legítimo daí em diante) opõe-se ao *imperator Grecorum*, que, desde Niceia, esforça-se por perpetuar as tradições bizantinas. Os ocidentais apropriam-se do tesouro de relíquias que abundavam na capital bizantina, considerando indigno que estivesse guardado por cismáticos. Eles fingem crer na restauração da união das igrejas, tornada possível em razão da conquista de Constantinopla. Na realidade, a ruptura é total entre as duas partes da Cristandade.

Desprezo e solicitude

No decorrer dos dois últimos séculos de sua existência (1261-1453), Bizâncio torna-se para os ocidentais objeto de difamação e de solicitude. Veneza manifesta grande reserva em relação à união das igrejas, tanto no Concílio de Lyon (1274) quanto no de Florença (1439). O doge-cronista André Dândolo exprime com convicção a ideia de que apenas sua pátria está qualificada para continuar a obra imperial no Oriente, depois de ter retirado de soberanos cismáticos e corrompidos o império herdado de Constantino. Não surpreende que Veneza tenha chegado a achincalhar a autoridade e o prestígio do imperador ao mandar prender João V como devedor insolvente, em 1370, no momento em que ele negava a fé de seus pais a fim de obter ajuda dos ocidentais contra os turcos. Procurando preservar todos os seus direitos sobre a România e reforçar sua atividade econômica, Veneza contribuiu, tanto quanto Gênova, para o enfraquecimento do Império.

Aliada do *basileus* na reconquista de Constantinopla em 1261, a comuna lígure adota em seguida uma atitude de desprezo e de orgulho diante da fraqueza imperial bizantina, particularmente depois do reinado de Andrônico II (1281-1328). Todas as ocasiões são boas para ocupar territórios bizantinos – Quios, Foceia, Mitilene – e para intervir nas questões internas do Império. Os cronistas genoveses partilham com o resto do Ocidente o desdém e a indiferença pelo destino trágico de Bizâncio, assaltado pelos turcos. Gênova acolhe com fausto Manuel II Paleólogo quando de sua passagem pelo Ocidente, mas, diante de sua miséria financeira e militar, não lhe dá nada além de boas palavras e algumas moedinhas. As únicas exceções

155

Dicionário analítico do Ocidente medieval

são o espírito cavaleiresco dos defensores genoveses de Constantinopla, depois as tropas reunidas por Boucicaut e Châteaumorant em 1396, o pequeno grupo de João Giustiniani em sua luta desesperada contra os otomanos em 1453.

A solicitude do papado em relação a Bizâncio deve-se ao tema central da política oriental de Roma: realizar a união das igrejas em torno do soberano pontífice. Mas as formas dessa união podem ser diversas. Em 1274, o papa Gregório X não se preocupa com as diferenças doutrinais e obriga os enviados de Miguel VIII a uma verdadeira capitulação, aceita pelos gregos para aniquilar o projeto de conquista de Bizâncio por Carlos de Anjou. Compreende-se sem dificuldade que o *basileus* não tenha podido impor tal união ao seu clero e ao seu povo, resolutamente hostis ao Ocidente. As negociações de Ferrara e de Florença (1438-1439) são marcadas por um maior respeito em relação às tradições da Igreja do Oriente, particularmente pela manutenção de seus ritos. Mas os esforços do papado não tiveram uma contrapartida tangível. Desacreditada pelo Grande Cisma e pela crise conciliar, Roma não pôde impor aos governantes a cruzada que salvaria Bizâncio. Os Estados do Ocidente recusam-se a realizar qualquer ação contra os turcos, antes ou depois da queda de Constantinopla. A cruzada lançada por Pio II termina com a morte do pontífice, antes mesmo de ter começado. A união das igrejas, proclamada no Concílio de Florença, esbarra na indiferença do Ocidente em relação a Bizâncio e no ódio do povo bizantino — inquebrantável em sua fé —, com exceção de alguns teólogos e intelectuais que tentaram a aproximação das igrejas e das culturas.

No momento em que o poder imperial desaparece, e no qual a herança da ortodoxia é assumida por Moscou — a terceira Roma —, o Ocidente descobre a riqueza da cultura helênica. Os humanistas, como Enéas Sílvio Piccolomini (Pio II), admiram a primazia intelectual de Constantinopla e de seu ensino. Os unionistas têm grande contribuição nessa descoberta. Veneza, Pádua, Roma, Florença os acolhem para seus estudos. Kydonès, Isidoro de Kiev ou Bessarion são reconhecidos e admirados. Demétrio Chalkokondylis inaugura em 1463 a cadeira de grego na Universidade de Pádua. Numerosos manuscritos gregos chegam ao Ocidente. As obras do Pseudo-Dioniso, o Areopagita, por exemplo, são oferecidas em 1408 por Manuel Crisoloras ao mosteiro de Saint-Denis. O esplendoroso manuscrito das obras de Platão, atualmente conservado na Biblioteca Nacional de França, pertenceu a Júlio Lascaris – emigrado grego na corte dos Médicis e depois junto aos Valois, em Paris. Bessarion, feito cardeal da Igreja romana, deixou sua biblioteca para Veneza, onde depois veio a ser fundada a primeira impressora grega, em 1486 – abrilhantada oito anos mais tarde com o trabalho de Aldo Manucio. Em suma, o Ocidente descobre o helenismo, que fecunda o humanismo e o Renascimento, quando Bizâncio acaba de desaparecer. Ao contrário de Voltaire, que mais tarde desprezará a monarquia absoluta e a ortodoxia de Estado (em que para ele se resumem onze séculos de história), a Idade Média tardia pelo menos compreendeu a missão civilizadora do velho Império Romano do Oriente: a de ter transmitido ao mundo a cultura da Antiguidade grega.

MICHEL BALARD
Tradução de José Rivair Macedo

Ver também

Bizâncio e o Ocidente – Igreja e papado – Jerusalém e as cruzadas

Orientação bibliográfica

BALARD, Michel. Il mondo bizantino visto da Genova. *Europa e Mediterraneo dall' osservatorio italiano, secoli XIV-XV*. San Miniato, 1993.

DUCELLIER, Alain (org.). *Byzance et le monde orthodoxe*. Paris: Armand Colin, 1986.

FOLZ, Robert. *L'Idée d'empire en Occident*. Paris: Aubier, 1953.

GEANAKOPLOS, Deno J. *Interaction of the "Sibling" Byzantine and Western Cultures in the Middle Ages and Italian Renaissance (330-1600)*. New Haven e Londres: Yale University Press, 1976.

GUILLOU, André. *La Civilisation byzantine*. Paris: Arthaud, 1975.

PISTARINO, Geo. La "Romania" e il "Mare maius" nelle fonti medievali genovesi. In: *I Gin dell' Oltremare*. Gênova: Università di Genova, 1988.

THIRIET, Freddy. Byzance et les byzantins vus par le vénitien Andrea Dandolo. In: *Études sur la Romanie gréco-vénitienne*. Londres, 1977.

Caça

A caça e os animais relacionados com ela ocupam um lugar de destaque na iconografia medieval, e não somente profana. A literatura também confere a eles um grande papel. As caçadas senhoriais foram motivo de enfrentamento social durante todo o Antigo Regime e permanecem intimamente associadas à imagem do antigo estilo de vida nobre. Aprofundando a investigação, percebemos que a aristocracia laica medieval dava a essa atividade uma importância primordial, mas também é preciso reconhecer que, até hoje, a historiografia não conseguiu fornecer um esquema de interpretação que torne compreensíveis as estranhas modalidades dessa prática, nem a paixão de que ela foi objeto por parte de toda a aristocracia europeia durante doze séculos.

Primeiramente, descartaremos dois pontos de vista errôneos, e a seguir faremos uma descrição analítica dos principais elementos em questão. Depois tentaremos mostrar a estrutura do rito. Examinaremos brevemente as variantes narrativas daí derivadas e concluiremos com um esboço cronológico.

Duas falsas explicações

Excelentes medievalistas afirmaram que a caça era um meio da aristocracia para obter carne. Mas outros estudiosos, examinando a relação custo/

benefício, mostraram a completa irracionalidade econômica de tal atividade. O estudo das contas palacianas do final da Idade Média evidenciou incontestavelmente que as compras de carne consistiam essencialmente de animais de açougue. A observação das práticas cinegéticas aristocráticas confirma que a captura da caça não era de forma alguma seu objetivo. Sobretudo a arqueologia medieval, em seu aspecto arqueozoológico, forneceu uma prova material irrefutável: a análise de restos ósseos dos depósitos de lixo senhoriais mostra que a proporção de caça aí presente era a mesma encontrada em toda a parte, ou seja, bem pequena, menos de 5%, frequentemente menos de 1%. Não se podem retomar as conclusões apresentadas por W. Janssen em 1988. A. Guerreau-Jalabert completou a análise demonstrando que na literatura cortesã a presença abundante de carne de caça nas mesas senhoriais não passava de uma codificação simbólica.

A ideia da caça como preparação e substituto da atividade guerreira é inconsistente: todo o equipamento, todas as práticas envolvidas visavam, pelo contrário, manter ostensivamente distância de qualquer enfrentamento. A noção de esporte, enfim, é um anacronismo grosseiro em se tratando da Europa medieval.

Maneiras de caçar

O caráter específico e fundamental da caça medieval era ser uma atividade bipartida – caça com cães, caça com pássaros – perfeitamente traduzida na expressão francesa *deduis de chiens et d'oisiaus* ("divertimentos de cães e pássaros"). A controvérsia sobre a superioridade de uma ou outra é um lugar-comum da literatura medieval, e a resposta era a impossibilidade de escolha (ver o *Roman des deduis*, de Gace de la Buigne, entre 1359 e 1377). A caça aristocrática era a combinação indissociável das duas práticas.

Em ambos os casos, os caçadores deslocavam-se a cavalo, com um equipamento leve destinado a protegê-los das intempéries ou, no máximo, de arbustos e espinhos, exatamente o contrário dos apetrechos utilizados em combate ou torneio. Mas, enquanto a caça com cães consistia numa longa perseguição na floresta, a caça com pássaros era estática e praticada em área aberta.

Dicionário analítico do Ocidente medieval

A caça com cães visava primeiramente aos cervídeos (cervo, gamo, cabrito), secundariamente aos javalis. O urso era raro, quando não ausente em várias regiões, os animais nocivos (lobo, raposa) pouco atraentes, as lebres medíocres. As armadilhas e a utilização de redes estavam reservadas aos animais nocivos e às lebres e coelhos. Algumas vezes, eram organizadas caçadas a animais de porte, nas quais os caçadores, a pé e posicionados mais ou menos em linha, atiravam flechas nos animais acossados pelos batedores. Mas tratava-se de uma variante secundária. A única grande caçada na floresta consistia em seguir, a cavalo e com uma matilha, o animal que fugia até que ele, esgotado, parava para enfrentar os cães e, nesse momento, era morto com espada ou lança: o animal era pego à força. Em princípio, se o animal saía da zona reservada à perseguição, esta se interrompia. A incerteza do percurso fazia parte da regra do jogo; por outro lado, era dada extrema importância à delimitação da zona onde se efetuava a perseguição, a floresta.

Tal delimitação não existia na Antiguidade: os homens livres podiam caçar em qualquer lugar e a caça pertencia ao caçador que a tivesse abatido. A partir do século VII, apareceu a noção de preservação dos espaços arborizados (*silvarum custos*), a serviço do rei, e depois surgiu um novo vocábulo, *foresta*, designando os espaços "exteriores" (*foris*) nos quais os reis (francos, lombardos, visigodos) se reservavam o direito exclusivo de caça, sendo os transgressores punidos com a morte. C. Wickham mostrou que esses espaços estavam longe de ser inteiramente arborizados, tratava-se de uma delimitação social. Os Carolíngios, depois os Otonianos, ampliaram essa prática da *afforestatio*, levada a seu limite extremo pelos reis anglo--normandos, que não hesitaram em criar imensas florestas reais fazendo desaparecer vários vilarejos. Desde o século X, o mais tardar, essa prática foi adotada pelos grandes aristocratas e se generalizou nos séculos XII e XIII, não sem suscitar a hostilidade dos camponeses, que, além de excluídos dos espaços reservados, foram objeto de completa interdição de caçar.

A caça com pássaros, ao contrário, era praticada nas zonas que aparecem como "interiores", eventualmente cultivadas, frequentemente próximas de cursos d'água. Os cães deviam unicamente assustar o animal, para permitir que aves treinadas o abatessem. Esta era uma prática permitida às mulhe-

Caça

res. A condenação exacerbada da volataria (caça a pássaros na floresta, com ajuda de aves chamadas de baixo voo), considerada vil e degradante, mostra que a definição dos dois tipos de caça implicava fundamentalmente dois tipos de espaços, opostos e complementares.

Animais auxiliares: pássaros e cães

Os principais agentes das duas caças eram animais, cães corredores e falcões adestrados. Os manuais de caça, que se difundiram a partir do século XIII, consagravam um grande espaço, quando não preponderante, aos cães e falcões. Técnicos especializados dedicavam-se a cuidar deles, monteiros e falcoeiros faziam parte do círculo íntimo dos reis e de grandes aristocratas; desde a Alta Idade Média, cães e falcões adestrados eram presentes de grande valor.

Se a Antiguidade já conhecera vários tipos de cães, a Idade Média dedicou atenção às raças caninas e levou a sua especialização cinegética à perfeição. Devemos, entretanto, realçar que "cão" permanece um insulto grave durante toda a Idade Média, epíteto facilmente usado como sinônimo de "herege" ou de "infiel". Se o cão é o paradigma do animal doméstico, cuja reprodução é controlada, o falcão e o gerifalte devem ser capturados na natureza antes de serem submetidos a um demorado e difícil adestramento. Adestramento que nunca pode ser considerado perfeito: em toda caçada há o risco de se ver o pássaro recuperar sua liberdade.

A Antiguidade jamais praticou a caça com pássaros. K. Lindner mostrou que os mais antigos testemunhos dela no Ocidente datam do século V (textos de Paulino de Pela e de Sidônio Apolinário, mosaicos de Cartago e de Argos). Tudo indica que essa prática, plurimilenar na Ásia Central, chegou à Europa e ao norte da África por intermédio dos germânicos. Ela se generalizou rapidamente, dando origem no século V ao binômio antinômico cão-pássaro. Desde então, o falcão tornou-se um objeto supervalorizado, um símbolo positivo: encontramos esqueletos de aves de rapina em tumbas germânicas dos séculos V-VI. Mais tarde, Frederico II vinculou seu nome a prestigiosos manuais de falcoaria. Mas o entusiasmo pelos falcões desmoronou em meados do século XVII e desapareceu da Europa pouco depois.

Na temática cortesã, o binômio cão-pássaro aparece como uma verdadeira dupla, e R. Van Marle há muito tempo chamou a atenção sobre esse par na iconografia profana do final da Idade Média: o cão pequeno, *braco*, é emblemático da dama, enquanto o falcão ou o gavião são atributos do cavaleiro. O uso comum de metáforas a respeito na literatura cortesã confirma que as duas caças eram pensadas como análogas da relação homem/mulher. Nelas, o cavaleiro é assimilado ou ao falcão, *"si con girfaux grue randone..."*, *"con fet li faucons les cerceles..."* (*Le Chevalier au lion*, v.882 e 3.191), ou ao animal caçado, cervo ou javali, *"fier estoit et hardi en estour communal comme sengler cachiez quant a donné estal"* (*Le Roman de Rou*, v.275-6).

Mais claramente ainda, Maria de França transforma o cavaleiro em ave de rapina (*Yonec*) ou em lobo (*Bisclavret*). O cão encontra-se necessariamente do lado feminino. A utilização invertida dessa temática por parte dos clérigos reforça sua significação. O falcão, transformado em abutre, e o javali, reduzido a porco, foram largamente empregados como figuras de uma sexualidade masculina descontrolada, quando não perversa. Trabalhando com a mesma estrutura, os clérigos identificaram-se com o galo, despertador das consciências (não desprovido, aliás, de uma certa conotação sexual...). Provavelmente é também nesse quadro de oposição que se deve interpretar o uso do cão como atributo ocasional de São Bernardo e de São Domingos.

A trompa

Nenhuma análise da caça medieval pode negligenciar a ferramenta essencial do caçador, o objeto que o faz aparecer como tal, a trompa. Nesse ponto, a iconografia é unívoca e aproximadamente realista: caçadores, monteiros e valetes carregam uma trompa a tiracolo. E os manuais de caça consagram uma longa exposição à arte de *apupar* e *buzinar,* especificando cada um dos códigos, muito variados, que correspondem a cada uma das fases da caçada e de suas eventuais variantes. A capacidade de comunicar de maneira eficaz por meio dessa codificação abstrata, e hermética ao leigo, era uma habilidade básica do caçador.

O estudo da significação simbólica desse objeto por meio de seu papel em alguns dos textos mais célebres da literatura medieval é uma pretensão que excede nossos presentes limites: lembremos o olifante de Rolando ou a trompa mágica de Aubéron em *Huon de Bordeaux*. Nesses dois casos, a trompa é um instrumento poderoso, eficaz apenas se utilizado convenientemente. *Guillaume d'Angleterre* narra as aventuras de um rei e de sua esposa, os quais, por imposição sobrenatural, abandonaram o poder e seus bens; pouco depois, a rainha dá à luz gêmeos, mas todos se separam. Após longas aventuras e 24 anos de fidelidade recíproca, o rei encontra a rainha, depois seus filhos, recupera o poder, ordena cavaleiros seus dois filhos e depois os casa. A mesma trompa ressurge em quatro ocasiões:

- depois da partida do casal real, o palácio é pilhado, um pajem se apodera da trompa que estava sob o leito conjugal;
- numa feira, o rei, que tinha se tornado mercador, vê a trompa e compra-a do antigo pajem, que deseja partir em peregrinação a Saint-Gilles;
- o rei pendurou a trompa no topo do mastro de seu navio, e a rainha, que tinha subido a bordo, reconhece o instrumento e assim identifica o rei;
- para caçar um cervo, o rei toca a trompa e atrai os dois cavaleiros que guardam a floresta, e que eram seus filhos.

A trompa aparece aqui claramente como símbolo da fidelidade; é exatamente o mesmo papel que ela desempenha no *lai du cor,* onde serve de instrumento de teste da fidelidade conjugal.

Na Alta Idade Média, o chifre era um símbolo de fertilidade e objeto mais ou menos mágico (*cornucopia*). A Igreja manifesta uma hostilidade tenaz em relação a ele, que só seria atenuada a partir do século XII, quando se vê aparecerem chifres como recipientes de relíquias. Pouco a pouco estabelece-se um elo com os santos caçadores (Eustáquio, Humberto) e protetores de rebanho (Brás, Cornélio, Wendelin), enquanto se difundia a noção de "garra de grifo", ligada à lenda de São Cornélio. Foi sob esse rótulo que os tesouros de fins da Idade Média acolheram prestigiosas peças de ourivesaria, formadas por um grande chifre ornado de materiais preciosos e apoiado num pedestal decorado, frequentemente na forma de pés de pássaro destinados a evocar o grifo. A hostilidade eclesiástica parece ter acabado no final da Idade Média.

Dicionário analítico do Ocidente medieval

Todos esses elementos devem ser articulados, o que supõe compreender como eles ligam-se uns aos outros, mas sobretudo como se integram no âmbito geral do sistema de representação da Europa medieval, e que papel desempenham nele.

A estrutura do rito

A bipartição da caça constituiu, primeira e fundamentalmente, uma forma de delimitação do espaço, claramente explicitada pela criação e difusão geral do termo *foresta*: definição de espaços "exteriores" em função da caça com cães e a cavalo, em oposição aos espaços "interiores" (ou "centrais") ligados à caça com pássaros. De outra maneira, a veemente rejeição das armadilhas e da volataria seria completamente inexplicável. O percurso aristocrático formalizado define e articula o espaço ao polarizá-lo em cada lugar: o interior-estabilidade *versus* exterior-percurso.

Essa organização do espaço fazia parte de um conjunto carregado de conotações sexuais a partir do par cão-pássaro, que representava o casal homem-mulher. O valor do animal caçador conduz ao do animal caçado (ainda que de maneira desigual): o cervo ou o javali representam o cavaleiro (as presas das aves de rapina têm um sentido feminino utilizado com menos frequência: ganso selvagem, grou,[1] eventualmente coelho). O simbolismo cinegético adquire sua plena força expressiva no seio do sistema cortês-cavaleiresco, no qual a relação homem-dama é a representação privilegiada da relação cavaleiro-senhor, relação de dependência selada pela fé (*fides*), e vista como crucial para o bom ordenamento da sociedade em geral, e que remete ao acentuado papel da trompa de caça.

A base dessa estrutura correspondia a um dos grandes eixos do sistema geral de representações medievais, para o qual era fundamental a oposição interior-homem-Deus *versus* exterior-mulher-Diabo. O caráter aleatório (*divagationes*) dos percursos exteriores, oposto à estabilidade da falcoaria,

---

1 O francês *grue*, surgido em princípios do século XII, designa em sentido estrito uma ave migratória (grou) e, desde 1415, em sentido figurado, uma mulher de vida fácil. [HFJ]

164

reforçava essa correspondência, igualmente percebida como regularidade *versus* acaso. Ao combinar a caça graúda, análogo eufemizado da relação sexual, com uma constante delimitação simbólica do espaço polarizado, a caça trazia uma contribuição de primeira importância ao bom ordenamento da sociedade, pois traduzia de maneira concreta (incorporação) o sistema de oposição cuja coerência e reconhecimento prático constituíam um eixo da dominação eclesiástica e do bom funcionamento do *dominium*.

Os caçadores utilizavam um animal doméstico no espaço selvagem (*Wald, wild*) e, ao contrário, um animal selvagem um pouco adestrado no espaço cultivado: tratava-se de uma forma de inversão, e sabe-se que os ritos de dominação apresentam-se quase sempre como ritos de inversão. Decididamente, a caça medieval bipartida aparece como um grande rito de dominação, o grande ritual de dominação da aristocracia laica. Contribuindo muito para polarizar o espaço, marcando nele o lugar e a significação da sexualidade, depois incorporando certos traços essenciais da ideologia cavaleiresca, a caça era uma peça-chave da dominação e do bom ordenamento social da Europa medieval.

Nesse contexto, torna-se possível reexaminar alguns temas narrativos ligados à caça, dentre os quais dois desenvolveram-se notavelmente a partir do século XII: o do caçador assassinado e o da caçada mística.

O caçador caçado

O assassinato de um caçador (caçador caçado) é um tema maior nos romances em que ele aparece, pois é uma imagem da traição, da ruptura de toda *fides*, portanto uma ameaça à coesão da aristocracia e, por conseguinte, à sua sobrevivência. Em *Floriant et Florete*, o rei Elyadus é morto pelo senescal logo após ter tocado a trompa. Em *Garin le Lorain*, depois de ter matado o javali que perseguia, Bégon toca a trompa, que foi ouvida pelo guarda-florestal de seu inimigo Fromont, e ele é morto por uma flecha atirada pelo sobrinho daquele guarda. No romance provençal *Beton et Daurel*, depois de matar um javali, o duque Beuve é atingido por seu amigo Guy, mas o duque perdoa a traição daquele que o matou para que pudesse casar com a duquesa e chega mesmo a indicar-lhe um subterfúgio que permitiria disfarçar o

Dicionário analítico do Ocidente medieval

assassinato em acidente: Beuve está, por assim dizer, dotado da auréola de mártir. No grande romance *Beuve de Hantone*, do qual se conservam quatro versões em francês antigo e que conheceu sucesso europeu, o assassinato é um episódio fundamental: a jovem mulher do velho duque Gui de Hantone tem um filho, Beuve, mas ela detesta o marido e apela a seu amante, Doon de Mogúncia. Este, informado, surpreende Gui na caçada e mata-o. Após inúmeras aventuras, Beuve volta à Europa e mata Doon. Em várias versões, Gui, atacado na caçada e acossado por Doon, é comparado a Jesus Cristo.

O episódio mais famoso continua a ser a morte de Siegfried na *Canção dos Nibelungos*. Siegfried, filho do rei de Xanten, apresenta-se à corte de Gunther, rei de Worms, para desposar sua irmã Kriemhild. Ele ajuda Gunther a ir buscar Brünhild na Islândia, e enfim é celebrado o duplo casamento de Siegfried com Kriemhild e de Gunther com Brünhild. Mas esta, com ciúmes de Kriemhild, convida Siegfried para ir a Worms e convence Hagen a massacrá-lo durante a caça ao urso. Mais tarde, Kriemhild, casada pela segunda vez, com Etzel, convida os burgúndios à corte dos hunos, onde todos morrem, com a própria Kriemhild decapitando Hagen com a espada de Siegfried. A notoriedade da *Canção dos Nibelungos* deve-se particularmente à sólida estruturação (papéis, lugares, episódios) que utiliza a maior parte dos objetos e dos temas da ideologia cavaleiresca para propor à aristocracia alemã do começo do século XIII a mais bem organizada imagem de sua articulação interna e de seu papel no conjunto social. Também aqui, a caça aparece como o grande rito senhorial, com o assassinato de Siegfried claramente adquirindo um valor sacrificial. Na verdade, Siegfried era invulnerável, exceto por uma pequena parte das costas. Nesse lugar, foi costurado um pedaço de tecido em forma de cruz, e foi aí que ele foi atingido. Após a caçada, Siegfried, sedento (Hagen secretamente proibira que fossem levadas bebidas), precipita-se em direção a uma fonte e, enquanto ele bebe, Hagen transpassa-o com sua lança. Trata-se de uma clara alusão ao salmo 41: "Como a corça bramindo por águas correntes, assim minha alma está bramindo por ti, ó meu Deus...", texto mil vezes comentado e que serviu de ponto de apoio privilegiado, desde os Pais da Igreja, para a identificação do Cristo com o cervo. A marca em forma de cruz e a corrida para a fonte não enganam: Siegfried é sacrificado como Cristo; a simples alusão feita em *Beuve de Hantone* é aqui ampliada. Ao cavaleiro sacrificado no rito senhorial é atribuído um papel redentor.

A caçada mística

A lenda do unicórnio, que só pode ser apanhado quando sua cabeça repousa no colo de uma virgem, foi interpretada pelos Pais da Igreja como uma outra imagem do Cristo. Mas essa temática foi pouco empregada antes do século XII, quando se tornou mais frequente, com a captura do unicórnio representando a Encarnação. Entretanto, o tema foi também utilizado pelos trovadores como imagem de submissão à dama (Teobaldo de Champanhe). Essa forma de concorrência entre a alegoria mística e a alegoria cortesã perdurou até o século XVI. O tema da caçada mística conheceu grandes representações picturais: uma está conservada em Weimar, outra se encontra no grande retábulo dos dominicanos de Colmar, atribuído a Martinho Schongauer (por volta de 1470-1480); na decoração do *hortus conclusus,* o unicórnio é perseguido pelo arcanjo Gabriel, que toca a trompa e segura quatro cães, identificados como misericórdia, justiça, paz e verdade. Mas é, ao contrário, a alegoria cortesã que triunfa nos dois grandes ciclos de tapeçarias das *Damas com o unicórnio* dos museus de Cluny e do Cloisters.

O interesse dos clérigos de fins da Idade Média pela representação da caçada mística significava pelo menos que a Igreja tinha deixado de desconfiar da caçada. Em uma *Adoração dos Magos* de Baldung Grien, um dos reis leva seus presentes numa trompa. Mas, embora o unicórnio como representação do Cristo tivesse o aval dos Pais da Igreja, a temática da caça, sempre abundantemente cultivada nos gêneros cortesãos do final da Idade Média, manteve certa ambivalência, e foi sem dúvida por isso que os padres do Concílio de Trento proibiram seu emprego.

A caça sob forma de uma grande alegoria narrativa cortesã foi utilizada em várias ocasiões no final da Idade Média. Dentre as mais célebres, encontra-se *Die Jagd,* obra em verso de um nobre do Alto-Palatinato, Hadamar von Laber (cerca de 1340). O narrador, instruído por *Frau Minne* (o Amor), guiado pelo *Coração,* acompanhado por doze cães (que personificam alegrias e traços de caráter), descobre as pegadas do cervo, mas é ferido por este. Ele espera reencontrá-lo com a ajuda de *Harre* (Perseverança), *Staete* (Constância) e *Triuwe* (Fidelidade). Mas a caçada não termina, pois o final seria um fracasso. Um alto grau de abstração e de psicologização afasta do rito. Entretanto, a caçada permanece, antes de mais nada, a imagem da *fides*, e a recusa de um final atesta que o essencial é o percurso e não a captura. No final do século XV, Otaviano de Saint-Gelais compôs *La Chasse et le départ d'Amours* (ou *Roman de l'amant parfait*): em comparação com o texto anterior, a complexidade e a abstração são decuplicadas, de maneira própria aos "grandes retóricos".[2] Mas um exame cuidadoso permite reencontrar a maioria de temas já observáveis em Maria de França. Quando o duque de Savoia Filiberto, o Belo, morreu com 24 anos, em 1504, em razão de um acidente pulmonar contraído na caça, Jean Lemaire des Belges teceu para sua jovem viúva, Margarida da Áustria, uma vasta lamentação, a *Couronne margaritique*. Nela, o duque é representado como vítima da "morte caçadora", e desfila toda a temática do caçador caçado, provando que esta conservava o essencial de seu vigor e de sua atualidade.

A proliferação dos desenvolvimentos alegóricos em direções variadas e em parte concorrentes confirma, se fosse necessário, a natureza de rito maior da caça medieval, atividade que tirava seu sentido de sua inserção no sistema de representações da Europa feudal, mas ela própria contribuindo para transformar estruturas abstratas em esquemas concretos, por sua vez suscetíveis de engendrar outras construções. Mostramos analiticamente que se tratava ao mesmo tempo de um ritual de identificação do espaço e de um ritual de dominação: no sistema feudal, esses dois aspectos estavam ligados um ao outro por princípio, com a dominação específica da Europa feudal (relação de *dominium*) sendo condicionada e definida por uma relação de fixação tendencial dos homens ao solo e por uma valorização desigual do espaço (espaço polarizado). Durante toda a Idade Média, e depois dela, a aristocracia laica europeia não teve outro rito tão bem adaptado à ordenação e à reprodução contínua de sua posição e de seu papel na sociedade.

---

2 Nome dado a um certo número de poetas do final do século XV e do começo do século XVI, muito ligados aos refinamentos de estilo e às sutilidades da versificação. [N.T.]

Caça

Esboço cronológico

Na Antiguidade romana, a caça não estava ligada a um espaço específico, nem a uma categoria social particular: os homens livres podiam caçar em qualquer lugar onde houvesse caça. As "leis bárbaras" refletem ainda em grande parte essa situação, concedendo, entretanto, uma proteção especial aos animais caçadores e especificando distinções de raça que já testemunhavam uma especialização de papéis associada a um formalismo desenvolvido dessa atividade. O mais novo fenômeno foi a aparição e a generalização quase imediata da caça com pássaros, no século V. A dupla cão-pássaro, já presente em textos do século V, cria a complementaridade que contém os rudimentos do sistema de delimitação do espaço. Desde 517, o Concílio de Épaone proíbe aos bispos, padres e diáconos a posse de cães e de gaviões, proibição reiterada em Mâcon em 585. Em 742, proíbem-se de novo aos clérigos as *venationes et silvaticas vagationes.* A partir da época carolíngia, caçar aos domingos está proibido a todos. A Igreja nunca condenou a caça propriamente dita, mas proíbe-a terminantemente aos clérigos e aos leigos nos domingos. A conotação simbólica dessa atividade parecia, portanto, ser forte desde o começo do século VI, e era incompatível com o clero.

A criação de florestas por parte dos reis a partir do século VII marcou uma etapa posterior: o rei, figura emblemática da aristocracia laica (ele era apenas isso), decidia transcrever no espaço a oposição gerada pelo rito, de maneira ao mesmo tempo fixa e tangível. Os espaços eram, assim, "exteriorizados" e reservados ao uso exclusivo – em se tratando de atividade cinegética – do dominador laico superior. É notável que tenham sido os reis, normalmente considerados detentores de um poder insignificante, que introduziram essa prática: desconfia-se que se tratava somente de uma compensação simbólica à ausência de verdadeira autoridade, supondo que a estrutura simbólica já estivesse completamente desenvolvida e perceptível. Mas essa iniciativa ia plenamente no sentido da lógica geral do sistema e foi sem dúvida por causa disso que ela se estendeu e generalizou progressivamente. Os Carolíngios alargaram bastante as *forestae* e criaram parques de animais selvagens (espécie de zoológicos) que durante séculos foram emblemas prediletos do poder soberano.

Os Otonianos continuaram o movimento, mas começaram a ceder a aristocratas o direito de *afforestatio*. Não conhecemos muito bem as condições pelas quais a aristocracia laica europeia atribuiu-se a exclusividade dos direitos de caça, provavelmente nos séculos IX-XI; temos, desde o século XII, claros testemunhos de métodos verdadeiramente terroristas e de crueldade bárbara exercida para reprimir qualquer desrespeito a esse privilégio. A parte X do *Roman de Renart* (massacre do urso Brun) representa a ferocidade do conde de Champanhe. João de Salisbury denunciou firmemente a violência insensata dos reis anglo-normandos, que durante todo o século XII alcançaram picos de brutalidade sádica. Mas o movimento geral de estabelecimento definitivo de uma rede paroquial homogênea, completado durante o século XIII, criava um sólido quadro de organização do espaço: a Igreja tinha, assim, atingido a concretização de um esforço plurissecular e podia não se sentir mais rivalizada pelos efeitos do rito da aristocracia laica, que desde então aparecia mais como um reforço e um complemento. A promoção de santos caçadores, a utilização apenas eufemizada das trompas de caça, o uso geral da temática da caça mística manifestaram amplamente a reconciliação da Igreja com essa prática.

Por seu lado, a aristocracia tinha sólido interesse por uma prática generalizada, cada vez mais formalizada e definida como privilégio; a proliferação dos manuais e tratados de caça traduziu bem essa paixão voraz, que perdurou até o século XVII. O grande tratado de Jacques de Fouilloux (*La Vénerie*, 1561) foi sistematicamente editado, a partir de 1585, junto com *La Fauconnerie*, de João de Francières (final do século XV), associação que mostra que, ainda então, cães e pássaros constituíam o binômio essencial. Jacques de Fouilloux e João de Francières foram reeditados pelo menos dez vezes entre 1601 e 1650. Foi nesse momento que se produziu uma ruptura, um tanto furtiva, mas carregada de sentido: a falcoaria caiu rapidamente em desuso a partir de meados do século XVII. O sistema de representação da Europa medieval estava a ponto de ser substituído, os princípios fundamentais de articulação do rito feudal perdiam seu sentido, a prática medieval da caça desarticulava-se e sua lógica desaparecia totalmente.

ALAIN GUERREAU
Tradução de Vivian Coutinho de Almeida

Caça

Ver também

Animais – Natureza – Nobreza – Rei – Ritos

Orientação bibliográfica

Artigos "Beizjagd", "Beizvögel", "Falkentraktate", "Jagdhunde", "Jagdtraktate", do *Lexikon des Mittelalters*.

BECK, Corinne; RÉMY, Élisabeth. *Le Faucon, favori des princes.* Paris: Gallimard, 1990.

LA CHASSE AU MOYEN ÂGE. Atas do Colóquio de Nice, 1979. Paris: Les Belles Lettres, 1980.

CUMMINS, John. *The Hound and the Hawk*: the Art of Medieval Hunting. Nova York: St. Martin's Press, 1988.

DELORT, Robert. *Les Animaux ont une histoire.* Paris: Seuil, 1993.

ECKARDT, Hans Wilhelm. *Herrschaftliche Jagd, bäuerliche Not und bürgerliche Kritik*: zur Geschichte der fürsterlichen und adligen Jagdprivilegien, vornehmlich im süd-westdeutschen Raum. Göttingen: Vandenhoeck & Ruprecht, 1976.

GARDELLES, Jacques. La chasse dans le décor de la forteresse médiévale. *Cahiers de Commarque,* 1990.

GUERREAU-JALABERT, Anita. Aliments symboliques et symbolique de la table dans les romans arthuriens (XIIe-XIIIe siècle). *Annales ESC*, Paris, n.47, p.561-94, 1992.

HENNEBICQUE-LE JAN, Régine. Espaces sauvages et chasses royales dans le nord de la France, VIIe-IXe siècle. *Revue du Nord*, Lille, n.62, p.35-60, 1980.

JANSSEN, Walter. Die Fleischversorgung auf mittelalterlichen Burgen. *Château-Gaillard*, Caen, n.14, p.213-24,1990.

JARNUT, Jörg. Die frühmittelalterliche Jagd unter rechts- und sozialgeschichtlichen Aspekten. *Settimane di Studio*, Spoleto, v.XXXI, p.765-808, 1985.

LE GOFF, Jacques; VIDAL-NAQUET, Pierre. Lévi-Strauss en Brocéliande. *Critique*, Paris, n.325, p.543-71, 1974. (Reproduzido em *L'imaginaire medieval*. Paris: Gallimard, 1985. p.151-87).

LINDNER, Kurt. *Beiträge zu Vogelfang und Falknerei im Altertum.* Berlim: W. de Gruyter, 1973.

MORSEL, Joseph. Jagd und Raum: Überlegungen über den sozialen Sinn der Jagd-praxis am Beispiel des spätmittelalterlichen Franken. In: RÖSENER, Werner (ed.). *Jagd und höfische Kultur im Mittelalter.* Göttingen: Vandenhoeck & Ruprecht, 1997. p.255-87.

Dicionário analítico do Ocidente medieval

NIEDERMANN, Christoph. *Das Jagdwesen am Hofe Herzog Philipps des Guten von Burgund.* Bruxelas: Archives Générales du Royaume, 1995.

ROONEY, Anne. *Hunting in Middle English Literature.* Woodbridge: Boydell, 1993.

SAUNDERS, Corinne. *The Forest of Medieval Romance*: Avernus, Broceliande, Arden. Woodbridge: D. S. Brewer, 1993.

WALZ, Dorothea. Falkenjagd, Falkensymbolik. In: MITTLER, Elmar; WERNER, Wilfried (eds.). *Codex Manesse. Katalog zur Ausstellung.* Heidelberg: Braus, 1988. p.350-71.

WICKHAM, Chris. European Forests in the Early Middle Ages: Landscape and Land Clearance. *Settimane di Studio,* Spoleto, n.XXXVII, p.479-548, 1989. (Retomado em *Land and Power.* Londres: British School at Rome, 1994. p.155-99).

YOUNG, Charles R. *The Royal Forests of Medieval England.* Leicester: Leicester University Press, 1979.

Castelo

O castelo medieval – e particularmente o castelo fortificado – faz parte desde a infância de nossa paisagem imaginária. Mas ele também é um elemento da paisagem real de hoje; na maioria das vezes, é uma ruína, como Montségur; no máximo, é um museu ou uma espécie de museu, como Pierrefonds. Mas, nesse caso, ele está muito restaurado: mesmo conservado regularmente e ocupado, como no caso da Torre Branca de Londres, o castelo não pôde atravessar os séculos sem passar por profundas modificações. Nem sem mudar suas funções: a Torre de Londres tornou-se, bem cedo aliás, tal como a Bastilha, uma prisão de Estado.

A função de prisão é, de fato, secundária e é um exagero associar ao castelo as enxovias e as masmorras. O castelo é, antes de tudo, uma casa, uma residência aristocrática que abriga um homem que é um senhor, um *dominus*, com sua família, com as pessoas de sua *domus*, parentes, oficiais, familiares, criados. É necessariamente, portanto, uma grande morada: isso já a distingue de outras. Mas o castelo tem, além disso, o papel de um signo: ele deve materializar, tornar sensíveis, o lugar e a categoria ocupados por quem o habita e que é seu senhor. Esse papel é materializado por suas dimensões, mas também por sua situação geralmente elevada, dominante, e pela demonstração de poder contida nas fortificações, torres, portas e ameias.

Pois essa morada é protegida. Em tempos de violência, a segurança é um dos privilégios que o habitante do castelo reivindica para ele e sua "mesnada". Mas o castelo também é ofensivo: o bem-estar, o poder e até a segurança do senhor residem no controle que ele exerce sobre um território mais ou menos vasto, sobre homens mais ou menos numerosos. Assim, o castelo é também a cabeça de um domínio cujas muralhas abrigam as colheitas e a sede do poder de comandar outros homens, de obrigá-los a servir e de assegurar entre eles, e sobre eles, a polícia e a justiça.

A Idade Média estende-se por um milênio. O castelo não aparece desde o início, e modificou-se ao curso dos séculos. Deve-se renunciar a munir os primeiros castelos de pontes levadiças e de remates salientes no alto das muralhas. A madeira teve por muito tempo um lugar importante, junto com a terra. A Idade Média, grande cultivadora de terras, cavou fossos para acumular a terra em muralhas, em colinas ou plataformas elevadas.

Essa diversidade do castelo deve-se também aos frágeis contornos da classe aristocrática, com suas hierarquias e seus extremos muito distanciados. Há, portanto, castelo e castelo: o do pequeno senhor de aldeia não é o do príncipe. Enfim, os recursos regionais, a geografia, impõem suas limitações. Construídos num país sem pedra, os castelos poloneses e prussianos são feitos de tijolos; nos Vosges, os construtores aproveitaram as defesas naturais oferecidas pelo relevo: o castelo não apresenta aí a mesma planta que na planície da Alsácia.

Antes do castelo

Não é correto falar em castelo na Alta Idade Média. Os anais e as crônicas evocam locais fortificados com os nomes de *castella, castra oppida, munitiones, roccae, petrae, speluncae*. Mas trata-se ou de cidades que conservaram suas muralhas do Baixo Império ou, então, de fortalezas rurais, raras e mal caracterizadas. A função de residência ainda não está associada à fortificação.

Em algumas cidades, pode-se ainda ver, na época merovíngia, o pretório, morada do governador imperial: em Paris, o mesmo "palácio" que recebeu o imperador Juliano serve, sem dúvida, como residência dos sucessores de Clóvis. Mas sabe-se muito pouco sobre esses edifícios.

Os séculos conturbados da Alta Idade Média não desconhecem a fortificação, mesmo fora das cidades. Mas esses lugares fortificados apresentam traços que se aparentam mais a refúgios do que a castelos. Eis, segundo Gabriel Fournier, as características desses lugares fortificados: as defesas são asseguradas essencialmente pela natureza, a exemplo de Carlat, localizado em um planalto basáltico cercado por altas falésias; às vezes, um fosso largo e uma muralha de terra cortam, impedindo o acesso, a extremidade de um planalto (como em Escorailles) e encontramos então a topografia dos "esporões obstruídos" das idades do Bronze e do Ferro; aliás, não é raro que uma fortaleza da Alta Idade Média se encontre no mesmo local de um *oppidum* proto-histórico. As vastas dimensões dessas cidadelas penduradas em planaltos elevados supõem uma numerosa guarnição, ou melhor, uma população importante, seja ela permanente ou temporária. No sul da França, esses *oppida* reocupados na Alta Idade Média, como Saint-Blaise, no lago de Berre, foram hábitats permanentes. Mas locais que ofereciam características semelhantes, como os *husun* da Espanha muçulmana, eram essencialmente refúgios. Pendurados na montanha, atrás dos terrenos cultivados, eles ofereciam às populações dos vilarejos vizinhos um vasto espaço nu onde podiam reunir os rebanhos e armar as tendas: as únicas construções consistiam numa muralha de concepção simples e em vastas cisternas. Entretanto, esses *husun* puderam atrair um hábitat permanente – por exemplo, numa segunda muralha –, e parece que consistiram algumas vezes em pontos de apoio para a administração do califado ou dos *reyes de taifas*. Apesar de tudo, estamos longe do castelo privado e é notável que cada vez que um *hisun* foi ocupado por um senhor cristão após a *Reconquista*, isso tenha se traduzido por uma contração do espaço protegido ao mesmo tempo que pela construção de edifícios e fortificações mais eficazes.

No reino franco ou no Império Carolíngio, as residências da aristocracia estavam no campo – até os reis preferiam suas residências rurais –, no centro de domínios cujos produtos, não somente as colheitas, mas também os objetos fabricados, têxteis, ferramentas, armas, eram indispensáveis para a alimentação, o equipamento e o gênero de vida do senhor e de seu círculo. A *curtis* (o pátio) era vasta, como as fortalezas elevadas, mas ela compreendia um conjunto de construções para habitação e exploração. O fisco imperial de Annappes, no centro de vários domínios, apresentava no século IX um palácio de pedra rodeado por uma galeria e dezessete casas de madeira, sem contar as dependências, estábulos, granjas, lojas. Podemos pensar que a *curtis* era, na maioria das vezes, protegida por uma alta paliçada fazendo as vezes de muralha. Uma segunda muralha, do mesmo tipo, circundava os jardins, os pomares, as culturas mais cuidadas, constituindo o *pomerium* ou a *curticula*. Mesmo que o estabelecimento seja tardio, do começo do século XI, a reconstituição que se pode propor a partir das escavações sublacustres de Charavines, no Isère, oferece, sem dúvida, uma boa imagem do que poderia ser uma pequena *curtis*. É um recinto retangular protegido por uma paliçada de tábuas e postes, onde se erguem três edifícios de madeira, cobertos de palha, rodeados de galerias e alpendres, contando com um andar e uma grande lareira central. Esses edifícios são habitações que abrigam às vezes o gado e acolhem atividades variadas, domésticas, agrícolas e artesanais. No pátio são instalados fornos e fogareiros.

Um dos raros estabelecimentos a merecer então o nome de castelo é o *castrum* de Andone, que no século X foi a residência do conde de Angoulême. Encontramos ali, ao mesmo tempo, o caráter de residência, representado por várias construções de pedra e anexos em madeira, lareiras, depósitos de lixo e silos, e o caráter defensivo, visto que o local, elevado, é protegido por uma muralha antiga, mas reformada e completada: as dimensões (60 m × 40 m), bem limitadas, são as de um castelo. A residência condal também é, necessariamente, a sede do poder territorial, mas Andone permanece uma exceção: a Alta Idade Média ainda não é o tempo dos castelos.

Os primeiros castelos

Por volta do ano 1000, um pouco antes ou um pouco depois, consolidou-se no Ocidente uma profunda mutação política e social, às vezes chamada de revolução, "a revolução do ano 1000". As antigas estruturas públicas herdadas da Antiguidade, reanimadas por Carlos Magno, deterioradas havia muito tempo, terminaram por desmoronar para dar lugar a um novo regime, o feudalismo. Este não é desordem, apesar das violências e das guerras privadas, mas uma tentativa de instaurar uma nova ordem fundada sobre as relações de homem a homem, sobre as solidariedades coletivas e sobre a adaptação do poder a uma escala territorial reduzida e às vezes muito pequena: essa célula elementar do enquadramento dos homens, pequena, mas viva, e talvez a única efetiva e eficaz, tem frequentemente o nome de "castelania". Ela se organiza em torno de um castelo, talvez de origem pública, mas tornado privado, que constitui a sede do verdadeiro poder. Nos séculos X e XI multiplicam-se as residências fortificadas dos novos senhores de terras e de homens. A Itália e a França, por volta do ano 1000, cobrem-se "de um manto branco de igrejas" e eriçam-se de torres e castelos.

"Quem foi orgulhoso como castelo de colina": o castelo sobre uma colina artificial (*motte*) apareceu no tempo da "revolução feudal" e rapidamente se tornou a materialização e o signo de novos poderes. Seus vestígios, relacionados pela prospecção arqueológica, revelados pela fotografia, contam-se aos milhares. Por muito tempo, um único documento ilustrado representou o castelo de colina, mas com que eloquência! A tapeçaria de Bayeux, no século XI, desenha aproximadamente da mesma forma três castelos bretões, Dol, Dinant e Rennes: uma torre sobre um montículo, protegida no topo por uma paliçada, na base por um fosso que é atravessado por uma frágil passarela. Até em seus mínimos detalhes (os postes que sustentam a passarela), a imagem corresponde ao que descrevem os textos medievais e ao que mostram hoje as pesquisas arqueológicas. A arqueologia relacionou muitas colinas artificiais, mas escavou somente um pequeno número delas: as construções em madeira deixam apenas traços fugidios. Em quase todos os locais, muralhas de formas variadas, mas muitas vezes circulares, acompanham a colina e é nesses "pátios baixos" que o arqueólogo fez suas descobertas mais tangíveis, como em Grimbosq, no Calvados, onde, dos dois pátios baixos que ladeiam a colina, um deles revelou vestígios de várias construções em pedra e em madeira, uma torre, uma capela, uma cozinha. No Châtelard de Chirens, no Isère, é no pátio baixo que as escavações mostraram os buracos de postes deixados pelas construções em madeira.

A partir desses testemunhos, quer venham da imagem, do texto ou do terreno, podemos propor alguns traços característicos do castelo de colina que mereceriam definição: uma torre de madeira, montada sobre uma elevação artificial, circular e tronco-cônica – que é a colina –, torre e colina inseridas num dispositivo mais vasto que comporta uma ou várias muralhas de terra, as quais constituem os pátios baixos ou *bayle;* é com razão que os ingleses chamam esse tipo de castelo de *motte and bailey castle.* Esse castelo de colina corresponde ao período do pleno desenvolvimento do feudalismo no Ocidente, os séculos XI e XII.

Pode-se perguntar se existe (é certo que no passado existiu) um só castelo conhecido e reconhecido que reúna todas essas características. Considerar que o castelo de colina precede o castelo de pedra seria um erro. Os dois coexistem por certo tempo, mesmo se o primeiro é muito mais representado que o segundo e tenda a desaparecer quando o castelo de pedra (que é talvez somente uma versão duradoura) torna-se predominante.

Com maior frequência que os traços de uma torre de madeira, as escavações encontram vestígios de construção em pedra, como as das *mottes* do Lubéron, ou ainda presentes em sítios arqueológicos como, no Drôme, a torre de Ratières, de Montmirail e de Albon, no Vexin, o célebre torreão de Gisors, ou ainda, em Provins, a torre de César. Em Villars-lès-Dombes, a colina, muito alta, encobriu completamente uma igreja românica, para em seguida ser coroada por uma torre circular de tijolos: nesse caso, podemos pensar que a torre de tijolos foi precedida na colina por uma construção em madeira, mas não podemos generalizar. A construção da colina artificial acompanhou a da torre, em materiais duros em Ascot Doilly ou em Farnham, na Inglaterra; e nesse último local, como em Provins, a colina foi num segundo momento cortada em sua base, e revestida de um muro de alvenaria que se eleva acima da colina de terra.

De uma *motte* a outra, tudo pode mudar, tanto na morfologia como nas dimensões, ainda que a maioria não ultrapasse 5 m de altura e tenha um diâmetro, pelo menos na base, igual ao dobro da altura. Há colinas muito grandes, como em Norwich, onde a altura beira os 12 m, mas cuja plataforma muito desenvolvida acolhe a totalidade do castelo, torreão e pátio baixo. Há igualmente colinas muito pequenas que parecem ter sido sobretudo simbólicas.

A colina geralmente adota a forma de um tronco em cone, mas a planta quadrangular e o volume em tronco de pirâmide também são encontrados. No sul da França, particularmente no departamento de Gers, onde predomina a forma quadrangular, ou na Dinamarca, trata-se de colinas tardias. Na Alsácia, as colinas quadrangulares são frequentemente mais antigas que as circulares.

A *motte* foi definida como uma elevação artificial, um aterro feito pela mão do homem. E é bem assim que ela se apresenta em todas as regiões de relevo suave, como a Bresse (onde recebe o nome de *poype*). Buscou-se sua origem em um desenvolvimento, em uma saliência, da muralha de terra, como mostra a localização do Châtelard, em Chirens, no departamento de Isère. Uma outra explicação foi buscada numa sobrelevação progressiva do solo, utilizando a terra proveniente dos fossos, produto de seu aprofundamento ou alargamento. Mas no sul da França, e em todas as regiões de relevo acentuado, a colina não é feita de terra acumulada: ela é cortada numa elevação natural. Na região de Albi, foram arroladas 55 colinas, das quais 35 são relevos naturais reformados. Há uma espécie de obsessão pela colina.

Nem todos os castelos das regiões montanhosas adotaram, no entanto, essa morfologia. Pierre Bonassie observou no *Livre des miracles* de Santa Foy de Conques (primeira metade do século XI) a presença de menções frequentes a um tipo de castelo – a *rocca* – "no qual a infraestrutura rochosa e a superestrutura construída formam um todo". É preciso, de fato, dar um lugar às fortalezas de montanha, de origens às vezes modestas, reduzidas simplesmente a uma torre, como no alto Languedoc, mas que têm uma posteridade numerosa no sul do Maciço Central, nos Pireneus, na Espanha: a nova literatura occitânica chama-as de "cidadelas da vertigem".

A colina e a torre que ela sustenta são muito pequenas para constituir a totalidade do castelo, que comporta também uma ou várias muralhas, geralmente de terra ou de madeira, ao abrigo das quais se erguem as habitações e os edifícios utilitários. Mas, no conjunto do dispositivo, a localização da colina pode variar: do ponto mais exposto, como no caso da colina-barragem, que se considera o mais antigo, ao ponto mais protegido, ou ao centro do castelo, quando se fala em colina-reduto. Além disso, há casos em que o castelo comporta várias colinas: o célebre castelo do Puiset, atacado duas vezes por Luís VI, o Gordo, possuía duas, uma em frente da muralha do pátio baixo, outra no centro.

Dicionário analítico do Ocidente medieval

Não se podem separar o papel e a função do castelo de colina da cronologia e do número desses estabelecimentos castrenses. Embora se esteja sempre inclinado a fazer recuar no tempo a aparição da *motte*, embora se tenha buscado ligá-la às invasões dos normandos, parece difícil situar as mais antigas antes do século XI, no máximo no último quartel do século X. Mas as primeiras que foram expressamente designadas como colinas (ou *donjon*, torreão; na origem, o sentido é o mesmo: *motta sive dongio*) só aparecem nos textos no segundo quartel do século XI. O elo com a sociedade feudal é evidente.

O direito de fortificar, ligado ao poder de comando, o *ban,* é um direito público, regalista. Mas, consideremos que o castelo tenha sido construído sem autorização de príncipe, em terras patrimoniais do castelão, ou que este tenha recebido delegação da autoridade pública; o fato é que o *ban* (e com ele a polícia e a justiça) foi usurpado pelo detentor do castelo. Michel Bur mostrou que a primeira idade feudal é revolucionária em relação ao regime anterior: o castelo – e especialmente o castelo de colina – é o instrumento dessa revolução; ele enraíza o poder no solo. É ao redor do castelo que gravitam os vassalos – todos os feudos do reino da França dependem da torre do Louvre –, é do castelo que vem e pesa a autoridade sobre os habitantes rurais. É então natural que a colina, elemento topográfico, mais estável que as construções, tenha se tornado o símbolo do poder. Sobre a colina abandonada em benefício de um novo castelo, frequentemente se continuou a produzir a justiça senhorial. Explica-se dessa forma o furor dos senhores do sul da França em recortar os relevos em forma de colina.

Mas o número de *mottes* leva a matizar e a medir a importância que se pode atribuir a esse tipo de castelo. Pois as colinas artificiais são muito numerosas: mais de 700 na Inglaterra e País de Gales, 90 na região de Charente, 250 na Normandia, 80 no Isère; a rede de *mottes* parece claramente mais fechada que a das castelanias. Na Normandia e na Inglaterra, os castelos multiplicam-se favorecendo o desaparecimento do poder real no tempo do rei Estêvão (1135-1154). Em outras regiões, uma rede de castelos pareceu momentaneamente necessária à defesa de uma terra recentemente conquistada, como o Saosnois adquirido pelos senhores de Bellême, onde um grande talude (os "fossos Robert") unia uma fileira de colinas

180

formando uma espécie de *limes.* Há, portanto, castelos efêmeros. Há também várias gerações de castelos: os primeiros correspondem à "insurreição aristocrática" do final do século X ou do começo do século XI; os segundos são os *castelnaux* ou *châteauneufs* que deixaram tantos testemunhos na toponímia – construídos por ramos mais recentes, ou por recém-chegados que renovaram a aventura castrense no momento em que a autoridade do príncipe estava no nível mais baixo, por volta do ano 1100. Enfim, deve-se admitir que o castelo de colina não está necessariamente associado ao senhorio castelão e que pôde constituir a residência de simples famílias aristocráticas, ricas em terra, mas desprovidas do poder de comando. O castelo de colina não está de maneira alguma limitado às províncias onde o regime feudal realizou-se plenamente; as colinas não são menos numerosas na Aquitânia, e não são sempre muito tardias.

Muitas colinas abandonadas há bastante tempo estão hoje isoladas, embora em alguns casos se saiba que até uma data recente havia uma feira ou um mercado ao lado delas. É possível que, num primeiro tempo, o castelo, guarida de um guerreiro que buscava impor sua dominação, tenha sido essencialmente repulsivo. Mas, muito cedo, ele atraiu o povoamento. Os Château-Chalon, Château-Chinon, Château-Gaillard, Château-L'Évêque, Château-Landon, Château-Thierry, os Châtel, Castelfranc, Casteljaloux etc., os cerca de vinte Castelnau, os perto de trinta Châteauneuf testemunham a atração exercida pelo castelo. A associação entre o castelo e o hábitat aldeão tomou várias formas: a mais bem definida é a do *castrum populatum,* "composto de uma residência senhorial e de bairros camponeses fechados em uma muralha" (G. Fournier), tão frequentes no Maciço Central e nos países mediterrâneos, particularmente na Itália. O castelo do *castrum* é quase sempre muito modesto, reduzido às vezes a uma torre habitada. No "burgo castrense" do Oeste – que não corresponde sempre a um hábitat novo, mas a um hábitat de certa forma "refundado" e desenvolvido –, ele é mais importante e frequentemente é um castelo de colina.

Em todos os casos, o resultado da atração exercida pelo castelo é a concentração do hábitat camponês em detrimento das aglomerações anteriores, menores e dispersas. Aliás, o fenômeno é geral, ou largamente presente em todo o Ocidente, e o agrupamento se dá mesmo na ausência do castelo.

Mas não na ausência do senhorio. O impulso do movimento de concentração dos hábitats que acompanha, pelo menos na cronologia, o estabelecimento do regime feudal, não deve ser buscado na opressão, nem no medo das guerras ou das invasões (sarracenas, por exemplo), nem nas vantagens econômicas. É a necessidade de ordem, mesmo sendo uma ordem dura e severa, a necessidade de paz civil, mesmo se permanece precária, que leva os homens a se reunir sob a dominação senhorial e, então, frequentemente sob a proteção das defesas castrenses.

As colinas são muito numerosas na Alemanha, nos Países Baixos, na Dinamarca; são também conhecidas na Polônia, onde encontramos por volta de sessenta delas sob o topônimo que as evoca, *slup*. Mas, na Dinamarca e na Polônia, as colinas são tardias (século XIV), porque o senhorio castelão igualmente o é: na França, não se constroem mais colinas desde o século XIII.

As fortalezas

Sem dúvida, não podemos começar a falar em arquitetura militar antes das construções em pedra ou, melhor dizendo, em materiais duros, pois nas regiões onde a pedra é rara recorre-se ao tijolo, como mostram os castelos de Bresse e de Dombes, ou as poderosas fortalezas dos cavaleiros teutônicos na Polônia e na Prússia. A arquitetura militar busca responder a um certo número de exigências, sempre as mesmas — impedir a progressão do inimigo, mantê-lo sob fogo etc. —, mas para as quais as respostas variam em função do nível técnico da construção, dos progressos do armamento (pensemos no canhão) e da poliorcética, das limitações exercidas pela tradição.

O castelo dos séculos XI e XII foi chamado de "românico", numa assimilação pouco justificada com a arte religiosa contemporânea. Na verdade, constatamos a existência de uma variedade bem grande, que podemos reduzir a três grandes tipos: o castelo com torreão maciço, por exemplo o de Loches; a muralha regular, sem torreão, protegida por torres laterais cujo modelo é o castelo de Carcassonne; enfim, o castelo onde um torreão, reduzido, é cercado por várias muralhas segundo o tipo de Freteval ou de Gisors.

Castelo

O torreão de Loches é uma construção maciça, quadrangular, com 37 m de altura e que cobre uma superfície de 335 m². Ele é ladeado em ângulo reto por uma pequena torre quadrangular que permitia ter acesso ao torreão por uma porta que se abria no primeiro andar. O nível inferior, como em todos os torreões desse tipo, não tem janelas, ao contrário do primeiro e segundo andares, onde janelas estreitas clareavam o ambiente. Há vários castelos parecidos com o de Loches na sua planta, sua distribuição, seus dispositivos: são mais de cem na França. Aquele que por muito tempo pensou-se ser o mais antigo é o de Langeais (não o castelo visitado pelos turistas, mas os vestígios da velha torre que se encontram no parque), datado do final do século X. Loches era tido como mais recente, do começo do século XII: acaba-se de restituí-lo a Fulco Nerra e aos anos 1030. A maior parte das datas propostas para as fortalezas anteriores ao século XIII é duvidosa: menos ainda que para os edifícios religiosos, os critérios estilísticos não são confiáveis – os arcaísmos são frequentes – e, uma vez que dispomos de um texto bem datado, não sabemos se ele se refere ao castelo que conhecemos ou a um outro que o precedeu.

Os torreões "românicos", bem variados em suas dimensões, apresentam, entretanto, características comuns. Foi dito que, provavelmente, se tratava de trabalho de um pedreiro, e não de um engenheiro: seu sistema de defesa, essencialmente passivo, repousa na força e na altura dos muros, na dificuldade de acesso, jamais pelo térreo, mas pelo primeiro andar ou até pelo segundo, e algumas vezes por corredores em ziguezague. Entretanto, eles apresentam duas fraquezas graves: suas aberturas, mesmo raras, são verdadeiras janelas, e os diferentes níveis, geralmente três, não são abobadados (salvo, às vezes, o nível superior), de forma que, se a entrada é violada, a torre é tomada, ficando seus defensores facilmente envolvidos pela fumaça.

Os mais curiosos são os torreões duplos, compostos por duas torres quase idênticas, como em Niort. No final do século XII, a necessidade de guarnecer os flancos obrigou a recorrer às pequenas torres nos ângulos, à planta quadrilobada, à planta em amêndoa terminando em esporão. Mas essas formas prestam-se mal ao hábitat; ora, o torreão "românico" é, antes de tudo, uma residência.

Dicionário analítico do Ocidente medieval

Somos tentados a imaginar condições de vida particularmente severas nessas torres. Hoje elas são somente conchas vazias. A crônica de Lamberto de Ardres permite restituir entre as quatro paredes de pedra várias divisões e uma vida ao mesmo tempo intensa e compartimentada: no térreo, os depósitos; no primeiro andar, o grande quarto senhorial e o canto onde se aquecem os bebês e se tratam os doentes; enfim, no alto, a capela, os quartos dos meninos, os das meninas, as habitações dos vigias.

Uma pesquisa arqueológica particularmente feliz evidenciou sem lugar a dúvidas as origens desse tipo de torreão. A escavação de uma colina em Doué-la-Fontaine, perto de Saumur, permitiu a descoberta de um edifício do século X, conservado a 6 m de altura. Tendo sido habitado num primeiro momento ao nível do solo e comportando uma grande sala de recepção e uma cozinha, o "palatium" de Doué foi transformado em torreão após um incêndio, ocorrido por volta de 950: os muros levantados, as aberturas do térreo condenadas, a cozinha transformada em prisão, o edifício não era mais habitado e acessível a não ser no primeiro andar. Foi só posteriormente que o torreão foi provido de uma colina. Outra hipótese situa na Espanha muçulmana a origem desse tipo de torreão, como a *torre del Trovador* da Aljaferia de Saragoça.

O castelo de Freteval, construído por volta de 1040 (ou de 1100?), eleva-se sobre um planalto dominando a margem esquerda do Loir. Muito vasto, ele apresenta várias muralhas concêntricas com, no centro do conjunto e em seu ponto mais elevado, um torreão circular envolto por sua "camisa", ou seja, um muro erguido a pouca distância do torreão. Este, construído em sílex, é uma torre de mais de 20 m de altura e quase 16 m de diâmetro que, sobre um primeiro nível não iluminado, possui três andares providos de janelas, lareiras, um poço (e uma galeria no nível do segundo andar). Um pátio baixo, onde foram construídas em seguida habitações e uma capela, completa o dispositivo. Por sua planta, cuja peça-mestra é o torreão circular que ao mesmo tempo ocupa uma posição dominante e é o último refúgio, Freteval evoca o castelo de coluna do qual ele é a tradução em pedra.

Isso é ainda mais claro em Gisors, pois, se não há *motte* em Freteval, há uma em Gisors, sobre a qual se erguem o torreão e sua "camisa", que reproduzem a torre de madeira e sua paliçada. A colina e suas construções, como na versão em terra e em madeira, inscrevem-se numa vasta muralha (200 m na parte mais longa) de forma vagamente ovoide.

O célebre Château-Gaillard, nos Andelys, construído no final do século XII por Ricardo Coração-de-Leão, pertence ainda ao mesmo tipo, com seu pátio anterior, seu pátio baixo, sua camisa recortada envolvendo o torreão. Château-Gaillard foi por muito tempo visto como uma inovação: na realidade, com exceção do bico agregado ao torreão circular e dos muros em talude do mesmo torreão, ele é mais um dos últimos representantes de um tipo ultrapassado, principalmente pela ausência de abóbada.

No século XII aparecem inovações que dão à defesa um caráter mais ativo. Orifícios para os arqueiros lançarem flechas, cobertura em abóbadas, flanqueamento, muros em talude esboçam uma modificação profunda, mas a defesa vertical seria ainda assegurada por muito tempo pelas sacadas de madeira no alto das cortinas. O final do século XII e o século XIII assistem à generalização dessas novas técnicas, pelo menos nas fortalezas mais importantes. Os progressos mais espetaculares são observados nas plantas, que se tornam regulares, geométricas, em resumo funcionais, sendo o quadrilátero a figura mais frequente. O lugar do torreão muda rapidamente durante os mesmos decênios. Ainda central no Louvre, ele se torna uma espécie de torre de muralha, uma torre simplesmente mais imponente, uma torre-mestra, colocada no centro de uma muralha em Coucy, em um ângulo e praticamente no exterior em Dourdan ou em Aigues-Mortes. E, no final da evolução, há o desaparecimento total do torreão, por exemplo em Yèvre-le-Châtel e no castelo de Carcassonne, que deve ser atribuído aos arquitetos reais do século XIII.

Esses progressos técnicos ocorrem de início nas fortalezas reais, principalmente no tempo de Filipe Augusto, e não deve ser excluída a própria intervenção do rei nas fórmulas inovadoras aplicadas pelos arquitetos reais. A mesma política voluntariosa foi associada ao imperador Frederico II, a quem se atribui na Itália meridional e na Sicília talvez mais castelos do que realmente construiu. Também ali domina o espírito geométrico, glorificado pelo octógono de Castel del Monte, mas que inspirou de maneira mais simples as fortalezas de planta quadrada de Siracusa e de Catânia.

Dicionário analítico do Ocidente medieval

Coucy não é um castelo real, mas privado: Enguerrand III o reconstruiu entre 1225 e 1245 e é um bom exemplo de fortaleza daquele tempo, e das mais impressionantes, com seu plano trapezoidal, suas quatro torres nos ângulos, seu enorme torreão montado sobre a fachada mais comprida, totalmente isolado da muralha e até de sua camisa por um fosso profundo. As dimensões fazem dele uma formidável fortaleza: muros de 6 m de altura, torres de 40 m, um torreão com 55 m de altura e 1 m de diâmetro.

Castelos tão ambiciosos contribuíram para arruinar as fortunas dos barões, obrigados a se endividar para terminar sua construção; sem dúvida, essas fortalezas que queriam afirmar o poder e a independência dos grandes contribuíram para seu rebaixamento diante da autoridade real. Somente os reis e os príncipes, como os duques da Borgonha e da Bretanha, podiam, graças ao financiamento pelo imposto – por ocasião das "ajudas" (prestações pecuniárias devidas ao suserano) –, edificar e multiplicar essas grandes fortalezas com as quais apenas as fortificações urbanas poderiam rivalizar.

O século XIV verá a generalização das pontes levadiças, a substituição das sacadas de madeira por remates salientes em pedra sobre consolos, a multiplicação das muralhas duplas e das barbacãs, e nas grandes e novas fortalezas principescas a defesa contínua no topo das torres e cortinas formando um vasto terraço, segundo o modelo da Bastilha em Paris e que podemos ver também no castelo do rei René em Tarascon e na torre Solidor em Saint-Servan. A seguir ocorreria a adaptação da arquitetura militar ao desenvolvimento da artilharia: os muros mais espessos (até 11 m no castelo de Ham), precedidos por largos bulevares de terra, a instalação de câmaras de tiro (os baluartes!) nos fossos e, na Itália, esboça-se no século XV, na Rocca de Óstia ou no castelo Santangelo, a fortificação guarnecida de bastiões que vai caracterizar as defesas nos tempos modernos.

Vários arcaísmos fizeram que se atribuísse ao século XII castelos construídos nos séculos XIV ou XV. Vincennes, no tempo de Carlos V, conserva, no meio de uma vasta muralha com torres quadrangulares, um torreão quadrado circundado por sua camisa; é verdade que o torreão comporta quatro torrezinhas nos ângulos, era destinado à habitação do rei e está a cavalo sobre a muralha. Não se podem enumerar os torreões quadrangulares construídos no século XIV. As torres do castelo de Annecy, inclusive o torreão, são quadradas, e o mesmo acontece no século XV com a torre Perrière. Em Trévoux, o torreão do século XV, seguindo uma moda difundida no final do século XIV e começo do XV, é octogonal. Ele talvez só tivesse um papel simbólico. O torreão quadrado também é comum no final da Idade Média na Espanha, na Escócia (Dunottar) e na Itália.

A Sicília viu no século XIV os barões libertarem-se da tutela real e construírem numerosos castelos fortificados, mas de maneira muito arcaica. É o caso do castelo dos Chiaramonte, os senhores de Palermo, em Cefalu.

Ainda seria preciso evocar os castelos de montanha de silhuetas impressionantes e que, no sudoeste da França, uma lenda tenaz atribui aos cátaros: de fato, reconstruídos após a cruzada contra os albigenses pelo rei ou pelos barões do Norte investidos nos feudos tomados dos hereges, eles integram frequentemente os progressos da arquitetura militar adaptando-os às localizações elevadas dos castelos primitivos. Assim, o mais célebre deles, Montségur, edificado sobre um pico calcáreo a 1.207 m de altitude, depois de ter sido um vilarejo fortificado em torno de um castelo transformado em sede e capital da Igreja cátara em 1232, foi reconstituído, após a queda de Montségur em 1244, pelos Lévis, senhores de Mirepoix, seguindo o modelo das fortalezas régias das Corbières.

Os mais primitivos dentre os castelos-fortaleza são, sem dúvida, as grutas fortificadas, meio construídas, meio escavadas, que podemos ver em Ariège e nas gargantas do Tarn, que são numerosas nos Pireneus espanhóis e que são conhecidas também no Oriente Próximo.

As residências

Fortaleza, o castelo é também residência: podemos defini-lo como uma "fortaleza habitada". Mas se a função de residência raramente está ausente, ela às vezes prevalece nos castelos onde as defesas são muito reduzidas, ausentes ou ainda dissociadas da habitação, como é o caso em alguns palácios do império germânico. Os palácios constituem, aliás, um caso particular (se descartarmos os empregos um pouco abusivos do termo para designar a habitação no interior de um castelo às vezes modesto). O *palatium* – ou no Oriente o *dar* ou o *serralho* – é a residência de um soberano e, portan-

Dicionário analítico do Ocidente medieval

to, lugar de poder ao mesmo tempo que habitação, tanto que, mais tarde, o palácio será identificado com o governo (ou um elemento do palácio, como a "porta Sublime" do grão-vizir em Istambul). No Ocidente, é com os Carolíngios que a residência régia marca sua diferença, chegando a ganhar um caráter sagrado, a exemplo da residência do imperador em Constantinopla. Os primeiros Carolíngios tinham seu palácio em Herstal, e foi perto de lá, em Aix-la-Chapelle, que Carlos Magno se fixou a partir de 794, construindo edifícios inspirados nos de Roma e Ravena e sobretudo uma vasta capela que, por sua vez, constituiu um modelo para as arquiteturas religiosas e palacianas, notadamente quando os reis da Saxônia da dinastia otônida pretenderam reconstruir o Império do Ocidente.

A capela, ou em todo caso o elemento eclesiástico, que pode ser um mosteiro ou uma colegiada, nunca está ausente e confere ao palácio seu caráter sagrado. Um outro elemento essencial é a *aula*, o cômodo central da residência, ao redor do qual ela se organiza, a grande sala onde se realizam as assembleias, onde acontecem os banquetes, onde o soberano manifesta a plenitude de seu poder — em outros tempos, fala-se em sala do trono.

Após o ano 1000, a residência e a fortificação frequentemente se unem e a *aula* é integrada a uma fortaleza e estabelece-se num torreão, como os torreões capetíngios de Senlis, Étampes e Mélun. Os reis germânicos tendiam a escolher sua residência nas cidades onde partilhavam o palácio episcopal: Bamberg, Magdeburg, Merseburg, Paderborn... Às vezes, a presença régia, regular quando não contínua, pois os soberanos sempre tiveram um grande número de residências, terminou por designar a capital do reino. Com os Capetíngios, a torre do Louvre e o palácio da Île de la Cité fixam definitivamente a capital em Paris.

A princípio, somente os reis têm palácios, mas alguns grandes feudatários não hesitam em qualificar dessa maneira sua residência, como o duque da Normandia, que tem palácios em Rouen e Fécamp. Ao contrário, os reis têm outras moradas além de seus palácios: pode acontecer que se estabeleçam num mosteiro real, como Filipe, o Belo, em Maubuisson; eles também residem em seus palácios urbanos, como, em Paris, o das Tournelles ou o palácio Saint-Paul (onde a coleção de animais está no começo da rua dos Lions-Saint-Paul, no atual quarto distrito). Quando não está em seu palácio Saint-Paul, o rei da França Carlos V reside em Vincennes; pavilhão de caça na floresta real desde 1162, Vincennes recebe o rei e a corte na época de Filipe Augusto, que aí construiu um solar que será frequentado por São Luís e os últimos Capetíngios; entre 1360 e 1370, Carlos V fará edificar um enorme torreão junto ao solar antes de encerrá-lo numa vasta muralha retangular. O modelo acabado e mais refinado da residência principesca no final da Idade Média é, sem dúvida, oferecido pelo castelo de Mehun-sur--Yèvre, infelizmente muito mutilado hoje em dia, mas do qual as *Très Riches Heures du duc de Berry* conservaram uma imagem bem precisa e fiel. Castelo fortificado em função de suas partes baixas, torres em talude, falsas bragas, austeridade de seus muros e largura de seus fossos, ele manifesta nas partes altas todos os refinamentos do gótico tardio: os vitrais, as pontas dos pináculos e das torrezinhas, as galerias com um enorme cavaleiro de pedra de 7 m de altura erguido na empena da sala de recepção ou *tinel*, e esculturas por toda parte, enquanto no interior os ladrilhos esmaltados, os "azuis" — os ancestrais dos azulejos, produzidos aliás por um artesão "sarraceno" vindo da Espanha —, compõem sobre o solo grandes motivos onde reaparecem os símbolos (as "divisas") caros ao senhor da obra, o duque João, irmão de Carlos V (o lírio, o urso, o cisne ferido). Poucos edifícios assemelham-se tanto à imagem que fazemos do castelo do conto de fadas como Méhun-sur-Yèvre.

Nesses castelos, como nas residências de pequenos senhores, o final da Idade Média introduziu novos e apreciáveis elementos de conforto. Em primeiro lugar, houve a multiplicação dos cômodos e a redução de suas funções. O antigo castelo só conhecia a *aula*, a sala de recepção, espaço semipúblico, e a *camera*, o apartamento privado. O castelo dos condes de Genebra em Annecy possuía, nos séculos XIV e XV, além da *aula* da Habitação Velha e do quarto do conde, vários outros quartos, além de uma outra sala de recepção, o *tinel* ou "quarto de paramentos", salas de reuniões chamadas "peças" (fogões) e até uma sala de arquivos. No andar, esses cômodos comunicavam-se por meio de "logias", galerias em madeira. No térreo, a adega e o depósito de pães estavam ao lado da cozinha. À Habitação Velha somaram-se novas construções, mais longas do que altas, a Habitação Nova e a Habitação Nemours; com a Habitação Perrière, elas fechavam o pátio onde antigamente se erguia o torreão; em Annecy, como em quase todos os castelos um pouco importantes, uma ordem horizontal veio, no final da Idade Média, substituir a velha ordem vertical representada pelo torreão, que empilhava seus cômodos uns sobre os outros.

Nessas habitações, que, ao se multiplicarem, também ganham dimensões mais humanas, a mobília é rara. Esta se limita a bancos, mesas, armários sem portas, tábuas de cama. Entretanto, os cômodos não parecem estar nus ou vazios, pois os acessórios têxteis dão calor e vida: almofadas, cortinas, tapetes de mesa, jogos de tapeçarias, em particular as que delimitam o que se chama então "quartos": elas vestem a cama com dossel, cabeceiras, cortinas (que envolvem a cama), cobertores, sendo todas feitas no mesmo tecido e ornadas com os mesmos motivos, frequentemente bordados.

O castelo do final da Idade Média é mais aberto ao exterior e os cômodos são iluminados durante o dia por verdadeiras janelas, com frequência munidas simplesmente de uma grade, às vezes, entretanto, providas de vitrais ou ao menos de papel ou de tela encerada. Dos dois lados internos da janela, bancos de pedra são dispostos ao longo da parede, criando um espaço de sociabilidade mais íntimo que o das grandes salas. À noite, a iluminação continua fraca, assegurada por poucas lâmpadas a óleo ou por velas de sebo, ainda que velas de cera comecem a aparecer nos castelos.

O aquecimento também melhorou: desaparecem as lareiras abertas no centro dos cômodos, enquanto se multiplicam as lareiras murais e deslocam-se de um cômodo a outro pequenos carrinhos "para pôr fogo", que nada mais são do que braseiros. Na Europa central e oriental e na França, dos Vosges aos Alpes, construções em forma de cúpula ou de torres, feitas de cerâmica ou de ladrilhos, apareceram para aquecer certos cômodos chamados de "aquecedor", antes que esse nome fosse dado ao próprio dispositivo de aquecimento.

O piso concorre para o progresso do conforto no castelo: em ladrilhos de terracota coloridos sobre os quais se espalham folhagens e mesmo ramagens que atenuam o frio; no forro são colocados tapetes. As paredes são caiadas, às vezes revestidas de lambris, frequentemente munidas de tapeçarias ou de uma decoração pintada que imita as tapeçarias e os cortinados.

O abastecimento de água permanece um problema mal resolvido, mas ao qual se tenta fornecer soluções cavando poços às vezes muito profundos dada a localização elevada dos castelos (84 m em Bitche!). Dutos evacuam a água utilizada para os fossos e, na maioria das vezes, é também sobre estes que estão localizadas as latrinas, em sacadas sustentadas sobre mísulas ou guarnecidas de dutos oblíquos instalados no interior das paredes. Nos castelos da Ordem Teutônica, as latrinas estão em uma grande torre disposta no meio do fosso (o *dansker*) e ligada à cortina por uma galeria elevada.

Enfim, não poderíamos esquecer o jardim fechado, ou o pomar, que é exaltado pelas miniaturas: é no frescor do jardim e em meio às flores, mais do que no interior dos cômodos, que elas situam os encontros e as "alegres conversas", e fazem do jardim o lugar onde se encontram à noite Tristão e Isolda e todos os amantes.

As capelas castrenses

Dentre os edifícios mais importantes de um castelo frequentemente se encontra – mas não sempre – a capela. A capela, e não a igreja, pois é excepcional que o edifício de culto possua funções paroquiais.

A capela central normalmente fica perto da habitação, ou mesmo integrada à habitação senhorial, no mesmo nível dos apartamentos onde às vezes um "hagioscópio", fenda na parede, permite ao senhor acompanhar o ofício sem sair de seu quarto. É frequente que a capela esteja no pátio do castelo, ou ainda, como em Coucy, num pátio baixo externo. Há casos em que a capela está integrada à muralha e que sua cabeceira assegura o flanqueamento da cortina: também nesse caso, é a proteção do sagrado que se busca. No castelo de Calberte, nas Cévennes, como no Krak dos Cavaleiros, na Palestina, a cabeceira tornou-se uma torre semicircular da muralha, mas uma torre quadrada em Druyes-les-Belles-Fontaines.

Alguns castelos tiveram várias capelas, até cinco em Blois, e três em Tarascon. Enfim, certos edifícios de culto associados a um castelo receberam o nome de "Sainte-Chapelle". A primeira, destinada a receber as relíquias da verdadeira cruz e da coroa de espinhos, foi construída por São Luís no palácio da Île de la Cité, em Paris. As outras são de certa forma suas filhas e devem, a princípio, ter sido obra de um descendente de Luís IX: os reis estabeleceram-nas em Saint-Germain-en-Laye e em Vincennes,

Dicionário analítico do Ocidente medieval

e seus descendentes fundaram-nas em Bourbon-l'Archambault, Bourges, Châteaudun, Dijon.

Um caso particular é o dos castelos-mosteiros: os da Ordem Teutônica adotam a planta de uma abadia. Assim, o castelo alto de Malbork (Marienburg), cabeça da ordem, apresenta, ao redor de um pátio-claustro, uma capela ao norte, a sala do capítulo a leste, o refeitório ao sul e as cozinhas a oeste; o conjunto é distribuído em dois níveis, o de cima destinado aos monges, o de baixo aos hóspedes, e a capela dedicada à Virgem é, logicamente, edificada em cima da capela de Santana.

As casas fortificadas

Na Idade Média, ao lado dos castelos propriamente ditos, aparecem estabelecimentos fortificados que receberam outros nomes, ainda que se trate sempre de residências aristocráticas: são as casas fortificadas, os solares (no oeste), as *bastides* (na Provença, antes que o termo designasse uma residência burguesa no campo). Muito próximas da casa fortificada estão, por um lado, a torre fortificada (*Turmburg*), a torre sala (*Wohnturn*), a *Wasserburg*, que evocam talvez residências mais poderosas, e, por outro lado, os estabelecimentos aparentemente mais modestos que são a "casa" (senhorial), a "casa baixa" e a "casa térrea".

Do castelo, a casa fortificada guarda a aparência e as pretensões. Ela não parece muito temível, pelo menos nos séculos XIV e XV, quando a conhecemos melhor, e também no momento em que cresce a distância entre o grande senhor e o pequeno senhor de aldeia que nela habita. Ela é circundada – quase sempre – por largos fossos, às vezes duplos. Da mesma forma que os séculos das *mottes* foram obcecados pela forma circular, é o retângulo (ou o quadrado) que se impõe no final da Idade Média (nas fundações aldeãs e urbanas, como, aliás, nas fortalezas e nas casas fortificadas).

No interior dos fossos, nem sempre há uma muralha, às vezes substituída por uma paliçada. A torre é mais frequente, com uma torre-pórtico na entrada. Esta é, aliás, frequentemente o único elemento fortificado e o único construído com materiais duros; quanto ao resto, os edifícios não são tão diferentes da casa camponesa, só maiores: o tapume de madeira

As imagens constituem um dos modos pelos quais os homens tornam presente seu mundo material e imaginário. Elas têm seus próprios códigos de funcionamento, diferentes dos da linguagem oral ou escrita, e preenchem funções sociais e ideológicas particulares. Os três cadernos de imagens, tiradas de manuscritos iluminados, de esculturas, de retábulos pintados, de tapeçarias da Idade Média, cruzam mais de uma vez os percursos próprios aos verbetes do dicionário e pretendem sugerir um outro percurso possível através das representações da sociedade e do poder, das crenças, da visão da natureza e dos espaços que os homens daquele tempo buscavam dominar pela ferramenta ou pelo sonho.

Os estados da sociedade

Grupos sociais

O casamento cristão assegura a reprodução da sociedade da Idade Média.
Michael Pacher, *Casamento da Virgem*. Viena, Österreichische Gallerie, século XV (Cl. Ritter).

Os *oratores* – os que rezam – consideram-se no topo da sociedade cristã.
São Bernardo pregando aos monges cistercienses. *Horas de Étienne Chevalier.* Chantilly, Museu Condé, após 1461.

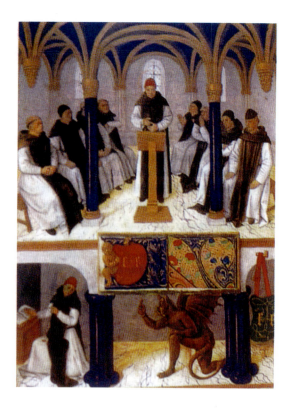

Os *bellatores* – *os que guerreiam* – *identificam-se na sociedade feudal com os cavaleiros.*

Soldados adormecidos diante do túmulo de Cristo. Issoire, abacial Saint-Austremoine, capitel, século XII (Cl. Atelier du Regard).

Armamento pesado e cavalo com armadura, brasões e divisa são os emblemas e o orgulho dos nobres. *Armorial Bellenville.* Paris, BnF, *c.* 1380.

Os *laboratores* – os que trabalham – são na esmagadora maioria camponeses. Ceifeiro. Margem de manuscrito. Oxford, Bodleian Library, século XIV.

Batedor. Margem de manuscrito. Oxford, Bodleian Library, século XIV.

Poderes

O imperador Oto III encarna na terra a "majestade" de Deus. *Evangeliário de Oto III*. Munique, Bayerische Staatsbibliothek, século XI.

O bispo e o rei: superioridade do espiritual, necessidade do temporal. Inicial H. *Decreto* de Graciano. Troyes, Biblioteca Municipal, século XIII.

Novas relações entre Igreja e Estado: São Luís ajoelha-se diante do papa... *Grandes crônicas da França.* Paris, BnF, século XIV.

...mas recebe sentado a homenagem dos bispos de seu reino. *Grandes crônicas da França.* Paris, BnF, século XIV.

As cidades e as mercadorias

As pontes de Paris, os moinhos e a navegação no Sena.
Yves, monge de Saint-Denis, *Vida de São Dioniso*. Paris, BnF, 1317.

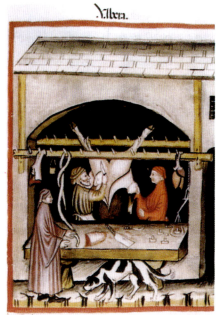

Balcão de um açougueiro. *Tacuinum sanitatis.* Viena, Österreichische Nationalbibliothek, século XIV.

Trabalho e comércio de tecidos. *Tacuinum sanitatis.* Viena, Österreichische Nationalbibliothek, século XIV.

O comércio de dinheiro. Inicial S. *Vidal Major.* Malibu, The Paul Getty Museum, século XIII.

A cidade e o saber

Os estudantes rezam e aprendem.
Estatutos do colégio Hubant.
Paris, Arquivos Nacionais, 1387.

Ensino magistral e *disputatio* universitária.
Liber de instructione.
Toulouse, Biblioteca Municipal, século XIV.

predomina na construção e não é raro usar palha como cobertura. Quando não foi simplesmente abandonada, a casa fortificada, de maneira mais frequente do que um solar clássico, deu lugar a uma grande fazenda: isto porque, sendo a parte principal de uma exploração e centro de um senhorio rural, a casa fortificada abriga uma granja, estábulos e currais, um forno, eventualmente um moinho, um lagar, todos no mesmo pátio onde se encontra a torre e a habitação senhorial, ou então formando um outro pátio, rodeado ou não por fossos. Dentre esses edifícios de exploração, o pombal rivaliza com a torre em altura e em dimensões: mesmo estando "vazio de pombos", ele também contribui para afirmar a posição social do senhor do lugar, sua filiação à nobreza, à qual ele dá mais importância quanto mais sua nobreza é duvidosa ou recente, ou sua fortuna incerta. Ele pretende, às vezes, possuir privilégios senhoriais e exercer a alta justiça, mas a competência desta não vai além do limite dos fossos!

As casas fortificadas são raras antes do século XIII e são mais representativas dos séculos XIV e XV. É possível que tenham sido precedidas pelas misteriosas muralhas circulares de terra (sem colina!) dos séculos XI e XII, identificadas na escavação arqueológica. As defesas parecem ter consistido também em fossos e paliçadas; os edifícios não deixaram muitos traços, mas em Audrieu ou em Plessis-Grimault, na Normandia, em Königshagen no Harz, uma torre que ocupava o centro ou se erguia sobre a porta tendia a aproximá-los da casa fortificada. Como esta, a muralha de terra, quando não era um simples cercado de gado, poderia ter sido a morada do vassalo e o centro de um pequeno senhorio.

O castelo, sob seu aspecto de "castelo fortificado", não é encontrado só no Ocidente medieval, mas é raro que em outros lugares e em outros tempos ele tenha desempenhado as mesmas funções e partilhado das mesmas características. O *ksar* árabe, diferente do castelo, opõe-se naturalmente ao *dar*, isto é, à residência, ao palácio. Ele se encontra, na maioria das vezes, nos limites de uma cidade, a qual deve defender, mas também vigiar. O campo fortificado dos tempos pré-históricos é um refúgio para as populações vizinhas, como o *Albacar* da Espanha muçulmana. O *oppidum*, enfim, é o esboço de uma cidade, como o é também o *grod* dos eslavos da Alta Idade Média.

Dicionário analítico do Ocidente medieval

É muito significativo que, no sul da Itália e na Sicília, o castelo rural só tenha aparecido com os conquistadores normandos. O castelo está ligado ao feudalismo, à sua instauração, às suas etapas que veem nascer uma nova geração de castelos (os *châteauneufs,* depois as casas fortificadas). Assim se explica também a densidade de fortificações no Ocidente, sem equivalente em qualquer outra região no mundo em qualquer época (exceto talvez o Japão). A fortificação era na origem uma regalia que rapidamente escapou do rei em benefício dos príncipes territoriais, duques e condes. Mas mesmo estes não puderam reter tal direito: seus castelões usurparam os castelos ao mesmo tempo que usurpavam os poderes de comando. A disseminação dos castelos, como a dissociação feudal, atingiu seus limites por volta do final do século XII. A seguir, senhores menores, senhores de aldeia, tentaram renovar a aventura. Era muito tarde: o príncipe e o rei estavam recuperando sua autoridade. Eles fizeram respeitar seu direito de controlar as fortificações. Os pequenos senhores tiveram que se contentar com uma casa fortificada: ainda foram obrigados a "devolvê-la" ao príncipe para retomá-la a seguir como feudo. No século XV, não se constroem mais castelos fortificados, e há menos preocupação em conservar os que existem: a aventura castrense tinha terminado.

JEAN-MARIE PESEZ
Tradução de Vivian Coutinho de Almeida

Ver também

Cavalaria – Feudalismo – Guerra e cruzada – Nobreza – Senhorio

Orientação bibliográfica

BUR, Michel (org.). *La Maison forte au Moyen Âge.* Paris: Éditions du Centre National de la Recherche Scientifique, 1986.

CHALMIN-SIROT, Élisabeth. *Le Château d'Annecy.* Lyon: Presses Universitaires de Lyon, 1990.

CHASTEL, André (org.). *L'Église et le château, Xe-XVIIIe siècle.* Bordeaux: Sud Ouest, 1988.

CHÂTEAUX ET PEUPLEMENTS EN EUROPE OCCIDENTALE DU Xe AU XVIIIe SIÈCLE. Auch, 1980.

CHÂTELAIN, André. *Châteaux et guerriers de la France au Moyen Âge*. Estrasburgo: Publitotal, 1981. t. II: *Évolution architecturale et essai d'une typologie*.

COMBA, Rinaldo; SETTIA, Aldo (org.). *Castelli, storia e archeologia*. Turim: Turingraf, 1984.

ENLART, Camille. *Manuel d'archéologie française*. 2ª parte. Paris, 1932. t.II: *Architecture militaire et navale*. 2.ed. publicada por Jean Verrier.

FINÓ, José Federico. *Forteresses de la France médiévale*: construction, attaque, défense [1960]. Paris: Picard, 1970.

FOURNIER, Gabriel. *Le Château dans la France médiévale*. Paris: Aubier-Montaigne, 1978.

MAURICI, Ferdinando. *Castelli medievali in Sicilia*: dai bizantini ai normanni. Palermo: Sellerio, 1992.

MESQUI, Jean. *Châteaux et enceintes de la France médiévale*: de la défense à la residence. Paris: Picard, 1991-1993. 2v.

POISSON, Jean-Michel (ed.). *Le Château medieval, forteresse habitée (XIe-XVIe siècle)*. Paris: Maison des Sciences de l'Homme, 1992.

RENOUX, Annie (org.). *Palais royaux et princiers au Moyen Âge*. Le Mans: Publications de l'Université du Maine, 1996.

RITTER, Raymond. *Châteaux, donjons et places fortes, l'architecture militaire française*. Paris: Larousse, 1953.

Catedral

O termo "catedral" indica uma realidade arquitetônica muito precisa: a igreja da diocese eclesiástica, a sede do bispo. Na França, há uma catedral por diocese. Na realidade, uma análise mais aprofundada evidencia uma certa complexidade ligada à evolução administrativa e aos movimentos da população. A criação de novos departamentos em torno de Paris teve como consequência a transformação de igrejas paroquiais e de basílicas em catedrais (Versalhes, Saint-Denis). Em sentido inverso, certas catedrais não são mais sedes episcopais, mas conservaram seu título. Quanto à palavra, seu sentido evoluiu consideravelmente desde a origem do cristianismo. O latim *cathedra*, na época do reconhecimento do cristianismo no século IV, designava a cadeira do bispo, geralmente situada no fundo da abside de frente para o altar e para os fiéis. Em outras línguas e outras sociedades, é da palavra latina *domus*, "casa", que vem o termo designativo da catedral: *duomo* em italiano, *Dom* em alemão. Mais do que a casa do bispo, trata-se da casa de Deus. Rapidamente, *cathedra* foi adjetivada e associada à palavra *ecclesia*, que nomeia a comunidade de fiéis. A evolução semântica terminou na designação do conjunto arquitetônico antes de se substantivar em *cathedralis*. Durante o século VII, a titulatura do edifício foi-lhe acrescentada, com a *ecclesia parisiaca* tornando-se a catedral Saint-Étienne. É a essa última significação, que se tornou corrente desde então, que está consagrado esse verbete. É necessário, para medir a importância da questão, remontar às origens do cristianismo e seguir seu desenvolvimento até o final da Idade Média.

As origens: o século IV

É indispensável evocar vários elementos originais que foram determinantes para a evolução da catedral. O primeiro diz respeito à organização administrativa da Igreja. A mudança de atitude de Constantino com relação ao cristianismo, depois da vitória da ponte Milvia (312), é marcada pelo Edito de Milão, que "tolera" a nova religião. Muito rapidamente, ela não seria apenas tolerada, mas favorecida. Várias igrejas são construídas. Desde a primeira metade do século IV, Constantino fez construir São João de Latrão, destinada a ser a sede do bispo de Roma; até o século XV, o papa moraria no palácio adjacente. A basílica, "cabeça e mãe de todas as igrejas da cidade e do mundo", é ainda hoje a catedral de Roma. As repercussões são imediatas. A Igreja estrutura sua organização administrativa com base na do Império. Em cada *civitas* é instalado um bispo (*episcopos*) ou pontífice, colocado no comando da comunidade cristã. Ele se vê investido de um poder triplo: de jurisdição, de ensino e da plenitude do sacerdócio (ele confirma e batiza). E exerce esse poder sobre toda a diocese.

O segundo ponto diz respeito à instalação topográfica da sede episcopal, que adquire na Gália uma significação particular: ela está situada não na cidade aberta da "paz romana", mas na parte fechada pela muralha protetora, cuja construção obedece a uma ordem vinda de Roma (396). Certamente, o conjunto da população não reside no interior desse perímetro, cuja superfície muito reduzida (dois a trinta hectares) é ocupada em parte pelos edifícios administrativos (residência do prefeito, casernas...) e pelos edifícios da administração municipal, indispensáveis à vida da *civitas*; a eles veio se juntar no século IV a catedral. De fato, contrariamente ao que se afirmou até há pouco, os edifícios religiosos foram instalados desde sua origem no lado de dentro dos muros da cidade, que se tornou um verdadeiro *castrum*. Foi necessário, portanto, liberar um terreno extremamente ocupado. Foram ordenadas desocupações muito precisas. Assim se explica que, sob as catedrais atuais, descubram-se restos de edifícios antigos. É

Dicionário analítico do Ocidente medieval

possível que, para limitar as demolições, o terreno tenha sido escolhido próximo à muralha, cuja construção já tinha provocado importantes demolições. Algumas vezes, o solo foi cedido por grandes personagens: em Trier, Santa Helena, mãe de Constantino, não hesitou em sacrificar seu próprio palácio para construir um dos conjuntos mais importantes. Assim, está constituído o esquema da Antiguidade tardia que a Idade Média herdará com seus dois pontos fortes: a residência do prefeito que se tornará a do soberano merovíngio, depois do carolíngio e enfim do senhor; e a catedral.

O que a catedral abrangia naquela época, do ponto de vista arquitetônico? Os dados recentes, fundados sobre a análise das plantas, o estudo atento dos documentos, as descobertas arqueológicas, renovaram profundamente a questão. A catedral constitui um conjunto importante, a exemplo do palácio de Latrão que Constantino deu em Roma ao papa Silvestre e que foi profundamente modificado para acolhê-lo: ele compreendia um ou dois edifícios de culto, um batistério, uma *domus* ("casa"), às vezes um lugar de abrigo para os deserdados, doentes e viajantes. Em Trier, em Lyon e em várias outras cidades, os edifícios de culto eram separados no centro pelo batistério. Concluiu-se frequentemente que um dos dois edifícios teria sido reservado aos batizados que participavam com o bispo da sinaxe eucarística, enquanto o outro teria acolhido os catecúmenos antes que tivessem sido batizados por imersão com a idade de 30 anos. Não há dúvida de que a concepção dos dois edifícios foi elaborada no círculo de Constantino. A catedral retoma a planta da basílica civil, com uma nave de três ou cinco colaterais, com ou sem transepto, uma abside que abriga o altar e a cadeira do bispo. Ela retoma igualmente a elevação: fileira de colunas destinadas a suportar as arcadas ou a arquitrave, muros altos, numerosas aberturas, cobertura em madeira que permite reduzir consideravelmente a espessura das paredes. Tratava-se, acima de tudo, de deixar penetrar a luz, primeiro na nave e sobretudo na abside. A abundante decoração em mármore e mosaicos acrescentava um caráter solene ao ambiente, ampliando a claridade natural. No lado de fora, a solução adotada para a fachada era de extraordinário rigor, amenizado pela justa proporção das diferentes massas. Geralmente orientada — ela estava, contudo, "ocidentada" em Roma —, a basílica podia ser precedida por um pórtico. Não existe um esquema-tipo, mas variações sobre um modelo. Em Trier, então capital do Império, descobriu-se após a última guerra um conjunto imponente (170 m × 110 m) no interior do qual havia duas basílicas de planta retangular separadas por um batistério de planta quadrada. Em Paris, descobriu-se a parte ocidental da basílica sul com cinco naves, cuja fachada estendia-se por 36 m de comprimento. O batistério estava adossado ao centro da parede norte. Provavelmente, a segunda basílica encontrava-se mais ao norte. Reencontramos um esquema semelhante em Lyon, que, entretanto, não atinge as proporções dos dois últimos conjuntos. Em outros lugares, o esquema não é tão rigoroso, mesmo se ainda é notada a presença de duas catedrais juntas (Aix, Fréjus, Grenoble...). Nem sempre é possível datar esses edifícios reconstruídos várias vezes ou modificados. O batistério estava, na origem, naturalmente separado do edifício de culto. De planta centrada, ele abrigava uma piscina cavada no solo, geralmente rodeada por uma colunata circular e coberta por um tambor[1] com várias aberturas e uma cúpula. Alguns desses edifícios ainda subsistem no sudeste. Eles também passaram por modificações importantes devidas à evolução da liturgia do batismo. Alguns deles são conhecidos graças às descobertas arqueológicas (Marselha, Grenoble, Nevers, Reims...). A planta mais importante é a de Marselha, com seus 23 m de comprimento, que inspirou a de Riez, de proporções bem menores. A localização do batistério era variável: em Fréjus, Grenoble, Reims, ele se situa a oeste, separado da catedral.

A residência episcopal (*domus episcopi*) é mal conhecida. A *Vida de São Cesário de Arles* (antes de 550) assegura que ela tinha dois níveis: o térreo, reservado aos clérigos, e o andar do bispo. A organização estava baseada na vida comunitária. Ali foi acrescentada uma escola destinada à formação dos futuros clérigos. As escavações arqueológicas de Genebra permitiram revelar a residência, que data do século IV ou do começo do V, entre a cabeceira da catedral e a muralha. Ela compreendia uma capela de pequenas dimensões, um cômodo de recepção aquecido e algumas outras salas ricamente decoradas. Como era costume, a residência estava localizada próxima do edifício de culto. Os testemunhos não permitem julgar a importância e o

---

1 Em arquitetura, a palavra indica o suporte cilíndrico de uma cúpula. [N.T.]

papel da *domus episcopi*, destinada a abrigar um dos grandes personagens do império que bem cedo deveria substituir na cidade o prefeito. Se nenhum desses edifícios podia competir com Latrão, alguns se aproximavam dele pelas dimensões e pelo luxo.

É esse conjunto arquitetônico bem implantado que os soberanos merovíngios descobriram. Ao contrário do que frequentemente foi dito, não fizeram modificações nele, preferiram se dedicar à fundação de novas basílicas funerárias.

A época carolíngia

O primeiro golpe nessa organização não é anterior à época carolíngia. A mudança atingiu todos os domínios: a relação entre catedral e cidade, entre clérigos e diocese; a liturgia; a topografia; a arquitetura. Ela é consequência da vontade régia e depois imperial por causa da profunda desorganização da Igreja, particularmente sensível no clero secular. Era necessária uma reforma. Ela foi obra do bispo de Metz, Chrodegang, em meados do século VIII, e foi imposta pelo rei Pepino a partir de 755. A reforma exigia uma vida comunitária dos clérigos, a exemplo dos monges, no interior de um recinto próximo à catedral. Foi preciso fazer concessões para superar as dificuldades, redigir novos textos (*Institutio canonicorum*) para poder estendê-la a todo o império. O novo esquema foi o de um verdadeiro mosteiro na cidade, fechado por muros que abrigavam os edifícios comuns (refeitório, dormitório) ou de serviço, às vezes um verdadeiro claustro com suas galerias. Para os fracos, os doentes, tinham sido previstas casas individuais, primeira alteração na regra e que rapidamente devia se generalizar. Para realizar esse novo conjunto ao lado da catedral, era necessário mais terreno. O legislador tinha previsto alguns acordos que se revelaram ineficazes. As catedrais viram-se providas de um colégio de cônegos residindo no recinto. Foi preciso tratar da subsistência deles, o que foi feito graças a algumas medidas que levaram à partilha dos rendimentos da diocese entre o bispo (a *mensa*, "mesa", episcopal) e os cônegos (a *mensa* canônica).

É difícil avaliar a importância territorial desse recinto na época carolíngia devido à sua grande evolução no tempo, causada pela multiplicação do número de cônegos. Por sorte, Metz, onde foi realizada a reforma, é conhecida através de uma planta de meados do século XVIII e por vários textos. O recinto situado ao sul compreendia edifícios comuns, igrejas, capelas, organizadas em torno de um grande claustro retangular, estando os edifícios orientados para o sul por uma razão ainda não explicada. Ignora-se quais edifícios Chrodegang precisou demolir. Ao contrário, em Châlons-en-Champagne, a construção provocou uma transferência de população: os habitantes encontraram refúgio *extra muros* num bairro que se tornaria depois o dos mercadores. As alterações foram, às vezes, ainda mais importantes. O arcebispo de Reims, Ebbon, obteve autorização do imperador para modificar a rede de vias públicas que rodeavam a catedral, desferindo um novo golpe na antiga divisão dos terrenos. Em outros lugares, como Genebra, Paris, Viviers, não se hesitou em sacrificar uma das duas catedrais quando o terreno não era suficiente. Teve-se, entretanto, o cuidado de conservar o batistério, cujo desaparecimento ocorre bem mais tarde. A outra consequência da criação do capítulo canônico foi uma divisão de tarefas, particularmente a respeito do hospital. Cabia ao bispo encarregar-se do investimento; aos cônegos, do funcionamento. Foi durante esse período que algumas catedrais (Le Mans, Nevers, Reims...) que não possuíam hospitais, ou que ainda os tinham no interior da residência episcopal, passaram a tê-los. A cidade carolíngia adquiriu, dessa forma, um aspecto novo que devia subsistir até o século XIX: o edifício de culto encostado de um lado no futuro palácio episcopal e de outro no recinto canônico; nas proximidades, o hospital. A evolução se dará buscando a ampliação de cada um dos diferentes conjuntos.

A catedral, uma só a partir de então, não podia escapar às consequências da criação do colégio dos cônegos. Era preciso reformá-las, ou reconstruí-las. Ainda aqui, Metz fornece informações de ordem textual que nos mostram a divisão da antiga catedral. Um espaço especial foi destinado aos cônegos para permitir que se reunissem em comunidade de preces com seu bispo: o coro dos religiosos com assentos individualizados, o do bispo situado a sudeste; a leste, o santuário reservado ao prelado, separado por uma cortina; a oeste, a nave reservada aos fiéis, fechada a leste por uma barreira que se tornaria a tribuna. A renovação do mobiliário foi completa,

Dicionário analítico do Ocidente medieval

acrescentando-se púlpitos e cancelos. A catedral, carolíngia na divisão, permaneceu o modelo até o Concílio de Trento. Para as novas construções, imaginaram-se edifícios gigantescos, como o de Colônia, com 94,50 m de comprimento, a fim de abrigar o conjunto dos cônegos e fiéis em volta do bispo. A essa modificação veio somar-se uma outra, de ordem litúrgica: a vontade de se submeter aos hábitos romanos. Uma abside foi acrescentada a oeste para permitir ao celebrante voltar-se para leste olhando o fiel.

A época românica

A época românica não trouxe modificações importantes ao esquema herdado da época carolíngia. Entretanto, o mundo tinha sido profundamente alterado em seus aspectos demográfico, econômico e urbano. A cidade abandonada na época carolíngia foi ocupada e viu surgir perto dela novos polos de povoamento. Essa cidade mal administrada tornou-se um fator essencial para o poder. A antiga residência do prefeito romano transformou-se pouco a pouco em castelo urbano, símbolo do poder civil, construído em pedras, tal como a catedral. Suas respectivas massas terminaram por equilibrar-se no interior da antiga muralha, ainda em pé.

Dois novos aspectos apareceram em consequência das novas necessidades dos fiéis: um deles diz respeito à adaptação dos edifícios, outro às novas construções. Quanto ao primeiro, trata-se de definir a finalidade dos locais de culto quando as duas catedrais foram conservadas. Uma só deve estar encarregada de acolher o conjunto da comunidade de fiéis da diocese. Era preciso dar ao outro edifício uma destinação especial: igreja dos cônegos (Lyon) ou dos paroquianos (Nice, Fréjus). Quanto ao segundo ponto, as novas construções precisaram levar em consideração as realidades da diocese, e não mais se submeter a um esquema definido pelo poder central. Também as soluções arquitetônicas adotadas são diversas. Para as catedrais que também são importantes lugares de peregrinação, trata-se de acolher as multidões sem atrapalhar o culto habitual. No começo do século XI, o bispo Fulberto, em Chartres, imaginou sobrepor dois edifícios: no mesmo nível da cidade, a catedral da diocese; no subsolo, a igreja de peregrinação com seus dois longos corredores que conduzem à parte oriental onde estão as relíquias. Em Puy, o arquiteto imaginou a solução de uma escadaria interna que terminava perto da estátua da Virgem.

A redução da catedral dupla em única, o desaparecimento do batistério, a pressão dos fiéis, a consideração dessa pressão por parte do clero sensível à reforma gregoriana, tiveram consequências na organização interna da catedral. Assiste-se a um processo que se estendeu até nossa época: a reconquista do espaço pelos fiéis. Num primeiro tempo, a nave, em parte ocupada pelos altares, foi liberada e eles deslocados para leste, nas capelas abertas no deambulatório. No início, o deambulatório era um corredor imaginado por Gregório Magno para que os fiéis circulassem em torno das relíquias de São Pedro em Roma (cerca de seiscentas); na catedral de Clermont (segunda metade do século X), esse corredor foi aumentado com saliências destinadas a abrigar as relíquias. A partir do ano 1000, a colocação de um altar transforma-as em capelas (Rouen, Chartres, Auxerre...).

A catedral foi dividida em três espaços, seguindo uma fórmula que se prolongou até o Concílio de Trento. A leste, o santuário, com o altar destinado ao bispo; no centro, o coro dos cônegos; a oeste, os fiéis. O coro geralmente se encontrava no transepto ou nos segmentos orientais da nave. Os fiéis dispunham dali em diante da parte ocidental. Ao mesmo tempo, o clero tomou consciência da importância dos acessos e renovou a fachada ocidental. Adalberon, que tinha se conscientizado do problema, decidiu suprimir o maciço ocidental da catedral de Reims para tornar a nave mais homogênea, maior, mais acessível ao público. A partir de então, a reflexão sobre a fachada generalizou-se e resultou em diversas fórmulas: fachada "tela" do Oeste; fachada harmônica da Normandia, que acabou por se impor (Bayeux, Cantuária, Chichester).

A Inglaterra, após a invasão de Guilherme, o Conquistador, em 1066, imaginou novas soluções arquitetônicas. Seguiu-se uma reordenação da vida religiosa, em benefício da ortodoxia romana e em detrimento da tradição anglo-saxã, o que culminou na criação de novas sedes episcopais e, portanto, na fundação de novas catedrais. Todas obedecem ao esquema de catedral única. Por outro lado, a organização regular dos capítulos canônicos teve por consequência a criação de gigantescos conjuntos monásticos fechados por uma muralha, no interior da qual se encontrava a catedral.

Esta era então separada da cidade, a fim de dar mais segurança à comunidade de orações do bispo e dos cônegos. Assim se explica que a acolhida dos fiéis não tenha sido tão bem considerada quanto no continente. A solução da fachada harmônica foi rapidamente abandonada, assim como o deambulatório com capelas radiantes em proveito da abside plana. Nesse ponto, a catedral aproxima-se da abacial.

A época gótica

O complexo da catedral redefinido na época carolíngia e amadurecido durante a época românica, ia sofrer a partir da primeira metade do século XII uma nova alteração. Diferentemente dos períodos anteriores, este não resulta de uma evolução de ordem religiosa e litúrgica, mas de aspectos quantitativos: é a conclusão da evolução demográfica que a Europa ocidental conheceu desde o final do século X e que repercutiu na cidade e consequentemente no capítulo da catedral. Este se tornou muito mais numeroso durante o período, tomando no norte da França uma expressão particularmente marcada. O equipamento monumental não estava mais à altura das necessidades dos fiéis nem das exigências do culto. Era preciso adequar cada um dos monumentos. No norte, tal adequação está tão ligada à nova concepção arquitetônica que recebeu depois o nome de "gótica", e não há como dissociá-las. Os amplos programas de reconstrução que são lançados então pelos prelados eram globais? É difícil dizer, ainda mais porque os estudos a esse respeito continuam raros. Paris oferece um testemunho exemplar que contribui para responder a questão.

Desde sua eleição para a sede episcopal (1160), Maurício de Sully lançou um canteiro de obras tão vasto que culminou na reforma quase completa da ponta oriental da Île de la Cité. A realização dessa reforma encontrou alguns obstáculos que ele soube vencer ou contornar. Desistiu de tocar no recinto canônico situado no flanco norte da catedral, mas decidiu derrubar e reconstruir certos edifícios de maneira mais grandiosa, e outros num novo lugar: a nova cabeceira da catedral bem além do muro antigo, sobre um terreno antigamente separado da Île de la Cité pelo Sena (ele ganhava assim a oeste um espaço de 40 m destinado ao adro, que devia estar pronto quarenta anos mais tarde); a *domus episcopi*, no sul, fora do muro antigo, sobre o terreno reconquistado do pequeno braço do Sena; uma rua com 6 m de largura, aberta para facilitar o acesso à futura fachada e melhor conectá-la com as duas margens do Sena pela Petit-Pont ao sul; a ponte Notre-Dame, ao norte, acarretou a demolição de várias casas e do hospital. Este último foi reconstruído no sul.

Quanto à catedral, Maurício de Sully deu-lhe proporções gigantescas, com seus 107 m de comprimento e 5.500 m² de área. O resultado é o que já aparecia em várias catedrais desde a época carolíngia: a catedral enquadrada pelo claustro e pelo palácio. Ele acrescentou soluções profundamente renovadas em cada uma das construções que logo deveriam servir de referência. O palácio organizou-se em três elementos claramente definidos: a capela, a sala (*aula*), a torre (*turris*). O hospital, que estava voltado para o sul e para o rio, tirava proveito disso para o conforto dos doentes, ao mesmo tempo que os edifícios estavam organizados de forma mais rigorosa: separação dos deitados (os doentes) e dos transeuntes (os hóspedes). Enfim, a catedral submeteu-se às exigências da liturgia na organização dos diferentes espaços. Ao contrário da catedral primitiva, os acessos eram diferenciados. A adoção da fachada com duas torres abrigando os sinos estava destinada a melhorar a acolhida aos fiéis: o programa iconográfico mais tardio tinha pretensões pedagógicas. No começo de sua construção, a catedral era o monumento mais alto e mais imponente, e ficava clara sua relação com a cidade, que se afirmava como a mais formidável capital da Cristandade. Após uma reforma administrativa que devia subsistir em suas grandes linhas até a Revolução, Maurício de Sully tinha suprimido o culto paroquial a fim de transformá-la na igreja dos fiéis da diocese.

Nem todos os prelados estavam em condição de lançar projetos tão ambiciosos e geralmente contentavam-se em renovar o edifício de culto. Para superar certas dificuldades de ordem topográfica, eles souberam provar sua capacidade imaginativa ao construir a cabeceira sobre um terreno não edificado situado além da muralha antiga. Se em Noyon essa decisão não apresentava problemas, por causa da ausência de desnível, em Bourges e Mans elas tiveram de ser erguidas sobre os fossos (foi preciso estabelecer grandes fundações, maciças em Mans, vazadas pela cripta em Bourges). A oeste, a

Dicionário analítico do Ocidente medieval

fachada estava frequentemente prevista no lugar de casas ou de edifícios cuja demolição só poderia se realizar após longas e duras negociações. Assim se explica o atraso sofrido na construção de algumas delas (Amiens, Reims). Foi preciso inventar soluções, como em Lausanne, onde a estrada que ligava a cidade alta e a cidade baixa foi integrada na catedral com a "passagem", suprimida somente no começo do século XVI. Em Narbonne, os cônsules opuseram-se ao prolongamento da catedral, que teria acarretado a demolição do muro antigo. Algumas vezes, a fachada ocidental só pôde ser realizada tardiamente: no começo do século XIV em Cahors, no século XVIII em Metz, no século XIX em Bordeaux. Além dos problemas de desapropriação, a crise econômica e financeira do século XIV deixou várias catedrais inacabadas – sobretudo as de projetos ambiciosos e grandiosos (Florença, Colônia, Quimper). A fachada e as torres, última parte construída após a nave, e sobretudo o coro, esses dois indispensáveis ao culto, só foram realizados no século XIX em estilo neogótico. Certos projetos foram até abandonados (Siena). Após a Idade Média, a não criação de novos bispados provocou a interrupção mais ou menos geral do aparecimento de novas catedrais. Na segunda metade do século XIV, a imponente "restauração" do Duomo de Milão foi objeto de um vivo conflito de poder entre a comuna, o clero e o príncipe, e de uma polêmica entre os partidários dos arquitetos "cientistas" à francesa e os "pedreiros" lombardos tradicionais. Foi durante esse mesmo período que vários batistérios desapareceram para possibilitar o alargamento do edifício de culto (Nevers, Reims...). Apesar da escassez de terreno, o clero não podia renunciar ao adro, que era um espaço aberto entre a cidade e o edifício sagrado. Ele estava, portanto, intimamente ligado ao acesso principal da catedral. Os adros atuais foram geralmente aumentados no século XVIII ou XIX: em Paris, é uma praça de armas destinada ao exercício dos militares alojados na caserna a oeste; em Chartres, ele foi reformado depois da demolição do hospital. Originalmente, o adro não existia ou era muito pequeno (em Amiens, no começo do século XIV, limitava-se a uma pequena faixa de terreno).

As dificuldades foram ainda mais sensíveis na construção dos palácios episcopais e dos recintos canoniais. Nestes últimos, o movimento era duplo: as casas canônicas acabaram sendo construídas fora deles (Langres, Paris,

Bordeaux...); os edifícios comuns continuaram nas proximidades da catedral, mas foram integrados a ela (Bordeaux, Cahors, Laon, Lausanne, Noyon...). Em certos casos, não se hesitou em fazer um claustro com galeria (Beauvais, Laon, Noyon, Toulouse). Quanto ao palácio, as soluções foram diversas. Em Beauvais, ele era gigantesco e terminou por se estender sobre o lugar previsto para a catedral; em Angers, ele estava situado entre o braço norte da catedral e o muro antigo; em Narbonne, ele se voltava para o interior.

Para o hospital, foram empregadas duas soluções: ele se situava ou no interior da cidade antiga, próximo à catedral, tendo dimensões reduzidas; ou então no exterior, como em Amiens (1241). O exemplo de Laon é excepcional: construído no século XII ao sul da catedral, o edifício rapidamente se revelou muito pequeno e foi reconstruído a sudoeste, no começo do século XIII. Os cônegos tinham desejado fazer dele uma instituição notável tanto pela disposição dos edifícios quanto por seu funcionamento. Para levar a cabo seu plano, lançaram-se em aquisições que se prolongaram por uma grande parte do século, destinando para isso os recursos provenientes da caridade, que se tornavam mais difíceis no século XIV. A evolução dos hospitais logo aconteceria sem eles na administração: com o tempo, os hospitais tenderam a se secularizar e o movimento culminou de forma geral na sua municipalização.

O esquema aparece bem diversificado no final do século XV. Certas catedrais tinham interrompido havia muito sua evolução, outras mais recentemente. Algumas mostram um dinamismo que aparece principalmente no recinto canônico, que continua a aumentar, e ainda mais no hospital. Em Paris, esse edifício acabou por ocupar um bairro todo, entre a Rua Nova, o Sena e a Petit-Pont, acarretando o desaparecimento de várias ruas. A transformação prosseguiu até a Revolução; os palácios episcopais frequentemente ganharam o aspecto de residências principescas.

No início, o esquema definido durante a reforma gregoriana foi conservado pelos bispos, senhores da obra. A construção de novos edifícios permitiu-lhes um cuidado ainda maior no tratamento da fachada e na divisão interna. A fachada dita "harmônica", que associa campanários e portal, criada em Bayeux em meados do século XI, generalizou-se nas novas construções. Ela se tornava emblemática, mas também pedagógica em razão do programa esculpido que se desenvolve sobre os portais. Ela se tornava, assim, um pólo maior da cidade. O projeto duplo concebido e realizado nas primeiras catedrais góticas não resistiu ao aumento do número de cônegos e fiéis. Assim, desde os anos 1200, a catedral de Laon precisou ser reformada para responder a essas novas necessidades: o coro dos cônegos, situado em um segmento da nave, foi deslocado para leste do transepto em uma nova abside, terminada numa parede plana, construída para abrigar o santuário. Os fiéis tinham conquistado o espaço do transepto. Essa fórmula logo se estendeu a várias catedrais (Chartres, Paris, Estrasburgo): os pilares orientais do transepto definiam a clausura, marcada pela presença de um muro alto transversal voltado para leste. No interior do espaço aberto até então tinha lugar uma arquitetura na arquitetura; os muros externos foram decorados, retomando a iconografia usual sobre as fachadas e os muros laterais. Em outros edifícios (Bayeux, Coutances, Évreux, Lisieux...) foi necessário, como em Laon, construir uma nova cabeceira, destinada a liberar inteiramente a nave e o transepto. O movimento prosseguiu além da Idade Média. O Concílio de Trento, que mostra pelos fiéis uma preocupação tão marcada quanto a da Igreja gregoriana, culminou numa reorganização do coro e do santuário. Clausuras e tribunas deram, em parte, lugar a grades para permitir aos fiéis terem visão do altar. Em certas catedrais no norte da Itália e na França (Angers, Noyon), os espaços foram invertidos, o coro dos cônegos foi mudado para leste no antigo santuário, o altar foi colocado próximo do cruzeiro. A última etapa, depois de Vaticano II, é a conclusão de um processo que se estendeu por oito séculos: o altar foi colocado no cruzeiro (Chartres, Paris...) e a antiga cabeceira reservada a um culto mais íntimo. Cada uma dessas transformações acarretou modificações importantes do mobiliário, às vezes sua total renovação.

Visível à distância, emblema da cidade, a catedral é, na realidade, o coração de um vasto conjunto de múltiplas funções: centro religioso, intelectual, econômico, caritativo, artístico, uma cidade sagrada e simbólica dentro da cidade. Lugar dos principais centros e nós de organização do espaço urbano e do urbanismo (com sua praça), ela é também um centro do poder, objeto de conflitos, particularmente entre o bispo e os cônegos.

ALAIN ERLANDE-BRANDENBURG
Tradução de Vivian Coutinho de Almeida

Catedral

Ver também

Cidade – Igreja e papado – Imagens

Orientação bibliográfica

ACKERMAN, James S. *Ars sine scientia nihil est*: Gothic Theory of Architecture at the Cathedral of Milan. *The Art Bulletin*, Nova York, n.31, p.84-111, 1949.

BOUCHERON, Patrick. *Le Pouvoir de bâtir*: urbanisme et politique édilitaire à Milan (XIVe-XVe siècle). Roma: École Française de Rome, 1998.

LA CATHÉDRALE (XIIe-XIVe siècle). Cahiers de Fanjeaux, n.30, 1995.

DU COLOMBIER, Pierre. *Les Chantiers des Cathedrals*. Paris: Picard, 1973.

ERLANDE-BRANDENBURG, Alain. *La Cathédrale*. Paris: Fayard, 1989.

_____. *Quand les Cathédrales étaient peintes*. Paris: Gallimard, 1993.

_____. *Notre-Dame de Paris*. Paris: Nathan; Cnmhs, 1991.

GAUTHIER, Nancy; PICARD, Jean-Charles (orgs.). *Topographie chrétienne de la Gaule, des origines au milieu du VIIIe siècle*. Paris: De Boccard, 1986.

IMBERT, Jean (org.). *Histoire des hôpitaux en France*. Toulouse: Privat, 1982.

KRAUS, Henry. *À Prix d'or*: le financement des cathedrals. Paris: Cerf, 1991.

LE GOFF, Jacques; RÉMOND, René (orgs.). *Histoire de la France religieuse*. Paris: Seuil, 1988. t.I e II.

MUSSAT, André. Les cathédrales dans leurs cités. *Révue de l'Art*, Paris, n.55, p.9-22, 1982.

NEWS BULLETIN OF THE EUROPEAN CATHEDRAL ASSOCIATION. Milão, n.1, 1988.

TOUTES LES CATHÉDRALES DE FRANCE. Notre Histoire, n.135, 1996. Número especial.

PRACHE, Anne. *Notre-Dame de Chartres*. Paris: Caisse Nationale des Monuments Historiques et des Sites, 1993.

SAINT-DENIS, Alain. *L'Hôtel-Dieu de Laon (1100-1300)*. Nancy: Presses Universitaires de Nancy, 1983.

VERNEREY-LAPLACE, Denise et al. *Lumière gothique*. t.I: *Cathédrales de France*. Paris: Kairos Vision, 1996. (CD-Rom.)

_____. *Lumière gothique*. t.II: *Cathédrales d'Europe*. Paris: Kairos Vision, 1996. (CD-Rom.)

Cavalaria

Se nos restringirmos ao sentido militar da palavra "cavalaria", defini-la-emos essencialmente como um grupo profissional, o dos guerreiros de elite, atacando impetuosamente, de lança ou espada em punho, em todos os campos de batalha da Europa medieval: a cavalaria pesada, rainha das batalhas do século XI ao XIV, antes que o progresso dos arqueiros e, mais tarde, da artilharia viessem arruinar-lhe a supremacia e relegá-la à categoria de vestígio prestigioso de tempos heroicos e veneráveis.

A esse aspecto militar liga-se um segundo sentido, mais frequente, de termos franceses e latinos. "Fazer cavalaria" (*militiam facere*) significa tanto atacar quanto realizar grandes feitos de armas, proezas... cavaleirescas. Mas o sentido militar não é o único em questão. Agrega-se a ele, desde a origem, uma conotação social cada vez mais aristocrática. Na cavalaria não entra quem quer! Reis e príncipes distinguem com sua autoridade essa confraria profissional, a que exigem controlar o acesso, filtrar a admissão. Sem dúvida, não se pode, como se fazia muito anteriormente, confundir a origem da nobreza e da cavalaria. Contudo, é forçoso reconhecer que logo a nobreza controla e comanda a cavalaria, empresta-lhe sua ideologia a ponto de, a partir do fim do século XII, a cavalaria aparecer como expressão militar da nobreza, que a considera território particular e alicia seus membros. Desde então, um cavaleiro não é somente (e, posteriormente, nem tanto!) um

Cavalaria

guerreiro a cavalo, mas um membro reconhecido da aristocracia. Cavaleiro torna-se título nobiliário.

A Igreja não fica indiferente ao progresso da cavalaria. Constatando o enfraquecimento do poder central, especialmente na França dos séculos X e XI, ela tenta proteger-se da fúria devastadora e saqueadora dos senhores da guerra, que são os potentados locais, castelões à frente de seus cavaleiros. Ela confia a defesa dos estabelecimentos eclesiásticos, de seus bens e pessoas, a outros castelões ou a outros guerreiros recrutados para essa finalidade. Esses defensores de igrejas cumprem missão protetora antes reservada a reis e príncipes. Ao mesmo tempo, e de várias maneiras, a Igreja tenta inculcar nesses cavaleiros, e depois em toda a cavalaria, um ideal elevado: a proteção das igrejas, dos fracos e dos desarmados (*inermes*) no interior da Cristandade; a luta contra os infiéis, no exterior. A tentativa só em parte é coroada de êxito, e a Cruzada não chega a mobilizar longamente os guerreiros em uma "cavalaria cristã" a serviço da Igreja. O aspecto religioso não está ausente da ideologia cavaleiresca, mas constitui apenas uma de suas facetas.

De fato, é de ideologia que é preciso falar a propósito da cavalaria. Talvez mesmo de mitologia, de tal forma a palavra ficou carregada de conotações honoríficas, idealistas, éticas. A literatura, apropriando-se dela desde suas origens, transfigurou-a pouco a pouco, através de heróis emblemáticos como Rolando ou Lancelote do Lago, Alexandre ou o rei Artur; sonho e realidade misturaram-se assim para formar nos espíritos uma cavalaria que, mais que corporação ou confraria, torna-se uma instituição, um modo de viver e de pensar, reflexo de uma civilização idealizada. Um mito, de que se alimentou a civilização ocidental durante séculos, inclusive até nossa época, apesar da caricatura cruel que dela fez Cervantes em *Dom Quixote,* na época em que a expansão dos cavaleiros da indústria e dos conquistadores do comércio relegavam às sombras os cavaleiros arruinados de uma Idade Média finda.

Isso quer dizer que não se pode facilmente definir o que foi a cavalaria na Idade Média. Várias abordagens são necessárias para revelar suas múltiplas facetas.

Corporação de guerreiros de elite

Os textos latinos chamam *milites* os que a literatura românica chamará *chevaliers*: portanto, antes de tudo, são soldados, como indica o primeiro sentido do termo. Não sem ambiguidade, todavia, porque desde a Antiguidade clássica as palavras *miles* (plural *milites*), *militia*, *militare* revestiram-se de novos significados. Todos se referem a um serviço, que toma a forma de um combate. É assim que os monges da Idade Média, como os mártires cristãos da Antiguidade, se dizem soldados de Deus (*milites Dei*), comparam seu cinto de corda ao cinturão militar dos soldados romanos (*cingulum militiae*) e o fato de servir a Deus (*militare Deo*) ao serviço militar de recrutas. Esse vocabulário guerreiro, inspirado em São Paulo, influenciou grandemente as mentalidades monásticas. Resultou disso que na Idade Média, sob a influência dos monges, as palavras *militia*, *militare*, *milites*, sem perder seu significado militar, acresceram-se da conotação principal de serviço em nível elevado, honrado. Um serviço que, nas ordens, realiza-se pela oração dos monges; na corte, pela assistência moral, financeira, judiciária e, evidentemente, pelo serviço armado dos vassalos. *Miles* também designa frequentemente um vassalo, sobretudo no singular, em textos anteriores ao século XII. No plural, designa geralmente os guerreiros, no sentido geral do termo. Para calcular os efetivos de um exército, os cronistas escrevem, por exemplo, que ele compreendia certo número de soldados (*milites*), entre os quais se distinguem os cavaleiros (*equites*) dos infantes (*pedites*). A Cavalaria, nesse tempo, ainda não existia realmente: é melhor falar de cavalaria.[1]

Todavia, a partir do fim do século XI, e mais claramente em seguida, o termo *milites* substitui *equites*, como se os verdadeiros guerreiros só pudessem estar a cavalo. Opõem-se desde então os *milites* à infantaria (*pedites*), reconhecidamente útil para transformar uma vantagem em triunfo, mas cujas proezas são esquecidas ou postas em segundo plano. Doravante, só a cavalaria ocupa o cenário: do sucesso de Hastings (1066) ao desastre de Azincourt (1415), e mesmo depois, apesar dos reveses, seu prestígio é incomparável.

---

1 O francês faz distinção entre *Chevalerie*, a ordem de cavalaria, inclusive em sentido moral, e *cavalerie*, referindo-se a esquadrão, regimento, tropa. [N.T.]

A principal razão de tal privilégio é de ordem técnica, e até tecnológica. Existia já havia muito tempo uma cavalaria, e mesmo uma cavalaria pesada, como testemunham vários documentos escritos ou iconográficos da época carolíngia. O estribo, de origem oriental, generalizou-se na Europa desde o século VIII, assegurando melhor posição ao cavaleiro, reforçada pelo uso de selas mais fundas, com arções, solidamente fixadas ao cavalo por arreios que incluíam cilha-mestra, retranca e peitoral. Nos séculos IX e X, esses avanços difundem-se e favorecem o combate a cavalo, com lanças ainda curtas (menos de 2,5 m), usadas como azagaias ou chuços. No início do século XII, no entanto, um novo método de combate, o do choque frontal, surgido meio século antes, mas considerado até então secundário, impõe-se e chega a suplantar os demais: nele se usa a lança em posição horizontal fixa, que o cavaleiro segura firmemente encaixada sob o braço. Com esse novo método, adotado definitivamente pela cavalaria, a eficiência da lança não depende mais da força do braço do guerreiro, mas da velocidade do cavalo: o cavaleiro forma um todo com sua montaria e esse "projétil vivo" beneficia-se da potência que lhe confere o galope do cavalo. Doravante, a carga compacta dos cavaleiros, lança estendida na horizontal, adquire terrível força de penetração, capaz de desbaratar as fileiras adversárias e provocar o medo, o pânico e a fuga do inimigo. É como se fossem os blindados na guerra contemporânea. Muito provavelmente, a cavalaria nasce da adoção de tal método, que ela aperfeiçoa sem lhe acrescentar modificações importantes, a não ser na lança, que se alonga para atingir três, até quatro metros, nos séculos XIV e XV. Paralelamente, procura-se a melhor maneira de mantê-la em posição fixa por meio do apoio da couraça, peça que permite ao cavaleiro aliviar o braço de uma parte do peso da lança. Estas são apenas melhorias pontuais, que quase não modificam um sistema que, desde o século XII, confere à cavalaria seus traços definitivos.

O equipamento do cavaleiro compõe-se de armas ofensivas, que são a lança e a espada, esta empunhada quando a lança se parte no choque e é preciso combater de perto, no "improviso", no corpo a corpo. Da mesma forma que as lanças, as espadas alongam-se e com o tempo tornam-se pesadas, para contrabalançar a evolução das armas defensivas. Nos séculos XI e XII, o cavaleiro protege seu corpo graças à loriga, cota de malha flexível de

Dicionário analítico do Ocidente medieval

uns dez quilos, reforçada no século XIII, para ceder lugar, nos séculos XIV e XV, às armaduras rígidas, mas articuladas, que transformam o cavaleiro em verdadeira fortaleza montada, quase invulnerável se ele estiver a cavalo, mas terrivelmente exposto e frágil quando, desmontado, ele fica no chão à mercê da adaga dos infantes (chamada, aliás, "misericórdia"), capaz de penetrar nos interstícios da couraça e conduzir à morte ou, pelo menos, à sua ameaça para obter rendição. O elmo evolui no mesmo sentido. Cônico e alongado por um nasal nos séculos XI e XII, tende a fechar-se no século XIII, deixando apenas alguns orifícios para os olhos, antes de adquirir formas mais complicadas e orifícios para a respiração. Quanto ao broquel, ganha formas diversas, frequentemente pontudas na base. No século XI, era pendurado ao pescoço para se cavalgar mais confortavelmente, mesmo para atacar, deixando aos braços maior liberdade de movimento para o manejo da lança. O escudo, bem como o estandarte preso na haste da lança, cobre--se de figuras emblemáticas e de brasões, ao mesmo tempo sinais de reconhecimento indispensáveis para atenuar o anonimato das couraças e meios de afirmar sua categoria ou seu pertencimento a uma casa prestigiosa da qual portam "as armas" (*armoiries*).[2] Do equipamento do cavaleiro também fazem parte vários cavalos de combate (*destriers*), treinados para investidas e para o corpo a corpo sob gritos e toques de trompas. Pelo menos um escudeiro (*armiger*, ou melhor, *scutifer*) encarrega-se de conservar as armas, cuidar dos cavalos e levá-los ao senhor, se ele for derrubado ou desarmado durante os combates. No século XI, o posto de escudeiro continua muito humilde, identificado ao do servo ou ao do cavalariço. Esse posto cresce juntamente com a cavalaria: cada vez mais o escudeiro é um aprendiz de cavaleiro, de nascimento aristocrático. No século XIII e mais tarde, o escudeiro, jovem nobre que não foi armado cavaleiro, possui, por sua vez, uma categoria própria. Não ocupa mais a sala de espera da cavalaria, mas é titular de uma patente, nos limites da nobreza. Essa mudança mostra bem a que ponto o aspecto profissional da cavalaria, inicialmente primordial, cedeu vez, no decorrer do século XII, aos aspectos sociais e jurídicos.

---

2 *Armoirie*: conjunto de emblemas representados no escudo de armas; heráldica. [N.T.]

Cavalaria

Nobreza e cavalaria

Ainda hoje, a questão das relações entre nobreza e cavalaria divide os historiadores.

A origem compósita da cavalaria parece pouco discutível. Longe de ser uma confraria igualitária, ela reúne, no século XI, as massas subordinadas que a abastecem, os *milites* comuns, e os que os recrutam, armam, dirigem e empregam, a saber, os príncipes ou, em menor escala, os castelões. Se tais personagens aceitam, cada vez mais, serem designados pelo termo *miles*, que se traduz talvez sistematicamente demais por "cavaleiro", é preciso ver nisso bem mais, nessa época, um efeito da militarização da sociedade que um reflexo do valor jurídico ou social do vocábulo. O progresso da cavalaria resulta, em larga medida, dessa militarização que valoriza o papel dos guerreiros, ao mesmo tempo que exalta a profissão dos cavaleiros, guerreiros de elite.

Muito antes do ano 1000, os grandes tinham se cercado de uma clientela formada por vassalos e combatentes profissionais, encarregados de protegê-los e ajudá-los no exercício do poder público que eles encarnavam. As profundas mudanças sociais do século XI ampliam o papel dos cavaleiros na nova sociedade, dita "feudal", que se estabelece e da qual a castelania constitui a moldura essencial. Sem dúvida, a autoridade pública, sobretudo na França, não desaparece totalmente, mas transfere-se aos príncipes, no século X, depois aos potentados locais, os castelões, senhores que fazem valer sua lei pela mão armada de seus *milites*, vassalos providos de terras ou servidores armados mantidos no castelo.

Na sociedade laica daquele tempo, doravante tudo opõe, na castelania, os que exercem os poderes político, econômico e judiciário, então concentrados nas mãos dos senhores, e os que se sujeitam ou toleram taxas, impostos e exações senhoriais, ou seja, os camponeses. Os *milites*, auxiliares armados dos novos poderosos, ao mesmo tempo que escapam às exações, separam-se também da massa anônima dos trabalhadores da terra, de onde a maioria deles saiu. Rodeando a aristocracia a que servem de armas na mão, os cavaleiros tendem a dissolver-se nela pela combinação de costumes e mentalidades comuns, assim como pela elevação de sua condição socioeco-

Dicionário analítico do Ocidente medieval

nômica, acelerada por alianças matrimoniais vantajosas. Sem se confundir ainda com a nobreza, que permanece questão de sangue, de nascimento, de linhagem, a cavalaria ganha em dignidade e logo compõe uma classe hereditária, que constitui, por sua vez, uma aristocracia, na qual se entra por adubamento,[3] rito cavaleiresco por excelência, que se reserva cada vez mais apenas aos filhos de cavaleiro: só são armados cavaleiros os filhos de pai cavaleiro e de mãe nobre. Por essas disposições, a nobreza controla a entrada na cavalaria e reserva o acesso a ela a seus próprios membros, numa época em que a dignidade cavaleiresca acrescenta distinção àquele que a recebe. Cavalaria e nobreza acabam por se fundir ou por se confundir. No fim do século XIII, a retomada do poder pelos príncipes e sobretudo pelos reis acentua ainda mais esse fenômeno, sem, contudo, levar a uma identificação de nobreza e cavalaria: as cartas de nobilitação concedem uma qualidade hereditária, a nobreza, "aptidão para se tornar cavaleiro"; o adubamento, cerimônia honorífica, faustosa e cara, torna-se mais rara a partir da segunda metade de século XIII, particularmente no meio da pequena nobreza. Aparecem, então, termos específicos designando os filhos de nobres que não foram e nem serão feitos cavaleiros: *esquire, pajem, donzel* ou *Edelknecht.* A cavalaria, nesse momento, representa um ornamento honorífico que se acrescenta à nobreza e que herda conotações ideológicas adquiridas ao longo dos tempos.

Esse aspecto honorífico da cavalaria difunde-se fora da França, sua terra de origem, graças à fama e ao prestígio adquiridos pelos cavaleiros do reino de França nos diversos campos de batalha da Europa e do Oriente Próximo (conquista da Inglaterra e da Sicília pelos normandos, *Reconquista* na Espanha, cruzadas etc.). Pode-se, portanto, falar da cavalaria como um fenômeno europeu, mesmo se não se encontram traços específicos da cavalaria francesa por toda parte. É por isso que no Império Germânico, onde o

---

3 Este termo técnico (*adoubement*) não está dicionarizado em português, mas o verbo adubar, nas acepções de "equipar", "preparar", "temperar", decorre desses mesmos sentidos do francês *adouber* (significativamente surgido em 1080, na *Chanson de Roland*), do qual derivou por volta de 1150 aquele substantivo para indicar a cerimônia de entrega das armas e equipamento que fazia de alguém um cavaleiro. [HFJ]

poder central manteve-se por mais tempo, a cavalaria continua claramente distinta da nobreza, mais estreitamente subordinada ao poder real. Lá, contrariamente ao reino de França, cavalaria e servidão não são incompatíveis ainda no século XIII. Os ministeriais, cavaleiros servos, poderosos mas não livres, exercem em nome dos príncipes e do imperador um poder administrativo e militar considerável. Trata-se de uma verdadeira aristocracia de função, que permanece em mãos dos soberanos alemães e permite-lhes, em certa medida, opor-se à influência da Igreja e controlá-la.

Na França, em compensação, Igreja e cavalaria relacionaram-se desde cedo, em razão do enfraquecimento do poder real nos séculos X e XI. A Igreja tentou controlar a ordem pública e impregnar a cavalaria com seus ideais e ritos, sem consegui-lo totalmente.

Igreja e cavalaria

O ideal de não violência praticado por Jesus e pelo cristianismo primitivo não sobreviveu, pelo menos na Igreja oficial, à chegada ao poder dos imperadores cristãos. Desde o século V, Santo Agostinho justifica o recurso à guerra empreendida por autoridades legítimas para proteger a "pátria" (logo assimilada à Cristandade e à Igreja) ou para recuperar um bem injustamente espoliado. Essa defesa da comunidade compete aos imperadores no Império Romano decadente, depois aos reis e aos príncipes no mundo "bárbaro" que o sucede no Ocidente. A proibição de derramar sangue persiste para os eclesiásticos e, sobretudo, os monges, que em vários campos aparecem como herdeiros e continuadores dos primeiros cristãos de quem perpetuam certos valores, particularmente os da não violência. A sociedade cristã, desde então, cinde-se em dois grupos de homens, cujos ideais não são mais os mesmos. Os monges e os clérigos, *milites Dei*, servem a Deus no mosteiro por meio da oração, ou no mundo por meio dos sacramentos; os leigos, *milites saeculi*, vivem no "século", mantêm os primeiros ou protegem-nos. A essa divisão em dois estados, laico e eclesiástico, superpõe-se, a partir do século X, uma divisão funcional representando as três ordens que subsistirão até o fim da Idade Média e mesmo até a Revolução de 1789: expressa-se pela célebre fórmula de Adalberon

Dicionário analítico do Ocidente medieval

de Laon, no começo do século XI, segundo a qual a casa de Deus, que se crê una, está na verdade dividida em três, uns rezam, outros combatem, outros trabalham.

Existe, portanto, realmente, um *ordo militum*, uma ordem de guerreiros. Aos olhos da Igreja, sua importância cresce na proporção que dela necessita. Depois da era carolíngia, estabeleceu-se no Ocidente uma nova sociedade, denominada feudal, caracterizada pelo declínio do poder central, sobretudo na França, e pelo desenvolvimento dos principados, depois das castelanias (século X-XI). Doravante, a ordem pública está nas mãos dos castelões, assistidos por seus guerreiros. São eles que comandam, julgam e recebem as taxas. São eles que fazem reinar a ordem ou a desordem.

A Igreja, para defender seus membros e bens e para tentar refrear a violência desses guerreiros (*milites*), começa por brandir as armas espirituais de que dispõe: a privação dos sacramentos coletiva (interdito) ou individual (excomunhão). Do século X ao XII, com as instituições de paz, ela tenta induzir os guerreiros a prestar juramento de não atacar, roubar ou extorquir os que não podem se defender: eclesiásticos, mulheres nobres não acompanhadas, camponeses e camponesas, pobres e desprotegidos em geral. É a "paz de Deus", de origem meridional (Le Puy, 975; Charroux, 989; Narbonne, 990 etc.); pouco depois, a "trégua de Deus" tenta subtrair à violência não somente os seres vivos, mas também as datas: festas solenes, dias santos, descanso semanal, depois estendido, em lembrança da paixão de Cristo, ao período da quinta-feira à noite à segunda de manhã. Pode-se comparar essa limitação voluntária imposta aos guerreiros a uma verdadeira ascese, porém insuficiente para assegurar a ordem. Testemunham-no a multiplicação de concílios e assembleias de paz. O objetivo dessas instituições de paz não é colocar a guerra fora da lei, sendo ela privada, mas reservar seu uso a um período limitado e a uma categoria determinada de indivíduos, que praticam entre eles esse esporte perigoso: os guerreiros profissionais. Trata-se de promulgar regras para eles, um código deontológico impregnado de valores cristãos.

A Igreja logo enfatiza o escândalo que constitui a guerra no interior da Cristandade. "Aquele que mata um cristão derrama o sangue de Cristo" (Narbonne, 1054). Revezando-se com os mosteiros da Ordem Cluniacense, o papado esforça-se para empenhar os cavaleiros no combate contra os muçulmanos, na Espanha (*Reconquista*) ou na Terra Santa (cruzadas). O sermão de Urbano II em Clermont (1095) situa-se na linha direta das instituições de paz, e a primeira cruzada pode ser considerada como sua consequência lógica. O papa condena os guerreiros cristãos que se matam por algumas moedas, com risco para a alma; ao contrário, exalta os que, por Deus, deixam a família para libertar o sepulcro do Senhor. Os que viessem a morrer em tal expedição de peregrinação guerreira alcançavam infalivelmente as palmas do martírio. Os cavaleiros cruzados, como os mártires outrora e os monges recentemente, podem, portanto, ornar-se com o termo *milites Christi*. Mas a Cruzada não é a cavalaria! Os cavaleiros não são todos cruzados e quando dela participam, é por uma espécie de penitência, para remir os pecados de... sua cavalaria!

A Igreja conseguiu institucionalizar a Cruzada, mas não totalmente a cavalaria. A criação das ordens dos monges-guerreiros, templários ou hospitalários, testemunha essa derrota. Contudo, ela tentou por outras vias, em especial a liturgia do adubamento. Para proteger-se, desde o século X os estabelecimentos eclesiásticos recrutaram guerreiros (*milites ecclesiae*) ou confiaram-se à proteção de senhores laicos, nomeados como defensores ou advogados (*defensores*, *advocati*). Foi por ocasião dessas investiduras de tipo vassálico, que a Igreja organizou rituais reunindo fórmulas de bênção das armas e estandartes, outrora reservados a reis e príncipes, por isso impregnados da antiga ideologia real de proteção das igrejas e dos fracos. O *ordo* de Cambrai (século XI) é o que melhor representa esses rituais. Essas fórmulas ainda estão em grande parte ausentes dos testemunhos que possuímos para o século XII de rituais de adubamento de cavaleiros "comuns". Em compensação, no século XIII e mais ainda no XIV, elas invadem os rituais de adubamento e contribuem para introduzir no conjunto da cavalaria o antigo ideal régio de proteção da Igreja, da viúva, do órfão e dos fracos em geral.

Assim, a ideologia cavaleiresca agrega-se tardiamente à cavalaria. Além disso, trata-se aqui apenas da faceta religiosa dessa ideologia. Existe uma outra, aristocrática e laica, profana, que se mistura àquela para conferir à cavalaria a ética que lhe é própria.

Dicionário analítico do Ocidente medieval

O adubamento do cavaleiro

As fontes da história medieval, na maior parte de origem eclesiástica, valorizam excessivamente os aspectos religiosos dos fatos que relatam. É o caso, especificamente, do adubamento dos cavaleiros, que de bom grado é descrito em rituais litúrgicos tardios como uma cerimônia puramente religiosa, por meio da qual a Igreja, onipresente, admitia um postulante no seio da cavalaria cristã, verdadeira "ordem" impregnada de seus valores, instituição inteiramente dedicada à causa da Igreja. Essa visão das coisas corresponde muito pouco à realidade. Não faltam, com efeito, textos históricos ou literários descrevendo o adubamento como uma cerimônia secular, laica, aristocrática, na qual a Igreja desempenha papel menor, até acessório: nessa cerimônia, trata-se antes de tudo de admitir, no seio da corporação aristocrática dos guerreiros de elite, o jovem "aprendiz" que provou sua capacidade para unir-se aos companheiros de armas. Nesse sentido, o adubamento reveste-se do duplo aspecto de um rito de iniciação e de um rito de passagem. Ele se realiza geralmente no fim da adolescência, no limiar da idade adulta, e herda provavelmente certos traços que antigamente assinalavam a entrega das armas aos jovens guerreiros das tribos germânicas. É também um rito social, já que a cavalaria, como todas as corporações, mas bem anteriormente a elas, tende a se fechar e a reservar o acesso a seu interior apenas aos filhos de seus membros, constituindo assim uma classe, e mesmo uma casta. Essa evolução acentua-se no século XIII e a cavalaria tende então, como já foi dito, a confundir-se com a nobreza, de que constitui a expressão guerreira por excelência, justificando seus privilégios: nos campos de batalha, a nobreza derrama o tributo do sangue, que a dispensa de qualquer outra cobrança.

O adubamento é, de início, uma simples entrega de armas, de caráter laico e utilitário, mas logo se carrega de traços honoríficos, éticos e religiosos, que traduzem a dupla influência exercida sobre a cavalaria: a da aristocracia laica e a da Igreja. Alguns ritos permanecem puramente seculares (a entrega das esporas, por exemplo), mas outros atraem rapidamente o interesse da Igreja. Assim, a entrega das armas características da cavalaria (a lança com o estandarte, símbolo da "casa" a que se serve, o escudo adornado com o brasão, a espada) dá lugar a bênçãos sobre as quais já ressaltamos a origem régia e as colorações ideológicas, destinadas a confiar à cavalaria uma missão a serviço da Igreja. O banho que precede a cerimônia, de origem utilitária e até mesmo profana, assume simbolismo cristão, envolvendo o tema da pureza. No fim do século XII, aparece a vigília das armas, ascese iniciática e meditação religiosa do postulante. Todavia, apesar das tentativas de impregnação eclesiástica, a cavalaria não se sujeita. Ela é considerada, conforme escreve Chrétien de Troyes, "a mais alta ordem", que deve existir "sem vilania". Seu código de valores, incutido pela Igreja, não é dela originário.

Acompanhada de festejos, pompas e liberalidades ostentatórias, o adubamento apresenta também um aspecto suntuário que seduz e lisonjeia a aristocracia. Ele ocasiona despesas consideráveis e não é surpreendente verificar que, desde o século XII, o adubamento do filho mais velho do senhor constitui uma das quatro circunstâncias de assistência financeira aos vassalos, além do resgate, da partida para a Cruzada e do casamento da filha mais velha.

Torneios e exercícios de cavalaria

O cavaleiro aprendiz, antes de ser adubado, serve "pelas armas", quase sempre como escudeiro, a um senhor de seu parentesco, de preferência um tio materno, de posição superior à sua. Polindo-lhe as armas, esfregando-lhe os cavalos, assistindo-o nos combates, servindo-o à mesa e na caça, ele familiariza-se com o essencial da vida cavaleiresca. Desse modo, pode treinar para combate nos exercícios de *quintaine,* em que se procura atingir com a lança um manequim ou um escudo, e de *behourds,* justas de treinamento mais próximas do combate real. Quanto aos cavaleiros, aperfeiçoam sua técnica em torneios, que surgem a partir de meados do século XI e se multiplicam no século seguinte, apesar das repetidas proibições da Igreja (Clermont, 1130). Até o fim do século XII, esses torneios não se diferenciam das guerras verdadeiras, de que são réplica codificada. Como na guerra feudal, dois campos se opõem, em combates coletivos feitos de ataques compactos e de emboscadas destinadas a isolar do grupo alguns indivíduos, se possível bem-nascidos ou de prestígio, a fim de capturá-los para obter

Dicionário analítico do Ocidente medieval

resgate ou desmontá-los para se apossar de seu cavalo. O objetivo, nos torneios como na guerra, consiste mais em acumular o saque e ampliar a glória do que em matar o adversário, mesmo que tais acidentes não sejam raros, tão completa é a semelhança entre torneios e combates guerreiros. É também a oportunidade para os cavaleiros pobres de atrair a atenção de algum patrono rico e entrar para sua "equipe", a seu serviço. O prestígio da façanha cavaleiresca também pode ganhar os favores de uma rica viúva e, graças ao casamento, assegurar a promoção social do herói. Pelo menos esse é o sonho dos cavaleiros pobres.

Utilitários, mas prestigiosos desde a origem, os torneios tornam-se mais faustosos e menos perigosos com o decorrer do tempo, com o surgimento das armaduras e das armas "para diversão" (sem ponta de ferro) que, sem anular totalmente os riscos, distanciam, contudo, os torneios da verdadeira guerra. A proeza torna-se mais individual, mais teatral, e os grandes torneios "flamejantes" dos séculos XIV e XV tomam rumos suntuários: a nobreza procura neles se afirmar, tranquilizar e distrair ante a crescente ameaça econômica e social da burguesia.

Destinados a aumentar a coesão dos esquadrões de cavaleiros por meio de exercícios em conjunto, da camaradagem guerreira e dos prazeres compartilhados, os torneios contribuíram incontestavelmente para criar a mentalidade cavaleiresca e elaborar uma ética própria à cavalaria: culto da coragem e do heroísmo, respeito ao código deontológico que poupa, por interesse ou por ideal, o homem desarmado ou caído por terra; respeito à palavra dada; zelo pela reputação, ampliada pela bravura de uns e pela generosidade de outros.

O mito da cavalaria

Ao longo da Idade Média, e desde seu surgimento, as literaturas em língua vulgar celebram a cavalaria e transformam-na em mitologia. A interpretação sociológica das obras literárias, frutífera e plena de promessas, revela-se, contudo, delicada, às vezes sujeita a intermináveis controvérsias.

Em compensação, não há dúvida de que as canções de gesta, por exemplo, que nascem na França no início do século XII e cuja popularidade vai

Cavalaria

até o século XIV, apossaram-se para sempre da personagem ideal do bravo cavaleiro, heroico até o exagero como Rolando, valente e sábio como Olivier, ou infatigável defensor do rei e da fé como Guilherme. Através da diversidade dos modelos sociais que preconizam, é sempre a cavalaria que elas exaltam. A monarquia triunfa graças às virtudes cavaleirescas, a valentia guerreira a serviço da fidelidade vassálica. A Cristandade ameaçada só rechaça os infiéis graças à bravura dos cavaleiros do Ocidente. No fim do século XII, no reinado de Filipe Augusto, lê-se em algumas epopeias, romances, fábulas ou pequenos contos, uma vigorosa apologia da cavalaria aristocrática que toma ares de violentos requisitórios antiplebeus. Devemos ver aí obras de propaganda em favor dos Plantagenetas, campeões dos méritos cavaleirescos e rivais políticos dos reis da França, que de bom grado se apoiam na burguesia? Provavelmente; porém, mais ainda, a expressão de um mal-estar geral da nobreza, inquieta pela ascensão econômica e social de uma burguesia que ela despreza e cuja ameaça progressiva pressente. Ela encontra refúgio na ideologia, erigindo barreiras jurídicas que a protegem, ou desvanecendo-se no sonho de uma sociedade ideal e mítica, onde ocuparia o lugar que lhe é devido: o primeiro.

Os romances de aventuras traduzem essa tendência. Tomam, inicialmente, a forma dos romances antigos, de que Eneias, Heitor ou Alexandre representam os heróis. Repõem a Antiguidade em moda e introduzem nas mentalidades elementos da moral laica, sobretudo um ideal novo, que também se encontra nos trovadores provençais: a cortesia, que exalta as boas maneiras, o serviço à senhora, o amor dito "cortesão", naturalmente adúltero, desprezando o casamento e desdenhando o ciúme. Pelo que já se disse, deve-se ver aí uma elaboração ideológica da pequena nobreza? É possível. Mas pode-se também sustentar que os príncipes e senhores usaram os modelos cortesãos em proveito próprio, para atrair os cavaleiros. Em troca, está claro que o ideal cortesão se opõe radicalmente à moral tradicional da Igreja: ele canta o amor sensual, o apelo aos favores da dama casada, a procura do luxo e da moda, o brilho dos tecidos, das riquezas e das cores, a bravura guerreira desinteressada, o porte imponente, a altivez, mesmo a arrogância aristocráticas. O fato de essas colorações cortesãs não terem cessado de impregnar as obras literárias diz muito da influência

Dicionário analítico do Ocidente medieval

laica e mundana que se exerce sobre a mentalidade da cavalaria e penetra sua ideologia.

As origens célticas e míticas da "matéria da Bretanha" contribuem ainda mais para aumentar essa influência. Os romances arturianos exalam um perturbador perfume de maravilhoso pagão que a posterior cristianização de alguns de seus temas não dissipa totalmente. Eles idealizam um novo tipo de herói, o cavaleiro errante em busca de aventuras, força sobrenatural que, como o amor, o impele a ultrapassar, a dilatar ao máximo os limites do inacessível. Lancelote representa o modelo dessa cavalaria mundana. Nele reúnem-se as virtudes guerreiras dos heróis épicos e os valores corteses dos romances antigos. Esse ideal cavaleiresco, totalmente profano, de moral ambígua, marca profundamente as mentalidades dos escritores da Idade Média, de Chrétien de Troyes a Froissart.

Evidentemente, a Igreja opõe-se-lhe e condena-o. Mas é tal a aceitação desses romances pelo público, aristocrático ou não, que seria impossível refrear semelhante torrente; melhor tentar revertê-la. Assiste-se, então, à cristianização da maior parte dos temas arturianos. É assim que o Graal, profano no início, ganha cores religiosas, e que sua demanda se reveste de sentido eucarístico. Galaaz, piedoso, místico e puro, encarna a cavalaria "celestial", cuja imagem a Igreja tenta impor à cavalaria "terrena" de Alexandre, Lancelote e Percival.

Ao mesmo tempo, começa a idealização da Cruzada e o ciclo épico de Godofredo de Bulhão populariza seu herói, o cavaleiro cruzado. Em meados do século XIII, o tema dos "Novos Bravos" faculta a elaboração de uma espécie de história santa da cavalaria, que, através da Antiguidade e de seus modelos (Heitor, Alexandre, César), liga os heróis da cavalaria cristã (Artur, Carlos Magno e Godofredo de Bulhão) aos da cavalaria bíblica (Josué, Davi e Judas Macabeu).

Trata-se de uma tentativa de recuperação ideológica. Ao longo da sua história, a cavalaria não deixou de venerar valores que a Igreja oficial condenava. Esta podia, sem dúvida, aprovar a fidelidade vassálica ou monárquica, as virtudes do companheirismo, a exaltação da coragem moral e física dos guerreiros cristãos colocando a espada a serviço da pátria e da Cristandade. Mas a essas virtudes sempre se misturaram aspectos mais aristocráticos,

Cavalaria

mais claramente profanos, como a busca exacerbada da façanha guerreira, a preocupação com a glória e o nome, o sentido excessivo de honra e linhagem facultando a *faide*, a vingança, os costumes mundanos da cortesia, sua exaltação do amor como valor supremo, seu desprezo pelo casamento etc. A própria liberalidade era ambígua. Aliás, ela é antes uma virtude aristocrática que cavaleiresca: a nobreza proporciona jantares, oferece torneios e festas suntuosas, cede cavalos e armas, ouro e prata, vestimentas e tecidos preciosos. Contrariamente à burguesia "cúpida", que acumula, a nobreza dilapida, resplandece. Ela redistribui as riquezas, mas os cavaleiros são, na verdade, os primeiros, mesmo os únicos beneficiários das generosidades ostentatórias. Porque generosidade não é caridade, e dádiva não é esmola.

Todos esses valores profanos, aristocráticos e mundanos misturam-se ao ideal de luta pela fé cristã ou de proteção das igrejas, das viúvas e dos órfãos, que a Igreja tentava havia muito tempo imputar à cavalaria como sua missão particular, transferida dos reis. Sem recusá-la, a cavalaria, do século XI ao XIV, fabricou uma ideologia muito mais complexa, multiforme, cambiante e fascinante.

JEAN FLORI
Tradução de Lênia Márcia Mongelli

Ver também

Feudalismo – Guerra e cruzada – Jerusalém e as cruzadas – Nobreza – Senhorio

Orientação bibliográfica

BUMKE, Joachim. *The Concept of Knighthood in the Middle Ages* [1964]. Tradução inglesa. Nova York: AMS Press, 1982.

CARDINI, Franco. *Alle radici della cavalleria medievale*. Florença: La Nuova Italia, 1982.

CHÊNERIE, Marie-Luce. *Le Chevalier errant dans les romans arthuriens vers des XIIe et XIIIe siècles*. Genebra: Droz, 1986.

DUBY, Georges. *As três ordens ou o imaginário do feudalismo* [1978]. Tradução portuguesa. Lisboa: Estampa, 1982.

Dicionário analítico do Ocidente medieval

DUBY, Georges. *A sociedade cavaleiresca* [1988]. Tradução brasileira. São Paulo: Martins Fontes, 1989.

_____. *Guilherme Marechal ou o melhor cavaleiro do mundo* [1984]. Tradução brasileira. São Paulo: Graal, 1987.

FLORI, Jean. *L'Idéologie du glaive, préhistoire de la chevalerie.* Genebra: Droz, 1983.

_____. *L'Essor de la chevalerie (XIᵉ-XIIIᵉ siècles).* Genebra: Droz, 1986.

_____. *La Chevalerie.* Paris: Jean-Paul Gisserot, 1998.

_____. *Chevaliers et chevalerie au Moyen Âge.* Paris: Hachette, 1998.

_____. *Croisade et chevalerie.* Bruxelas: De Boeck-Université, 1998.

GAUTIER, Léon. *La Chevalerie.* Paris: Ancien Maison Quantin, 1884. (Ainda indispensável.)

KEEN, Maurice. *Chivalry.* Londres: Yale University Press, 1984.

PARISSE, Michel. *Noblesse et chevalerie en Lorraine médiévale.* Nancy: Service des Publications de l'Université, 1982.

RUIZ DOMENEC, Jose Enrique. *La caballeria, o la imagen cortesana del mundo.* Gênova: Università di Genova, 1984.

STANESCO, Michel. *Jeux d'errance du chevalier médiéval*: aspects ludiques de la fonction guerrière dans la litérature du Moyen Âge flamboyant. Leyde: Brill, 1988.

Centro/periferia

A história desenrola-se sempre nos lugares, no espaço. Tanto quanto às datas e aos tempos, o historiador deve estar atento a essa característica fundamental da história.

Mas o espaço não é um continente inerte, mais ou menos valorizado, mais ou menos orientado; é mais do que um quadro, é diferente de um quadro no qual a história se desenrolaria em relativa independência. O espaço produz a história tanto quanto é modificado e construído por ela. Entre os elementos espaciais que estruturam a evolução dos conjuntos históricos, nada há de mais revelador dessa interação e dessas transformações que a relação entre centro(s) e periferia(s), e a observação de sua evolução dentro de seus limites.

Uma sociedade, uma civilização, tem seus limites, é um todo. Uma periferia na Idade Média é uma história de ocupação e exploração do solo, portanto de demografia e de economia, de urbanização, de sistema social e político: em situações-limite, feudalismo e Estado. É uma história militar: conquista e defesa são os elementos essenciais do fenômeno periférico; uma história tecnológica: a introdução, o encontro, a combinação das técnicas militares, agrícolas e artesanais são aspectos capitais das situações periféricas; uma história da religião: a conversão é um elemento fundamental, a criação de bispados, as formas de evangelização, o comportamento das ordens religiosas, as práticas litúrgicas; uma história da cultura: confluên-

Dicionário analítico do Ocidente medieval

cia da escrita e da oralidade dos repertórios artísticos, difusão de estilos; uma história dos costumes: encontro de hábitos vestimentares e alimentares (que se tornam, na periferia, a Europa do vinho e da cerveja, a Europa das gorduras vegetais e das gorduras animais?); uma história, enfim, do imaginário: há um lugar que mais faça sonhar que um limite, uma frente, um horizonte, uma fronteira?

Numa perspectiva de "antropologia territorial", a história das relações segundo as realidades concretas e as representações entre centro e periferia na Idade Média abarca todo o campo histórico e geográfico da sociedade do Ocidente medieval.

As relações centro/periferia podem, como em todos os outros períodos, exprimir-se por movimentos centrípetos e/ou centrífugos. Durante a maior parte da Idade Média, o essencial desses movimentos é centrífugo. Das regiões centrais há mais tempo romanizadas e cristianizadas, eles partem em direção às periferias. Mas, durante o primeiro período, do século V ao X, o principal movimento foi centrípeto, designado pelos termos "invasão", "deslocamento de povos" ou "migrações". As periferias penetram em direção ao centro. Essas migrações, vindas de periferias próximas ou longínquas, foram complexas. A instalação dos francos na Gália, por exemplo, situa-se num longo processo de aculturação recíproca entre francos e galo-romanos, iniciado no século II e só encerrado por volta do século VII. Aculturação bem-sucedida, apesar das fases de violência, guerras e destruição, uma vez que ela acaba em uma verdadeira fusão entre as duas populações, sob o impulso da Igreja, dos chefes bárbaros e das elites sociais eclesiásticas e laicas. As periferias não evoluem apenas de forma brutal por meio de invasões mais ou menos repentinas e maciças, mas são constituídas de infiltrações de longa duração.

Uma periferia revelou-se de particular importância, a periferia oriental. Não somente porque ela é um objeto de desenvolvimentos e de confrontos especialmente fortes entre germanos e bálticos, germanos e eslavos, germanos e húngaros, mas porque foi a mais aberta, a que acabou por fim por colidir com a periferia de dois outros conjuntos de sociedades e de duas civilizações que a bloquearam. Um primeiro contato negativo aprofundou, no coração da Europa, uma cisão fundamental que ainda hoje é uma linha divisória interna capital, aquela que separa a Europa marcada pela Cristandade latina daquela marcada pela Cristandade grega, a Europa de Roma e a de Bizâncio. Ela acentuou a fronteira entre a parte ocidental e a parte oriental do Império Romano. Do lado de cá, na Cristandade latina, a Polônia, o Estado tcheco e a Eslováquia (a grande aposta da missão de Cirilo e Metódio), a Hungria, a Eslovênia e a Croácia; do lado de lá, as regiões ocidentais do antigo império russo e soviético, e a própria Rússia, a Romênia, a Bulgária, a Sérvia, a Macedônia e a Grécia.

O outro choque foi com o Islã. Ele compreendeu dois aspectos. Um foi o retorno para os territórios cristãos, impulsionado pelo centro, de uma periferia mediterrânea conquistada pelos muçulmanos nos séculos VII e VIII, ao passo que a periferia da África do Norte, a periferia de Agostinho, tão importante nos primeiros séculos do cristianismo, era definitivamente perdida. Essa periferia meridional, incluindo a Itália do Sul, a Sicília e a Península Ibérica, foi objeto de uma reconquista particularmente ativa e vitoriosa na Península Ibérica nos séculos XI e XII (a *Reconquista* propriamente dita) e completada pela tomada total do reino muçulmano de Granada em 1492. Ela permaneceu uma periferia de um tipo especial. Em compensação, a conquista de uma periferia longínqua de além-mar, a Terra Santa de Jerusalém, nos séculos XII e XIII, encerrou-se com uma reconquista muçulmana.

Não se deve esquecer uma Europa periférica interior com o seu universo de florestas e pântanos, as periferias em volta de cada cidade, de quase cada aldeia, de cada mosteiro, de cada castelo.

Realidades e conceitos: centro, periferia, fronteira

Estamos acostumados a considerar que o sistema centro/periferia, ao menos no Ocidente, e mais especificamente na Europa, é um eixo essencial da estrutura e do funcionamento no espaço das economias, das sociedades, das civilizações. Como era isso na Idade Média?

Immanuel Wallerstein e Fernand Braudel estimaram que tal sistema só existiu e funcionou plenamente a partir do século XV, e sobretudo nos séculos XVI e XVII com o início do capitalismo e da economia-mundo. "O centro, 'o coração', reúne tudo o que existe de mais avançado e de mais diversificado. O círculo seguinte só tem uma parte dessas vantagens, ainda que delas participe: é a zona dos 'segundos brilhantes'. A imensa periferia, com seus povoamentos pouco densos, é, ao contrário, o arcaísmo, o atraso, a exploração fácil pelo outro" (F. Braudel).

Essa definição, além do fato de ser demasiadamente econômica, não se aplica à Cristandade medieval sem importantes correções. A noção de centro e a oposição centro/periferia são menos decisivos que outros sistemas de orientação espacial. A principal é aquela que opõe o baixo ao alto, quer dizer, o Aqui, esse "mundo" imperfeito e marcado pelo Pecado Original, terra dos homens pecadores, ao Céu, moradia de Deus. O paradoxo, retomado por Pascal ao definir Deus como uma esfera cujo centro se encontra em todos os lugares e a circunferência em nenhum, não aparece antes de São Boaventura no século XIII, no *Itinerarium mentis*. Para a humanidade medieval, para os teólogos, Deus não está no centro, está acima dele. O movimento mais proveitoso para o homem não é aquele que lhe permite chegar ao centro, mas aquele que, especialmente por meio da prece, eleva-o em direção a Deus e o faz atingir sua salvação, que se situa no Paraíso celeste. O Inferno, em compensação, está embaixo.

Para os intelectuais cristãos, o centro é, em primeiro lugar, uma noção principalmente geométrica – Santo Agostinho lembra até que o termo provém dos geômetras gregos, e ele só o emprega de maneira metafórica, numa perspectiva antropomórfica, notando que o corpo humano tem dois centros que o governam por inteiro: o cérebro, por intermédio da coluna vertebral e dos sentidos, e o coração, que distribui o "movimento vital" para todas as partes do corpo e os membros. Esses centros asseguram assim ao corpo uma unidade (*unitas*) que se reencontrará numa concepção unitária do corpo social e místico da Cristandade, que religará centro e periferias, estas últimas constituídas no corpo humano pelos órgãos terminais – em particular os olhos, para Santo Agostinho. Assim, as periferias serão as janelas da Cristandade para o exterior.

Isidoro de Sevilha retoma a concepção de centro atribuída aos geômetras e a aplica ao universo, no centro do qual se encontra a Terra, no que a Idade Média vai acreditar até Copérnico e Galileu. Isidoro liga a essa visão o problema dos antípodas, cuja existência e natureza serão objeto de acirradas discussões na Idade Média. Mas, enquanto Isidoro, numa perspectiva geométrica, considera o centro como um ponto, para os homens da Idade Média, "o centro não é um ponto, mas um lugar mais ou menos vasto, por oposição ao qual se definem periferia e descentralização" (P. Zumthor). De modo geral, a Idade Média não ordenou o espaço em volta de pontos e de linhas, mas em torno de lugares, de zonas, de territórios sem fronteiras precisas.

Esse caráter mais ou menos extensivo do espaço é confirmado pelos mapas medievais, que não atendem às mesmas necessidades e não dependerão da mesma utensilagem intelectual que terão, mais tarde, os geógrafos e os homens que utilizarão seus mapas. Pode-se dizer que não existiu uma cartografia propriamente dita – segundo os critérios atuais – antes dos séculos XVII e XVIII.

O intelectual medieval que, sem dúvida, remanejou profundamente a noção de centro foi Raimundo Lúlio, ao final do século XIII. Ele faz do centro o organizador do movimento do universo, da Terra, dos corpos e das coisas. Lúlio afirmou uma centralidade geral, ultrapassando o mundo e os seres, tendo Cristo de certa forma se transformado pela Encarnação em centro do universo. Essa tendência para uma centralidade generalizada se encontrará na evolução política da Idade Média do século XIII ao XV.

A dificuldade em pensar e representar o centro foi acentuada por certas características essenciais da Cristandade medieval, que possui dois centros fundamentais, históricos, religiosos e ideológicos: Roma e Jerusalém. Ora, todos os dois são excêntricos, o primeiro no espaço geográfico real da Cristandade, o segundo sendo-lhe até exterior. Roma, centro do Império Romano – do qual a Cristandade medieval foi a herdeira e o berço da Igreja cristã sobre os túmulos de Pedro e Paulo –, foi reforçada como centro com a afirmação do papado como a instituição mais central e centralizadora da Cristandade e como lugar de coroação do imperador, o personagem laico – pelo menos em tese – mais central dessa mesma Cristandade. Roma, destinação de um grande movimento centrípeto, notadamente por causa das peregrinações dos clérigos e dos leigos, sofreu, contudo, além da turbulência do povo romano, por sua situação geográfica excêntrica. Quando,

Dicionário analítico do Ocidente medieval

no século XIV, como resultado das circunstâncias políticas, o papado se instala em um lugar geograficamente mais central da Cristandade, Avignon, essa descentralização/recentralização não perdurará. O centro tradicional, Roma, triunfará sobre o centro ocasional e essencialmente geográfico de Avignon. Um verdadeiro centro deve se beneficiar de uma aura histórica e imaginária valorizadora.

Jerusalém, em compensação, cuja centralidade foi afirmada durante uma grande parte da Idade Média pela sua localização no centro de numerosos mapas (que, paradoxalmente, não ordenavam em geral em volta dela as outras regiões terrestres figuradas e nomeadas), não resistiu à consolidação da Cristandade dentro de suas fronteiras europeias e à reconquista de seu espaço pelos muçulmanos. Jerusalém sobreviveu à tomada de São João d'Acre, em 1292, unicamente como centro imaginário no seio do mito da Cruzada.

Entretanto, a noção de centro geograficamente encarnado fazia progressos na Cristandade. Os geógrafos da época carolíngia "refletiram, por suas preocupações específicas, o deslocamento do centro de gravidade da Europa [do Mediterrâneo] rumo ao norte" (P. Gautier Dalché). A Europa carolíngia (Gália, Germânia, Itália do Norte, às quais é preciso acrescentar, a partir da conquista normanda do fim do século XI, a Inglaterra), teria constituído a Cristandade central que difundiu seus modelos em direção às periferias cristãs. Se a primazia dessas regiões existiu, não foi, em todo caso, pensada pelos cristãos da Idade Média como sendo aquele centro.

Dois exemplos, nos séculos XIII-XV, testemunham um interesse crescente pela noção de centralidade na Cristandade. A partir da confederação primitiva de três "cantões", a Suíça foi, pouco a pouco, considerada como o centro da Europa, englobando os Alpes, ao mesmo tempo "montanha sagrada limítrofe e central", e o conjunto do Gotardo e dos três rios que dele procedem: o Reno, o Danúbio e o Ródano. Um texto do século XV afirma que "as terras dos confederados são o ponto comum da divisão da Europa", que "elas são o coração e o ponto central dela".

O pedagogo milanês Bonvesino de la Riva (segunda metade do século XIII) na obra em que descreve e louva as grandezas e maravilhas de sua cidade, sublinha que a letra O está no centro do próprio nome de Milão

(Mediolanum). "Nossa cidade é de fato literalmente redonda, linda e mais perfeita que as outras cidades." Milão é um centro.

O mais importante para a compreensão da organização e da representação do espaço na Idade Média é que elas não são regidas por um só centro, mas por um policentrismo, uma multiplicidade e uma diversidade de centros, e que o espaço, mesmo se ele constitui uma *unidade*, não é contínuo, mas descontínuo. "Na Europa feudal, o espaço não era concebido como contínuo e homogêneo, mas como descontínuo e heterogêneo, no sentido de que ele era, em cada lugar, polarizado (certos pontos sendo valorizados, sacralizados em relação a outros, percebidos – a partir dos primeiros e em relação a eles – como negativos). Inúmeros processos e marcadores sociais estavam em ação para singularizar cada ponto e se opor a qualquer possibilidade de equivalência ou de permutação" (A. Guerreau).

Os principais centros secundários e singulares são as cidades, os lugares consagrados, em especial os mosteiros, as igrejas que guardam os corpos e as relíquias de santos – os santos também são grandes instrumentos de organização do espaço –, os castelos podendo ser demarcadores de linhagens, as aldeias e as paróquias.

Nos séculos X-XI, a aldeia nascente traz o que faltava nas casas camponesas anteriores, "um estatuto jurídico, um papel no centro de uma área e que lhe assegura a duração: a igreja, o cemitério, o castelo" (R. Fossier).

Na mesma época (séculos X-XII), o elemento essencial do feudalismo, o senhorio, constitui-se no decurso de um processo de concentração em torno de um centro, o *castrum*, o castelo (o *incastellamento* de P. Toubert, o *encellulement* de R. Fossier).

Encontra-se esse policentrismo no interior desses centros por excelência que são as cidades. Se, em razão da importância da atividade econômica e das novas instituições políticas, a cidade medieval tem a tendência a atribuir um papel de centro ao mercado e à praça pública, ela se organiza em torno de diversos centros, ou melhor, de polos: catedrais, mosteiros, igrejas das Ordens Mendicantes a partir do século XIII, portas – lugar de funcionamento do outro sistema espacial fundamental com a oposição alto/baixo, aquela entre interior e exterior – e sobretudo burgos (ou subúrbios) e bairros, divisão que prevalecerá nas cidades italianas.

Num nível que ultrapassa o do espaço interior urbano, a Itália é o teatro de um policentrismo que, no domínio da arte, Enrico Castelnuovo e Carlo Ginzburg bem destacaram: "Para um estudo do complexo centro/periferia na área artística, a Itália aparece como uma região privilegiada. [...] Repensar a fisionomia da produção italiana do ponto de vista das relações entre centro e periferia significa então repensar inteiramente a história da Itália".

A multiplicidade dos centros criou redes cujos centros são nós. Daí a importância da estrada, do caminho que os liga. O homem medieval, mais que pelo mito do "servo preso à gleba" é representado pelo homem itinerante, o homem na estrada (*in via*), de quem o peregrino é apenas a mais espetacular ilustração. A estrada é o instrumento de base da dinâmica do sistema espacial medieval.

"Fronteira"

Se dos centros nos dirigimos para as periferias ao longo dessa vias, defrontamo-nos com a realidade e com a noção essencial de fronteira. Os homens da Idade Média não a conheciam através desse conceito moderno. A noção de limite, de confins, exprimiu realidades vagas e móveis, bem diferente do *limes* romano ou da Muralha da China. O modelo de "fronteira" estabelecido para a conquista do Far West americano não é válido para a Europa medieval, nem mesmo para a *Reconquista* ibérica. Não houve uma fronteira só de *Reconquista,* mas uma série de fronteiras variando de uma zona para a outra, em condições diferentes das do Far West.

Apenas duas características verdadeiramente comuns aparecem na história das fronteiras medievais. A primeira é que elas se situam dentro do quadro do grande desenvolvimento do Ocidente dos séculos X a XIII. A segunda refere-se ao fato de que a ação da Cristandade central nas suas periferias não chegou a uma verdadeira "feudalização" desses territórios de fronteira, nem nas terras célticas ao noroeste da Europa, nem na Escandinávia, nem na Europa eslava e húngara do centro e do leste da Europa, nem mesmo na Europa meridional, na Itália do Sul e na Sicília (apesar dos normandos e de Frederico II) ou na Península Ibérica.

Centro/periferia

A história da Cristandade central avançando sobre suas periferias por meio de missões ou conquistas militares começou na época carolíngia pela constituição de "marcas", ao mesmo tempo taludes de proteção e ponto de partida para novas conquistas pacíficas ou guerreiras. Com os Otônidas, a partir de 962, as marcas orientais passaram de periferias de defesa a periferias de conquista. As marcas foram ao mesmo tempo zonas de guerra e de paz. Elas deram lugar a uma manifestação "feudal": a homenagem na marca, prestada nessas regiões pelo vassalo a seu senhor. O fortalecimento do poder real, a constituição de fronteiras "feudais", que são apenas limites administrativos e judiciais, progressivamente puseram fim a elas.

A natureza e a história das fronteiras periféricas da Cristandade são diferentes nas *borders societies* na periferia da Inglaterra, com irlandeses, galeses, escoceses já cristianizados (Frame), na Escandinávia, nas periferias do Leste onde se confrontam alemães e eslavos (Higounet, Schlesinger), eles também cristãos, nas periferias do Mediterrâneo onde a presença, nos reinados cristãos, de numerosos judeus e, sobretudo, de muçulmanos, cria uma situação especial.

Em suma, a melhor definição "da" fronteira medieval parece-me ser aquela de Pierre Toubert: "A fronteira jamais é linear, a não ser por abstração: ela é uma zona. Ela é estática apenas na aparência. Ela é sempre a resultante de um movimento e apenas materializa no espaço um precário estado de equilíbrio [...]. O movimento que cria ou sustenta uma fronteira é constituído pela intervenção de numerosos componentes de diferentes ordens (demográficos, econômicos, linguísticos, religiosos, geopolíticos etc.) [...]. A fronteira nunca é um obstáculo ou uma simples barreira, mas uma membrana viva ou [...] um 'órgão periférico.' [...] A fronteira parece, muitas vezes, produzir, talvez, 'gêneros de vida específicos', como o do 'soldado-camponês'. Ela cria, em todo caso, um estilo de vida cujos caracteres fundamentais são a violência e o desrespeito às normas e aos mecanismos de enquadramento social que prevalecem nas zonas centrais. O mundo da fronteira é assim, por excelência, o do *out law*".

É preciso mencionar à parte as periferias internas da Cristandade: florestas (e charnecas, pântanos, lagos etc.), "fins de mundo" e costas litorâneas com seus aléns periféricos (mar e ilhas).

Transformações

Para os homens que vêm do centro, a periferia é um terreno de apresamento, um campo de conquista. É também um espírito, um desejo de aventura, de experiência, de promoção. A expansão medieval, mesmo que tenha objetivos demográficos, econômicos e políticos, quase sempre tem, de início, objetivos religiosos: a conversão dos pagãos. A difusão de um ensino cristão, a constituição de estruturas eclesiásticas (dioceses, arquidiaconados, paróquias), foram uma preocupação primordial na organização dos novos territórios cristãos nas periferias, fora das fronteiras de partida. Na *Reconquista* ibérica, a paróquia foi a "instituição de fronteira" (R. Burns).

Tais transformações não têm um sentido único. Houve trocas, miscigenações, simbioses. Sobretudo, os próprios modelos de centro importados pelos ocidentais foram transformados na periferia e na integração das periferias. Na Espanha, na segunda metade do século XIII, a obra de Alfonso X, o Sábio, de Castela, é tipicamente uma política de mestiçagem, especialmente cultural. Um cronista húngaro na virada do século XI ao XII, autor do *Libellus de Institutione morum*, compreendeu e exprimiu perfeitamente o interesse pela mestiçagem, resultante da entrada de populações "fronteiriças", internas ou externas, no território mais central: "Quando os imigrantes chegam de diferentes países, trazem consigo diversas linguagens e costumes, diversas habilidades e hábitos militares que ornam e glorificam a monarquia e absorvem as forças exteriores. Um reino de uma só raça e de um só costume é fraco e frágil".

Os agentes dessas transformações não foram, senão secundariamente, os imperadores, os reis, os príncipes (exceto na Península Ibérica), os chefes políticos; os principais foram os clérigos, seculares e regulares (os bispos e arcebispos das dioceses periféricas, os cistercienses e os frades mendicantes), os aristocratas e os próprios camponeses. O personagem essencial é o *locator*, de condição social diversa, verdadeiro empreiteiro da ocupação e da valorização do solo.

A transformação mais espetacular é a vaga de urbanização, branda nas terras célticas e nórdicas, herdeira de uma urbanização anterior nas periferias meridionais. Mas a urbanização oriental que se desenvolve a partir

Centro/periferia

de núcleos pré-urbanos anteriores (*grod*, *brad* eslava), de cidades de *locatio* vizinhas ou de cidades inteiramente novas, em geral só chegam a criar ou a desenvolver pequenas cidades.

Um fenômeno muito importante, nas aldeias como nas cidades, é a aquisição, pelos imigrados, de privilégios, de "liberdades". São especialmente os imigrantes que aproveitam esses privilégios, isto é, os alemães ou os flamengos holandeses e lotaríngios que, com o nome de *Latini*, vão em maior ou menor número, de fins do século XI a meados do século XII, até a Hungria. O estatuto desses imigrantes é o de *hospes* ("hóspedes"), o mesmo que o dos desbravadores e construtores de pôlderes no interior da Cristandade ocidental.

No centro ocidental, a oposição essencial é entre, de um lado, a zona habitada e cultivada, de outro, a floresta-deserto; já no centro e no leste, cidade e campo são contíguos: as muralhas de pedra só aparecem no século XIV, no máximo ao final do século XIII.

Essa nova Europa que nasce pela transformação dos modelos ocidentais no centro e no leste, cria uma europeização da paisagem original. Com os imigrantes, chega uma certa feudalização, diferente e menos estável que a do centro ocidental. Tal originalidade pode acarretar que estruturas feudais sejam truncadas ou, ao contrário, sejam hipertrofiadas. Em nenhum lugar se percebe isso melhor que na Polônia, com o inchaço da nobreza e a volta da servidão no centro-leste.

Com os clérigos cristãos produz-se uma aceleração que torna mais rápida e mais forte a penetração da escrita em detrimento da oralidade. Um exemplo extraordinário é o registro escrito das sagas islandesas que dá uma memória ao mundo do Norte.

Uma espetacular transformação da Europa ocidental, vinda da periferia, teve como agentes principais os mercadores: mercadores italianos, mercadores hanseáticos. O que eles trouxeram das periferias mediterrâneas, bálticas e russas, não foram somente especiarias e peles, foi – na Itália, em Flandres, na Hungria de Matias Corvino – o Renascimento. Foi a europeização das margens da Cristandade latina (R. Bartlett).

Já Afonso VI de Leão e Castela (1065-1109) queria "europeizar seus reinos" com o uso comum do culto dos mesmos santos, o emprego dos

Dicionário analítico do Ocidente medieval

mesmos prenomes, da utilização da mesma moeda e leis, de uma burocracia formada por uma mesma experiência universitária. Mais amplamente, é um conjunto de culturas e costumes elaborado a partir das heranças antigas e judaico-cristãs, primeiro nos territórios das antigas regiões do Império Romano, depois, comprovado pela expansão, nas periferias desse mundo. É o "processo de civilização" (N. Elias).

Na periferia mais original nesse sentido, a Península Ibérica, a sociedade cristã posterior à *Reconquista* revelou-se muito diferente não somente do Islã ibérico anterior, mas também da sociedade cristã anterior à *Reconquista*. Ela foi "tecnologicamente mais avançada, intelectualmente mais sofisticada, inflamada por um otimismo agressivo e expansionista. Ela tornou-se o mundo dinâmico das comunas e das corporações, da lei romana e da escolástica, das universidades, da eficácia burocrática e das instituições monárquicas, do nacionalismo nascente, das línguas vernáculas, das técnicas militares 'modernas' e das novas técnicas comerciais, da arte gótica". No domínio da religião, ela acolheu "a centralização pontifícia, as Ordens Mendicantes, os clérigos formados pelas universidades, a Inquisição e as estruturas corporativas aperfeiçoadas dos capítulos das catedrais e dos hospitais". Mas ela sempre manifestou, se não uma grande mansidão para com os judeus, pelo menos uma certa tolerância e um certo respeito para com a organização e os hábitos muçulmanos, muitas vezes mais "civilizados" que os cristãos durante o período precedente.

Durante os últimos séculos da Idade Média, o XIV e o XV, o conjunto da Cristandade conheceu uma importante evolução nos domínios das representações do espaço e das relações centro/periferia. A concepção de fronteira e a prática cartográfica modificaram-se. Houve uma nítida tendência a privilegiar as fronteiras lineares, naturais ou não. Com o aparecimento das cartas náuticas, dos portulanos, que ofereciam uma base mais sólida (com a bússola) para a saída dos cristãos a partir das periferias costeiras da Cristandade, a prática cartográfica mudou profundamente: "Ao invés de o mapa servir de ajuda, muito frequentemente mnemotécnica, à compreensão do texto, e de o desenho ser o comentário do tratado, é ele que suscita a descrição e o comentário" (P. Gaautier Dalché). E "esse novo tipo de representação está baseado na consideração do espaço concreto", conforme a experiência dos navegadores. Enfim, a redescoberta de Ptolomeu no fim do século XIV e início do século XV oferece uma nova moldura à imaginação espacial e lhe confere bases matemáticas. A racionalização e a experiência permitem dominar melhor o espaço.

De outra parte, a constituição do Estado "moderno" centralizado na monarquia e nas cidades-Estados acentuam a centralização do espaço. A França e a Inglaterra assumem o papel de vanguarda nessa evolução. As cidades capitais (Paris, Londres) tornam-se centros cada vez mais preponderantes num território cujas fronteiras são mais precisas. Na França, a monarquia constitui em volta dela uma rede de "boas cidades". Nas cidades-Estados, a cidade principal reúne melhor em volta dela o território periférico (*contado* italiano) e realiza no seu próprio espaço urbano, por instigação do príncipe, um urbanismo organizador de novas centralidades.

Enfrentamentos nas periferias

Às trocas, mestiçagens e simbioses, opõem-se confrontos que muitas vezes assumem formas políticas e militares, entre as quais é necessário distinguir os enfrentamentos entre cristãos, em princípio ilegítimos desde Santo Agostinho, e os entre cristãos e não cristãos, encorajados pela Igreja seja sob a forma mais ou menos pacífica de missão, seja sob a forma em geral guerreira de reconquista ou de Cruzada.

No primeiro caso, as manifestações mais importantes são os enfrentamentos entre ingleses e irlandeses, galeses e escoceses, franceses e bretões, franceses e flamengos, poloneses e cavaleiros teutônicos (vitória polonesa em Grunwald, 1410); no segundo caso, são as missões, ora pacíficas ora militares, visando aos frísios, saxões, eslavos, húngaros — que se inclinam em direção à Cristandade desde o fim do século VIII até as cercanias do ano 1000 — e enfim, do século XIII ao XV, prussianos, cumanos e lituanos, e os confrontos com os bizantinos, na Espanha e especialmente na Itália entre os séculos VII e XI, e sobretudo com o Islã com a reconquista, notadamente dos séculos XI a XIII, da Itália do Sul e da Sicília, e da Península Ibérica, cujo último episódio será a queda definitiva do reino muçulmano de Granada, em 1492. Uma periferia particular é aquela caracteristicamente

Dicionário analítico do Ocidente medieval

complexa dos Bálcãs. Ela é fortemente perturbada nos séculos XIV e XV, em consequência da longa agonia e do desaparecimento, sob os golpes dos turcos, em meio a graves perturbações, do antigo Império Bizantino, "herdeiro da Roma multinacional e ele mesmo articulação de uma infinidade de povos". As estruturas políticas e sociais arcaicas explodem. De um lado, "as nações abortam e fundem-se dentro do novo Império Otomano". De outro, "os povos desorientados pela desaparição de suas referências sociais e culturais tradicionais, começam a se deslocar por pequenas distâncias e depois atravessam o Mar Adriático, dando início a uma longa vaga de emigração eslava, albanesa, grega, em direção à Itália desde Veneza até à Sicília [...]. Essa imigração na Itália chegou [desigualmente], desde o fim do século XIV, a uma notável integração dos estrangeiros" (A. Ducellier).

De outra parte, a Cristandade quer limpar seu centro, purificar seu território de seus marginais, excluídos ou estreitamente vigiados: heréticos sobretudo, judeus, homossexuais, leprosos, sem domicílio fixo, vagabundos.

Sobre dois terrenos menos espetaculares, mas essenciais, também se manifesta um conflito crescente entre os antigos habitantes das periferias e os novos imigrantes: a língua e o direito.

Nas regiões periféricas da Europa centro-oriental, o alemão é cada vez mais favorecido, em detrimento do eslavo, e suscita reações autóctones (eslava e húngara) mais ou menos virulentas. Na Irlanda, desde os séculos XIII- XIV, existe uma hierarquia de línguas: em primeiro lugar o francês (a língua da corte da Inglaterra), depois o inglês e por fim o irlandês.

No domínio do direito, além do problema das línguas nos tribunais, mais geralmente confrontam-se o princípio da personalidade das leis, que fazia julgar cada etnia segundo o seu direito particular, e o princípio da territorialidade das leis, que num mesmo senhorio, principado ou reino, submetia todos os habitantes ao mesmo tipo de direito. Tal princípio poderia ter parecido melhor se o direito aplicado a todos não fosse, na Europa oriental, o direito alemão e, nas ilhas britânicas, o direito inglês.

O imaginário periférico

Para os cristãos do centro, quer dizer, do Oeste, a periferia é um espaço de sonho ou de pesadelo, de admiração e de medo misturados; para

Centro/periferia

os antigos habitantes dessas regiões periféricas, os novos imigrantes são, ao mesmo tempo, modelos a serem imitados, mas também estrangeiros a serem odiados.

A periferia é um espaço de maravilhas e de horrores, de heróis e de monstros. Ela atrai ao máximo os homens da Idade Média; é um mundo do limite, da passagem da cultura à natureza, da transgressão, da transição. Para os doutos, assim como para o povo, as periferias são territórios povoados de mitos e de lendas vindas de longe, da literatura antiga dos *mirabilia* para uns, do folclore para outros.

A periferia é um lugar desértico e selvagem. É o lugar do frio e das trevas nórdicas (L. De Anna). É o país da Última Thulé,[1] das ilhas misteriosas de uma periferia inviolada e quase não tocada. Lá reina um frio intolerável porque, conforme a teoria climática herdada da Antiguidade, o centro é temperado, as periferias horrivelmente frias ou quentes.

Na Alta Idade Média, a floresta ocidental tem duas características principais. Ela é o equivalente ao deserto no Oriente. Esse lugar inculto, que cobre uma superfície considerável da Europa cristã, mesmo no Oeste, é na Cristandade latina um espaço de retiro dos monges solitários, anacoretas individuais, cenobitas coletivos. É um lugar de provações porque é um espaço que suscita o medo.

Largamente desbastadas e reduzidas pelos desmatamentos, a floresta conservou seu duplo caráter de lugar positivo, refúgio dos eremitas, terreno de provações temíveis mas maravilhosas dos cavaleiros errantes, da aventura cavaleiresca, território de exploração econômica dos trabalhadores da floresta, mas também esconderijo de bandidos e foras da lei nem sempre tão simpáticos como Robin Hood, espaço de perigo e de terror.

A Idade Média tinha herdado da Antiguidade a oposição cidade/campo, reforçada pela resistência dos camponeses pagãos (é a mesma palavra),[2]

---

1 Ou seja, a mais distante daquele conjunto de ilhas do extremo norte do mundo conhecido, provavelmente uma das Ilhas Shetland. [HFJ]

2 Le Goff refere-se ao fato de as palavras francesas *paysan* (camponês) e *païen* (pagão) terem provavelmente uma origem comum, derivada do latim clássico *paganus* (habitante do *pagus*, do campo) e sua forma medieval *pagensis*. [HFJ]

Dicionário analítico do Ocidente medieval

mas a oposição maior distingue o espaço habitado e cultivado – cidade, campo – e a floresta, em princípio deserta e inculta. Entre os dois, uma zona intermediária de atração e repulsão – limite da floresta e espaço de cultura temporária e itinerante, território dos animais que a deixam seja para a rapina no espaço habitado e cultivado, seja para o refúgio na floresta. É o domínio de Renart. Essa divisão opõe a civilização de um lado, a selvageria do outro, retomando, conforme uma nova distribuição espacial e humana, a antiga oposição cidade-campo. A floresta é o espaço da barbárie. No *Yvain*, de Chrétien de Troyes, o herói enlouquecido foge para a floresta, torna-se selvagem, vive nu e come cru. É o mundo do selvagem, que se veste não com peliças e sim com peles (virar o pelo para dentro da roupa é um grande gesto de civilização), onde não se bebe vinho, onde não se come pão.

Os "fins de mundo" da Cristandade, através de sua dupla imagem de selvageria e de maravilha, definitivamente apresentam um caráter sagrado. Quando o medo em relação a eles predomina, isso dá aos homens da Idade Média, leitores e ouvintes do livro do Apocalipse, a imagem terrificante dos temíveis povos de Gog e Magog, relegados por Cristo atrás das muralhas na extremidade norte-oriental da Ásia e que Satã libertará ao final dos tempos para serem conduzidos pelo Anticristo contra os cristãos do Ocidente. Estes acreditaram, no século XIII, que as hostes dos mongóis nas suas grandes conquistas no Oeste eram os povos anunciadores do fim do mundo.

A Irlanda é o caso de uma periferia onde se opõem os cristãos "periféricos", os irlandeses, e os cristãos "centrais", os ingleses. Ela é um desses "fins de mundo", *"finistères"* onde se combinam barbárie e maravilhas; os habitantes, como os bascos ou os bretões, são selvagens de que os cristãos centrais debocham, mas dos quais têm medo, e que os espantam.

Outra periferia particular é a costa litorânea, zona ambivalente de contato com um exterior original, o mar e, adiante dele, o além-mar, base de partida para conquistas longínquas e para os ganhos dos mercadores, mas também porta aberta para os piratas (assim aparecem os normandos em suas razias, nos séculos VIII e IX, depois os muçulmanos apresadores de escravos cristãos), para os conquistadores estrangeiros, para as epidemias (a peste, nos séculos VI e XIV, chega pelo Mar Negro e pelo Mar Mediterrâneo). São Luís, no navio que o leva para Chipre e o Egito, assustou-se com a barbárie e a impiedade dos próprios marinheiros cristãos.

Mas podem-se inverter as imagens refletidas pela periferia para os centros. Assim, os eslavos consideram os alemães como perfeitos bárbaros, sempre caracterizados pelos gritos, pelas onomatopeias que soltam no lugar de palavras. São homens que não sabem falar.

As periferias são um lugar de maravilhas temíveis, mas desejadas. Não é num "fim do mundo" que se estabelece, no século IX, a maior, a mais brilhante – juntamente com Roma – das peregrinações no interior da Cristandade, a de Santiago de Compostela? Os reis que fizeram os povos periféricos ingressar na Cristandade não são heróis, santos? Olavo da Noruega, Érico da Suécia, Estêvão da Hungria, são santos reis periféricos. Citemos ainda a notável série de santos periféricos: Edvige da Silésia e Polônia, Isabel e Margarida da Hungria, Brígida da Suécia.

Lugares, objetos mágicos pagãos, monstros abatidos, fornecem para os Estados periféricos que entram na Cristandade os símbolos, lendas e mitos de origem: a pedra escocesa de Scone colocada sob o trono dos soberanos ingleses em Westminster no século XIII, rochedos de Vysehrad em Praga, de Buda em Budapest, dragão Krakus do Wawel em Cracóvia... Na Espanha, a *Reconquista* suscita a eclosão literária de "heróis de fronteira" cristãos, Rolando e sobretudo o Cid.

No coração da própria Cristandade, periferias sociais temíveis se estabelecem nas cidades, ameaçando os ricos, os poderosos e a ordem. É o caso dos marginais parisienses (B. Geremek) ou dos trabalhadores de Florença, sobretudo na indústria têxtil. Havia no século XIV duas Florenças: um centro de elite e uma periferia de trabalhadores, pobres e migrantes. O poder comunal, nas mãos dos ricos mercadores das grandes corporações, mandou construir para as famílias de florentinos trabalhadores e pobres verdadeiros "HLM"[3] na periferia da cidade. E foi a poderosa revolta dos Ciompi, em 1378, que a elite do centro acabou por impiedosamente reprimir (A. Stella).

---

3 Sigla de *habitation à loyer modéré*, ou seja, moradia de aluguel barato, apartamento de grandes edifícios construídos pelo governo francês nas periferias das cidades para as famílias de baixa renda. [HFJ]

No final da Idade Média (do século XIII ao XV) desenvolveu-se na margem dos livros, miniaturas, obras de arte, monumentos, uma arte marginal correspondendo às margens sociais e ideológicas da época. Essas periferias da arte entram na oposição histórica entre centro e periferia, entre "alta" e "baixa" cultura. A oposição fascinação/rejeição, maravilhas/horrores é reencontrada aqui. É o século XIII que conhece uma verdadeira explosão dessa arte marginal onde, após os monstros românicos excomungados por São Bernardo no século XII, exprimem-se as ligações entre marginalidade e arte gótica.

Essas margens acolhem os produtos de leituras obscenas dos textos sagrados, a fantasia grotesca das gárgulas e das esculturas das misericórdias sobre as quais os monges e os cônegos se sentam, exibição de goelas e nádegas, escatologia das margens do amor cortês, personagens e cenas do carnaval e do charivari, evidência dos ridículos e dos escândalos do centro em favor da ambiguidade periférica. Espaço de exclusão, a margem periférica é também um espaço de refúgio e liberdade. A Renascença põe fim à liberdade periférica medieval.

Jacques Le Goff
Tradução de Flavio de Campos

Ver também

Bizâncio e o Ocidente – Corte – Deus – Heresia – Igreja e papado – Islã – Marginais – Ordem(ns) – Roma – Símbolo – Universo

Orientação bibliográfica

AYLMER, Gérald E. Centre et périphérie: définition des élites du pouvoir. In: REINHARD, W. *Les Élites du pouvoir et la construction de l'État en Europe*. Paris: Presses Universitaires de France, 1996.

BARTLETT, Robert. *The Making of Europe*: Conquest, Colonization and Cultural Change (950-1350). Londres: BCA, 1993.

_____; MacKAY, Angus. *Medieval Frontiers*. Oxford: Clarendon, 1989.

BOIVIN, Jeanne-Marie. *L'Irlande au Moyen Âge*. Paris: Champion-Slatkine, 1993.

BURNS, Robert I. *The Crusader Kingdom of Valencia*: Reconstruction on a XIIIth Century Frontier. Cambridge (Mass.): Harvard University Press, 1967. 2v.

CAMILLE, Michael. *Images dans les marges*: aux limites de l'art médiéval [1992]. Tradução francesa. Paris: Gallimard, 1997.

CASTELNUOVO, Enrico; GINZBURG, Carlo. Centro e periferia. In: *Storia dell'arte italiana*, Turim: Einaudi, 1979. p.285-352. t.I.

CHAMPION, Thimoty C. (ed.). *Centre and Periphery*: Comparative Studies in Archeology. Londres e Nova York: Routledge, 1995.

DE ANNA, Luigi. *Il mito del Nord*: tradizioni classiche e medievali. Nápoles: Liguori, 1994.

DUCELLIER, Alain et al. *Les Chemins de l'exil*: bouleversements de l'Est européen et migrations vers l'Ouest à la fin du Moyen Âge. Paris: A. Colin, 1992.

EDBURY, Peter. *The Kingdom of Cyprus and the Croisades.* Cambridge: Cambridge University Press, 1991.

FRAME, Robin. *The Political Development of the British Isles, 1100-1400*. Oxford: Oxford University Press, 1990.

GUERREAU, Alain. Organisation et contrôle de l'espace: les rapports de l'État et de l'Église à la fin du Moyen Âge. In: GENET, Jean-Philippe; VINCENT, Bernard (eds.). *État et Église dans la genèse de l'État moderne*. Madri: Casa de Velázquez, 1986. p.273-8.

_____. Quelques caractères spécifiques de l'espace féodal européen. In: BULST, Neithard; DESCIMON, Robert; GUERREAU, Alain. *L'État ou le Roi*: les fondations da la modernité monarchique en France (XIVᵉ-XVIIᵉ siècle). Paris: Editions de la Maison des Sciences de l'Homme, 1996. p.83-101.

_____. Le champ sémantique de l'espace dans la *Vita* de Saint Maïeul (Cluny, début du XIᵉ siècle). *Journal des Savants*, Paris, p.363-419, 1997.

HIGOUNET, Charles. *Les Allemands en Europe centrale et orientale au Moyen Âge.* Paris: Aubier, 1989.

KLANICZAY, Gábor. *The Uses of Supernatural Power.* cap.III: Religious Movements and Christian Culture: a Pattern of Centripetal and Centrifugal Orientations. Cambridge e Oxford: Polity, 1990.

LE GOFF, Jacques. O deserto-floresta no Ocidente medieval. In: *O imaginário medieval* [1985]. Tradução portuguesa. Lisboa: Estampa,1994. p.83-99.

LEMARINGNIER, Jean-François. *Recherches sur l'hommage en marche et les frontières féodales*. Lille: Bibliothèque Universitaire, 1945.

LEWIS, Archibald R. The Closing of the Mediaeval Frontier (1250-1350). *Speculum*, Cambridge (MA.), p.475-83, 1958

Dicionário analítico do Ocidente medieval

MITRE-FERNANDEZ, Emilio. La Cristianidad medieval y las formulaciones fronterizas. In: _____ et al. (ed.). *Fronteras y fronterizos en la historia*. Valladolid: Universidad de Valladolid, 1997.

MOLLAT DU JOURDIN, Michel. *L'Europe et la mer*. Paris: Seuil, 1993.

MOORE, Robert I. *La persécution*: sa formation en Europe, Xᵉ-XIIIᵉ siècle [1987]. Tradução francesa. Paris: Belles Lettres, 1991.

REES, David. *Lordship and Society in the March of Wales, 1282-1400*. Oxford: Clarendon, 1978.

RONCAYOLO, Marcel. *La Ville et ses territoires*. Paris: Gallimard, 1990.

STELLA, Alessandro. *La Révolte des Ciompi*: les hommes, les lieux, le travail. Paris: Editions de l'École des Hautes Études en Sciences Sociales, 1993.

TOUBERT, Pierre. Frontière et frontières: un objet historique. *Castrum*, Roma e Madri, n.4, 1984. (Frontière et peuplement dans le monde méditerranéen au Moyen Âge.)

VINCENT, Bernard et al. *Les Marginaux et les exclus dans l'histoire*. Paris: UGE, 1979. (Cahiers Jussieu, n.5.)

ZUMTHOR, Paul. *La Mesure du monde*: représentation de l'espace au Moyen Âge. Paris: Seuil, 1993.

Cidade

A cidade medieval, segundo uma ideia que os clérigos da Idade Média tinham retomado dos Pais da Igreja – em particular de Santo Agostinho –, por sua vez tributários dos filósofos gregos e romanos, de Aristóteles e Cícero, não é feita somente de pedras, mas em primeiro lugar de homens, de cidadãos. A história urbana é, antes de tudo, uma história humana, uma história social. A história urbana medieval é resultado da imbricação entre a cidade real e a cidade imaginária, sonhada por seus habitantes e por seus artistas, filósofos e literatos. A percepção por parte dos cidadãos das relações econômicas, sociais e políticas é profundamente marcada pelas imagens e símbolos que lhes são propostos e frequentemente impostos por clérigos, intelectuais, pregadores nos seus sermões, urbanistas, artistas e os comanditários de suas obras. A cidade – e especialmente a cidade medieval – é um lugar teatral. Aliás, é ali que o teatro, esquecido desde a Antiguidade, renasce na Idade Média, saído da Igreja.

Vou me fixar, sobretudo, na fase de desenvolvimento e prosperidade das cidades, entre os séculos X e XIV, depois de ter insistido na ruptura que, na minha opinião, existiu entre a cidade antiga e a cidade medieval. Evocarei, em seguida, a cidade durante a crise da Idade Média nos séculos XIV e XV, da qual emerge a cidade moderna que, até o século XIX, até a Revolução Industrial, conservará muitos traços da cidade medieval. Da mesma forma que a cidade da fase de impulso dos séculos X e XII, a da crise dos

Dicionário analítico do Ocidente medieval

séculos XIV e XV distingue-se de seu contexto espacial, mantendo-se em simbiose e evoluindo com ele, do ponto de vista material (tecnológico e econômico), social, político, religioso, moral e cultural. Quando a cidade se transforma, ela se transforma por inteiro, como um ser vivo.

Continuidade ou ruptura da cidade antiga à cidade medieval?

O mundo antigo greco-romano era um mundo de cidades. Mas desde o século II da era cristã e sobretudo desde a crise do século III, as cidades declinaram. Esse declínio está ligado à ruralização da economia e da sociedade, à diminuição das trocas — sobretudo monetárias — com o Oriente, à crise das instituições municipais e das relações entre poderosos e pobres (*potentes--pauperes*), e se acentua com as destruições provocadas pelas invasões bárbaras. O cristianismo instala-se inicialmente nas cidades, mas as transforma profundamente e ele próprio se ruraliza. Se, no desmoronamento político que se abate também sobre a cidade, o bispo, chefe religioso nela estabelecido, retoma o poder político urbano, a sociedade monástica, mais poderosa na solidão do campo, da montanha e dos vales do que na cidade, acompanha com a ruralização da nobreza a transferência de uma grande parte do poder da cidade para o campo.

As escavações arqueológicas e os estudos históricos recentes permitem matizar o declínio urbano e afirmar "uma vitalidade insuspeita da vida urbana na época romana tardia e nos primeiros séculos da Idade Média" (Colóquio de Paris-X, abr. 1993). Mas, para mim, o essencial está mais na mutação qualitativa que no declínio quantitativo da cidade ocidental.

Marc Bloch havia notado bem isso, posicionando-se do ponto de vista social: "Entre os traços particulares do clima social da Idade Média ocidental, não há nenhum mais característico que a comunidade urbana. Quaisquer que tenham podido ser, nas regiões mediterrâneas, a longa sobrevivência do regime da *pólis*, a cidade medieval, nos seus aspectos realmente típicos, diferia profundamente da cidade antiga. Muito mais genuinamente mercantil e artesanal, ela também estava mais nitidamente separada dos campos das redondezas, dos quais, sem dúvida, necessitava.

Cidade

Ela frequentemente se esforçou para dominá-los ou explorá-los. Mas não, como nas civilizações clássicas, na forma de um centro político e religioso oferecido à aristocracia fundiária de todo o território".

A cidade antiga organizava-se em torno de um conjunto de edifícios e monumentos que desapareceram entre os séculos IV e VII: fórum, templos, pórticos, circo, teatro, estádio, termas. Nos locais onde, como em Reims, o mercado se instalará sobre o antigo fórum, a continuidade topográfica não deve camuflar uma mudança radical de função. Durante muito tempo, as igrejas são os únicos monumentos nas cidades da Alta Idade Média e nas cidades episcopais, onde o bispo e o clero cristão mantêm uma certa vida urbana. A catedral não se situa no lugar de um templo pagão, mas numa nova localização, muitas vezes encostada nas muralhas do Baixo Império.

Em compensação, o cristianismo vai trazer uma extraordinária novidade ao espaço urbano. Ele vai ali alojar os mortos que a Antiguidade afastava da cidade, ao longo das estradas que dela partiam. Essa urbanização dos mortos é acompanhada por uma ampliação das funções do cemitério, lugar de feiras, de festas, de sociabilidade para os vivos durante o longo período no qual eles domesticaram a morte, antes que ela se tornasse terrificante no século XIV. Quando a cidade medieval conserva as ruínas de seus monumentos antigos, pilhados para reutilizar colunas e pedras em outras edificações, elas são apenas um cenário para atividades totalmente diferentes daquelas para as quais tais construções tinham sido destinadas: o dominicano Santo Antônio de Pádua, em 1224, em Limoges, prega para uma imensa multidão que veio escutá-lo na antiga arena.

Quando uma renovação urbana se delineia e se acentua a partir do século X, utiliza os núcleos urbanos antigos onde quer que eles existam – na Itália, na Gália, sobretudo na Espanha –, mas trata-se de uma nova urbanização, diferente da antiga, e quando os povos estabelecidos fora do mundo romano ali entram em diversas vagas do século V ao XI, essa entrada manifesta-se por meio de dois grandes fenômenos: a conversão ao cristianismo e a urbanização. Um importante movimento de fundação de cidades marca, assim, a entrada na Cristandade dos celtas, germanos, escandinavos, húngaros e eslavos. Só a Islândia e a Frísia escapam desse florescimento urbano. Mas o progresso da Cristandade a partir do século X também cria "cidades

Dicionário analítico do Ocidente medieval

novas", testemunhadas ainda hoje pela toponímia. Uma das últimas manifestações desse fenômeno será, no século XIII, a construção de *bastides* de planta quadrangular na França franco-inglesa do Midi occitano.

Nascimento e natureza da cidade medieval

A cidade medieval que se afirma entre os séculos X e XIII, no seio de um dos mais encorpados movimentos de urbanização que a Europa conheceu, suscita três questões essenciais. De onde vem, e o que ela é? Uma vez que não é nem a simples continuidade nem o ressurgimento do fenômeno urbano antigo, quais são as origens desse fenômeno novo e original?

Como ela funciona no seio do sistema feudal? Num mundo de guerreiros e camponeses, baseado na terra e na guerra, qual é o lugar desses citadinos, artesãos e negociantes, que tiram sua subsistência e sua força da transformação das matérias-primas e do dinheiro? É preciso definir as cidades como um pré-capitalismo que iria corroer por dentro a feudalidade ou como um elemento, uma fase do sistema feudal? Existe uma cidade feudal?

Enfim, o que a cidade representa para o cristianismo medieval? O cristianismo, que se implantou inicialmente nas cidades antigas e assimilou os camponeses (*pagam*) aos pagãos, reencontrou-se nas cidades medievais? A cidade episcopal da Alta Idade Média foi a prefiguração, o núcleo, da cidade medieval? Ou o cristianismo do primeiro milênio ruralizou-se a ponto de ter tido dificuldades para se reurbanizar? Ou, ainda, o cristianismo criou, antes do século X, modelos ideológicos ou concretos que constituíram as estruturas que acolheriam o urbanismo medieval? A cidade medieval foi a cidade de Deus? O mosteiro, "cidade refúgio", foi um modelo para a cidade da Idade Média?

A maioria dos grandes medievalistas do século XX interessados pelas cidades medievais insistiu na separação entre a cidade antiga e a cidade medieval, mas eles não estão de acordo nem quanto à época dessa ruptura, nem, sobretudo, sobre as causas da aparição e desenvolvimento das cidades medievais. O belga Henri Pirenne e o francês Maurice Lombard concordaram quanto à grande importância das conquistas árabes que se seguiram, no século VII, ao nascimento do Islã, mas atribuíram a elas consequências

Cidade

opostas para a cidade cristã ocidental. Para Pirenne, o fechamento do Mediterrâneo, resultado das conquistas árabes dos séculos VII e VIII, estancou o grande comércio, a economia monetária e provocou a morte da antiga rede urbana. Quando ocorreu a retomada do século X, foi ou a partir dos subúrbios recém-criados para o renascente comércio, ou a partir de criações *ex nihilo*. Maurice Lombard, por sua parte, tomando posição oposta às teses de Pirenne, atribui a retomada do grande comércio e da circulação monetária à demanda econômica do mundo muçulmano, justamente o estímulo comercial que suscita o nascimento da cidade medieval. Por outro lado, alguns historiadores insistem em afirmar a continuidade urbana entre a Antiguidade e a Idade Média. Adrian Verhulst, por exemplo, assegura que em Bruges, Antuérpia, Gand e Tournai, como em Cambrai ou Arras, a cidade antiga tinha sobrevivido durante a Alta Idade Média e que, a partir do século IX, o renascimento urbano manifestou-se não sob a influência do comércio internacional, mas a partir do alargamento do raio local da atividade econômica dos núcleos pré-urbanos de origem antiga.

Do mesmo modo, colocando a pergunta: "Mercadores ou tecelões?", Charles Verlinden afirma: "A indústria é a causa primeira da transformação demográfica da qual o nascimento e desenvolvimento das cidades flamengas são a consequência. O comércio ali nasceu da indústria, e não o contrário".

De fato, é difícil privilegiar o comércio ou o artesanato mais do que um outro aspecto do novo conjunto econômico que engloba a comercialização do excedente da produção agrícola, o aumento da quantidade dos materiais disponíveis para o artesanato (lã, matérias para tingimento, couro, ferro), a criação de feiras e mercados para as trocas próximas e distantes, os progressos da economia monetária com a cunhagem de moedas e a multiplicação de cambistas que se transformarão pouco a pouco em banqueiros. Mas todo esse conjunto leva ao progresso urbano. E sobretudo o aumento da produção agrícola e o desenvolvimento do artesanato urbano explicam – o que o comércio não pode fazer – o crescimento demográfico, sem o qual dificilmente se teria produzido o grande movimento de povoamento urbano.

Não se deve também, no nascimento da cidade medieval, negligenciar o papel dos lugares estáveis nascidos da vontade de proteger os produtos

Dicionário analítico do Ocidente medieval

do crescimento agrícola da zona rural vizinha, ou os resultados das trocas comerciais. Tais lugares fortificados (*castra*) estiveram – sob impulso ou da aristocracia guerreira, ou dos condes, ou dos reis, ou mesmo algumas vezes de certos mosteiros – na origem de núcleos urbanos, de burgos de onde saíram as cidades. Esse foi especificamente o caso das regiões periféricas que entraram tardiamente na Cristandade, como a Hungria e a Polônia, onde esses núcleos urbanos fortificados foram mais tarde chamados em eslavo de *grod, gorad, grall, brad*, ou *gard*. Mesmo nas regiões há muito tempo cristãs, como a Gália, que viria a se tornar a França, os "burgos fortificados" (Vendôme é um exemplo disso) estiveram na origem de novas cidades, no contexto do progresso econômico, rural, comercial, artesanal (A. Chèdeville). Tal processo ocorreu paulatinamente, na longa duração, mesmo conhecendo uma certa aceleração por volta do ano 1000 e no século XI.

A cidade medieval é, antes de mais nada, uma sociedade da abundância, concentrada num pequeno espaço em meio a vastas regiões pouco povoadas. Em seguida, é um lugar de produção e de trocas, onde se articulam o artesanato e o comércio, sustentados por uma economia monetária. É também o centro de um sistema de valores particular, do qual emerge a prática laboriosa e criativa do trabalho, o gosto pelo negócio e pelo dinheiro, a inclinação para o luxo, o senso da beleza. É ainda um sistema de organização de um espaço fechado com muralhas, onde se penetra por portas e se caminha por ruas e praças, e que é guarnecido por torres. Mas também é um organismo social e político baseado na vizinhança, no qual os mais ricos não formam uma hierarquia e sim um grupo de iguais – sentados lado a lado – que governa uma massa unânime e solidária. Em contraste com o tempo tradicional, enquadrado e ritmado pelos regrados sinos da Igreja, essa sociedade laica urbana conquistou um tempo comunitário, em que sinos laicos indicam a irregularidade das chamadas à revolta, à defesa, à ajuda (J. Rossiaud).

Se a economia foi decisiva na gênese da cidade medieval, o que também a caracterizou foi a criação, lenta, mas sancionada por atos e acontecimentos decisivos, de novas instituições, as instituições urbanas medievais, como bem viu Henri Pirenne. Essas instituições, aliás, frequentemente tiveram como finalidade, ou em todo caso como consequência, permitir ou pro-

Cidade

teger a atividade econômica urbana e reconhecer a importância dos meios econômicos e sociais, que são seus principais atores: artesãos e sobretudo mercadores. Esses atos assumiam a forma de outorga, pelo poder senhorial ou público (conde, rei, bispo) do direito de mercado, de feiras, de supressão de taxas sobre as mercadorias e as trocas. Esse fenômeno foi chamado de "obtenção de franquias" ou de "liberdades urbanas". Seu ponto culminante foi a conquista, pelos citadinos, de uma autonomia institucional e política denominada "comuna". O "movimento comunal", sobre o qual muitas vezes se concentrou a atenção dos historiadores, especialmente os do século XIX, está longe de ter sido geral, e o sistema que ele estabeleceu só pode ser definido como "democrático" por uma ilusão anacrônica. O direito de "burguesia" foi conquistado apenas por uma minoria. A autonomia urbana, muitas vezes, só foi conseguida pelo conjunto dos cidadãos ou por uma parte deles, graças a pressões que podiam ir até a revolta e o emprego da força.

A título de exemplo, em 1070, os habitantes de Mans obtêm do bispo, no meio de uma série de revoltas, uma comuna e uma associação de paz. Em 1073, os habitantes de Laon revoltam-se contra o bispo, trucidam-no e estabelecem uma comuna. Os "costumes" de Lorris, em 1155, foram amplamente copiados nas cidades dos domínios reais franceses. O conde de Toulouse tinha concedido "liberdades" aos habitantes de Toulouse em 1147, o bispo de Béziers, uma "paz jurada" aos habitantes locais, por volta de 1170, o arcebispo de Arles aceitou um consulado e uma constituição municipal na cidade entre 1142 e 1155, o conde de Toulouse permitiu a eleição de cônsules em Nîmes em 1198. Na Inglaterra, Henrique I concedeu "costumes" a Newcastle-upon-Tyne entre 1100 e 1135. Henrique II deu um "privilégio" real a Londres em 1155 e uma carta de franquia para Dublin em 1171-1172. Na Itália, o imperador Frederico Barba-Ruiva, vencido pelas cidades da Liga Lombarda, precisou reconhecer as liberdades delas na paz de Constância (1183). O rei de Aragão, em 1232, outorgou aos habitantes de Barcelona a isenção de todas as taxas sobre mercadorias.

Nas cidades mais ou menos autônomas, ao lado dos mercadores e dos artesãos, firmam-se pessoas dedicadas às leis de todo tipo, especialistas do direito dos quais se beneficiam a cidade e os notários. A escrita triunfa cedo nas cidades.

Dicionário analítico do Ocidente medieval

Nas cidades do norte, os conselhos e assembleias que exercem o poder são formados pelos chamados escabinos e no sul pelos cônsules. Os escabinos foram instalados desde o século XI em Flandres, sob a autoridade de um burgomestre eleito e, nas cidades francesas, de um prefeito.

O caso da Itália é especial. Essa região, a mais urbanizada do Ocidente, marcada por uma certa continuidade com a Antiguidade, onde o poder e a beleza da cidade se afirmam com mais força nos monumentos e no urbanismo, é, por sua vez, um caso-limite e uma exceção.

Yves Renouard distinguiu três fases na evolução das cidades italianas dos séculos X ao XIV: a instalação de uma comuna aristocrática que monopoliza o poder em detrimento do conde e do bispo; o recurso, diante das divisões da aristocracia detentora do poder, a um estrangeiro que não pode estabelecer um poder pessoal, o podestade; o governo dos ofícios e corporações da elite mercantil e artesanal, o "povo graúdo" que enfrenta a crescente contestação dos pequenos.

Vamos nos limitar a alguns exemplos e momentos significativos. Em Pisa, as novas instituições definem-se progressivamente durante o período de 1080-1094, e os cônsules aparecem definitivamente em 1094. Em Gênova, a *Compagna communis*, reagrupando as forças vivas da cidade, designa, a partir de 1099, dez cônsules eleitos por três anos. A comuna surge em Florença em 1138, em Milão entre 1096 e 1118. Em Veneza, a autoridade parece pertencer a um doge eleito vitaliciamente, mas textos de 1172, 1192 e 1229 controlam rigorosamente sua ação e vários doges foram obrigados a se demitir. O verdadeiro poder pertence aos cônsules, e sobretudo, desde meados do século XIII, ao Grande Conselho composto por representantes das seis circunscrições da cidade (*sestieri*) desde 1172, sob o estrito controle de umas vinte famílias. Roma é outro caso ainda mais excepcional. Conflitos incessantes opõem os leigos (nobres e povo) aos imperadores e sobretudo aos papas, que frequentemente tiveram que abandonar a cidade.

Entre os séculos XI e XIV, a cidade medieval, modelada pelas novas atividades, pelos novos grupos dominantes, pelos novos poderes, oferece pouco a pouco uma nova imagem, material e simbólica, que desempenha um grande papel na formação do imaginário urbano. É uma cidade vertical dentro de seus muros, eriçada de campanários de igrejas e de torres de casas ricas e poderosas, uma "Manhattan" que afirma seu poder e se eleva em direção a Deus. O bairro e, mais ainda, a rua são elementos essenciais da paisagem urbana, e a rua delimita um espaço público e um espaço privado. É um permanente canteiro de obras onde se individualizam jardins, cemitérios e pontes.

A cidade, lugar de múltiplas solidariedades, exerce uma função de promoção social, de integração e, cada vez mais no final da Idade Média, também de exclusão, de marginalização. Ela acolhe doentes para os quais constrói hospitais, e também viajantes, peregrinos. Comporta uma multiplicidade de centros, mas em breve um novo lugar torna-se um centro essencial, se não o centro da cidade por excelência: o mercado. Enfim, quando se constitui um governo laico urbano, aparecem novos monumentos, novos "pontos quentes" da cidade: mercados cobertos, prefeitura, torre de vigia. Lá se encontram os instrumentos do novo poder urbano: as balanças, os pesos e medidas, os registros e os cofres com cartas e privilégios, o relógio que ressoa o tempo dos burgueses.

A cidade domina os campos circundantes e um território mais ou menos vasto, além dos subúrbios, ele mesmo mais ou menos extenso, sobre o qual ela exerce maiores ou menores poderes jurídicos, econômicos, políticos.

Cultura e mentalidade urbanas

Graças às canções de gestas e aos romances cortesãos do século XII, podem-se distinguir diversos tipos de comportamento, aliás frequentemente misturados.

O primeiro é o do desprezo e do medo. O beneditino Guiberto de Nogent, no começo do século XII, exclama: "Comuna, palavra nova, palavra detestável!". No *Percival*, de Chrétien de Troyes, a moça nobre que socorre Gauvain lança aos citadinos revoltados que querem formar uma comuna: "Ralé, gentalha enraivecida, gente suja! Que diabos disseram a vocês para vir aqui?".

O segundo é o da cobiça. Longe de desdenhar as cidades, os guerreiros são atraídos pelas suas belezas e suas riquezas. Mas se o fazem é para explorá-las sem mudar seu tipo de vida. As cidades são, para eles, lugares de

Dicionário analítico do Ocidente medieval

cobranças e exações econômicas, de alegria e bases de atividade guerreira: lugares de defesa, centros de organização de torneios, bases de expedições guerreiras. É a cidade-presa, uma mulher a ser conquistada.

No entanto, há também uma idealização. A cidade não é só bela, boa e rica, ela é também o lugar de coabitação harmoniosa entre as classes, especialmente cavaleiros e burgueses, sob a égide do rei. É a utopia social urbana. Ora, com exceção da Itália, onde, para grande escândalo de um Oto de Freising, os nobres estão lado a lado com artesãos e mercadores, os guerreiros mantêm-se afastados das cidades no século XII. Os textos que possuímos sugerem uma oposição fundamental com respeito à residência: as cidades para mercadores e burgueses, os castelos e as florestas para barões e cavaleiros.

Também para outros, clérigos ou intelectuais urbanos, a cidade é maravilhosa. O louvor às cidades torna-se um gênero literário e as cidades adquirem origens míticas. Aos santos padroeiros, acrescentam-se heróis fundadores, a partir do modelo de Rômulo e Remo, fundadores de Roma, amamentados pela loba. Se as maravilhas de Roma, celebradas no século XII pelo mestre Gregório, são maravilhas antigas, as de Milão, louvadas pelo pedagogo Bonvesino de la Riva no século III, são bem modernas, contemporâneas.

Na ordem das representações, a cidade não ocupa, na Idade Média, o mesmo lugar que na Antiguidade. Se, fisicamente, como pensava Marc Bloch, cidade e campo não estavam rigorosamente separados na Antiguidade, mentalmente a oposição entre elas era muito forte. Do lado da cidade (*urbs*) e de seus habitantes (os *cives*) estavam a cultura, a polidez, as boas maneiras – origem das palavras "urbano", "urbanidade", "civilidade", "civilização". Do lado do campo (*rus*) e de seus habitantes (os *rustici*), a grosseria, a incultura, a selvageria, lembradas nas palavras "rústico", "rusticidade", "*rustre*".[1] O sistema de valores que se liga ao espaço é diferente na Idade Média. Apesar do acentuado desprezo ao camponês, expresso pela palavra "vilão", e do renascimento, sobretudo na Baixa Idade Média, de uma oposição entre "civilidade" (termo que aparece em meados do século XIV)

---

1 Grosseiro, boçal. [N.T.]

Cidade

e "rusticidade" (um pouco mais tardio, em torno de 1380), os confrontos entre valores essenciais são outros. Eles opõem, de um lado, todo o mundo habitado, cultivado e construído, e, do outro, cidades, aldeias, castelos, campos e o universo inculto, o mundo ambíguo e inquietante que os homens da Idade Média chamam às vezes de "deserto", retomando o termo e a ideologia que ele possui no Oriente monástico, deserto que no Ocidente cristão é a "floresta". Diante da ordem feudal ou burguesa, ele é a desordem.

A grande oposição medieval dos sistemas de valores situa-se entre "cortesia" e "vilania". A cidade, como tal, não produz modelos éticos para o conjunto da sociedade. Os burgueses esforçam-se para imitar e assimilar os modelos aristocráticos, para serem probos (*prud'hommes*) e corteses, o que é particularmente verdadeiro na Itália.

Não se deve exagerar, a partir da cidade, a originalidade e a força da burguesia medieval na sociedade feudal. Se é correto dizer que a cidade, pela divisão do trabalho e pelo impulso dado à economia monetária, introduziu no modo de produção feudal um fermento que com o tempo iria destruí-lo, não se deve esquecer que a especialização profissional talvez tenha começado com os *ministeriales* dos grandes domínios dos senhores eclesiásticos e laicos; não se deve esquecer que a "revolução" do moinho atingiu tanto os campos quanto as cidades; que o sistema senhorial sucedeu ao sistema dominial, tão bem adaptado à economia monetária e ao setor urbano; que o essencial sempre repousara na produção agrícola; que o burguês, ao lado dos ganhos mercantis e da especulação imobiliária na cidade, tem como único desejo investir no campo e comprar feudos. Se é verdade que os burgueses abalaram o sistema de valores feudal (hierárquico, guerreiro e perdulário), instaurando uma ordem algo igualitária, sobretudo no século XII e princípios do XIII, ou melhor, uma hierarquia mais horizontal que vertical – adorando o lucro e a contabilidade, aspirando à paz e à segurança, fazendo do espaço urbano um espaço de liberdade (*Stadtluft macht frei*, "o ar da cidade traz a liberdade", diziam os alemães) ou de liberdades, no plural, quer dizer de privilégios –, não é menos verdade que os burgueses completaram o modo de impostos feudal por formas de taxação urbana que se acomodaram muito bem com as relações de produção feudal e se esforçaram para assimilar o sistema de valores cavaleiresco e aristocrático.

Dicionário analítico do Ocidente medieval

Os artistas ligados aos meios nobiliários procuram, por sua vez, no momento em que parece haver um confronto entre a sociedade cavaleiresca e a sociedade burguesa, apagar essa oposição. Nos romances cortesãos, cidade e castelo são muitas vezes sinônimos, por contraposição às terras baixas, aos campos, à floresta.

Não creio que tenha havido um sistema urbano medieval. Mas acredito que houve, no interior do sistema feudal, um fenômeno urbano original, importante, que apresenta características comuns em toda a parte e que, inscrito no espaço e no funcionamento do sistema feudal, estabeleceu uma "rede" urbana.

A originalidade desse fenômeno urbano em nenhum lugar aparece melhor que na área da cultura, apesar do peso dos modelos nobres. Existiu uma cultura urbana medieval. Essa cultura é, evidentemente, tributária do cristianismo. O cristianismo leva para a cidade uma doutrina ambígua. Se há uma teologia da cidade no cristianismo, ela oscila entre a negação e a afirmação. De um lado, Henoc, Sodoma, Babel, Babilônia. Do outro, Jerusalém, a cidade de Deus. Mesmo a Jerusalém terrestre é suspeita. E as relações da Jerusalém celeste com a cidade terrestre refletem toda a ambiguidade da escatologia cristã. Entretanto, do Gênesis ao Apocalipse, a Bíblia manifesta uma crescente urbanização do Além, substituindo o Paraíso, o jardim dos primeiros tempos, pela cidade dos últimos tempos.

Nos rincões do Ocidente, o mosteiro tinha feito surgir um novo modelo urbano. Com efeito, o mosteiro "constituía uma cidade com uma nova concepção: associação, ou melhor, fraternidade de homens com aspirações comuns, reunidos não apenas durante cerimônias ocasionais, mas para uma permanente coabitação" (L. Mumford).

No entanto, mesmo se, como pensa Georges Duby, a arquitetura cisterciense do século XII prefigura a arquitetura urbana da época gótica, é essencialmente contra a cultura monástica que vai se instalar uma cultura urbana nos séculos XII e XIII. De forma mais ampla, a cidade terá que lutar contra as tradições que a Igreja havia adquirido durante a Alta Idade Média, quando ela estava — apesar da rede das cidades episcopais — profundamente ruralizada. Aliás, paradoxalmente, quando a Igreja se aproveitar com atraso do grande desenvolvimento urbano e do espetacular crescimento demográfico das cidades, será para estender até elas uma estrutura rural, a da paróquia, que se multiplica no espaço urbano na virada dos séculos XII e XIII.

Durante o século XII, vê-se a Igreja hesitar e tentar cristianizar a cidade a partir das velhas estruturas desta. A hesitação é marcada pela oscilação entre o louvor às novas Jerusaléns e a condenação às novas Babilônias. A cidade cujo crescimento e renome são mais espetaculares, Paris, é particularmente objeto dessas atitudes contraditórias. São Bernardo acorre gritando para os mestres e estudantes que começam a povoar a Montanha Santa Genoveva: "Fujam do meio da Babilônia, fujam e salvem suas almas. Voltem-se todos juntos para as cidades do recolhimento (isto é, os mosteiros)". O abade Filipe de Harvengt, por outro lado, escreve para um jovem discípulo: "Impelido pelo amor à ciência, você está em Paris, encontrou essa Jerusalém que tantos desejam". E os goliardos, esses estudantes errantes, fazem coro: "Paris, paraíso na terra, rosa do mundo, bálsamo do universo".

A novidade urbana é, sem dúvida, ruidosa na ordem escolar e intelectual. Em face das igrejas monásticas isoladas nos seus rincões rurais ou florestais e de recrutamento nobiliário, as velhas escolas dos capítulos catedralícios e dos mosteiros urbanos tentam inicialmente satisfazer as necessidades que deram origem ao crescimento urbano. No século XII, as escolas episcopais de Laon, e depois de Chartres, de Saint-Victor de Paris e enfim de Notre-Dame de Paris esforçaram-se por adaptar o ensino tradicional da Igreja às novas realidades urbanas. Seu sucesso é efêmero. O movimento leva para as novas escolas urbanas mestres que com frequência receberam apenas as ordens menores, para poder desfrutar dos privilégios de clérigos sem estar sujeitos à disciplina dos padres e dos monges — é o caso de Abelardo. Eles ensinam para estudantes que lhes pagam pelas novas técnicas intelectuais baseadas na dialética, nas *rationes* (razões), e que se formam pela discussão, a *disputatio*, que é o fundamento de um novo método científico, a escolástica. Assim, no canteiro urbano aparece um novo trabalhador, um novo profissional, um mercador de palavras (dizem seus inimigos) ao lado do mercador de bens, que na virada dos séculos XII ao XIII agrupam-se nas novas corporações ou universidades.

No centro dessa nova atividade intelectual estão a troca, função essencial da cidade, e a discussão pública, na qual se distinguem também os heréticos, que sabem utilizar maravilhosamente o novo espaço urbano para organizar seus encontros. No fim do século XII, Estêvão de Tournai, abade de Sainte-Geneviève, que está em posição privilegiada para observar a efervescência escolar, enche-se de indignação: "Violando as constituições sagradas, discutem-se publicamente os mistérios da divindade, a encarnação do Verbo [...]. A indivisível Trindade é cortada e posta em pedaços nas esquinas. Tantos erros quanto doutores, tantos escândalos quanto auditórios, tantas blasfêmias quanto praças públicas".

A praça pública, que não se confunde sempre com o mercado, é realmente o cadinho, o lar da cultura urbana, lugar de trocas, lugar de criação. Isso não é verdadeiro só para a cultura erudita dos clérigos, mas também para a cultura popular dos leigos, que em sua grande maioria são camponeses recentemente urbanizados. Essa cultura é em primeiro lugar cômica, satírica, paródica. Longe do choro silencioso dos monges, das piadas pesadas dos *gabs* senhoriais das quais as canções de gestas e os romances cortesãos nos trouxeram o eco, o riso popular abafado nos campos vem soar nas praças públicas das cidades.

Se a cidade medieval torna-se o lugar de um folclore urbanizado, um espaço de charivaris, de gritos de trabalho, de festas, onde é frequentemente difícil distinguir o eco do campo da criação popular urbana, esse interesse da cidade pelo folclore do campo não foi bem recebido por todos os citadinos. Em fins do século XIII, Adão de la Halle deixa transparecer em *O jogo da folhagem* sua preocupação com a presença provocante, em pleno coração do teatro da cidade, de fadas e da velha bruxa de *Dame Douce*, portadoras de uma cultura selvagem e zombeteira.

Mas, no século XIII, a Igreja encontra a cidade. Primeiro na teologia, na qual a metáfora urbana floresce (é o caso de uma importante passagem da *Suma* de Guilherme de Auvergne, bispo de Paris de 1230 a 1250, em que ele tenta sistematizar os sete sacramentos a partir da imagem da cidade) e na qual São Tomás de Aquino e seus discípulos, a maioria mestres parisienses, emprestam de Aristóteles a sua ideia do homem como "animal político", isto é, urbano. Mas sobretudo no coração do próprio tecido urbano, pois, com a criação das Ordens Mendicantes — ordem de religiosos urbanos que dão as costas para a vida monástica para se instalar nas cidades

Cidade

e cujos conventos, numa rede copiada da rede urbana, logo se tornam um dos "pontos quentes" da cidade –, aparece um novo comportamento religioso e um apostolado especificamente urbano. A partir do final do século XII, os leigos e as mulheres também ingressam na religiosidade urbana e fornecem santos e santas. Foi o caso do mercador Homebon, canonizado em Cremona por Inocente III, em 1199. Na Itália central, as santas urbanas são cada vez mais numerosas nos séculos XIII e XIV, como Miquelina de Pesaro, terciária franciscana morta em 1356, venerada pela família senhorial dos Malatesta, por famílias de notáveis da cidade e festejada como "padroeira da pátria". Homens e sobretudo mulheres ligados às Ordens Mendicantes destacam-se numa posição intermediária entre a condição laica e o estado religioso, participando de ordens terceiras, florescentes nas cidades italianas. Em Flandres e nas regiões vizinhas, outro grande polo de florescimento urbano, multiplicam-se as beguinas, a mais célebre das quais é Maria de Oignies, que se tornou beguina reclusa em 1207. As mulheres, de forma geral, impõem-se na sociedade urbana, especialmente nas atividades econômicas: não é raro ver mulheres como chefes de empresa.

O citadino

Se há "um homem medieval", um dos seus principais tipos é o citadino. "O que há de comum entre o mendigo e o burguês, o cônego e a prostituta, todos eles citadinos? Entre o habitante de Florença e o de Montbrisson? Entre o novo citadino da primeira fase de crescimento e seu descendente do século XV? Suas condições são diferentes, da mesma forma que suas mentalidades, mas o cônego forçosamente cruza com a prostituta, o mendigo e o burguês. Uns e outros não podem se ignorar e se integram no mesmo pequeno universo de povoamento denso que impõe formas de sociabilidade desconhecidas nas aldeias, uma forma de vida específica, com uso diário de dinheiro e, para alguns, uma abertura obrigatória para o mundo" (J. Rossiaud).

O citadino é um homem acostumado com a diversidade e a mudança. Ele vive no meio de vizinhos e de amigos, numa "privacidade alargada". É membro de uma ou diversas confrarias. Também está integrado na comuni-

Dicionário analítico do Ocidente medieval

dade urbana pela participação em numerosas festas que ela organiza, e nas quais se manifesta sua personalidade. É um "cidadão cerimonial". Se não consegue sempre atingir a cortesia, ele se sobressai por sua civilidade e suas boas maneiras.

A cidade elaborou, sobretudo, uma cultura comunitária feita para as novas coletividades urbanas, cultura forjada pela escola, pela praça pública, pela taverna, pelo teatro, pela pregação, mas que também contribuiu para a emancipação do casal e do indivíduo. Ali se vê a estrutura familiar mudar com a evolução do dote, que no meio urbano se constitui essencialmente de bens móveis e dinheiro. A cidade é uma pessoa, feita de pessoas que ela modela. O citadino, e mais especificamente o mercador medieval, é um "homem dessa rede que liga os diferentes centros urbanos entre si", "um homem aberto para o exterior, receptivo às influências trazidas pelas estradas que desembocam na sua cidade vindas de outras cidades; um homem que, graças a essa abertura e a essas contribuições contínuas, cria, ou pelo menos desenvolve e enriquece, suas funções psicológicas e, num certo sentido por meio da confrontação, toma nitidamente consciência do seu eu..." (M. Lombard).

A cidade em crise a caminho da modernidade

As cidades foram as primeiras atingidas pela crise econômica proveniente de uma relativa superprodução, da interrupção progressiva do crescimento demográfico, da instabilidade monetária e das perturbações do comércio oriental ligadas ao avanço dos turcos em direção a Bizâncio e à Cristandade. Mas as cidades também tinham suas forças e seus trunfos, que lhes permitiram reagir melhor que o campo.

As calamidades dos séculos XIV e XV não pouparam as cidades. Os habitantes de Toulouse, por exemplo, suportaram, entre 1410 e 1483, seis severos períodos de fome, seis pestes ou epidemias, oito grandes incêndios ou inundações, operações militares ou agressões de bandidos durante vinte anos e duas importantes revoltas sociais. Das quatro pontes sobre o rio Garonne que existiam no final do século XIII, só uma subsistiu, os subúrbios desapareceram, perdeu-se um terço da população.

Cidade

A guerra era quase endêmica durante esse período. Na França (Guerra dos Cem Anos); na Itália, sujeita a terríveis conflitos armados entre as cidades e a numerosas operações militares nos Estados da Igreja; na Península Ibérica, devastada pelas guerras civis; na Inglaterra, no século XV, quando da Guerra das Duas Rosas... As cidades tiveram de construir novas muralhas ou consertar as antigas, o que arruinou suas finanças e impôs aos citadinos pesadas cargas fiscais, que aumentaram o descontentamento dos habitantes menos ricos, sobre os quais aquelas cobranças pesavam mais.

Foi o tempo das grandes revoltas sociais urbanas. Desde o período 1260-1280, greves e motins haviam estourado, especialmente na França setentrional, em Flandres e nas regiões vizinhas. Nos séculos XIV e XV, ocorreram verdadeiras rebeliões e sublevações urbanas, fomentadas sobretudo pelos trabalhadores, mas com a participação de burgueses ou mesmo de nobres. É o caso de Bruges em 1302; da Flandres marítima e depois de Gand, com Jacó Van Artevelde de 1337 até 1345; de Paris em 1357 (em 1358 com Estêvão Marcel, de novo com os *maillotins*[2] em 1382, e ainda com o açougueiro Caboche em 1413); em Florença, com a grande sublevação dos operários têxteis (os Ciompi) em 1378; em Londres e e outros pontos da Inglaterra com a revolta dos trabalhadores, conduzidos pelo tecelão Wat Tyler em 1381. Essas revoltas são dirigidas tanto contra o rei quanto contra os ricos, os poderosos burgueses que controlam as instituições urbanas.

Com efeito, a crise econômica exaspera as tensões sociais entre ricos e pobres, os "gordos" e os "magros", o *popolo grasso* e o *popolo minuto*, como se diz na Itália. As corporações fecham-se, os conflitos são quase constantes entre as corporações superiores e as corporações inferiores, os mercadores e os artesãos. Os marginais multiplicam-se, sobretudo numa grande cidade como Paris: desempregados de longo tempo, vagabundos, sem-teto, delinquentes e prostitutas, entre os quais a fronteira é flutuante.

Os judeus são um caso à parte. Mais e mais urbanizados e dedicados a certas profissões e à usura por estarem excluídos do trabalho da terra, desde o século XI, são vítimas de perseguições que podem culminar em um *pogrom*.

---

2 Nome dado aos parisienses que, na sua revolta contra a opressão fiscal, utilizaram como arma o *maillet*, um tipo de maça. [N.T.]

Dicionário analítico do Ocidente medieval

No século XIV, eles são expulsos da França e da Inglaterra, massacrados na Alemanha em 1348 como vítimas expiatórias da peste, cada vez mais confinados na Europa meridional num *apartheid* urbano que dá origem aos guetos, salvo em limitados oásis de tolerância, como o Condado Venaissin e os Estados Pontifícios, a Provença ou a Polônia. Na Península Ibérica de fins do século XV, eles são convertidos à força ou expulsos.

De maneira geral, a topografia social urbana, o zoneamento urbano, está cada vez mais de acordo com a estratificação social, criando bairros de estrangeiros, de pobres, de marginais. A repressão urbana contra os desempregados e os criminosos cresce, sem grande sucesso.

A sorte das cidades é diferente conforme seu tamanho ou seu contexto político. As grandes cidades afirmam-se sempre mais. Algumas se ampliam e consolidam sua influência sobre seus territórios. Na Itália, principalmente, elas constituem cidades-Estados, mas têm que suportar a autoridade de um príncipe que reina sobre uma *signoria* urbana. É o caso de Florença com os Médicis, de Milão com os Visconti e os Sforza. Veneza, caso excepcional de uma cidade original devido a sua situação aquática e suas instituições aristocráticas (o Conselho que governa a cidade e designa os duques, os doges, fechou-se a qualquer renovação no final do século XIII), passa, contudo, a ser a cidade por excelência. Ela conquista, no começo do século XV, um território que lhe fornece uma grande parte do aprovisionamento que só chega por mar e que lhe serve de bastião de proteção, a *terra ferma*.

Confederação de cidades e de entrepostos sempre dominada por Hamburgo e sobretudo por Lübeck, a Hansa mantém, de Londres e Antuérpia a Dantzig e Riga, de Bergen até Cracóvia — apesar da grave crise financeira e institucional em Lübeck no começo do século XV —, uma brilhante atividade urbana comercial e cultural cujo apogeu foi alcançado no fim do século XIV. A próspera cidade de Nuremberg adquire um aspecto de capital germânica. Da mesma forma, a cartografia urbana universitária atinge as periferias da Europa cristã em Saint Andrews, na Escócia, em Copenhague, em Upsala, em Praga, em Cracóvia e Viena. Nos locais em que se firmam as monarquias e onde se ergue o Estado moderno, as cidades ficam cada vez mais sob o comando do rei. Na França, a realeza domina uma rede de "boas cidades" que lhe são estreitamente ligadas. Na Espanha e em Portugal, as cidades que, graças à *Reconquista* tinham precocemente adquirido franquias (*fueros*) e instituições municipais nos séculos XI-XIII, passam no XIV e XV à tutela dos reis.

Contudo, no mais tardar a partir de meados do século XV, e na Inglaterra antes do fim do século, as cidades reencontraram sua prosperidade e seu dinamismo econômico e cultural.

A cidade da Baixa Idade Média, já há muito tempo afirmada simbolicamente pelo uso do selo municipal, participou do exibicionismo exagerado que marca o "outono da Idade Média". Ela desenvolveu a emblemática em detrimento da heráldica: as cores simbólicas, o nome da cidade escrito nos uniformes dos seus guardas, os estandartes e os pendões, as divisas. Como o rei, como os nobres, ela reivindica sua "honra". Nas revoltas urbanas, dirigidas especialmente contra o poder real, a cidade serve-se desses símbolos e conceitos como armas. Em Paris, são os famosos capuzes nas cores vermelha e azul que, juntando-se ao branco monárquico, compõem a bandeira tricolor da França no início da Revolução de 1789. Essas cores da cidade foram proibidas pelo poder real quando das repressões de 1364 e 1380, substituídas pelo verde, cor negativa, e o branco, que indica a falta de cor. Entretanto, no século XV, procissões, festas, urbanismo, reflorescem da mais bela forma. Em Milão, por exemplo, uma política de grandes obras devolve à cidade uma imagem prestigiosa, ressuscitando-a, renovando-a, enriquecendo suas maravilhas. Mas os Visconti e os Sforza tinham procurado açambarcar a magistratura comunal, apesar da resistência muitas vezes eficaz da oligarquia comunal, estendendo-a pelo conjunto do ducado. O comissário geral das grandes obras, os arquitetos e engenheiros eram, doravante, nomeados pelo príncipe e dependiam pessoalmente dele. Porque a cidade se entregara ao príncipe. A cidade era uma mulher.

Jacques Le Goff
Tradução de Flavio de Campos

Ver também

Centro/periferia – Marginais – Roma – Terra – Trabalho

Dicionário analítico do Ocidente medieval

Orientação bibliográfica

BAREL, Yves. *La Ville médiévale.* Grenoble: Presses Universitaires de Grenoble, 1975.

BENEVOLO, Leonardo. *La Ville dans l'histoire européenne.* Paris: Seuil, 1993.

BOUCHERON, Patrick. *Le Pouvoir de bâtir*: urbanisme et politique édilitaire à Milan (XIVᵉ-XVᵉ siècle). Roma: École Française de Rome, 1998.

BULST, Neithard; GENET, Jean-Philippe. *La Ville, la bourgeoisie et la genèse de l'État moderne* [1985]. Paris: Éditions du Centre National de la Recherche Scientifique, 1988.

CHÈDEVILLE, André; LE GOFF, Jacques; ROSSIAUD, Jacques. In: LE GOFF, Jacques (org.). *La Ville en France au Moyen Âge* [1980]. 2.ed. Paris: Seuil, 1998.

CHEVALIER, Bernard. *Les Bonnes Villes*: l'État et la société dans la France de la fin du XVᵉ siècle. Orleans: Paradigme, 1995.

COULET, Noël; GUYOTJEANNIN, Oliver (orgs.). *La Ville au Moyen Âge.* t.I: *Ville et espace.* Paris: Éditions du CTHS, 1998.

_____ (orgs.). *La Ville au Moyen Âge.* t.II: *Sociétés et pouvoirs dans La Ville.* Paris: Éditions du CTHS, 1998.

CROUZET-PAVAN, Élisabeth. *Venise*: une invention de la ville, XIIIᵉ-XVᵉ siècle. Seyssel: Champ Vallon, 1997.

LES ÉLITES URBAINES AU MOYEN ÂGE. Actes du XXVIIᵉ Congrès des Historiens Médiévistes de l'Enseignement Supérieur (1996). Paris: Publications de la Sorbonne, [19–].

ENNEN, Edith. *Die europäische Stadt des Mittelalters.* Göttingen: Vandenhoeck & Ruprecht 1972.

FRUGONI, Chiara. *Una lontana città*: sentimenti e immagini nel Medioevo. Turim: G. Einaudi, 1983.

GUIDONI, Enrico. *La Ville européenne*: formation et signification du IVᵉ au XIᵉ siècle. Bruxelas: Mardaga, 1981.

HEERS, Jacques. *La Ville au Moyen Âge.* Paris: Fayard, 1990.

HILTON, Rodney H. *English and French Towns in Feudal Society*: a Comparative Study. Cambridge: Cambridge University Press, 1992.

HUBERT, Étienne. *Espace urbain et habitat à Rome du Xᵉ siècle à la fin du XIIᵉ siècle.* Roma: École Française de Rome, 1990.

LES ORIGINES DES LIBERTÉS URBAINES. Actes du XVIᵉ Congrès des Historiens Médiévistes de l'Enseignement Supérieur (1985). Rouen, 1990.

LE PAYSAGE URBAIN AU MOYEN ÂGE. Actes du XIᵉ Congrès des Historiens Médiévistes de l'Enseignement Supérieur (1980). Lyon, 1981.

LOPEZ, Roberto S. *A cidade medieval* [1984]. Tradução portuguesa. Lisboa: Presença, 1988.

Cidade

MAIRE-VIGUEUR, Jean-Claude (ed.). *D'une Ville à l'autre*: structures matérielles et organisation de l'espace dans les villes européennes (XIIIe-XVIe siècle) [1986]. Roma: École Française de Rome, 1989.

MISKIMIN, Harry A.; HERLIHY, David; UDOVITCH, Avram. *The Medieval City*. Yale: Yale University Press, 1977.

MUMFORD, Lewis. *A cidade na história*: suas origens, transformações e perspectivas [1961]. Tradução brasileira. 4.ed. São Paulo: Martins Fontes, 1998.

MUNDY, John Hine; RIESENBERG, Peter. *The Medieval Town* [1958]. 2.ed. Huntington, 1979.

PIRENNE, Henri. *Les Villes et les institutions urbaines*. Paris e Bruxelas: Nouvelle Société d'Éditions, 1939. 2v.

POIRION, Daniel (ed.). *Milieux universitaires et mentalité urbaine au Moyen Âge*. Paris: Presses de l'Université de Paris-Sorbonne, 1987.

RENOUARD, Yves. *Les Villes d'Italie de la fin du Xe au début du XIVe siècle*. Nova ed. por Philippe Braunstein. Paris: Sedes, 1993. 2v.

RIGAUDIÈRE, Albert. *Gouverner la ville au Moyen Âge*. Paris: Anthropos, 1993.

ROUX, Simone. *Le Monde des villes au Moyen Âge, XIe-XVe siècle*. Paris: Hachette, 1994.

VERHULST, A. Les origines urbaines dans le nord-ouest de l'Europe: essai de synthèse. *Sigmaringne*, n.4, p.57-81, 1986.

VERLINDEN, Charles. Marchands ou tisserands? À propos des origines urbaines. *Annales ESC*, Paris, p.396-406, 1972.

WERNER, Ernst. *Stadtluft macht frei*: frühschoalastik und bürgliche Emanzipation in der ersten Hälfte des 12. Jahrhunderts. Berlim: Akademie, 1976.

Clérigos e leigos

A distinção entre clérigos e leigos é um dos fundamentos da sociedade medieval e de sua ideologia. De natureza inicialmente religiosa, já que ela se refere aos diferentes estatutos e funções no interior da *ecclesia* entendida como a reunião de todos os cristãos, essa distinção atinge na realidade todo o funcionamento da sociedade: ela concerne a estatutos jurídicos, formas de cultura, modos de vida distintos. É ainda mais fundamental na medida em que tende a aplicar aos homens uma divisão bem mais geral que caracteriza todas as representações do mundo cristão: entre espiritual e temporal, sagrado e profano e, em suma, entre Deus e os homens.

No entanto, essa distinção não implica uma oposição sem nuança. Assim, os conversos dependem de um mosteiro, são submetidos a uma regra que os torna monges de segunda classe, mas trabalham, usam barba e não são mais instruídos que os leigos. Quanto aos eremitas, às vezes são monges ou clérigos que partiram para o "deserto", mas também leigos que fizeram voto de solidão. Entretanto, segundo o direito canônico, ambos devem obter uma autorização do bispo local para que sua dependência à instituição eclesiástica seja reconhecida. Nas cidades, em particular no norte da Europa, aparece no final da Idade Média o problema das beguinas, cujo "estado intermediário" (*Zwischenstand*) causa imensas dificuldades à autoridade eclesiástica: elas são plenamente leigas, mas pretendem viver coletivamente seguindo uma "regra", ou melhor, um regulamento próprio ao seu estabelecimento ou às beguinarias de sua cidade.

Classificar

Sem dúvida, distinções análogas são encontradas em outras sociedades tradicionais nas quais a religião desempenha um papel predominante nas representações do mundo e na organização das relações sociais. Mas, na Cristandade, a distinção entre clérigos e leigos conhece uma forma específica por causa da presença dentro do corpo social de uma instituição especialmente voltada para a gestão dos negócios religiosos, a Igreja, no sentido restrito do termo, com seu próprio pessoal de "clérigos". Na verdade, nada parecido existiu ou existe com tal grau de intensidade nas religiões aparentadas ao cristianismo medieval no espaço ou no tempo, quer se trate do judaísmo, do Islã ou das diversas "Igrejas" protestantes oriundas da Reforma. O clero católico apresenta-se, dessa forma, com um aspecto particular e uma clareza notável. No entanto, esses contornos são movediços e não permaneceram idênticos no decorrer da história. A relação entre clérigos e leigos não é fixa, é sempre dinâmica. A principal razão é que, na Cristandade medieval, a instituição eclesial, em vez de estar "fora do mundo" e separada dele, age "dentro do mundo" e no próprio seio da sociedade circundante. O que por definição é verdade sobre o clero secular, aplica-se também aos monges, de fato sempre presentes na vida econômica ou política de seu tempo mesmo se pretendem "fugir do mundo".

A relação dinâmica que existe entre clérigos e leigos explica-se, em primeiro lugar, pela complementaridade de suas funções na sociedade cristã. Trata-se, antes de mais nada, de uma relação de intercâmbio entre bens espirituais, que só os clérigos podem dispensar, e bens materiais, que os leigos têm o dever de produzir. Os primeiros são, por "profissão", os mediadores obrigatórios entre os homens e Deus; por meio de preces, missas, liturgias, eles são indispensáveis aos leigos. Estes últimos os sustentam materialmente por meio dos frutos do seu trabalho (sobre os quais a Igreja recolhe o dízimo, em teoria a décima parte das colheitas), das esmolas que eles dão aos padres, das doações fundiárias e monetárias inscritas nos testamentos,

Dicionário analítico do Ocidente medieval

da encomenda de missas *post mortem* rezadas pelo repouso da alma do testador e de seus parentes defuntos cuja *memoria* é conservada pelos clérigos, principalmente, na realidade, pelos monges. Enfim, esse intercâmbio generalizado supõe que a cada geração os leigos renovem as forças biológicas do clero secular e regular oferecendo aos mosteiros ou às escolas episcopais, para serem formadas no saber e nas funções do clero secular, crianças, os oblatos (sobretudo até o século XII), ou adolescentes, destinados a reproduzir a população clerical da Igreja. De fato, uma das características essenciais dos clérigos é que eles são destinados ao celibato, seguindo o exemplo de Cristo. Dessa maneira, não podem formar uma "casta" à parte dentro da sociedade medieval e que se reproduziria biologicamente sozinha.

Os textos do Novo Testamento não fazem explicitamente distinção entre clérigos e leigos, embora a missão de evangelização confiada aos apóstolos de Cristo prefigure o que será a primeira função dos bispos e dos padres que lhes sucederão e formarão a Igreja. É uma carta do papa Clemente, no final do século I, que pela primeira vez distingue os "clérigos" dos "leigos". A palavra grega *kleros* designava primitivamente todos os que tinham sido escolhidos ao acaso, quer dizer, todos os cristãos, todos os eleitos por Cristo. A partir de então, ela só designa o clero em oposição ao *laios*, o pequeno povo (*plebs*, em latim). A distinção entre clérigos e leigos é confirmada pelos primeiros concílios da Igreja logo que a existência desta é oficialmente reconhecida dentro do Império Romano tornado cristão (século IV). Ao mesmo tempo que se combinava durante o primeiro milenário com outros modos de classificação dos grupos que compõem a sociedade cristã, essa distinção é reafirmada no século XI quando a Igreja hierárquica (o papado, os bispos) tenta se liberar da excessiva influência das potências laicas e definir melhor os estatutos e os respectivos papéis de leigos e clérigos. Em seguida a esse movimento de "reforma gregoriana", por volta de 1140, Graciano, no seu *Decreto* (2ª parte, causa 12, questão I, cap. VII), dá a essa distinção uma formulação que se imporá imediatamente no direito canônico: "Existem dois tipos de cristãos. Um, que deve servir ao ofício divino, está dedicado à contemplação e à oração, fica afastado dos tumultos temporais: é o dos clérigos [...], quer dizer 'eleitos'. Eles não devem possuir nada e ter tudo em comum. O outro gênero de cristãos é o dos leigos, que em latim quer dizer 'povo'; estes podem possuir bens temporais, estão autorizados a se casar, a cultivar a terra, a promover uma ação na justiça. Eles trazem suas oferendas para os altares e pagam o dízimo". O essencial do texto reside no seu esforço de definição e de distinção, de ordenação da sociedade cristã.

No entanto, essa não é a única classificação. Há outros modos significativos de divisão, com os quais ela tende a se combinar de diversas maneiras. Ainda mais se tratando de distinções ternárias que dão à sociedade uma imagem *a priori* mais dinâmica que um simples esquema binário.

O desenvolvimento do monasticismo no Ocidente, a partir do século V, incitou a introduzir entre os clérigos que "comandam" (os bispos, os padres) e os "casados" (os leigos), a categoria dos monges, "virgens" ou "castos", cuja principal função é a contemplação. Uma imagem bíblica bastante em voga reforça essa distinção, que é considerada antes de tudo de ordem espiritual, assimilando os clérigos a Noé, os contemplativos a Daniel e os casados a Jó. Concretamente, a emergência desse novo esquema significa distinguir dois cleros, um clero regular (os monges) e um clero secular (em primeiro lugar os bispos e os padres das paróquias).

Uma outra distinção fundamental surge no século X, com o reaparecimento do antigo esquema funcional indo-europeu atestado, entre outros, na Roma antiga ou nas culturas germânicas: a sociedade seria idealmente composta de três grupos, os que oram (*oratores*), os que guerreiam (*bellatores* ou *milites*) e os que trabalham (*laboratores*). Esse modelo também é suscetível de se combinar com outros. Dependendo do ponto de vista em que se coloca, cada uma das três funções pode ser oposta às duas outras circunstancialmente reunidas: todos os que têm a função de orar (clérigos e monges) podem se opor a todos os leigos (guerreiros e trabalhadores), os homens de guerra podem se opor a todos os *inermes* (os clérigos e o povo, reunidos quando necessário, no século XI, na mesma categoria de "pobres"), e os trabalhadores podem se opor a todos os ociosos que eles têm como função alimentar, seja o clero ou a aristocracia militar. A eficiência e a plasticidade desse esquema ideológico contribuíram bastante para sua perenidade. Com efeito, sob a forma dos três "estados", ele vigorou até o final do Antigo Regime.

Dicionário analítico do Ocidente medieval

Convém tratar aqui de um personagem central da sociedade medieval, colocado entre clérigos e leigos, mas também singular em relação aos outros modos de classificação: o rei. Embora a cerimônia de sagração o eleve acima de todos os outros leigos e o aproxime incontestavelmente do sacerdócio, o rei é um leigo. Os teóricos políticos medievais lembram com insistência que a sociedade cristã, baseada na divisão dos dois "gládios" – a *potestas* temporal dos reis e a *auctoritas* espiritual do papa e dos bispos –, em outras palavras, na distinção entre os maiores leigos e clérigos, não deixa lugar algum à ideia de um rei-sacerdote, tal qual Melquisedec, rei de Jerusalém a quem Abraão pagou o dízimo (Gênesis, 14,20) e em quem os autores medievais, referindo-se ao Salmo 110,4, viram uma prefiguração de Cristo, o único rei-sacerdote concebível no cristianismo. Isto vale principalmente para a sociedade medieval ocidental, na qual a reforma gregoriana traçou entre leigos e clérigos uma fronteira mais rigorosa do que na sociedade bizantina, na qual a imagem ambivalente de Melquisedec pôde exercer uma fascinação concreta sobre o *basileus*. No entanto, também no Ocidente o rei tem uma função religiosa importante: ele é responsável pela salvação de seu povo e a unção da sagração estabelece entre ele e Deus um elo que tende a assimilá-lo aos bispos, que também são ungidos. Mas a unção real não é um sacramento como o sacramento da ordem recebido pelo sacerdote. A sacralidade do rei não significa de forma alguma que ele pertença ao clero. Ao contrário, ela faz que o rei possa falar por todo seu povo, tanto pelos clérigos quanto pelos leigos, ou, ainda, que encarne sozinho as três funções: de soberania religiosa, de valor guerreiro e de prosperidade. Da mesma forma que leva seu exército para a batalha, o rei deve ser instruído, o que lhe permite discutir com seu confessor e seus conselheiros eclesiásticos, mas de forma alguma pode substituí-los, o que aliás nunca desejou.

Resta uma última divisão, sem dúvida a mais fundamental de todas: a divisão entre homens e mulheres. Se, do ponto de vista da antropologia cristã e da economia da salvação, as mulheres são teoricamente iguais aos homens, o mesmo não acontece na sociologia da Igreja. O grupo dos leigos é constituído de mulheres e homens, ao passo que o dos clérigos é exclusivamente masculino. Evidentemente, as mulheres (monjas e religiosas) se beneficiam de privilégios jurídicos que as aproximam dos clérigos. Mas as religiosas não podem receber a ordenação sacerdotal, não são clérigos e situam-se em um meio-termo que vai aumentar no final da Idade Média com novos grupos de mulheres de estatuto ainda mais ambíguo, como as terciárias e principalmente as beguinas. A questão do lugar das mulheres na Igreja é central, colocando todos os problemas relativos à sexualidade, ao casamento ou, ainda, à dialética da instituição e do carisma na vida da Igreja.

Distinguir os clérigos

A relação inversa de clérigos e leigos com a sexualidade provém de realidades que ultrapassam o plano da humanidade e é necessário que receba uma sanção ritual que marque sua importância sobrenatural. A partir do século XII, a celebração do casamento dos leigos escapa da esfera privada do lar e do controle das famílias; ela se desloca para a igreja, onde o cura da paróquia recebe o consentimento dos esposos. Além disso, os rituais de investidura dos clérigos ganham maior precisão, e sua opulência aumenta de acordo com a hierarquia das ordens. A entrada nas ordens menores (acólito, exorcista, leitor, porteiro, salmista, chantre) é sancionada pela imposição de mãos do bispo e uma bênção. As ordens maiores são as do subdiácono, diácono, padre e bispo. Se as duas primeiras só constituem um *ministerium*, o *sacerdotium* é, ao contrário, um sacramento. O recebimento do hábito é um momento importante, pois as vestimentas litúrgicas distinguem os clérigos no interior da igreja. No exterior, os hábitos definem-se durante muito tempo negativamente: eles não devem apresentar no comprimento, na cor, nos ornamentos, nenhuma das características das roupas laicas (dessa forma, são proscritos os sapatos com laços ou a cor vermelha, em benefício do preto e do azul). Mas é sobretudo a tonsura ou coroa cuidadosamente raspada no topo do crânio que distingue o clérigo na sua aparência corporal; ela contrasta com a cabeleira frequentemente longa dos leigos (em particular dos nobres), e também com a tonsura muito mais ampla dos monges. Clérigos e monges são glabros, porém os conversos, mais próximos dos leigos do que dos monges do coro (eles são religiosos, pois seguem uma regra, mas não são monges nem clérigos), usam barba. O cisterciense Buchardo de Bellevaux, que na sua *Apologia de barbis* (século

Dicionário analítico do Ocidente medieval

XII) dá informações bem precisas sobre esse assunto, chama-os de *conversi barbati*. A tonsura dos clérigos é um sinal de reconhecimento que permite, se necessário, reivindicar o privilégio de foro, quer dizer, não depender da justiça comum e ser levado ao tribunal do bispo ou da oficialidade. Os simples detentores das ordens menores, os estudantes e os mestres das escolas e das universidades alegam sua tonsura e seus privilégios "clericais" no que diz respeito à justiça e ao fisco. Mas os tribunais laicos perseguem os falsos clérigos que, para escapar, pretendem ser tonsurados.

Pertencer ao clero dá direitos, mas também impõe deveres. O fato de os clérigos serem proibidos de derramar sangue está relacionado com a obrigação de castidade. Nos dois casos, trata-se de preservar o clérigo da impureza corporal e principalmente o padre, que, pelo contrário, tem como função consagrar o sangue de Cristo. Os clérigos não podem ser cirurgiões, não devem caçar nem guerrear, e os tribunais eclesiásticos abstêm-se de condenações capitais (eles confiam as condenações à morte ao "braço secular"). Se o culpado é um clérigo, primeiro ele é degradado através de um ritual que segue as etapas da investidura ao inverso, até que o culpado retorne ao estado de leigo e possa ser entregue às autoridades seculares. Outras proibições pesam também sobre os clérigos, todas visando a distingui-los dos leigos: eles devem se abster de jogar dados, de possuir ou frequentar tabernas, de praticar comércio e particularmente da usura.

No seio da sociedade cristã, as funções dos clérigos e dos leigos são complementares. Mas o papel mais ativo é de direito atribuído aos clérigos, que são os "pastores". Os outros são somente as "ovelhas" que recebem de suas mãos os sacramentos e de sua boca a palavra de Deus. Desde os primeiros séculos, as necessidades da evangelização deram um lugar crucial ao sermão *ad populum* (Cesário de Arles). No século XIII, os religiosos das Ordens Mendicantes acabam frequentemente substituindo o clero paroquial malformado para pregar às multidões urbanas e afastá-las da heresia. A evolução do sacramento da penitência permite privilegiar, a partir do início do século XIII, uma relação individual entre o padre e o fiel, que deve uma vez por ano, na véspera da comunhão pascal, confessar seus pecados (IV Concílio de Latrão de 1215). O resto do tempo, os leigos são mais espectadores das liturgias clericais do que verdadeiros participantes.

Clérigos e leigos

Nas igrejas importantes (colegiadas, catedrais), uma tribuna separa os fiéis amontoados na nave do coro onde os cônegos cantam e celebram a missa. Mas, desde a Idade Média, os leigos souberam desenvolver formas próprias de expressão religiosa ou até se apropriar de uma parte do campo religioso, mesmo tendo que pedir a participação de clérigos, por exemplo nas confrarias rurais e urbanas.

O cristianismo é uma religião do Livro. O acesso ao Livro, quer dizer, à Sagrada Escritura e a todos os comentários escritos sobre ela pelos "doutores", supõe um aprendizado linguístico e intelectual que só os clérigos recebem. De fato, a cultura eclesiástica no Ocidente fundamenta-se na Bíblia, na sua tradução latina autorizada, a Vulgata, feita por São Jerônimo no século IV. A decisão de fazer do latim a língua da Igreja permitiu-lhe conservar o estatuto de língua viva durante toda a Idade Média, mas reservada aos clérigos, que, não podendo adquiri-la em família, leiga por definição, tinham para tanto que ir às escolas. Toda uma cultura escolar e mais tarde universitária formou-se em torno da língua latina sagrada, tanto mais que os clérigos, por intermédio dela, tinham acesso a tudo o que subsistira da cultura pagã latina. A instrução dos clérigos baseou-se nas "artes liberais", prestigiosas no fim da Antiguidade. A "reforma carolíngia" visou dar ao latim dos clérigos a correção clássica que ele havia perdido no decorrer dos séculos: dessa forma, ela o afastou ainda mais dos falares românicos que se formavam, como naturalmente já ocorria no caso das línguas germânicas faladas na parte oriental do Império Carolíngio ou nas Ilhas Britânicas.

A distinção entre *litterati* e *illitterati* recobre assim, em grandes traços, a existente entre clérigos e leigos. Ser letrado significa conhecer, além da língua materna, o latim, que se escreve e fala. Os clérigos são, portanto, pelo menos bilíngues, e, às vezes, até trilíngues: para alguém de origem inglesa, pouco depois da conquista de 1066, conhecer além da sua "língua materna" a "língua românica" introduzida pelos normandos e o latim da Igreja, é uma vantagem que desperta inveja e admiração (*Vida de Cristina de Markyate*, século XII). Os clérigos preparam os sermões em latim, mas, se o auditório é laico, eles os pronunciam, evidentemente, em língua "vulgar". Esses sermões nos foram transmitidos na maioria dos casos em latim, mas expressões idiomáticas e provérbios são traduzidos ao pé da letra ou até reproduzidos na língua original, ao mesmo tempo que a sintaxe da frase revela nas entrelinhas o que foi efetivamente pregado. Às vezes, o resultado é um latim híbrido e mesmo "macarrônico". Da escrita latina à escrita em língua vernacular não há na verdade solução de continuidade. O monopólio dos clérigos sobre a escrita não foi fortemente contestado: os reis e os grandes senhores empregaram "clérigos da administração" para redigir os atos da chancelaria e cuidar dos registros, antes que se desenvolvesse um verdadeiro pessoal administrativo laico. Quanto aos "autores" da jovem literatura profana, dos quais conhecemos em geral só o nome (como Chrétien de Troyes), é certo que muitos receberam as ordens menores, passaram pelas escolas ou foram beneficiados pelo privilégio "clerical".

No entanto, como observou outrora H. Grundmann, a divisão entre clérigos *litterati* e leigos *illitterati* jamais foi tão estrita. O baixo clero pode ter somente uma bagagem intelectual rudimentar, o que preocupa os prelados reformadores no século XIII e principalmente no XV. Mas será necessário aguardar a Contrarreforma para que sejam criados os seminários que formam sistematicamente todo o clero. Inversamente, desde a Alta Idade Média, os grandes leigos adquiriram os rudimentos do *trivium*, sabem ler e escrever em latim. O número deles será crescente. Nos dois últimos séculos da Idade Média, a difusão da literatura profana ou religiosa em língua vernácula testemunha que são cada vez mais numerosos os leigos com acesso à leitura e até mesmo à escrita. As primeiras traduções da Bíblia, por João Wyclif e os lolardos da Inglaterra no final do século XIV, pelos hussitas tchecos no início do século XV, mostram ao mesmo tempo uma apropriação dos instrumentos da cultura sábia e clerical por uma minoria de leigos fortemente motivados no plano religioso, e uma forte valorização das línguas vernáculas escritas que não retrocederá. Os lolardos aparecem, paradoxalmente, como *"laici litterati"* (A. Hudson).

Mas antes, desde o século XIII, um número bem mais considerável de leigos encontrou na escrita em língua vernácula o instrumento intelectual correspondente às suas necessidades específicas, como a manutenção de livros de contas dos comerciantes (donde o interesse pela aritmética e o cálculo utilizando os números arábicos introduzidos recentemente), a perpetuação da memória familial em um livro de razão ou de *ricordanze*, o intenso intercâmbio de cartas de negócios (como testemunha a correspondência de Francisco Datini de Prato), a literatura profana e religiosa. Ora, os conventos ou as universidades não tinham vocação para dispensar essas novas formas de cultura, de maneira que, em todos os lugares, as cidades abrem escolas nas quais os filhos de comerciantes e de artesãos adquirem um saber prático (por exemplo, a contabilidade) que não tem mais nada a ver com o saber clerical. Esses mesmos meios fazem compor livros de edificação moral e de devoção em língua vulgar, cujos títulos — *Voies, Miroirs, Pèlerinages de l'âme* — são reveladores de um conteúdo moralizante e anti-intelectual que deixa aos clérigos as obras especificamente doutrinais. Os livros de horas escritos em vernáculo, suportes de uma devoção privada e individual que pedia leitura silenciosa e meditação, são característicos das cortes do século XV. A multiplicação de imagens pintadas nos livros acompanha com frequência a passagem para a língua vernácula e a mudança de público. O que, nesse caso, marca a distinção entre leigos e clérigos é, além da língua, uma outra cultura e uma outra sensibilidade visual.

Laicização ou clericalização?

A relação entre clérigos e leigos não foi a mesma durante toda a Idade Média. Isto se deve principalmente à pressão exercida pelos leigos sobre um esquema classificatório definido pelos clérigos e que se encontrava cada vez mais desequilibrado em relação às necessidades, ao poder e às aspirações daqueles. Percebe-se isto com clareza desde o início do século XI no movimento da "paz de Deus". Convidados em massa a responder aos chamados das assembleias do clero, os *pauperes, simplices* ou *inermes* colocam-se do lado do clero e desempenham na prática e simbolicamente um papel indispensável ao sucesso daquele empreendimento de pacificação. O apelo à Cruzada, em 1095, inscreve-se na mesma linha da paz e depois da "trégua de Deus": dessa vez, os cavaleiros e os pobres participam juntos da expedição e da criação dos Estados latinos na Terra Santa. Engajados pela Igreja em um movimento que lembra a peregrinação, a guerra de *Reconquista* e a conquista colonial, os leigos impõem sua marca, seja pelo fervor milenarista e antijudaico dos partidários de Pedro Eremita, seja pela pressa dos barões

Dicionário analítico do Ocidente medieval

em obter novos feudos. Essa ambiguidade é atestada pelo nascimento das ordens hospitalárias e militares de São João de Jerusalém e do Templo, espécies híbridas, de meio-clérigos e meio-leigos, já que os cavaleiros derramam sangue e ao mesmo tempo seguem uma regra religiosa.

Uma outra manifestação relevante do papel ativo que os leigos desempenham a partir de então na vida religiosa, e da maneira como, em consequência, se modifica a relação entre leigos e clérigos, é, a partir do século XI, o desenvolvimento das heresias. Em Orleans (1022), a heresia parece dizer respeito apenas a um restrito grupo de clérigos. Mas, em outros lugares, os leigos são maioria, mesmo quando os clérigos colocam a serviço deles seus dons de pregadores e seus conhecimentos doutrinários. Em Milão, o movimento da *pataria* (a palavra deriva do adjetivo *pannosus*, "mercador de panos", e refere-se aos artesãos do setor têxtil ativos no movimento) inicialmente segue as determinações dos prelados partidários da reforma gregoriana contra os padres simoníacos e concubinários. O padre Arialdo inflama a multidão com seus sermões, mas será morto pelo clero hostil à reforma. Seu irmão Landolfo também é padre. Mas a massa é inteiramente formada de leigos. Um *miles*, Erlembaldo, torna-se um dos chefes do movimento. Mas, da crítica ao clero corrompido, a *pataria* passa cada vez mais abertamente ao questionamento dos fundamentos da ordem estabelecida, quando os leigos usurpam o *officium praedicationis* contra os costumes da Igreja. Ou ainda quando pretendem julgar os clérigos, o que o Concílio de Latrão de 1059 proibiu terminantemente para marcar bem os limites da intervenção dos leigos na Igreja. Em geral, os hereges criticam o poder e a riqueza do clero antes de contestar a legitimidade da sua ordem e, por conseguinte, a distinção entre clérigos e leigos. Cedo ou tarde, suas pretensões se deparam com a questão da pregação, cujo monopólio os clérigos querem conservar. Pregando publicamente e sem autorização, Valdo desperta a ira da hierarquia e depois, como recusa se dobrar, é considerado herético. O caso de Francisco de Assis alguns anos mais tarde é absolutamente paralelo, exceto quanto ao desfecho. A ideia de Francisco no início era fundar uma fraternidade de alguns companheiros desejosos de "seguir Cristo" na pobreza absoluta. Quando se coloca a questão da pregação feita por esses homens, o papa Inocêncio III, evitando rejeitá-los como a Valdo e seus companheiros, cria um lugar para eles na ordem eclesiástica, o que é uma condição indispensável para que possam pregar. A distinção entre clérigos e leigos é salva, mas ela evolui profundamente, já que os novos *religiosi*, que não são monges, querem viver bem mais próximos dos leigos e inclusive dos mais pobres deles.

Por certo, a evolução posterior da Ordem dos Menores, como em geral das Ordens Mendicantes criadas ao mesmo tempo que ela (dominicanos ou pregadores), foi no sentido de uma "clericalização" cada vez mais sensível, na medida em que os conventos multiplicavam-se, organizavam-se e, principalmente, enriqueciam-se a despeito das resoluções primitivas e da resistência da corrente "espiritual" logo banida da Ordem Franciscana. Pode-se dizer o mesmo do clero em geral, se se toma como indicador dessa "clericalização" o fortalecimento nos três últimos séculos da Idade Média de todo o edifício administrativo (é a Igreja que inventa a "burocracia"), fiscal, judiciário (as oficialidades, a Inquisição), intelectual (a teologia e o direito canônico ocupam o topo da hierarquia universitária).

No entanto, a vida religiosa e a própria Igreja não permaneceram insensíveis ao crescente peso dos leigos, muito pelo contrário. Por exemplo, como André Vauchez mostrou, os critérios de santidade evoluíram bastante durante essa época. No século XI, um único leigo, Geraldo de Aurillac, corajoso cavaleiro que terminou seus dias como monge, foi considerado como santo. Dois séculos mais tarde, na Itália, embora vários artesãos e mercadores nem sempre tenham sido elevados ao altar, foram pelo menos propostos como exemplos de caridade e de devoção, como Homobonus de Cremona, o mercador de pentes Pedro Pettinaio, o ourives Facio de Cremona, o cambista Lucchesius de Poggibonsi, bem como filhas e esposas oriundas desses meios, caso de Umiliana de'Cerchi de Florença ou Zita de Lucas. Mesmo se não são as atividades seculares desses leigos que fazem a sua santidade, os clérigos não deixam de sublinhar que esses homens conduziram seus negócios no século de maneira honesta, sem enganar seus clientes, sem esquecer de fazer caridade aos pobres, sem negligenciar seus deveres de esposos, pais, cidadãos, enquanto as mulheres também cuidaram da boa ordem de suas casas.

A "religião cívica" das sociedades urbanas mais desenvolvidas caracteriza-se no final da Idade Média pelo fato de cônsules, magistrados, bairros e diferentes camadas sociais da sociedade leiga terem se encarregado de parte das atividades religiosas da cidade. Patrícios e artesãos, organizados em confrarias de ofício ciumentas de seus santos patronos, de sua capela, de suas procissões, constroem altares nas igrejas e nos conventos da cidade, assim como asilos e outras instituições caritativas. O bispo é cada vez menos um senhor feudal que procura sufocar as liberdades comunais. Ele conhece os limites de sua jurisdição e cuida para que se respeitem seus privilégios, mas em um quadro político no qual ele é apenas um ator entre outros. O bispo, os cônegos do capítulo da catedral, o clero paroquial, os religiosos das Ordens Mendicantes, tendem a tornar-se prestadores de serviços religiosos à população urbana, seja para celebrar missas (milhares delas, principalmente para os defuntos), assegurar obras caritativas, organizar procissões (dentre as quais uma das mais importantes é a de Corpus Christi), dar assistência às confrarias, participar das liturgias políticas (por exemplo, durante uma entrada real).

O que é válido para os rituais também o é para a ideologia. Desde o início, ao mesmo tempo que se beneficiam de privilégios associados ao clero, os mestres e os estudantes das escolas e mais tarde das universidades estão próximos das preocupações da sociedade laica. O trágico destino de Abelardo, mestre e clérigo, amante e marido, por fim monge, ilustra desde o século XII a ambiguidade dessa posição. Sem dúvida, a escolástica universitária forjada por mestres seculares em concorrência com mestres regulares, entre estes últimos sobretudo dominicanos e franciscanos, é inteiramente uma questão de clérigos. No entanto, a universidade medieval é o cadinho do "nascimento do espírito laico", lugar de racionalização das crenças, dos pensamentos e das atividades humanas. É na universidade escolástica que se elabora a justificação teórica do trabalho manual assalariado, do negócio, do "preço justo", do empréstimo monetário a juros (tornado lícito apesar da tradição contrária da Igreja, porque aquele que empresta fornece um trabalho e corre um risco). Até então, qualquer juro, por menor que fosse, era considerado *usura*. No século XIII, essa palavra adquire o sentido que conservou até hoje, o de juros julgados excessivos.

No essencial, os clérigos conservam, portanto, o papel de ideólogos da sociedade. Mas não detêm todas as funções sociais correspondentes

Clérigos e leigos

às novas legitimidades que definem. Novos saberes aparecem, como "as artes mecânicas", cujo septenário Hugo de Saint-Victor enumera desde o século XII para colocá-lo em paralelo com o das artes liberais. Abrem-se novas carreiras, principalmente jurídicas e administrativas, pois as cortes principescas e as chancelarias precisam de um pessoal especializado, técnico, competente em outras áreas, por exemplo no direito civil que se introduz tardiamente no reino de França. O grupo de legistas que cerca Filipe, o Belo, no início do século XV, escapa em parte ao mundo clerical e, por conseguinte, defende melhor a causa do rei contra o papa Bonifácio VIII.

Uma outra esfera intelectual e profissional em pleno desenvolvimento é a medicina. A faculdade de Medicina (em Pádua, em Montpellier) ergue-se acima da posição secundária na qual o prestígio da teologia a tinha até então colocado. Se a medicina, no sentido próprio, é mais especulativa do que prática, os "cirurgiões" começam a se manifestar, reivindicam o direito à "experiência", infringem os tabus religiosos que protegem os arcanos do corpo humano e, sem dizê-lo, começam a dissecar.

Um outro exemplo de "laicização" do saber é o da história. Os reis cercam-se de historiadores que contam e enaltecem as origens e os grandes fatos da dinastia. Ora, ao contrário do direito ou da medicina, a história nunca foi uma disciplina universitária na Idade Média. Os monges, como os de Saint-Denis na França, foram os primeiros historiadores reais. Com as *Grandes crônicas*, cuja composição começa no reinado de Filipe III (1274), o francês substitui o latim e, rapidamente, os ateliês de copistas e, sobretudo, de iluministas parisienses superam o *scriptorium* da abadia real.

"Laicização" ou "clericalização"? Dessas duas tendências, qual é a mais característica da evolução da sociedade medieval? Sabemos o que aconteceu com o tempo, mas é preciso evitar estabelecer um balanço unívoco. A linha de divisão entre clérigos e leigos foi mantida, mas nunca deixou de evoluir. Ela foi contestada, e desde a Idade Média. O anticlericalismo comum não é, nesse caso, o mais importante. Ele traduz a exasperação diante da riqueza da Igreja e a hipocrisia de alguns padres que não respeitam os votos de castidade e pobreza. Os falatórios sobre a "mulher do padre" e os monges sedutores são frequentes. Trata-se de uma dimensão importante da cultura profana da Idade Média, um dos grandes temas do "riso popular" e pesado

Dicionário analítico do Ocidente medieval

do qual falou Mikhail Bakhtin, mas que, ao invés de ter realmente contestado a divisão entre clérigos e leigos, talvez a tenha alimentado, tornando-a suportável por meio do deboche.

A crítica dos heréticos vai bem mais longe. A heresia sempre desemboca na contestação à instituição eclesiástica. Entre o final do século XIV e o início do XV, os lolardos da Inglaterra e os hussitas da Boêmia avançam infinitamente mais nessa direção do que todos os movimentos heréticos anteriores. Eles começam por traduzir a Bíblia em língua vernácula, depois usurpam o ofício da pregação. Alguns lolardos contestam o valor sacramental da Eucaristia. Alguns hussitas (ditos "utraquistas") querem que os leigos tenham a possibilidade de comungar sob duas espécies, como os padres. Um outro aspecto essencial dessa contestação é o papel dado às mulheres nos movimentos heréticos. Na Inglaterra, o clero reclama que, entre os lolardos, "homens e mulheres são repentinamente transformados em doutores da doutrina evangélica através do uso da língua vulgar". Contestando abertamente São Paulo e toda a tradição eclesiástica, o herético Walter Brut (1393) afirma que "as mulheres têm autoridade para pregar e fazer o corpo do Cristo, e têm o poder das chaves da Igreja, de ligar e desligar".

Vale a pena alargar o problema e perguntar se esse não é o papel mais importante das mulheres na vida religiosa do final da Idade Média, inclusive na ortodoxia, papel que desferiu os golpes mais duros na tradicional divisão da sociedade cristã entre clérigos e leigos. A razão é simples: essa divisão sempre foi pensada como algo exclusivo dos homens. Havia mulheres casadas, monjas e religiosas, terciárias e beguinas, a Virgem e as santas (estas últimas, na verdade, mais numerosas nas lendas heroicas das origens do cristianismo do que na realidade contemporânea dos processos de canonização), mas nada de mulheres clérigos e menos ainda mulheres padres. Ora, desde o século XII, e sobretudo nos séculos XIV e XV, as mulheres, mais ou menos conscientemente, desmentiram essa classificação masculina da sociedade pelo seu comportamento, seu suposto dom de profecia, seus escritos. Tratava-se, na maioria das vezes, de freiras ou religiosas, mas também de leigas, beguinas, terciárias. Algumas morreram por isto, como Margarida Porete ou Joana d'Arc. Duas pelo menos, Brígida da Suécia (uma

282

leiga) e Catarina de Siena, foram elevadas aos altares. A maioria gozou de grande fama, mesmo se a Igreja hierárquica recusou honrá-las oficialmente (as monjas místicas Hildegarda de Bingen e Isabel de Schönau no século XII, Margarida de Cortona no século XIII, Clara de Montefalco, Delfina de Puymichel, Doroteia de Montau no século XIV). No início do século XIII, o cisterciense Cesário de Heisterbach conta em um *exemplum* uma história significativa: no Brabante, um religioso, Gauthier de Vauzelles, vai visitar uma beguina de santa reputação para pedir que ela lhe obtenha do Céu o "dom das lágrimas". Um religioso se espanta: "Por que você vai procurar essas coisas com uma beguina?". Os clérigos hesitam em reconhecer que o estatuto ambíguo dessa mulher a qualifica para deter e dispensar aquela graça. Eles insistem em lembrar que a administração do sagrado é de sua competência. Mulheres místicas falam em pé de igualdade com os grandes, interpelam o imperador ou o papa. Em todos os casos, quer sejam religiosas, terciárias ou simples leigas, se o seu carisma é reconhecido (mas às vezes denunciado), é principalmente porque elas estão à margem de um sistema classificatório feito para e por homens e que, mesmo se essa posição suscita a desconfiança dos clérigos, ela se designa como um recurso privilegiado contra a angústia individual ou coletiva, os males do reino ou os perigos da Igreja.

JEAN-CLAUDE SCHMITT
Tradução de Eliana Magnani

Ver também

Bíblia – Deus – Escrito/oral – Heresia – Masculino/feminino – Monges e religiosos – Peregrinação – Pregação – Rei

Orientação bibliográfica

BILLER, Peter; HUDSON, Ann (eds.). *Heresy and Literacy, 1000-1530*. Cambridge: Cambridge University Press, 1994.

CHENU, Marie-Dominique. Moines, clercs et laïcs au carrefour de la vie évangélique (XIIe siècle). *Revue d'Histoire Ecclésiastique*, Louvain-la-Neuve, n.49, p.59-89, 1954.

Dicionário analítico do Ocidente medieval

LE CLERC SÉCULIER AU MOYEN ÂGE. XXIIe Congrès de la Société des Historiens Médiévistes de l'Enseignement Supérieur Public (1991). Paris: Publications de la Sorbonne, 1993.

HEAD, Thomas; LANDES, Richard (eds.). *Essays on the Peace of God*: the Church and the People in Eleventh Century France. *Historical Reflections/Réflexions Historiques*, Waterloo (Ont.), v.14, n.3, 1987.

I LAICI NELLA "SICOETAS CHRISTIANA" DEI SECOLI XI E XII. Atti della Terza Settimana Internazionale di Studio, Mendola, 21-27 agosto 1965 (Miscellanea del Centro di Studi Medioevali, V). Milão, 1968.

LE GOFF, Jacques. Clérigo/leigo. In: *Enciclopedia Einaudi*. Tradução portuguesa. Lisboa: Imprensa Nacional-Casa da Moeda, 1987. p.370-90.

LOBRICHON, Guy. *La Religion des laïcs en Occident, XIVe-XVe siècle*. Paris: Hachette Livre, 1994.

MIRAMON, Charles de. *Les "Donnés" au Moyen Âge*: une forme de vie religieuse laïque, v.1180-v.1500. Paris: Cerf, 1999.

PONTAL, Odette. *Clercs et laïcs au Moyen Âge d'après les statuts synodaux.* Paris: Desclée, 1990.

VAUCHEZ, André. *Les Laïcs au Moyen Âge*: pratiques et expériences religieuses. Paris: Cerf, 1987.

Corpo e alma

É pela associação de um "corpo" e de uma "alma" que a tradição ocidental comumente define a pessoa humana. Essa associação, sua estrutura binária, os termos que a constituem, parecem fatos a tal ponto evidentes que nós os projetamos voluntariamente e sem maior precaução sobre outras culturas ou sobre períodos históricos diferentes. Mas é no mínimo arriscado prejulgar o caráter universal de tais categorias e da natureza de sua relação. Mesmo no Ocidente, nada autoriza, *a priori,* afirmar que a oposição de corpo e alma, radicalizada por certas correntes da moral religiosa ou — por razões diversas — pela filosofia cartesiana, seja sempre e em todo lugar igualmente traçada. Somente a constatação, sem dúvida feita por todos os homens, da finitude de sua existência corporal — traída pelos sinais de envelhecimento, a evidência da morte, a alteração irredutível do cadáver, a dissolução das carnes — e, inversamente, o reconhecimento por cada um da faculdade que tem de transcender seus limites pelas faculdades de sua "alma" (o pensamento, a memória, o sonho, a crença), podem ser considerados características universais. Mas cada cultura atribui tais observações à sua própria concepção de pessoa, a seu próprio sistema de crenças (por exemplo, à sobrevivência da "alma"), a suas próprias práticas rituais, especialmente ritos funerários. Na cultura ocidental, a relação do corpo e da alma apresenta uma configuração que não é nem universal nem imutável na história. É essa relação que convém interrogar, mais do que estudar de maneira distinta as representações de alma e de corpo.

Dicionário analítico do Ocidente medieval

Corpus e anima

As palavras *corpus* e *anima* são citadas sem cessar nos textos medievais, em relação e, em geral, em oposição uma à outra. Essas palavras designam ora em sentido próprio os componentes da pessoa humana, ora são objeto de usos metafóricos que devemos igualmente levar em consideração. Elas dizem respeito também a níveis de discurso variados: pertencem, pode-se dizer, à linguagem cotidiana e, a esse título, encontrarão equivalentes imediatos nas línguas vernáculas. Têm um papel central na tradição psicofisiológica que, desde a Antiguidade, atravessa toda a Idade Média. Sobretudo, são objeto de comentários teológicos e éticos em número realmente ilimitado, uma vez que sua relação informa sobre o drama da existência humana tal como a concebiam os autores medievais. Essas concepções são produto de tradições culturais diferentes e muitas vezes divergentes, algumas das quais anteriores ao cristianismo, ao qual se fundiram, sejam elas oriundas do paganismo greco-romano ou da herança veterotestamentária. Pode-se atribuir a primeira síntese a São Paulo: foi ele que lançou as bases de uma representação cristã das relações entre corpo e alma e, portanto, da pessoa humana. Tal representação virá a evoluir, mas a pregnância das definições originais ainda se verifica ao longo de toda a Idade Média.

Na tradição platônica, a alma não é criada, ela preexiste por toda a eternidade ao corpo no qual encontra uma habitação provisória. Tal concepção alimenta uma forte desvalorização da existência carnal e terrestre, rebaixada ao escalão de aparência ilusória da qual o homem deve buscar fugir se aspira a viver em conformidade com os impulsos superiores da alma. Vale dizer que essas ideias não poderão ser recebidas sem modificação pelo cristianismo medieval, uma vez que contradizem a noção cristã de criação por Deus de cada alma individual. Mas compreende-se também a atração que exerceram sobre as correntes ascéticas que, desde Orígenes (185-252), não cessaram de atravessar a cultura cristã e que puderam conduzir, contra o ideal de medida própria à moral comum, a expressões mais radicais, às vezes julgadas heterodoxas, de "desprezo do corpo".

Além disso, a influência, em parte concorrente, da filosofia de Aristóteles sobre o pensamento cristão revela uma outra tentativa de síntese, correspondendo a uma concepção mais dinâmica e, se se ousar dizer assim, mais igualitária do corpo e da alma: para Aristóteles, "a alma é a forma do corpo", fórmula frequentemente comentada e da qual é verossímil que se possa encontrar eco em Santo Agostinho quando este afirma que "a alma é uma substância racional criada para reger um corpo" (*De quantitate anime*, XIII, 22). As partes, as necessidades e o movimento "naturais" desse corpo são cada vez mais levados em conta, a ponto de, no século XIII, tornarem--se objeto de observação empírica e de ciência.

Se a filosofia greco-romana, em seus diferentes componentes, legou à Idade Média uma terminologia de categorias que permite pensar a relação entre alma e corpo, a tradição judaico-cristã permitiu inscrever essa relação em seu grande mito universal do devir da humanidade, do Gênesis à ressur-reição dos mortos e ao Juízo Final, passando pela paixão de Cristo, que chancela seu sentido cristão. Nesse quadro, cada destino individual tem seu lugar, aventura indissociável de um corpo e de uma alma que tendem à salvação. A dupla relação do corpo e da alma como do singular e do uni-versal permite, com efeito, definir a singularidade do pensamento cristão, uma vez que cada homem é portador das consequências da falta original, embora recebendo a faculdade de se libertar para vir a ser o artífice prin-cipal de sua salvação.

A concepção cristã

Cada homem se compõe tanto de um corpo, material, criado e mortal, quanto de uma alma, imaterial, criada e imortal. Só os humanos têm alma: os animais têm somente um corpo. Em todos os seres animados, a união sexual de dois corpos permite engendrar um terceiro corpo. A alma, pri-vilégio do homem, é, pelo contrário, a cada vez uma criação singular de Deus, que a insufla no feto logo após a concepção. Embora se diga que cada homem é criado "à imagem de Deus", o entendimento mais corrente é que ele não é essa "imagem" nem em seu corpo visível nem na totalidade de sua alma, mas somente na parte superior da alma (a razão: *noûs* ou *mens*). É nesse sentido que o homem, embora pecador, não deixa de levar a marca

Dicionário analítico do Ocidente medieval

do divino, mesmo que o corpo, pelo sofrimento e pela morte, e que a alma, por sua fraqueza temporária, sofram tais limites como consequência do Pecado Original. Assim, o homem não pode mais, sobre a terra, ter a visão imediata do Criador, da qual se beneficiaram seus primeiros pais no Paraíso terrestre antes da Queda.

Embora a falta primordial seja explicitamente o pecado do orgulho e a desobediência da criatura em relação ao Criador – um pecado da alma –, parece que também o corpo desempenhou um papel na Queda, antes de contribuir para perpetuar suas consequências. Assim, com o pretexto de que só o corpo é submetido à geração, alguns chegaram a ver na semente humana o meio de transmissão da mácula original. Mas tal explicação – o "traducionismo" que Tertuliano aceitou por algum tempo, por volta de 200 – submete de modo demasiado direto o destino da alma apenas às leis do corpo, e por isso foi condenado. Em compensação, pouco a pouco se firma a tendência, já explícita em Santo Agostinho, a ver no Pecado Original dos primeiros pais um pecado corporal e mesmo sexual, um efeito da *concupiscentia carnis*, mais tarde chamada de *luxuria.*

Pelos dois termos que a constituem, a noção de "concupiscência da carne" tem um papel fundamental. O primeiro termo evoca o desejo culpável, expressão da alma pecadora. Mas o segundo logo desvia o pecado para o corpo, na medida em que este é o lugar das tentações e o instrumento da alma pecadora. A noção de carne (*caro*) é muito ambivalente. Com efeito, ainda que as palavras *caro* e *corpus* pareçam muitas vezes intercambiáveis, a primeira é um valor, tanto quanto uma coisa: a carne recebe um papel ético e na história da salvação ela é o ator principal. Em comparação, a palavra "corpo" figura como categoria genérica e neutra. Foi à tentação original da *carne* (não do "corpo") que o primeiro Adão cedeu, e é a essa falta original que responde o mito da *Encarnação* do Cristo, o segundo Adão, "o Verbo que se fez *carne*". A carne é, pois, como diz Tertuliano, o "eixo da salvação" (*caro salutis est car*do), na escala universal do mito como na escala de cada homem. Para este, ela é, ao longo de toda a existência terrestre, ocasião de queda, mas também meio de salvação; para alguns, pela ascese e castidade, para outros, pela pena redentora do trabalho manual (*labor*).

Corpo e alma

A morte separadora

Fazendo eco à separação original entre o homem e Deus, forma da tragédia cristã que sela a falta original, a morte de cada homem marca a separação da alma e do corpo. É então que termina sua difícil coexistência e que cada parte conhece a partir desse instante um destino próprio. O corpo não é incinerado, mas inumado, entregue à lenta decomposição das carnes. "Pó, volta ao pó." Na teoria, e mais frequentemente na prática, sua sorte quase não preocupa os cristãos da Idade Média. A *memoria* dos vivos não se dirige às ossadas dos defuntos comuns: ela concerne à salvação da sua alma. Se, por sua parte, a "alma separada" (do corpo) não ascende imediatamente à visão beatífica dos santos ou aos tormentos eternos dos danados do Inferno, é preciso que ela espere dias melhores nos tormentos redentores do "fogo purgatório", que no século XII torna-se o Purgatório.

Para os cristãos é essencial a promessa de ressurreição dos mortos formulada pela primeira vez por São Paulo (1 Coríntios 15) e que, em dois planos mais uma vez indissociáveis, significa ao mesmo tempo a reunificação da alma e do corpo e do homem com Deus. Embora a ideia de ressurreição dos mortos, como mostrou recentemente Caroline W. Bynum, não seja de todo uma inovação do cristianismo, pois também está presente em outras grandes religiões do Oriente Próximo, deve-se lembrar que foi expressamente formulada pela primeira vez por São Paulo, do qual já se disse que amalgamou à crença cristã noções de alma e corpo vindas da filosofia antiga e do Antigo Testamento. Organizando as representações de corpo e de alma em relação à ressurreição, São Paulo modifica completamente as perspectivas metafísicas e psicológicas tanto da especulação grega quanto da tradição judaica. Os eleitos ressuscitarão no mesmo corpo que foi o seu na terra, mas um corpo "glorioso" ("espiritual", diz São Paulo, em oposição ao corpo "animal" da existência terrestre), purificado de todas as suas enfermidades e subtraído à usura do tempo: será como o corpo de Adão antes da Queda, e nesse corpo metamorfoseado os eleitos se beneficiarão novamente da visão imediata e completa de Deus. Nesse retorno à perfeição da origem, a história se extinguirá na eternidade.

Dicionário analítico do Ocidente medieval

Uma relação dinâmica

Como se terá percebido, o quadro geral do pensamento cristão sobre a alma e o corpo exclui *a priori* todo dualismo que os tomasse como princípios opostos e exclusivos. A tentação do dualismo sempre foi limitada e rapidamente corrigida, quer se tenha tratado de certas correntes neoplatônicas (Orígenes) ou, ainda mais claramente, de heresias como o maniqueísmo, no século V, ou o catarismo, no século XII. Em relação a esse último, a oposição do corpo e da alma remete ao antagonismo homólogo de dois princípios criadores: do bem (Deus) e do mal (Satã). Tal concepção fixista era inconciliável com a visão cristã de alma e de corpo, muito mais dinâmica, que por sua vez remete à ideia de um Deus ao mesmo tempo uno e trino. Ao enrijecimento inerente à concepção herética opôs-se um modelo ortodoxo do divino e do humano acerca do qual se pode pensar que sua flexibilidade fundamental garantiu-lhe, desde o início, sucesso histórico. Toda proposição visando desvalorizar o corpo a ponto de querer aniquilá-lo contradiz o papel dinâmico que lhe é atribuído no mito central da Encarnação e na economia da salvação individual. O ascetismo cristão deve ser apenas um meio, nunca um fim em si mesmo. Refreando-o social e ideologicamente, preterindo-o em favor de uma moral comum de meio-termo, pregando que nem todas alegrias terrenas excluem da salvação e que os usos dos corpos devem se adaptar às condições sociais das pessoas, a religião cristã da Idade Média, longe de apoiar-se sobre uma moral intangível e única para todos, faz do compromisso um modelo de existência.

Se o ascetismo extremo (tudo pela alma) e a licenciosidade desenfreada (tudo pelo corpo) estavam excluídos, a relação entre corpo e alma prestava-se a todas as variações. Pode-se mesmo opô-los e exaltar seus conflitos. As representações tópicas mais comuns, que privilegiavam o "alto" em relação ao "baixo" e o "dentro" em relação ao "fora", colocavam a alma "acima" do corpo na escala das dignidades e faziam do corpo o invólucro pesado e opaco, a "prisão" (*ergastulum*) da alma. Mas suas respectivas posições justificavam também a encenação dramática dos "debates da alma e do corpo", uma forma literária que floresceu durante a Idade Média central e na qual cada parte se lamenta amargamente da opressão da outra: e aqui, embora a alma recrimine o corpo por arrastá-la para baixo, o corpo protesta em alto e bom som contra o moralismo da alma, que o impede de gozar as alegrias da vida. Nos bastidores desse gênero literário, desenrola-se um outro conflito, tanto ideológico quanto ético, uma vez que a alma representa metaforicamente o papel da Igreja e o corpo o dos leigos. Cada um pode, pois, designar o vencedor segundo seus próprios interesses. Discutiremos adiante como a relação entre corpo e alma, ponto de ancoragem das categorias mais vastas do "corporal" e do "espiritual", permite pensar o conjunto das relações sociais.

O lugar da alma

A Cristandade concebia a relação entre corpo e alma de modo dialético, que se justificava pela convicção da unidade da pessoa humana, da complementaridade dos componentes de seu ser e ainda pelo parcial recobrimento das partes "baixas" da alma — as que confinavam o fisiológico — e das partes "altas" do corpo — as que mais se aproximavam das faculdades psíquicas. Categorias que tendemos a opor e que de fato confundem-se em larga medida, como testemunham as metáforas mais comuns, por exemplo, a dos "olhos da alma", que parece atribuir-lhe uma forma e uma faculdade corporal. De fato, tais "olhos" permitem ao homem, no sonho visionário ou na contemplação, ascender aos mistérios invisíveis e dar-lhes uma representação figurada. Mesmo as "almas separadas" passavam por ser dotadas, no Além, de uma forma de passividade quase corporal: embora a privação da visão de Deus seja, em princípio, a pena (espiritual) mais amarga, os tormentos do "fogo corporal" que as queima no Purgatório inquieta bem mais os vivos que daqui da terra rezam por seus pais mortos. Mesmo quando se reconhecia a imaterialidade da alma, obstinava-se em querer localizar sua sede no corpo, em contradição com a ideia de que a alma "anima" toda a pessoa sem nunca e em nenhuma parte se deixar circunscrever. No século XII, o monge Guiberto de Nogent censura os que pretendem alojar a alma num só membro do corpo: se fosse num dedo, adverte ele, o que aconteceria se fosse cortado?

Tradições muito antigas convidam a situar a sede da alma ou na cabeça ou no coração. Essa última representação parece ter ganho terreno no decorrer da Idade Média. Para explicar esse deslocamento, pode-se invocar a crescente promoção dos valores afetivos tanto na cultura laica (a lírica cortesã) quanto na literatura religiosa (a mística cisterciense e depois a que se desenvolve no ambiente das Ordens Mendicantes), ambas insistindo sobre os impulsos do coração e sobre o fogo do amor terrestre ou divino. Deve-se invocar também uma mudança sensível nos esquemas hierárquicos que presidiam a representação do corpo na literatura médica e na do "corpo político". Sem que se desfaça a ideia de que o rei é a cabeça do reino, dá-se cada vez mais atenção à sede central e às funções centralizadoras de seu poder.

Contudo, nos últimos séculos da Idade Média, o coração é mais o substituto da alma do que sua sede. A esse título, não é oposto ao corpo, mas à carne. Tomás de Celano conta, por exemplo, como primeiro São Francisco recebeu em seu "coração", na pequena igreja de São Damiano, a marca do crucifixo, que se manifesta mais tarde em sua "carne" pela aparição dos estigmas. Não é, pois, um elemento isolado que se modifica, mas toda uma relação. A oposição entre alma e corpo tende a ceder lugar à oposição entre o coração e a carne, que se firma de outra maneira, mais afetiva e mais ambivalente: o coração é mais carnal que a alma, a carne é um valor, tanto quanto a matéria.

Assim, a dialética do corpo e da alma evolui em todos os níveis em que ela é observada: nas "práticas" do corpo e da alma, nas imagens de sua relação, nas categorias do pensamento racional ou ainda nas metáforas que lhe dão uma abrangência mais geral.

A expressividade do corpo

Característica dessa dialética é a atenção dada ao corpo como modo de "expressão" exterior (*foris*) dos movimentos interiores (*intus*) e invisíveis da alma, dos estados psíquicos, das emoções e do próprio pensamento. A reação de pudor dos primeiros pais, que escondem o sexo no momento em que tomam consciência de sua falta (cada vez mais assimilada, lembre-se, à "concupiscência da carne"), pode a esse respeito ser tida como o gesto fundador da condição humana. As lágrimas inspiradas pela contrição ou

Corpo e alma

pela extrema devoção e o rubor que avermelha o rosto sob o efeito da vergonha são igualmente promovidos pelos hagiógrafos ou pelos confessores ao nível de signos corporais espontâneos e "que não mentem" dos movimentos da alma, positivos ou negativos. O interesse da literatura monástica pelas poluções noturnas, efeito de sonhos luxuriosos de monges vítimas de tentações da carne e do demônio, traduz igualmente a convicção de que o corpo é como um livro aberto que permite, embora imperfeitamente – pois só Deus pode "sondar os corações" (Sabedoria I,6) – decifrar a alma.

Pode-se dizer que, na sua própria corporeidade, o corpo é expressão da alma. Se bem que a Idade Média não tenha conhecido uma ciência fisiognomônica tão desenvolvida quanto a da Antiguidade e, mais tarde, a da época moderna, é evidente que os pintores davam sistematicamente aos verdugos de Cristo traços grosseiros que exprimem sua maldade, ao passo que os santos, tanto nas descrições dos hagiógrafos quanto nas representações figuradas, portam na carne, na vida e na morte, todos os signos de sua eleição espiritual: seus corpos são belos, luminosos, prontos a antecipar na terra a metamorfose gloriosa a que estão prometidos. A santidade torna-os como que transparentes, à maneira daquelas estatuetas que os místicos de fins da Idade Média apreciavam e que figuravam a Visitação: as efígies da Virgem e de Santa Isabel tinham sobre o ventre um cristal que por sua transparência deixava ver, prontos para nascer, São João Batista e o Menino Jesus. Dizia-se também, com autenticação das autoridades religiosas, que os corpos santos não se decompunham. Suas tumbas exalavam "odor de santidade". Suas relíquias, nas quais a *virtus* do santo estava inteiramente presente, curava doenças e ressuscitava os mortos.

Também para os homens comuns, a relação íntima da alma e do corpo adequa-se mal às nossas próprias categorias. Por exemplo, a experiência do sofrimento, naquele tempo, não permite ser classificada nem de um lado nem do outro, de tal modo sua natureza física, e não somente na prova do martírio, é sublimada num valor moral. Igualmente, a doença nunca é concebida como uma simples afecção fisiológica. É um mal aparentado à possessão demoníaca, que toma por inteiro o ser, corpo e alma. Suas causas morais chamam a atenção pelo menos tanto quanto as causas físicas: a lepra não seria uma consequência das desordens da carne? E, inversamente, o pecado ou a heresia são pensados segundo os modelos da doença e da epidemia. Embora tendendo a se profissionalizar naquela época, o próprio discurso médico ainda não se livrou do discurso filosófico, teológico ou moral sobre a alma e o corpo. De resto, é nas vizinhanças de diversas esferas de conhecimento que reside o meio mais seguro de se prevenir contra as tentações e os perigos de um "dualismo terapêutico" do qual, hoje em dia, conhecemos demasiado bem os efeitos e os limites.

Os remédios, tanto quanto os males, pertencem indissoluvelmente a ambos os registros, da alma e do corpo. Os mais eficazes não são as poções, mas os milagres, que agem frequentemente nos dois registros: basta que o blasfemador se arrependa para recuperar de imediato o uso da mão paralisada por um castigo sobrenatural. Os sacramentos da Igreja constituem um outro terreno de observação privilegiada da articulação sistemática do corpo e da alma. No século XII, a legitimidade do casamento é definida segundo dois critérios complementares: o consentimento dos esposos, ato da vontade livre que diz respeito à alma, e a consumação física da união, sacrifício na medida das necessidades da carne. Por definição, todos os sacramentos comportam uma parte espiritual — a infusão da graça na alma do batizado, a vinda do Espírito Santo sobre as espécies do sacrifício eucarístico — e uma parte corporal — os gestos e objetos rituais que afetam os corpos do celebrante e dos fiéis: as fórmulas e os gestos da consagração, o óleo da crisma sobre a cabeça do catecúmeno, a tonsura sacerdotal etc. O fato, para São Paulo e os Pais da Igreja, de sublinhar que o batismo, ao contrário da circuncisão dos judeus, é uma marca espiritual superior e não uma marca ritual do corpo, testemunha uma vez mais a flexibilidade da relação entre corpo e alma, uma gangorra que pode balançar para um lado ou para o outro, mas sem excluir nenhum.

Um corpo disciplinado

Tais concepções tendem a fazer do corpo uma imagem visível da alma, e por isso os artistas se consideram autorizados para, às vezes, valorizar a nudez, por exemplo nas cenas de martírio. Mais comumente, o hábito que convém ao corpo exprime a conformidade com uma norma ética e não somente social; ele testemunha exteriormente a relação harmoniosa entre a alma e o corpo. A desordem nas vestimentas é, portanto, signo de pecado. O pior são os travestimentos, percebidos como uma perversão da obra do Criador. As máscaras (para os homens) e a maquiagem (para as mulheres) são condenadas porque ocultam ou pervertem de maneira sacrílega a imagem de Deus no homem, pretendendo completar ou aperfeiçoar a Criação, dando ao homem traços de animal (que não tem alma) ou do demônio (que é um espírito decaído), ou ainda, no tempo de festa, invertendo as identidades sexuais fixadas por Deus e que são uma parte da ordem social.

A consideração das relações de mão dupla do corpo e da alma é inseparável do poder que a sociedade exerce sobre elas. É sobre essa relação que os clérigos apoiaram os métodos cada vez mais eficazes de *cura animarum*. Desde o século XII, nos mosteiros, a "disciplina" dos corpos e principalmente dos gestos, tal como a concebia Hugo de Saint-Victor, é um meio de pôr a alma no caminho da salvação, pela coerção quando preciso: trata-se de inculcar no jovem noviço um *habitus* físico que exclui todo gesto desordenado, excessivamente rápido ou amplo, em nome de um ideal de medida que faz de cada religioso uma imagem viva da virtude. Ora, esses modelos de comportamento não permaneceram confinados aos mosteiros: estendem-se rapidamente aos manuais de "boas maneiras" destinados aos leigos, enquanto os confessores, detentores do "foro interior", isto é, da justiça da alma, escrutinam nos desregramentos dos corpos (por exemplo, no rubor que trai a vergonha do pecado) o testemunho involuntário dos erros da alma.

As representações figuradas

Embora a arte medieval tenha multiplicado à saciedade as figurações do homem como ser animado, corpo e alma reunidos, certas imagens, que figuram o momento em que a alma se une ao corpo ou, ao contrário, o momento em que se separa dele, permitem examinar mais precisamente a expressão iconográfica de suas relações. É o caso, nas iluminuras de certas bíblias, da imagem da criação de Adão, quando Deus modela em argila a efígie do primeiro homem e depois insufla sobre ele o espírito (*spiritus*), a fim de animá-lo. Tratando-se de homens comuns, a união da alma e do corpo no ventre da mãe só muito raramente é figurada. Existe uma imagem, no entanto, no *Liber scivias* da monja Hildegarda de Bingen (século XII), que pinta e descreve a visão que ela teria tido do destino da alma desde o instante da concepção. No oval que evoca a forma de um ovo, a mãe está deitada, deixando ver, como se fosse transparente, o ventre com o feto. Acima do oval, a divindade de onde procede a alma é figurada na forma de um losango luminoso de onde sai, para baixo, um tipo de cordão que se comunica com o feto. É por ele que a alma desce ao homenzinho para animá-lo: logo acima do feto, um inchaço do cordão denuncia a descida da alma que vai se unir ao corpo. Na mesma página também estão figurados, em seis quadros, as atribulações da alma no corpo: dessa vez, a alma está figurada na forma habitual do *homunculus*, um homenzinho nu, assexuado, uma espécie de homem concentrado contido na alma concebida como "forma do corpo". No entanto, esse não é o único modo de figuração da alma. A miniatura seguinte apresenta em detalhe uma das aventuras da alma durante a existência: dessa vez, a alma é figurada sob a aparência de uma mulher de longos cabelos ruivos, em alusão, talvez, à identidade sexual da própria monja visionária, se bem que Hildegarda sempre se designe como um ser humano em geral (*homo*) e não especificamente como mulher. A última imagem do mesmo capítulo retrata a separação da alma e do corpo no momento da morte. Agora, é o corpo morto que se reveste da aparência da mulher ruiva, enquanto a alma sai por sua boca na forma de *homunculus* assexuado. Essa representação da alma é comum a numerosas cenas da morte na iconografia cristã, mas não é a única possível. Por vezes, a alma deixa o corpo sob a forma de uma pomba, equivalente na imagem à noção de *spiritus*. Mas, quando se trata de figurar a alma separada no Além, no "fogo corporal" do Inferno ou do Purgatório, só a forma de um corpo humano, geralmente nu e assexuado, permite sugerir sua passibilidade quase corporal.

As representações discursivas

As categorias do discurso racional, filosófico e médico, tal como se desenvolvem nos séculos XII e XIII, também permitiram exprimir a natureza dialética da relação entre corpo e alma, introduzindo entre eles um terceiro termo. Impõem-se agora a distinção de três noções: as de *corpus* (*soma*, em grego), *anima* (no sentido de princípio vital, *psyque*, em grego) e *spiritus* (no sentido de princípio pensante, racional, *pneuma*, em grego). Distinção já presente em São Paulo (I Tessalonicenses 5,23), mas menos utilizada até então do que a oposição dual de corpo e alma. No século XII, a teologia monástica cisterciense e vitorina encontra aí um meio de análise mais fino das faculdades psíquicas da pessoa humana em sua ascensão a Deus. Alcher de Claraval (*De spiritu et anima*, tratado por muito tempo erroneamente atribuído a Santo Agostinho), Achard de Saint-Victor (*De discretione animae, spiritus et mentis*), Hugo de Saint-Victor (*De unione corporis et spiritus*) adotam essa distinção, o último situando-se, inclusive, no plano da lógica para afirmar que uma relação dinâmica entre o corpo e o espírito supõe necessariamente um terceiro termo, a alma. Esse momento do século XII é importante: marca incontestavelmente o recuo do dualismo latente (embora nunca completo, como se disse), mais característico da Alta Idade Média. E não durará muito tempo, pois cede lugar, no século XIII, a uma nova forma de relação binária cuja significação precisaremos mais à frente.

Se a representação da pessoa humana ganha em sutileza, a vantagem consiste, acima de tudo, numa concepção global do micro e do macrocosmo, em propor uma homologia com outras estruturas ternárias, atribuídas ao próprio Deus (Pai, Filho e Espírito Santo), às potências da alma (*mens, memoria, voluntas*), ou ainda aos tipos de visão que Santo Agostinho já havia distinguido (*visio intellectualis, visio spiritualis, visio corporalis*). A exigência de coerência geral do ser se enriquece com tais construções.

Contudo, no século XIII, o questionamento dos modelos monásticos, tanto no plano social quanto no metafísico, favoreceu a recepção de uma concepção mais claramente aristotélica do homem e da natureza. O corpo em si mesmo torna-se mais digno de atenção, induzindo a um retorno parcial ao esquema binário do corpo e da alma. Mas sem que seja, menos ainda do que antes, pensado segundo um modelo dualista. A promoção do corpo, a consideração prazerosa de sua liberdade e de seus poderes, não se fez – bem ao contrário – em detrimento da unidade da natureza humana.

Dicionário analítico do Ocidente medieval

Marie-Dominique Chenu explicou-o perfeitamente a propósito de São Tomás de Aquino: "Contra todo dualismo, o homem é constituído de um só ser, no qual a matéria e o espírito são consubstanciais a uma determinada totalidade, sem solução de continuidade, por sua mútua inerência: não duas coisas, não uma alma com um corpo ou movendo um corpo, mas uma alma-encarnada e um corpo-animado, de tal modo que a alma é determinada, como 'forma' do corpo, até o mais íntimo de si mesma, a tal ponto que, sem corpo, ser-lhe-ia impossível tomar consciência de seu próprio ser".

A abordagem "naturalista", até médica, do corpo, impregnada de aristotelismo, é perfeitamente ilustrada pela recepção de um tratado de um erudito árabe do século IX, Costa ben Luca, traduzido no século XIII por João de Toledo e atribuído sucessivamente a Agostinho, Isaac da Estrela, Avicena, Alexandre Neckam, Tomás de Cantimpré e Alberto Magno... O autor distingue dois "espíritos" no corpo do homem: o "espírito vital" (*spiritus vitalis*), que tem sua sede no coração e provoca o pulso e a respiração, e o "espírito animal" (*spiritus animalis*), cuja sede é no cérebro e do qual dependem as operações dos sentidos e as faculdade cognitivas (memória, conhecimento, prudência). Distinta desses dois espíritos corporais é a alma (*anima*), que não tem sede particular no corpo, do qual ela comanda o movimento (*movet corpus*) e que sobrevive a ele quando dele se separa. Em um dos numerosos manuscritos dessa obra, duas capitulares desenham justamente o momento da morte e da saída da alma. A primeira mostra dois padres que aspergem água benta no catafalco, acima do qual se eleva a alma na forma tradicional de um homúnculo que dois anjos carregam sobre um tecido branco até Deus. A segunda, infinitamente mais original, mostra o corpo do morto deitado no solo, completamente vestido. Dessa vez, duas formas de alma saem simultaneamente de sua boca e se elevam a Deus: a alma (*anima*), na forma clássica de homúnculo, e o espírito (*spiritus*), sob a forma de uma pomba branca. Percebe-se por esse exemplo a dificuldade de adaptação dos esquemas tradicionais da figuração icônica a uma inovação conceitual que o iluminador não percebeu inteiramente, embora tenha ao menos retido a distinção pouco habitual de três termos: corpo, alma e espírito.

Corpo e alma

Os usos metafóricos

Uma vez que designam os componentes essenciais da pessoa, o corpo e a alma prestam-se a uma infinidade de usos metafóricos, cujas aplicações e riscos são inumeráveis. Tais metáforas podem dizer respeito seja à alma, seja ao corpo, separadamente. Podem também concernir à sua relação, o que nos importa aqui acima de tudo.

A física aristotélica já fala de "alma do mundo": essa ideia penetra nos debates universitários do século XIII, mas sem poder enxertar-se verdadeiramente na representação cristã da natureza. De resto, a despeito do privilégio concedido à alma pela ideologia cristã, é notável que as metáforas do corpo sejam mais numerosas e mais fortes. O corpo oferece o modelo concreto de uma organização hierárquica do real que ultrapassa muito a simples observação da pessoa humana e abre caminho a uma floração ilimitada de metáforas. Desde suas origens, a Igreja pensou-se simbolicamente como um "corpo" (segundo a onipresente metáfora paulina do corpo e dos membros) reunido pela celebração eucarística (1 Coríntios 11,33). No século XIII, os súditos do rei não podem mais ser identificados somente como membros do corpo da Igreja. Nas escolas parisienses, elabora-se a metáfora organicista do reino, à qual João de Salisbury dá a primeira expressão coerente: o rei é a cabeça do grande corpo do reino, do qual os oficiais, os clérigos, os cavaleiros, os mercadores são os diferentes órgãos e membros, sem esquecer os camponeses, que são os pés. Modelo que acompanha o rápido desenvolvimento da noção abstrata de Estado, encarnado no corpo dinástico e imortal do soberano, por oposição a seu corpo individual e perecível. Tal concepção mística dos "dois corpos do rei", impõe-se, em boa medida, às expensas da sacralidade da Igreja, e exprime-se em novas representações simbólicas e práticas rituais.

A relação fundamental de corpo e alma permitiu organizar campos inteiros da ideologia medieval por meio de oposições, variáveis tanto nos seus termos como em suas aplicações, entre, por um lado, o "corporal" (ou o "carnal", ou ainda, cada vez com uma conotação diferente, "o terrestre", o "material", o "temporal" etc.) e, por outro lado, o "espiritual". No registro das metáforas, a fecundidade ou o que poderíamos chamar de valor

Dicionário analítico do Ocidente medieval

libertador da relação primordial do corpo e da alma, parecia ilimitada, e poder-se-iam dar múltiplas provas disso. Pensemos, por exemplo, na durável oposição entre os "alimentos terrestres", os do corpo, e os "alimentos espirituais", as preces ou os pensamentos profundos servidos no "banquete" da alma. Tratando-se da autoridade, a oposição dos "poderes temporais" e dos "poderes espirituais" refere-se à mesma estrutura, organizando frente a frente os mundos laico e eclesiástico, o que se exprime em rituais precisos, como a investidura pelo báculo (o corpo) e pelo anel (a alma). Tão flexível quanto a relação primária entre a alma e o corpo, a dos poderes temporais e espirituais autorizava todo um jogo de rivalidades e de usurpações. Mas ela também estava submetida ao mesmo limite: não era possível que um dos dois termos da relação excluísse completamente o outro, sob o risco de arruinar todo o edifício do corpo social. No século XIII, por exemplo, generaliza-se na Igreja a prática de fazer pagar com dinheiro (elemento "carnal", se ele o é) os sacramentos (os remédios da alma), vem a seguir a multiplicação das missas compradas em prol dos mortos e mais ainda a inflação das indulgências. O limite do tolerável foi ultrapassado dois séculos depois, quando a Igreja parecia ser apenas uma enorme máquina de vender graças espirituais. Em nome do Espírito, os reformados tinham razão em denunciar o império exclusivo da carne e a perversão na Igreja do cuidado das almas.

JEAN-CLAUDE SCHMITT
Tradução de José Carlos Estêvão

Ver também

Além – Clérigos e leigos – Indivíduo – Medicina – Mortes e mortos – Pecado – Sexualidade

Orientação bibliográfica

BROWN, Peter. *Le Renoncement à la chair*: virginité, célibat et continence dans le christianisme primitif [1988]. Tradução francesa. Paris: Gallimard, 1995.

Corpo e alma

BYNUM, Caroline W. *Fragmentation and Redemption*: Essays on Gender and the Human Body in Medieval Religion. Nova York: Zone Books, 1991.

_____. *Jeûnes et festins sacrés*: les femmes et la nourriture dans la spiritualité médiévale [1987]. Tradução francesa. Paris: Cerf, 1994.

_____. *The Resurrection of the Body in Western Christianity from 200 to 1336*. Nova York: Columbia University Press, 1995.

CHENU, Marie-Dominique. *Spiritus*. Le vocabulaire de l'âme au XIIᵉ siècle. *Revue des Sciences Philosophiques et Théologiques*, Paris, 41, p.209-32, 1957.

FROMAGER, Michel. *Corps, âme, esprit*: introduction à l'anthropologie ternaire. Paris: Albin Michel, 1991.

LE GOFF, Jacques. *O imaginário medieval*. Tradução portuguesa. Lisboa: Estampa, 1994.

_____; BASCHET, Jérôme. Anima. In: *Enciclopedia dell'arte medievale*. Roma: Istituto dela Enciclopedia Italiana, 1990. p.798-815.

PUCHELLE, Marie-Christine. *Corps et chirurgie à l'apogée du Moyen Âge*: savoir et imaginaire du corps chez Henri de Mondeville, chirurgien de Philippe le Bel. Paris: Flammarion, 1983.

SCHMITT, Jean-Claude. *La Raison des gestes dans l'Occident médiéval*. Paris: Gallimard, 1995.

_____. *Os vivos e os mortos na sociedade medieval*. Tradução brasileira. São Paulo: Companhia das Letras, 1999.

SPIRITUS. IV Colloque International (Roma, 7-9 jan. 1983), Actes du Colloque édités par M. Fattori et M. Bianchi (Lessico intellectuale europeo XXXII). Roma, 1984.

Corte

In curia sum et de curia loquor, et quid ipsa sit non intelligo, "estou na corte e falo sobre ela e não sei o que ela é". Assim dizia Gautier Map no final do século XII. Oito séculos mais tarde, os historiadores puderam dar uma definição simples da corte: conjunto de pessoas que cercam o príncipe. Eles sabem a importância central da corte na história do Ocidente medieval, mas, apesar de numerosos e excelentes trabalhos, é bem difícil dizer o que era a corte na Idade Média.

Nada mais variável, em torno de um determinado príncipe, do que esse pequeno mundo proteiforme. Cada príncipe possuía sua corte. O papa, o imperador, um rei, um bispo, um príncipe poderoso, mesmo um modesto senhor, não se cercavam de maneira idêntica de pessoas de sua confiança. Entre os séculos VIII e XII, enfim, a corte é uma instituição com alguns traços permanentes, mas convém estar atento sobretudo às novas realidades criadas em sua longa história.

A corte carolíngia

A corte carolíngia é, em parte, uma herança; também deve muito a algumas iniciativas do próprio Carlos Magno. Para designá-la, os contemporâneos falam às vezes de *aula*, mais frequentemente de *palatium* (palácio). Os que cercam o rei são os *palatini* (palacianos) que formam o *palatium*. A ambiguidade resulta de que o *palatium* é, ao mesmo tempo, um lugar e um grupo de pessoas. A palavra designa simultaneamente a corte que cerca o rei e o palácio em que ele vive. Melhor dizendo, os palácios, porque a corte do rei carolíngio é normalmente itinerante, isto é, obedece a um ritmo sazonal. No verão, o rei desloca-se muito e é acompanhado por poucas pessoas. No inverno, permanece mais demoradamente no palácio de sua predileção, na companhia de numerosos cortesãos. Ali se erguem edifícios necessários à vida e ao fausto da corte. Carlos Magno foi na velhice residir em Aix; Carlos, o Calvo, quis fazer de Compiègne uma nova Aix.

O primeiro lugar na corte é ocupado pelo camareiro-mor (*camerarius*), o guardião do "quarto" onde está depositado o tesouro do rei, e chefe dos serviços domésticos. Ao seu lado, figuram o mordomo (*senescalcus*), encarregado do abastecimento do palácio; o copeiro (*buticularius*); o condestável (*comes stabuli*), responsável pela cavalariça. Esses oficiais eram leigos. Seus diferentes títulos não nos devem levar a pensar que a atividade deles limita-se a atribuições bem precisas. Embora responsáveis pela vida cotidiana do rei e da corte, também ajudam o rei a administrar o reino. Se eles passam o inverno com o rei, no verão são seus *missi* (enviados), conduzem seus exércitos. Para eles, a corte está mergulhada numa atmosfera laica e guerreira.

A capela e a chancelaria, ao contrário, conferem à corte um aspecto clerical. A mais preciosa relíquia da igreja palatina era a capa de São Martinho. Daí o nome de capela, desde logo dado ao único oratório real. Donde também o nome de capelães dado aos clérigos do oratório. Os capelães não se contentavam em orar pelo rei e pelo reino. Sua cultura permitia-lhes ajudar o monarca a administrar o reino. Ao mesmo tempo que eram capelães em seu oratório, frequentemente exerciam o papel de notários na chancelaria. A corte carolíngia era, portanto, um lugar de poder no qual coexistiam clérigos e leigos.

O serviço da capela necessitava de objetos de grande valor e de magníficos livros, bem como de cantores qualificados. A capela devia, por sua própria natureza, tornar a corte um ativo centro intelectual e artístico ao qual se acrescentaram os efeitos duradouros de uma iniciativa revolucionária do próprio Carlos Magno. Em 782, o rei chamou à sua corte Alcuíno, da Inglaterra, e Paulo Diácono, da Itália. Muitos outros letrados, oriundos

Dicionário analítico do Ocidente medieval

de várias partes, seguiram-nos. Esses mestres e seus discípulos fizeram da corte carolíngia um grande centro intelectual, onde o ensino correto do latim e do conhecimento das letras latinas permitiram o desenvolvimento de uma cultura original. Mais precisamente, a competência teológica de alguns desses mestres permitiu que se tornassem conselheiros do rei em assuntos religiosos. Local de poder, a corte carolíngia também era um lugar de cultura e de fé.

Ao chamar Alcuíno, Carlos Magno tinha um projeto ainda mais específico. Preocupado em desenvolver a instrução para as necessidades da Igreja e do Estado, ele se empenhou apaixonadamente em todos os seus domínios em criar uma escola palatina na qual os melhores mestres instruiriam os melhores alunos, para lá enviados de todas a partes. Assim, o jovem Eginhardo, notado pelo abade do mosteiro de Fulda, onde havia começado a estudar, foi enviado por ele ao palácio de Carlos. Sob Carlos, o Calvo, meninos bem-dotados aprendiam as artes liberais na escola do palácio. Mesmo fora da escola, vendo falar e agir clérigos e leigos palatinos, os jovens beneficiavam-se das boas lições e dos bons exemplos. Podiam entregar-se aos exercícios escolares, exercitar-se nas armas, aprender a se conduzir bem. Hincmar pôde dizer que toda a corte do rei era como uma escola. A corte era o local de formação por excelência.

Esses leigos e clérigos, esses sábios e adolescentes, criavam um ambiente de riqueza e de diversidade excepcionais, aos quais se juntavam as mulheres — cuja beleza era celebrada pelos poetas da corte — que participavam ativamente das conversações e graças às quais uma simples caçada tornava-se um acontecimento digno de ser exaltado. A corte ficava diferente com a presença dessas "pombas que no palácio voavam de quarto em quarto".

Tal era a corte no sentido estrito do termo. Mas, no tempo frio, os grandes leigos, os bispos, os abades, que tinham no passado, ou recentemente, vivido no palácio, retornavam para invernar junto ao rei, que lhes pedia conselhos e decidia com eles sobre sua política. Aqueles que não podiam permanecer por muito tempo procuravam ao menos estar ali nas grandes festas, no Natal ou na Páscoa. Desse modo, o número de palacianos podia crescer enormemente, e o palácio real mudar completamente de aparência, alterar seus traços particulares.

Qual seria o número total dessas pessoas com seus servidores? É comum sugerir que ele devia ser modesto. Isso, sem dúvida, é verdade, se se tiver em mente o que seria mais tarde uma corte imperial, real ou principesca. Sabe-se apenas que, sob o reinado de Carlos Magno, o número de capelães e sobretudo de grandes senhores foi sendo cada vez mais numeroso. E quando o imperador desejava tomar banho acompanhado de seus filhos, de grandes senhores, de seus amigos, da sua guarda pessoal, "havia com ele até cem ou mais pessoas". O palácio representava, então, um lugar de consumo considerável. Um lugar também onde se reuniam livros que haviam despertado a curiosidade do rei, objetos que ele havia acumulado ou que lhe haviam sido presenteados por príncipes de regiões distantes.

Por suas riquezas e seus homens, o pequeno mundo da corte oferece, às vezes, um reflexo privilegiado do vasto mundo, ou, pelo menos, de todo o reino. Ao mesmo tempo, porém, formava um local único em todo o reino, onde dezenas, ou melhor, algumas centenas de pessoas gozavam da confiança do príncipe, a ele ligadas pela "familiaridade" (*familiaritas*), compartilhando da alta cultura que havia podido aí florescer, comprazendo-se das festas estabelecidas pelo calendário litúrgico e contribuindo para dar ao palácio o brilho de que o rei queria cercar-se.

O nascimento da cortesia (séculos XI-XII)

Os carolíngios desapareceram no século X. Naturalmente, o imperador, os reis e os príncipes posteriores tiveram suas cortes. A estrutura destas, muito simples, conservou durante algum tempo traços carolíngios. Alguns oficiais leigos velavam pela vida cotidiana da corte; os clérigos da capela asseguravam o serviço divino. Uns e outros auxiliavam o senhor a tomar decisões políticas e tratar das questões administrativas. Em meados do século XI, durante alguns decênios, ocorreu uma evolução maior. Prelados e grandes senhores leigos deixaram de frequentar a corte imperial e a corte real francesa. Uma e outra povoaram-se de homens de origem bem mais modesta: no Império, ministeriais (*ministeriales*), modestos nobres mal saídos da servidão; na França, *milites*, isto é, guerreiros oriundos da pequena nobreza e incluídos na rede de fidelidades vassálicas, os cavaleiros.

Ao mesmo tempo, sem que logo desaparecesse a palavra *palatium*, surgiu a palavra *curia*, que se impunha pouco a pouco: ao *palatium* carolíngio sucedia a *curia* feudal.

Os recém-chegados tinham em mente, antes de tudo, exercer as grandes funções laicas na corte. Depois, na segunda metade do século XII, os cargos herdados da época carolíngia desapareceram ou esclerosaram. Seu trabalho foi, doravante, exercido por modestos auxiliares do camareiro-mor, o qual havia sido, até então, desempenhado pelos camareiros. Foram os *ministeriales* e os *milites* que se tornaram, aqui e ali, camareiros. Na mesma época, a chancelaria herdou o trabalho administrativo que havia mantido a capela. Mas os notários da chancelaria continuavam, frequentemente, a ser clérigos ainda ligados à capela. Esses clérigos e leigos, certamente da confiança do rei, acotovelavam-se no conselho, cujos traços começavam, então, a desenhar-se. Assim, a *curia* feudal permanecia o instrumento eficaz de governo de que todo poderoso tinha necessidade.

Mas o essencial não era isso. Era a composição da corte. Em torno do senhor, que continuava a desempenhar o papel principal, reencontravam-se na sua *curia*, na sua *familia*, quatro grupos de *curiales*, de *familiares*, cuja coexistência conferia originalidade à corte. Em primeiro lugar, os cavaleiros, depois os clérigos, a seguir as mulheres, por fim os jovens, que tomavam parte de ora em diante no funcionamento da corte, por exemplo cortando pão ou servindo vinho. A atmosfera particular desse meio original alimentou um ideal que iria transformar rudes soldados em bravos cavaleiros e, em diversos lugares, impor-se durante séculos a toda a sociedade ocidental. Foi no decorrer dos séculos XI e XII que nasceu a "cortesia".

Curialitas aparecia ao mesmo tempo que *curia*, por volta de meados do século XI. Depois surgiu *courtois*, em francês, por volta de fins do mesmo século. Em seguida, *höfisch*, em alemão, em meados do século XII. A palavra *curialitas* não significava o simples fato de alguém pertencer à corte, ser um cortesão, *curialis*. Ela indicava o respeito do cortesão por um gênero de vida ideal, aliás complexo e difícil de definir. O cavaleiro cortesão continua, antes de tudo, um guerreiro que deve demonstrar todas as virtudes guerreiras, deve brilhar em todos os exercícios militares e, de forma geral, nos esportivos. Ao mesmo tempo, porém, não pode mais ser inculto e analfabeto, não saber ler e escrever. A *curialitas* rejeita a oposição fundamental entre *clerici-litterati* e *milites-illitterati*. Certamente, o perfeito cavaleiro não vai às escolas para aprender o latim e as artes liberais. Entretanto, é bom que ele saiba ler e escrever, que se enriqueça de certa cultura, a fim de que os clérigos o louvem não por ser um *litteratus*, mas pelo menos suficientemente letrado (*satis litteratus*), quase letrado (*quasi litteratus*). Proeza e saber ainda representavam pouco. A *curialitas* exige, igualmente, certa maneira de ser, certo modo de viver. É preciso saber conduzir-se bem, não simplesmente demonstrar virtude e piedade, mas estar de acordo com as boas maneiras, "saber dizer e fazer", saber portar-se de acordo com os usos e modos da corte. À mesa, por exemplo, onde não existem guardanapos e as taças são, frequentemente, comuns a dois comensais, é necessário limpar a boca antes de beber. Mas como? Na toalha? Não! Alguns recomendavam limpar com a mão. Outros condenavam esse uso. Para esses, a elegância estava em limpar na manga. Do mesmo modo, para assoar. Nem toalha nem com os dedos, mas na manga. Assim, a *curialitas* também se definia por alguns manuais de comportamento que davam até conselhos de higiene. Ser cortês era também limpar as unhas.

Para exprimir a perfeição dessas boas maneiras, uma palavra aparece constantemente: *elegantia*. Conhecia-se a polidez de um cortesão pela elegância de seus modos (*elegantia morum*). Somente ele sabia verdadeiramente comer, beber, falar, jogar xadrez, combater com a lança, enfim, e sobretudo, conduzir-se com as mulheres. Foi Gaston Paris quem, em 1883, primeiramente falou de "amor cortês". Desde então, a erudição obstinou-se em definir com precisão o que tinha sido o amor cortês. Sem muito sucesso, aparentemente. Primeiro, porque os diferentes gêneros literários – épica, lírica etc. – não dão dele a mesma imagem. Depois, porque a pesquisa talvez não tenha formulado aos textos as questões relevantes. Uma coisa é certa: o amante cortês deve se submeter à sua dama e servi-la. São questões secundárias perguntar se amor cortês e casamento são compatíveis, se o amor cortês condena amar uma dama socialmente inacessível, se o amor cortês deve parar nos beijos e renunciar à realização do desejo. Afinal, nada impede o amor conjugal e o amor carnal de serem corteses. O que torna o amor cortês, é a elegância do amante, sua delicadeza – os historiadores diziam

Dicionário analítico do Ocidente medieval

com razão, havia dois séculos: sua galanteria. O amante cortês respeita as regras de um código amoroso; sua conduta está de acordo com a boa educação. Conduzir-se bem no amor é, junto com comer bem e vestir-se bem, um dos aspectos da *curialitas*. E, por definição, somente um cortesão sabe praticar essa arte de amar, enquanto um camponês, como diz André Capelão, fará amor "naturalmente, como um cavalo e um burro" (*naturaliter, sicut equus et mulus*).

A cortesia, em geral, e o amor cortês, em particular, são a síntese de contribuições bastante diversas. Já se observou a influência da Bíblia e do Cântico dos cânticos, da literatura de Ovídio, da poesia carolíngia, da literatura dos Espelhos feita para os príncipes desde o século IX. Notou-se também a influência de fontes contemporâneas. O serviço amoroso é um reflexo do serviço vassálico. A exaltação da dama é paralela à glorificação da Virgem, ou da mulher como desejou Roberto de Arbrissel ao fundar Fontevraud. O essencial talvez, nessa síntese, é que os clérigos desempenharam nela um papel primordial. A cortesia é um modelo fornecido pelos clérigos aos cavaleiros, para lhes mostrar como bem conduzir-se, particularmente com as damas.

Os cavaleiros, os clérigos e as damas foram, portanto, os três pilares dessa cultura tão original que foi a cultura das cortes nos séculos XI e XII. Mais precisamente, ouvintes, inspiradores ou autores, eles explicam os traços originais da literatura desse tempo, que no essencial não era uma literatura monástica, e sim uma literatura de corte. Para a edificação dos senhores e das damas da corte, sábios clérigos escreveram em latim a vida de santos, obras históricas, Espelhos. A dificuldade era que o público ao qual se dirigiam raramente sabia ler e mais raramente ainda entendia o latim. Era necessário, portanto, dizer-lhe na sua língua o que havia sido escrito em latim. Pouco adiantava, já que o assunto deixava o público impassível. Mais que as vidas de santos, aquele público preferia ouvir as proezas de Rolando ou de Artur. Assim, clerical e cavaleiresca, a literatura da corte era escrita e oral, latina e vernácula, e os gêneros e temas tratados seguiam os gostos e as modas de seu público.

E onde melhor do que nesse paraíso de cortesia o jovem cavaleiro teria podido aprender, ao mesmo tempo, a arte da lança e as boas maneiras? As

308

escolas formavam os clérigos, as cortes formavam os cavaleiros. Quando atingiam a adolescência, o conde de Guines mandava seus filhos à corte do conde de Flandres, seu senhor, para que aprendessem a arte de combater e as boas maneiras (*moribus erudiendus et militaribus officiis diligenter... introducendus*). A corte era o centro de formação pedagógica da nobreza.

Ela realizava bem seu papel, pois, sendo itinerante, deslocava-se de uma residência a outra, construída segundo suas necessidades e seu feitio. Esses palácios e castelos deviam garantir a segurança do senhor e da corte, permitir sua vida cotidiana. Ora, se em tempos comuns um senhor estava acompanhado por algumas dezenas de pessoas, em outras ocasiões, seus cortesãos podiam ser algumas centenas. Nos seus grandes dias, a corte imperial contava com mais de mil pessoas. O centro da residência era, então, uma grande sala, mais ou menos vasta, mais ou menos luxuosa, a única que permitia esse momento essencial da vida cortesã que era a festa da corte.

A festa da corte obedecia, inicialmente, ao calendário litúrgico. A reunião mais importante era, tradicionalmente, a de Pentecostes. A festa da corte também tinha uma função política. Permitia ao senhor aparecer com todo o seu fausto (*decus, nitor* = glória, magnificência), cercado de todos seus vassalos. A távola redonda do rei Artur transforma todos seus vassalos em iguais. Mas ela é uma utopia que contradiz a realidade. De fato, desde a época feudal, a corte era uma sociedade hierarquizada, atenta à minúcia da precedência. Festa do senhor, a festa da corte era, entretanto, mais ainda a festa da cavalaria, à qual devia trazer alegria e prazeres. A cerimônia da investidura de novos cavaleiros e o torneio eram incluídos na principal parte da festa. O primeiro torneio historicamente conhecido data de 1095. Sua grande época foi a segunda metade do século XII. O local preferido era a França do norte, onde ocorria talvez um torneio a cada quinze dias. O torneio, que levava os cavaleiros à prática das armas, sob o olhar atento das damas, resumia toda cortesia.

Se muitos celebraram a corte como o lugar ideal onde se podia desenvolver a *curialitas*, outros a amaldiçoaram. Sobretudo os clérigos que tinham vivido na corte do rei Henrique II, da Inglaterra (1154-1189), como João de Salisbury ou Gautier Map. Para eles, longe de ser um local de cortesia, a corte era um lugar de ódio e de inveja, de ambição e de bajulação. Era

Dicionário analítico do Ocidente medieval

um lugar de desordem, no qual os clérigos que não residiam em suas dioceses perdiam sua alma, e os cavaleiros suas virtudes. Muitos poucos, na verdade, preocupavam-se em se tornar cavaleiros letrados (*milites litterati*). Incitando-os a agradar as mulheres, a usar cabelos compridos e anelados, vestes de seda e sapatos de bico levantado, a corte com muita frequência fazia deles *milites effeminati*. A corte pode nos parecer um meio ideal onde ocorriam as mais proveitosas fusões, mas, para aqueles clérigos formados segundo as claras distinções que a reforma gregoriana havia introduzido, ela era o lugar de todas as desordens, onde clérigos não eram mais clérigos, cavaleiros não eram mais cavaleiros, homens não eram mais homens. Para eles, a corte era um inferno.

A corte e os progressos do Estado (séculos XIII-XV)

A partir do século XIII, os progressos do Estado deram, pouco a pouco, nova aparência à corte. Anteriormente, era a atmosfera cavaleiresca que havia dominado as cortes. O príncipe, cujo papel permaneceu primordial, considerava-se o primeiro dos cavaleiros. De ora em diante, sem que a atmosfera cavaleiresca cessasse, era a sombra do príncipe que, cada vez mais, se impunha. A corte tornava-se, em primeiro lugar, a engrenagem essencial do Estado moderno.

O primeiro traço que distinguiu a nova corte foi o surgimento do palácio. Ele agrupava todos os serviços destinados ao cuidado do príncipe, à sua vida cotidiana. Conhecemos o palácio do rei de França a partir de Filipe Augusto. Seus traços foram definidos graças à primeira lei do palácio, de São Luís, em 1261. Outras se seguiram. Em todas as partes, os príncipes buscaram fixar e submeter à sua autoridade a organização de seu palácio. Essas leis do palácio são para nós uma fonte preciosa, apesar de sempre existirem variantes de uma corte para outra. Na França, em todo caso, o coração do palácio do rei era o quarto, cujo pessoal – camareiros e criados de quarto – protegia o rei. O palácio contava com quatro outros serviços (*ministeria*) ou ofícios: a dispensa de pão, a copa, a cozinha, a dispensa de frutas. A estes se juntavam a indispensável cavalariça e o encarregado da lenha, que preparava os locais quando a corte se deslocava. A vida de todo

Corte

o palácio dependia da sala das moedas, que controlava a maior parte de suas despesas.

O segundo traço da nova corte foi o aparecimento em seu seio de instituições dedicadas à administração do Estado, cujos contornos pouco a pouco se definiram e cuja importância aumentou. Assim, no século XIII, na corte do rei da França, alguns senhores dirigiam o parlamento para administrar a justiça real. Eles estão na origem do Parlamento. Do mesmo modo, outros senhores reuniam-se para verificar as contas do soberano. Eles estão na origem do Tribunal de Contas. Na primeira metade do século XIV, o Tribunal de Contas e a Corte Soberana de Justiça acabaram por se desligar completamente da corte do rei. Isso significa dizer que a corte do rei não tinha nada mais a ver com a administração do reino? De modo algum. Por exemplo, o rei, fonte de toda a justiça, delegou seu exercício à sua corte de parlamento, mas não renunciou a exercê-la pessoalmente algumas vezes. É o que fazia São Luís sob seu carvalho do palácio de Vincennes. Os sucessores do santo rei exerceram sua justiça "retida" pelos juristas que viviam na corte, os senhores de petições do palácio. Na França e na Inglaterra, do mesmo modo, impaciente com a lentidão de sua administração financeira, o rei, às vezes, atribuía à sala de moedas de seu palácio, mais flexível e mais próxima dele, um papel considerável.

Seja como for, a decisão política cabia ao conselho do rei, cujos traços estavam já definidos no século XIII e que nunca deixou de apoiar o rei. Preparada pelos notários e secretários da chancelaria, parte dos quais não deixava de acompanhar a corte, toda decisão era comunicada às bailias e senescalias por mensageiros que serviam na cavalariça. Assim, a corte era o lugar do poder por excelência. O chanceler e o grão-mestre do palácio estavam à frente da corte e também do Estado.

Lugar de poder, a corte também era lugar de piedade. Não se concebia uma corte sem esse centro de devoção que era a capela, tanto mais santa quanto mais prestigiosas fossem as relíquias que abrigava. Mas os capelães raramente desempenhavam um papel político. Ao lado de numerosos prelados que continuavam a seguir a corte, os clérigos mais influentes foram desde cedo o esmoler e o confessor do rei. O esmoler do rei de França surgiu sob Filipe Augusto, tendo então um papel modesto. Ele devia coletar os restos da alimentação da mesa real e distribuí-los aos pobres junto com um pouco de dinheiro, toucinho e arenques. O esmoler era, pois, um intendente. Durante muito tempo, ele foi um templário. O confessor do rei nasceu da importância que a Igreja conferia à confissão e do privilégio dado pelo papa ao rei de ter seu próprio confessor (1243, 1256). Por muito tempo, o confessor do rei foi um dominicano. No final do século XIV, os perfis do esmoler e do confessor do rei tinham mudado. Tornaram-se, na corte como no Estado, personagens poderosos, dominando o grande número de clérigos que viviam e trabalhavam junto do rei.

O número de pessoas do palácio variava constantemente, segundo as possibilidades financeiras do senhor. De forma geral, cresceu com o tempo. Em primeiro lugar, porque muitas funções necessitavam duplicar os servidores. No quarto, por exemplo, os camareiros nobres intervinham apenas durante as solenidades. O trabalho diário era feito por não nobres, os criados de quarto. De outro lado, só no século XIV foi inventado, ou regularizado, o serviço por prazo determinado. Por exemplo, um camareiro podia estar a serviço do seu senhor durante apenas três meses por ano. O número de pessoas do palácio multiplicava-se, assim, por quatro. No total, o palácio do rei da França, do duque da Borgonha, ou do duque da Bretanha, contava com centenas de pessoas.

Mas, durante os nove meses em que não seguia a corte, um camareiro podia exercer outra função na corte de outro senhor, nas bailias e senescalias, ou no exército. Jovens nobres vinham, aliás, como outrora, educar-se na corte. Depois disso, podiam prosseguir sua carreira na administração provincial ou no exército. O sucesso de sua carreira dependia de seu valor pessoal e dos apoios de que dispunha na corte. Esta era, portanto, uma verdadeira escola de formação dos funcionários de que o Estado tinha necessidade. Descrever o destino de todos os que seguiram tal ou qual corte é indispensável. Apenas longos e difíceis estudos prosopográficos permitirão ver de modo concreto como funcionava o Estado nos séculos XIV e XV e medir a influência de cada um dos poderosos, o peso de cada rede de solidariedades.

A corte era bem mais que um palácio. Era também o conjunto de parentes, amigos, vassalos do senhor, que iam até lá por períodos mais ou

Corte

menos longos para honrá-lo, aproveitar seus favores e participar de suas diversões. Embora os clérigos encontrassem motivos para censurar a corte, na óptica nobiliária e cavaleiresca, nada era mais legítimo do que o "divertimento", a caça, os jogos e as festas. Na verdade, como cada um ia com sua dama e seus servidores, centenas, até milhares de pessoas podiam pulular em torno de um senhor. Perto de oitocentas pessoas de sua corte acompanharam o duque da Bretanha, Francisco II, à sua última morada, em 1488. Sob Carlos, o Temerário, na festa da Candelária foram distribuídas aos membros da corte do duque da Borgonha milhares de velas. Em fins da Idade Média, a corte de um grande senhor tinha muitos homens e, nunca o esqueçamos, muitos cavalos.

Tanto mais que, nesse mundo de aparência, o poder exigia magnificência e a magnificência era, antes de tudo, uma questão de número. E se continuava a reinar nessas cortes uma atmosfera nobiliária e cavaleiresca, a função principal da corte agora era permitir a encenação do poder. A corte era o teatro do príncipe. Como Deus na corte celeste, o rei devia aparecer na sua corte em todo seu esplendor, no cume de uma longa hierarquia rigorosamente ordenada. E, quanto mais o tempo passava, mais crescia a distância entre o príncipe e os que o cercavam. São Luís podia ser abordado simplesmente, mas, no século XIV, o trono do rei definia um espaço quase sagrado em torno do rei de França quando ele se apresentava em toda sua magnificência. No início do século XV, um cortesão não podia falar ao rei da Inglaterra senão com os olhos abaixados. Na segunda metade do século XV, não se podia abordar o duque da Borgonha sem ter os joelhos flexionados.

Torneios e cerimônias de adubamento continuavam importantes, mas a vida da corte estava mais pautada pela sagração ou pelo simples coroamento do príncipe, seu casamento, seus funerais, os batismos de seus filhos. Não somente esses eventos eram ordenados por um cerimonial cada vez mais rígido, como cada momento da vida do príncipe era progressivamente regulado. Uma simples refeição tornava-se um ritual. Na corte, cada um devia saber desempenhar seu papel de acordo com sua posição, observando a etiqueta. O *Livro dos novos e bons costumes do sábio rei Carlos* V, escrito por Cristina de Pisano, prova que, desde a segunda metade do século XIV, a realeza

313

francesa já era largamente cerimonial. E *As honras da corte*, ditadas sob Carlos VIII por Eleonora de Poitiers, mostram bem a importância que tinha a etiqueta no século XV nas cortes da França e da Borgonha. Em 1412, o Religioso de Saint-Denis louvava o filho de João de Montaigu por ser um jovem de boa índole (*bone indolis juvenem*) "que conhecia melhor que todos os de sua idade os usos da corte" (*in curialibus observanciis super omnes coetanos suos eruditum*). O século XII havia sido o tempo da cortesia, da *curialitas*. Os séculos XIV e XV foram tempos das *curialitates*, das boas maneiras da corte.

Lugar do poder e de encenação do poder, a corte era também o lugar da justificação do poder. Na primeira metade do século XIII, Frederico II tinha admitido na familiaridade letrados cujas ideias o próprio imperador divulgava entre os cortesãos. Em 1328, o imperador Luís da Baviera mandava ler para seus cortesãos o *Defensor da paz*, de Marcílio de Pádua. Ele dava, assim, um caráter oficial a esse grande tratado condenado pelo papa. Pouco mais tarde, o rei da França, Carlos V, encorajava a composição e tradução de obras que fundamentavam melhor a teoria de seu poder.

De resto, o mecenato do príncipe não se limitava a esse domínio estreito. Encorajava todas as facetas da cultura, cujos progressos iam das capelas à cozinha, onde mestres cozinheiros de palácios principescos davam o tom: Taillevent foi cozinheiro de Carlos V e de Carlos VI; mestre Chiquart, do duque Amadeu VIII, da Savoia. Belos livros com iluminuras eram o orgulho das bibliotecas principescas. As cortes não tinham simplesmente criado toda uma cultura. Elas a tinham conservado.

Para a grande máquina que agora era a corte, não se colocava mais a questão da itinerância, reduzida ao deslocamento de uma residência para outra, criada especialmente para ela. Os velhos castelos eram reformados, ou construídos de novo, mais bem adaptados à moderna vida da corte. Desenvolvia-se o cuidado com o conforto. Distinguia-se melhor entre os apartamentos privados do senhor e as salas de pompa, cada vez maiores, onde se desenrolava a vida pública. As escadarias deixavam as torres, tornando-as mais solenes e de acesso mais fácil. Por toda parte havia esculturas, tapeçarias e afrescos. Um relógio ritmava agora a vida da corte. Belos jardins levavam à coleção de animais exóticos e raros, onde todo poderoso devia poder mostrar a seus hóspedes leões, camelos e avestruzes.

Corte

Baldasar Castiglione

Os reformadores condenaram esse sorvedouro financeiro que eram as cortes. Os clérigos, retomando às vezes frases de João de Salisbury, trovejaram contra esses lugares de deboches, ambições e favores. Mas é preciso reconhecer que esses infernos ou, em todo caso, esses purgatórios, tinham sido os mais poderosos motores dos Estados e da civilização daquela época. Todo país via na corte de seu príncipe um modelo. Adotavam suas ideias, maneiras e língua. Mais do que isso. Em 1528, Baldasar Castiglione escreveu *O livro do cortesão*. Resumindo cinco séculos de cultura e de sonhos de corte, ele pintava o retrato do perfeito cortesão. Este era reconhecido por sua maneira de caminhar, lutar e fazer exercícios físicos, vestir-se e dançar, tocar música e pintar; por sua maneira de falar, rir, gracejar, conversar, fazer a corte às mulheres, amar; por sua maneira de se apresentar diante do príncipe e se dirigir a ele. Mas o verdadeiro cortesão devia, sobretudo, "servir perfeitamente os príncipes em tudo que for razoável, para obter seu favor e o elogio dos outros". Essa civilidade e essa sabedoria em servir são talvez o que as cortes medievais legaram de mais duradouro ao nosso Ocidente.

BERNARD GUENÉE
Tradução de Daniel Valle Ribeiro

Ver também

Amor cortês – Cavalaria – Nobreza – Rei

Orientação bibliográfica

ASCH, Ronald G.; BIRKE, Adolf M. (eds.). *Princes, Patronage and the Nobility*: the Court at the Beginning of the Modern Ages, ca. 1450-1650. Londres e Oxford: Oxford University Press, 1991.

BERTELLI, Silvio; CARDINI, Franco; GARBERO ZORZI, E. (eds.). *Le corti italiane del Rinascimento*. Milão, 1985. Tradução inglesa. *Italian Renaissance Courts*. Londres: Sidgwick and Jackson, 1986.

BEZZOLA, Reto. *Les Origines et la formation de la littérature courtoise en Occident (500-1200)*. Paris, 1944-1963: Librairie Honoré Champion, 5v.

BOURNAZEL, Éric. *Le Gouvernement capétien au XIIᵉ siècle, 1108-1180*: structures sociales et mutations institutionnelles. Paris: Presses Universitaires de France, 1975.

BUCK, A. (ed.). *Höfischer Humanismus*. Bonn: VCH, 1989.

BUMKE, Joachim. *Höfische Kultur*: Literatur und Gesellschaft im hohen Mittelalter. Munique: DTV, 1986. 2v.

CASTIGLIONE, Baldassare. *O cortesão*. Tradução brasileira. São Paulo: Martins Fontes, 1997.

FLECKENSTEIN, Josef (ed.). *Curialitas*: Studien zu Grundfragen der höfisch-ritterlichen Kultur. Göttingen: Vandenhoeck und Ruprecht, 1990.

FRAPPIER, Jean. *Amour courtois et table ronde*. Genebra: Droz, 1973.

GIBSON, M. T.; NELSON, Janet L. (eds.). *Charles the Bald*: Court and Kingdom. 2.ed. Aldershot: Variorum, 1990.

GIVEN-WILSON, Charles. *The Royal Household and the King's Affinity*: Service, Politics and Finance in England, 1360-1413. New Haven e Londres: Yale University Press, 1986.

GUENÉE, Bernard. *O Ocidente nos séculos XIV e XV (Os Estados)* [1971]. Tradução brasileira. São Paulo: Pioneira, 1981.

_____. *Un Meurtre, une société*: l'assassinat du duc d'Orleans, 23 novembre 1407. Paris: Gallimard, 1992.

GUILLEMAIN, Bernard. *La Cour pontificale d'Avignon (1309-1376)*: étude d'une société. 2.ed. Paris: Édition-Diffusion de Boccard, 1966.

JAEGER, C. St. *The Origins of Courtliness*: Civilizing Trends and the Formation of Courtly Ideals, 939-1210. Filadélfia: University of Pennsylvania Press, 1985.

LAFORTUNE-MARTEL, Agathe. *Fête noble en Bourgogne au XVᵉ siècle. Le banquet du Faisan (1954)*: aspects politiques, sociaux et culturels. Paris: Vrin, 1984.

LA SELLE, Xavier de. *Le Service des âmes à la cour*: confesseurs et aumôniers des rois de France du XIIIᵉ au XVᵉ siècle. Paris: École des Chartes, 1995.

LEMARIGNIER, Jean-François. *Le Gouvernement royal aux premier temps capétiens (987-1108)*. Paris: Picard, 1965.

PARAVICINI, Werner. Die Hofordnungen Herzog Philips des Guten von Burgund. Edition. *Francia*, n.10, p.131-66, 1982; n.11, p.257-301, 1983; n.13, p.191-211, 1985; n.15, p.183-231, 1987.

PATZE, H.; PARAVICINI, Werner (eds.). *Fürstliche Residenzen im spätmittelalterlichen Europa*. Sigmaringen: Jan Thorbecke, 1991.

PIPONNIER, Françoise. *Costume et vie sociale*: la Cour d'Anjou, XIVᵉ-XVᵉ siècle. Paris e La Haye: Mouton, 1970.

ROBIN, Françoise. *La Cour d'Anjou-Provence*: la vie artistique sous le règne de René. Paris: Picard, 1985.

SCATTERGOOD, V. J.; SHERBORNE, J. W. (eds.). *English Court Culture in the Later Middle Ages*. Londres: Duckworth, 1983.

TÜRK, Egbert. *Nugae Curialium*: le règne d'Henri II Plantagenêt (1145-1189) et l'éthique politique. Genebra: Droz, 1977.

Cotidiano

Aplicado ao domínio histórico, o termo evoca fatos que, por sua frequência e reiteração, revestem-se de um certo caráter de banalidade. Tais fatos foram negligenciados pelos cronistas, mais preocupados em relatar os grandes feitos – proezas de guerreiros ou de mártires, ou ainda de fundadores de ordens religiosas – e, durante muito tempo, também pelos historiadores, mais atentos aos atos de governantes, de guerreiros ou diplomatas, aos movimentos religiosos, ao grande comércio ou à produção artística. Pouco a pouco, desenvolveu-se o interesse por fatos e personagens de menor expressão, pela atividade agrícola ou artesanal, pelo folclore e pela piedade popular. Enfim, entraram em cena os atores mais discretos da história: os pobres, os marginais, as mulheres e as crianças, na trivialidade de sua existência diária.

As fontes que permitem apreender o cotidiano em seus vários aspectos estão desigualmente disponíveis segundo os períodos e os grupos sociais a que se referem. Praticamente os únicos disponíveis para a Alta Idade Média, os dados arqueológicos trazidos à luz por uma atividade de escavação em plena expansão desde a década de 1980 revelam-se determinantes. Uma vez superados os problemas de crítica e de interpretação que lhes são próprios, os documentos iconográficos constituem uma fonte completa, mesmo que manifestem tardiamente a preocupação de representar as realidades triviais e, ademais, negligenciem vastos cenários da sociedade medieval.

Cotidiano

O ritmo dos dias

O tempo diário não é medido de maneira idêntica por todos, nem durante todo o ano. Alternando, com regularidade, oração e trabalho, a jornada monástica é fracionada em blocos regulares segundo o sistema das "horas" romanas, ritmada por ofícios que são, em sua maior parte, designados por seus nomes latinos. Mesmo nas comunidades mais estritas, nas quais a prece noturna reúne os monges no coração da madrugada, a escuridão não é vencida. A noite, com seus perigos e medos, opõe-se à claridade do dia, principalmente para os que vivem "no século". Nascido no mundo mediterrâneo, o cristianismo penetrou em regiões onde as estações impõem-se mais vigorosamente. Os frios e breves dias de inverno seguidos de noites intermináveis opõem-se às longas jornadas de verão seguidas por noites claras. A iluminação artificial, medíocre, tem um custo elevado e também é perigosa. O ritmo diurno impõe-se a todas as atividades humanas, de acordo com as estações.

Toda a vida organiza-se em função desse tempo natural, e o Ocidente cristão continua a fracionar o ano em meses e as semanas em dias, cujos nomes guardam a lembrança das divindades pagãs. No entanto, afirma-se a cristianização do tempo. Cada domingo tem sua liturgia própria, cada dia é consagrado a celebrar a memória de um santo. A oração cotidiana reproduz, por vezes, a das ordens religiosas, fato testemunhado pela proliferação dos livros de horas. A difusão dos campanários permite convocar todos os fiéis. Entre os leigos, a participação na missa cotidiana, ou em outros ofícios, depende da piedade pessoal e também da disponibilidade, variável segundo as atividades exercidas. O domingo, contudo, é obrigatório, assim como as grandes festas, incluindo-se as dos santos mais venerados, em princípio dias de descanso para todos. As festas religiosas e seu cortejo de prazeres profanos têm uma espécie de contrapartida. Para se preparar para elas impõe-se uma purificação, materializada pela abstinência de carne e pelas vigílias nos domingos, nos dias festivos e durante os períodos que antecedem as duas principais festas: o Advento, que precede o Natal, e sobretudo os quarenta dias da Quaresma, anteriores à Páscoa. A estes vêm somar-se todas as sextas-feiras, que a cada semana lembram a morte do Cristo, mesmo fora da "Grande Semana", a Semana Santa.

Dicionário analítico do Ocidente medieval

Para a maioria da população, constituída por leigos, o tempo da Igreja sobrepõe-se à vida ordinária e marca, frequentemente, uma ruptura no desenvolvimento normal de suas atividades. A maior parte dos indivíduos consagra-se à agricultura. Regulada pelo ritmo do crescimento dos vegetais e da reprodução animal, a vida dos camponeses é uma luta constante contra as deficiências do solo e das ferramentas, contra os acidentes climáticos e as epizootias, sem esquecer dos predadores e das exações dos humanos. As lavras e os trabalhos manuais na terra, as sementeiras, a poda das árvores e da videira, ocupam os dias frios e curtos. Ao longo de todo o verão e de seus dias prolongados ocorrem as colheitas, estação de trabalhos pesados, que envolvem toda a aldeia, homens e mulheres reunidos, ao contrário do que em geral acontece no resto do ano. A sucessão desses trabalhos é universal e simboliza o desenrolar do tempo. Assim, primeiramente nas fachadas das igrejas, em seguida nas pinturas mais refinadas dos livros régios, a divisão do tempo astronômico da maior parte dos meses é figurada pela atividade do camponês ou do pastor.

Há, entretanto, duas imagens, dois meses do calendário em que o camponês está ausente, substituído na primavera pelo cavaleiro que parte para a guerra ou para a caça e, no coração do ciclo hibernal, pelo homem rico que come e bebe, sentado diante de um bom fogo.

O ano desenrola-se sob um ritmo mais regular e monótono para a camponesa. Ela raramente é associada aos trabalhos dos campos, apenas por ocasião do corte do feno, da colheita, da vindima ou dos preparativos da vinha. Por outro lado, é ela quem alimenta os raros animais domésticos, trata da vaca ou da cabra e cultiva a horta contígua à casa, adubando-a cotidianamente com os detritos domésticos e as cinzas da lareira. Compete-lhe, ainda, a responsabilidade de prover a alimentação da família, além do cuidado das crianças e das pessoas idosas. Estas a auxiliam em suas diversas tarefas e vão com ela pegar madeira ou buscar água na fonte ou no poço. Restando algum tempo após o cumprimento dessas obrigações, a camponesa toma a roca e o fuso para fiar o cânhamo, a lã ou o linho. Como breves rupturas impostas a essa rotina, faz-se necessário levar periodicamente ao forno senhorial o pão que ela preparou, participar de uma celebração familiar, alegre ou triste, dirigir-se ao mercado do burgo para vender seus

320

produtos ou fazer alguma compra, participar de uma peregrinação, secar o feno, ceifar ou colher a uva.

Para muitos citadinos, o tempo ordena-se de maneira um pouco diferente. As obrigações que lhes competem são as mesmas, e as condições nas quais as exercem são frequentemente semelhantes, sobretudo nos subúrbios, ainda bastante impregnados dos ritmos e dos trabalhos da agricultura. Entretanto, no meio urbano, a influência da atividade de produção e de comércio superpõe-se às estações da natureza e modifica a maneira de viver e de perceber o tempo. As atividades de transformação praticadas pelos artesãos na cidade ou em seus arredores dependem das estações apenas no que se refere à extensão variável da jornada diária. O baixo rendimento do trabalho manual exige que ele se estenda por longas horas. Apesar da crescente divisão das atividades, ainda são numerosos os indivíduos que se dedicam tanto à produção quanto à sua comercialização. Seus horários de trabalho e de venda, como os dos mercados e das feiras, são controlados pelas autoridades urbanas, que, em muitas cidades, dispõem de sinos para anunciar e impor a sua definição da jornada. A interdição do trabalho noturno é explicitamente motivada pela preocupação com a qualidade técnica.

Para os grandes mercadores, aqueles que fazem levar suas mercadorias para as feiras internacionais, o tempo do comércio não é mais aquele de uma cidade, de sua atividade diária, de seu mercado semanal. Anuais ou bianuais, as feiras interregionais estendem-se por várias semanas. As atividades exercidas ampliam desmesuradamente o tempo e o quadro do cotidiano.

Os cenários da vida

Longas e custosas, as viagens fazem parte do cotidiano apenas para uma minoria de indivíduos, principalmente os príncipes, os guerreiros, os grandes mercadores, e também seus auxiliares, que acompanham suas deambulações ou realizam por eles as idas e vindas entre centros econômicos ou políticos: condutores, mensageiros, cavaleiros ou marinheiros. Para a maioria, a vida desenrola-se em um espaço limitado, juridicamente no caso dos servos — obrigados a permanecer no território do senhorio em

Dicionário analítico do Ocidente medieval

que nasceram –, cujo número é ainda elevado em certas regiões no fim da Idade Média, a despeito dos movimentos de emancipação.

Mesmo para aqueles que gozam da liberdade de ir e vir, a casa é o centro em torno do qual se organiza toda a vida do grupo familiar, é sua representação material e simbólica. Para o conhecimento desse elemento fundamental do ambiente de vida, a contribuição da arqueologia é determinante. Ela permite recolocar a habitação no conjunto natural e humano ao qual pertence e reconstituí-la em seus materiais, suas técnicas de construção, seu desenvolvimento, suas disposições. A preeminência da madeira afirma--se durante a Alta Idade Média na arquitetura doméstica tanto na cidade como nos campos. Quer se tratasse de pequenas "cabanas" escavadas ou de grandes edifícios construídos ao nível do solo, o essencial da estrutura é constituído por traves de madeira que sustentam o vigamento e os vastos telhados de palha, sendo as paredes construídas em madeira ou barro. Tal modelo predomina em toda a Europa do norte e até em uma parte do mundo mediterrâneo, onde rivaliza com a casa de pedra ou de taipa. A função dos edifícios e de seus diversos espaços pode ser deduzida do estudo de sua disposição, com base na natureza e na arrumação dos mobiliários arqueológicos. A localização e as dimensões das aberturas, a estrutura e a disposição das lareiras, a qualidade dos solos, são ricas em informações quanto às áreas de atividade, de pousio ou de estocagem. A caracterização desse quadro ganha em precisão a partir dos séculos X e XI, quando se avoluma a documentação escrita.

É também a partir dessa época que a organização e o reagrupamento dos hábitats aparecem mais claramente. A cidade antiga havia desaparecido. As *villae*, destruídas ou reocupadas pelos invasores, tinham perdido sua importância no esquema de ocupação dos campos. Agrupadas de forma mais ou menos organizada, as casas camponesas encontram-se frequentemente separadas. A tomada do poder pela classe feudal, em torno do ano 1000 no Ocidente, e um pouco mais tarde na Europa central, desencadeou em numerosas regiões uma remodelação da paisagem rural. Em volta do castelo construído sobre um outeiro, ou mais tarde sobre uma montanha, é reagrupada uma boa parte da população rural, certamente defendida pelo senhor e seus guerreiros, mas submetida às corveias e aos tributos e liga-

Cotidiano

da a seu senhor e a sua terra. Após o fim das razias e das invasões, favorecidas pelo crescimento demográfico e econômico, as cidades reocuparam seus antigos limites, ultrapassaram-nos e depois, ao ritmo e à medida de sua expansão, cercaram-se com novas fortificações. Mas os citadinos continuam a ser minoritários em relação aos camponeses. Mesmo no interior das muralhas, as hortas mantêm um lugar de importância. Uma parte considerável de seus habitantes possui videiras, campos e pastos, cujos produtos acumulam-se nos celeiros e adegas da cidade. Há, também, espaço para uma pequena criação: cavalos utilitários ou de prestígio, alguns bovinos, cabras, abelhas, ainda que o essencial do rebanho das elites urbanas seja apascentado nas aldeias das proximidades. O elo entre a cidade e a atividade agrícola mantém-se vigoroso.

O cenário da vida do maior número de pessoas continua a ser a aldeia, mais ou menos densamente reagrupadas, conforme as regiões, em torno da igreja, ponto de encontro entre o terrestre e o Além, entre os vivos e os mortos enterrados no interior e ao redor do edifício, principal espaço comunitário. A igreja distingue-se em meio à paisagem pela qualidade de sua construção e pela altura de seu campanário. Materialização e símbolo da dominação feudal, as construções castrenses impõem-se progressivamente. Aos torreões de madeira sucedem-se os castelos de pedra, depois as casas fortificadas dos pequenos senhores, cercadas por fossas, muros ou paliçadas. Mesmo as casas nobres menos protegidas contrastam com as habitações aldeãs. Entre os séculos XI e XIV, contudo, a moradia camponesa evolui de modo espetacular, segundo ritmos e modalidades diversas. Empregando com maior frequência a pedra e, onde esta escasseia, recorrendo a uma arquitetura em madeira mais evoluída, associada ao barro e depois ao tijolo, ela desenvolve uma superfície habitável que viabiliza uma maior especialização dos espaços. Sua disposição interna torna-se mais elaborada: edificação de lareiras, mesmo se as chaminés continuam a ser excepcionais, pisos de terra batida cuidadosamente nivelados; em alguns casos cavam-se silos, poços ou cisternas no interior das habitações; entre as construções rurais definem-se hierarquias, concretizadas pelos materiais de construção, pela presença de tetos de pedra ou de telha em meio às coberturas de palha

Dicionário analítico do Ocidente medieval

ou de madeira, pelas dimensões, pelo número e importância das instalações anexas, do galinheiro aos estábulos e às granjas.

Embora o mesmo termo "casa" defina o prédio e a família que o ocupa, a unidade de habitação raramente reagrupa toda a família, nem sequer os consanguíneos. Familiares e dependentes agrupam-se em torno do castelão, em número proporcional ao seu poder, mas as crianças nobres são frequentemente educadas longe de seus genitores: os filhos junto a um suserano, servindo-o como pajens e depois como escudeiros, às vezes também as filhas, junto à família com a qual, por intermédio delas, e desde o berço, fora concluída uma aliança; os destinados à vida monástica são integrados a ela desde tenra idade, como alunos. As famílias camponesas não estiveram imunes a essa tendência. Na aldeia como na cidade, as famílias mais ricas contam com criados, por vezes domésticos masculinos, recrutados entre seus vizinhos mais pobres. A família ampla torna-se cada vez mais rara. Dividida em casas e suas construções intercaladas, a aldeia, após as fugas e destruições, confirma o fenômeno das flutuações demográficas e suas consequências na vida cotidiana, como revelam as escavações arqueológicas. Aos períodos de superpopulação sucedem-se fases em que apenas algumas casas ainda se mantêm ocupadas, sendo em seguida abandonadas, por vezes temporária e, com frequência, definitivamente.

Nas aldeias abertas, ou naquelas erguidas no interior de vastos "pátios baixos" cercados de fossos que comumente flanqueiam os castelos, o espaço é abundante. Cada exploração camponesa é estabelecida sobre uma parcela que comporta um jardim e uma horta. O edifício de habitação não possui mais do que um pavimento, na melhor das hipóteses um celeiro ou feneiro. Entra-se diretamente no espaço habitado, que conta com uma lareira tradicionalmente situada próximo à porta. Um segundo cômodo, em geral acessível apenas a partir do primeiro, é utilizado como depósito, celeiro e, por vezes, área de repouso. Reagrupadas, seja em torno de pátios comuns a várias casas, seja ao longo das ruas, as habitações camponesas desse tipo são encontradas em diversas regiões europeias, inclusive muito distantes umas das outras, como na Sicília, na Borgonha, na Morávia ou na Inglaterra. Nos hábitats associados aos castelos montanheses, encravados nas colinas, a exiguidade do espaço disponível impõe um outro esquema de habitação rural, particularmente difundido na região mediterrânea. Apertadas umas contra as outras, as casas crescem verticalmente. O cômodo principal com sua lareira costuma situar-se no nível superior, acima de um depósito ou de uma estrebaria e, posteriormente, de um celeiro abobadado.

A cidade oferece, desde os séculos XI e XII, uma grande diversidade de tipos de moradia. Muitas destas, sobretudo as situadas na periferia e nos subúrbios, correspondem exatamente às casas aldeãs. Excetuados os palácios principescos ou episcopais – castelos edificados na cidade, mas não raro separados dela por suas próprias muralhas –, desde muito cedo as elites urbanas, nobres ou mercadores, fazem construir para si amplas casas de pedra nas quais introduzem certos elementos do castelo: *aula* ou sala abobadada, ou ainda uma torre, associadas a edifícios de vários andares. Imitadas, em seguida, pelos membros mais afortunados da burguesia urbana, em geral reformadas e redecoradas, e até reconstruídas no fim da Idade Média, aquelas que subsistem no centro das cidades contemporâneas preservam apenas uma porção reduzida da estrutura medieval, tão limitadas em número quanto a categoria social à qual pertenciam seus ricos proprietários. Quase sempre sobreviveu apenas a parte "nobre" dessas mansões compostas por várias unidades de edifícios, pátios, pomares e numerosas dependências.

Ainda que a construção em madeira mantenha uma importante função na cidade, em particular nas regiões setentrionais, ricas em reservas florestais, as casas em pedra multiplicam-se e, em fins da Idade Média, já não são apanágio das elites. Seja qual for o material empregado em suas paredes, a habitação individual, amplamente difundida, é típica de uma classe média constituída por comerciantes, artesãos e clérigos. O modelo da residência camponesa, com um sótão ou "solar" encimando os cômodos de habitação situados ao nível do solo, é reencontrado na cidade, em especial nos subúrbios. O exercício de uma atividade ou de uma profissão exige espaços próprios e, portanto, a escolha e a organização de uma casa adaptada para isso. Os mercadores e a maior parte dos artesãos instalam-se em uma casa voltada para a rua, na qual se pode abrir a loja ou a oficina onde trabalham à vista dos transeuntes. Uma cozinha, por vezes também uma sala, um quarto e um celeiro estão localizados no térreo. Geralmente um andar, que tem acima um sótão, é ocupado por quartos com frequência utilizados como depósitos. Também é nesse pavimento que se instala a oficina de certos artesãos, como a do tecelão, em função da luminosidade, e a do ourives, por razões de segurança. Um pórtico lateral pode franquear o acesso direto ao pátio ou ao jardim situados atrás da casa, onde ficam um celeiro, uma estrebaria e, excepcionalmente, um silo ou um forno, ou ainda instalações artesanais anexas, tais como cubas e caldeiras de tintureiro, bancos para limar de cuteleiro ou reservas de matérias-primas.

As residências urbanas importantes caracterizam-se por sua amplitude e diversificação espacial. Raramente se encontram em suas fachadas oficinas ou lojas. Os cômodos, espaçosos, singularizam-se, reservados uns aos senhores, outros aos criados. Os espaços residenciais e as diferentes áreas de estocagem de alimentos ou de mercadorias (celeiros, silos, dispensas e adegas) estão dispostos um sobre o outro, em andares. Por vezes, a habitação expande-se horizontalmente, englobando unidades com funções precisas, que cercam um pátio ou dispõem-se paralelamente sobre duas fileiras, uma voltada para a rua e outra para o interior. A torre mantém seu prestígio como símbolo da dominação senhorial e continua a ladear muitas habitações urbanas.

Nas cidades importantes, a pressão demográfica leva à divisão das casas de pavimentos em vários cômodos, e até a construí-las com vistas à locação. Muitos citadinos vivem nesses espaços exíguos, restritos a um único cômodo. Não se trata apenas de artífices que trabalham na oficina de um mestre ou em um canteiro de obras, mas inclusive de artesãos que exercem sua atividade em seu próprio quarto, solução talvez temporária no caso dos jovens que não haviam ainda constituído família, ou que tinham acabado de chegar à cidade.

A mobilidade também é parte integrante das realidades ou das aspirações no mundo medieval. O costume dos soberanos da Alta Idade Média de residir alternadamente em seus vários domínios mantém-se nas fases seguintes entre os reis, os príncipes e os ricos senhores que se deslocam de um castelo a outro, trocando-os de bom grado por suas residências urbanas. Diversas situações, profissões e, sobretudo, atividades comerciais provocam frequentes e longos deslocamentos. Impostas por suas obrigações, as viagens dos membros do clero levam-nos por vezes a destinos remotos. Para eles, assim como para os leigos, no apelo das peregrinações próximas ou longínquas reside a ocasião de se afastar do ambiente cotidiano.

As maneiras de viver

O "pão cotidiano", que na oração do Pai-Nosso todo cristão, indigente ou rico, suplica a Deus que lhe conceda, designa simbolicamente o alimento necessário à sobrevivência. Na realidade da alimentação medieval, o pão propriamente dito ocupa um lugar central. Os dados arqueológicos relativos ao pão põem em questão o papel secundário que lhe é atribuído pelos historiadores durante toda a Alta Idade Média. O questionamento é justificado pelos vestígios de fornos que remontam aos "séculos obscuros", trazidos à luz do dia pelas escavações feitas há alguns anos. Para todos os períodos, as análises de grãos e de pólen revelam realidades muito mais complexas quanto às espécies cultivadas do que as listas de documentos de arquivo permitem supor. Tradicionalmente preparado em casa, como o atestam a presença de vasilhames para a massa e de estoques de farinha, o pão dos camponeses é feito com vários cereais misturados. Após a instauração do sistema feudal, ele é obrigatoriamente assado no forno do senhor. Na cidade, raros são os fornos reservados ao uso de uma casa, e o "forneiro" assa os pães levados pelas criadas. Cada vez mais preparando ele próprio a massa, transforma-se em "padeiro" (*boulanger*) — aquele que modela os pães em forma de bola (*boule*) — e também adapta sua produção de pão, mais ou menos branco, a uma clientela bem abastada. Os cereais são igualmente consumidos sob outras formas, como papas ou biscoitos. As massas alimentícias figuram entre as receitas dos primeiros livros italiano de cozinha. Confeccionadas de diversas formas, elas são iguarias refinadas que ganham espaço nos regimes alimentares de luxo e, desde o século XIII, são vendidas a uma grande clientela em várias cidades italianas.

O alimento de prestígio é a carne. Assada, goza da predileção irrefutável das categorias sociais dominantes. O processo de assar não exige instalação complexa: pode ser realizado ao ar livre, durante as campanhas militares, ou sobre as amplas lareiras das salas dos castelos. Exige, contudo, muito combustível e aproveita apenas as melhores partes do animal. Para a maior parte da população, a carne é cortada em pequenos pedaços e cozida a fogo brando em uma panela de barro sobre as brasas de uma lareira de pequenas dimensões, junto com legumes que dão gosto à sopa (alho-poró, couve, nabo), leguminosas que a enriquecem com proteínas (ervilhas, favas, lentilhas), e bulbos e ervas aromáticas que a perfumam. A introdução das especiarias exóticas na alimentação popular é atestada tardiamente no meio rural, e em circunstâncias extraordinárias, como na época da refeição da vindima.

A piscicultura em lagos, as pescarias no rio ou no mar guarnecem abundantemente as mesas das abadias e dos ricos. Secos e salgados, os arenques e os moluscos, menos custosos, podem figurar sobre as mesas mais modestas. Certas aves aquáticas podem ser admitidas nos regimes de penitência, mas os ovos, proibidos durante a Quaresma, podem reaparecer apenas na Páscoa.

O consumo de frutas é valorizado pelas obras de dietética, mas difícil de ser percebido na realidade cotidiana. Os castelos e as casas senhoriais estão frequentemente cercados de pomares. Os jardins contíguos às habitações aldeãs, e ainda muito presentes na cidade, deviam comportar algumas árvores e arbustos frutíferos; a importância da colheita de vagens e frutos silvestres não deve ser subestimada. Para aqueles que dispõem de recursos, o comércio internacional fornece frutos mediterrâneos, cítricos (laranjas, limões) ou secos, levando-os bem além dos limites setentrionais de sua cultura.

O meio natural fornece a água, bebida essencial, mais ou menos abundante de acordo com as regiões, e de qualidade variável conforme sua proveniência: fonte, rio, cisterna ou poço. Seu consumo é mais difícil de avaliar do que o das bebidas frequentemente produzidas em domicílio, segundo as regiões: cerveja, sidra, suco de pera fermentado. Objeto de rendas pagas *in natura* e de um ativo comércio, o vinho impõe-se a todo o Ocidente cristão. Consumidos enquanto jovens, os vinhos tintos produzidos pelos vinhedos de França não seriam então, como afirmam certos especialistas, mais do que suaves claretes? A bebida mais comum, mesmo nas regiões mais produtivas e no meio urbano, é o "aguapé", ou vinho misturado à água. O hábito de

Cotidiano

"misturar" os vinhos capitosos, muito apreciados, importados das ilhas mediterrâneas, também é corrente entre os mais afortunados.

Se a riqueza e, portanto, os recursos alimentares, são desigualmente repartidos no campo, os contrastes manifestam-se com mais vigor na cidade. Na ausência de listas de compras cotidianas ou de cardápios, o equipamento da cozinha permite imaginar as diferenças na alimentação. As modestas dimensões da lareira camponesa sugerem a predominância de cozidos lentos, feitos a fogo brando. Quanto aos utensílios de cozinha, sobretudo caldeirões e panelas metálicas, embora presentes por toda a parte no fim do período, são em quantidade restrita. Os potes de barro são de uso generalizado, em particular no preparo das sopas. O equipamento da lareira limita-se frequentemente a um tripé de ferro; a cremalheira, com seus acessórios para suspender as panelas, difunde-se lentamente, começando pelas casas mais ricas. Dotadas, desde cedo, de chaminés, as cozinhas urbanas oferecem amplas alternativas, com suas cremalheiras, seus suportes verticais que permitem sustentar os espetos, seus diversos utensílios. A lareira, aprimorada pela introdução de um duto de chaminé, permite graduar o fogo entre a brasa e a chama viva. A variedade dos artefatos e sua quantidade testemunham a diversidade das iguarias e de seus complementos, em particular dos molhos.

As maneiras de consumir os alimentos também evoluem e afirmam-se, da mesma forma que os pratos, como emblemas sociais. A mesa sobre cavaletes, cercada de bancos ou de cadeiras diversas, transforma durante a refeição a grande sala do palácio ou do castelo em sala de jantar. Na cidade, ela é quase sempre substituída por uma mesa fixa de pequenas ou pequeníssimas dimensões. Muitas das refeições camponesas dispensam-na, ocorrem ao redor da panela de sopa, reagrupando os membros da casa sentados sobre tamboretes ou simplesmente no chão.

As toalhas de mesa, feitas de tecido grosseiro, são raras nesse meio, mas adornam certas refeições excepcionais. Mais delicado e mais caro, o tecido de linho é reservado às mesas refinadas, com suas toalhas acompanhadas de guardanapos. A louça de mesa também evolui. O corno de beber da Alta Idade Média é substituído por copos de metal, taças de haste alta, canecas de ouro e prata ou, para uso corrente, copos de madeira. A cerâmica e o vidro atingem um elevado grau de refinamento e uma considerável difusão em torno do Mediterrâneo, ao passo que, nas regiões setentrionais, a madeira continua a desempenhar um papel primordial nas mesas. A qualidade decorativa de certas árvores e sua ornamentação metálica transformam-nas em objetos muito apreciados. Os metais disputam-lhe pouco a pouco a primazia, com o estanho figurando, em quantidade variável, em quase todos os interiores no fim da Idade Média. Os grupos mais favorecidos buscam também diferenciar-se da "rusticidade" da maioria da população codificando as maneiras à mesa e individualizando progressivamente o serviço.

As maneiras de habitar

O modo pelo qual estão asseguradas as necessidades fundamentais em matéria de conforto dá-nos uma ideia precisa dos níveis de vida e de sua diversidade. A organização dos lares e o seu corolário, a ventilação, a luz disponível e o aprovisionamento de água constituem os primeiros critérios distintivos.

Seja para cozinhar, seja para se aquecer durante a estação fria, o fogo é uma necessidade vital. Na casa rural, ele é inicialmente colocado, sem preparação prévia, sobre o solo do cômodo de habitação, mais raramente no exterior; mais tarde, sua instalação pode materializar-se por um lajeamento de pedras ou de barro, ou mesmo em local elevado.

Os traços básicos da disposição das chaminés surgem tardiamente, inclusive na cidade ou nas habitações senhoriais. As vastas chaminés das torres e das salas dos castelos, mais ostentatórias, eram sem dúvida menos eficazes do que os sistemas de aquecimento monásticos. Nas casas senhoriais de menor importância, as chaminés foram precedidas por fornalhas construídas em pedra ou tijolo, situadas no centro do cômodo principal. A casa urbana também foi paulatinamente provida delas, estando — em especial as das salas — equipadas com pás, foles e ferros para manter o fogo alto.

Derivada do princípio do forno, mas destinada exclusivamente ao aquecimento dos cômodos de habitação, a estufa difunde-se durante a segunda metade da Idade Média. Largamente utilizada na Europa central e na

Cotidiano

região germânica, ela se constituiu inicialmente de vasos de cerâmica com uma abertura voltada para o exterior. Posteriormente, essa abertura será fechada, e, a partir do século XV, a estufa ganhará com seus azulejos decorados um aspecto próximo daquele que terá até a época contemporânea. Sua presença é atestada no espaço francês muito além da zona de influência propriamente germânica.

A habitação medieval deve ter sido, durante a maior parte do tempo, fria e úmida, enfumaçada e sombria. A casa camponesa não possui outra abertura além de sua porta. Quando surgem janelas ou respiradores, vistos do exterior têm a aparência de simples fendas; alargados para o interior, difundem o máximo possível da luz do dia que deixam penetrar. As janelas são elementos de luxo. A arquitetura ostentatória, eclesiástica ou laica, concentra-se nesse tema, variando as soluções para fechar tais aberturas. As lâminas de alabastro e os vitrais coloridos, os postigos de madeira com batentes esculpidos, as vidraças e panos encerados estão reservados às catedrais, aos castelos e às casas dos ricos. Alhures, são substituídos por simples postigos de tábuas.

O emprego da iluminação artificial depende também dos recursos disponíveis. O meio mais procurado, pois não emite odores desagradáveis e produz pouca fumaça, é o das velas de cera, que, devido a seu elevado custo, mantém-se reservado às cerimônias da Igreja e aos mais afortunados. Os dois sistemas de iluminação mais difundidos, a lamparina a óleo e a vela de gordura animal, são utilizados, na maior parte das vezes, para fins estritamente utilitários e com parcimônia. A lamparina é um simples recipiente de cerâmica ou de ferro; os candelabros são de madeira ou metal, para serem encostados ou fixados na parede. Suas variantes adotam materiais e formas mais decorativas, com vários e luxuosos pontos de luz: lamparinas de bronze com quatro, seis ou oito bicos, candelabros de ferro fundido, bronze ou latão, com formas abstratas ou figurativas, coroas de luzes e lustres suspensos elaborados com chifres de cervos.

Calor, luz, ar fresco e vista desimpedida são privilégios, em fins da Idade Média, ainda reservados àqueles que residem em castelos renovados ou em amplas mansões urbanas. Nesse meio, diversos procedimentos revelam preocupação com a higiene, como a adoção de encanamento para evacuação

Dicionário analítico do Ocidente medieval

das águas servidas e das latrinas, e de poços de filtragem para o abastecimento de água de seus habitantes. Esta última é, geralmente, assegurada na cidade por meio de simples poços ou, nas regiões meridionais, pela constituição de reservas em cisternas coletivas ou individuais. Os aldeões frequentemente recorrem às fontes, e seu equipamento doméstico sugere hábitos de higiene que demandam um consumo de água limitado. Na cidade, as termas públicas estão presentes por toda a parte. Ainda que termas domésticas continuem a ser excepcionais, a onipresença de banheiras, pias, jarros, cântaros com bico e tinas de limpeza evocam relações com a água oriundas de preocupações higiênicas, estéticas ou medicinais, e adequadas a certos rituais de sociabilidade.

A maneira de mobiliar as casas pode ser reveladora da função privilegiada de seus ocupantes: simples abrigo para as pessoas e seus bens, refúgio aconchegante para o grupo familiar restrito e fechado ou acolhedor para o estrangeiro, expressão de poder e de riqueza. Não é certeza que todos os indivíduos disponham de conforto mínimo para o repouso noturno. As casas camponesas parecem possuir ao menos um leito, simples moldura de tábuas repleta de palha sobre a qual se coloca um colchão feito de penas ou, às vezes, de sobras de material têxtil. Apenas as casas opulentas dispõem de camas com estrados de madeira, sobre os quais os mais sensíveis instalam um colchão de penugem. Os lençóis de tecido são utilizados por toda a parte no fim da Idade Média, mas seu tamanho desigual revela os contrastes nas dimensões da cama: aos imensos leitos ornamentais dos castelos reais e principescos opõe-se a estreita cama do camponês, na qual, evidentemente, não havia espaço para toda a família. A qualidade dos cobertores é, assim como as dimensões do leito, um critério altamente discriminador. Os tecidos grosseiros cedem cada vez mais lugar aos cobertores de algodão desenhados, que nas camas mais ricas são ornamentados com sedas suaves e coloridas e bordados variados. O gosto pelo luxo e o gosto pelo conforto unem-se na escolha de cobertores forrados de peles de animais. Apenas no século XV os artesãos cobririam seus leitos com cortinas. Por outro lado, os cobertores de lã, lisos ou listrados, muito comuns na cidade, são em geral coloridos em tons de vermelho, cor à qual as teorias médicas da época atribuem valor profilático.

Com seu conjunto de peças têxteis, o leito é, de longe, o móvel mais caro da casa medieval. Os demais móveis são pouco numerosos, tanto nos castelos como nas casas camponesas. Sua multiplicação, para exercer as mais diversas funções, é um fenômeno urbano e burguês. A tradicional arrumação em arcas ou estantes completa-se, em certas habitações urbanas, com armários e aparadores. As mesas de cavalete são pouco a pouco substituídas por mesas "com quatro pés", erguidas permanentemente. Diversificam-se os assentos. O banco de encosto ganha em conforto com a invenção do "banco torneado", giratório, que permite ao indivíduo sentar-se alternativamente de frente ou de costas para a lareira. A proliferação de arcas, tonéis ou vasos para provisões, amontoados no depósito ao lado dos utensílios agrícolas, sublinha a importância de se protegerem as reservas, vitais para a casa rural. As arcas abundam também nas casas urbanas, onde não abrigam tanto estoques alimentícios e sim matérias-primas, ferramentas e produtos de artesãos, mercadorias de comerciantes ou bens de consumo, como roupas de cama, roupas pessoais, objetos de estanho e às vezes prataria, joias ou tapeçaria nas quais os mais ricos investiam.

Na decoração das casas medievais é difícil separar a busca do conforto da busca da beleza, ou ainda as manifestações de piedade das de ostentação. Resta um número reduzido de adornos pintados em paredes, tetos e móveis. Por muito tempo limitada à gama de cores naturais da argila – marrom, vermelho, cinza – realçadas com incrustações amarelas ou brancas, a arte da pavimentação atinge, a partir do século XIV, sob a influência dos ceramistas hispânicos e italianos, um elevado grau de refinamento. Os tapetes de chão, feitos de lã, alguns importados do Oriente Médio, conhecem pequena difusão, enquanto as esteiras de palha trançada são utilizadas nos mais diversos interiores, inclusive sobre os solos mais comuns, de terra batida.

A casa camponesa, como a da ralé urbana, continua austera. Sobre as paredes, em que aparecem expostas a madeira, o barro ou a pedra, não há nenhum ornamento. Os únicos têxteis visíveis são os lençóis e os cobertores, feitos de algodão ou de lã grosseira, sem enfeites. As raras notas de cor são dadas pelos recipientes de cerâmica, particularmente abundantes e diversos nas regiões mediterrâneas, ou pelos utensílios de cobre. Com o enriquecimento, multiplicam-se os elementos decorativos. Os móveis podem ser pintados, esculpidos ou ornados com elementos em madeira torneada. Enfeita-se o leito com colchas de cores vivas e almofadas bordadas, além de tapeçarias dispostas ao seu redor.

Vários objetos de uso corrente também são elaborados com uma verdadeira preocupação decorativa: utensílios de iluminação, objetos de toalete, espelhos, mesas e peças de jogos, instrumentos musicais ou escrivaninhas.

A importância dos objetos religiosos no cotidiano das classes populares é difícil de precisar. As pias de água benta figuram, no fim da Idade Média, até mesmo nas casas mais humildes, sob a forma de pequenas bacias com argolas feitas de estanho ou chumbo. Mas os relicários, as pequenas capelas portáteis, as estátuas e os painéis encontram-se apenas nas casas dos mais afortunados, nos meios aristocráticos ou relacionados às cortes principescas, nas mesmas habitações onde, frequentemente, um cômodo é transformado em capela.

Ser e parecer

Em uma sociedade na qual os signos visuais e seus diversos registros de interpretação retêm constantemente a atenção, a aparência do indivíduo, mais do que a de sua casa, deve refletir o que ele é: homem ou mulher, rico ou pobre, novo ou velho, solteiro ou casado, religioso ou leigo. O elevadíssimo custo dos tecidos limita a escolha, ainda mais restrita devido a pressões diversas, umas explícitas, como as exercidas pelos predicantes, pelas leis ou regulamentos suntuários, e outras mais discretas, decorrentes do próprio grupo social.

A debilidade de seus recursos financeiros obriga a maioria da população a contentar-se com um vestuário mínimo, na maioria das vezes reduzido a um único par de vestes superiores e a algumas poucas roupas íntimas. Os tecidos e sua tintura são medíocres; o corte rudimentar, apertado, segue vagamente e com grande defasagem no tempo, as modas dominantes entre os poderosos. A adoção generalizada do traje masculino talhado sob medida, composto por gibão e calção, ocorre apenas por volta de meados do século XV. Nesse momento, a roupa feminina diferencia-se nitidamente, pois até então era apenas um pouco mais comprida; há certa variedade de chapéus e empregam-se mais frequentemente tecidos coloridos. A vestimenta popular, mais proteção do corpo do que ornamento, adapta-se às variações climáticas e às necessidades impostas pelo trabalho. Contudo, além do avental, há somente um pequeno número de trajes específicos de trabalho, reservados aos ofícios de maior periculosidade, como o dos mineradores, vidreiros ou apicultores.

Comprimento, largura, qualidade dos tecidos e forros, intensidade das cores, variedade e quantidade das vestimentas, constituem privilégio de uma elite restrita. Ainda que as sedas mais suntuosas não apareçam antes da segunda metade do século XIV a não ser nas cerimônias e nas festas, uma procura constante por novidades distingue os grupos principescos e a alta aristocracia. Os moços, e mais tarde as moças, desempenham um papel ativo como criadores de modas. Nos ambientes palacianos, os contatos frequentes favorecem as influências recíprocas, estimuladas pelo gosto da inovação e, às vezes, por um certo exotismo. As diferenças regionais, sem dúvida, exprimem-se com maior força entre as categorias intermediárias da população, essencialmente urbanas.

Com relação às cores, é possível identificar apenas as tendências gerais. Como a púrpura dos antigos, o vermelho intenso dos tecidos e depois das sedas tingidas com quermes é a cor mais apreciada, contrastando com os tecidos crus, claros ou escuros, ou com as tinturas vegetais, mal utilizadas até o triunfo do pastel.[1] O azul, promovido a cor marial e, na França, cor monárquica, viria a ser a mais difundida, a cor do vestuário popular de fins da Idade Média, ao passo que as camadas sociais mais ricas preferem as tinturas resultantes de misturas com essa cor de base: o verde, o violeta e, cada vez mais, o negro. O vermelho, em diversas tonalidades, continua muito utilizado tanto nas roupas como na decoração da casa.

Entre os panos de lã, os efeitos da combinação das cores são muito apreciados a partir do século XIII. Os tecidos estampados com quadrados ou com listras de largura variável – por vezes combinados com tecidos lisos nos

---

1 Quermes é um colorante vermelho obtido da desidratação e pulverização de insetos do mesmo nome. Pastel é a tintura azul-clara extraída das folhas e caule da planta desse nome. [N.T.]

Dicionário analítico do Ocidente medieval

trajes de duas peças dos jovens príncipes no início do século XIV – são no século XV depreciados por serem empregados nas vestimentas de duas metades verticais de cores diferentes distribuídas a certos servidores subalternos, músicos ou pajens. As regulamentações que as autoridades, régias ou municipais, tentaram impor em muitas regiões ressaltam a importância atribuída à aparência como expressão da condição social do indivíduo. Recomendações ou interdições esforçam-se por determinar a cada um o seu lugar na comunidade, enquanto sinais específicos indicam a exclusão de judeus, hereges, prostitutas ou leprosos.

Mas a aparência não se resume à vestimenta. Se esta determina gestos e impõe proporções e atitudes, é por sua vez remodelada pelos corpos que reveste, menos conhecidos pelos historiadores do que seus ornamentos. Apenas seus restos arqueológicos, os esqueletos, podem fornecer informações precisas a respeito da vida biológica. Corpos frágeis, em uma época na qual metade dos indivíduos não ultrapassava os 20 anos de idade, na qual a maior parte dos homens era calejada por aprendizados precoces e as mulheres ficavam afastadas dos trabalhos mais pesados. Suas ossadas revelam a duração de suas vidas, seus acidentes ou ferimentos, doenças e carências alimentares. Os rituais que envolveram o sepultamento desvelam também a relação entre vivos e mortos, marcada pelo respeito e pelo temor diante do mistério da interrupção da vida, do despojamento dos bens terrenos e da saída do tempo cotidiano.

FRANÇOISE PIPONNIER
Tradução de Mário Jorge da Motta Bastos

Ver também

Alimentação – Idades da vida – Jogo – Masculino/feminino – Morte e mortos – Sexualidade – Símbolo – Tempo – Trabalho

Orientação bibliográfica

CHEPELOT, Jean; FOSSIER, Robert. *Le Village et la maison au Moyen Âge*. Paris: Hachette, 1980.

CONTAMINE, Philippe. *La Vie quotidienne pendant la guerre de Cent Ans, France et Angleterre*. Paris: Hachette, 1976.

EGAN, G. *The Medieval Household*. Londres: Stationery Office, 1998.

ESQUIEU, Yves; PESEZ, Jean-Marie. *Cent Maisons médievales*. Valbonne: CNRS, 1998.

FLANDRIN, Jean-Louis; MONTANARI, Massimo (eds.). *História da alimentação* [1996]. Tradução brasileira. São Paulo: Estação Liberdade, 1998.

GALINIÉ, Henri; ZADORA-RIO, Élisabeth (eds.). Archéologie du cimetière chrétien. *Revue Archéologique du Centre*, Tours, 1996. Suplemento.

MOULIN, Léo. *La Vie quotidienne des religieux au Moyen Âge (X^e-XVe siècle)*. Paris: Hachette, 1978.

PIPONNIER, Françoise; MANE, Perrine. *Se Vêtir au Moyen Âge*. Paris: Adam Biro, 1995.

POISSON, Jean-Michel (ed.). *Le Château medieval, forteresse habitée (XIe-XVIe siècle)*. Paris: Maison des Sciences de l'Homme, 1992.

RICHÉ, Pierre. *La Vie quotidienne dans l'empire carolingien*. Paris: Hachette, 1973.

Volumes publicados pelo Institut für Mittelalterliche Realienkunde Österreichs, Viena, desde 1980.

Deus

Se há uma noção que resume toda a concepção de mundo dos homens da Idade Média, é a de Deus. Não há ideia mais englobante, mais universal, que essa. Deus compreende, ou melhor, excede todo o campo concebível da experiência, tudo o que é observável na natureza, incluindo os homens, tudo o que é pensável, a começar pela própria ideia de Deus. Ele é todo-poderoso, eterno, onipresente. Escapa ao entendimento e a todas as tentativas de figuração. Tais são os dados fundamentais da crença em Deus. Ao menos para o crente. Para o historiador, mesmo que ele seja crente, o problema é outro: Deus é uma criação humana como outras, o produto da história de uma época, um meio, uma tradição cultural, sujeito a mudanças no espaço e no tempo.

Todas as características que a Cristandade medieval atribuiu a Deus, incluindo o próprio nome Deus, são o resultado de um longo trabalho da história que começou muito antes do nascimento do cristianismo e prosseguiu ao longo de toda a época medieval. A palavra latina *deus*, nome genérico de Deus na Idade Média, não é senão a tradução do grego *theos*, que tem uma raiz indo-europeia muito antiga, *deiwos*, que quer dizer "o luminoso", o "celeste", em oposição à natureza "terrestre" do homem (*homo*, de *humus*, "a terra"). Se o nome cristão "deus" é de origem indo-europeia, uma grande parte das mais importantes características de Deus vem da Bíblia e, através dela, do judaísmo antigo e das culturas semíticas do Oriente

Deus

Médio. É por volta do século XIII antes de nossa era que se estabelece a Aliança entre, de um lado, Moisés e o povo hebreu condenado ao Êxodo e, de outro lado, Iahweh, o "Ser", o Inefável, que se nomeia por estas simples palavras: "Eu sou". Desse modo nasce o Deus de Israel, o Deus de Abraão, de Isaac e de Jacó. Os hebreus sabem que para outros povos, na Babilônia ou no Egito, existem outros deuses. Mas, para eles, Iahweh é o único, o todo-poderoso, o infinito, o criador de todos os seres e de todas as coisas, "o mestre da história assim como da natureza", como diz o javista (assim nomeado justamente porque chama Deus de Iahweh), o primeiro redator da Bíblia, no século IX antes de nossa era. Aos poucos, a concepção dos hebreus evolui: já não mais consideram Iahweh apenas como o Deus único de Israel, fazem-no o único e verdadeiro Deus de todos os homens, qualificando os outros deuses de "falsos deuses" e assimilando o culto que lhes era rendido à idolatria. Não há mais lugar para "deuses estrangeiros". O cristianismo assumirá e mesmo endurecerá a lição quando transforma em demônios esses "falsos deuses". Mais ou menos ao mesmo tempo, o Deus ciumento do povo de Israel, que era antes de tudo um poder, um soberano, um chefe de armas, torna-se uma "pessoa" que dialoga com seus profetas. Deus cada vez mais pessoal, ele inscreve no homem, em seu coração, como diz Jeremias (31,31-4), a lei de sua nova aliança. Assim, uma relação mais afetiva e exaltada se estreita entre o homem e Deus, que o cristianismo saberá não somente preservar, como aprofundar na relação de amor entre o Filho do Homem, isto é, o Filho de Deus que se faz homem por amor aos homens, e cada ser humano em particular.

Se as continuidades são evidentes na longa tradição judaico-cristã, as rupturas não o são menos. Para os cristãos, Jesus realiza a promessa profética da vinda do Messias e põe fim à espera. Não é um simples enviado de Deus: é o próprio Deus na pessoa de seu Filho. O monoteísmo, graças ao judaísmo antigo, era uma questão resolvida. O que o cristianismo afirmou de radicalmente novo foi, de um lado, a representação complexa e paradoxal de um Deus ao mesmo tempo uno por essência e trino pelas pessoas do Pai, do Filho e do Espírito Santo; e, de outro lado, a alteração de toda ideia de História pelo fato de que Deus, no tempo, na pessoa de seu Filho, se fez homem.

Dicionário analítico do Ocidente medieval

Os Evangelhos, é verdade, não apresentam uma formulação realmente sistemática da Trindade. Mas todos os quatro evocam, ao menos de modo narrativo, três atores divinos distintos e indissociáveis quando do batismo de Jesus nas águas do Jordão: "Batizado, Jesus subiu imediatamente da água e logo os Céus se abriram e ele viu o Espírito de Deus descendo como uma pomba e vindo sobre ele. Ao mesmo tempo, uma voz vinda dos Céus dizia: 'Este é o meu Filho amado'" (Mateus 3,16-7). O próprio Jesus ordenará em seguida a seus discípulos que fossem batizar todas as nações "em nome do Pai, do Filho e do Espírito Santo" (Mateus 28,19). De modo mais preciso, o prólogo do Evangelho de João afirma a distinção e a unidade do Pai e do Filho: "No princípio era o Verbo e o Verbo estava com Deus e o Verbo era Deus" (João 1,1). Mais tarde, São Paulo insistirá sobre o papel do Espírito como liame entre o Pai e o Filho (Epístola aos romanos 1,4, e Atos dos Apóstolos 2,34-6). É com fundamento nesses textos, que julgavam revelados, que a Igreja e o primeiro imperador cristão Constantino fixaram o dogma trinitário durante o primeiro Concílio de Niceia, em 325.

Outra novidade paradoxal do cristianismo: a Encarnação. Deus, eterno e todo-poderoso, criador do universo, não se contentou em entrar na história se fazendo homem. Mais escandalosamente ainda, ele quis morrer da pior maneira, no suplício infamante da cruz, signo de servidão. Enquanto o judaísmo, depois da destruição do Templo, havia abolido os sacrifícios, eis que Cristo estabelece, de certo modo, uma nova religião sacrificial. Mas, nesse sacrifício, a vítima consente e não é um verdadeiro cordeiro, ela é o Filho de Deus "em pessoa". E tal sacrifício só ocorre uma única vez: os padres, sucessores dos discípulos que acompanhavam Jesus na Ceia, são encarregados de celebrá-lo novamente a cada dia, repetindo as palavras e os gestos do Cristo: "Este é meu corpo, este é meu sangue". Assim, Cristo não cessa de se oferecer, no sacrifício-sacramento da missa, à morte redentora dos pecados dos homens, em prol da salvação universal.

Essa radical novidade do cristianismo explica, durante toda a Idade Média, a ambiguidade da Igreja em relação aos judeus. Estes veneram a Torá, que é o Antigo Testamento dos cristãos. Mas, segundo estes últimos, os judeus não podem entendê-la corretamente porque ignoram o Novo Testamento, que testemunha o cumprimento da promessa de Deus. Os judeus adoram o mesmo Deus que os cristãos, mas de modo cego, porque não reconheceram o Messias. Pior ainda, levaram Jesus à morte, são "deicidas". A acusação é antiga, mas ela ganha precisão ao longo da Idade Média e a deterioração das relações entre cristãos e judeus também testemunha a evolução da representação cristã de Deus.

A história apoderou-se desse Deus novo, transformando, no decorrer dos séculos, as crenças, os ritos, as imagens, as instituições e o próprio dogma. O Deus do século XV (para não falar daquele que os cristãos adoram atualmente) quase não se assemelha àquele dos primeiros séculos ou ao do ano 1000.

Deus na sociedade

A denominação medieval mais frequente de Deus é *dominus*, "Senhor", que se pode aplicar indiferentemente a Deus em geral, como a seu Filho em particular. É por meio desse termo, mais do que por *deus*, ou ainda associando-os na expressão *Dominus Deus* (da qual a *Chanson de Roland* fará em francês antigo *Damedex*), que os cristãos da Idade Média dirigiam-se à divindade não somente em suas preces e invocações, mas também em múltiplas ocasiões da vida cotidiana. Por exemplo, quando datavam algo escrito fazendo menção ao "ano do Senhor" (*anno Domini*), em conformidade com o estilo da Encarnação.

O emprego generalizado, para nomear Deus, de um termo também conotado pelas relações sociais, como o de "senhor", não poderia deixar de se prestar, no decorrer do tempo, a perpétuas reinterpretações. Esse Deus todo-poderoso foi, de início, o *dominus* da Antiguidade tardia, o "senhor" da *villa* e de seus escravos (*servi*), do qual o título pontifical conservará a lembrança através dos séculos, uma vez que o papa se diz "servo dos servos de Deus" (*servus servorum Dei*), o mais humilde de todos os homens a serviço de Deus. Nos séculos seguintes, Deus, o senhor por excelência, será pensado e figurado sobretudo com os traços do soberano medieval, o imperador ou o rei, ainda mais que ambos são sagrados pela Igreja. Deus é o rei dos reis e, inversamente, os reis terrestres reinam "por graça de Deus" (*gracia Dei*), como se começa a afirmar a partir da época carolíngia. É evidente o paralelo entre os reis e Deus nas formas de invocação (por exemplo, na *Chanson de Roland*: "Deus glorioso", "Deus, rei do mundo", "Deus de majestade" etc.) e mais ainda na iconografia, na qual ambos são entronizados de frente, hieráticos, em majestade, a justaposição de suas imagens reforçando o simbolismo real de um e o simbolismo divino do outro. Em sua sagração, o soberano recebe o óleo previamente benzido pela Igreja e que inclusive, no caso dos reis capetíngios, é tido como um óleo miraculoso de origem celeste: em sentido próprio, o rei é "Cristo", o "Ungido do Senhor". Também os louvores que o glorificam são os mesmos que exaltam a soberania do Cristo, que é dito "rei dos reis, senhor dos senhores" (*rex regum, dominus dominantium*). Por ocasião do *adventus* solene do rei (como também no do bispo), é ao Cristo que as litanias invocam: "*Christus vincit, Christus regnat, Christus imperat*". No mundo carolíngio e depois no feudal, Cristo é o chefe de armas vitorioso, que triunfa sobre o mal e as milícias do demônio. Por outro lado, sendo imperador do mundo, assume todas as funções reais, a começar pela justiça, que exercerá no fim dos tempos, no Juízo Final, sobre todos os homens, incluindo os reis terrestres e os chefes de sua Igreja. É assim que os tímpanos românicos representam o Cristo da parúsia, como juiz supremo, a cabeça cingida pela coroa real, entronizado em majestade no centro da cena e assinalando com a mão direita a grande separação, por toda a eternidade, entre eleitos e danados.

Entretanto, na sociedade cristã medieval, a soberania sagrada é sempre pensada como desdobrando-se em duas, pois se exerce sobre dois planos estreitamente ligados: o espiritual e o temporal. Se, de um lado, ela faz eco ao imperador e ao rei, senhores temporais, embora sagrados, por outro lado pertence, e ainda mais fortemente, ao papa e aos bispos, chefes espirituais, mas não menos presentes no mundo. De Deus, do Cristo, os primeiros têm a *potestas,* os segundos, a *auctoritas*, porque são os sucessores diretos dos apóstolos. Ora, entre os bispos, o de Roma, herdeiro de São Pedro, muito cedo adquiriu proeminência e não deixou, ao longo da Idade Média, de impor cada vez mais sua soberania sobre toda a sociedade cristã. Desse modo, no fim da Idade Média, o "servo dos servos de Deus" assumiu, de fato, os traços de seu senhor divino. Mais precisamente, tomou os traços de Deus Pai, ancião soberano, e não os do Filho, cuja humanidade sofre-

Deus

dora e humilhada prestava-se bem menos à exaltação do poder universal. É com o Pai, que em tudo encarna a "autoridade", que o papa troca de preferência seus atributos. Deus é figurado "como papa": um ancião de barbas e encanecido, com a mão direita benzendo e com a esquerda sustentando o globo imperial, a cabeça coroada pela tiara pontifical cujos três círculos simbolizam a Trindade e a dominação do universo.

De muitas outras maneiras ainda, Deus é o "senhor" por excelência da sociedade cristã. Já o dissemos ao evocar os modos de datação, que contam os anos a partir da Encarnação. Deus, com certeza, controla o tempo. Ele controla igualmente o espaço? A nova toponímia que acompanha, na grande fase de expansão da economia e da sociedade ocidentais, a conquista de novos territórios e a criação de novos hábitats (principalmente nos séculos XI-XII), mostram que, ao lado de inumeráveis localidades com nomes de santos, outras fazem referência ao próprio nome de Deus: Dieulefit, Port-Dieu, La Maison-Dieu, Villedieu, Le Mont Dieu. Também são numerosas as localidades chamadas La Trinité (sobretudo na Bretanha). Por outro lado, a onomástica parece excluir a referência às pessoas da Trindade. As pessoas não emprestam seus nomes de Deus, mas da multidão de seus santos, que também foram homens e que desempenham para eles o papel de patronos singulares. A referência divina aparece, no entanto, no nome Deodato (*Deodatus*) atribuído, por exemplo, ao rei da França Filipe Augusto, porque esse "filho do milagre" nasceu quando seus pais, privados de herdeiro masculino, perdiam a esperança de poder assegurar a continuidade dinástica.

Muitas instituições também têm o nome de Deus, indicando claramente como o poder divino estendia-se a todos os aspectos da vida social: instituições religiosas (igrejas ou ordens dedicadas à Trindade; os dominicanos não se diziam "os cães do Senhor", *Domini canes*?), hospitalares (o hospital do Espírito Santo), universitárias (os colégios de Corpus Christi e de Trinity em Oxford e em Cambridge) e, sobretudo, políticas. Lembremos, como caso principal, o movimento da "paz de Deus", lançado pelos bispos do sudeste da França em fins do século X, início do século XI. Pode-se dizer que, por volta do ano 1000, para impor a paz – que é o primeiro dever do soberano –, Deus substituiu o enfraquecido rei. Deus ou aqueles

Dicionário analítico do Ocidente medieval

que podiam falar em seu nome: os bispos (os de Puy, de Limoges, de Clermont), ou os grande abades, em primeiro lugar o abade de Cluny, Odilon, posto sob autoridade direta do papa. Mais tarde, o rei encontrou pouco a pouco os meios de fazer coincidir seus poderes reais com o prestígio sobrenatural que recebeu pela "graça de Deus" na unção da sagração: a partir dos séculos XII e XIII, já não são mais Deus e os bispos, mas os prebostes, os bailios e os senescais que impõem a paz em nome do rei. Como duvidar que a imagem de Deus e as expectativas dos fiéis tenham sido profundamente transformadas?

A prática do "juízo de Deus", também bastante característica da sociedade feudal, conheceu um processo histórico comparável. Na época feudal, o papel do juiz não é o de pronunciar o direito, mas o de árbitro entre as partes em conflito. Para que melhor seja proclamada a verdade, denunciada a fraude, designado o culpado, o juiz pode, se necessário, recorrer à onisciência e onipotência de Deus, através dos processos rituais do ordálio e do duelo judicial. Deus, nos séculos XI e XII, não desdenha intervir diretamente nesses rituais para manifestar publicamente a verdade. Um século mais tarde, no entanto, a reconstrução das instituições públicas que caracteriza a gênese do Estado moderno dispensa o recurso ao poder do Deus julgador. Os ordálios caem em desuso ou chegam mesmo a ser condenados. Os clérigos criticam a ambiguidade dos sinais, pois, apesar de tudo, são sempre os homens que devem interpretá-los e podem equivocar-se ou forçar o sentido do pretenso julgamento de Deus, sem contar que sempre podem se tornar culpados por tentar a Deus, por querer constrangê-lo. Não seria rebaixar Deus querer à força fazê-lo intervir em querelas humanas?

Há ainda uma outra razão para essas mudanças: na mesma época, uma progressiva e manifesta divisão de tarefas entre as pessoas da Trindade permitiu ao Cristo, o Filho do Homem, tornar-se cada vez mais familiar aos homens. Mas não para substituir os juízes terrestres ("meu reino não é deste mundo", disse Jesus), e sim para compartilhar a pena dos homens e consolá-los com seu amor; para julgá-los, não aqui, mas após a morte, no fim dos tempos. E sobretudo no instante do traspasse, quando Satã se lança sobre a alma que o anjo bom e Maria tentam defender. Difunde-se, então, a esperança de que o Cristo-Juiz encontre em cada pecador os méritos necessários para justificar sua própria clemência. Mais do que nunca, espera-se que a misericórdia do rei celeste abrande o rigor de sua justiça. Nesse papel, é essencial a presença, ao lado de Cristo, de sua mãe, a Virgem Santa, Santa Maria, Nossa Senhora, Nossa Mãe, a advogada que guardou a memória de todos os méritos, de todas as circunstâncias atenuantes, a fim de poder nesse instante abrandar o julgamento de seu Filho. Como não pensar, uma vez mais, na evolução contemporânea das instituições judiciais, das regras de procedimento, do estatuto e dos papéis respectivos da "gente de justiça", dos juízes, dos advogados e dos escrivães do fim da Idade Média?

A "ciência de Deus": a teologia

No cristianismo medieval, Deus não é somente objeto de crença, mas também objeto de um discurso articulado, racional. Em sentido próprio, tal discurso é a teologia. A palavra vem da filosofia grega pagã, mais precisamente de Platão (*República,* II, 18, 379a), com o sentido de "discurso sobre os deuses". Para Aristóteles, a teologia é a "filosofia primeira", que trata do divino. Para Plutarco, ela coroa toda a filosofia. Por intermédio dos neoplatônicos, a noção passa para os Pais da Igreja, gregos e latinos.

A denúncia pelos Pais da Igreja e pelos concílios de desvios heterodoxos que ameaçam a Igreja dos primeiros séculos leva à primeira elaboração da teologia cristã. Todas aquelas heresias punham em causa a nova noção de Deus: o dogma da Trindade, a afirmação da dupla natureza, divina e humana, do Cristo. O arianismo, por exemplo, é condenado no Concílio de Niceia (325), que define o Cristo como sendo da mesma substância do Pai. Em 431, a teologia dá um importante passo quando o Concílio de Éfeso atribui a Maria o título de *Theotokos,* "Mãe de Deus", para manifestar que seu Filho é, ao mesmo tempo, Deus e homem. No século V ainda, na parte oriental do Império, os monofisitas pretendem reconhecer apenas uma única natureza, a humana, no Cristo pregado na cruz. Dessa vez, é o Concílio de Calcedônia (451) que os condena. Da sua parte, os pelagianos atribuem um tal valor ao livre-arbítrio do homem que este torna-se como que independente de Deus. Santo Agostinho opõe-se a eles sublinhando

Dicionário analítico do Ocidente medieval

o papel fundamental da graça divina, que dá ao homem a possibilidade de adquirir, por seus méritos, o direito à salvação. Ele estabelece também os fundamentos do debate sobre a predestinação e as obras, que ressurgirá sobretudo a partir do século XII (Santo Anselmo) e de maneira ainda mais candente no momento da Reforma Protestante.

Os Pais da Igreja desenvolveram um discurso teológico argumentado e sistemático não somente para refutar as diversas heresias trinitárias, mas também para confrontar os cismáticos. O desacordo teológico com Bizâncio concerne, em primeiro lugar, à questão de saber se o Espírito procede do Pai *e* do Filho (*Filioque*), como pretende a Igreja Romana, ou somente do Pai, como afirma Bizâncio. São tais conflitos que engendraram, estimularam e permitiram afinar a teologia cristã.

No entanto, a palavra *theologia* quase não foi utilizada durante os primeiros séculos. Os autores, notadamente os autores monásticos, da Alta Idade Média até o século XII, preferem designar por *doctrina sacra* ou *divina* ou ainda *sacra pagina*, um tipo de comentário das Escrituras que pretende ser tanto contemplativo quanto racional, uma ascese do Verbo revelado mais do que um trabalho da razão humana sobre si própria, nos limites de suas possibilidades lógicas. Ora, uma mudança decisiva intervém nas escolas urbanas do século XII. Abelardo escreve um "tratado de teologia sobre a unidade e a trindade divina", pela primeira vez usando tal título. É também o primeiro a ser sensível à especialização "profissional" dos "teólogos". Para ele, Santo Agostinho, que qualifica de *spiritualis doctor*, vem a ser "a autoridade de todos os teólogos" (*omnium theologorum auctoritas*), algo como o patrono de uma nova corporação. Influenciado pelo pensamento e pelo idioma gregos do Pseudo-Dioniso, Hugo de Saint-Victor dá no *Didascalicon* uma definição etimológica precisa de "teologia": "um discurso (*logos*) sobre Deus (*theos*)". Anselmo busca o "argumento ontológico", que ele define como "um argumento único que, sem exigir outra prova além dele mesmo, seja suficiente para estabelecer que Deus é e é o sumo bem, não necessitando de nada mais e do qual tudo o mais necessita para ser e para ser bem, enfim, tudo o que cremos sobre a natureza humana". Deus sendo verdadeiramente, em nosso espírito, tão grande que não podemos conceber nada maior, é preciso concluir, em seu caso e só em seu caso —

pois para qualquer outro ser isso seria absurdo –, a necessidade de uma passagem lógica "da existência ideal que concebemos à existência real, da ideia ao objeto, do ser concebido ao ser existente". Esse avanço da lógica redefine o discurso dominante da época, que vê na grandeza da Criação a principal prova da existência e da bondade de Deus. Mas Anselmo será, a seu turno, criticado por São Tomás de Aquino e, depois deste, pelos teólogos nominalistas, que, por definição, se recusam a induzir da linguagem a realidade dos seres que ela designa.

Com Alain de Lille, em fins do século XII, a teologia se especializa como um campo particular de conhecimento. O nascimento da Universidade consagra essa especialização, assim como a superioridade do saber teológico sobre todos os outros: a faculdade de Teologia é posta no topo da hierarquia universitária, acima da faculdade de Artes (liberais).

Mas a verdadeira ruptura ocorre em meados do século XIII, quando os mestres escolásticos da Universidade, em primeiro lugar São Tomás de Aquino, começam a aplicar sistematicamente ao discurso sobre Deus o pensamento de Aristóteles, que as traduções do árabe e do grego tinham permitido descobrir de forma mais completa. A teologia é, doravante, pensada como "ciência", um discurso racional utilizando todos os instrumentos da lógica argumentativa para tornar inteligíveis, tanto quanto possível, a natureza e as ações de Deus, para demonstrar "cientificamente" sua existência ou para compreender como o mal é possível diante do sumo bem. Buscando o equilíbrio entre as tradições platônica e aristotélica, entre a fé "em busca da inteligência" e o intelecto que reconhece na fé seu princípio, São Tomás de Aquino, na sua *Suma teológica* (Iª, II, 3), enumera "cinco provas da existência de Deus", remontando logicamente dos acidentes à essência do ser. Mas ele próprio levanta as objeções suscitadas por seu raciocínio: embora a fé reclame a inteligência lógica, ao mesmo tempo permanece além de toda demonstração e não podemos pretender provar a existência de Deus, uma vez que ignoramos sua natureza. Pertencendo ao que é finito, como poderíamos conceber o infinito? Confundir nossa "noção de Deus" com Deus seria idolatria. É nesse sentido que Tomás recusa o argumento ontológico de Anselmo: mesmo no caso de Deus, e sobretudo no seu caso, nosso espírito criado e finito não pode passar da ideia ao ser.

Dicionário analítico do Ocidente medieval

Tais questões sobre Deus estão no coração de todos os grandes debates que agitam o pensamento e a instituição universitários nos séculos XIII e XIV. Em 1270, depois mais violentamente em 1277, o bispo de Paris, Estêvão Tempier, condena uma série de proposições defendidas pelos "averroístas" da Universidade de Paris, encabeçados por Siger de Brabante: influenciados pelos comentários que o filósofo árabe Averróis faz de Aristóteles, eles negam, entre outros temas, que a Providência divina governe as ações humanas e que Deus conheça outra coisa que a si próprio. A crise do averroísmo é interessante como sintoma das novas potencialidades do pensamento intelectual e das evoluções em curso: pela primeira vez a crença em Deus é contestada de maneira fundamental e com argumentos racionais. Embora essa crítica tenha permanecido confinada a um estreito círculo cultural, marca muito bem um momento fundamental do agnosticismo moderno. Ela mostra também a que ponto a Natureza, colocada sobre um pedestal diante de Deus, é a partir de agora uma aposta cultural de primeira importância: ela não é mais necessariamente pensada como obra do Criador, mas adquire uma autonomia que é celebrada, no mesmo momento, pela literatura, em particular pelo *Roman de la rose*. Por certo, Deus continua sempre aí, mas suas prerrogativas são relativamente diminuídas. No domínio filosófico propriamente dito, a evolução não é menos rápida. No século XIV, o nominalismo corta o fio que até então parecia ligar misteriosamente a linguagem humana à essência das coisas que ela designa. Assim, por seu turno, a linguagem torna-se um instrumento autônomo do saber intelectual: todo o impulso da ciência moderna não foi possibilitado por tal ruptura? Do lado contrário, impõe-se uma outra maneira de falar de Deus e com Deus: a da mística, em particular feminina, que floresceu nos dois últimos séculos da Idade Média.

Pode-se tomar como exemplo, em meados do século XV, o pensamento sobre Deus de Nicolau de Cusa, que, por toda sua formação, estava ligado aos Irmãos da Vida Comum de Deventer e à *devotio moderna*. Os escritos do Pseudo-Dioniso exerceram influência decisiva sobre sua "teologia negativa" e sua consciência da irredutível distância que separa a criatura do Criador. Seu tratado sobre a *Douta ignorância* exprime a tensão dramática entre a sede de saber do espírito humano e a perpétua confissão de seus próprios limites. Em *Sobre Deus como nenhum outro*, Nicolau de Cusa acumula expressões paradoxais que aprofundam ao máximo a distância entre Deus e a razão humana, que tenta desesperadamente apreender o que lhe escapa. Deus é "tudo em tudo", mas também "nada em nada", é o "ser do ser", mas também o "não ser do não ser", pois ele é "um outro não outro que não é senão esse outro...". É significativo que, em *Sobre a visão de Deus*, o teólogo termine por se abismar na contemplação de uma imagem material da Santa Face de Cristo, uma "Verônica" que ele venera em sua casa em Coblença e cujo olhar parece segui-lo quando se move à sua frente. Conclui que ele próprio não existe senão pelo olhar de Deus, ao qual se dirige nesses termos: "Seu olhar é seu ser. Eu sou, porque me olha. Se desviar seu olhar de mim, deixo de existir". Se ele permanece fascinado pelo olhar da imagem que parece segui-lo, sabe estar convidado a usar, além dos olhos do corpo, os "olhos do espírito", mesmo que também eles não possam apreender a divindade em sua essência, a qual, "sem limitação, sem quantidade nem qualidade, nem tempo nem lugar, é a Forma absoluta, a Face das faces".

Crer em Deus

Embora Nicolau de Cusa fale como teólogo, a maneira como imagina, contemplando a sua Verônica, que o próprio Cristo tem os olhos nele, decorre de uma relação com Deus totalmente diversa daquela da teologia: a de uma relação individual e mesmo pessoal, sensível e devocional. Deus não é somente o "senhor" soberano da sociedade medieval e não é somente o objeto inacessível do discurso racional da teologia. É também esse outro, no entanto semelhante, ao qual o crente se dirige em suas preces ou do qual beija a imagem milagrosa. Ora, a história não deixou de moldar também a apreensão individual do divino, as maneiras pelas quais cada um crê ou figura Deus e se dirige a ele.

Escolhamos, para começar, dois testemunhos da Idade Média central, os monges Raul Glaber (da primeira metade do século XI) e Guiberto de Nogent (menos de um século mais tarde), para mostrar, a partir de seus próprios escritos (o que seria impossível em relação a outros meios socioculturais) como variaram, num tempo relativamente curto, os modos de apreensão do divino. O primeiro, um monge da Borgonha, próximo do abade Odilon de Cluny, começa suas *Histórias* por uma impressionante apresentação da cruz do Calvário, portanto o corpo do Cristo voltado para o Ocidente, abraçando em seu gesto largo toda a Cristandade, ao passo que, por sua vez, o relato da Paixão resume toda a história da salvação desde a Queda até o Juízo Final. Esse Deus na cruz não é o Cristo sofredor, mas o rei do mundo. Domina o curso das coisas e, aproximando-se o milênio de sua vinda e de sua morte entre os homens, adverte-os, por meio de sinais e prodígios maravilhosos ou aterrorizantes, para que se penitenciem e se preparem para comparecer perante ele. Embora invisível, Deus está em toda a parte. É o soberano e o juiz zeloso e terrível. Os signos pelos quais manifesta sua presença avivam o medo do iminente apocalipse.

Bem diferente é o relato autobiográfico escrito no ocaso de sua vida pelo monge beneditino Guiberto de Nogent, no começo do século XII. Adota, de imediato, um outro tom: dirige-se a Deus de forma mais íntima, para confessar humildemente seus pecados. Seu Deus é fundamentalmente "bom". Dá a graça de sua misericórdia aos homens. É também o "bom escultor", criador consciencioso de toda verdadeira beleza, porque a beleza física dos seres não é senão o reflexo da beleza moral com que Deus os gratifica. Seu verdadeiro pai é Deus, que, ao lado de sua mãe, que Guiberto considera uma santa, felizmente substituiu seu pai carnal, morto pouco depois de seu nascimento. Entre Guiberto e Deus, a relação filial é afetiva e íntima, e quanto mais o monge busca conhecer a si próprio, mais ele descobre a intensidade do amor divino que é sua razão de ser: "Na medida em que conheço a mim mesmo, busco conhecer você, mas, quando me regozijo de conhecê-lo, não perco por isso a consciência que tenho de mim", diz ele, em termos abertamente agostinianos. Para Guiberto, esse Deus de amor é, sim, o Pai, mas um pai próximo, afetuoso, desempenhando um papel que, logo depois, será aquele de seu Filho. O Deus de Guiberto não é o de Raul Glaber, mas também não é ainda o "Belo Deus" gótico, o Cristo Filho do Homem da catedral de Amiens.

Acabamos de comparar a maneira pela qual dois monges, que deixaram seus próprios escritos, concebiam Deus. Qual terá sido a maneira dos fiéis humildes, dos leigos iletrados, que não nos deixaram nenhum testemu-

Deus

nho? Na maioria das vezes, só podemos nos entregar à pura conjectura. O cristão comum de então só tinha, em matéria de fé, deveres ou exigências limitados, embora talvez suficientes para fazê-lo encontrar Deus. O mínimo de saber requerido de um fiel e suscetível de ser verificado pelo padre de sua paróquia limita-se, em teoria, ainda no século XIII, a recitar o Credo, considerado na época uma prece, o Pai-Nosso e a Ave-Maria. Parece que, durante muito tempo, a recitação mecânica de palavras latinas, em sua grande maioria ininteligíveis, foi considerada pelos clérigos preferível a uma tradução em língua vernácula, sem dúvida compreensível para as massas, mas menos digna de exprimir as coisas sagradas. Ainda que repetidas em latim de modo só mais ou menos fiel, tais palavras já não seriam suficientes para familiarizar o cristão com os nomes das três pessoas da Trindade e para associar a figura de Maria à de seu Filho? O cristão que recita "Pai nosso que está no Céu" ou ainda "o pão nosso de cada dia nos dê hoje", habitua-se a falar com Deus como a uma pessoa. Igualmente, o sinal da cruz, que pontua de maneira às vezes obsessiva a prece e a participação nos rituais religiosos, é, numa sociedade tão atenta aos gestos e a seu peso simbólico, uma maneira de ligar-se "de boca e de corpo" à Trindade, marcando sucessivamente sua fronte, o coração e os ombros, sempre nomeando as três pessoas divinas. No século XIII, os teólogos falam, a propósito disso, de fé "implícita", aquela que é, a seus olhos, o mínimo requerido dos simples fiéis.

Deus é constantemente nomeado, invocado, embora nem sempre da maneira como a Igreja gostaria: as juras e blasfêmias testemunham que o nome de Deus ao menos não é ignorado. Sem dúvida, na provação é grande a tentação de duvidar da bondade de Deus e de sua misericórdia, de barganhar seu apoio e de desafiá-lo, como a qualquer outro santo, a provar sua onipotência. As coleções de milagres comumente põem em cena espíritos fortes que pretendem medir-se com Deus (ou com o santo local) e que por isso são milagrosamente castigados.

Quanto às práticas divinatórias às quais eventualmente se entregavam os próprios clérigos, embora as condenassem como "supersticiosas" quando não as controlavam, podem parecer sacrílegas em sua pretensão de antecipar o tempo futuro, que só pertence a Deus. No entanto, não pretendem questionar a potência transcendente de Deus, quando muito exprimem o desejo, diante da desgraça e da injustiça, de desvendar um pouco mais seus "segredos" e conhecer sua vontade. É, pois, difícil imaginar que, por trás da imagem incansavelmente repetida e ilustrada pelos clérigos do insensato do Salmo 13 – que, nu, o crânio raspado e tendo nas mãos o bastão dos loucos, "diz o insensato no seu coração 'Deus não existe!'" –, tenha realmente havido lugar na Idade Média para o que atualmente chamamos de descrença. Exceto um punhado de averroístas altamente eruditos dos quais já falamos (e que, aliás, não excluíam Deus), não parece que tenha sido possível, naquela época, conceber um mundo sem Deus, uma natureza sem Criador e uma humanidade sem Senhor. O principal perigo com que se defronta a Igreja medieval não é a descrença, mas o excesso de crença em Deus, a vontade de certos leigos de prescindir da mediação dos clérigos para aceder diretamente a Deus. É o que pretendem fazer os heréticos, que têm, portanto, toda a razão em se atribuir o nome de "crentes".

São numerosos na Idade Média os heréticos que, recriminando o excessivo compromisso da Igreja com a sociedade terrestre, o dinheiro e o poder, pretendem falar e agir em nome do Espírito Santo. Querem devolver ao cristianismo a dimensão carismática que São Paulo evocou, mas que colide com o *status* material e político da Igreja na sociedade. Em seu ensinamento, a Igreja insiste, por exemplo, sobre os sete dons do Espírito Santo, mas desconfia daqueles que, fora da hierarquia e das ordens eclesiásticas, pretendem agir em nome do Espírito. É o caso dos espirituais que formam o ramo dissidente da Ordem Franciscana. Partidários de uma pobreza evangélica radical, inspiram-se nos escritos do monge calabrês Joaquim de Fiore para exigir do papado e da Igreja que abandone suas riquezas nos umbrais da terceira era da história universal, a do Espírito, que preludia o apocalipse. Grupos de leigos são inflamados, por sua vez, por essas proposições radicais. Os Irmãos do Livre Espírito são severamente condenados pelo Concílio de Viena de 1311 e impiedosamente reprimidos. Simultaneamente, embora os teólogos dissertem sobre a abundância do Espírito Santo, a hierarquia só lhe consagra um limitado espaço na catequese. O papado exalta a imagem de Deus Pai "como papa", modelo e reflexo de seu sonho de autoridade. E é a humanidade sensível de Jesus

Deus

Cristo que se impõe no cerne das práticas de devoção e nos modelos de piedade propostos aos fiéis.

No começo do segundo milênio, os leigos, mantidos à distância da língua e das sutilezas da cultura dos clérigos, manifestam mais explicitamente sua adesão à crença em Deus. A principal razão é a estabilização das estruturas da sociedade cristã, tendo à frente as paróquias. Simultaneamente, Deus se faz mais próximo, mais humano: a figura do Filho do Homem torna-se central em todas as formas de devoção, tanto entre os leigos quanto entre o clero. A peregrinação a Jerusalém e, sobretudo, o engajamento nas cruzadas, são para milhares de cavaleiros e de pessoas simples que aspiram visitar – e mais tarde libertar – o Sepulcro do Cristo, a expressão mais espetacular dessa transformação. Os relatos sobre a Terra Santa tornam familiar a geografia maravilhosa palmilhada por Jesus durante sua vida terrestre. Afluem as relíquias do Cristo ou ligadas a ele: o prepúcio do Menino Jesus recolhido após a circuncisão; uma gota do leite da Virgem; pedaços de madeira da Cruz, um cravo da crucificação; o precioso sangue conservado em uma ampola após a Paixão; a coroa de espinhos, comprada por alto preço por São Luís. São numerosas as igrejas que reivindicam as mesmas relíquias e assim multiplicam no Ocidente provas tangíveis da Encarnação do Filho de Deus.

De fato, a única "relíquia" verdadeiramente legítima de Jesus é a eucaristia, o pão e o vinho que, uma vez consagrados pelo padre, devem ser adorados como o corpo e o sangue realmente presentes do Cristo. A consagração das santas espécies aparece exatamente como o momento central da missa. A participação dos fiéis no ofício culmina no instante em que podem ver e adorar a hóstia consagrada que o padre ergue com os braços estendidos. Essa "ostensão" do *Corpus Christi* é solenizada pela "Festa de Corpus Christi" (1264), durante a qual a hóstia é levada em procissão através da paróquia, avivando a fome eucarística dos fiéis, ainda mais que eles só estão autorizados a comungar de maneira excepcional no domingo de Páscoa. Mas ingerir o corpo do Cristo, assimilá-lo, torna-se o sonho e às vezes a obsessão dos místicos, em particular das mulheres, no fim da Idade Média. Não se trata somente de crer, mas de participar física e dolorosamente dos sofrimentos da Paixão: o exemplo disso foi dado por São Francisco, quali-

353

Dicionário analítico do Ocidente medieval

ficado de "novo Cristo", o primeiro santo a ter recebido em seu corpo os estigmas da crucificação (1224). Acentuar a segunda pessoa da Trindade intensifica também o ressentimento contra os judeus "deicidas". As cruzadas que partem para libertar o Santo Sepulcro motivam *pogrons* contra as comunidades judaicas. O relato sobre a hóstia pretensamente profanada por um judeu e que se põe miraculosamente a sangrar conhece um sucesso duradouro: os pregadores servem-se dela para reforçar a crença na presença real de Cristo na eucaristia. Mas as multidões amotinam-se e cometem novos massacres de judeus.

As imagens que se multiplicam na segunda parte da Idade Média contribuem de maneira decisiva para essa nova percepção do divino. Há muito tempo as imagens simbólicas de Deus (a mão direita de Deus saindo das nuvens) e de Cristo (o cordeiro pascal, o peixe, o bom pastor) têm apenas um papel secundário. Desde o fim do século VII, a legitimidade de uma figuração antropomórfica do Cristo é oficialmente admitida por toda a Igreja universal. Desde aproximadamente o ano 1000, o interdito implícito que pesava sobre as imagens tridimensionais de culto foi transgredido no Ocidente: o corpo do Cristo sobre a cruz, nas igrejas, tem a aparência, a densidade, a fisionomia dolorosa de um verdadeiro crucificado, assim como a estátua do Menino Jesus que Nossa Senhora carrega no colo como o faria uma verdadeira mãe. Outras imagens do Cristo da Paixão têm cada vez mais um papel central nas novas formas de devoção: o *Homo Pietatis* emerge de sua tumba com o busto nu, a cabeça coroada de espinhos e as mãos atadas, mais morto do que ressurrecto. Os *Arma Christi* convidam à contemplação de todos os objetos utilizados durante a Paixão e ao encadeamento de preces repetitivas que, com a difusão do terço e do rosário, são características da piedade de fins da Idade Média. A *Veronica* ou *Vera icona*, a verdadeira imagem da face do Cristo, difunde-se a partir do começo do século XIII não somente nas pinturas murais das igrejas ou nas miniaturas dos livros de horas, mas logo, no século XV, sobre simples folhas soltas impressas que se compram ao mesmo tempo que as indulgências pelo preço da misericórdia de Deus no Além.

Indubitavelmente, o centro de gravidade da representação de Deus deslocou-se, desde o Deus juiz e soberano da primeira Idade Média até o

Cristo mais humano dos séculos ulteriores. Cristo torna-se central. Mas o essencial é que, mais do que no passado, a massa dos cristãos tinha acesso, graças às imagens, a uma representação global da Trindade. Sobre os mais variados suportes, as imagens trinitárias tornam-se moeda corrente no fim da Idade Média. A partir do século XII, conhecem sucessivamente diversos tipos (a Trindade triádrica, com as três Pessoas antropomórficas sentadas sobre um mesmo trono; o trono da Graça, com o Pai sustentando o Filho na cruz, a pomba do Espírito Santo entre os dois; a Piedade de Nosso Senhor, com Deus como ancião tendo sobre os joelhos seu Filho morto e a pomba voando entre ambos). Ao contrário dos ícones bizantinos, que mantêm a alegoria tradicional dos três anjos visitando Abraão e Sara sob o carvalho de Mambré, essas imagens testemunham a busca, pelos artistas ocidentais, de fórmulas gráficas originais, suscetíveis de exprimir o paradoxo central do dogma. O fato de eles inovarem não escapa aos heréticos, que se escandalizam: os lolardos, no fim do século XIV, consideram "abominável" o tipo da Piedade de Nosso Senhor. Tais imagens contribuíram, no entanto, para tornar mais familiar e menos abstrata a noção cristã de Deus, assim como a dialética da unidade da natureza divina e da diversidade das Pessoas que a constituem.

Deus, o divino e a razão

Os cristãos, entretanto, nunca se confrontaram somente com Deus, como se fosse uma entidade isolada, mas com todo um sistema divino eminentemente original e complexo, e não menos suscetível de evoluir na história. Deus, no sentido próprio do termo, é somente o coração desse sistema. Este se define, por um lado, como se viu, por um lado, pela relação interna das pessoas da Trindade, e, por outro, pela relação externa entre Deus e Satã, o chefe dos anjos decaídos. Uma relação em princípio desigual, mas que não exclui nem a rivalidade (por exemplo, no julgamento da alma), nem uma certa cumplicidade, pois o Diabo age sempre "com a permissão de Deus". Além disso, a crescente insistência na humanidade do Cristo implicou a promoção da Virgem Maria em relação aos outros santos. Em algumas imagens, a Virgem Coroada aparece como uma quarta

Dicionário analítico do Ocidente medieval

pessoa da Trindade, disponível para ser, como se preferir, a esposa mística, a mãe carnal ou a filha espiritual do Cristo, ou tudo ao mesmo tempo. Todas essas relações, expressas por textos e imagens, não são delírios gratuitos da imaginação religiosa. A escolha de uma relação em vez de outra é sempre uma questão de estratégia individual ou coletiva. Assim, o lugar que convém atribuir ao Espírito Santo na relação com as outras pessoas da Trindade (objeto de debate do cisma e também das heresias espirituais do fim da Idade Média) ou ao Diabo na relação com Deus (que constitui a questão da feitiçaria) sempre foi expressão de grandes conflitos ideológicos da sociedade medieval.

O fervor religioso, a "democratização" de Deus e, de forma mais geral, o sucesso do cristianismo, sem nenhuma dúvida devem muito à intensificação de formas sensíveis e afetivas e ao crescente cristocentrismo da crença em Deus. Mas, além disso, o questionamento teológico do divino preparava, no próprio seio da esfera religiosa, a contestação radical da crença em Deus e, em suma, a "morte de Deus". Tais são, parece-nos, os dois maiores e opostos legados do cristianismo latino medieval à história ocidental do divino.

JEAN-CLAUDE SCHMITT
Tradução de José Carlos Estêvão

Ver também

Além – Bíblia – Diabo – Fé – Imagens – Judeus – Pecado – Rei

Orientação bibliográfica

BOESPFLUG, François. *Dieu dans l'art.* Paris: Cerf, 1984.

_____. Dieu en pape: une singularité de l'art religieux de la fin du Moyen Âge. *Revue Mabillon*, Ligugé, v.2, t.II, p.167-205, 1991.

BOTTÉRO, Jean. *Naissance de Dieu*: la Bible et l'historien. Paris: Gallimard, 1986.

FICHTENAU, Heinrich. Gott und Gottesurteile. In: *Lebensordnungen des 10 Jahrhunderts*, 1984. 2.ed. Munique: DTV, 1992. p.405 ss.

Deus

MOINGT, Joseph. Polymorphisme du corps du Christ. *Le Temps de la Réflexion*, Paris, n.7, p.47-62, 1986.

RUBIN, Miri. *Corpus-Christi*: the Eucharist in Late Medieval Culture. Cambridge: Cambridge University Press, 1991.

Diabo

Sob seus diversos nomes e com suas aparências multiformes, o Diabo – Satã e seus demônios – é seguramente uma das figuras mais importantes do universo do Ocidente medieval: encarnação do mal, oponente das forças celestes, tentador do justo, inspirador dos ímpios e dos pecadores, verdugo dos condenados, ele é onipresente e seu terrível poder se faz sentir em todos os aspectos da vida e das representações mentais medievais. É o "príncipe deste mundo" (João 12,31), aqui "ele faz a festa" (J. Le Goff).

O Diabo, e em particular Satã, potência parcialmente autônoma e que concentra o conjunto das causalidades maléficas, é uma das criações mais interessantes e originais do cristianismo. O Antigo Testamento em grande medida o ignora, com exceção de textos tardios, como o livro da Sabedoria, que pela primeira vez interpreta a serpente tentadora do Éden como uma figura do Diabo (Sabedoria 2,24). Se a literatura apócrifa judaica abre aos demônios um espaço crescente, o Novo Testamento, por sua vez, marca uma etapa decisiva, enfatizando o conflito entre as forças celestes e aquele que São Paulo chamou de "o deus deste mundo" (2 Coríntios 4,4): lembrem-se especialmente as tentações de Cristo, as parábolas ou ainda os combates do Apocalipse. Satã congrega a multidão dos espíritos demoníacos do judaísmo popular e, ao mesmo tempo, procede da dissociação da figura ambivalente de Iahweh, o deus veterotestamentário, deus tanto da cólera e do castigo quanto benfeitor. Na Antiguidade cristã, o Diabo ocupa

Diabo

um lugar ainda maior, como o testemunham textos tão diversos quanto *A vida de Santo Antônio*, de Atanásio, ou os escritos de Santo Agostinho. Ao que parece, a importância do Maligno vai se reforçando globalmente durante o curso da Idade Média. Note-se que o Diabo está quase totalmente ausente das imagens cristãs até o século IX. É somente por volta do ano 1000 que encontra uma posição digna dele, quando se desenvolve uma representação específica enfatizando sua monstruosidade e animalidade, e manifestando seu poder hostil de modo cada vez mais insistente.

Contudo, mesmo que se tenda a interpretar o universo como teatro de uma luta entre Deus e Satã, não se pode fazer do cristianismo medieval uma variante das religiões dualistas. Ao contrário, confrontado com as doutrinas de Mani e depois às do catarismo, o cristianismo sempre se esforçou por se distinguir do dualismo (que se pode definir por duas ideias essenciais: o princípio do mal não foi criado por Deus e é totalmente independente dele; o mundo material não foi criado por Deus, mas pelo princípio do mal). A doutrina cristã sustenta, ao contrário, que Deus é fonte e senhor de todas as coisas, enquanto Satã é uma criatura, um anjo decaído, submetido a Deus e que não pode agir sem sua permissão. No entanto, uma forte tendência centrífuga — uma tentação politeísta? — trabalha os estratos mais profundos do cristianismo medieval. As incessantes advertências da doutrina não impediram o desenvolvimento de uma faceta, sem dúvida vivida de forma muito sensível, que dá ao Diabo um vasto campo de autonomia.

A esse respeito, é significativa a história do cânone *Episcopi* (século IX), que define o ponto de vista que a Igreja conservou por longo tempo em questão de feitiçaria. Longe de propor a perseguição das feiticeiras, afirma que a crença no voo noturno não tem fundamento e que deve ser denunciada como ilusão: os que creem nisso desviam-se da verdadeira fé, pois "pensam que existe uma outra potência divina além do Deus único". Ora, no século XV, os clérigos reincidirão nessas concepções e admitirão a realidade do voo noturno. Serão como os heréticos de outrora, denunciados porque acreditavam na existência de uma divindade diabólica. Desse modo, involuntariamente, consagrarão a vitória de Satã.

Não se deve considerar o Diabo de modo isolado; é preciso, ao contrário, levar em conta seu lugar no sistema religioso global e, portanto, descrever as redes de relações às quais está integrado. Além disso, é preciso explorar o âmago da consciência, onde a angústia do Diabo e suas múltiplas manifestações mergulham suas raízes, e, por outro lado, relacionar a figura do Diabo com o conjunto das realidades sociais e políticas, em particular com os conflitos que agitam as sociedades medievais e nos quais o Diabo desempenha seu papel.

Identidades do Diabo

Apresentar a carteira de identidade do Diabo (nome, data de nascimento, marcas particulares) é uma tarefa paradoxal, já que se trata de um ser inapreensível, dado à *diversitas* e às metamorfoses. No Novo Testamento e nos textos medievais, principalmente dois termos de origem grega designam o Diabo ou os diabos: *Diabolus* ("que separa") e *daemon* (na origem, os espíritos, bons ou maus, intermediários entre os deuses e os homens). Pode também ser designado por expressões que lembram que pertence à categoria dos seres espirituais e angélicos (*spiritus malignus*, "espírito maligno"; *spiritus immundus*, "espírito imundo"; *angelus malignus*, "anjo maligno"...) ou indicando a natureza de suas intervenções (*inimicus*, "inimigo"; *hostis, adversarius*, "adversário"; *malignus*, "maligno"; *temptator*, "tentador"...). O termo hebreu *ha-sâtân* ("o acusador") designa, em Jó, um anjo da corte celeste encarregado de pôr a prova os justos; é somente no *Livro do Jubileu*, um apócrifo do século I antes de nossa era, que o termo designa o chefe dos demônios. Tal emprego, retomado no Apocalipse, é acompanhado por numerosos autores da Idade Média. Mas o termo também pode ser igualmente utilizado como substantivo, designando um simples diabo (algumas vezes no plural: "os satanases"). Lúcifer é o nome do mais luminoso dos anjos, antes de sua queda, mas continua a ser usado para designá-lo mesmo depois que se tornou o príncipe do Inferno. Este é o caso, em particular, no teatro religioso do fim da Idade Média, no qual o recurso ao diálogo é uma exigência do gênero: Lúcifer é o senhor, aprisionado nas profundezas do Inferno, enquanto Satã é o primeiro de seus servidores, seu bode expiatório e encarregado de missões na terra. Enfim, nomes específicos são usados algumas vezes (Belzebu, Baal, Beliar, Belfegor, Beemot, Asmodeu,

Diabo

Astaroth, Leviatã...), seja para enfatizar a diversidade do mundo infernal, seja, sobretudo no século XV, para designar as potências intermediárias entre Lúcifer e os simples demônios. Deve-se sobretudo enfatizar a diferença semântica entre o chefe (Lúcifer, Satã, o Diabo) e a multidão dos demônios (*diaboli, demoni*).

A queda dos anjos constitui o ato de nascimento do Diabo e marca o ingresso do mal no universo. Tal mito, de restrito fundamento escritural (2 Pedro 2,4; Judas 6), provém da literatura apócrifa judaica, em particular do *Livro de Henoc* (século II a.C.), por muito tempo tido como um escrito canônico, no qual se explica a Queda pelo desejo dos demônios, seduzidos pela beleza das mulheres e que querem se unir carnalmente a elas. Essa teoria recua apenas a partir do século IV, quando a explicação fundada no orgulho de Lúcifer e em seu desejo de igualar-se a Deus termina por suplantá-la totalmente. Em vez de intervir depois da criação do homem, a Queda torna-se o evento inaugural da história do universo, de modo que pode ser assimilada, notadamente por Santo Agostinho, à separação entre a luz e as trevas. Para os teólogos, a reflexão sobre a queda dos anjos é decisiva e põe em jogo o problema da origem do mal: a fim de se preservar o máximo possível de um desvio dualista, enfatizam que os demônios foram criados bons e que são maus por vontade e não por natureza (Santo Tomás).

Quanto aos anjos maus, derrotados por São Miguel e pela milícia celeste, a ortodoxia enfatiza que são excluídos para sempre, sem esperança de redenção. São condenados a permanecer sobre a terra, no ar, nas profundezas infernais, onde todos serão precipitados após o Juízo Final. Embora decaídos, os diabos mantêm a mesma natureza dos anjos. São, portanto, seres incorpóreos, de corpo etéreo, o que não os impede de se manifestarem aos homens sob as mais diversas aparências. Sua própria natureza tende à diversidade e às metamorfoses que os tornam imperceptíveis e perigosos. Os relatos medievais estão cheios de manifestações do Diabo em forma animal (serpente, dragão, mosca, vespa, pássaro negro, gato...). No extremo oposto, o Tentador pode usurpar uma aparência totalmente humana, em particular a de uma mulher sedutora ou de um belo jovem, inclusive a de um santo. Nada é impossível para o Diabo, nem mesmo tomar os traços do arcanjo Gabriel, da Virgem ou de Cristo.

Dicionário analítico do Ocidente medieval

Entre esses dois extremos, situa-se a imagem dominante do Diabo, aquela que melhor revela sua própria natureza. Nas aparições relatadas pelos monges, como Raul Glaber (1048) ou Guiberto de Nogent (1115), o Diabo assume aparência humana, mas inquietante: é pequeno e feio, macilento e corcunda, vestido de modo sórdido, às vezes "negro como um etíope". A partir do século XI, desenvolve-se uma iconografia específica do Diabo: seu corpo conserva uma silhueta antropomórfica, mas essa forma, feita por Deus "à sua imagem", é pervertida, tornada monstruosa pela deformidade e pelo acréscimo de características animais (focinho, presas, chifres, orelhas pontudas, asas de morcego, e a partir do século XIII, cauda, corpo peludo, garras de ave...).

Na sua essência própria, os diabos, como os anjos, não têm sexo, ou melhor, não há mulheres entre eles (e os clérigos especificam que eles não praticam a homossexualidade entre si). Atribui-se a eles, no entanto, uma intensa atividade sexual. Numerosas crenças folclóricas atribuem-lhes inclusive o poder de procriar: certas personagens históricas ou lendárias, dentre elas em primeiro lugar Merlin, são tidas como filhos do Diabo, enquanto as mães temem encontrar no berço, algum dia, em lugar de seu recém-nascido, um "trocado", um filho do demônio. Quanto aos teólogos – Guilherme de Auvergne ou São Tomás de Aquino –, admitem a veracidade do testemunho de mulheres que se dizem vítimas de demônios íncubos, mas consideram que eles se limitam a transmitir uma semente que não é sua (tenha ela sido produzida por uma operação mágica ou recolhida de um homem), de modo que, embora os demônios desempenhem um papel na procriação, os seres nascidos dessas uniões não são seus filhos.

Enfim, os demônios conservam vantagens de sua natureza angélica, em particular uma potência intelectual claramente superior à do homem. A ciência diabólica é um dos instrumentos de seu poder sobre o mundo e sobre o homem. Sob certas condições, podem agir sobre os corpos materiais, transformá-los e deslocá-los (São Tomás). Podem conhecer os pensamentos dos homens e agir sobre seu espírito. Sobretudo, admite-se desde Agostinho, podem prever o futuro e anunciá-lo aos homens, embora não tenham o dom de profecia como os anjos. Os teólogos denunciam como um pecado grave toda tentativa de recorrer a essa ciência diabólica, o que

Diabo

acompanha a crescente preocupação em fins da Idade Média com o desenvolvimento da magia negra, fundada na captação do poder dos demônios.

O príncipe deste mundo

Na terrível guerra que se trava entre as forças do bem e as do mal, desde a queda dos anjos até o desenlace escatológico anunciado pelo Apocalipse, a tentação de Adão e Eva marca uma primeira vitória de Lúcifer. Por causa do Pecado Original, o homem é submetido ao poder do Diabo (Santo Agostinho), que possui sobre ele um verdadeiro direito (o *ius diaboli*). Contudo, Satã é príncipe somente dos pecadores, pois Cristo resgatou com seu sacrifício o direito que o Diabo tinha sobre a humanidade. Essa concepção domina ao longo de toda a Idade Média, mesmo que se possa sugerir uma distinção entre um primeiro período, da qual a visão muito sombria da natureza humana própria de Santo Agostinho seria emblemática, e um segundo momento que, sem negligenciar o peso do pecado e do mal, será mais sensível aos efeitos da Encarnação e à reabilitação da Criação que aquela autoriza. Depois da Encarnação, o homem tem o poder de encontrar a perdida harmonia com Deus. No entanto, o Diabo de modo algum desaparece da cena intelectual e constata-se mesmo, nos últimos séculos da Idade Média, um forte desenvolvimento da demonologia erudita.

Inumeráveis relatos detalham os atos maléficos do inimigo. É responsabilizado por todas as catástrofes: provoca tempestades e tormentas, corrompe os frutos da terra, suscita as doenças dos homens e do gado, afunda os navios e faz desabar os edifícios. Ele obstrui a ação dos justos, como fez ao se opor à construção da catedral de York, no século XII, tornando impossível erguer as pedras. Suas duas armas favoritas são a tentação e a trapaça. Tenta insinuar no coração dos homens desejos culpáveis, seja por meio de aparição, de sonho (suspeito na Idade Média, por ser frequentemente considerado de origem diabólica), ou somente suscitando maus pensamentos. As tentações da carne, do dinheiro, do poder e das honras são as mais terríveis. É para se tornar bispo que Teófilo sela seu pacto com o Diabo, segundo uma lenda oriental conhecida no Ocidente desde o século IX e largamente difundida tanto em textos como na arte.

363

O Maligno pode se insinuar no corpo dos homens, "possuí-los" a ponto de perderem toda vontade própria. Ele também sabe ser mais discreto para inspirar os maus: nas imagens, vemo-lo destilar seus pérfidos conselhos nos ouvidos de maus príncipes, como Saul ou Herodes, ou ainda insinuar-se na boca de Judas no momento da Ceia. Sabe-se que ele intervém em todas as questões do mundo daqui de baixo. Também não se hesita em instrumentalizá-lo, a ponto de, em certos conflitos, um dos lados apregoar que uma carta de Lúcifer foi endereçada ao chefe do campo adversário oferecendo-lhe seus "amigáveis" conselhos. Esse estratagema, utilizado, por exemplo, na época do Grande Cisma nas polêmicas entre dois papas rivais, aparecia como um meio eficaz de desacreditar os adversários.

Enfim, incumbe aos diabos uma outra tarefa: castigar os maus no Além. É por isso que eles se precipitam sobre os moribundos buscando se apossar de suas almas. Algumas vezes, devem disputá-las com os anjos, com maior ou menor sucesso (como no afresco do *Triunfo da morte* do Camposanto de Pisa). Nos casos mais litigiosos, anjos bons e anjos maus devem recorrer a um verdadeiro julgamento da alma. O Diabo exibe seus talentos processuais para obter ganho de causa, quando não lança mão de uma técnica mais rude, como pendurar-se a um dos pratos da balança. No Inferno, e às vezes no Purgatório, os diabos fazem as vezes de verdugos.

Gestos humanos e poderes celestes: o Diabo sob controle

O Diabo, nas suas variadas formas, opõe-se a todas as figuras positivas do cristianismo medieval.

Os anjos. Devido à sua natureza comum, logicamente os diabos opõem-se aos anjos.

Os santos. As almas mais santas são objeto de assaltos mais intensos por parte do Maligno. As tentações dos santos, tormentos terríveis, também são a homenagem do Diabo à virtude deles e a prova necessária para confirmá-la. Em todos os relatos hagiográficos, o Diabo é o oponente que valoriza o triunfo do santo herói sobre ele. Para os vivos, esses relatos servem de exemplo e mostram como se livrar dos assaltos do Diabo. Ademais, enfatizam o poder dos santos que protegem os homens Aqui e no Além e frustram os ataques do Maligno. Contra a multidão dos demônios, o exército dos santos é sempre vitorioso e constitui um dos recursos mais eficazes para os homens que se colocam sob sua proteção.

A Virgem. No decorrer dos séculos, o poder miraculoso e a capacidade de intercessão atribuídos à Virgem só cresceram. Mais ainda que os santos, ela vem a ser a protetora suprema, sobretudo quando os simples demônios cedem lugar ao próprio Diabo. Assim, é a Virgem que liberta Teófilo de seu pacto com o Maligno. Pode-se mesmo perguntar se, nos últimos séculos da Idade Média, a dupla Virgem/Satã não adquire uma importância determinante. É o que parece indicar o tema do "processo de Satã", que conhece grande sucesso a partir do século XIV. A despeito de uma dramatização crescente das relações entre as instâncias sobrenaturais, deve-se supor, no interior da dupla Virgem/Satã, um equilíbrio interno indispensável para assegurar o controle das forças maléficas.

O Cristo. A dupla Cristo/Satã continua, contudo, essencial. O sacrifício do Redentor marca um momento decisivo na história do Diabo, uma áspera derrota que reduz singularmente seus poderes. É o que mostra o fracasso das três tentações, a iconografia do Cristo pisoteando o basilisco e a áspide (Salmo 90), e mais ainda o episódio da Descida aos limbos. Segundo esse relato, apócrifo, mas totalmente integrado pela ortodoxia, Cristo desceu aos infernos entre sua morte e ressurreição a fim de libertar os Justos mortos antes da Encarnação. Satã é então vencido em seu próprio reino, e a abundante iconografia dessa cena (a partir do século IX) reforça sua humilhação mostrando-o esmagado sob os pés do Salvador. É o fim do poder absoluto do "príncipe deste mundo".

Deus, a Trindade. A oposição entre Deus e Lúcifer, posta em jogo principalmente pelo relato da Queda, leva ao problema do dualismo. Embora a teologia se esforce por afastá-lo, numerosos testemunhos, escritos ou figurados, aproximam-se muito de um verdadeiro dualismo. É o caso de certas imagens mostrando Satã quando da Queda, não decaído, mas entronizado no centro de sua esfera como Deus na sua, manifestando assim a amplitude de seu poder e de sua autonomia: só o enquadramento de seu círculo, na metade inferior da página, lembra sua submissão a Deus (*Saltério da rainha Maria*, começo do século XIV). Enfim, muitas vezes Satã, qualificado de

Dicionário analítico do Ocidente medieval

"momo de Deus" (*simia Dei*), leva a semelhança a ponto de se arrogar certas características trinitárias. Assim, sua cabeça pode aparecer com três rostos.

Na rede de relações estabelecida pelo cristianismo medieval – um complexo monoteísmo –, Satã ocupa uma posição particular. Ele é, segundo modalidades variáveis e intensidades cambiantes no decorrer da Idade Média, o inimigo de todas as outras figuras. É o Opositor, contra o qual se afirma a coesão das forças positivas. Assim, ele modera a tendência politeísta do cristianismo medieval, reduzindo a multiplicidade das figuras à unidade de um único combate.

O homem medieval não está só diante dos demônios. Concretamente, dispõe de práticas, de gestos e de ritos para se proteger. A Igreja pode ser considerada um baluarte contra o Diabo, em primeiro lugar por meio dos sacramentos que dispensa. O primeiro deles, o batismo, que lava o homem do Pecado Original, foi por muito tempo concebido como uma forma de exorcismo. O exorcismo propriamente dito permite aos clérigos libertar os possuídos; as fórmulas de bênção protegem do demônio, enquanto o rito de dedicação das igrejas proíbe seu acesso aos lugares consagrados. Os objetos sagrados – hóstia, relíquias, cruz, mas também amuletos diversos – mantêm o Maligno a distância. Os jejuns e as preces também são armas eficazes. Enfim, se os clérigos enfatizam que o Diabo nada pode contra aqueles que têm fé, há um gesto de poder infalível, que salva de todos os perigos: o sinal da cruz.

O Diabo valoriza as potências sobrenaturais que triunfam sobre ele e também valoriza a instituição eclesiástica por intermédio da qual os fiéis são convidados a colher os frutos dessa vitória.

Diabo cômico, Diabo do carnaval?

Existe também um Diabo que os comentadores modernos costumam chamar de "grotesco" ou "ridículo", usando expressões que podem levar a certa confusão. Longe de ser a terrível personagem sobre a qual triunfam os santos, o Diabo pode parecer fraco, desprovido de todo caráter ameaçador, ou, pelo menos, fácil de iludir, como no *fabliau* que conta de que forma São Pedro rouba-lhe almas vencendo-o em um jogo de dados. O teatro (em particular os mistérios da Paixão) comumente põe em cena esse aspecto. O Diabo do teatro é ridículo quando ignora sua própria fraqueza, é cômico quando se vê enredado por causa de sua tolice, ou quando os diabos se atormentam mutuamente, em particular quando Lúcifer pune os fracassos de Satã. Mas constata-se uma tensão entre os diferentes aspectos da figura diabólica, ao mesmo tempo vítima e carrasco, temível e lastimável, aterrorizante e grotesca. Conhecendo as afinidades entre o medo e o riso, é fácil afirmar que os traços cômicos atribuídos ao Diabo são um modo de exorcizar o temor que ele inspira.

Algumas vezes os indivíduos podem acertar contas diretamente com o Diabo, em particular com sua imagem, objeto de frequentes ataques iconoclastas (miniaturas raspadas, pedras atiradas contra representações monumentais de Satã). A imagem é assim, às vezes à margem das prescrições da Igreja, um outro vetor pelo qual o homem tenta acertar contas com a figura ambígua, ao mesmo tempo assustadora e odiosa, ameaçadora e vulnerável, de Satã.

Havia também um Diabo "carnavalesco", sem nada de assustador, que seria o "alegre e ambivalente porta-voz dos pontos de vista não oficiais", o representante de uma lógica da inversão que fazia triunfar o "baixo corporal" (M. Bakhtin). A essa concepção estão relacionadas as múltiplas facécias, caretas, obscenidades frequentemente escatológicas que os diabos tanto praticam, assim como as fantasias diabólicas do carnaval ou do charivari. O recurso ao Diabo, mestre dos contravalores, autoriza o desrecalque paródico, a expressão de tendências ordinariamente reprimidas. Contudo, mais do que uma expressão folclórica autônoma, deve-se ver no Diabo grotesco uma forma de compromisso que permite reintegrar mecanismos de inversão no seio da própria cultura dominante. Manifesta-se, assim, a complexidade e a ambivalência da figura do Diabo, na qual se mesclam poder e debilidade, terror e comicidade, dominação social da Igreja e inversão paródica.

Diabo e tormentos da consciência

Outra faceta do Diabo medieval aparece no seio da consciência individual. Quaisquer que sejam as discussões historiográficas às quais pode

Dicionário analítico do Ocidente medieval

dar lugar a noção de indivíduo, essa abordagem legitima-se pela crença na existência de diabos pessoais (em Cassiano, desde o século V, e em alguns outros autores medievais, como Pedro Lombardo). Com efeito, ao anjo da guarda encarregado de velar por cada cristão, faz frente um diabo cuja missão é induzi-lo ao mal. É o que mostra uma miniatura do *Livro das sentenças*, de Pedro Lombardo, na qual o indivíduo está colocado entre seu anjo da guarda e seu diabo pessoal. Eis uma representação antropomórfica fundamental, que faz de cada ser a arena em que se defrontam as forças do bem e as do mal.

Embora o caráter personalizado dos demônios pareça menos desenvolvido do que o dos anjos da guarda, não deixa de ser verdade que a consciência cristã se vê assaltada por seres diabólicos. Enquanto na Alta Idade Média a presença do demônio no indivíduo ocorre sob a forma de possessão, e de seu complemento ritual, o exorcismo, tal tipo de manifestação tende a recuar depois do ano 1000. Em compensação, multiplicam-se então os testemunhos relativos à obsessão diabólica, em particular no meio monástico.

Percebe-se nesses relatos sinais de uma consciência atormentada, perseguida por forças hostis. O Diabo exprime tudo o que a consciência não pode reconhecer como emanando dela própria (e nem de Deus), tudo que ela julga negativo, hostil, e que deve ser rejeitado, colocado para fora de si. Sabe-se que, segundo Freud, os demônios são formas personificadas de maus desejos, recalcados. São pulsões sexuais angustiantes que se manifestam quando, por exemplo, a mãe de Guiberto de Nogent conta que um diabo deitava sobre ela para oprimi-la, ou ainda nos casos de "poluções noturnas" que os monges atribuem à intervenção do Diabo. Mas este também pode aparecer como porta-voz de pulsões mórbidas; por exemplo, quando manda um peregrino de São Tiago se castrar e se matar.

O universo diabólico permite a expressão de fantasmas multiformes. As características sexuais dos demônios são com frequência enfatizadas, notadamente quando providos de órgãos sexuais desmesurados e agridem os condenados (afrescos da colegiada de San Giminiano). A analidade não é menos importante: nos grandes afrescos italianos do Inferno, a partir de Giotto, o próprio Satã aparece excretando os danados. De maneira ainda mais intensa, o mundo diabólico é posto sob o signo de uma oralidade an-

Diabo

gustiante, devoradora. O próprio Inferno é geralmente simbolizado pela imensa goela do Leviatã. É sobre a boca contorcida, desmesurada, geralmente animal do Diabo, que se concentra uma parte importante de seu poder ameaçador. Enfim, a multiplicação de rostos e bocas no corpo dos demônios, o que cresce entre os séculos XII e XIV, pode ser considerada como o triunfo dessa oralidade hostil. Assim, o mundo diabólico aparece menos como o porta-voz do "baixo corporal" do que como lugar de expressão de imagens corporais e sexuais particularmente angustiantes.

Ao menos durante a Idade Média central, a crença no Diabo é expressão de uma consciência individual necessariamente culpável, atormentada e dividida. A consciência cristã encontra em si um mal que é preciso repelir, que ela pode em parte atribuir às tentações do Diabo e combater como a um inimigo exterior. O Diabo atormenta a consciência, mas ao mesmo tempo a ajuda a se constituir no interior de um universo dual no qual se opõem o bem e o mal, Deus e Satã, o anjo da guarda e o diabo pessoal.

Contramodelo e poder maligno

O Diabo sempre foi tido como o inspirador dos inimigos da Igreja e da Cristandade. Assim, para os cristãos, os deuses adorados pelos pagãos não passavam de demônios. Os judeus, do mesmo modo que mais tarde os muçulmanos, também são associados ao Diabo. O Evangelho fornece quanto a isso um argumento, que será depois largamente ampliado, ao qualificar os judeus que não reconhecem Cristo de filhos do Diabo (João 8,44) ou ainda de "sinagoga de Satã" (Apocalipse 2,9). Os heréticos também sofreram, por seu turno, esse processo de diabolização. Começado no século III, o fenômeno se acentua com as heresias do ano 1000 para se ampliar ainda mais nos séculos seguintes, na luta contra os cátaros. Não somente os heréticos passam por ser inspirados pelo Diabo, como são descritos, seguindo o tratado de Adson sobre o Anticristo (século X), como membros de um corpo cuja cabeça seria Satã, réplica negativa do corpo da Igreja, cuja cabeça é Cristo. O parentesco, o corpo: tais são os dois grandes modelos que permitem pensar não somente a Igreja como também sua antítese maléfica e o confronto que as opõem.

Dicionário analítico do Ocidente medieval

Desde então, intensifica-se a crença num complô satânico que ameaça a sociedade. A obsessão diabólica invade o Ocidente. Exatamente quando o perigo herético foi jugulado, passa-se a denunciar feiticeiros e feiticeiras, que aos olhos do clero não são mais vítimas de uma ilusão diabólica, como o quer o cânone *Episcopi*, mas membros da seita diabólica, participantes no sabá de um verdadeiro rito de adoração de Satã. Convencidos de que a sociedade cristã é alvo de uma ofensiva sem precedentes lançada por Satã, os poderes eclesiásticos e estatais desencadeiam, a partir do século XV, uma vasta perseguição, em escala inédita, contra os que considera seus inimigos mortais. Satã aparece como o Adversário contra o qual se funda o poder das instituições, antes de todas o da Igreja, principalmente na luta contra as heresias, e também o dos Estados, engajados na caça às feiticeiras.

Satã sempre esteve envolvido na questão do poder. Avesso do corpo eclesial, ele também é a imagem do mau poder. Na época feudal, com facilidade Lúcifer é descrito como o vassalo cuja felonia o faz querer igualar seu senhor, em lugar de permanecer submisso a ele. Por outro lado, uma vez punido por essa traição, ele se conduz, ainda que nos limites do domínio que Deus lhe concede, como um senhor a quem se rende homenagem, como na lenda de Teófilo. Tampouco o poder real escapa às interferências diabólicas. Já no século XII, Gautier Map, entre outros, satiricamente assimila a corte do rei da Inglaterra Henrique II a um inferno, sem, no entanto, chegar a explicitamente associar o soberano a Satã.

É sobretudo no século XIV que se manifesta a majestade de Satã. As premissas teológicas encontram-se em Santo Tomás, que admite a existência de uma ordem e de um comando no mundo demoníaco. Desde o século XIII, Satã aparece como uma figura monárquica, e Dante faz dele *"l'imperador del regno doloroso"*. Algumas vezes desde o século XII, mas sobretudo nos séculos XIV e XV, desenvolve-se uma verdadeira iconografia da majestade de Satã que destaca sua autoridade por meio de uma estatura gigantesca, de sua posição frontal e sentada, das insígnias do poder (trono, cetro, coroa) e da ordem que impõe à corte de demônios. Nos afrescos sobre o bom e o mau governo, pintados por A. Lorenzetti em Siena, por volta de 1338, o mau príncipe é retratado com traços diabólicos e entronizado em

Diabo

seus domínios como Satã no Inferno. É precisamente então, na primeira metade do século XIV, que nasce a reflexão sobre a tirania, isto é, sobre as formas de mau poder, do qual a majestade de Satã é a imagem absoluta. Esta aparece como o avesso das modernas formas de dominação política que então se constituíam.

Assim, a intensa presença de Satã no decorrer da Idade Média não pode ser entendida sem ao mesmo tempo considerar os poderes que a controlam: figuras divinas e santas, mas também autoridades eclesiásticas e estatais que afirmam seu poder no combate vitorioso que travam contra o mal absoluto. Contra uma potência que parece cada vez mais terrível, são necessários protetores cada vez mais eficazes. Desse confronto resulta uma tensão cada vez mais viva, que parece característica das formas religiosas do fim da Idade Média.

O Diabo medieval pode ser definido como uma outra instância, que funciona em múltiplos níveis, tanto individuais quanto coletivos. De um lado, os fantasmas diabólicos lançam raízes no lugar mais profundo dos seres; a figura do Diabo oferece uma solução para os conflitos íntimos e ajuda a consciência a se constituir, a pensar a si mesma. De outro lado, a figura terrível e poderosa do Diabo, unificando contra si todo o panteão cristão, duplicando negativamente as instituições, participa da afirmação das modernas formas de Estado e de sua violência necessária.

JÉRÔME BASCHET
Tradução de José Carlos Estêvão

Ver também

Além – Anjos – Corpo e alma – Deus – Feitiçaria – Heresia – Pecado – Santidade – Sonhos

Orientação bibliográfica

BASCHET, Jérôme. *Les Justices de l'au-delà*: les représentation de l'Enfer en France et Italie (XIIᵉ-XVᵉ siècle). Roma: École Française de Rome, 1993.

Dicionário analítico do Ocidente medieval

BASCHET, Jérôme. Diavolo. In: *Enciclopedia dell'arte medievale*. Roma: Istituto della Enciclopedia Italiana 1994. t.V.

BERLIOZ, Jacques. Pouvoirs et contrôle de la croyance: la question de la procréation démonique chez Guillaume d'Auvergne. *Razo*, Nice, n.9, p.5-27, 1989.

CHIFFOLEAU, Jacques. Sur la pratique et la conjoncture de l'aveu judiciaire en France du XIIIe au XVe siècle. In: *L'Aveu*: Antiquité et Moyen Âge. Actes de la table ronde de l'École de Rome (28-30 mars 1984). Roma: École Française de Rome, 1986. p.341-80.

COHN, Norman. *Démonolâtrie et sorcellerie au Moyen Âge*: fantasmes et réalités [1975]. Tradução francesa. Paris: Payot, 1982.

CORSINI, Eugenio; COSTA, Eugenio (dirs.). *L'autunno del diavolo*. Milão: Bompiani, 1990. 2v.

DELUMEAU, Jean. *História do medo no Ocidente*: 1300-1800, uma cidade sitiada [1978]. Tradução brasileira. São Paulo: Companhia das Letras, 1993.

DÉMON. In: *Dictionnaire de Spiritualité*. Paris: Beauchesne, 1957. t.III. cols.141-241.

ÉTUDES CARMÉLITAINES. Satan [1948]. Paris: Desclée de Brouwer, 1978.

GRAF, Arturo. *Il diavolo* [1889]. Roma: Salerno, 1980.

LE DIABLE AU MOYEN ÂGE. Senefiance, Aix-em-Provence, n.6, 1979.

RUSSELL, Jeffrey B. *Satan*: the Early Tradition. Ithaca e Londres: Cornell University Press, 1984.

_____. *Lucifer*: the Devil in the Middle Ages. Ithaca e Londres: Cornell University Press, 1984.

SANTI E DEMONI NELL'ALTO MEDIOEVO OCCIDENTALE. 33ª Settimana di Studio di Spoleto (1988). Spoleto: Centro Italiano di Studi sull'Alto Medioevo, 1989.

SCHMITT, Jean-Claude. Les masques, le diable, les morts dans l'Occident médiéval. *Razo*, Nice, n.7, p.87-119,1986.

TEYSSÈDRE, Bernard. *Le Diable et l'Enfer au temps de Jésus*. Paris: A. Michel, 1985.

VILLENEUVE, Roland. *La Beauté du Diable*. Paris: P. Bordas, 1994.

Direito(s)

Pelo menos desde Guizot e Michelet, os historiadores da Idade Média fizeram do direito um objeto de estudo completo, familiar e necessário. Mas esse direito, que eles também transformaram em um monumento essencial do espírito do seu país, sempre permaneceu para eles e seus sucessores um objeto extremamente incômodo. Atualmente, o tema "direito" continua difícil de interpretar.

Seu lugar exato na análise das transformações sociais foi sempre problemático para os medievalistas: podem-se distinguir, com Marc Bloch, os "fatos econômicos" e suas "formas jurídicas" como se o direito, simples produção ideológica do tempo, apenas recobrisse as relações sociais? Ou deve-se pensar que ele tem uma eficiência específica, autônoma? Pode-se simplesmente contentar-se em considerá-lo um banal instrumento do poder? E que lugar conceder à eficácia do direito tal como a concebeu, por exemplo, o positivismo jurídico contemporâneo – uma eficácia que depende essencialmente da sua própria racionalidade – em uma análise histórica que seria também uma espécie de sociologia retrospectiva na qual não se esqueceria nunca que, se o direito "faz o mundo social", ele também é evidentemente "feito por ele" (P. Bourdieu)?

O estudo minucioso das normas e das práticas jurídicas exige competência técnica tão peculiar que quase sempre pareceu, aos olhos dos historiadores generalistas e do grande público, uma disciplina um pouco misteriosa, específica e longínqua. Por conseguinte, permaneceu, em geral, nas mãos dos próprios juristas. O estudo concreto das normas e das práticas jurídicas nunca prende suficientemente a atenção dos historiadores, quando não os assusta pela sua grande tecnicidade.

Entretanto, quando se acompanham as múltiplas transformações, às vezes muito rápidas, das sociedades europeias durante os dez longos séculos que constituem a Idade Média, como afastar *a priori* o estudo das normas jurídicas, tão presentes a todo instante, e a observação do que elas protegem ou impõem? Como dispensar o exame pormenorizado das construções institucionais e das resistências que elas encontram, se se deseja medir as transformações do laço familiar, do laço social, do laço político? Na realidade, é a pré-história da normatividade ocidental moderna e contemporânea – que estabelece o laço social e o sujeito humano ainda hoje – que se pode tentar esboçar olhando o direito medieval e a história das normas jurídicas do século V ao XV

Limitar-se, por exemplo, à análise da escravidão, da servidão ou do feudo, entendidos como simples estatutos jurídicos, e não como realidades concretas – como se fez durante décadas –, é impossibilitar compreender verdadeiramente o conjunto dos laços de dependência de uma determinada época. Mas é também medir mal o impacto social bastante amplo da reflexão erudita dos glosadores sobre essa questão tradicional (E. Conte). Ao privilegiar, enfim, a regra do direito – que quer dizer *directum* em baixo latim, de onde vem nossa palavra "direito" – como manifestação eminente de uma coação organizada sob ameaça de sanção, e portanto considerar a parte mais importante os preceitos, os textos normativos, a "juridicidade", os historiadores de nossos países legalistas subestimaram por muito tempo a parte do julgamento, da disputa e do debate, do acordo e da casuística, da jurisprudência, enfim, do que se poderia chamar de "justiciabilidade" no funcionamento social.

Efetivamente, três perigos principais parecem espreitar os historiadores e explicam talvez sua timidez em relação ao direito. Em primeiro lugar, uma tendência a coisificar as instituições, a substancializar as ficções, as construções jurídicas, a transformar o direito em "coisa" e a fazer essa coisa agir como por milagre. Ora, não são as instituições que produzem a

Direito(s)

história, são os homens, mesmo quando eles o conseguem apenas graças às instituições. Depois, o risco de tudo julgar segundo nossas concepções contemporâneas e ocidentais do direito, em que a lei – um exemplo entre mil – é bem diferente do que era na Idade Média. Por último, apesar da grande desconfiança que doravante inspira a ideia de progresso, a tentação de colocar a história de normas em uma ampla história providencialista dos "progressos do espírito humano": do costume tribal à lei estática, da selvageria aos direitos do homem etc. Resumindo, a tentação do historicismo, que se pode repelir desde que se saiba observar com precisão as sucessivas posições da norma jurídica e se faça, cuidadosamente, o inventário de nossa herança normativa ocidental, mesmo quando ela esconde, ao lado de fundamentos positivos de nossa democracia contemporânea, elementos mais inquietantes, sombrios, dificilmente aceitáveis.

A isso estão ligados os medievalistas, que não hesitam mais em praticar o comparativismo e a introspecção historiográfica, que vão buscar modelos de análise nos sociólogos e antropólogos, que se aplicam a fazer o "inventário das diferenças" entre nosso tempo e o tempo das querelas e dos glosadores. Se eles progressivamente descobriram a sutileza das doutrinas eruditas que se desenvolveram novamente a partir do século XII e contribuíram de maneira decisiva para a formação de um verdadeiro "direito comum" (*ius comune*) europeu, também passaram a se interessar prioritariamente pela prática e pelo método de regulamentar conflitos, pelos vínculos entre normas jurídicas e normas morais ou religiosas, pela evolução do processo, pela casuística de juízes e juristas. É dessa maneira que podem ler com mais facilidade as variações da normatividade jurídica, suas razões e seus meios. E também seus consideráveis efeitos sobre todas as transformações políticas e sociais.

Preferi privilegiar algumas questões para tentar mostrar como o direito, a normatividade jurídica, a instituição, e talvez mesmo o que poderia chamar de "institucionalidade", deveriam estar no centro de todas as análises que visem compreender melhor as transformações sociais. Se a ordem escolhida segue a cronologia, é porque ela permite mostrar a que ponto, nesse domínio como em muitos outros, os homens da Idade Média foram profunda e constantemente criadores.

Dicionário analítico do Ocidente medieval

Nascimento do direito medieval

Há dois séculos, instalou-se uma hostilidade violenta entre "romanistas" – seguros de que o sistema institucional legado por Roma jamais desapareceu inteiramente porque era excelente – e "germanistas" – persuadidos, ao contrário, da ruptura das invasões, da força singular e da liberdade dos costumes bárbaros.

Em oposição às Luzes e aos homens do Código Civil, os eruditos da escola histórica do direito, alunos ou discípulos de F. K. von Savigny (1779-1861), na Alemanha e logo em toda a Europa, acreditaram ver nas leis da Alta Idade Média uma manifestação brilhante, viva, dos costumes e das comunidades bárbaras, muito distante, por consequência, da legislação e das pesadas construções romanas (muitas das quais lhes recordavam, sem dúvida, a Revolução Francesa...), ou, se se preferir, o produto mais puro, mais recente, de um "espírito do povo" (*Volksgeist*) inventivo e mesmo poético, simples e eficaz. É também esse "espírito do povo" que eles viram em seguida nas cartas de liberdade e nas coleções dos costumes dos séculos XII-XV.

A maior parte das pesquisas recentes invalidou, entretanto, esse modo antigo e romântico de ver as fontes legislativas da Alta Idade Média. Mostraram, ao contrário, que se esses escritos, em latim, guardam uma parte importante, mas bastante difícil de analisar, dos costumes bárbaros, é porque foram feitos sob a necessidade de romanização rápida e de cristianização dos vitoriosos – dois fatores que estão sempre juntos –, de adaptação às populações que submeteram e ao direito romano vulgar que os governava. Esse trabalho só era, evidentemente, possível com a ajuda de letrados romanos. Na Espanha, ou na metade sul da Gália, não é certeza que o sistema da "personalidade das leis" tenha realmente existido, como por muito tempo se sustentou. Da mesma maneira, foi aquela situação que levou bem mais tarde ao registro escrito dos costumes, a partir do século XIII, em um contexto bem diferente. Mas, no tempo do romantismo, a escola histórica do direito conseguiu impor profundamente a falsa e bela ideia de que o direito medieval é sobretudo um direito "germânico", originário do povo, marcado pelo costume, pela via comunitária, pela defesa das liberdades,

Direito(s)

direito simples e eficaz, portanto muito afastado da artificialidade e do absolutismo romanos.

Rejeitando algumas dessas conclusões e felizmente se apoiando, a partir do final do século XIX, em outras análises, inspiradas pelas novas ciências sociais – de início, a sociologia, depois a antropologia –, as historiografias francesa e alemã permaneceram, contudo, frequentemente marcadas por sua identificação com a escola histórica do direito. A razão é muito simples: se bem que sustentadas após a Revolução por uma ideologia muito desfavorável aos princípios de 1789 e às codificações, em certo momento essas teses tiveram a vantagem de lisonjear o nacionalismo dos dois países! Na França, a despeito do fio condutor da construção quase providencial do Estado monárquico, é a originalidade e a especificidade do direito consuetudinário franco, na verdade galo-francês, que foram sempre valorizadas pela historiografia do século passado. Desde o século XIV, como se sabe, a lei sálica foi invocada para excluir as mulheres da sucessão ao trono, mas há alguns decênios os historiadores do direito francês deram maior atenção às coletâneas de costumes – reputadas por traduzir a força criativa do povo – do que à legislação ou às decisões reais. Da mesma maneira, insistindo, por exemplo, no consentimento e no conselho dos grandes, que viam sempre como uma herança das práticas comunitárias bárbaras, sem notar sua possível origem romana (eventualmente ressuscitada na época carolíngia), acabaram por imaginar uma realeza "feudo-nacional" bem estranha, embora bastante reconfortante, já que fundada no consenso.

Os mesmos pressupostos encontram-se por trás das análises, às vezes muito recentes, que afirmam de maneira equivocada ter a monarquia francesa banido o direito romano entre os séculos XII e XVII, sendo o *ius romanum* então considerado um direito estranho ao próprio espírito nacional. Se, por razões ideológicas, o rei da França sempre procurou distinguir-se do imperador germânico, se ele se apoiou no sistema consuetudinário, isso não significa que tenha encontrado sua inspiração, como todo o direito francês, em uma mítica e original legislação franca ou em costumes particulares e originais, ignorando completamente as normas romanas. Muito pelo contrário. Escrevendo sobre a sociedade carolíngia, que lhe parecia "uma aldeia ampliada às dimensões do universo", Georges Duby, sem dúvida, quis insistir sobre o que a separava do mundo romano e de uma sociedade estatal moderna. E tinha toda a razão. Mas quando se conhece a complexidade da sociedade do século IX, tem-se certo receio em reaproximá-la muito rapidamente e de maneira artificial de sociedades extraeuropeias descritas por antropólogos.

Para tanto é necessário, pelo contrário, imaginar que as elaborações romanas tenham atravessado os séculos sem serem tocadas por eles? Com certeza, não. Uma visão tão mitológica do direito romano e da romanidade é, antes de tudo, originária do humanismo, em seguida das humanidades burguesas e da reconstituição formal, excessivamente sistemática e quase abstrata dos pandectistas (especialistas em coleções de decisões de antigos jurisconsultos romanos) do século XIX. Esses juristas eruditos admitiam, talvez, que o direito dos povos era "histórico", mas, sobretudo, pensavam que o direito do Estado, a coisa pública, que tanto lhes faltava, só podia ser forjado segundo o modelo romano.

Se suas análises, em sua eficácia formal, ajudam-nos a compreender, hoje, como houve em Roma a criação de uma esfera específica do direito, uma "razão do direito", e como a racionalidade que aí se desenvolveu pôde formar na longa duração certas questões essenciais (por exemplo, as do contrato ou as de filiação) desde que se dominasse seu tecnicismo, em certa medida elas nos enganam ao nos mostrar um direito romano intangível, o que é falso, como se sabe pelo novo conhecimento que agora se tem sobre os séculos IV-VII. O dualismo sempre observado entre a legislação, as *leges*, e os direitos reconhecidos, os *iura*, a parte da interpretação, da jurisprudência, e também a ideia de que se podiam associar as leis particulares com a lei geral, tudo isso nos afasta muito do direito romano eterno, do monumento lógico dos pandectistas.

O direito romano era escrito, supunha conhecimentos técnicos complexos e de especialistas para usá-lo, repousava sobre um sistema político sofisticado do qual era, aliás, uma das armas essenciais. Coisas que progressivamente desapareceram a partir dos Merovíngios. Portanto, é pelo menos arriscado, quando se encontram nos séculos VII e VIII termos saídos da legislação ou das práticas administrativas romanas, imaginar que elas reenviam a realidades institucionais próximas daquelas dos séculos

Direito(s)

III ou IV. O latim dos diplomas e dos polípticos, ou o dos analistas, pode decorativamente servir-se, por intermédio de resumos, do Código Teodosiano, porém manifesta apenas uma vaga referência ideológica, cultural, a respeito de um modelo passado. Não revela, igualmente, a eficaz manutenção das construções institucionais, dos procedimentos concretos, das práticas romanas.

E se os Carolíngios, a partir do final do século VIII, tentam por meio de capitulares restaurar uma forma de "ordem pública" exigindo que se julgue "segundo a lei escrita", sabe-se que sua tentativa — importante do ponto de vista cultural e político — esgotou-se desde o fim do século seguinte, sem haver conseguido reinstalar laços de poder ou laços sociais semelhantes aos da Antiguidade tardia. O notável desenvolvimento dos ordálios durante aqueles reinados, o apelo ao julgamento de Deus, ao poder divino, não indicam claramente a dificuldade de impor uma soberania plena, uma verdadeira autoridade pública?

No século X, o documento escrito é "uma ilhota perdida no oceano da oralidade" (J.-P. Poly e É. Bournazel) e o direito, o sistema normativo daquela época, que também repousa essencialmente na tradição oral, está doravante organizado em torno de outras referências ou de outros valores, que se impõem progressivamente no meio das transformações econômicas e sociais: a parte religiosa ou mágica do poder real e a força dos costumes observados entre os predecessores, os laços de sangue e amizade, o código de honra e a necessidade de obter reparação, a posse de bens de raiz e o donativo, os ilimitados graus de posse e a renovação permanente de acordos ou guerras. Tudo isso com uma referência herdada da romanidade tardia, a do cristianismo latino introdutor de novas normas.

Os "costumes" e a lei

"Todo direito está na lei e nos costumes [*moris*]. A diferença entre eles reside em que a lei é escrita e o *mos,* ao contrário, aprovado por sua ancianidade, uma lei não escrita." Assim se exprimia, por volta de 630, Isidoro de Sevilha na sua *Etimologias* (V, 3, 3), deixando a porta aberta a uma combinação de fontes do direito que terá grande sucesso. Quatro séculos

Dicionário analítico do Ocidente medieval

mais tarde, entretanto, o direito escrito de Roma estava quase esquecido e o poder soberano dos príncipes, muito enfraquecido. O que se manifesta não é mais a presença da lei, mas em toda a parte o império do costume.

A própria palavra "costumes", de _consuetudines_, para designar hábitos, usos renovados e consagrados pelo sentimento de uma obrigação, é cada vez mais frequente nos documentos do século X ou XI. Trata-se, porém, nessa época, sobretudo de lembrar obrigações, às vezes exorbitantes, exações impostas pelo senhor a seus dependentes ou, pelo contrário, de denunciar tais obrigações, de recusar subscrevê-las. Não se trata ainda do conjunto organizado, classificado, renovado, de regras de vida de uma comunidade ou de um território no qual sua falta levaria a uma sanção, como viria a ocorrer mais tarde (esse conjunto resulta, aliás, de uma compilação privada, que constituiria uma ajuda à administração da justiça, conjunto que podia ser autorizado, consentido, arrancado por meio de luta contra um poder superior). Acontece que os costumes existiam. O paradoxo, entretanto, é que não se pode alcançá-los, ao menos antes do final do século XII, a não ser de maneira fortuita, limitada. Não por meio de textos normativos precisos, completos, como as leis bárbaras anteriormente evocadas, mas por atos da prática que nos informam pontualmente sobre a variedade do direito sucessório, das práticas relativas a dote, dos laços familiares, do modo de regulamentar conflitos etc. Entre o direito romano vulgar ou a legislação franca, referidos anteriormente, de uma parte, e a redação das primeiras coleções gerais de costumes de São Luís, de outra parte, passaram-se seis ou sete séculos. Durante esse longo período, é bem difícil dizer "quais forças misteriosas [...] tinham conduzido à elaboração de princípios tão bem afirmados quanto contraditórios entre as regiões" (J. Yver). É mais difícil ainda dizer o que faz a força e a especificidade dos _consuetudines_ locais, mesmo quando se pressente que sua diversidade e a extensão de seu alcance devem muito às variações do povoamento e ao deslocamento dos poderes.

Desconfiemos, em todo caso, de uma conduta retroativa que consistiria em projetar sobre o _consuetudo_ do século XI ou XII tudo o que os eruditos redatores de coleções de costumes e os mais doutos glosadores tenham podido dizer ou escrever sobre eles, no final da Idade Média, fundamentando-se em textos que tinham acabado de editar ou comentar. Em suma, não

Direito(s)

confundamos costume, entendido no sentido antropológico do termo, com direito consuetudinário dos séculos XIII-XVI. O da Idade Média central, que se manifesta na oralidade, não se deixa apreender pelos historiadores senão quando a ordem jurídica positiva e escrita o designa como tal, ou seja, quase sempre por ocasião de um conflito em que o sistema normativo é contestado pelos adeptos de regras diferentes, ou ainda, de maneira tardia, quando as condições jurídicas e políticas mudaram radicalmente. Estudando usos matrimoniais e sucessórios da França do norte nos séculos XIV e XV, cruzando sua investigação com a análise dos laços de dependência, Robert Jacob, em lugar de supor como todos os seus predecessores uma evolução institucional e demográfica da família ampla dos séculos XI e XII em direção à família estreita do final da Idade Média, mostrou como o costume e a prática variaram em função da evolução do senhorio fundiário e sobretudo da comuna burguesa, que contribuiu decisivamente para estabelecer esse costume e mesmo para registrar por escrito o conjunto de decisões jurisprudenciais dos seus tribunais. Mas o historiador evitou projetar suas descobertas sobre a ordem normativa dos séculos XI e XII, de quando são originários certos elementos que ele vê se desenvolver em seguida.

Sem fazer do costume um mito, alguns historiadores souberam muito bem entrever como ele se impõe e o que defende, em que referências se apoia, mesmo nos séculos XI ou XII, quando as fontes são raras. Estudando, por exemplo, os cartulários do Anjou, do Maine, do Vendomois entre 1050 e 1150, Stephen White pôde medir a força e a construção específica dos laços familiares que sempre foram regidos pelo costume e que tiveram papel central no funcionamento social da época. A necessidade que então têm os pais de dar seu consentimento a toda alienação de bens, fosse por compra, doações ou trocas — o que se chama de *laudatio parentum* — deixa vestígios arquivísticos que permitem não somente reconstruir genealogias, mas também analisar mais profundamente o funcionamento intenso das relações de parentesco, a evolução da ordem familiar e dos sistemas de poder em torno dos grandes mosteiros da região.

"Um bom acordo vale mais que a lei, e os laços de amizade valem mais que as decisões de justiça": no tempo do costume, é possível limitar o papel da lei e da justiça, promovendo valores que não pertencem, *a priori,* à

Dicionário analítico do Ocidente medieval

esfera jurídica. Numerosas informações de defesa, de reuniões judiciárias nas quais no tempo dos castelões esforça-se por promover a paz, atenuar temporariamente o conflito, autorizam uma análise muito fina da normatividade daquela época, sobretudo quando se recorre, como o fazem alguns medievalistas atualmente, aos métodos da antropologia jurídica. *Placitare*, "recorrer ao tribunal", é, na verdade, "impulsionar velhos mecanismos rituais", não para obter com uma sentença o fim de uma demanda, mas para prosseguir de outra maneira um litígio, um desacordo, que terá, aliás, todas as possibilidades de continuar: em síntese, manter um vínculo, mesmo de oposição. Esses eram, igualmente, gestos rituais que formavam um sistema, criavam o laço feudal. Mas a finalidade da justiça nessa época não é "definir por meio de sentenças decisivas, mas restabelecer a paz por meio de compromissos" (D. Barthélemy). O acordo "privado" é, aliás, o complemento do julgamento "público" e não seu substituto. O recurso às arbitragens como o apelo aos julgamentos, o litígio como a violência, são menos fatos de exceção que de estrutura, sempre levados em conta e sustentados, eles também, pelo costume.

Em última análise, o que faz a força do costume, para todos os que diariamente o invocam durante a Idade Média central, não é (ainda) o que é garantido pelo poder público, pelo soberano, por uma autoridade exterior. É o que está arraigado, isto é, mergulha no tempo que não é propriamente histórico – mesmo se os anciãos da aldeia, considerados preservadores da memória, são interrogados quando é necessário conhecê-lo com precisão –, mas místico. O costume reporta-se sempre a práticas anteriores dos pais, dos ancestrais, dos predecessores, no mesmo lugar da comunidade, e não aos ordenamentos de uma lei estabelecida em qualquer outra parte. É isso que o torna obrigatório, imperativo. O império do costume nos séculos XI e XII tende no primeiro instante a desaparecer gradualmente de uma estrutura legal antiga, dessa esfera autônoma do poder público e da justiça que os Carolíngios tinham acreditado restaurar. Mas, apoiando-se na influência dos ancestrais, ele revela também o lugar central dos laços de parentesco e de solidariedade no funcionamento social, reativando, sem dúvida, certas tendências observadas principalmente no mundo romano da Antiguidade tardia bem como nos reinos bárbaros da Alta Idade Média.

Direito(s)

A partir do século XIII, o império dos costumes não é mais tão evidente e sua força parece subordinada ou contestada, mesmo que as fontes escritas que lhe digam respeito sejam numerosas. A lei faz de novo sua aparição, essencialmente, de início, graças à Igreja. É um novo sistema normativo, em que novas referências se impõem, com bastante flexibilidade para ainda deixar um grande espaço aos usos costumeiros e permitir todas as transações.

"Não vim revogá-los [a lei e os profetas], mas dar-lhes pleno cumprimento" (Mateus 5,17). Que o cristianismo seja, como o judaísmo, uma religião da lei, da nova lei, é evidente desde os primeiros séculos, quando Tertuliano lembrava que Cristo dissera: "Eu sou [...] a Verdade" (João 14,6), e não "Eu sou o costume". Do século IV ao XI formaram-se progressivamente, a partir das decretais dos papas e das decisões conciliares, importantes coleções canônicas que ofereceram um sistema normativo cada vez mais coerente e que continham não apenas pontos essenciais do dogma, do culto, do papel dos clérigos, mas também por meio do batismo, da participação na eucaristia, da penitência pública e privada, de todos os aspectos da vida social. O costume ocupa, aí, um lugar apenas marginal. Não goza, forçosamente, de bom conceito. Uma reflexão sobre casamento, por exemplo, começada muito cedo, é acompanhada de um certo número de prescrições que marcam a instituição matrimonial por muitos séculos, fosse, por exemplo, a inaceitável coexistência de vários tipos de união da mesma pessoa — uma espécie de poligamia — ou, mais classicamente, a proibição do adultério ou a afirmação da indissolubilidade do laço matrimonial e, sem dúvida, dos impedimentos de casamentos consanguíneos (até o sétimo ou quinto grau), que consistia em incesto. Em todos esses casos, salvo o último, a regra adotada está bem distante dos costumes da Alta Idade Média.

Repetidas nas grandes coleções canônicas — *Coleção Dioniso-Adriana*, por exemplo (desde 774), ou as *Falsas decretais* (mais tarde, cerca de 850) —, essas prescrições imperativas dos clérigos sobre casamento não são facilmente aceitas pelos leigos porque elas ferem precisamente os usos costumeiros. Entre as regras pretendidas pelo costume, ligado à lembrança dos ancestrais, e as impostas pelo direito canônico, que se pretende de origem divina, o conflito não se prende somente aos modos de vida, às maneiras opostas de considerar o laço social. Toca ao que se pode chamar de cristianização, e traz consigo mais profundamente ainda instâncias referenciais fundamentais, que sustentam esses dois sistemas normativos: de um lado, Nosso Pai que está no Céu, o criador e legislador onipotente; de outro, nossos pais, cada vez mais frequentemente lembrados no cemitério próximo, e que são periodicamente invocados quando necessário para lembrar um precedente, garantir ou impor um uso obrigatório. Até os primeiros decênios do século XI, entretanto, a Igreja tinha participado, a despeito de algumas resistências, do movimento que acelerou a fragmentação dos poderes e favoreceu o reinado dos costumes. A contradição não foi sentida de maneira muito violenta pela maior parte dos fiéis.

A reforma gregoriana e o direito

Assumindo uma nova autonomia em relação aos poderes seculares quando da "reforma gregoriana", entre meados do século XI e as primeiras décadas do século XII, a instituição eclesiástica concorreu poderosamente para reconduzir a lei ao centro de todos os sistemas normativos. É um momento capital. Encarregado por um papado obcecado pela autoridade absoluta e que reivindica abertamente sua plena capacidade de legislar (nos *Dictatus papae*, de 1075, Gregório VII pretende que só ele pode fazer novas leis), esse movimento contribui, em toda a Cristandade latina, para separar de maneira definitiva, institucional, clérigos de leigos, e fazer da Igreja uma instituição autônoma, e talvez mesmo a instituição por excelência. Os gregorianos fazem da Igreja uma "instituição à parte", ou seja, produtora de normas e legitimidades novas, criadora de um espaço e uma esfera jurídica específicos, dividindo para melhor interpor-se, longe da confusão social e normativa para a qual o recurso ao costume parecia até então levar.

O direito em geral, e o direito canônico em particular, confrontado com o direito romano oportunamente reencontrado, interpretado, tratado escolasticamente, é o principal instrumento dessa transformação e que se torna, então, objeto de todas as atenções. Na luta pela autonomia da Igreja, notadamente na luta entre o papa e o imperador, os textos canônicos antigos são classificados, selecionados. Pela primeira vez, cerca de 1070-

Direito(s)

1080, o reencontrado *Digesto* foi citado e utilizado, assim como todos os grandes textos do *Corpus juris civilis* de Justiniano, que podiam servir alternativamente a sustentar o poder do imperador germânico ou do pontífice romano. Na primeira metade do século XII, sustentadas pelo crescimento urbano, escolas de direito desenvolvem-se na Itália do norte e no baixo vale do Ródano, onde técnicos descobrem, comentam, interpretam e propõem súmulas ao Código ou às Institutas, elaborando pela primeira vez manuais de procedimento capazes de escapar das defesas dos velhos rituais. Irnerius é mencionado por volta de 1112-1125 em Bolonha, e seus quatro legendários alunos (Búlgaro, Martinho, Hugo e Tiago) nos anos 1150-1160. Os mestres canonistas também são muito numerosos em Paris, onde se conhecem as *leges* (já que a Igreja, diz o adágio, "vive sob a lei romana") e onde se encontram os teólogos.

O que eles aprendem no redescoberto direito romano e na racionalização escolástica do direito canônico, sob pressão dos acontecimentos, das transformações econômicas, sociais, políticas e na luta ativa contra a heresia, é uma extraordinária tecnologia de construções institucionais, soluções casuísticas, possibilidades processuais sobre as quais não tinham até então nenhuma ideia. Eles estão maravilhados por sua eficiência lógica, mas percebem que é preciso constantemente adaptá-la às exigências cristãs do século XII. Pela primeira vez de maneira sistemática, Graciano, em cerca de 1140, tentou no seu *Decreto* estabelecer para o direito da Igreja uma "concordância dos cânones discordantes" (outro título de sua obra), que se torna a primeira parte do *Corpus juris canonici*, corpo do direito da Igreja. Mas logo todos também buscam propor novas soluções coerentes, a partir dos textos fundadores e dos sutis modelos de reflexão que aí encontram.

Na realidade, não é a descoberta quase arqueológica ou antiquária do *Código* e do *Digesto* que explica essa floração. É a luta na qual se forma e se reforça a Igreja gregoriana, seu profundo desejo de separação, de institucionalização, em um contexto de crescimento econômico, de lenta reorganização dos poderes principescos, de desenvolvimento escolar e intelectual em que todos os problemas lógicos recebem soluções novas. É o conjunto desses fatores, aliado ao trabalho constante, prático e rigoroso dos *jurisperiti*, dos intérpretes da lei, dos novos conhecedores do direito – notadamente

Dicionário analítico do Ocidente medieval

em princípios institucionais romanos –, que explica, a partir de meados do século XII, as transformações fundamentais do sistema normativo do Ocidente latino: o costume continua importante, contudo não é mais central. A lei e a defesa da lei – uma não caminha sem a outra – tornam-se essenciais. É esse sistema que lentamente, a partir do século XIII, e depois mais rapidamente, durante a crise do final da Idade Média, vai sustentar e revelar o lento desenvolvimento do Estado moderno.

A explosão dos juristas e do direito

A partir dos últimos decênios do século XII, a imaginação dos glosadores não tem mais limites, estimulada pelas numerosas petições de notários, juízes, especialistas que frequentam seus centros de formação e se apresentam, em troca de dinheiro e reconhecimento, nas cortes de príncipes, nas cidades, nas comunidades e a particulares. Todos aprendem direito nas escolas urbanas, depois nas universidades que se desenvolvem rapidamente ao longo do século XIII (Bolonha, é claro, mas também Nápoles, Orleans, Toulouse, Avignon). Os sete mil manuscritos do direito romano e os oito mil do direito canônico que as principais bibliotecas da Europa ainda conservam em nossos dias, patenteiam muito bem a efervescência, a atividade interpretativa desses juristas, sua extrema tecnicidade, sua forte capacidade de adaptação e também sua permanente atenção às realidades políticas, econômicas e sociais.

Eles formam um grupo cada vez mais poderoso – alguns dizem que já eram um verdadeiro *lobby*. Todos sonham em elaborar um "corpo do direito", um tesouro definitivo e quase fechado da ciência jurídica, como aquele de Justiniano, cujo comentário permanente daria, certamente, todas as soluções. Mas todos permanecem também práticos, pessoas que às vezes julgam, frequentemente defendem, sabem dar conselhos, podem servir ao papa ou ao príncipe.

O mais admirável no seu trabalho teórico ou prático, e isso até o início dos tempos modernos, é sua capacidade de compreender os métodos, os processos, os modos de reflexão do direito romano e, confrontando-os escolasticamente com as exigências da teologia e do dogma cristão, dar-lhe

Direito(s)

uma nova e notável eficácia. No plano moral, o rigor absoluto das soluções impostas pelo direito antigo – por exemplo, o deserdamento dos culpados de lesa-majestade – deve sempre estar atenuada pela justiça evangélica. A referência a um Deus todo-poderoso, criador da natureza, limita também, em certos casos, o desdobramento das ficções jurídicas, tão cômodas e numerosas no sistema institucional romano: a paternidade divina, a importância conferida aos vínculos de sangue, aos laços "naturais", impõem uma reordenação das concepções romanas de filiação. Por outro lado, se a natureza é a Criação, isto é, a manifestação da onipotência divina, atentar contra ela (o que vai da usura – pois o dinheiro não se reproduz com naturalidade – às relações sexuais que não sejam com a finalidade de procriar) é considerado ofensa grave à onipotência divina, e deve ser perseguido sem descanso.

A Criação e a onipotência de Deus obrigam, enfim, a pensar a posse das coisas, a propriedade, de maneira nova e perfeitamente adaptada ao mundo senhorial,. Efetivamente, se Deus é o senhor de todas as coisas, a propriedade destas é forçosamente, por Sua graça, dividida entre Ele e os homens, e divisível ao infinito, o que dá fundamento jurídico bastante útil à acumulação dos direitos senhoriais sobre terras e bens. A teoria do domínio dividido, distinguindo "domínio direto" e "domínio útil", a propriedade do príncipe, contribui também para dar um fundamento muito sólido ao desenvolvimento do Estado territorial e a esclarecer a nova natureza dessa dominação.

Desde essa época, não surpreende que os juristas fizessem ampla promoção da lei, incessantemente estudada por eles, do poder legislativo natural dos papas e dos príncipes. Também não surpreende que estes últimos se apoiassem na lei para afirmar seu poder. Junto com os pontífices gregorianos, estão, evidentemente, os casos de Rogério II, na Sicília (*Assises d'Ariano*, desde 1140) e de Henrique II, na Inglaterra (*Assises de Clarendon*, em 1164). Na França, seria preciso esperar o reinado de São Luís (1226-1270) para verificar o desenvolvimento de uma abundante legislação. Suger, já em meados do século XII, proclamava que "o rei e a lei devem possuir a mesma majestade". Pouco depois, no tempo de Filipe, o Belo, juízes e juristas do rei invocam leis e procedimentos especiais previstos nos textos antigos para, sem constrangimento algum, proteger sua majestade. Um século mais

Dicionário analítico do Ocidente medieval

tarde, é uma fórmula do *Digesto* – "o herdeiro é investido sem demora nos bens do falecido" (28, 2, 11) – que serve para pensar a sucessão real, sem que tivesse tido de início alcance constitucional...

Desde 1231, surgem, aliás, argumentos tipicamente romanos ou romanizantes, de "utilidade pública" ou do "conhecimento perfeito do príncipe", para justificar esse surpreendente poder de legislar, essa pretensão a tornar-se verdadeira "lei viva", enquanto numerosos comentadores evocam máximas, igualmente romanas, que fundamentam o absolutismo: "o príncipe não está preso à lei" (*Digesto*, 1, 3, 31), "o que agrada ao príncipe tem força de lei" (*Digesto*, 1, 4, 1) etc. Isso significa que o príncipe medieval não era senão pálida cópia do príncipe absoluto antigo, um tirano que utiliza seus legistas para impor um poder sem limites, como afirma a bem sombria reputação de Filipe, o Belo, na historiografia francesa? De modo algum. Todos os juristas, mesmo os de Filipe, o Belo, conhecem aquele texto importante que lembra que é digno da majestade do legislador obedecer à lei que ele mesmo promulgou (*Código*, 1, 14, 4). Eles repetem incessantemente que o príncipe é senhor, mas também servidor da lei. E sua concepção de norma jurídica, sempre atribuída à onipotência divina, à lei natural, à equidade, continua a ser um bom antídoto contra todas as tentativas do poder sem limites.

Sobretudo, trabalhando para as cidades, para as corporações, para os comerciantes, imaginando a vida interna das ordens religiosas e das estruturas eclesiásticas, eles encontram outros textos, oriundos do direito romano e do direito canônico, que podem servir de base a outras práticas mais "democráticas" do poder, mesmo se estas últimas não estão nas prescrições usuais. Quando utilizado pelos Estados ou assembleias representativas, o adágio "o que toca a todos deve ser decidido por todos" (*Código*, 5, 59, 5) defende com veemência a necessidade de assentimento e permite se opor às pretensões fiscais exageradas do príncipe, mesmo quando justificadas pela "necessidade" e "utilidade pública". Se o mundo do comércio vê se desenvolverem todos os tipos de contrato, a vida das abadias, dos capítulos e dos conventos permite também experimentar as técnicas da representação, da posse e do simples uso, as quais levam a imaginar essa ficção essencial que é a "personalidade moral" (consumada em meados do século

XIII por Inocêncio IV no seu *Apparatus*). Essas construções jurídicas que se servem do direito privado e do direito público e que utilizam sobretudo técnicas romanas e montagens do direito canônico, estão com frequência nos próprios princípios dos sistemas jurídicos, políticos e econômicos contemporâneos.

Contudo, o príncipe e sua lei não podem penetrar em todos os lugares. Na França e demais países europeus, os juristas voltam sua atenção para os costumes ou estatutos sob cuja autoridade se desenrolam não somente a vida interna das comunidades, mas também a maior parte dos negócios privados; preocupam-se ainda com as questões concernentes à família e aos bens, às sucessões e posses, e que se regulam, em caso de conflito, por procedimentos que variam bastante de uma região para outra.

O príncipe, o Estado, o direito

A partir dos anos 1220, as referências a costumes territoriais tornam-se cada vez mais numerosas nas fontes provenientes da chancelaria real. Essa origem evidencia que o príncipe, admitindo o costume, fazendo-o ser dito e transcrito, busca de maneira direta ou indireta afirmar seu poder sobre o território em que o costume se impõe. É pelo reconhecimento do costume territorial que o próprio território passa às mãos do rei, senhor da legislação. Do mesmo modo, a organização de coletâneas de costumes – que começam bem no final do século XII no caso da Normandia e multiplicam-se nos séculos XIII e XIV para o resto do reino – revela, ao lado de inegáveis usos locais, a crescente importância do papel dos oficiais reais, do direito erudito e dos juristas de Orleans que interpretam com sua cultura civilista o que ouvem. Bem antes da redação oficial dos costumes de França pelo edito de Montils-lès-Tours (1454), é o rei, e sobretudo essa nova ordem jurídica na qual o poder legislativo do soberano é reconhecido, que autoriza e valida todas as normas consuetudinárias. Não mais apenas a lembrança dos ancestrais. Na Itália e na Provença, onde o direito romano tinha mais força e o direito escrito se impõe, a redação de estatutos nas comunas busca proteger e desenvolver sua autonomia. Aí se percebe melhor essa evolução, que vê as garantias antropológicas tradicionais do costume cederem lugar

Dicionário analítico do Ocidente medieval

a instituições ou decisões legislativas, que na verdade são garantias para um príncipe ou para uma comunidade soberana.

Do ideal de conciliação entre o direito comum (*ius comune*), ele próprio frequentemente originário do encontro entre direito romano e direito canônico, e o direito próprio (*ius proprium*), isto é, o direito consuetudinário de cada região, que só pode ser realizado sob a autoridade de um verdadeiro soberano, emerge todo o sistema normativo do fim da Idade Média e início da época moderna. O que produziu sua eficiência, sua flexibilidade, foi essa ida e volta permanente entre uma parte do direito comum, que não era uma simples retomada do direito antigo, mas antes um verdadeiro *work in progress* inventivo e sutil, aberto, de um lado, às exigências dos canonistas, e, de outro, ao direito próprio de cada cidade, de cada província, ou seja, aos costumes ou aos estatutos doravante presentes sob o tipo de direito consuetudinário ou de direito estatutário. Para esse jogo fundamental à afirmação de um Estado que deve sempre ter em conta particularismos, ordens, diversidade, contribuem de maneira decisiva nos séculos XIV e XV os juristas, mas também a multidão de práticos que invadem o mecanismo administrativo do Estado e constantemente intervêm na vida social como notários, conselheiros ou juízes. A criação do "direito comum" europeu foi obra deles, e sua casuística muito flexível, sua espantosa capacidade combinatória, asseguram o sucesso da norma romano-canônica nos últimos séculos da Idade Média.

Mas apenas em parte. Qual é, então, a causa profunda da mudança que faz o modelo institucional promovido pela reforma gregoriana ser pouco a pouco retomado pelos príncipes e pelas cidades, o amor à lei prevalecer lentamente sobre o costume, o raciocínio escolástico dos especialistas suceder às intermináveis palavras dos tribunais? Mesmo que seja difícil não evocar, aqui, a longa fase do crescimento econômico que domina todo o Ocidente latino até o final do século XIII, e o desenvolvimento concreto, por meio da guerra e dos impostos, dos poderes principescos, para responder a essa indagação é necessário recorrer à história do procedimento jurídico, que é, de certa maneira, sempre o teatro da legitimidade.

A entrada em cena dos direitos eruditos havia provocado mudanças na duração das audiências. Poucas, inicialmente, já que o sistema de acusação

Direito(s)

que opõe duas partes sob arbitragem do juiz, mesmo quando respeita as regras lógicas romanas, é no fundo bem parecido com as velhas disputas em que se tenta o acordo para compensar prejuízos ou deter a vingança, estabelecendo temporariamente uma verdade relativa aceitável aos dois adversários.

No final do século XII, as coisas alteram-se muito para os crimes contra a autoridade. Quando se trata da defesa da coisa pública ou da majestade do povo ou do príncipe, e não há indicação de um acusador, faz-se a investigação por iniciativa e autoridade próprias, segundo o modelo adotado pelos romanos. A partir de meados do século XIII, por razões fáceis de entender, nos casos de heresia e logo de contestação da majestade divina, os soberanos apelam para a Inquisição, que já encontrava amparo no *Digesto*. Essas questões preocupantes exigem, em nome da razão, em nome dessa *ratio* na qual se sustentam os juristas, e para salvar a ordem, uma interpretação criteriosa para alcançar a verdade plena. Ora, diante da incerteza que forçosamente resulta do simples confronto das testemunhas, percebe-se logo que essa verdade absoluta não pode vir senão por meio da confissão dos culpados, que, revelando suas faltas, atestam sua existência, mas reconhecem também o caráter exorbitante do processo...

É preciso entender bem o que significa a promoção da confissão na prática judiciária dos séculos XIII e XIV, quando se tornou obrigatória e regular a confissão sacramental e quando se estimula o exame de consciência, a moral da intenção e, consequentemente, também a interiorização de todos os laços sociais e religiosos. Em última instância, o que se reconhece, confessando, no quadro do procedimento inquisitorial, é sempre, direta ou indiretamente, a onipotência de Deus e por detrás dela, pouco a pouco, a dos príncipes ou das cidades soberanas, enfim, a dependência. Portanto, o que se constrói institucionalmente no processo inquisitorial é simplesmente a majestade de uns e de outros. Sabe-se como a necessidade irreprimível da confissão e da verdade levará alguns juízes, até meados do século XVII, à caça às feiticeiras, quando a tortura pode legalmente vir em seu auxílio. É evidente que a imensa maioria dos procedimentos penais nos últimos séculos da Idade Média escapa a essas terríveis regras e continua a seguir, bem ou mal, as antigas regras acusatórias. Para certas questões (feitiçaria

391

Dicionário analítico do Ocidente medieval

e atentados contra a segurança) recorria-se ao Estado, o que demonstra que a organização do sistema normativo mudou do alto até a base. O que se promove de ora em diante, com o procedimento inquisitorial e todo o sistema romano-canônico de que está dotado, não são apenas gestos e comportamentos de fidelidade, mas também uma reverência interior pelo soberano. Não se rejeita somente a traição, a velha infidelidade, mas também a rebelião, nova inimiga do príncipe, que comumente se manifesta com extrema violência, recusa não menos interiorizada da ordem legítima. O que, então, se constrói no plano institucional, com processos mais rigorosos, inspirados pela Inquisição romana e revistos pelos caçadores de heréticos, é evidentemente a obediência, que de virtude monástica durante dez séculos, tornou-se um vínculo de poder, um laço político novo quando se iniciaram os tempos modernos.

Se o direito é "o sinal de determinada criação do homem" (P. Legendre), vê-se pelos últimos exemplos o que as montagens institucionais da Idade Média latina – época em que o "direito comum", a herança romana e as transformações canônicas tiveram tanto relevo – contribuíram para produzir, às vezes selvagemente. É naturalmente o objeto ocidental, apoiado nessas referências originais, que a tecnologia jurídica proporciona e da qual é possível fazer história, por menos que se aceite esse axioma de base de que a necessidade da própria referência está em alguma condição estrutural, ou se se preferir, eterna. O direito medieval contribuiu para nos edificar, apesar das transformações mais recentes, ainda mal identificadas, às vezes inquietantes, com frequência surpreendentes, do nosso próprio sistema normativo.

JACQUES CHIFFOLEAU
Tradução de Daniel Valle Ribeiro

Ver também

Escolástica – Estado – Igreja e papado – Império – Justiça e paz – Liberdade e servidão – Parentesco – Razão – Rei – Universidade – Violência

Direito(s)

Orientação bibliográfica

BARTLETT, Robert. *Trial by Fire and Water*: the Medieval Judicial Ordeal. Oxford: Clarendon, 1986.

BELLOMO, Manlio. *L'Europa del diritto comune* [1988]. 7.ed. Roma: Il Cigno Galileo Galilei, 1996.

CALASSO, Francesco. *Medioevo del diritto*. t.I: *Le fonti*. Milão: Giuffre, 1954.

COING, Helmut. *Handbuch der Quellen und Literatur der neueren europäischen Privatrechtsbichte*: I. Mittelalter (1100-1500). Munique: C. H. Beck, 1973.

CONTE, Emanuele. *Servi medievali*: dinamiche del diritto comune. Roma: Viella, 1996.

CORTESE, Ennio. *Il diritto nella storia medievale*. Roma: Il Cigno Galileo Galilei, 1995-1996. 2v.

DAVIES, Wendy; FONRACRE, Paul (eds.). *The Settlement of Disputes in Early Medieval Europe*. Cambridge: Cambridge University Press, 1986.

FLACH, Jacques. *Les Institutions de l'ancienne France*. Paris: Larose et Forcel, 1886-1904. 3v.

GAUDEMET, Jean. *La Formation du droit canonique médiéval*. Londres: Variorum Reprints, 1980.

GIORDANENGO, Gérad. *Le Droit féodal dans le pays de droit écrit*: l'exemple de la Provence et du Dauphiné (XIIᵉ-début XVᵉ siècle). Roma: École Française de Rome, 1988.

GOURON, André. *Études sur la diffusion des doctrines juridiques médiévales*. Londres: Variorum Reprints, 1987.

GROSSI, Paolo. *L'ordine giuridico medievale*. Roma e Bari: Laterza, 1995.

JACOB, Robert. *Les Époux, le seigneur et la cité*: coutume et pratique matrimoniale des bourgeois de France du Nord au Moyen Âge. Bruxelas: Facultés Universitaires Saint-Louis, 1990.

KANTOROWICZ, Ernst H. *Os dois corpos do rei* [1957]. Tradução brasileira. São Paulo: Companhia das Letras, 1998.

LE BRAS, Gabriel; LEFEBVRE, Charles; RAMBAUD, Jacques. *Histoire du droit et des institutions de l'Église en Occident*. t.VII: *L'Âge classique (1140-1378)*: sources et théorie du droit. Paris: Sirey, 1965.

LEGENDRE, Pierre. *La Pénétration du droit romain dans le droit canonique classique, de Gratien à Innocent IV (1140-1254)*. Paris: Jouve, 1964.

_____. *Écrits juridiques du Moyen Âge occidental*. Londres: Variorum Reprints, 1988.

OURLIAC, Paul; GAZZANIGA, Jean-Louis. *Histoire du droit privé français de l'an mil au Code Civil*. Paris: Albin Michel, 1985.

Dicionário analítico do Ocidente medieval

PENNINGTON, Kenneth. *The Prince and the Law (1200-1600)*: Sovereignty and Rights in the Western Legal Tradition. Berkeley, Los Angeles: University of California Press 1993.

RADDING, Charles M. *The Origins of Medieval Jurisprudence*: Pavia and Bologna, 850-1100. Yale: Yale University Press, 1988.

THOMAS, Yan. *Fictio legis*: l'empire de la fiction romaine et ses limites médiévales. *Droits,* Paris, n.21, p.1.763, 1995.

TIERNEY, Brian. *Religion et droit dans le développement de la pensée constitutionnelle* [1982]. Tradução francesa. Paris: Presses Universitaires de France, 1993.

WHITE, Stephen D. *Custom, Kinship and Gifts to Saints*: the Laudatio Parentum in Western France (1050-1150). Chapel Hill: University of North Carolina Press, 1988.

YVER, Jean. *Egalité entre héritiers et exclusion des enfants dotés*: essai de géographie coutumière. Paris: Sirey, 1966.

Escatologia e milenarismo

Na tradição cristã, o termo "escatologia" (do grego *eschata*, "as últimas [coisas]") designa as ideias concernentes ao fim do mundo ou aos eventos que atingirão seu termo com o Juízo Final. As palavras "milenarismo" ou "quialismo" (derivadas respectivamente do latim *mille* e do grego *chilias,* "mil") remetem, em seu sentido primeiro, à espera de um reino de mil anos sob a égide de Cristo, então de volta à terra antes do Juízo Final. Em sentido mais amplo, entende-se por elas todas as esperanças, todas as aspirações de conotações religiosas prevendo o surgimento sobre a terra de uma ordem perfeita, de certa forma paradisíaca.

Nos primeiros tempos do cristianismo, as aspirações milenaristas eram largamente difundidas e encontraram uma expressão toda particular no Apocalipse de São João, escrito na década de 90 do século I. Mas, sobretudo a partir do século IV, assiste-se ao recuo desse tipo de ideias. É grande a influência de Santo Agostinho, que no seu *De civitate Dei* (XX, 9), obra muito lida na Idade Média, declara que a Igreja já representa o *regnum Christi*, malgrado a presença de pecadores em seu meio. Ao mesmo tempo, Agostinho parte da ideia segundo a qual o nascimento de Cristo marca o início da última era do mundo. O fim do mundo, cuja data permanece ignorada pelos homens, não está, pois, muito longe. Desse ponto de vista, não se deve esperar que a situação evolua muito neste mundo. O fim deve ser assinalado pelo retorno de Elias, pregador da verdade divina, pela conversão

Dicionário analítico do Ocidente medieval

dos judeus e pela aparição do Anticristo (*De civitate Dei*, XX, 29). Da mesma maneira, no começo do século VIII, o anglo-saxão Beda considera que os eventos mais importantes que precederão o Juízo Final serão a conversão dos judeus e as perseguições aos cristãos por parte do Anticristo.

O Anticristo e o fim do mundo

A aparição do Anticristo, já evocada na Primeira epístola de João (2,18 e 22; 4,3), e a grande perseguição aos cristãos que o surgimento dele provocará desempenharam um papel decisivo nas representações escatológicas da Idade Média. As representações do Anticristo foram profundamente marcadas pela exposição de Jerônimo em seu comentário do Livro de Daniel, redigido no começo do século V. A crer em Jerônimo, o Anticristo é de origem judaica, vem da Babilônia, exercerá o poder durante três anos e meio, sua morte precederá em 45 dias o Juízo Final. As ideias medievais sobre o fim do mundo e sobre o Anticristo também foram influenciadas por Remígio de Auxerre, que, em meados do século XI, escreveu comentários sobre a Segunda epístola de Paulo aos tessalonicenses e sobre o Apocalipse. Ele imagina um cenário que se imporá amplamente: a aparição do Anticristo, precedendo o fim do mundo, ocorrerá somente após a dispersão (*discessio*) dos reinos do Império Romano. Nascido na Babilônia, da tribo judaica de Dan, o Anticristo começará por atrair para sua causa os judeus, cuja conversão última Remígio não menciona; depois da destruição do Império Romano, reinará por três anos e meio antes de ser morto no Monte das Oliveiras por Cristo ou pelo arcanjo Miguel. Restará, então, pouco tempo para os justos fazerem penitência antes do Juízo Final. Tal é o esquema fundamental que permanece válido, com algumas modificações menores, para numerosos autores e durante toda a Idade Média.

A perspectiva da vinda do Anticristo, figura central do evento escatológico, só poderia estimular a interpretação de catástrofes naturais, de epidemias, de desordens duradouras devidas à guerra, e também de situações sociais ou religiosas intoleráveis, como signos precursores de sua vinda próxima e, portanto, do fim do mundo que o sucederia. Na primeira metade do século X, o abade Odo de Cluny está persuadido de que a vinda do Anticristo e do fim do mundo estão próximos, em razão das "ondas de injustiça" que se elevam cada vez mais. Por volta do ano 1000 e por volta do ano 1033, isto é, mil anos após o nascimento do Cristo ou depois de sua crucificação, não houve psicose geral. No entanto, nossas fontes revelam claramente o medo de ver acabar o milênio durante o qual Satã teria estado preso, conforme as promessas do Apocalipse. Pode-se também perceber um certo pressentimento do fim do mundo entre os participantes do que se chama "Cruzada Popular", contemporânea à primeira cruzada. Por outro lado, a palavra de ordem de Bernardo de Claraval, no começo da segunda cruzada, conclamando os cruzados a ou converter ou aniquilar os pagãos, deve evidentemente ser interpretada sobre o pano de fundo de esperas escatológicas.

O conflito entre as duas potências universais do Ocidente, o papado e o Império, por ocasião da Querela das Investiduras, vai igualmente dar lugar a interpretações escatológicas. Estas aparecem principalmente entre os autores eclesiásticos alemães. Oto de Freising, na *Crônica* (7, 34) que redige na década de 1140, declara estar convencido de que a ruptura entre o papa Gregório VII e o imperador Henrique IV, assim como "a fétida propensão ao pecado destes tempos altamente conturbados", são sinais da iminência do fim do mundo. Só o monaquismo, reforçado por novas ordens reformadoras e mais particularmente pelos cistercienses, poderia, por seus méritos ou suas preces, acabar provisoriamente com tal ameaça.

Assim, as catástrofes e as desordens cada vez mais acentuadas da sociedade ocidental exacerbaram a ideia, muito corrente, segundo a qual a humanidade estava para viver o último século de sua existência e que o fim do mundo estava próximo. A perspectiva de um apocalipse iminente difunde-se bastante. Do ponto de vista dos monges, sobretudo os funestos eventos da época, caracterizados pela pecabilidade do homem, aparecem como pródromos diretos do fim. O Anticristo e o fim do mundo estão próximos, portanto, é preciso estar vigilante e fazer penitência. Os autores eclesiásticos veem na descrição dos pecados do homem e dos horrores do fim do mundo um bom meio de impressionar seus próximos e de levá-los a se converter. A alusão ao Juízo Final, mais ou menos próximo, mas cuja data continuará sempre imprevisível, aparece como um meio educativo propositalmente utilizado pela Igreja; trata-se de inspirar temor, sem paralisar os homens. Tais concepções escatológicas, que estabelecem uma ligação relativamente estreita entre a situação atual, considerada sob uma luz extremamente negativa e que permite pressagiar a aparição do Anticristo, e o fim deste mundo, não oferecem nenhuma esperança de transformação profunda das condições existentes; elas encerram, em sua essência, uma visão pessimista do futuro até o Juízo Final. A perspectiva, frequentemente levantada, do retorno de Elias e de Henoc, bem como da conversão dos judeus e dos pagãos, não pretende tampouco descrever uma evolução positiva precedendo a aparição do Cristo como Juiz universal.

A esperança de um mundo ideal

No entanto, paralelamente a esse esquema tradicional de perspectivas escatológicas, observam-se outras tendências, particularmente manifestas a partir do século XII. Elas contêm a esperança cada vez mais intensa de que uma modificação benéfica, até mesmo um estado ideal, precederá o fim do mundo. Percebem-se os primeiros esboços dessa evolução na visão — ligada a modelos bizantinos — do surgimento do último imperador, ideia que aparece no Ocidente desde o século X. O *Apocalipse* do Pseudo-Metódio, redigido no século VII em siríaco, depois rapidamente traduzido para o grego, foi retraduzido para o latim por volta do ano 700. Ele promete, para antes do fim dos tempos ou da chegada do Anticristo, o surgimento de um soberano romano que submeterá todos os povos e trará paz ao mundo. Os séculos X e XI viram o aparecimento, a partir de um modelo grego ainda mais antigo, da Sibila tiburtina latina, que também anuncia o surgimento de um último imperador. No decurso de um reinado que durará 112 ou 120 anos, esse imperador converterá o mundo todo ao cristianismo, e os homens gozarão de uma fartura ainda desconhecida. Em meados do século X, o abade Adson de Montier-en-Der havia escrito *De ortu et tempore Antichristi*, no qual retoma as fontes desse gênero proveniente do Império Bizantino. Ali, prediz que um último rei dos francos — o último e o maior — governaria todo o Império Romano, em seguida deporia a coroa e o cetro no Monte das Oliveiras, em Jerusalém. Nesse momento, apareceria o Anticristo.

Escatologia e milenarismo

Anunciando o triunfo do Império Romano que traria paz à Cristandade antes do fim dos tempos, essas profecias continham inegavelmente um elemento milenarista. Elas certamente refletem, por outro lado, o desejo de paz sentido em diversos meios sociais. O que não as impedia de ser, ao mesmo tempo e em grande medida, um meio de propaganda em prol do Império do Oriente ou do Ocidente. Exceto quanto à esperança de um período benigno mais ou menos longo que asseguraria aos homens a felicidade e a paz no fim da evolução histórica, elas não anunciam transformações específicas das estruturas existentes. Não se aborda nenhum problema concreto sobre a ordem interna; espera-se, essencialmente, uma vitória sobre os inimigos externos da Cristandade.

Somente no curso do século XII as concepções sobre o futuro revelam uma maior evolução. São as ideias expressas por certos representantes do que se chamou de simbolismo alemão, uma corrente muito marcada por atitudes monásticas. Seus escritos exprimem uma profunda insatisfação com a situação da Igreja às vésperas dos esforços reformistas que marcam a época da Querela das Investiduras. Gerhoh de Reichersberg, cônego da ordem de Santo Agostinho, critica sobretudo as atividades políticas do alto clero: o eclesiástico hipócrita de seu tempo aparece como uma encarnação do Anticristo. Ao mesmo tempo, em *De investigatione Antichristi*, redigido por volta de 1160, ele empresta ao imperador Henrique IV, em luta contra a Igreja, certos traços do Anticristo, embora não chegue a apresentá-lo como o último grande Anticristo. Antes do aparecimento deste e antes do fim do mundo, Gerhoh espera ainda uma nova reforma fundamental da Igreja, uma fase de "grande tranquilidade", no curso da qual o papado se elevará acima dos reinos. "A Igreja de Deus será purificada da lama da impureza e da simonia e estará como que ornada de coroas de ouro, a fim de que uma grande alegria reine entre o povo cristão."

As visões da abadessa Hildegarda de Bingen revelam-se de uma pregnância e de uma eficácia ainda muito maiores. Ela vê sua época como um tempo de "franqueza efeminada", caracterizada pelo declínio da justiça e da fé, e claramente situa seu início nos tempos de Henrique IV. Recrimina o clero por ter cedido à cupidez e ter se afastado dos princípios dos apóstolos. No seu *Liber divinorum operum*, de 1170, prediz que os príncipes

Dicionário analítico do Ocidente medieval

seculares – inspirados por heréticos – investirão contra o clero e despojarão a Igreja de suas riquezas. Assim, a violência e a injustiça permitirão o aparecimento de uma Igreja purificada, na qual o clero brilhará "como ouro puro". Então, a verdade divina será proclamada pelo pregador cheio do Espírito Santo e numerosos pagãos se converterão ao cristianismo. Sob a autoridade de príncipes justos, a paz reinará, e em lugar de armas de ferro só se fabricarão instrumentos úteis. Mas ela se diz igualmente convencida de que, pouco depois disso, o mundo chegará a seu termo, com a aparição do Anticristo, filho que Satã terá com uma mulher luxuriosa e que precederá de pouco o Juízo Final.

Percebe-se em Gerhoh e em Hildegarda um primeiro lampejo de esperança de coloração milenarista: o surgimento iminente de uma época ideal que verá uma Igreja purificada. Essa tendência terá seu ponto culminante no fim do século XII, nos volumosos escritos de Joaquim de Fiore, um abade da Itália do sul. Ele divide a história em três "estados": a era do Pai é representada pelo Antigo Testamento; durante a era do Filho, a verdade divina – é certo que sob uma forma ainda imperfeita – foi transmitida aos crentes por intermédio do Novo Testamento; virá em seguida um terceiro estado, a era do Espírito Santo. Durante essa era nova, os crentes ascenderão diretamente e sem restrições à verdade divina. Joaquim atribui um papel decisivo na instauração desse novo estado a duas novas ordens monásticas, que acabarão por substituir a hierarquia religiosa até então em vigor. Elas contribuirão para converter a maior parte da humanidade à fé cristã naquela forma purificada.

Joaquim também relaciona a passagem do segundo ao terceiro estado a violentas perseguições que sofrerá a Cristandade, atacada pelas potências anticristãs, os sarracenos e o verdadeiro Anticristo, que ele suspeita já ter nascido, em Roma. O grande perseguidor esperado não virá, portanto – como prevê a concepção tradicional –, do Oriente Próximo; ele crescerá em Roma e agirá contra a Igreja tomando o aspecto de uma espécie de pseudopapa, à frente de falsos eclesiásticos e de heréticos. Essas perseguições debilitarão o Império Romano. A Igreja, que Joaquim também considera profundamente corrompida, será purificada, anunciando a nova Igreja imaculada do Espírito Santo. Como em Hildegarda de Bingen, as potências

Escatologia e milenarismo

anticristãs participam de maneira decisiva na supressão dos males da Igreja. Elas contribuem, ao término da história humana, para o triunfo da Igreja espiritual, marcada pelas ideias monaco-eremíticas. Malgrado a marca milenarista de suas previsões, Joaquim não atribui a seu terceiro estado uma duração de mil anos, mas um período muito mais limitado, trata-se somente do tempo de preparação imediatamente anterior ao retorno de Cristo. Em pouco tempo irromperão as potências anticristãs (Gog e Magog), dando o sinal para o Juízo Final.

No decurso do século XIII, as previsões de Joaquim repercutirão no interior da Ordem Franciscana. Na Itália, notadamente, numerosos franciscanos estarão convictos de que sua ordem (junto com a dos dominicanos) estava destinada a desencadear o surgimento da era do Espírito Santo.

Na passagem do século XIII para o XIV, assiste-se à contraposição cada vez mais nítida entre a maioria da Ordem Franciscana, disposta a se adaptar à situação, e o grupo daqueles a que se chama de "espirituais", estritamente apegados aos ideais rigoristas de São Francisco de Assis, e que retomam as concepções de Joaquim por um viés milenarista. Isso é particularmente verdadeiro em Pedro João Olivi e Ubertino de Casale, um monge da Itália central que adotou as ideias de Joaquim e redigiu, em 1305, o *Arbor vitae crucifixae Jesu*. Ambos esperam que a Igreja mundana – a *ecclesia carnalis* – dê lugar a uma Igreja pobre, purificada, no curso de um terceiro estado da história da humanidade ou de um sétimo período da história da Igreja, cujo surgimento seria iminente. Nesse novo estado, a perfeição da *vita Christi* se imporia por fim, conforme os ideais defendidos por Francisco de Assis. A passagem para esse estado de perfeição está, também aqui, relacionada a perseguições anticristãs, mas acompanhada de uma distinção entre um *antichristus mysticus* e um *antichristus apertus*. Desse modo, Ubertino vai tão longe em sua crítica contra a *ecclesia carnalis* que assimila o Anticristo místico ao papa Bonifácio VIII e a seu sucessor Bento XI (1303-1304). Ao longo desse período de paz iminente, o mundo todo adotará os ideais dos franciscanos "espirituais", enquanto os judeus e a maior parte dos povos pagãos se converterão ao cristianismo. Essa época poderá durar entre seis e sete séculos. Em seguida, o mundo acabará com a irrupção dos povos de Gog e Magog e o retorno de Cristo para o Juízo Final. Por causa da provável longa duração do novo estado, a revolução provocada por seu surgimento é mais claramente separada do evento escatológico final do que em Joaquim. Por outro lado, esse período ideal é muito mais marcado pelo modelo do Cristo, pelo *ordo evangelicus* do qual Ele deu o exemplo, do que pelo estado do Espírito Santo esperado por Joaquim e que se afasta claramente da ordem inaugurada por Cristo.

Encontra-se a influência das ideias dos franciscanos "espirituais" em Arnaldo de Vilanova, médico laico de origem catalã. No *De adventu Antichristi*, tratado redigido pouco antes de 1300, ele prevê que uma fase de calma e de paz precederá a chegada do Anticristo e o fim do mundo, que situa em 1378. Durante essa fase, a fé cristã triunfará por toda parte e haverá, no mundo inteiro, "um só rebanho, um só pastor" (João 10,16).

Deve-se também ligar à tradição franciscana o frade menor francês João de Roquetaille. No seu *Vademecum in tribulatione*, de 1356, e em outros escritos, ele prediz perseguições anticristãs contra a Igreja e particularmente contra os monges, assim como a sublevação do povo contra os nobres e os poderosos. Mas, pouco depois, segundo ele, surgirá uma era nova sob a autoridade de um papa sem mácula, qualificado de *reparator mundi*, e de um rei da França elevado por esse papa à posição de imperador. O mundo inteiro então se converterá à Igreja romana purificada e assim começará a paz milenar anunciada pelo Apocalipse. Apenas depois surgirão Gog e Magog, bem como o último Anticristo, anunciando o fim do mundo. Aqui, o estado ideal vindouro é claramente assimilado ao milênio prometido pelo Apocalipse, ao passo que o fim do mundo se vê postergado para um futuro longínquo.

Segundo essa concepção, um rei da França elevado à posição de imperador deveria estar, em colaboração com um papa perfeito, na origem do novo estado no qual haveria uma Igreja em conformidade com o ideal de Francisco de Assis. Em compensação, uma outra profecia que – em vigor sobretudo nas regiões germânicas – põe em cena um último imperador, continua fiel à tradição favorável aos Hohenstaufen. Essa profecia nos é transmitida pelo cronista João de Winterthur, em 1348. Segundo ele, Frederico II voltará para purificar a Igreja pela força, expulsar os monges mendicantes e infligir aos membros do clero perseguições tão atrozes que eles – na falta de outro chapéu – cobrirão suas tonsuras com esterco de vaca para tentar dissimular sua condição. Além disso, ele obrigará os homens ricos a desposar mulheres pobres e mulheres ricas a casar com homens pobres, restituirá às viúvas e aos órfãos os bens de que foram despojados e distribuirá justiça com probidade. Depois desse reino glorioso, irá a Jerusalém e depositará sua coroa sobre o Monte das Oliveiras, anunciando assim o fim do mundo. Essa profecia, a exemplo daquela feita por João de Roquetaille, parte da ideia de que a realização da ordem ideal cujo aparecimento se espera não acontecerá pela simples correção das faltas da Igreja. Ela aborda o problema das tensões sociais e anuncia que serão superadas. Essa nova preocupação reflete com toda a evidência os crescentes conflitos sociais que agitaram a Europa ocidental no século XIV. Além disso, a profecia transmitida por João de Winterthur manifestamente não é obra de um eclesiástico ou de um monge instruído, é de inspiração popular e se dirige a um vasto público.

A esperança de uma Igreja purificada

Pode-se apresentar uma outra prova desse progressivo alargamento das esperas de conotação milenarista: a partir do século XIII, vê-se de fato surgir movimentos heréticos nos quais se percebem essas mesmas esperanças. Por volta de 1210, descobre-se na região parisiense um pequeno grupo, essencialmente composto de eclesiásticos, que se liga à doutrina panteísta do mestre parisiense Amauri de Bène. Sob clara influência de Joaquim de Fiore, ele espera a vinda da era do Espírito Santo, depois da perseguição iminente da Igreja. No decurso dessa era, todos os homens estarão plenos do Espírito Santo e, sob a supremacia do rei da França, reinará uma paz universal.

O grupo dos irmãos apóstolos (os *apostolici*), aparecido em 1260 na região de Parma, implantou-se mais amplamente. Buscava realizar o ideal franciscano de pobreza sob forma particularmente acentuada. Dolcino, filho de um padre, toma a direção desse movimento em 1300. Formulou esperanças inegavelmente milenaristas, que difundiu em três cartas abertas a seus discípulos. Ele defendia uma doutrina de quatro estados, inspi-

Dicionário analítico do Ocidente medieval

rada em Joaquim de Fiore, embora diferenciando-se em certos pontos. O terceiro estado caracteriza-se por fenômenos de decadência cada vez mais claros que só serão superados quando da passagem para o quarto estado, cujo início já é perceptível desde a aparição dos irmãos apóstolos. Essa evolução, culminando no triunfo de uma *ecclesia spiritualis* purificada, estará ligada a uma violenta campanha contra o clero mundano levada a cabo por um novo imperador, Frederico, rei da Sicília, que, depois de matar o papa, governará o mundo em companhia de um santo papa enviado por Deus, até a vinda do Anticristo. O dirigente chamado a purificar a Igreja pela força não é, pois, identificado à figura do Anticristo, como na concepção dos franciscanos joaquimitas do século XIII. Ao contrário, aparece como uma aliado das novas forças, encarnadas pela seita dos irmãos apóstolos. Perseguido pela Inquisição, Dolcino foi queimado em 1307.

Pouco depois, o sul da França foi palco do desenvolvimento do movimento dos beguinos, no meio da população laica. O nascimento desse movimento, que adquire traços heréticos, deve muito à ação dos monges franciscanos radicais e às concepções elaboradas por Olivi. Também os beguinos previam uma perseguição iminente da Igreja, tornada uma *ecclesia carnalis*, a Grande Prostituta babilônica. O papa João XXII é descrito como o Anticristo místico, que abre caminho para o grande Anticristo. Mas, após o aniquilamento da *ecclesia carnalis*, surgirá uma *ecclesia spiritualis* cheia do Espírito Santo e que permanecerá até o fim dos tempos.

O movimento dos flagelantes fez seu aparecimento no contexto da Grande Peste de 1349 e abrangeu vastas regiões alemãs, assim como os Países Baixos e Flandres. Ele também tem evidentes traços milenaristas, ao lado de esperas escatológicas fortemente tradicionais. Busca-se conjurar com flagelações o medo do iminente castigo divino que provocará o fim do mundo. Mas, muitas vezes, liga-se a isso a convicção de que o movimento de penitência e de correção dos costumes que ele provocará permitirá o surgimento de uma época abençoada. Do mesmo modo, os criptoflagelantes descobertos em 1369 na Turíngia, que haviam adotado as profecias de um certo Conrado Schmid, *hostis* à ordem estabelecida, põem no centro de suas ideias a espera do Juízo Final, de início anunciado para 1369, e do fim do mundo.

Escatologia e milenarismo

As previsões milenaristas da Idade Média atingem o ponto culminante na Boêmia, com o movimento hussita, mais precisamente com a ala radical desse movimento, que se manifestou especialmente em 1419. A nova cidade de Tabor serve-lhe de bastião. Quando das peregrinações às montanhas, instauradas no início do verão de 1419 e no curso das quais se celebram ofícios divinos de acordo com a nova doutrina atribuída a João Hus, os membros desse movimento assumem a ideia de que um iminente castigo de Deus aniquilaria todos os pecadores que não se refugiassem nessas montanhas. Em fins de 1419 e inícios de 1420, cinco cidades (entre elas Pilsen) nas quais as forças hussitas haviam adquirido uma influência mais forte foram erigidas em refúgios nos quais os Justos poderiam escapar ao castigo ameaçador. Mas, na primavera de 1420, uma outra ideia difundiu-se em certos meios taboritas, sob influência de muitos padres radicais (como Martinek Huska): eles próprios eram chamados por Deus a erradicar o mal da terra, mesmo que ao preço de efusão de sangue. Assim, bem antes do Juízo Final, dever-se-ia assistir ao surgimento sobre a terra do *regnum Christi*: o pecado não mais existiria, toda autoridade secular seria banida e todos os impostos suprimidos. A única lei válida seria a *lex Christi*, com tudo pertencendo em comum a todos e todos vivendo como irmãos e irmãs sob a égide de Cristo. No entanto, forças mais moderadas impuseram-se em Tabor entre 1420 e 1421, expurgando os grupos de tendência quiliástica. Uma parte deles, chamados de adamitas, abrigou-se numa ilha fluvial da Boêmia do sul. Eles acreditavam que, no futuro, os homens viveriam como Adão e Eva no Paraíso. Por influência dos adeptos da doutrina do Livre Espírito, estavam convencidos de serem incapazes de pecar e pensavam não precisar de nenhum sacramento da Igreja. E sentiam-se livres para exterminar todos os pecadores que se opusessem a eles. Esse movimento foi esmagado em outubro de 1421 por uma tropa taborita dirigida por Jan Zizka. A partir de então, as esperas milenaristas deixaram de ter maior importância no movimento hussita. Pode-se afirmar que a aprovação explícita do uso da força contra os que se opunham à nova doutrina deu ao quiliasmo traços revolucionários, mas essa radicalização desembocou em uma dissidência sectária.

O Grande Cisma de 1378 levou, na literatura da época, a uma intensificação das perspectivas escatológicas acompanhadas ou não de elementos

Dicionário analítico do Ocidente medieval

milenaristas. Em Praga, por volta de 1390, Matias de Janov, um dos pioneiros do movimento hussita, critica a crescente hipocrisia do clero. Ele classifica esses eclesiásticos na categoria de *corpus antichristi* e situa em sua época o surgimento do grande Anticristo, na pessoa do papa de Avignon. Mas, segundo ele, o cisma ocasiona também o enfraquecimento das forças anticristãs. Razão pela qual acredita ser possível empreender uma reforma fundamental da Igreja antes do fim do mundo, graças a padres agindo segundo o Espírito de Elias e a leigos piedosos que os seguirão.

Um escrito profético publicado em 1386, cujo autor chama-se Telésforo de Cozenza, conheceu grande difusão. Inspira-se em João de Roquetaille, assim como nos escritos joaquimitas, e espera o surgimento de um Frederico III chamado a desempenhar o papel de perseguidor anticristão. Essa perseguição e o cisma parecem-lhe o justo castigo aos pecados do clero. Uma vasta reforma da Igreja será feita em seguida, sob a autoridade de um papa angélico e de um rei da França, ao qual o mesmo papa entregará a coroa imperial. O imperador dirigirá uma vitoriosa cruzada contra Jerusalém, e os judeus e os povos pagãos se converterão ao cristianismo. Em 1392, essa profecia suscitou a oposição de Henrique de Langenstein, professor em Viena, para quem ninguém pode prever a chegada do Anticristo. Mas ele também entende que, passados quase 1.400 anos do nascimento de Cristo, deve-se esperar que o fim do mundo esteja próximo. Contudo, não prevê *"notabilis reformatio ecclesiae"* no lapso de tempo anterior a esse fim do mundo.

A pregação de Telésforo, favorável ao rei da França, foi igualmente criticada na *Visio Gamaleonis*, redigida por volta de 1409 em território germânico. Esse texto prediz a vitória de um príncipe alemão contra o soberano francês. Graças a ele, um patriarca de Mogúncia será elevado ao pontificado. Manterá sua sé em Mogúncia e oferecerá a coroa imperial àquele príncipe. Este exercerá a supremacia na Cristandade, aumentando assim a glória dos alemães antes de lançar uma última cruzada na Terra Santa. O tema do último imperador, ora favorável a um soberano francês ora a um dirigente alemão, figura, pois, como instrumento de propaganda nacional. Enfim, em um escrito sobre o cisma redigido por volta de 1410, Dietrich de Niem (Nieheim) via na fraqueza do Império e na divisão da Igreja os sinais da "cisão" que deveriam preceder a aparição do Anticristo.

Escatologia e milenarismo

A atividade do pregador dominicano Vicente Ferrer, originário do reino da Catalunha, também ocorre na época do Grande Cisma. Desde 1380, num tratado sobre o "cisma da Igreja", ele sustentava que a cisão última da Igreja Romana já tinha ocorrido e que se devia temer que essa divisão não durasse até a vinda próxima do Anticristo e até o fim do mundo. A partir de 1399, ele percorreu o norte da Itália, a França e a Espanha, exortando as multidões a fazer penitência e anunciando a iminente vinda do Anticristo. Os homens haviam atraído esse castigo por cederem cada vez mais ao pecado e era preciso incitá-los ao arrependimento. Num escrito endereçado ao papa Bento XIII, em 1412, ele não exclui que o Anticristo já tenha, naquele momento, 9 anos de idade.

Da mesma maneira, a partir de 1418, o dominicano Manfredo de Vercelli multiplicava as pregações nas cidades italianas, afirmando que o Anticristo não tardaria a se manifestar; para escapar às perseguições, seria conveniente pôr-se em peregrinação a Jerusalém. O franciscano Bernardino de Siena opunha-se a esse pregador e também pronunciou sermões sobre a vinda do Anticristo e sobre a iminente *ultima probatio* ("última prova") que esperava os homens. Mas ele se recusava a fixar o término com precisão. Para a maior parte dos pregadores do século XV pertencentes às Ordens Mendicantes, a ameaça da iminente aparição do Anticristo e do Juízo Final constitui um modo eficaz de incitar os homens a se emendar e fazer penitência. Não se destacam as previsões de tipo milenarista anunciando uma evolução positiva. Esses pregadores também renunciam a assimilar a figura do Anticristo a qualquer personalidade, profana ou espiritual.

No conjunto, a evocação da vinda próxima do Anticristo e do fim do mundo encontra-se em um grande número de tratados e de poemas dos séculos XIV e XV, por exemplo, em Eustáquio Deschamps e em Tomás Ebendorfer. Um incunábulo anterior a meados do século XV — e que foi objeto de uma primeira edição ilustrada, impressa em Estrasburgo por volta de 1480 —, tendo por tema o "Anticristo e os quinze sinais precedendo o Juízo Final", também testemunha a popularidade dessa tradição escatológica.

A Igreja via na espera do Anticristo e do Juízo Final um meio eficaz de educação dos leigos, como o testemunha igualmente a frequência das representações do Juízo Final na arte medieval e mais particularmente na estatuária dos portais de igrejas. Esse tipo de representação aparece no século XII, notadamente na catedral de Autun, assim como nas igrejas abaciais de Beaulieu, Conques e Moissac.

A escatologia tradicional fazia, pois, parte da doutrina eclesiástica medieval. Ela anunciava a vinda do Anticristo em um momento indeterminado, mas possível a um instante qualquer e relativamente próximo. Essa aparição deveria ser logo seguida pelo Juízo Final. Ela representava um meio eficaz de influenciar a população, e a Igreja não encontrava nela nada a corrigir, exceto nos períodos nos quais tais esperas se exacerbavam e incitavam espíritos proféticos a pretender conhecer com precisão o momento da aparição do Anticristo ou do fim do mundo. Por outro lado, desde o fim da Antiguidade, as ideias escatológicas contendo um elemento milenarista (quiliástico) mais ou menos claro situavam-se fora da tradição doutrinal da Igreja. Este já foi o caso das primeiras especulações de surgimento de um último imperador, o que, porém, ainda não fazia nenhuma crítica à Igreja. Mas, desde o século XII, as aspirações milenaristas tenderam a criticar a ordem eclesiástica. Esperava-se que a época derradeira e ideal fosse a de uma Igreja purificada, cuja influência poderia, assim, estender-se à maior parte do mundo. Ao Anticristo, que adquire então uma nova importância, atribui-se de forma cada vez mais clara o papel de purificador de uma Igreja excessivamente associada a interesses profanos. Certos representantes dessas ideias situavam-se ainda nos quadros da Igreja, porém as tendências heréticas tornavam-se cada vez mais claras. As forças que se situavam na tradição franciscana contribuíram largamente para a difusão de doutrinas de coloração milenarista. De início, a tendência majoritária foi a de criticar a situação reinante na Igreja. O estado ideal cujo surgimento esperava-se era essencialmente definido pela renúncia da Igreja a seu conluio com o poder secular. Mas, a partir do século XIV, essa tendência foi progressivamente superada por visões que contestavam a ordem profana estabelecida, suas relações de poder e de propriedade. Tal tendência parece com extremo vigor nos taboritas radicais: eles foram, de fato, os primeiros a aprovar o uso de força para provocar a chegada do milênio. A posição singular e específica da Igreja Católica Romana na sociedade ocidental desempenhou um papel

Escatologia e milenarismo

decisivo no desenvolvimento das esperanças milenaristas, elas próprias marcadas por uma atitude crítica em relação à Igreja.

Bernhard Töpfer
Tradução de José Carlos Estêvão

Ver também

Além – Heresia – Igreja e papado – Jerusalém e as cruzadas – Judeus – Justiça e paz – Ordem(ns) – Tempo

Orientação bibliográfica

BIGNAMI-ODIER, Jeanne. *Études sur Jean de Roquetaillade*. Paris: Vrin, 1952.

CAPITANI, O.; MIETHKE, J. (eds.). *L'attesa della fine dei tempi nel Medioevo*. Bolonha: Il Mulino, 1990.

CAROZZI, Claude. *Apocalypse et salut dans le christianisme ancien et médiéval*. Paris: Aubier, 1999.

CAROZZI, Claude; Taviani-Carozzi, Huguette (eds.). *La Fin des temps*: terreurs et prophéties au Moyen Âge. Prefácio de Georges Duby. Paris: Stock, 1982.

COHN, Norman. *Na senda do milénio*: milenaristas revolucionários e anarquistas místicos da Idade Média [3.ed. 1970]. Tradução portuguesa. Lisboa: Presença, 1981.

DELUMEAU, Jean. *História do medo no Ocidente*: 1300-1800, uma cidade sitiada [1978]. Tradução brasileira. São Paulo: Companhia das Letras [19–].

EMMERSON, Richard K. *Antichrist in the Middle Ages*. Seattle: University of Washington Press, 1981.

FRIED, Johannes. Endzeiterwartung um die Jahrtausendwende. *Deutsches Archiv für Erforschung des Mittelalters*, n.45, 1989.

GOUGUENHEIM, Sylvain. *Les Fausses terreurs de l'an mil*: attente de la fin des temps ou approfondissement de la foi? Paris: Picard, 1999.

HAEUSLER, Martin. *Das Ende der Geschichte in der mittelalterlichen Weltchronistik*. Colônia e Viena: Böhlau, 1980.

KAMINSKY, Howard. Chiliasm and the Hussite Revolution. *Church History*, Cambridge, n.26, 1957.

KURZE, Dieter. Nationale Regungen in der spätmittelalterlichen Prophetie. *Historische Zeitschrift*, n.202, 1966.

Dicionário analítico do Ocidente medieval

LERNER, Robert E. *Refrigerio dei Santi, Gioacchino da Fiore e l'escatologia medievale.* Roma: Vielli, 1995.

PATSCHOVSKY, Alexander; SMAHEL, Frantisek (eds.). *Eschatologie und Hussitismus.* Praga: Historisches Institut, 1996.

POTESTÀ, Gian Luca (ed.). *Il profetismo gioachimita tra Quattrocento e Cinquecento.* Gênova: Marietti, 1991.

RAUH, Horst Dieter. *Das Bild des Antichrist im Mittelalter*: von Tyconius zum deutschen Symbolismus. 2.ed. Munster: Aschendorff, 1979.

REEVES, Marjory. *The Influence of Prophecy in the Later Middle Ages.* Oxford: Clarendon, 1969.

RUSCONI, Roberto. *L'attesa della Fine*: crisi della società, profezia ed Apocalisse in Italia al tempo del Grande Scisma d'Occidente (1378-1417). Roma: Istituto Palazzo Borromini, 1979.

TÖPFER, Bernhard. *Das kommende Reich des Friedens.* Berlim: Akademie Verlag, 1964.

VERBEKE, Werner; VERHELST, Daniel; WELKENHUYSEN, Andries (eds.). *The Use and Abuse of Eschatology in the Middle Ages* (Colloque de Louvain, 1984). Louvain: Leuven University Press, 1988.

VICAIRE, M. H. (ed.). *Fin du monde et signes des temps*: visionnaires et prophètes en France méridionale (fin XIIIe – début XVe siècle). Toulouse, 1992. (Cahiers de Fanjeaux, 27).

WILLIAMS, Ann (ed.). *Prophecy and Millenarianism*: Essay in Honour of Marjorie Reeves. Harlow: Longman, 1980.

Escolástica

Às portas do século XIII, um fato novo se produz na história das escolas: a emergência de uma instituição – a Universidade – na qual mestres eclesiásticos especialistas da cultura se associam para formar um corpo profissional segundo o modelo das corporações de ofício. Consagrado pelo papa, esse corpo é englobado pela Igreja a título de instituição autônoma que, subtraída à jurisdição dos bispos e dos senhores, está submetida unicamente ao poder pontifício e a seu controle doutrinário. Essa nova instituição desenvolve-se de início em Paris e em Oxford (o *studium* de Bolonha é um caso à parte) e não é separável da emergência da cultura – fortemente organizada e privilegiada de maneira exclusiva – que chamamos "escolástica".

Nascidas conjuntamente, a Universidade e a escolástica estão ligadas uma à outra: a Universidade é o corpo fechado constituído pelos mestres, e a escolástica é o ensino magistral que a Universidade tem por função proporcionar. Vivem uma para a outra: não há Universidade sem escolástica, nem escolástica sem Universidade. Depois de séculos de implantação na Europa (com setenta sedes universitárias no fim do século XIV), elas se confundem também em seu declínio comum: o humanismo, que se afirma a partir do século XV, é uma cultura livre, radicalmente antiescolástica e estranha à instituição universitária.

Os estatutos da Universidade de Paris, promulgados em 1215 pelo legado pontifício Roberto de Courson, organizam solidariamente a Universida-

Dicionário analítico do Ocidente medieval

de e a escolástica. Dão forma normativa ao corpo universitário e, ao mesmo tempo, prescrevem os textos a "comentar" (*legere*): *Organon, Ethica nova et vetus* de Aristóteles, *Isagoge* de Porfírio, *Institutiones* de Prisciano, *Barbarismus* de Donato etc. Confirmam a interdição de alguns livros de Aristóteles e renovam a condenação de certos desvios doutrinais (Amauri de Bène, Davi de Dinant). Designa-se, pois, pelo termo "escolástica" o magistério de um corpo profissional que se apoia sobre o estatuto sancionado pelo papa e que se compõe de mestres encarregados de comentar textos consagrados que têm autoridade. O trabalho do mestre é supervisionado pelo corpo institucional, que condena qualquer desvio. Esse mundo de textos constitui todo o universo da escolástica e sua fronteira é marcada pela interdição de outros livros: "Não se devem ler nem comentar, em público ou privadamente, os textos de filosofia natural de Aristóteles, sob pena de excomunhão".

Tais traços não são suficientes para descrever inteiramente a escolástica, mas permitem entrever algumas de suas características constitutivas. A mais visível é o seu lado corporativo. Esse aspecto da Universidade encontra-se também na escolástica, que, enquanto cultura, é tão fechada e separada quanto o corpo universitário. O saber é sua prerrogativa institucional e defende zelosamente tal privilégio: é ela que detém todos os "verdadeiros" saberes. Isso significa que não recebe o saber de outras fontes, mas somente de si mesma: entrincheirada atrás de seus textos, despreza qualquer contribuição exterior e não mantém nenhum comércio com o que existe além de suas fronteiras. A seus olhos, o saber autêntico pode ser encontrado apenas nas salas de aula, e não existem mestres além dos escolásticos. É certo que, em momentos difíceis, a escolástica envia mensagens ao mundo exterior: mas ela é, então, o mestre que fala "do alto" (*ab alto*) e considera o mundo como seu aluno. Mesmo então, a escolástica, corpo de clérigos que têm o *status* de "funcionários pontifícios", revela seu caráter sacerdotal: ela fala ao mundo, mas não depende dele. É a esse título que, desde o início, vê surgir os que a censuram: como escreve Roger Bacon, é o demônio que faz crer que os escolásticos possuem a totalidade do saber e que "toda a sabedoria é doravante adquirida dos latinos" (*tota sapientia iam data Latinis*). A escolástica deveria, no entanto, reconhecer que também há saber além de seus muros: "Aprendi muitas coisas, e coisas muito importantes, com

Escolástica

homens extremamente simples, coisas que não pude aprender de todos os meus mestres" (*Opus maius*, I, 10). Tal ensimesmamento da escolástica é efeito também da língua que emprega. A escolástica muito rapidamente congelou o latim no qual envolve o seu saber. Não tendo contato senão consigo mesma, essa microlíngua, fossilizada num formalismo exangue, é tomada pela abstração hermética. Não há sequer vestígios de busca de estilo literário nas páginas de um escolástico. O cânone de seus textos conduz diretamente ao "exílio das letras", excluindo os textos literários que eram familiares aos mestres da Renascença do século XII.

Resta apenas que, mundo de livros, a escolástica ocupa um lugar particular na história do livro. Marca o triunfo de uma nova forma e de um novo uso do livro: este deixa de ser, como antes, um livro-objeto, um livro-tesouro que não foi escrito para ser lido, e com os mestres da escolástica e seus alunos, torna-se de modo durável um livro-instrumento, inteiramente destinado à leitura e à multiplicação de cópias de estudo. Desde seu início, a instituição escolástico-universitária suscita em seu seio um tipo de artesão e um tipo de mercador que pertence apenas a ela: o copista e o livreiro (ou o "estacionário", *stationarius*).

No que diz respeito aos livros que utiliza, ela se beneficia de uma dupla herança: de um lado, da tradição dos Pais Latinos, cujos textos são autoridades; de outro lado e ao mesmo tempo, dos textos recebidos do saber grego e do saber muçulmano. A escolástica recebe a primeira dessas duas tradições não somente por vias diretas, mas igualmente através de sínteses indispensáveis ao ensino e que foram compiladas pelas escolas da Renascença do século XII: as *Sentenças* de Pedro Lombardo, o *Decreto* de Graciano, a *Dialética* de Abelardo. Com essas sínteses, os escolásticos aprenderam a reduzir as doutrinas dos textos canônicos a seu conteúdo essencial, que organizam em coletâneas específicas: eis o tipo de instrumento que mais frequentemente utilizam. Por outro lado, a escolástica recebe, durante os séculos XII e XIII, certos textos do saber grego e muçulmano graças a traduções latinas de toda uma série de obras importantes: o *corpus* dos escritos de Aristóteles, alguns escritos médicos e filosóficos de Avicena, alguns de Ptolomeu, os comentários de Averróes sobre Aristóteles e vários outros. Sem essas traduções, a escolástica não existiria: é por se beneficiar da con-

Dicionário analítico do Ocidente medieval

tribuição desse patrimônio exterior que pode elevar as catedrais que são as "Sumas". No entanto, ela nunca se empenhou diretamente em fazer crescer esse patrimônio: pode parecer paradoxal, mas é fato que bem poucos escolásticos consagraram-se à tradução e que muito poucos liam o grego, o árabe ou o hebraico. Os mestres da escolástica, com efeito, formam um grupo cuja vocação primeira era menos a de enriquecer com novos textos suas próprias bases do que a de conservar e de transmitir uma série fechada de textos.

A escolástica considera como sua tarefa específica o comentário, e o corpo dos mestres permaneceu constantemente um corpo de comentadores. Para realizar essa tarefa, a escolástica chegou a tomar-se como objeto, apoiando-se nos comentários de mestres menos recentes. Voltando-se sobre si mesma, acabou por comentar os comentários que ela mesma havia produzido e por retomar os caminhos traçados pelos mestres do passado.

A unidade da escolástica

Cultura fechada e especializada, a escolástica coincide tão intimamente com a instituição que lhe é própria que sua organização confunde-se com a da Universidade. Nela, o saber encontra-se dividido e quase fragmentado em faculdades específicas, separadas e independentes: a Universidade é um conjunto formado pela faculdade de Artes (filosofia), faculdade de Direito (canônico e civil), faculdade de Medicina e faculdade de Teologia. A singularidade dessa corporação, tão diferente de outras que justapõem no seio de um só corpo quatro corpos heterogêneos, suscitou desde o início críticas acerbas: "Percorrem-se as sedes universitárias e descobre-se um monstro. Um monstro é a reunião não natural, em um corpo único, de muitos seres heterogêneos. E a reunião, em uma única Universidade, de muitas formas heterogêneas de saber é outra coisa? Esse monstro tem quatro cabeças: filosofia, medicina, direito e teologia". O mesmo vale para o escolástico, que, pertencendo a uma faculdade específica, não é senhor de um saber unitário e indiviso: lógico ou jurista, médico ou teólogo, ele se mantém sempre um especialista. É por causa dessa especialização que a unificação do saber constitui para a escolástica um problema insolúvel,

Escolástica

e que, durante séculos, as quatro faculdades terão relações conflituosas. Cada uma delas pretende constituir uma unidade suprema do saber à qual os outros saberes seriam subordinados. A de Teologia funda tal pretensão no caráter sagrado de sua especialidade. Na faculdade de Artes, o mestre averroísta assume a mesma pretensão em nome do primado que concede ao saber racional encarnado por Aristóteles. O mestre de Medicina proclama, em Pádua, a superioridade de sua ciência e, da mesma maneira, o saber matemático é exaltado em Oxford como "porta e chave do saber". A escolástica não é unitária, decompõe-se em quatro escolásticas distintas e independentes: filosófica, jurídica, médica e teológica. A escolástica é, pois, plural e sua história é quádrupla. Mas onde reside então sua unidade? Não em um fato institucional, porque a escolástica se fragmenta em faculdades distintas. Nem muito menos em um fato doutrinal, porque os escolásticos pertencem a um ou outro desses meios específicos, nos quais são produzidos os comentários de seus respectivos textos canônicos.

Resta, contudo, uma possibilidade de falar da escolástica no singular. Pois há na estrutura da Universidade uma faculdade, a de Artes, que constitui a base unitária comum das outras faculdades, o que confere à escolástica filosófica a função de tronco comum e de propedêutica para as três outras escolásticas, nas quais corre a mesma seiva. O jurista, o médico, o teólogo, só abordam seu saber específico depois de haver adquirido na faculdade de Artes o saber filosófico, que, na sequência, utilizam em seus próprios domínios. Noutras palavras, a preparação dessas três escolásticas repousa sobre uma escolástica cuja fonte é o saber contido nos textos aristotélicos, recentemente traduzidos. Nesse sentido, a escolástica marca o triunfo de Aristóteles: durante muitos séculos, as escolásticas específicas apoiaram-se na escolástica aristotélica ensinada na faculdade de Artes e serão todas, direta ou indiretamente, impregnadas de aristotelismo.

Essa base filosófica não constitui, contudo, senão uma unidade geral. Os escolásticos estão longe de ser todos ligados à "doutrina" de Aristóteles. Além disso, essa doutrina propõe aos escolásticos um problema dramático: é impossível para eles considerar o *corpus* disponível das ciências filosóficas como a única expressão da "sabedoria" (*sapientia*) última. Também a escolástica filosófica multiplicará muito cedo suas "vias" (*viae*) no curso do

415

século XIII: ora ela refuta esse *corpus* que conduz a conclusões anticristãs, ora, pelo contrário, exalta suas teorias, mesmo que comportem ideias incompatíveis com o Credo (a eternidade do mundo, a necessidade universal, a mortalidade da alma), ora, enfim, ela mistura teorias aristotélicas e temas cristãos. Eis como a doutrina aristotélica é a base comum dos escolásticos, sem, contudo, constituir uma unidade efetiva ou intrínseca.

Se há uma unidade da escolástica, ela reside inteiramente no método, na invariabilidade das regras e das técnicas que o escolástico observa quando comenta os textos canônicos. Aqui, o aporte decisivo provém menos da doutrina (física, ética, metafísica, biológica) de Aristóteles do que de sua "lógica". É do *Organon* que a escolástica retira a técnica lógico-linguística que lhe permite organizar seu comentário. Técnica que permanece a mesma em teologia, em direito e em medicina, que é aprendida na faculdade de Artes, mas impõe-se em todas as outras faculdades. Portanto, é a maneira de proceder que fornece a unidade ideal da escolástica. Por sua vez, esse método não consiste somente numa técnica formal, mas comporta também um princípio diretor, o "princípio de autoridade". Princípio que foi herdado pela escolástica de épocas muito antigas, que eram menos ricas em livros, e só a importância que esse princípio adquire para ela pode levar a crer que o tivesse formulado. Ele impõe uma submissão deferente a textos quase sacralizados, que garantem por si próprios que são portadores da verdade: reflete, no interior do saber, a visão tipicamente cristã segundo a qual a chave da salvação está contida no Livro que garante por si mesmo sua verdade. O saber profano aparece como encarnado, ele também, em livros que garantem por si mesmos sua verdade: a tradição que transmitem veicula saberes prestigiosos por si mesmos, que se impõem como valores. É precisamente isto que leva a fazer do escolástico essencialmente um comentador.

"Lectio" e "quaestio"

A "lição" (*lectio*) magistral é o pilar da escolástica e é com ela que se desenha o comentário organizado de maneira metódica.

De início, o mestre não é uma *auctoritas*; seus juízos não têm o valor de que se revestem os da autoridade, mas sua função consiste em penetrar na palavra

Escolástica

autorizada e indicar-lhe o sentido autêntico. A lição do mestre escolástico é, pois, um exercício original que se distingue da antiga lição dos monges. Esta transformava a leitura numa "meditação" (*meditatio*), uma "ruminação" que deve receber a palavra no "ouvido do coração" (*in aure cordis*) e saboreá-la com o "palato do coração" (*palatum cordis*): uma leitura que se dissolve na prece. Ao contrário, o que é específico da lição escolástica é exorcizar toda intromissão subjetiva e instaurar um regime impessoal, do qual o protagonista é o intelecto metodicamente disciplinado. É nesse sentido que a lição se insere inteiramente no esquema lógico-linguístico da "questão" (*quaestio*).

Tal esquema comporta seis fases sucessivas obrigatórias, no curso das quais o escolástico trava um duelo com um interlocutor ideal. A primeira fase é de iniciativa do mestre: do texto do "autor" (*auctor*), ele tira a matéria de um problema enunciando-o com a ajuda de um *utrum* ("se é assim... ou, ao contrário, é assim...?") que inevitavelmente põe em causa cada uma das inumeráveis "questões" formuladas por inumeráveis mestres no curso dos três séculos anteriores e consignadas nas coleções. A segunda fase concerne ao interlocutor imaginário: apresenta a lista de todas as *objectiones*, isto é, de todos os argumentos da teoria que se mostram opostos à teoria própria do mestre. A terceira fase, mais breve, é realizada pelo mestre: ele enuncia a "tese magistral" (*sententia magistralis*), antes de defendê-la das *objectiones* no curso da quarta fase. É também o mestre que, na quinta fase, avança os argumentos de sua "tese". Enfim, é ainda o mestre que, na última fase, retoma pela ordem os argumentos do interlocutor e os refuta através da "resposta às objeções" (*responsio ad objectiones*). Qual o sentido desse esquema constitutivo do método escolástico? À primeira vista, o conjunto da "questão" aparece como um microdiálogo que teria por palco a cátedra escolástica. Mas, na realidade, a escolástica está muito longe de restaurar a forma dialógica que teve um papel tão importante em Platão, até porque os *Diálogos* platônicos são justamente os grandes ausentes da biblioteca do escolástico.

De fato, o interlocutor imaginado pelo mestre não colabora com ele em sua pesquisa. Só é invocado para ser exorcizado, é uma figura tenebrosa, surgida do fundo obscuro de onde nascem as dúvidas que se insinuam na leitura e que dão um sentido inautêntico e desviante ao texto da "autoridade". Ele tem, pois, tudo do sofista, que não propõe uma verdade contrá-

Dicionário analítico do Ocidente medieval

ria, mas uma alteração da verdade contida no texto. O mestre apresenta-se como aquele que derruba a máscara das aparências e que restabelece o sentido autêntico do texto. Assim, o comentário é o mesmo que a "questão", a qual se apresenta como a teatralização de um duelo entra a aparência e a verdade. O escolástico surge nesse combate como um paladino armado de lógica, que batalha tal como o cavaleiro e que exorciza tal como o padre.

Agostinianos e aristotélicos

Em meados do século XIII, os protagonistas da escolástica são os mestres que pertencem às novas Ordens Mendicantes. Sua ascensão às cátedras da Universidade não se desenrolou sem oposição, mas, depois que sua presença foi imposta por Alexandre IV (1254-1261), é aos mestres franciscanos e dominicanos que se deve a edificação da escolástica teológica e, em grande parte, da escolástica filosófica. Numa e noutra veem-se claramente interagir os ideais das suas ordens, as dificuldades próprias de suas posições e a complexidade de suas relações com a Igreja. E, sobretudo, constata-se uma divergência persistente entre as escolhas entre duas formas alternativas de levar a cabo a evangelização de um mundo laico que se torna mais desenvolto e cujo crescente poder conduz cada vez mais a se separar da Igreja e a recusar de maneira mais ou menos velada submeter-se docilmente a seu magistério. Os verdadeiros protagonistas da escolástica não são exclusivamente personalidades tão eminentes quanto o franciscano Boaventura ou o dominicano Tomás: mesmo os escritos desses grandes mestres foram-lhes inspirados por suas respectivas ordens, cujos valores transferiram para o campo do saber.

Nesse sentido, as ordens – com seus ideais, opções e conflitos – são os verdadeiros sujeitos da escolástica. Daí sua complexidade no século XIII: a escolástica é palco de construções doutrinais grandiosas, mas de conflitos não menos retumbantes. Conflitos que se explicam, em última instância, pela divergência das respostas que são dadas a uma questão radical: como escolher entre a pressão exercida pelos valores inalienáveis que a "tradição" (*traditio*) veicula e a emergência de novidades (*novitates*) que se impõem com uma autoridade crescente? A cultura especializada pode, agora, encontrar seus fundamentos numa filosofia nova e acabada na qual se encarna a "razão" (*ratio*) humana, mas em que medida, então, é preciso mexer na "tradição" para abrir lugar para a "novidade" que ameaça o antigo equilíbrio?

Pois a cultura filosófica e teológica não se acha confrontada apenas com Aristóteles, que representa a mais de um título a "novidade", mas também com uma outra "autoridade", aquela encarnada por Agostinho e a patrística. O conflito que opõe o antigo Agostinho e o novo Aristóteles fornece à escolástica o quadro específico no qual ela faz suas escolhas. De fato, o novo *corpus* de Aristóteles tem algumas ideias diretrizes. Em primeiro lugar, o saber filosófico resulta da "curiosidade" (*curiositas*) suscitada pelos mundos da natureza e pelas obras humanas. Em seguida, o modelo de todo saber é o organismo natural, do qual as partes formam uma unidade que estão ligadas por relações necessárias e animadas por um princípio intrínseco que é a razão da especificidade própria do organismo. Enfim, a ciência procede essencialmente por abstração e visa descobrir nos princípios específicos as razões específicas da realidade. A obra de Agostinho é igualmente animada por ideias diretrizes: filosofar é ter fé no Credo cristão, penetrando-o por uma meditação que antecipa a visão possível após a morte. Tal reflexão do crente é efetuada no mais profundo dele mesmo, fazendo-o sentir em si o que é mais alto do que ele, uma luz que vem "do alto" (*ab alto*). Ora, essas ideias diretrizes pertencem a culturas tão diferentes que parecem tão afastadas quanto duas galáxias. Há uma espécie de abismo intransponível entre a "novidade" e a "tradição" com as quais se defronta a escolástica. Com extrema clareza, ambas as escolásticas levaram os respectivos propósitos até suas mais radicais consequências e cada uma se apresenta para a outra como um absurdo incompreensível. Tal é o modo como Boaventura vê Aristóteles e os aristotélicos averroístas, entendendo que as artes não produzem senão uma doutrina tenebrosa. Reciprocamente, o mestre averroísta só vê mitologia na doutrina do teólogo. Além disso, conflitos igualmente ardentes dilaceram a escolástica teológica e filosófica, na qual se defrontam posições que têm em comum uma ou outra das duas "autoridades": é no interior do aristotelismo que Tomás se opõe aos averroístas, e é no seio do agostinismo que o franciscano Roger Bacon abre uma alternativa ao franciscano Boaventura.

Dicionário analítico do Ocidente medieval

Eis como, graças a conflitos que exigem dela uma energia sempre renovada, a escolástica continua bem viva no século XIII: a diversidade das "vias" que ela abre impede que apareça como um todo uno e monótono. As divergências entre mestres dominicanos e mestres franciscanos são muito claras desde o início. O mestre dominicano pertence a uma ordem originalmente constituída para pregar a ortodoxia em regiões heréticas: uma tal ordem dá aos monges armas doutrinais e os destina ao combate doutrinal contra o erro. O mestre dominicano é, portanto, escolástico por vocação e seu estatuto de escolástico não modifica seu "estado" (*habitus*) de regular. Ao contrário, o encontro entre o pensamento franciscano e a escolástica, quando ocorre, é quase a contragosto: enquanto tal, o saber (*doctrina*) mantém-se sempre como um luxo supérfluo, uma "ciência inflada" (*scientia inflans*). O franciscano não é espontaneamente um escolástico, e na escolástica seus valores são mais criticados e ameaçados do que reafirmados. Enquanto mestre, ele elabora uma doutrina que é mais do que uma escolástica, embora permanecendo o menos escolástica possível. Por outro lado, sendo mais sensível à persistência de certos costumes do que ao desvio doutrinário, ele exalta sobretudo os valores da alma cristã, contrapondo-os frontalmente aos costumes neopagãos que, a seus olhos, identificam-se com a recusa do sobrenatural que se insinua entre os escolásticos por causa dos mestres averroístas. É verdade que Boaventura, superior geral dos franciscanos e mestre de teologia em Paris, considera com horror o naturalismo propagado pela corte de Frederico II, mas Palermo parece-lhe ser apenas a outra face do naturalismo das artes. O franciscano deve imitar a Igreja, que, depois de ter conhecido uma época "iletrada" (*illitterata*), em seguida tinha dado origem à época dos Pais: erigir uma escolástica é portanto, antes de tudo, tomar por guias Agostinho e a patrística. Aliás, Boaventura não passa toda a vida em sua cátedra escolástica: abruptamente, abandona a "lição" e a "questão" e se põe a escrever epístolas e opúsculos que já não têm nada de escolásticos. Do Monte Alverne, envia uma mensagem que indica as etapas do caminho para Deus: o crente atravessará o Mar Vermelho, penetrará nos desertos, comerá o maná, escutará a promessa feita por Cristo aos dois ladrões. E a mensagem conclui com um convite que escolástico algum teria podido formular na Universidade:

"Interrogue a Graça e não a doutrina, interrogue o ardente desejo de Deus, o lamento da prece, e não o estudo da lição, interrogue o esposo da Igreja, e não o mestre, interrogue Deus e não o homem".

Também para Roger Bacon, autor de muitos comentários magistrais, é preciso ultrapassar a escolástica que conheceu em Paris. O fulgurante pressentimento da vinda próxima do Anticristo e da transmutação joaquimita do mundo mescla-se, em Bacon, com um tradicionalismo duro e puro, e abre um abismo entre a escolástica e ele. É o demônio enganador, escreve, que leva a crer que o saber da escolástica é um saber autêntico. Fundada sobre o orgulho, dominada por mestres que se erigem em autoridades frágeis e ilegítimas baseadas em textos corrompidos pelas traduções, a escolástica é envenenada pelos males, erros e vícios que governam como déspotas um mundo radicalmente degradado. O *Opus maius*, o *Opus minus* e o *Opus tertio* são mensagens animadas por um espírito profético: uma nova Igreja, um novo mundo emergirão desse novo saber. O mundo deve esperar uma "renovação" (*renovatio*) que restaurará sobretudo o liame sagrado que une o saber à autoridade do Verbo. Os matemáticos euclidianos, excluídos pela escolástica, serão recolocados no centro e se tornarão "a porta e a chave" de todas as ciências. Em cada uma das ciências, a "ciência das experiências" (*scientia experimentorum*) produzirá resultados que abalarão o mundo: a destruição dos tártaros, a conversão dos sarracenos, a eliminação dos réprobos. As ciências serão vassalas dos valores que foram ocultados pela escolástica durante a "época decrépita", e a humanidade viverá no seio de um só aprisco e sob um só Deus.

O grande ano da escolástica foi 1277. Ano que não foi marcado pelo advento do Anticristo, mas por retumbantes condenações e no qual a escolástica filosófica e teológica sofre seu primeiro grande abalo: tudo se passa como se estivessem de volta os interditos do início do século contra Aristóteles. Decorridos quarenta anos, essas condenações voltam-se agora contra os frutos de um aristotelismo que invadiu as artes e a teologia. Depois das críticas e recusas que se sucederam durante dez anos, a condenação decisiva foi pronunciada em 1277 pelo bispo de Paris, Estêvão Tempier. Esse sílabo, que atinge todos os filósofos e suas teses, é expressão de um "grande medo" que vê em cada manifestação do pensamento uma ameaça

Dicionário analítico do Ocidente medieval

contra a fé, os costumes, a "tradição" e a Igreja. Ele acusa uma espécie de "campo de Agramante" no qual estão lado a lado mestres averroístas, a "seita dos goliardos", André Capelão, e algumas teorias de São Tomás de Aquino. Na massa de 219 proposições condenadas, predomina a voz dos mestres averroístas, que faz ressoar retumbantes afirmações: "Não há nada melhor do que viver como filósofo [e não como crente]". "Os únicos sábios do mundo são os filósofos [e não os santos]." "Deus é a causa muito distante de todas as coisas." "Não há nenhum lugar em que se encontrem anjos e almas dos mortos." "O mundo é eterno." "Há uma alternância cíclica dos céus e as mesmas coisas voltarão a ocorrer." "O Destino é Senhor do mundo." "A alma da humanidade é única em todos os homens." "A alma única de todos os homens é eterna." "A única felicidade possível encontra--se nesta vida, não no Além." "Como todas as outras, a religião cristã contém somente mitos." "As tagarelices dos teólogos repousam sobre fábulas." "Nunca houve nenhuma Criação."

Ora, São Tomás de Aquino havia precisamente reagido contra o averroísmo sem condená-lo cegamente: segundo ele, os comentários de Averróis alteram a doutrina autêntica de Aristóteles, que concorda espontaneamente com o Credo dos cristãos e que fornece os meios filosóficos para redemonstrar inteiramente as antigas verdades da fé. A autoridade dos Pais permanece intacta e a única coisa que se modifica são os modos de reafirmá-la, abandonando os velhos dispositivos simbólicos, mais poéticos e retóricos do que "científicos". A filosofia é instrumento de uma apologética indireta: reduzida à sua pura essência de "ciência", impede a confusa mistura de metafísica, teologia e mística cara aos mestres agostinianos, que filosofam sem compreender o mundo e sem ser compreendidos pelo mundo. As coisas e os homens não são pálidos reflexos da Ideia, e não se podem compreender as coisas em sua natureza intrínseca própria se são consideradas como símbolos que remetem imediatamente para além desse mundo.

Porque Tomás combateu os erros do comentador infiel, a Ordem Dominicana propõe incluí-lo entre os santos, e efetivamente a Igreja decreta sua canonização no dia 18 de julho de 1323, antes de anular, dois anos depois, a condenação que há cinquenta anos pesava sobre algumas de suas teorias. Mas, no próprio momento em que triunfa o aristotelismo cristão

Escolástica

de Tomás, cresce um misticismo dominicano que rompe o elo entre pensamento dominicano e escolástica. Mestre Eckhart não exalta textos ou comentários que procedem por "questões", mas a visão do Eterno inacessível ao saber e a fusão mística com a Unidade absolutamente diferente do mundo: de uma só vez, ele esvazia de parte de seu sentido a ideia tomista de uma filosofia trabalhando sobre seres reais, de um preâmbulo racional e profano às verdades do Credo, ou de uma analogia entre tempo e eternidade. Nascido no interior da Universidade, da escolástica e da ordem, esse misticismo transborda impetuosamente de tal quadro, arrasa os diques construídos pela Igreja para canalizar os que estão "bêbados de Deus" e, sobretudo, prega a vida unitiva com Deus em uma língua que não é o latim da escolástica. Com Mestre Eckhart, pela primeira vez, o alemão faz seus ensaios como língua de cultura extraescolástica.

É também uma outra escolástica que nasce na ordem de São Francisco. A metafísica de Duns Scot tem por quadro uma atmosfera intelectualmente imaculada, não contaminada pela física aristotélica. Consistindo em argumentos puros *a priori*, não constitui um preâmbulo à santa teologia. Sabedoria sagrada e metafísica profana "científica" estão tão distantes uma da outra quanto dois mundos heterogêneos. A ciência metafísica adota procedimentos que lembram Euclides, ao passo que o mundo da santa teologia volta-se para a Palavra de amor salvadora e considera Deus como potência infinita. No entanto, é no seio do pensamento franciscano, ao lado das góticas flechas especulativas de Duns Scot, que nasce o sonho de um homem rebelde à Igreja de Avignon. Durante vinte anos, Guilherme de Ockham luta para que a Igreja retorne às suas origens e liberte-se da "servidão à dominação", do direito e do poder. Pois a Igreja é somente a "multidão dos fiéis" que segue o Cristo pobre. Esse sonho é acompanhado por uma escolástica que põe a lógica ao abrigo de intrusões metafísicas realistas e que reafirma seu *status* de ciência das estruturas formais do discurso. Essa lógica, que os mestres declaram "nova", faz de Guilherme de Ockham o iniciador da "invencível escola dos nominalistas" e liga-se sutilmente a uma perspectiva radicalmente empirista que reduz o conhecimento a atos pontuais de intuição empírica. O mundo aparece, então, como pontilhado de "realidades" (*res*) que são todas puramente individuais e absolutamente sem relação umas com as outras. Não repousam sobre uma ordem ou uma razão suscetível de ligá-las, pois a onipotência da vontade de Deus é a única dominação que se estende sobre o mundo das realidades e dos possíveis.

O começo do fim

É em meio a tragédias que a escolástica encaminha-se para seu fim: o papa é humilhado em Avignon no começo do século XIV e, no fim desse século, o Grande Cisma ameaça arruinar seu poder. À medida que avança o século, a escolástica vê sua história fragmentar-se em muitas histórias divergentes, e a imagem que melhor a descreve é aquela usada por um místico para descrever o mundo: a imagem de um "espelho quebrado".

Uma nova "devoção" (*devotio*) anuncia-se então: extraescolástica, ela é igualmente extraeclesiástica. Não nega a doutrina das escolas e da Igreja, simplesmente as ultrapassa. Não contesta a Igreja, passa por cima dela. Doravante, o "devoto" é um leigo subtraído à rigidez conformista da vida religiosa. Radicalmente centrada na interioridade, abandona gestos e ritos e recusa a função de mediação tradicionalmente atribuída ao clero: o leigo torna-se ele próprio um padre, graças a sua união íntima com Deus.

Nas antípodas dos fervores da "devoção", a escolástica dos médicos adota a partir de então um naturalismo puro e duro: não afirma a dissolução de todo ser na realidade inefável de Deus, mas a existência de uma energia vital que preenche o cosmo, anima as coisas e as faz participar de uma natureza que é um organismo vivo ao qual concorrem todas juntas. O ponto central dessa medicina é a visão da realidade como trama de elos orgânicos. Concebida assim, a natureza pode ser transcendida por um Deus criador por ser a "causa mais longínqua" (*causa remotissima*), não existe um supranatural que venha do exterior completá-la. A natureza basta a si mesma e possui em si tudo o que concorre para sua "saúde". O manifesto dessa teoria médica é o *Conciliator differentiarum* (o "Conciliador das diferenças"), de Pedro de Abano, e é em Pádua que se encontra, durante três séculos, o centro de propagação de uma cultura médica ainda vivaz na época de Galileu. Medicina e filosofia ali são solidárias, pondo-se acima das atividades "mecânicas" entre as quais as coloca Petrarca nas suas *Invectivae contra me-*

dicum ("Invectivas contra o médico"). Cultura de alto nível na qual estão reunidas as artes liberais e a tradição hipocrático-galeniana, a medicina é uma compreensão do mundo que alia teoria à prática e que reflete a ligação universal das forças ativas emanadas dos Céus e que governam a vida. Assim, "a alma do sábio colabora com os influxos das estrelas do mesmo modo que o semeador colabora com as forças naturais".

É no *studium* de Oxford, no século XIV, que a escolástica de matriz agostiniana lança suas últimas luzes. Sua inspiração é a antiga ideia da majestade soberana de Deus, que sujeita cada evento e cada poder – ideia que se perpetua de Tomás Bradwardine a João Wyclif. Após a vitória de Eduardo III da Inglaterra em Nevill's Cross (1346), é essa teologia que se faz ouvir tanto na corte quanto na Universidade: defende a liberdade absoluta de Deus contra aqueles que promovem a liberdade do homem e das forças da natureza até torná-las independentes da vontade do Senhor. Uma tal arrogância tinha por lar a cultura da corte, na qual médicos e astrólogos explicam ao soberano que a conjunção das estrelas, a Fortuna, governa o mundo, ou, ainda, que foram os "espíritos da guerra", favoráveis às suas armas, que decidiram a sorte da batalha. A corte de Eduardo, à imagem da corte de Carlos V da França, inclui um gabinete de astrologia judicial no qual os médicos se consagram à ciência dos "dias críticos" para as damas e à ciência veterinária para os cavalos de caça e de guerra. O *Sermo epinicius* ("Discurso de vitória"), de Tomás Bradwardine, é uma defesa do papel diretor e decisivo desempenhado por Deus a todo momento, na sucessão dos eventos da natureza e da história. Deus, e só Deus, é "a causa de todas as coisas", a liberdade humana identifica-se à necessidade do querer divino e o homem só é livre em relação ao mundo porque está inteiramente submisso à vontade de Deus.

Trinta anos depois da teologia de Bradwardine, a de Wyclif conserva o mesmo quadro, só se distinguindo pela radicalidade com que aprofunda suas implicações políticas, sociais e eclesiológicas. A livre dominação de Deus esvazia de sentido os poderes que são conferidos sobre a terra: poderes dos senhores que são intermediários entre o soberano e os servos, poderes da Igreja, cujas chaves abrem as portas do Céu e que submetem os fiéis à hierarquia dos padres. Só Deus é Senhor, e não os nobres ou o sobe-

Dicionário analítico do Ocidente medieval

rano, nem tampouco o papa ou os padres. Como um vendaval, a teologia de Wyclif abala violentamente a imagem feudal do mundo. As revoltas da plebe contra os senhores e a impossibilidade dos fiéis de tolerar o despotismo dos papas e a indignidade do clero, são o pano de fundo dessa teologia na qual ressoa a prece de Ester, 4,17: "Senhor, Senhor, Rei todo-poderoso, tudo está sujeito ao seu poder e não há quem se oponha à tua vontade". Abruptamente, também a tradição, ultrapassada e rejeitada, vê desmoronar seu valor de autoridade, pois o único poder é o de Deus e a única fonte da fé é sua palavra. As Escrituras, por si só, são suficientes para o cristão, sendo suficientemente claras para que não haja necessidade da tradição dogmática eclesiástica para explicá-las. A tradução inglesa da Bíblia é o corolário da teologia escolástica que preside o movimento dos lolardos e contra a qual o Concílio de Constança (1414-1418) lança suas flechas tardias. Na época do concílio, de fato, havia décadas aquela teologia já tinha inflamado de revolta a escolástica de João Hus, que por sua vez preside a insurreição da Boêmia contra o clero e contra os senhores. A fogueira em que morre João Hus fecha um ciclo, mas conduz diretamente à escolástica de um mestre de teologia agostiniano da Universidade de Wittenberg, Martinho Lutero.

São os mestres da escolástica jurídica e da escolástica teológica de Paris que desempenham os principais papéis nos concílios de Pisa (1409) e de Constança (1414-1418), paralelamente à tragédia do Grande Cisma. É a eles que se deve a redescoberta de uma tradição adormecida segundo a qual a autoridade suprema não pertence ao papa, mas à Igreja universal, que tem por chefe o próprio Cristo, de quem recebe todos os seus poderes. Redescoberta a que se liga a doutrina eclesiológica segundo a qual o concílio representa a Igreja universal, estando acima até mesmo do papa no que concerne à unidade, à fé e à reforma da Igreja. Tal doutrina autoriza o concílio a depor papas e antipapas e a entronizar, finalmente, um único papa, Martinho V (1417-1431). Ora, com Pedro de Ailly, um dos teóricos conciliares de Constança é João Gerson, chanceler da Universidade de Paris (1395) e epígono da escolástica teológica parisiense. Seu pensamento condensa meio século de escolástica, claramente consciente de duas crises convergentes: crise da Universidade de Paris, que de fonte universal do saber transforma-se em instituição monárquica, e crise concomitante de uma escolástica formalista por tradição, assediada pela cultura proto-humanista da corte e pelo espontaneismo místico dos "devotos". Uma tensão trágica leva Gerson a idealizar inacessíveis concórdias e utópicas harmonias, com as quais abala até seus fundamentos a Universidade e a escolástica. Nessa perspectiva, a Universidade apresenta-se como puramente ideal e a escolástica como destinada a novamente mergulhar em suas origens patrísticas. Desde então, a "verdadeira" Universidade é vista como em um sonho. É a filha de Adão que emigrou para o Egito de Abraão e para a Atenas de Aristóteles. E essa "translação do saber" (*translatio studii*) é percebida como uma procissão de santos teólogos e pregadores que finalmente chegam a Paris, onde a Universidade, "filha primogênita do rei", recebe seus trajes de princesa.

Comparada a essa teologia, a escolástica aparece como viciosa e errônea, filha da "vã curiosidade" e do orgulho do intelecto. O *Contra vanam curiositatem* ("Contra a vã curiosidade", 1401), de Gerson, é um diagnóstico impiedoso ao qual a escolástica é submetida por um escolástico que sonha regenerá-la: em seu estado atual, a escolástica está às voltas com o espírito de querela que arma "questões" e "disputas", imbuída de filosofia profana e metamorfoseada numa capciosa sofística que, enterrada na confusão de distinções obscuras, perde o elo com a fé. A teologia não poderá voltar a ser o que era senão libertando-se dos fardos com que a escolástica a sobrecarrega e sendo retomada por bispos sábios e santos, capazes de reaproximá-la da prédica da qual a especialização universitária a afastou. Sua tarefa não é comentar as *Sentenças*, obscurecendo as Escrituras, nem argumentar sutilmente nas disputas escolares. Mas o sonho de Gerson de uma outra Igreja, de uma Universidade diferente, de uma teologia que retornasse à homilética dos Pais, inscreve-se doravante num outro mundo, no qual se verá irromper, fora da Universidade e contra a escolástica, uma cultura que já não é monopólio ciumentamente mantido por um corpo institucional de mestres, que não é mais puro comentário, tecnicamente enrijecido, de uma "tradição" fechada sobre si mesma.

FRANCO ALESSIO
Tradução de José Carlos Estêvão

Dicionário analítico do Ocidente medieval

Ver também

Fé – Medicina – Natureza – Razão – Universidade – Universo

Orientação bibliográfica

BALDWIN, John W. *The Scholastic Culture of the Middle Ages, 1000-1300.* Lexington: Health , 1971.

EHRLE, Franz. *Die Scholastik.* Freiburg im Breisgau: Herder, 1933.

GARIN, Eugenio. *L'educazione in Europa, 1400-1600*: problemi e programmi. Bari: Laterza 1957.

GILSON, Étienne. *A filosofia na Idade Média* [1952]. 3.ed. Tradução brasileira. São Paulo: Martins Fontes, 2013.

GLORIEUX, Palémon. L'enseignement au Moyen Âge: techniques et méthodes en usage à la Faculté de Théologie de Paris au XIIIe siècle. *Archives d'Histoire Doctrinale et Littéraire du Moyen Âge*, Paris, n.35, p.65-186, 1968.

GRABMANN, Martin. *Die Geschichte der scholastischen Methode.* Freiburg im Breisgau: Herder, 1909-1911.

LAGARDE, Georges de. *La Naissance de l'esprit laïque au déclin du Moyen Âge.* Louvain: Nauwelaerts, 1956-1963. 5v.

LE GOFF, Jacques. *Os intelectuais na Idade Média* [nova ed. 1985]. Tradução brasileira. São Paulo: Brasiliense, 1988.

LIBERA, Alain de. *Penser au Moyen Âge.* Paris: Seuil, 1991.

MICHAUD-QUANTIN, Pierre. *Universitas. Expressions du mouvement communautaire dans le Moyen Âge Latin.* Paris: Vrin, 1970.

MURRAY, Alexander. *Reason and Society in the Middle Ages.* Oxford: Oxford University Press, 1978.

QUINTO, Riccardo. "Scholastica": contributo alla storia di un concetto. *Medioevo*, Milão, n.17, p.1-82, 1991.

SCHONBERGER, Rudolf W. *Was ist Scholastik?* Hildesheim: Bernward, 1991.

SOUTHERN, Richard W. *Scholastic Humanism and the Unification of Europe.* t.I: Foundations. Oxford: Wiley-Blackwell, 1995.

VERGER, Jacques. *As universidades na Idade Média* [1993]. Tradução brasileira. São Paulo: Editora Unesp, 1990.

VLEESCHAUWER, Herman Johann de. La Scolastica: saggio di una definizione. *Filosofia*, 11, p.377-403, 1960.

WEIJERS, Olga. *Terminologie des universités au XIIIe siècle.* Roma: Edizioni dell'Ateneo, 1987.

Escrito/oral

Na história da cultura ocidental, nenhum período nos desconcerta tanto quanto a Idade Média – especialmente no seu "cume" dos séculos XI-XIII. Todos nossos esforços de visão "racional" encontram aqui um desafio. Atrás de cada homem da época – clérigo, nobre ou plebeu; francês, alemão ou provençal – gostaríamos de encontrar uma "identidade cultural" que o situasse, mas cada um parece mover-se (e sem perturbação!) entre diferentes códigos de expressão, que insistimos em analisar separadamente. Atrás de cada texto da época, gostaríamos de estabelecer uma condição ideal de "performance" – discurso improvisado, ditado espontâneo, pronunciamento solene bem ponderado, releitura pública, releitura individual semissilenciosa, reconstituição oral livre a partir do manuscrito... –, mas, frequentemente, vagamos no meio dessas hipóteses sem podermos nos decidir. Atrás de cada texto, procuramos também a identidade de um "autor", ou de vários responsáveis, que gostaríamos de situar em níveis precisos: a autoridade de uma "fonte" escrita conservada ou perdida, a autoridade moral de um grande personagem ou de um narrador, os desígnios de escrita de um clérigo lutando com sua folha branca, as intenções de duplo registro de um recitante às voltas com os ouvintes..., mas nunca sabemos quantos, nem quais, desses níveis afloram verdadeiramente no texto. À medida que as recentes pesquisas avançam, a floresta parece se fechar cada vez mais rapidamente sobre os caminhos que os filólogos de ontem acreditavam ter

Dicionário analítico do Ocidente medieval

claramente traçado. Pode-se apenas tentar reabrir algumas perspectivas provisórias. Limitar-nos-emos, aqui, ao domínio das línguas românicas, tomando a França como um caso típico, mas é óbvio que os domínios das línguas germânicas (e, *a fortiori*, grega, semíticas e eslavas) colocariam os problemas em termos um pouco diferentes.

Usos hierarquizados ou identidades linguísticas

As regularidades que aparecem nas ocorrências da "fala" só podem efetivamente se tornar normas de uma "língua" se se apoiarem em subplanos de uma identidade cultural mais ou menos precisa. Na Gália merovíngia, o bilinguismo étnico germano-românico baseava-se em uma dualidade do sistema jurídico que contribuiu para a distribuição geográfica estabelecida na época carolíngia. O problema mais complexo é o da distinção progressiva de várias "línguas" (entre as quais o próprio latim) no interior dos falares românicos.

A comodidade de uma *grammatica* ideal e ensinada estava no tempo de Santo Agostinho mais ou menos fundamentada nos usos de uma fala cotidiana que – nunca sendo, sem dúvida, totalmente incompatível com ela – se estendia de um lado a outro do *Imperium romanum*, cujos abalos de todo tipo não punham em causa sua existência. Mas não se pode negar a evidência elementar de um deslocamento, nos séculos seguintes, quaisquer que sejam os "desvios essenciais" que cada um se esforça atualmente por datar à sua maneira. O debate sobre a questão "Em que época se deixou de falar latim?" parece ter se imposto aos filólogos durante muito tempo, mesmo que a cada artigo finalmente reconhecessem que ela era absurda. Fugiu-se um pouco dessa problemática anacrônica propondo-se, no lugar dela, "Em que época se deixou de compreender o latim?". Na verdade, qual latim? Aquele que encontramos nos escritos dos séculos VI-VII, já impreciso e frequentemente pouco de acordo com a "gramática", devia ser mais ou menos adaptado – e não somente na pronúncia – quando um clérigo se dirigia a um público vasto.

Mais do que duas línguas, o que havia então eram dois "estilos" diferentes – esse termo era empregado –, um estilo literário, o dos livros e do

430

clero, e um estilo "rústico", ao qual se recorria para falar aos leigos, talvez no começo menos por necessidade prática que por cuidado ou pretensão de humildade. Observa-se isso desde o fim do século IV, quando São Jerônimo recomenda a *sancta rusticitas*, o estilo simples das pessoas sem cultura, e ainda mais no século VI, com Gregório de Tours, que explicitamente simula falar uma língua incorreta. Acentuando essa diferença de estilos, o latim literário tornava-se ininteligível aos leigos, sobretudo com os esforços de Carlos Magno e de Alcuíno para lhe devolver a pureza clássica, o que o afastava ainda mais da língua falada. A necessidade de fazer o discurso cristão penetrar até o fundo de uma sociedade que se queria integralmente cristã, leva o Concílio de Tours, em 813, a ordenar aos bispos não pregar somente em latim, mas traduzir seus sermões *in linguam romanam rusticam aut theotiscam* para serem compreendidos. A existência do germânico era evidentemente conhecida, e é clássico dizer que a assimilação da "língua românica rústica" a essa "língua tudesca" constitui a "certidão de nascimento da língua francesa". Mas nenhum texto-modelo (nem, *a fortiori*, nenhuma gramática!) ainda elevara essa "língua" além do nível da simples "fala": ela era mesmo definida por seu caráter não cultural (*rustica*).

Se aceitarmos a interessante reconstrução de Renée Balibar (privilegiando, é verdade, os documentos escritos que nos restam – mas como evitá-lo?), é preciso admitir que foi uma verdadeira vontade política, a de reorganizar o Império Carolíngio pelo princípio do "colinguismo", que valorizou trinta anos mais tarde a língua românica como uma identidade, impondo aos soldados de Carlos, o Calvo (certamente habituados a falares diversos e inconstantes), dois breves textos-normas, formais e jurídicos (os *Sermões de Estrasburgo*), passíveis, portanto, de serem escritos, mas cujo valor deriva inicialmente de sua solene proclamação oral, da mesma forma que, nos séculos seguintes, o valor das canções de santos e heróis *a lei francesca* (expressão claramente evocadora de uma identidade cultural) decorrerá ao mesmo tempo do emprego de fórmulas e estruturas fixas, de seu caráter de exemplos morais (o direito pouco se diferencia, então, da moral) e de seu canto público em voz alta. São tais práticas modelares, tendendo a fixar as diversidades da linguagem românica, que lhe permitem distinguir-se do latim e do "*thiois*" (germânico).

Esse "trilinguismo" aparece no fim do século XI, em uma revisão da *Vida de Santo Adalardo* de Corbie, no vale do Somme, que nos diz que esse santo falava com facilidade tanto o românico vulgar e o germânico quanto o latim. De certo modo, tal testemunho reabilita o valor da fala ao atribuir a um personagem da elite a capacidade de superar a oposição dos modelos linguísticos. Contudo, é a fala do personagem-modelo que autoriza assim o valor normativo das estruturas linguísticas, cujas diversidades ele é o único a poder superar. Desde o ano de 999, o epitáfio do papa Gregório V indicava a mesma ideia, mas distinguindo dois falares românicos, um dos quais, o francês, já era valorizado em relação ao "vulgar" italiano: *usu francisca, vulgari et voce latina/intituit populos eloquio triplici* ("ele ensinou os povos por meio de uma tríplice eloquência, usando o francês, o vulgar e o latim").

No começo do século XII, essa vantagem do francês sobre o italiano será mais explícita, com o "primeiro elogio da língua francesa" atribuído a Donizon de Canossa, em sua *Vida da condessa Matilde*, que exalta a maneira pela qual essa poderosa aliada do papa, embora italiana de nascimento e soberana da Lombardia, falava igualmente bem o germânico e o francês, "língua da felicidade": *laetam Francigenamque loquelam.* Eis o que já se dizia na Itália, bem antes de que ali se difundissem manuscritos em francês e que essa língua tivesse "escritores" conhecidos. A valorização resultava de uma experiência auditiva baseada em um modelo.

Da hierarquia de estilos em uma mesma sociedade passou-se, portanto, a uma pluralidade de identidades culturais com fundamentação geográfica, mas uma hierarquização subsiste (e sempre subsistirá...). Mesmo no interior da *Francia Occidentalis*, um reagrupamento e uma oposição – todavia mal fundados na política – acontecem em torno do século XI: a primeira cruzada é marcada por tumultos entre "franceses" e "provençais". O século XII permite a esses últimos firmar sua identidade linguística em textos líricos cantados até na Itália; o fundo linguístico desses cantos corresponde mais aos falares do Limousin que aos da Provença, mas pouco importa: o essencial é que existe uma língua, isto é, uma cultura, e que um canto a propaga.

Ao norte, a base política da língua é mais visível: desde o século IX, começa a "transferência das funções pastorais às funções régias na comunhão das línguas vulgares" (R. Balibar). A língua comum, chamada "língua do pai" (*patrius sermo*) até o século XI, torna-se a "língua da mãe" (*sermo maternus*) no XII, para melhor se opor ao latim, língua do Pai celeste. Mas, na verdade, ela já começa a ser, insidiosamente, a língua do rei, que substituirá no século XIV um Deus tornado muito distante como "Pai". Diante da corte, culturalmente indiscutível (mesmo que a de Paris seja um pequeno viveiro de escritores antes de Carlos V), as cidades do norte mal reivindicam seu falar, apesar das obras cantadas e escritas que produzem, como o testemunha Conon de Béthune, que protesta vendo a rainha zombar de suas "palavras do Artois", no entanto compreensíveis "em francês". Essa reivindicação conduz, especialmente nos documentos jurídicos, à constituição, nesta ou naquela região, de uma *scripta*, isto é, de um compromisso normatizado para a escrita, entre a língua do rei e os falares locais.

Mas estes permanecem como sinal de inferioridade. Em 1388, em uma rua de Paris, um operário parisiense, João de Chastillon, reconhece a fala picarda de um outro operário, Tomás Castel: "E por isso, por implicância, pôs-se a imitar a linguagem da Picardia, e o dito Tomás, que é picardo, pôs-se a imitar a linguagem da França". A dupla zombaria termina mal, com uma briga a golpes de faca... Historieta reveladora: quando nos compreendemos falando duas línguas próximas, é inevitável que uma pareça deformação da outra e, portanto, inferior...

Todavia, a língua valorizada está pouco enraizada. No século XII, o filho do sexo masculino, bem-nascido, fica até os 7 anos com as mulheres, prisioneiro de uma "língua materna" circunscrita a um mundo estreito. Quando ele entra no mundo dos homens, hesita entre o amplo uso da língua materna, a dos cavaleiros, e um uso escolar da "língua" verdadeira e completa, a do pai, que os filhos não sabem falar com desembaraço: Guiberto de Nogent salienta, com admiração, que o papa Urbano II fala o latim tão bem como o *sermo maternus*. Falar *litteraliter*, em latim, é sempre falar um pouco como se escreve.

As cortes principescas, no entanto, vão permitir a paradoxal constituição de uma *littera vulgaris*, uma cultura em língua vulgar. Portanto "maternal", contudo, modelada por homens, mesmo na forma oral: são os velhos cavaleiros que contam a Arnoldo de Guines as histórias de Rolando e de Olivier, de Artur, de Tristão e Isolda... Mas essa cultura precisa de uma tu-

Dicionário analítico do Ocidente medieval

tela paternal. O rei assume essa tutela e estabelece-a no lugar onde reside. Com o surgimento do culto ao rei santo, pouco depois de 1270, Guilherme de Chartres conta-nos a história de um surdo-mudo que, curado sobre o túmulo de Luís, não se expressa na fala borgonhesa de sua terra natal, mas em francês, "como se tivesse nascido em Saint-Denis": o milagre nivela as hierarquias, as distâncias naturais; o que não quer dizer, pelo contrário, que não tenham valor.

Entretanto, a tendência é fazer desaparecer esse tipo de hierarquia e mesmo rebaixar o latim ao nível dos falares regionais: no século XV, no *Pathelin*, o latim alcança por fim as "diversas linguagens" do trapaceiro que finge delirar, depois do limosino, do picardo, do flamengo, do normando e do bretão. A oposição entre línguas vulgares e língua "literária" é substituída pela oposição entre a língua "materna", sangue da vida comunitária, e todas as outras, estrangeiras (elas aparecem no capítulo IX de *Pantagruel*), antigas ou dialetais. Evidentemente, essas outras línguas têm seu papel, o latim como superação escolar do francês, os dialetos familiares como tentativas de uma fala, mas esses dois casos-limite valorizam o papel central do francês: apenas o mito igualitário quer, mais tarde, arruinar essa dialética cultural.

Entretanto, o texto do *Pathelin* (com o episódio citado anteriormente) mostra-nos que os falares dialetais tenderam, desde a Idade Média, a passar da categoria de fala à de língua, pois são identificáveis e constituem o indício de uma identidade cultural regional ("havia um tio limosino..."). Não se deve, portanto, ver esses falares como o lugar simbólico da pura liberdade criadora, por oposição a um francês e a um latim fortemente normatizados. O patoá apega-se às suas regras ("falamos assim em casa") e já é conservador. O francês, ao contrário, amplia suas possibilidades até as estranhas liberdades de sintaxe em certos textos do século XV, e seu vocabulário prolifera sem muitas restrições. O próprio latim viu-se forçado a uma certa liberdade criadora, lexical e até sintática, favorecido pelo considerável desenvolvimento das ciências e das técnicas nos séculos XIII-XIV (incluindo, evidentemente, as ciências teológicas e as técnicas jurídicas, litúrgicas ou místicas); é a Renascença do século XV que lhe dará a rigidez de uma língua e de uma cultura esclerosadas, que perdem seu enraizamento na fala viva.

Escrito/oral

Nesse momento, nas elites sociais, o contexto da expressão linguística verá impor-se a máscara de uma cultura importada da Antiguidade. Mas, afinal, um disfarce bem identificado é talvez mais eficaz do que a fisionomia "real" que ele supostamente cobre; o erro das culturas medievais foi, talvez, não saber exibir bem um traje de palco. Quando os papéis são convenientes e bem definidos, a fala pode manifestar-se sem colocá-los em causa e sem ser importunada por eles: esta será a lição da *commedia dell'arte*.

Para o olho e para o ouvido

O estabelecimento intemporal do texto visualizado e a onda de sons percebidos de modo passageiro não coincidem, em seu confronto, com a norma gramatical ou retórica e a liberdade criadora dos que se expressam. Mas as duas problemáticas se misturam; a do "oral" e a do "escrito", talvez mais evidente que a da "língua" e a da "fala", suscitou muitas paixões e posições divididas.

Encontrar a fala atrás do escrito: esse sonho romântico pesou na redescoberta da literatura medieval e caricaturou-se ao impor aos velhos textos um questionamento sobre suas "origens tradicionais" e seu caráter "popular", quase impedindo o estudo desses textos por si mesmos, em um delírio meio místico que justificou a reação pseudorracionalista do século XX, quando Joseph Bédier para a canção de gesta, Edmond Faral para o romance arturiano e Lucien Foulet para o *Romance de Renart*, negaram com sarcasmo as "origens orais", por definição impossíveis de provar, e opuseram-lhes uma "escrita erudita", que teria tido por fontes ou modelos textos latinos mais ou menos escolares. Esses novos excessos provocaram o retorno à crença nas "tradições orais", especialmente após a redescoberta, por Parry e Lord, por volta de 1950, dos contadores iugoslavos (ou outros) capazes de narrar ou de recriar, sem ler, milhares de versos de origem imemorial.

Não se tratava de um falso debate, mas de um debate mal conduzido, que começamos a formular melhor: a obsessão pelas "origens" encobria o problema da "performance" (ato de expressão pelo qual o público recebe o texto), e os paralelos entre "oral" e "popular", "escrito" e "erudito" mergulhavam a pesquisa em um nevoeiro de preconceitos ideológicos. Começa a

Dicionário analítico do Ocidente medieval

se ver melhor que toda modalidade de fala tende, na essência, a objetivar-se em uma inscrição "gráfica", em sentido lato, mas sem perder sua natureza vocal: as "fórmulas" do recitador analfabeto, por exemplo, procuram fixar o enunciado para uma espécie de "releitura" possível. E seu cuidado em dizer a "história verdadeira" testemunha a necessidade de estabelecer uma realidade fixa e eterna do texto, mesmo se o modifica cada vez que o fala: o escritor – ou simplesmente o escriba – apenas administra essa tendência. A "escrita" é um caso-limite. Com certeza, o escriba manuseou sua pena, na Idade Média, bem mais frequentemente do que podem fazer crer os manuscritos de nossas bibliotecas (um décimo, sem dúvida, dos que existiram). Porém, é justamente esse déficit documental que nos proíbe de privilegiar excessivamente o que conservamos: dizer, como os seguidores de Bédier, "Nós temos textos!", é conferir um valor mítico a restos salvos por acaso.

De fato, mesmo se tivéssemos conservado todos os manuscritos, eles representariam apenas uma ínfima parte dos textos falados, e o fariam de maneira deformada. Sem dúvida, não é preciso buscar na Idade Média uma "cultura popular": a única forma de cultura que os textos do século XIII reconhecem para os "plebeus" são os provérbios. Somente a partir do século XV é que uma cultura de elite separa-se de uma cultura própria do povo, verdadeiramente bem estabelecida apenas no século XVII. Mas a cultura medieval propriamente dita, a que nos parece "erudita" (embora tivesse muitos contatos com o povo, pelo menos na liturgia e nas grandes festas oferecidas pelos senhores), nunca esteve totalmente nas bibliotecas, sobretudo nos séculos XIII e XIV, em que a atividade universitária não comportava nenhum exame escrito, estando inteiramente baseada em cursos e exercícios orais, para os quais os manuscritos eram apenas dossiês e testemunhos. Os nomes de Aristóteles, de Virgílio, de Macróbio, não evocavam tanto pergaminhos historiados, mas frases que recitavam de memória, comentários que tinham ouvido ou que tinham vontade de falar.

No livro de Michael Clanchy pode-se encontrar um grande número de exemplos provando que o uso crescente de documentos escritos, dos séculos XII ao XIV, não lhes tira seu valor secundário em relação à memória, às falas, aos cantos, aos gestos, aos objetos simbólicos. Essa obra fundamenta-se

Escrito/oral

em documentos ligados a atividades políticas e jurídicas, documentos vindos sobretudo da Grã-Bretanha, onde, pôde-se supor, a resistência à escrita durou mais tempo que no continente, não se atenuou muito mais rápido que na França e perdurou bem mais nas atividades culturais que no direito. Tem-se mais confiança em um selo que em uma assinatura, no testemunho de um mensageiro que na "pele de carneiro manchada de tinta" que ele leva (uma carta podia ser desviada e substituída no caminho, como se vê em certos romances...). As leis são tornadas públicas pela voz dos pregoeiros. Os modelos de procedimento jurídico são modelos de diálogo. Um senhor que recebe uma carta, mesmo que sua instrução lhe permita inicialmente examiná-la por si próprio, faz em seguida que ela seja relida em voz alta, para melhor compreendê-la, melhor apreender a voz de seu correspondente.

Nas escolas, o mestre "lia", o aluno o "escutava". Os milhares de sermões conservados em latim eram depois frequentemente copiados por escrito, e não antes de terem sido pronunciados. Quando uma literatura em língua vulgar se expande, ela deve o sucesso à sua recepção mais natural pelo ouvido, e seu desenvolvimento contribuiu para manter o caráter oral da cultura. O dever e o prazer de falar estavam na base do prazer de escrever: quase sempre, o escritor ditava sua obra em voz alta, às vezes após tê-la rascunhado sobre tabuinhas enceradas, logo apagadas, simples auxílio para a memória. O dever e o prazer de escutar estavam na base do prazer de ler (praticamente se ignorava nossa leitura silenciosa, que será imposta nas bibliotecas com dificuldade...). Fazer reviver um texto da Idade Média não é, portanto, perguntar-se quais são suas "fontes": esquemas indo-europeus, mitologia celta ou germânica, tradições árabes trazidas por viajantes, velhos contos de animais, programas escolares herdados da Antiguidade, dossiês de arquivos... Trata-se antes de tentar colocar-se no momento em que o texto era lido, narrado ou recriado meio improvisadamente e, ao mesmo tempo, ouvido, apreciado, registrado na memória ou pela pena.

Esse momento não deve ser obrigatoriamente visto pela imagem de Épinal de um "serão de choupanas" ou de um "menestrel cantando pela rua diante da multidão", e sim, por exemplo, nas já referidas sessões em que, conforme Lamberto de Ardres, completava-se a instrução do jovem

Arnoldo de Guines pela fala de *prud'hommes*[1] tão capazes de narrar façanhas fictícias ou reais (bem pouco diferençadas) como o tinham sido, outrora, capazes de realizá-las. Eis aí uma situação de "performance" oral, de modo nenhum "popular", e que mistura assuntos de família ("as proezas dos homens de Ardres e a fundação de sua cidade") com histórias exóticas, informações recentes sobre as cruzadas ("terra de Jerusalém, cerco de Antioquia..."), com o que nos parece história antiga (Carlos Magno) ou mitos imaginários (Tristão, Merlim...). E o cronista acha naturais cenas desse tipo nesse mundo onde o direito dá mais crédito ao testemunho oral (mesmo indireto ou fundado em uma tradição) do que a documentos escritos, frequentemente inventados para apoiar esses testemunhos, mas posteriores a eles...

Paul Zumthor começou a conduzir uma longa pesquisa sobre a "poesia oral" universal antes de aplicar as conclusões a seu domínio próprio, a Idade Média, para a qual mostrou a predominância fundamental da "voz" sobre a "letra", mas acentuando sua distância em relação às tradições românticas (a pretensa "cultura popular") e até a pesquisas recentes, como essa "caça às fórmulas", que quis renovar o estudo da epopeia medieval de 1950 a 1980. Evidentemente, a "oralidade" de tais textos, ou antes, para empregar o termo favorito de Paul Zumthor, sua "vocalidade", não se reduz ao emprego de fórmulas estereotipadas. Mas trabalhos como os de Jean Rychner foram bem além da caça às fórmulas, e G. Brault descobriu, mesmo na *Canção de Rolando*, indícios de gestualidade.

Jean-Claude Schmitt lembrou a importância dos gestos, chamando atenção para pequenos tratados medievais que lhes são consagrados. No fim de sua obra, Paul Zumthor considerou a dança como uma forma-limite da literatura medieval: "Da mesma maneira que essa voz poética tendia ao canto, o gesto poético tendia à dança, sua realização final". O papel fun-

---

1 *Prudhomme,* literalmente "homem valente", isto é, modelo de cavaleiro, ganhou ainda na Idade Média o sentido de pessoa de sentimentos nobres, de sabedoria, passando desde 1260 a indicar também um especialista no direito, acepção que a palavra guarda ainda hoje, designando um membro de um conselho eletivo que julga pendências profissionais. [HFJ]

Escrito/oral

damental do modelo coreográfico na literatura grega antiga, mesmo não teatral, começa a ser considerado; é preciso fazer o mesmo com a literatura medieval, mas com prudência. O que é muito mais certo é que "a voz poética tendia ao canto". Para nossos ouvidos insensíveis, o canto é uma deformação da fala natural. Para a Idade Média (e, sem dúvida, já para a Antiguidade), ele era, pelo contrário, a plena realização, efetuando as mais ricas possibilidades fônicas e expressivas da linguagem.

O estoque mais abundante (de longe) da poesia latina medieval é constituído por milhares de hinos, que os sessenta volumes das *Analecta hymnica* ainda não esgotaram. Esses hinos eram ouvidos, entendidos no geral e frequentemente cantados pela multidão *illiterata*, incapaz de traduzir uma frase latina, mas capaz de sentir um canto latino – um pouco como as multidões que havia quarenta anos, nos "perdões" bretões (e, sem dúvida, ainda hoje em diversos países católicos), recitavam o rosário em latim sem conhecer a língua, dando ao texto uma significação afetiva profundamente apoiada no ritmo e na semimelodia da *"cantilation"* (para traduzir o inglês *chant*, que evoca o recitativo ou a salmodia).

Quando as canções estavam em língua vulgar (muitas vezes, com a mesma aparência de um canto latino), elas perdiam em mistério sagrado, mas ganhavam em liberdade de interpretação e reação afetiva. Se os romancistas franceses do século XIII divertem-se introduzindo na narrativa canções que não fazem a ação avançar, não é apenas para apresentar algum amigo jogral, e sim para que o público, leitores ou ouvintes, alegre-se no momento em que o romance, passando para um registro claramente musical, atinge a plenitude fônica e ideológica à qual as obras líricas, em sua performance solitária, alcançavam talvez muito rápido para serem eficazes, mas que funciona plenamente quando a canção foi preparada por uma narrativa.

A performance tende ao canto. Ela tende também ao teatro, pelo gestual, pela possibilidade de recitação ou de leitura dialogada, pela técnica do recitante mudando de voz ou de tom (por exemplo, para imitar o sotaque de um inglês falando mal o francês). E como o teatro medieval implica participação do público, podem-se aproximar dessa teatralidade os constantes procedimentos de contato entre o recitante e seu público. Paul Zumthor demonstrou bem que, por sua abundância, por certos detalhes, por testemunhos exteriores que os confirmam, esses procedimentos não podem ser considerados artifícios literários, embora tenham sido imitados nesse sentido na Baixa Idade Média.

A voz dos manuscritos

Esses procedimentos tendem a desaparecer à medida que se multiplicam os textos em prosa, no século XIII, e pode-se supor que a passagem para a prosa era um caso irredutível de atração da literatura pela forma escrita. Mas Paul Zumthor mostrou que não era absolutamente necessário submeter a oposição entre verso e prosa à oposição entre oral e escrito. A prosa medieval é feita para ser enunciada de maneira retórica. E Bernard Cerquiglini, estudando a prosificação de uma obra em verso pouco anterior (aproximadamente 1200), descobriu nela a existência de uma "fala medieval" que, por processos diversos, atribuía a responsabilidade do discurso alheio a um outro discurso. Um outro discurso talvez vivido na performance dos *scriptoria* (oficinas de cópia), onde a leitura em voz alta de um texto em latim ou em verso, que vários escribas deviam adaptar ao francês ou à prosa, podia produzir em cada um deles resultados diferentes.

Bem longe de contradizer a vocalização, a transcrição gráfica auxiliava-a de diversas maneiras: "Na – acentuada – medida em que a escrita medieval é ainda mal dissociada do desenho e que paradoxalmente subsiste, de modo latente, em uma parte de si mesma, ideogramática, ela permanece tributária da fala que a manifesta e que ela glosa e ilustra, mais do que transcreve" (P. Zumthor). Os belos manuscritos, excessivamente cuidados, que se afastam da vocalidade concreta, destinam-se mais ao prestígio de seus destinatários do que à leitura.

É apenas a partir dessa conscientização "sincrônica" da vocalidade da literatura medieval que se poderia voltar, com prudência, aos problemas de "tradições" e "origens", considerando-se a difusão social de textos eruditos "para baixo", a extensão de hábitos de oralidade "para cima" e a imensa diferença quanto às situações modernas. Seria pueril ligar os episódios do *Romance de Renart* a *types of folk-tales* supostamente preexistentes, como se os "contos-modelo" tivessem sido estabelecidos há quatro mil anos, nas cho-

Escrito/oral

ças neolíticas, sob a mesma forma em que os folcloristas as recolheram no século XIX, e pueril também dizer que os textos da Idade Média representam tal e tal "desvio" ou tal e tal "fusão de contos", com relação aos esquemas "primitivos" de Aarne-Thompson. Primeiramente é necessário, para situar como se "disse de Renart", considerar as combinações complexas e os vaivéns entre velhos mitos zoometa- físicos, historietas caricaturais do século XI sobre os condes de Sens chamados Renart, fábulas esópicas escolares alegremente reutilizadas por clérigos ávidos para mostrar sua capacidade de "contar histórias", e sessões de mascaramento carnavalesco como a que Nico Van den Boogard não hesita em imaginar para a recitação pública de *Renart, o Novo*, obra no entanto alegórica e moralizante.

No caso do *Romance de Renart*, só podemos discernir o problema no plano de uma história longa, em que determinamos, bastante arbitrariamente, os respectivos papéis do oral e do escrito. Seria preciso, portanto, olhar mais de perto outras formas de discurso, em que os textos (às vezes quase informes aos olhos do juízo literário tradicional) permitem colocar o problema no plano da performance imediata. É, por exemplo, o que fez Michel Zink em relação a sermões conservados em língua vulgar, mas ele teve que reconhecer, mesmo nesse caso aparentemente privilegiado, a extrema complexidade dos problemas: raramente se veem pregações sendo objeto de anotações imediatas a fim de conservá-las tais quais (sermão de Amiens); mas os textos podem ser reconstituídos, a partir de lembranças da audição, para serem compreendidos pela leitura, ao passo que um manual de sermões-modelo para recitar pode, ao contrário, ter poucas bases orais realmente experimentadas. Os sinais visíveis de oralidade (fórmulas de contato com o público, erros fonéticos de transcrição...) devem ser interpretados com prudência e reconstruídos atentamente.

"O oral escreve-se, o escrito quer-se imagem do oral; de qualquer modo, é feita referência à autoridade de uma voz": Paul Zumthor insiste, com razão, no papel de *auctoritas* da voz; uma "autoridade" no sentido medieval de "garantia", declarando nosso atual respeito pela autenticidade de um "registro"; mas também, no sentido moderno, uma autoridade que impõe ao ouvinte exigências justificadas pela presença de um contato pessoal, ao passo que a escrita coloca as suas como um absoluto, em uma objetividade

Dicionário analítico do Ocidente medieval

despersonalizada. Em vez de classificar os textos da Idade Média em duas categorias (o falado e o escrito), deveríamos, para compreendê-los, tentar escutar essa voz.

JEAN BATANY
Tradução de Lênia Márcia Mongelli

Ver também

Clérigos e leigos – Literatura(s) – Pregação

Orientação bibliográfica

BALIBAR, Renée. *L'Institution du français*: essai sur le colinguisme, des Carolingiens à la République. Paris: Presses Universitaires de France, 1985.

BANNIARD, Michel. *Viva voce*: communication orale et communication écrite du IVe au IXe siècle dans l'Occident latin. Turnhout: Institut des Études Augustiniennes, 1992.

BATANY, Jean. *Approches langagières de la société médiévale*. Caen: Paradigme, 1992. (IIe partie: La constitution d'une langue de culture, p.77-114).

_____. *Scène et coulisses du Roman de Renart*. Paris: Sedes, 1989.

BORST, Arno. *Der Turmbau von Babel*. II: *Ausbau*. Stuttgart: Hiersemann, 1958-9. 2v.

BRUNOT, Ferdinand. *Histoire de la langue française*. t.I. (1905). 6.ed. com bibliografia estabelecida por Jean Batany. Paris: Armand Colin, 1966.

CAZAL, Ivonne. *Les Voix du peuple – Verbum Dei*: le bilinguisme latin-langue vulgaire au Moyen Âge. Genebra: Droz, 1998.

CERQUIGLINI, Bernard. *La Parole médiévale*. Paris: Minuit, 1981.

CLANCHY, Michael T. *From Memory to Written Record, England 1066-1307*. Londres: Hodder & Stoughton Educational, 1979.

COLETTI, Vittorio. *L'Éloquence de la chaire*: victoires et défaites du latin entre Moyen Âge et Renaissance [1983]. Tradução francesa. Paris, 1987.

LUSIGNAN, Serge. *Parler vulgairement: les intellectuels et la langue française aux XIIIe et XIVe siècles*. Paris: Vrin, 1987.

ORAL AND WRITTEN TRADITIONS IN THE MIDDLE AGES. New Literary History, Baltimore, v.XVI, n.I, out. 1984.

SCHMITT, Jean-Claude. *La Raison des gestes dans l'Occident médiéval*. Paris: Gallimard, 1990.

Escrito/oral

STOCK, Brian. *The Implications of Literacy*: Written Languages and Models of Interpretation in the Eleventh and Twelfth Centuries. Princeton, 1983.

VAN DEN BOOGAARD, Nico H. J. *Autour de 1300*: études de philologie et de littérature médiévales. Amsterdã: Rodopi, 1985.

ZINK, Michel. *La Prédication en langue romane avant 1300*. Paris: Honoré Champion, 1976.

ZUMTHOR, Paul. *A letra e a voz* [1987]. Tradução brasileira. São Paulo: Companhia das Letras, 1993.

Estado

A Idade Média começa no século V quando se dá o desmoronamento do mais poderoso Estado, cuja lembrança vai perdurar: o Império Romano. Império de uma cidade que se tornou progressivamente imenso espaço territorial, o Império Romano sofria da ambiguidade de sua própria natureza: seu ideal cívico, de início limitado a Roma, estendeu-se à Itália, mas dele partilhavam apenas os magistrados e os militares veteranos. O caráter meramente predador de sua construção territorial perpetuou-se no fiscalismo. Para acumular recursos, era necessário expandir o Império: ora, a própria dilatação do espaço controlado tornava as conquistas mais difíceis, menos rentáveis quando a agitação das populações germânicas no Ocidente e a concorrência exacerbada com o Império Parta no Oriente absorviam o essencial dos recursos. Sem poder aumentar a pressão fiscal, os imperadores arriscaram-se em manipulações monetárias, provocando, por muito tempo, inevitável enfraquecimento econômico. O sobressalto produzido pela militarização do Império, depois pela sua cristianização no reinado de Constantino, prolongou sua existência, mas não lhe deixou tempo para uma mudança em profundidade.

Efetivamente, o Império Romano desmoronou apenas no Ocidente. No Oriente, subsistiu um império que chamamos de Bizantino e cujas províncias do Egito e da Síria, desde o final do reinado de Heráclio, foram tomadas pelos árabes. Seus súditos, até a queda final de Bizâncio, diziam-se "romanos". Na verdade, esse império representou um dos modelos possíveis da evolução e da adaptação do sistema romano: um imperador que conjugava sacralidade cristã e magistratura antiga, prática de associação e valorização da legitimidade dinástica (os "porfirogênetas", nascidos no palácio imperial), que davam certa estabilidade à instituição; uma aristocracia civil animada pelo ideal do serviço ao Estado; uma população de camponeses-soldados (os estratiotas) ou marinheiros que garantiam a defesa da coletividade. Entretanto, submetido a múltiplas pressões dos povos eslavos ou eslavizados (búlgaros, russos), do Islã (árabes, turcos) e do Ocidente (normandos, depois cruzados), esvaziado de sua substância econômica por seus "aliados" venezianos ou genoveses, o Império Bizantino revelou-se incapaz de se regenerar, e do século XII até seu desaparecimento, em 1453, sua decadência parecia inevitável.

As novas estruturas políticas do Ocidente

Foi, paradoxalmente, a amplidão do desmoronamento do Ocidente que permitiu a emergência de novas estruturas políticas. Se o último imperador romano acabou eliminado em 476, de há muito o poder já pertencia a poderosos apoiados por seus fiéis: generais de exércitos "romanos" abandonados a si mesmos, chefes celtas de populações desromanizadas ou grandes proprietários de terras protegidos por bandos de mercenários (os *buccelarii*), mas sobretudo reis germânicos, chefes de guerra de coalizões de tribos e de remanescentes populacionais que migram através da *pars occidentalis.* Seu poder era o de um chefe sustentado por uma elite de guerreiros que lhe deviam fidelidade absoluta, mas esperando dele sustento e fortuna, poder que se exercia não sobre um território, mas sobre um povo. A autoridade e o poder mágico do chefe germânico, manifestado exteriormente no rei franco por seus cabelos longos e por um nome próprio à sua família, seu *mund* (o rei era protetor, pacificador e justiceiro) deviam ser legitimados pelo sucesso no campo de batalha; ele estava à mercê do menor revés.

Entretanto, o Império não desapareceu sem deixar profundos vestígios. As aristocracias senatorial e provincial estiveram sempre presentes, mesmo quando seus membros emigravam para o campo: o fisco e o tributo levantados nas cidades não haviam desaparecido. Sobretudo os quadros administrativos — província, diocese, cidade — tornaram-se ativos graças à Igreja cristã; os bispos, aliás, frequentemente pertenciam a famílias senatoriais e eram, nos séculos V e VI, os verdadeiros responsáveis pelas cidades. Os reis germânicos perceberam logo as vantagens que podiam tirar de uma relação com eles. Mas os francos serão quase os únicos a tirar proveito dessa aliança, na medida em que seu rei Clóvis converteu-se ao catolicismo, enquanto a maior parte dos outros soberanos optou pelo arianismo. Clóvis, batizado em Reims, no Natal de 496 ou 498, entrou em Tours, em 508, ostentando a púrpura do triunfo e fez-se aclamar cônsul — o imperador do Oriente, Anastácio, parece ter-lhe concedido as insígnias do consulado — e Augusto. Ele reuniu em 511 o primeiro concílio das Gálias, em Orleans. Quando burgúndios, alamanos e turíngios são atraídos para a órbita dos francos, quando os ostrogodos são desbaratados pela efêmera reconquista bizantina e os visigodos pela conquista árabe, a monarquia franca torna-se o cadinho das novas estruturas políticas do Ocidente.

Mas essa emergência é uma história longa e movimentada... Excessivamente vasta, a dominação franca ajusta-se mal ao caráter simultaneamente pessoal e familiar da realeza germânica; o poder se exerce mais sobre os homens que sobre a terra e, sendo patrimonial, o território controlado pelos reis francos é dividido ou reunido ao sabor de sucessões mais ou menos pacíficas. Os reinos parciais — os *Teilreich* — alcançam no decorrer dos anos suficiente estabilidade para que o sentimento de pertencer à mesma comunidade se desenvolva, ao menos no seio das elites aristocráticas: Austrásia, Nêustria, Borgonha e mesmo Aquitânia, componentes do reino dos francos. Para exercer o poder de mando (*bannum*), os soberanos enfraquecidos pelas rivalidades familiares devem, daí em diante, obter a qualquer preço a cooperação e o apoio dessas elites. É que o velho problema dos recursos do Estado se agravara: o desaparecimento progressivo das estruturas administrativas reduziu os tributos e as tentativas de restauração de uma fiscalidade pública haviam malogrado. O monarca distribui as terras do fisco assim como seu próprio bem patrimonial a seus fiéis e aos grandes que o sustentam, mas quando o reino dos francos deixa de crescer, na segunda metade do século VI, o sistema chega ao fim com a ruína definitiva da família do soberano e o progresso das tendências centrífugas.

Estado

A monarquia franca vai ter, entretanto, uma segunda oportunidade. Os principais beneficiários da decadência merovíngia foram, na Austrásia, membros da linhagem dos Pepínidas. Pepino II, apoiado na região mais dinâmica (tanto pelo renascimento do comércio da Europa do norte como pelas possibilidades de expansão graças à cristianização das regiões germânicas do norte e do leste do Reno) e dispondo de imensos domínios de seus ancestrais paternos (a linhagem de Santo Arnoldo) e maternos (a linhagem de Pepino de Herstal), assegura logo o poder na Austrásia e sua hegemonia na Nêustria após a batalha de Tertry (687). Esse é um poder de fato, baseado no poder territorial e nos acordos com as aristocracias locais: para conferir legitimidade fictícia ao sistema, é necessária a fachada dos reis merovíngios (os "reis indolentes") em nome dos quais se exerce o verdadeiro poder. A morte de Pepino II abala essa estrutura, porém seu sucessor, Carlos Martel, acentua o domínio da família. Ele confisca os bens dos seus adversários e sobretudo grandes quantidades de terras da Igreja para repartir com seus próprios fiéis, seus vassalos. Dispondo, assim, de um formidável exército, pôde intervir na Frísia e na Saxônia, e também na Aquitânia e na Provença. Sua vitória sobre os árabes em Poitiers e seu apoio a missões de cristianização restauram a imagem denegrida pela espoliação das igrejas. O brilhante êxito militar de Carlos Martel não pode, com efeito, dissimular a brutalidade e rapacidade do seu poder. Seus sucessores Pepino III (o Breve) e sobretudo Carlos Magno souberam transformar o poder de fato em verdadeiro poder de Estado, cuja legitimidade parece doravante incontestável: eles sucedem os últimos Merovíngios e concluem uma série de acordos com os papas. A coroação imperial de Carlos Magno, em 800, será a apoteose.

É indispensável mencionar esses acontecimentos para compreender o Estado carolíngio, que foi o primeiro Estado medieval. Não se pode dizer que a monarquia merovíngia tenha sido algo além de um esboço de Estado. No entanto, em profundidade, a situação merovíngia perdurou: o poder não tinha outro recurso senão o que ele possuía ou usurpava; o Estado carolíngio permanece um Estado predador. Mas desde então ele tem uma maior eficiência. O sistema de redistribuição em favor dos grandes funcionários por intermédio de verdadeiras instituições (a vassalidade, a recomendação, o juramento prestado ao imperador e sistemas de transferência da terra como o benefício ou o precário) que permitem estabilizar e regular a relação social é a própria essência do poder. O soberano e seus representantes na terra, condes, bispos e *missi dominici*, esforçam-se por controlar esse sistema multiplicando as visitas de inspeção, mantendo vivas e ativas as instituições públicas (os tribunais, o exército) e fazendo observar as disposições tomadas pelo monarca e seus conselheiros e consignadas nos capitulares. E a espantosa série de conquistas de que Carlos Magno é autor (Frísia, Saxônia, Francônia, Baviera, reino lombardo, Gótia, Marca da Espanha) irriga com sangue revivificante o velho organismo do reino dos francos.

No entanto, não é essa a contribuição essencial de Carlos Magno. É a construção ideológica de uma monarquia cristã: fazendo-se coroar imperador em Roma, Carlos garante a *renovatio imperii*, o renascimento do império de Constantino. Cercado de letrados anglo-saxões (Alcuíno), lombardos (Paulo Diácono) e aquitânios, o imperador desenvolve sistematicamente uma *imitatio imperii*. Mas ele não é nem um novo Constantino nem um novo Davi, o regente do povo eleito. Davi e Salomão foram desde o começo constantemente evocados pela propaganda carolíngia em detrimento dos bizantinos. Mas, como Davi, Carlos era a uma só vez *rex et sacerdos* (rei e sacerdote), embora isso não implicasse para o soberano caráter sacerdotal, apenas a função de pregador e fiador da ortodoxia: isso simplesmente quer dizer que, sob sua autoridade e proteção, os povos e a Igreja devem viver em paz. Carlos Magno e os intelectuais que o cercam conceberam assim uma monarquia profundamente cristã na qual a questão dos dois poderes (do rei e da Igreja) está resolvida antes de ter sido efetivamente colocada por um papado decadente.

Restauração do Império e ascensão das monarquias

O edifício carolíngio não tardaria a desmoronar. Desde meados do século IX, os ataques dos vikings, húngaros e sarracenos tinham posto fim à sua expansão triunfante: na defensiva, o Império entra em fase de contração. O velho problema da patrimonialidade do reino ressurge com as lutas ferozes que opõem os filhos de Luís, o Piedoso: não apenas o Império está dividido a ponto de o título imperial acabar por perder toda a significação,

Estado

como também os reis rivais multiplicam as ofertas para garantir a fidelidade dos poderosos. Eles estão de tal forma ofuscados pela competição imperial que preferem delegar seu poder de mando aos condes que agrupam numerosos condados sob sua autoridade para assumir os encargos da defesa contra os invasores. Assim, nasce no Império uma série de principados, enquanto os últimos Carolíngios desaparecem, uns após outros, despojados de suas terras e de seu prestígio. A pulverização do poder público acentua-se ainda mais no século X e prossegue no XI. O poder de mando de origem pública não desaparece, mas, despedaçado, reparte-se segundo uma hierarquia variável no seio das elites da aristocracia militar, dos príncipes aos condes, dos condes aos castelões e dos castelões aos mais poderosos senhores. Aí, esse poder encontra um outro, o do senhor rural sobre seus homens, seus dependentes. O Estado não mais se resume a uma relação social privilegiada entre o soberano e a aristocracia militar: ele está compreendido no conjunto de relações sociais que estruturam essa classe aristocrática; é exatamente isso que constitui a revolução feudal.

O Estado poderá, entretanto, restabelecer-se e reformar-se. Dois fatos de estrutura explicam isso em parte. Em primeiro lugar, a atividade econômica mantém-se, e rapidamente, após o ano 1000, conhece mesmo um extraordinário crescimento, que vai durar até o século XIII. As cidades do Ocidente, em decadência desde o século III, crescem e multiplicam-se; a produção dos campos enquadrados nos senhorios, graças aos arroteamentos, à diversificação e intensificação das culturas, nutre uma população em pleno crescimento. O grande comércio renasce, uma grande indústria têxtil (Flandres, Itália do norte) aparece; o contexto econômico é, portanto, favorável. Posteriormente, com o Império Carolíngio desmoronado, a Igreja manteve-se: mais uma vez, os invasores são convertidos. Sem dúvida, a instituição episcopal, quase integrada ao Estado carolíngio, sofre com sua ruína e a instalação do feudalismo, mas a fundação de mosteiros (como Cluny) dispensados pelo papado da tutela episcopal permite uma reforma profunda e uma regeneração do monasticismo. Essa Igreja reformada conserva intacta a memória histórica e a cultura jurídica e ideológica oriundas do passado romano e carolíngio, e está pronta a fornecer dirigentes de valor a um Estado renascente.

Dicionário analítico do Ocidente medieval

Mas esse renascimento estatal serviu-se de duas vias bem diferentes. Na periferia do Império Carolíngio, onde o processo de decomposição não estava completamente acabado, a dinastia nacional saxônica apoderou-se da coroa da Germânia; aureolado pela sua vitória sobre os húngaros (955), o rei da Germânia Oto I, esposo de Adelaide, herdeira do reino da Itália, restaura o título imperial. O Império Otônida, iniciador do *Ostsiedlung*, o "impulso germânico para o Leste", reencontra a dinâmica conquistadora necessária à sobrevivência de todo império predador. Por outro lado, a relação social que ainda constituía a estrutura de divisão dos poderes estava simultaneamente abalada e diversificada, tendo como intermediários as grandes linhagens patrilineares que se arrogam o direito de dominar os grupos nacionais que, no interior do Império, haviam obtido relativa autonomia. Isso não se resume apenas à aristocracia militar, porque as cidades, tanto na Itália quanto na Alemanha, desempenham um papel cada vez mais importante. Mas se no início esses elementos estão a favor do Império, voltam-se depois contra ele; as grandes famílias edificam principados territoriais que irão seguir evolução própria, enquanto o movimento comunal na Itália do norte deixou, inexoravelmente, a Itália fora do alcance dos imperadores. Sempre prestigioso, o poder imperial esvazia-se de conteúdo; sem fiscalidade antes do século XV, dispondo apenas de alguns recursos que lhe oferecem as cidades do Império que ele pôde obrigar, logo o poder do imperador depende unicamente do poder que possui enquanto príncipe territorial; o poder de Frederico II está embasado no seu reino da Sicília, assim como o de Luís da Baviera, dos Luxemburgo e dos Habsburgo dependerão de seus principados patrimoniais.

No plano ideológico, se os imperadores otônidas visam restaurar o edifício carolíngio, serão levados a modificar sensivelmente sua ideologia. O modelo cristão é doravante mais o de Cristo que de Davi: a teologia política dos dois corpos do rei que esse modelo estimula é fundamental para o renascimento da ideia de Estado no Ocidente, facilitando a distinção entre o corpo físico do rei e o corpo imortal do rei, personificação do Estado. Contudo, a relação do Cristo com o Estado Romano, de uma parte, e com Pedro, de outra, também está destinada a oferecer a matriz de uma relação estável entre o Império e a Igreja. O concurso desta era necessário aos

Estado

imperadores otônidas e aos seus sucessores sálios, e até meados do século XI eles ajudaram-na a se reformar e escapar do feudalismo. Mas a reforma da Igreja tem sua própria lógica: estando a salvação da Igreja na sua constituição como ordem autônoma inteiramente diferente da dos leigos, ela devia, por certo, enfrentar de início o feudalismo, mas em seguida também o Império. A segunda fase da reforma – que se chama de gregoriana – arrasta consigo um conflito de extrema violência, que se estenderá até o século XIII e terminará após a morte de Frederico II, em 1250, com a vitória do papado e a ruína das pretensões hegemônicas do Império. Em todos os planos, o fracasso do modelo imperial era inevitável.

Uma nova estrutura política, porém, emerge lentamente no próprio coração do desastre carolíngio. Dessa aristocracia militar que passou a exercer coletivamente o poder público distinguiam-se gradualmente dois poderes, a monarquia feudal e a Igreja. Mas essa mesma Igreja, após haver de início ajudado, voltava-se contra o poder imperial, agindo poderosamente a favor das monarquias feudais. A reforma, há pouco evocada, tivera como objetivo fundamental na sua primeira fase escapar ao arbítrio e à violência inerentes ao feudalismo. Mesmo os senhores e detentores de parcelas da autoridade pública (quantos bispos não eram também condes em suas cidades?) e os clérigos arriscavam-se a ser absorvidos na tormenta. Os imensos bens da Igreja eram presa tentadora para os feudais, que a espoliavam pura e simplesmente, ou que garantiam a membros de sua família a posse hereditária dos mais importantes benefícios e dos domínios que mais lhes interessavam. Para salvar a Igreja, a reforma visava, antes de tudo, separar completamente a ordem dos leigos da dos clérigos; fora do mundo dos leigos, a ordem eclesiástica estaria livre para cumprir sua missão, regenerar a sociedade cristã e conduzi-la pelo caminho da salvação. Nessa perspectiva, o celibato dos sacerdotes (até então longe de ser a norma) tornava-se empresa essencial; no tocante ao intercâmbio de mulheres, a ordem eclesiástica exercia estrito controle dos laços de parentesco e reforçava o valor sacramental do laço conjugal. Outro meio de ação sobre a aristocracia guerreira era a "paz de Deus", que visava disciplinar, se não impedir, a violência feudal, proibindo a guerra em certos períodos e excluindo de suas devastações as mulheres, as crianças e todos os que estavam sob pro-

Dicionário analítico do Ocidente medieval

teção da Igreja. Programa ambicioso, que se chocava com forte oposição no próprio seio da Igreja, cujos dirigentes eram quase sempre originários dessa mesma aristocracia guerreira que ele tratava de combater. Os reformadores eclesiásticos ficaram felizes em encontrar a aliança dos monarcas feudais: os reis, não tendo as pretensões universais dos imperadores, não se mostravam perigosos nesse plano.

Entre o Loire e o Mosa, onde se situava o epicentro da revolução feudal, apenas uma monarquia subsiste inicialmente, a dos Capetíngios. Eles não são, provavelmente, os mais poderosos príncipes feudais do reino, e de início sua legitimidade não é clara. Somente eles, entretanto, são reis, e sagrados: apoiando-se nessa força moral, vão fazer reconhecer sua posição excepcional no reino e tornar, pouco a pouco, a monarquia feudal uma instituição de envergadura diferente da dos principados feudais, por mais poderosos que eles momentaneamente fossem. Quando o movimento de paz lançado pela Igreja se enfraquece, eles o tomam sob sua responsabilidade; os bispos recrutam por sua conta milícias comunais que os reis utilizam com os vassalos submissos ao seu próprio *ban* [poder de mando] para defender o reino e manter a paz, aplicando os julgamentos da justiça real. O princípio monárquico, com a cumplicidade da Igreja, acrescenta seu prestígio e seu poder legitimador às regras próprias do feudalismo e amplia muito sua eficiência, ao menos a partir do momento em que foi respeitado. No coração da anarquia e da violência arbitrárias do feudalismo, a monarquia feudal coloca-se como a imagem e a garantia da legitimidade e da sacralidade do poder, da justiça e da paz: a insistência dos Capetíngios em sua posição de "reis cristianíssimos" assinala sua singularidade e sua eminência.

Ora, mesmo se a ação dos Capetíngios do século XII, Luís VI e Luís VII, é valorizada pelo talento e inteligência excepcionais do abade de Saint-Denis, Suger, a monarquia capetíngia logo teve de lutar pela defesa do reino contra uma estrutura política concorrente. Em 1066, de fato, o duque da Normandia conquistou a Inglaterra e, transformando completamente a sociedade e o sistema político anglo-saxão, lá introduziu o feudalismo e edificou uma monarquia feudal. Mas a periferia britânica era para essa nova monarquia apenas uma zona de dominação extensiva: a frente sobre a qual ela empenhou toda a sua energia era continental, sobretudo quando

452

o plantageneta Henrique II anexou à Normandia o principado angevino de sua família e a Aquitânia de sua esposa Eleonora. Duas monarquias feudais concorrentes defrontam-se, então, para o controle do mesmo espaço e essa relação dialética faz delas duas estruturas orientadas principalmente para a guerra, em conformidade com as mentalidades e o gênero de vida da aristocracia feudal de que elas aparecem como o prolongamento.

Em suma, durante os períodos precedentes, os diferentes *regna* não eram senão múltiplas facetas do todo inicial, o Império, disputadas entre os membros da mesma família, que concorriam entre si corrompendo suas respectivas clientelas: a guerra era uma estrutura endógena. As monarquias feudais, ao contrário, caracterizavam-se por uma relação dialética de concorrência em que a guerra era uma estrutura exógena; qualquer que fosse sua fraqueza aparente, os reis irão desde logo aparecer como chefes naturais de suas aristocracias guerreiras: assim se explica o sucesso em Saint-Denis do hasteamento da auriflama (estandarte real) contra o Império, no século XII. Essa relação reproduziu-se, com os mesmos efeitos, no caso das monarquias da Península Ibérica (Leão, depois Navarra e Castela, Aragão, depois Portugal): a preponderância da estrutura feudal aí era menor e as comunidades rurais e urbanas desempenharam um papel mais importante; mas também concorreram entre si na sua própria zona para apropriar-se, controlar e valorizar as terras tomadas aos muçulmanos na *Reconquista*, vasta empresa guerreira. A monarquia feudal apresenta, assim, duas faces contrastantes: uma de paz, de justiça e de religião; outra, de guerra. Mas elas são inseparáveis e o desenvolvimento de uma passa pelo da outra.

Nascimento do Estado

Ao final do século XIII, ocorre uma mudança decisiva que contém em germe a evolução futura e a transformação da monarquia feudal no que se pode denominar Estado moderno, pois essa forma de Estado é o ancestral direto, sem descontinuidade, do moderno Estado europeu atual. Tempo marcado pela personalidade singular de São Luís, a concorrência entre as duas grandes monarquias ocidentais assume uma violência e uma amplitude novas com Eduardo I e Filipe, o Belo: Eduardo, conquistando o País

Dicionário analítico do Ocidente medieval

de Gales e em seguida a Escócia, pretende governar sua Aquitânia como soberano, no momento em que Filipe não quer abandonar nenhuma de suas prerrogativas soberanas na Gasconha ou em Flandres. A partir de 1291, os dois reis irão gastar na batalha grandes somas não somente para equipar e pagar exércitos em que os profissionais desempenham um papel cada vez mais determinante, como também para financiar alianças diplomáticas através de toda a Europa. Estimou-se que, em 1294, Eduardo I cobrou de impostos uma quarta parte da massa monetária em circulação na Inglaterra...

Níveis semelhantes de fiscalidade tinham sido alcançados anteriormente, em especial no auge da rivalidade entre Filipe Augusto e os Plantagenetas, porém agora o esforço devia durar. Dos incessantes conflitos franco-ingleses, anglo-escoceses, franco-flamengos do início do século XIV, passa-se sem solução de continuidade à Guerra dos Cem Anos. Tanto a frequência quanto o elevado nível da carga fiscal levam os soberanos a inovar e a passar de uma fiscalidade feudal a uma fiscalidade de Estado que, a despeito das repetidas experiências no decorrer do século precedente, é ao menos em parte novidade. Da fiscalidade feudal, a monarquia guarda o conceito de *auxilium*, de "ajuda ao suserano", e é importante constatar que o "Estado moderno" nasceu onde se desenvolveu o feudalismo (e onde foi importado pelos normandos ou pelos cruzados). Mas a fiscalidade do Estado rompe com o caráter amplamente arbitrário da cobrança feudal, feita de uma mistura de costumes e de "doações" ou de empréstimos que são apenas uma espoliação aceita devido à relação de forças. Para manter essa cobrança por mais tempo, é necessário demonstrar sua legitimidade e, pelo consentimento negociado com os representantes dos que irão pagar, tornar a recusa fiscal difícil, se não impossível. Para isso, existe o aparelho jurídico e ideológico necessário: ele se desenvolvera havia já um século, e para o próprio uso (especialmente para a Cruzada) da Igreja, que integrara no direito canônico princípios jurídicos do direito romano (particularmente o princípio *quod omnes tangit ab omnibus tractari et approbari debet*)[1] e os indispensáveis mecanismos de representação e delegação de poder. Com a ajuda dos clérigos que estão a seu serviço, os reis buscam demonstrar que a guerra

---

1 "O que atinge a todos deve ser aprovado por todos." [N.T.]

Estado

cria uma situação de necessidade: eles são forçados a mobilizar homens e dinheiro para defender seu reino, e, defendendo o reino, defendem os bens de todos os súditos, sendo, pois, natural que estes contribuam com seus próprios bens para a defesa comum.

Mas, ao taxar o conjunto de seus súditos porque são seus súditos, e não somente seus vassalos (com a obrigação de eventualmente taxar seus próprios homens), os reis não executam uma simples mudança de escala, mas uma verdadeira subversão do sistema político, que vai bem além da multiplicação do número de contribuintes. Efetivamente, três mudanças fundamentais decorreram dessa medida: em primeiro lugar, ela ignora as diferenças de estatuto entre os homens e os poderes intermediários; livres e não livres, clérigos e leigos, nobres e não nobres, todos têm vocação para, um dia ou outro, ser contribuintes. Por outro lado, o conflito logo envolve os reis do Ocidente e o papado: a humilhação de Bonifácio VIII em Anagni, depois o exílio do papado em Avignon, mostram bem a vitória do Estado. Quanto à isenção fiscal que Carlos VII acabou por conceder à nobreza (com, no final, a mudança da monarquia francesa em monarquia absoluta), esta é mais exceção do que regra; a vassalidade, como a servidão, estão por isso mesmo destinadas a se enfraquecer enquanto relações sociais determinantes. Em seguida, já que o Estado se reserva o direito de, em caso de necessidade, apelar aos bens de seus súditos, é preciso que esses bens existam e sejam protegidos: contra a arbitrariedade da violência feudal e a flutuação dos variados tipos de terra que favorecem o feudalismo, o Estado, por intermédio de seus juízes, vai permitir e proteger o desenvolvimento da propriedade individual. Enfim, para negociar o assentimento do súdito, o Estado estabelece com ele um diálogo que se opera, ao menos em parte, por intermédio de assembleias representativas, como o Parlamento inglês, os Estados franceses ou as Cortes ibéricas, e criou uma comunicação "política", posto que em toda parte os contribuintes irão subordinar seu acordo a concessões e contrapartidas da parte do Estado. No Estado moderno, a taxação é bem mais fácil (e rentável) porque fundamentada no consenso. Assim, o súdito passível de cobrança é, antes de tudo, um súdito ativo na política, prefiguração do que será, séculos mais tarde, o cidadão moderno. No fundo, o Estado moderno cria um princípio de participação política que é novo porque não está mais fundado

Dicionário analítico do Ocidente medieval

no fato de o indivíduo pertencer à *pólis*; ele está adaptado a um espaço extensível, não diferenciado, justamente o que o Império Romano não havia conseguido. É sintomático, desse ponto de vista, que a redescoberta da palavra "política" e de sua plena significação pelo viés da *Política* de Aristóteles coincida exatamente com o nascimento do Estado moderno.

As resistências sociais no próprio seio dos "Estados modernos" são fortes: resistências da aristocracia nobiliária e das burguesias que veem suas prerrogativas ameaçadas; resistências dos campesinatos oprimidos pela nova taxação que se junta à imposta pelos senhores. De maneira geral, contudo, disputando os benefícios da distribuição do dinheiro cobrado, as elites da sociedade política reconhecem a legitimidade da construção estatal. O Estado transforma profundamente a sociedade por sua própria existência. É preciso povoar as administrações e as cortes; oficiais de justiça e burocratas de toda espécie são cada vez mais numerosos, pelo menos proporcionalmente a uma população em profundo declínio até meados do século XV. Os "salários do rei" distribuídos aos soldados, os ofícios e os cargos públicos que conferem vantagens e autoridade, a benevolência e compreensão dos tribunais reais: tantos privilégios levam a uma busca encarniçada, que obriga à concordância mesmo aqueles que teriam podido contestar a ação do Estado. Os partidos nobiliários lutam menos contra as cobranças do Estado do que para controlar sua redistribuição em época de crise econômica e social e na qual a renda senhorial estagnou ou diminuiu.

É necessário, no entanto, resguardar-se de toda teleologia e anacronismo. As construções estatais medievais são várias e o "Estado moderno" é apenas uma dentre elas: a Inglaterra e a Escócia, os reinos ibéricos, a França e os principados que a cercam ou dependem dela (Brabante e, de modo geral, os Estados borgonheses, Bretanha, Savoia), alguns principados do Império. Existem outras construções: o Império, as monarquias "extensivas" da Europa do leste efetivamente dominadas pela nobreza, as grandes cidades italianas ou imperiais, que ainda mantêm rotas comerciais, o banco e estão em melhores condições para mobilizar capital que as monarquias ocidentais. Por outro lado, na medida em que a guerra é ao mesmo tempo causa e a melhor justificativa do desenvolvimento do Estado, o Estado moderno, Estado de guerra, deve suportar as devastações e as vicissitudes

Estado

de uma guerra que ele infatigavelmente alimentou. Uma era de feroz e generalizada concorrência abre-se, assim, para a Europa, selecionando impiedosamente os Estados mais competitivos: a própria complexidade do mapa político da Europa no final do século XV mostra que o processo, na sua fase medieval, está ainda apenas no seu começo.

JEAN-PHILIPPE GENET
Tradução de Daniel Valle Ribeiro

Ver também

Assembleias – Direito (s) – Guerra e cruzada – Império – Justiça e paz – Moeda – Rei – Senhorio

Orientação bibliográfica

AUTRAND, Françoise (ed.). *Prosopographie et genèse de l'État moderne* (table ronde 1984). Paris: ENSJF, 1986.

_____. *Naissance d'un grand corps de l'État*: les gens du Parlement de Paris (1345-1454). Paris: Publications de la Sorbonne, 1981.

BULST, Nithard; DESCIMON, Robert; GUERREAU, Alain (eds.). *L'État ou le roi*: les fondations de la modernité monarchique en France (XIVe-XVIIe siècle). Paris: Editions de la Maison des Sciences de l'Homme, 1996.

_____; GENET, Jean-Philippe. *La Ville, la bourgeoisie et la genèse de l'État moderne (XIIe- -XVIIIe siècle)*. Paris: Éditions du Centre National de la Recherche Scientifique, 1988.

CONTAMINE, Philippe. *Guerre, État et sociétés aux XIVe et XVe siècles*: études sur les armées des rois de France. Paris: Mouton, 1972.

_____. *L'État et les aristocraties (France, Angleterre, Écosse), XIIe-XVIIe siècle*. Paris: Presses de l'École Normale Supérieure, 1989.

COULET, Noël; GENET, Jean-Philippe. *L'État moderne*: le droit, l'espace et les formes de l'État. Atas do Colóquio acontecido em Baume Les Aix (11-12 de outubro de 1984). Paris: Éditions du CNRS, 1990.

CULTURE ET IDÉOLOGIE DANS LA GENÈSE DE L'ÉTAT MODERNE. Atas da Mesa-Redonda de Roma (15-17 de outubro de 1984). Roma: École Française de Rome, 1985.

Dicionário analítico do Ocidente medieval

FÉDOU, René. *L'État au Moyen Âge*. Paris: Presses Universitaires de France, 1971.

GENET, Jean-Philippe (ed.). *L'État moderne*: genèse, bilans et perspectives. Atas do Colóquio acontecido no CNRS em Paris (19-20 de setembro de 1989). Paris: Éditions du CNRS, 1990.

_____; LE MENÉ, Michel (eds.). *Genèse de l'État moderne*: prélèvements et redistribution. Atas do Colóquio de Fontevraud (1984). Paris: Éditions du CNRS, 1987.

_____; VINCENT, Bernard (eds.). *État et Église dans la genèse de l'État moderne*. Madri: Casa de Velázquez, 1986.

GOURON, André; RIGAUDIÈRE, Albert (eds.). *Renaissance du pouvoir législatif et genèse de l'état*. Montpellier: Socapress, 1988.

GUENÉE, Bernard. *O Ocidente nos séculos XIV e XV (Os Estados)* [1971]. Tradução brasileira. São Paulo: Pioneira, 1981.

LE GOFF, Jacques. Le Moyen Âge. In: BURGUIÈRE, André; REVEL, Jacques (eds.). *Histoire de la France*. Paris: Seuil, 1989. p.21-180. v.2.

LEWIS, Andrew W. *Le Sang royal*: la famille capétienne et l'État. France (X^ε-XIV^ε siècle) [1981]. Tradução francesa. Paris: Gallimard, 1986.

MÉDIÉVALES. *Moyen Âge et histoire politique*, Vincennes, n.10, 1986 (Número especial).

STRAYER, Joseph R. *As origens medievais do Estado moderno* [1972]. Tradução portuguesa. Lisboa: Gradiva, [s.d.].

Fé

A Idade Média é, com frequência, descrita como o tempo da fé. Os estereótipos mais difundidos evocam essa extrema força de convicção que construiu as catedrais, lançou os homens nos caminhos incertos da Terra Santa e acendeu as fogueiras da perseguição. Tal imagem procede essencialmente dos debates do século XIX, quando o refluxo das revoluções de 1848 quebrou, entre os historiadores, todo consenso sobre a interpretação da época medieval e opôs a nostalgia da união entre as monarquias e a Igreja a um progressismo inclinado a atacar o "fanatismo". Importava então aos dois campos enfatizar o papel central da fé medieval e, assim, construir a ideia de uma Idade Média totalmente estranha às mentalidades contemporâneas. Essa construção influenciou de forma durável a historiografia contemporânea e as percepções correntes. O homem medieval foi frequentemente visto como alguém totalmente modelado pela adesão imediata, irracional e sem limites aos dogmas e aos ritos cristãos. O próprio Lucien Febvre acreditou poder mostrar, em *O problema da descrença no século XVI* (1942), que o ateísmo era impossível para os homens do Renascimento e, *a fortiori*, para os medievais.

No entanto, o cristianismo medieval foi atravessado por dúvidas, por questionamentos, por secessões que manifestam que a fé medieval não era um bloco único e obrigatório. No próprio momento do apogeu da Igreja, no século XII, os mais diversos desvios e heresias multiplicaram-se de um lado ao outro da Europa. No século XIII, certos sermões, certos *exempla*,

Dicionário analítico do Ocidente medieval

nos dão a conhecer as reticências dos leigos em admitir o milagre eucarístico ou a imortalidade da alma. Traços raros, mas seguros, de descrença radical mostram claramente que a fé medieval não tinha nada de monolítica ou de unânime.

Quer dizer que a fé medieval não comporta nenhuma especificidade? Por certo que não: o cristianismo instaurou um novo regime de verdade e de relação com o sobrenatural, que o Ocidente assumiu de um modo particular, integrando a revelação em um sistema de pensamento (do século V ao XIII), até que a evolução própria da racionalidade escolástica dá nascimento, a partir do século XIV, à autonomização das crenças religiosas. Tal trajeto intelectual e espiritual não se separa dos contextos sociais nos quais se insere: a fé, tomada como atitude, como *corpus* de normas e como modelo, apresenta-se como fonte e reflexo das relações de ordem no mundo. A relação feudal exprime-se pelo compromisso jurado de fidelidade (designado precisamente pela palavra *fides*, a mesma que designa a fé religiosa). Na sua maturidade medieval, o sistema cristão de crença, fundado sobre a tensão entre a imanência e a transcendência do sagrado, centrada na Encarnação, estava apto a cristalizar um grande número de aspirações existenciais, morais e sociais. Tal maleabilidade do idioma cristão dá a impressão global de um vigor excepcional do sentimento religioso, mas a predominância do religioso como modo de expressão e de pensamento, em contextos e usos muito diversos, não permite concluir pela singularidade radical do fiel cristão da Idade Média.

A fé cristã: um novo regime de verdade

A noção de fé (*fides* em latim, *pistis* em grego) constitui uma criação original do cristianismo, pois, desde os Evangelhos e as Epístolas de Paulo, ela combina a ideia de uma aceitação intelectual ou afetiva da verdade da mensagem cristã com a de um ato voluntário, sustentado pela inspiração divina, de confiança naquele que transmite essa mensagem direta (Jesus) ou indiretamente (a comunidade dos fiéis, a Igreja). A solidariedade fundamental das duas operações está alicerçada em uma ontologia precisa: o cristão "segue Cristo" porque Jesus afirmou "Eu sou a Verdade". A Encar-

Fé

nação fez aparecer sobre a terra o Verdadeiro, o Bom, o Todo-Poderoso. O que mais importa é, sem dúvida, a fé como ato, o que determina a escolha da palavra *fides* (que no latim clássico designa uma relação de confiança e de patronagem sem conotação religiosa).

No Ocidente, Santo Agostinho assegurou um impulso poderoso a essa concepção da fé-confiança, anterior a toda "religião", a toda elaboração intelectual de conteúdos dogmáticos. A prova central da verdade cristã está fundada na confiança na autoridade que sucedeu à verdade encarnada; não pode ser mensurada, em seu princípio, nem com critérios racionais nem empíricos. Em seu pequeno tratado sobre *A utilidade de crer*, Agostinho apresenta uma impressionante imagem da necessidade de assentimento a uma autoridade provável: "Se não se deve crer no que não se sabe, como, eu pergunto, as crianças se submeterão a seus pais e lhes darão sua afeição se não creem que são seus pais? Pela razão não os pode conhecer, é pela autoridade do testemunho materno que se crê que um tal homem é o pai. E mesmo sobre a mãe, não é a ela que ordinariamente nos remetemos, mas às parteiras, às amas de leite e às domésticas, pois pode acontecer que seu filho tenha sido roubado e substituído por outro e que ela mesma, assim enganada, engane os outros. No entanto, nós cremos, e sem a menor hesitação, embora reconhecendo que não podemos saber. Se não, não se vê que o amor familiar, esse laço sagrado da humanidade, seria profanado por um orgulho criminoso? Quem, pois, mesmo que louco, vê como culpado um homem que tenha rendido seus deveres de filho àqueles que crê serem seus pais, por medo de que os possa amar em falso?" Desde o século IV, bem antes de Ockham e de Pascal, a crença cristã aparece como uma aposta necessária e salutar, na qual o risco é pequeno e o ganho, importante.

Esse primado do ato de confiança produz uma oposição duradoura entre a fé e o saber, apoiada nas formulações de São Paulo, incessantemente repetidas e glosadas ao longo da Idade Média: a verdade divina só se deixa conhecer "através de um espelho", através de "enigmas". A antítese entre fé e sabedoria do mundo anuncia-se fortemente numa célebre passagem da Primeira Epístola aos Coríntios: "Pois está escrito: Destruirei a sabedoria dos sábios e rejeitarei a inteligência dos inteligentes. Onde está o sábio? Onde está o homem culto? Onde está o argumentador desse século? Deus não tornou louca a sabedoria deste século? Com efeito, visto que o mundo por meio da sabedoria não reconheceu a Deus na sabedoria de Deus, aprouve a Deus pela loucura da pregação salvar aqueles que creem" (1 Coríntios 1,18-21). A ciência verdadeira, a "visão clara", só se obtém no término da existência do mundo, no céu dos eleitos; antes disso, nas condições da "viagem", só pode ter lugar a fé (2 Coríntios 5,7). Essas fórmulas de Paulo adquirem uma importância cada vez maior no Ocidente, à medida que gradualmente se desenvolve uma ciência cristã que culmina na escolástica dos séculos XIII e XIV. Contra as certezas intelectuais, Gregório Magno afirma que a razão não é suficiente para o cristão porque, ao contrário da fé, ela se adquire sem mérito. Alguns séculos mais tarde, São Bernardo atacará as pretensões racionais dos teólogos, especialmente de Abelardo e de Gilberto de la Porrée. Mais tarde ainda, os místicos do fim da Idade Média reiterarão o primado da fé sobre a ciência, seja ela profana ou teológica.

Em relação à eminência da fé concebida como ato de confiança meritório e como graça recebida, a Epístola de São Paulo aos romanos forneceu um outro tema de tensão no cristianismo medieval, o da "justificação", quer dizer, da salvação do cristão só pela fé: ao contrário do que comumente se afirma depois das palavras de Martinho Lutero, a Idade Média de modo algum ignorou a questão da salvação ou pela fé ou pelas obras. É certo que a Igreja constituída tendeu a privilegiar as obras e os sacramentos, alegando o texto da Epístola de Tiago (2,14), exatamente oposto ao de Paulo. É certo que depois da introdução, por Alcuíno e pelos reformadores carolíngios, das práticas anglo-irlandesas de confissão privada, a justificação articula-se intensa e duradouramente com o sacramento da penitência. No entanto, a autoridade de Paulo permanece disponível para apoiar múltiplas contestações.

Portanto, seria errôneo apresentar uma oposição rígida entre um mundo original do cristianismo, com seu eixo na fé, e uma Igreja medieval centrada sobre o saber, os ritos e as obras. A própria doutrina de Paulo parece ambivalente: o apóstolo não designa um modo de conhecimento "natural" do divino: "O que existe de invisível desde a criação do mundo, deixa-se ver pela inteligência por meio de suas obras, sua presença eterna e sua divindade" (Romanos 1,20)? Além disso, São Paulo admite uma tal diversidade de carismas e de funções na comunidade, que atribui a "fé", tomada em sentido estrito e forte, mais a uns do que a outros. Desde então, a relação entre a fé e as outras atitudes, inclusive o saber ou as obras, articula-se segundo o modelo da complementaridade institucional e não da exclusão mútua: "Cada um recebe o dom de manifestar o Espírito para a utilidade de todos. A um o Espírito dá a mensagem de sabedoria, a outro, a palavra de ciência segundo o mesmo Espírito; a outro o mesmo Espírito dá a fé; a outro ainda o único e mesmo Espírito concede o dom das curas; a outro, o poder de fazer milagres; a outro, a profecia; a outro, o discernimento dos espíritos; a outro, o dom de falar em línguas; a outro ainda, o dom de as interpretar" (I Coríntios 12,7-11). Ora, muito rapidamente, desde o início do século III, a organização da Igreja hierarquiza esses ministérios: os ofícios carismáticos de profeta, de doutor, de confessor são perdidos ou integrados ao "carisma da verdade" (*charisma veritatis certum*) atribuído aos ministérios propriamente sacerdotais. Tal institucionalização do carisma conhece um desenvolvimento particular no Ocidente, no qual as funções de bispo e de papa adquirem uma crescente amplitude, ligada a uma espiritualidade específica, mas também à ausência de um poder imperial forte e à solidez das estruturas territoriais romanas utilizadas pela rede episcopal. Assim, a Igreja ocidental constitui-se efetivamente em garantia da fé, em objeto substantivo da confiança no Cristo.

No entanto, o modelo carismático de uma adesão direta ao divino preserva sua virtualidade contestatária, e a história do cristianismo medieval pode, de certo modo, ser ligada à tensão entre dois esquemas de autoridade: um, dominante, o da complementaridade entre *regnum* (poder civil) e *sacerdotium* (poder sacerdotal); e outro, dominado, de uma tripartição que acrescenta àquelas duas instâncias a da profecia ou, mais tarde, o *studium* (poder intelectual). Mas, até o século XIII, a noção de fé participa plenamente na construção de um mundo eclesial conquistador.

A integração da fé em um sistema de pensamento e de ordem

A partir do século IV, construiu-se um verdadeiro saber cristão específico que se impôs como o conteúdo do ato de fé. Desde então, estabelece-se

Dicionário analítico do Ocidente medieval

gradualmente o esquema clássico da Igreja segundo o qual o fiel deve passar da *fides quae creditur* (os elementos da crença) à *fides qua creditur* (a fé em ato).

Esse saber novo procedia da necessidade de abstração e de desenvolvimento a partir das fontes da revelação. A mensagem crística, com efeito, contém bem poucos elementos em matéria de dogma e de rito, em geral neutralizando grande parte das injunções do Antigo Testamento. Oferece uma esperança, uma moral, alguns esboços de sacramentos (o batismo e a eucaristia) e de preces (o Pai-Nosso e as Bem-Aventuranças), mas nenhum sistema de organização do mundo e da história. Razão pela qual a prática da exegese se imporá para tentar suprir o que está ausente na letra: a explicação do texto torna-se o primeiro ato de integração da fé em um saber orgânico. De modo mais radical, foi preciso opor-se às diversas heresias e estabelecer um *corpus* de verdades cristãs. Esse intenso esforço ocorreu no século IV (século do saber trinitário construído essencialmente contra a heresia ariana, notadamente no momento do Concílio de Niceia, em 325) e nos séculos V e VI (tempo da cristologia, elaborada em contraposição aos erros do nestorianismo, marcado pelos concílios de Éfeso, em 431, de Calcedônia, em 451, e do II de Constantinopla, em 553). A forte figura do imperador Justiniano, firme regente desses trabalhos e construtor de um direito ao mesmo tempo romano e cristão, marca claramente as relações entre a fé cristã e a gestão do mundo.

Ainda aqui, o Ocidente produziu inflexões particulares. Até o século V, o que se pode anacronicamente chamar de teologia desenvolve-se essencialmente no Oriente cristão: os Pais da Capadócia e depois a Escola de Antioquia fornecem os elementos mais decisivos para a ciência trinitária e cristológica. Grandes pensadores, como Máximo, o Confessor, ou João Damasceno dão continuidade a essa reflexão até o século VII. Depois disso, no entanto, a teologia torna-se estagnada, enquanto no Ocidente o progresso, lento a princípio, retomado pelos debates sobre os sacramentos (séculos IX a XII), termina por levar ao extraordinário florescimento da Idade Média central. Tal fenômeno conduziu à extrema intelectualização da fé que singulariza o Ocidente cristão.

A figura de Boécio (480-525) talvez permita compreender as razões dessa divergência de destinos. Boécio, pela primeira vez no mundo cristão,

Fé

empreende a articulação sistemática do saber antigo e da doutrina cristã. Começou por um gigantesco esforço de tradução e de comentário das obras lógicas de Aristóteles e de Porfírio; compôs compilações de aritmética e de música e alicerçou as bases da organização geral do saber (as sete artes liberais). Essa obra de preservação desembocou no tratamento racional e lógico das questões dogmáticas, realizado em cinco opúsculos teológicos nos quais as noções de Trindade, de pessoa, de natureza divina, estavam articuladas com as categorias de Aristóteles. O prólogo de seu tratado *Contra Êutiques* mostra a vontade de compreender racionalmente o dogma: Boécio explica ali porque redige esse tratado. Ele participava do Sínodo de Roma (512), que recebeu a mensagem de um bispo da Cíntia expondo uma nova fórmula cristológica apoiada pelo imperador e destinada a encerrar os debates entre nestorianos e monofisitas: a pessoa do Cristo, saída *de* duas naturezas, residiria *em* duas naturezas. Boécio compreendia mal essa fórmula, enquanto o clero romano considerava-a evidente. A indignação com tal conformismo obscurantista levou-o a refletir sobre a questão retomando os conceitos pela raiz: o que é uma natureza? O que é uma pessoa? O episódio mostrava que já não era possível manter a distinção entre fé recebida e saber construído, pois o debate, mesmo sem apelar para a lógica profana, tinha atingido um alto grau de tecnicidade e se renovava com muita rapidez. Por outro lado, a atitude de Boécio diante do clero revelava que, desde então, abria-se uma brecha entre a instituição, ansiosa pelo compromisso e pela adaptação, e a exigência intelectual de compreensão, sustentada por um grupo de letrados conscientes de sua própria legitimidade. Nesse sentido, Boécio aparece como o primeiro desses "intelectuais" da Idade Média, os quais Jacques Le Goff mostrou que constituíam, a partir do século XII, um elemento original da Cristandade ocidental. Não é por acaso que a renovação teológica do século XII se fez, em grande medida, a partir dos comentários de Boécio (por Thierry de Chartres, Gilberto de la Porrée, Clarembault de Arras e muitos outros), a tal ponto que o padre Chenu designava o século XII como a *aetas boethiana*.

O contexto sociopolítico da obra de Boécio dá conta de seu *status* de precursor: Boécio era um leigo, nascido numa antiga família patrícia romana e exerceu altas funções administrativas para o rei ostrogodo Teodorico, que,

Dicionário analítico do Ocidente medieval

como a maioria dos reis "bárbaros" de então, era adepto do arianismo. A erudita defesa da fé católica dava a Boécio a oportunidade de afirmar a antiga legitimidade da cultura romana, associando-a à distante ortodoxia do imperador de Bizâncio, contra a tirania e a heresia de um poder local e contra a apatia de um clero pouco esclarecido. O fim de Boécio, selvagemente morto por ordem de Teodorico, depois de ter redigido na prisão sua famosa *Consolação da filosofia*, enaltece a dignidade do saber e termina por fazer dele uma figura emblemática do letrado ocidental que une firmemente fé e razão. Mesmo durante os séculos difíceis da Alta Idade Média, a ciência cristã continuou seu curso, à margem dos poderes, leigos ou eclesiásticos, comumente hostis ou indiferentes: os meios monásticos e depois, a partir do século XI, os grupos de cônegos regulares não conheceram a forte solidariedade entre bispos, higomenos e imperadores que caracteriza o Oriente (excetuado o momento da crise iconoclasta); é essa situação, sem dúvida, que favorece a emergência do terceiro poder, o do *studium*, que levará à criação das universidades e das faculdades de Teologia no século XIII, depois da fase de desenvolvimento das escolas catedrais e canônicas no século XII.

As etapas dessa conquista da fé pela razão e da razão pela fé são bem conhecidas, especialmente através das grandes figuras de Santo Anselmo, de Abelardo e de Santo Tomás. Mas é preciso tomar cuidado com o anacronismo que dá à palavra "razão" seu sentido contemporâneo: quando Santo Anselmo se propõe a fazer ascender a fé à intelecção, trata-se de um modo argumentativo, de um estilo de pensamento desenvolvido a partir da revelação e tendo-a em vista, e não de uma ciência autossuficiente. Certamente, é uma nova ciência que se constitui no século XII como "teologia", mas mantendo uma característica bem particular: os numerosos esquemas de saber do período escolástico jamais a incluem entre as ciências "humanas". Até meados do século XIII, os termos *Scriptura sacra* e *theologia* designam ao mesmo tempo tanto o texto bíblico quanto a teologia, como se uma suma ou um tratado fossem apenas a edição anotada da revelação. Incontáveis comentários sobre o Prólogo das *Sentenças* de Pedro Lombardo, incontáveis primeiras partes de sumas consagradas às provas da existência de Deus, reafirmam o caráter específico da ciência divina, que combina os modos de saber sem se submeter a eles.

Fé

No entanto, essa integração da fé não se fez sem choques nem sem crises, desde o feroz combate de São Bernardo contra Abelardo e Gilberto de la Porrée até as condenações do tomismo e do averroísmo latino pelo bispo de Paris, Estêvão Tempier, em 1277. A continuidade da ciência cristã e as precauções tomadas contra toda secularização da fé mascaram uma mutação radical: em torno de Abelardo e de Gilberto, o século XII edificou um novo regime da verdade; doravante, numa "episteme" escolástica que conjuga a teologia, o direito e a filosofia, a verdade se constrói ao fim de uma pesquisa contraditória. Os conteúdos da fé não são dados diretamente pela revelação, que aparece constantemente enviesada por sua transmissão humana. O ato fundador dessa nova orientação pode ser encontrada no *Sic et Non*, de Abelardo, cujo prólogo mostra que a doutrina cristã transmitida pelos Pais parece em geral obscura, contraditória, até mesmo herética, pelo distanciamento de uma tradição que sobrepõe linguagens diversas e às vezes obsoletas. O corpo do texto é composto de uma série de capítulos temáticos nos quais, sem nenhum comentário, Abelardo justapõe opiniões incompatíveis. O próprio texto evangélico não está ao abrigo dessa investigação: em seu prólogo, Abelardo mostra que Cristo enganou-se de autor ao citar um profeta. Seria negar a infalibilidade do Senhor? Não, o que está em causa é o testemunho dos evangelistas, como o mostra um pequeno comentário do Pai-Nosso feito pelo próprio Abelardo. Considerando as duas versões dadas por Mateus e por Lucas, ele busca determinar a boa lição usando verdadeiras técnicas filológicas, pondo a questão sobre a língua original desse ou daquele Evangelho, criticando o texto em uso na liturgia, que adiciona variantes. Seria enganoso limitar a amplitude da crítica às orientações radicais de Abelardo, pois esse mesmo espírito manifesta-se na *Concordância dos cânones discordantes* — título original do *Decreto* de Graciano, texto fundador do novo direito canônico, escrito quase na mesma época (por volta de 1140) — ou, ao longo de todo o período escolástico, nas questões disputadas que rapidamente se tornaram o mais importante exercício das faculdades de Teologia.

Tal mutação escolástica reduzia consideravelmente a especificidade do saber cristão, ao submeter as verdades da fé a um exame cujas técnicas são de uma epistemologia geral. Essa tendência foi acentuada pela segunda des-

Dicionário analítico do Ocidente medieval

coberta de Aristóteles, a partir do fim do século XII. É verdade que muitas vezes a acolhida foi reticente, mas a amplitude de visão do Filósofo, sua aparência de um monoteísmo pré-cristão e fecundos mal-entendidos fizeram dele o guia indispensável da pesquisa teológica até o século XVII. A utilidade das teses lógicas, morais, metafísicas de Aristóteles para a ciência divina prova-se pelo próprio movimento da teologia.

Esse intenso desenvolvimento da ciência divina, da *fides quae creditur*, ocorria em detrimento do ato de fé, da *fides qua creditur*? Seguramente não. É preciso levar em conta o contrapeso oposto à doutrina aristotélico-tomista pelos "neoagostinianos", numerosos na Ordem Franciscana, que insistiam na necessidade de iluminação para a aquisição das certezas da fé. A história do cristianismo ocidental foi marcada por uma sucessão de retornos a Agostinho. Por outro lado, se considerarmos o conjunto da comunidade cristã e não somente os círculos de teólogos, o antigo tema da fé como confiança na autoridade transmitida por Cristo à Igreja guarda sua força e mesmo a intensifica, graças à convergência entre essa fé religiosa e a fidelidade jurada que fundamenta o laço social nos tempos feudais. A Igreja, inquieta com transbordamentos evangélicos e desvios heréticos, colocava-se como severa guardiã da fé, como selo de autenticidade doutrinal. A expansão da doutrina expunha-se ao risco da contestação.

A pastoral eclesiástica parecia, portanto, na Idade Média central, sobretudo defensiva, ocupada com a censura das "superstições" e inovações; restringia o acesso dos simples ao texto bíblico e limitava os *credenda* (os conteúdos da fé) a um número limitado de enunciados; do mesmo modo, ela se contentava com uma prática ritual reduzida, em essência, aos dois sacramentos propriamente crísticos, o batismo e a eucaristia, embora a insistência sobre a necessidade da confissão e da penitência tenha crescido no decurso do século XIII. Até o fim da Idade Média, as recomendações sinodais ou os manuais dos curas só exigem do fiel um conhecimento limitado do Credo, do Pai-Nosso e da Ave-Maria, às vezes ampliado pela memorização de séries como a dos sete sacramentos, dos sete pecados capitais, dos dez mandamentos etc. A história do Credo atesta bem essa reticência da Igreja em aumentar a bagagem doutrinal do fiel. Ao longo de toda a Idade Média, o que prevalece é o texto mais simples, mais curto,

Fé

o *Símbolo dos apóstolos*, redigido em fins do século II. O *Símbolo* de Niceia-
-Constantinopla, de maior precisão dogmática, que se difundiu na Espanha, na Irlanda e depois no Império Franco, só é prescrito para as missas
dos domingos e das festas. O terceiro Credo, o *Quicumque vult*, atribuído a
Santo Atanásio, é de fato reservado aos clérigos. E quando o IV Concílio
de Latrão (1215) produz um novo Credo, o *Firmiter*, a Igreja limita seu
uso ao ensino avançado.

Considerando a massa dos sermões dirigidos ao povo no século XIII,
encontra-se aí raras exposições dogmáticas e muitas diretrizes morais. A
palavra revelada distribuía-se, então, segundo modos hierárquicos bem diferenciados: os teólogos escolásticos referem-se frequentemente a um texto de
Gregório Magno que compara as Santas Escrituras a um rio no qual tanto o
cordeiro – imagem do simples – pode entrar sem perder o pé, quanto pode
nadar o elefante – imagem do erudito. Mas, a partir do fim do século XIII,
a metáfora começou a se inverter: os cordeiros lançavam-se na correnteza
enquanto os elefantes estavam muitas vezes reduzidos a chafurdar em águas
que se tinham tornado rasas.

A nova autonomia da fé (séculos XIII-XV)

A reflexão medieval privilegiou, no ato de fé, a instância mediadora a que
se endereça a confiança, a comunidade dos fiéis, a Igreja, herdeira de Cristo.
Ora, a partir do século XIII desenvolve-se a ideia de um retorno à dimensão
individual da relação de fé, centrada na cooperação entre a graça e o querer.
Os primeiros traços, ainda isolados, dessa tendência encontram-se em um
grande exegeta do fim do século XI, Roberto de Liège (a quem a erudição
alemã chama indevidamente de Ruperto de Deutz). Beneficiado por visões
sobrenaturais, Roberto reivindicava uma interpretação das Escrituras que
contradiz a tradição patrística, em nome de uma inspiração recebida pessoalmente: "O vastíssimo campo das Santas Escrituras é comum a todos
os que confessam o Cristo e não se pode legitimamente recusar a nenhum
homem que o cultive, desde que, resguardada a fé, ele diga ou escreva o que
sente. Quem de fato teria o direito de se indignar porque na mesma propriedade, depois de um ou dois poços perfurados pelos Pais, os filhos que

Dicionário analítico do Ocidente medieval

lhes sucederam querem acrescentar outros por seu próprio labor?" (*Comentário sobre o Apocalipse*). Tal reivindicação de relação pessoal com o Espírito encontra-se, um século mais tarde, em Joaquim de Fiore, cuja posteridade é conhecida, notadamente em uma corrente da Ordem Franciscana, depois no movimento do Livre-Espírito, amplamente aberto aos simples fiéis. Em suma, o terceiro lugar no esquema dos poderes, ocupado no mundo escolástico pelo *studium* e, praticamente, pela Universidade enriquecida pela contribuição das Ordens Mendicantes, via-se ameaçado pelo retorno do ofício de profeta. Ora, foi um universitário dominicano, futuro cardeal, Hugo de Saint-Cher, que teorizou essa função de profecia num pequeno tratado redigido na década de 1220: desviando-se das questões tradicionais sobre a profecia (acerca da validade das diversas profecias das Escrituras), ele dedicou-se a analisar as condições psicológicas e noéticas do dom da profecia, para ele ao mesmo tempo uma faculdade e um ato complexos. Hugo descrevia, portanto, a inspiração como uma cooperação da vontade e da graça, seguindo exatamente o modelo original da fé.

Mesmo antes das grandes mutações do século XIV, começou a haver lugar para uma individualização da fé. Fragmentava-se o mais sólido fundamento da legitimidade crística da Igreja, o sacramento. A teologia da intenção, já desenvolvida por Abelardo, havia perigosamente isolado os atos sacramentais, os únicos a guardar valor intrínseco (eles são o "ato de Deus", a *opus Dei*), e começava-se a debater os limites humanos da recepção dos sacramentos. Mas foram os teólogos dominicanos Ricardo Fishacre e Roberto Kilwardby, por volta de 1240-1250, que levantaram as hipóteses mais radicais, fazendo dos sacramentos objeto de um contrato entre Deus e os homens. Essa posição, vista com simpatia por Boaventura e firmemente rejeitada por Santo Tomás, conheceu grande sucesso a partir do século XIV. Ora, ela relativiza notavelmente o papel mediador da Igreja.

A forte influência do nominalismo, a partir do começo do século XIV, intensificou ainda mais essas tendências à individualização da fé. A epistemologia de Guilherme de Ockham privilegiava o singular como objeto de conhecimento e punha em causa toda universalidade das noções; o critério último de certeza torna-se a evidência íntima própria a cada sujeito. Com o nominalismo, que dominou intelectualmente o mundo escolástico do fim

Fé

da Idade Média, construía-se aquela associação de ceticismo intelectual e fideísmo espiritual que iria caracterizar a noção de fé na Idade Moderna.

Paralelamente a essa emergência do fideísmo individual, o racionalismo escolástico conhecia uma forte crise, em razão de sua própria grande vitalidade. O desenvolvimento contínuo do saber filosófico, particularmente nas faculdades de Artes, tornava cada vez mais difícil compatibilizar as verdades da fé e as verdades científicas. Chegava-se à famosa "dupla verdade" condenada pelo bispo Tempier, em 1277: "Eles [os filósofos averroístas ou tomistas] dizem que certas coisas são verdadeiras segundo a filosofia, embora não o sejam segundo a fé católica, como se houvesse duas verdades contrárias, como se a verdade das Santas Escrituras pudesse ser contradita pela verdade dos textos desses pagãos que Deus condenou" (prólogo do *Syllabus* de 1277). As condenações de Paris e de Oxford em 1277 marcam o endurecimento da Igreja em relação ao terceiro poder. O pensamento escolástico quase não conhecera até então obstáculos sérios à sua liberdade, mas agora se multiplicam as censuras: o congresso de Viena em 1312 impôs o tomismo como doutrina de referência; um pouco mais tarde, o nominalismo foi condenado. A questão da visão beatífica, em 1331, mostrou os embates desse novo dogmatismo em matéria de fé: em um sermão pronunciado em Avignon, o papa João XXII afirmou que os bem-aventurados não poderiam gozar da perfeita visão de Deus antes do Juízo Final. Essa inovação teológica suscitou uma onda de protestos em todo o Ocidente; seguiu-se um debate muito minucioso que mobilizou, de um lado como do outro, um gigantesco esforço de erudição doutrinal e exegética. O papa considerou que só a convicção íntima do fiel poderia esclarecê-lo, mas, antes de renunciar a seu novo dogma, declarou que a impossibilidade da visão beatífica mantém o necessário primado da fé transmitida pelo Cristo-homem até o fim dos tempos. Contra os visionários e os doutores, João XXII tentava em vão retornar à ideia de uma fé garantida pela Igreja de Pedro.

Ao longo do século XIV, o fideísmo progredia: discutiu-se muito sobre a impossibilidade de a lógica aristotélica dar conta do paralogismo da Trindade ("a essência divina é o Pai; a essência divina é o Filho; logo, o Pai é o Filho"). Aos poucos, veio à luz a ideia de uma inadequação entre a

Dicionário analítico do Ocidente medieval

lógica, o saber humano mais rigoroso e mais universal, e as verdades da fé. Como mostrou Michael Schank a respeito de Henrique de Langenstein, essa crise interna do racionalismo estava ligada a um contexto geral de desconfiança em relação à autoridade eclesiástica, fortemente prejudicada pelo Grande Cisma, e de desânimo quanto à possibilidade de propagação da fé: no caso de Langenstein, por volta de 1396, o adversário impossível de subjugar racionalmente era constituído pela comunidade judaica. Mas, em toda a Europa, o avanço das obediências e das nações, favorecido pelo cisma e pelos progressos das monarquias, enfraquecia as possibilidades de uma comunicação baseada na fé. A revolução hussita, movimento nacional tcheco, foi feita em nome da fé contra a instituição eclesiástica. Ensaio geral da Reforma, o hussitismo anunciava o recurso luterano apenas à fé, mas também prenunciava as Guerras de Religião, cujo resultado paradoxal foi estabelecer que a fé, doravante diferenciada da religião, dizia respeito tão somente à esfera privada.

Alain Boureau
Tradução de José Carlos Estêvão

Ver também

Bíblia – Deus – Heresia – Igreja e papado – Milagre – Pecado – Razão

Orientação bibliográfica

CARLSON JR., Charles P. *Justification in Earlier Medieval Theology.* Haia: Nijhoff, 1975.

HARENT, S. Foi. In: VACANT, Alfred; MANGENOT, Joseph-Eugène; AMANN, Emile (eds.). *Dictionnaire de théologie catholique.* Paris: Letouzey et Ané, 1920. cols.55-514. v.VI.

LERNER, Robert E. Ecstatic Dissent. *Speculum*, Chicago, n.67, p.33-57, 1992.

SCHANK, Michael H. *Unless You Believe, You Shall not Understand*: Logic, University and Society in Late Medieval Vienna. Princeton: Princeton University Press, 1988.

DE AQUINO, Tomás. *Suma teológica*, II^a, II^{æ}, questões I-XVI.

WIRTH, Jean. La naissance du concept de croyance, XIIe-XVIIe siècle. *Bibliothèque d'Humanisme et Renaissance*, t.45, n.1, p.7-58, 1983.

Feitiçaria[1]

A feitiçaria é característica de tipos de sociedade e de racionalidade distintos daqueles que prevalecem no mundo ocidental de hoje. Ao contrário das nossas formas dominantes (mas, na verdade, não exclusivas) de lógica – as do pensamento científico, por exemplo, da medicina ou da meteorologia, ou as de nossos códigos e práticas judiciais –, a feitiçaria oferece toda uma explicação dos acontecimentos (em particular do infortúnio) e dos meios de agir sobre eles que se configuram como inteiramente "simbólicos", isto é, relacionam-se à influência dos poderes sobrenaturais (por exemplo, os demônios ou Deus, pelo menos naquilo que concerne à feitiçaria na tradição europeia) e ao poder oculto que "feiticeiros" ou "feiticeiras" possuiriam e usariam contra seu próximo para provocar doença, impotência sexual ou morte, fazer cair neve e destruir colheitas, matar o gado e privar

---

1 A palavra francesa *sorcellerie* (registrada por volta de 1220, derivada de *sorcière*, surgida em torno de 1160, esta vinda, por sua vez, do latim do século VIII *sorcerius*, originário do latim popular *sortiarius*, "aquele que diz a sorte") pode ser indiferentemente traduzida em português ou por feitiçaria ou por bruxaria. Como a antropologia inglesa faz distinção entre o poder mágico pessoal, inconsciente e intransferível da bruxaria (*witchcraft*) e o poder adquirido e instrumentalizado da feitiçaria (*sorcery*), e como a Idade Média parece ter privilegiado a interpretação da magia como resultado de um pacto demoníaco – embora tal diferenciação seja muito problemática nas fontes medievais – preferimos adotar este último termo. [HFJ]

Dicionário analítico do Ocidente medieval

as vacas de seu leite. Essas crenças constituíam-se, de resto, somente na versão "negra" de uma concepção global do mundo: na sociedade cristã tradicional, dominada pela Igreja e por seu clero, pode-se observar que o culto dos santos e a crença no milagre, os exorcismos, a perspectiva da Presença real na hóstia, não se embasam em uma lógica diferente daquela da feitiçaria, elas participam do mesmo pensamento simbólico, do qual são a versão considerada legítima.

O suposto poder dos feiticeiros não tem, a nossos olhos de historiadores ou de etnólogos, realidade objetiva: lançar um malefício não seria, pensamos nós, a causa objetiva da morte de um indivíduo ou da precipitação de neve, não importando o que diga o discurso autóctone. Mas o imaginário, para o historiador ou o etnólogo, não deixa de ser uma realidade social que possui efeitos objetivos e materiais. A convicção do feiticeiro de possuir poder e, paralelamente, a convicção de suas supostas vítimas de serem efetivamente objeto de um sortilégio, delineiam os papéis sociais, os comportamentos. Além disso, a acusação de malefício proferida contra um vizinho, a violência física exercida contra ele e, em certos casos, o desencadeamento de uma repressão institucional contra supostos feiticeiros, são consequências materiais daquilo que na origem nada mais é do que uma realidade imaginária. Assim, a feitiçaria mostra-nos de maneira exemplar como o imaginário, o fantasma, a crença nessas entidades, podem ser forças históricas de primeira importância.

A feitiçaria é, antes de tudo, uma rede de representações e de palavras. Para compreender o que ela pôde ser no passado em sua banalidade antropológica, e o que por vezes ainda pode ser – nas margens socioculturais, distantes das formas oficiais racionalistas e científicas da cultura ocidental –, convém seguir a etnóloga Jeanne Favret-Saada em sua pesquisa no coração do bosque de Mogúncia. Ela nos permite acompanhar, quase do interior, o complexo funcionamento das relações sociais que sustentam, em uma microsociedade do presente, a acusação de feitiçaria, enquanto o documento do passado de que dispõe o historiador origina-se sempre da instituição repressiva, e instrui mais efetivamente sobre a opinião dos juízes do que a respeito das concepções íntimas dos acusados. É nesse espaço que separa o arquivo (quase sempre judiciário) das práticas e das crenças

474

da feitiçaria no cotidiano, que o historiador deve buscar compreendê-la. Por outro lado, a referência à etnologia chama atenção para dois traços característicos da situação medieval.

Na Europa, a feitiçaria conheceu anteriormente toda sua importância histórica apenas porque repousava sobre crenças partilhadas até pelo nível mais alto das instituições dominantes, a Igreja e o Estado. Na Idade Média e no início da época moderna, um processo poderia cumprir várias funções, inclusive políticas (pode-se mesmo encontrar então "processos de feitiçaria", no sentido que tomou essa expressão a propósito dos Estados totalitários de nossa época), mas a realidade oculta do Mal não causava dúvida a ninguém. As feiticeiras, como o Diabo, realmente "existiam"; o fundamental consistia em saber se o implicado era ou não seu cúmplice. A feitiçaria era um meio de interpretar o mundo, identificando primeiramente o princípio do Mal, quer dizer, o Diabo, causa de todas as disfunções da ordem natural e social. A atribuição do infortúnio ao Diabo e aos demônios, a seus cúmplices feiticeiros e feiticeiras, e também a Deus (na medida em que apenas Ele poderia ter dado sua "permissão" para que uma desgraça se abatesse sobre os homens), caracterizava a feitiçaria em uma visão agonística (mas não estritamente dualista) do cosmo e da história. Tal concepção das causas da feitiçaria levaria mesmo à representação de uma aliança voluntária entre o feiticeiro e Satã, um "pacto" ou "homenagem" ritual, emblema fantástico de uma contra-Igreja diabólica.

De um lado, a instituição (Igreja, Estado), de outro, as figuras do Diabo e da feiticeira: esse encontro cumpriu papel considerável na gênese da "caça às feiticeiras" que se desencadeou na Europa entre o século XV e a primeira metade do XVIII. A Idade Média *stricto sensu* aparece, com efeito, nessa evolução apenas como um período de gênese. Compreendê-la é essencial para toda análise da história da feitiçaria na sua longa duração.

Demonologia cristã e "fantasmas" diabólicos

Se o cristianismo pouco a pouco imprimiu sua marca própria à feitiçaria, esta, sob formas sem dúvida diferentes, não era desconhecida de culturas anteriores. Em Roma, enquanto a religião oficial concentrava-se cada vez mais no culto ao imperador divinizado, a prática de malefícios e encantamentos (*defixiones*) foi sendo progressivamente assimilada ao crime de lesa-majestade. Quando, no século IV, o cristianismo tornou-se religião oficial e depois única do Império, os malefícios, a magia, a adivinhação e a necromancia foram reprimidos na condição de manifestações ou sobrevivências intoleráveis da idolatria pagã. Para os Pais da Igreja e os primeiros concílios, a Bíblia fornecia, com base em casos como o da pitonisa de Endor (1 Samuel 28) e de Simão, o Mago (Atos dos Apóstolos 8,9-25), entre outros, os argumentos necessários para rechaçar essas práticas, as mais negras do paganismo. Mas, sobretudo, ela oferecia uma nova interpretação do infortúnio, em substituição à invocação da influência maligna dos "demônios" do paganismo greco-romano, avançando duas inovações de considerável importância. De uma parte, a ideia da falta original e, prolongando-a, as do pecado, da liberdade e da responsabilidade individual dos pecadores. Fazer o mal consistiria dali em diante para os homens, e particularmente para os feiticeiros, um ato voluntário que torna seu autor um cúmplice do Tentador. De outra parte, no centro do drama cristão do Bem e do Mal, impôs-se a figura de Satã, do Diabo, espécie de soberano das trevas e da ilusão, ainda que sempre submetido a Deus. Desde o início do século V, pode-se dizer que o cenário estava pronto, mesmo que ainda se estivesse distante da "caça às feiticeiras".

Os autores eclesiásticos (Cesário de Arles, Agostinho de Hipona, Martinho de Braga, Isidoro de Sevilha etc.) e os concílios da Alta Idade Média condenam os sortilégios (*sortilegia*), os malefícios (*maleficia*), os encantamentos aos demônios e ao Diabo (*incantationes*), os filtros e as ligaduras (*phylacteria et ligatura*), assim como todas as formas de divinação. A época carolíngia caracteriza-se por um esforço legislativo intenso e sistemático e uma colaboração sem precedentes entre as autoridades seculares e eclesiásticas: nos seus capitulares, o soberano cristão legisla contra os malefícios. O receio contra estes afeta toda a sociedade, como se vê particularmente bem até no auge do Império, por ocasião do famoso episódio do "divórcio" de Lotário II (857), que permite denunciar genericamente "as mulheres que fazem nascer um irremediável ódio entre um marido e sua esposa por meio de um malefício", e a crença em seres sobrenaturais e diabólicos, as

Feitiçaria

estriges, as lâmias e os *dusii* – demônios íncubos –, com os quais certas mulheres estão convencidas de terem feito amor. Mas, concluem os clérigos, esses seres não são mais do que fantasmas diabólicos, dos quais se pode ser liberado pelos exorcismos eclesiásticos.

Durante todo esse período, a feitiçaria foi, com efeito, colocada sob o signo dos "fantasmas" (*fantasmata*), ou ainda das "ilusões" (*illusiones*) diabólicas. Certamente o Diabo existe, e seus cúmplices, feiticeiros e feiticeiras, ao se submeterem a ele cometem pecados abomináveis, podem efetivamente prejudicar e matar. Mas o poder do Diabo consiste, sobretudo, em fazer crer em "vãs imaginações" que ele introduz no espírito dos homens, e ainda mais no das mulheres, especialmente em seus sonhos, quando dormem. Ou no despertar, ou graças aos exorcismos eclesiásticos, essas imagens que pareciam tão reais revelam-se meras ilusões. Em princípios do século X, o cânone *Episcopi*, promulgado pelo abade Reginon de Prüm (que o atribuiu falsamente ao sínodo de Ancira de 314, talvez para lhe conferir maior autoridade), constitui a "certidão de nascimento" dessa teoria do fantasma diabólico, retomada e ampliada um século mais tarde pelo bispo Burchardo de Worms (*Corrector sive Medicus*), e depois integrada ao direito da Igreja (o direito canônico), por volta de 1140, por Graciano (*Decretum*, II, C. XXVI, XII). Os padres devem expulsar das igrejas paroquiais as "pequenas mulheres" (*mulierculae*) que, vítimas de "ilusões e fantasmas dos demônios", pretendem deliberadamente cavalgar à noite com os demônios, seguindo Diana, "deusa dos pagãos", ou ainda, acrescenta Graciano, Herodíades (lembrada por sua responsabilidade na morte de São João Batista).

A crença no voo noturno, documentada no início do século XI pelos acasos da legislação sinodal, certamente tinha na cultura europeia raízes muito antigas e profundas, anteriores ao próprio cristianismo. Carlo Ginzburg pesquisou-as no âmbito das crenças xamanísticas, que, atestadas em épocas diversas no conjunto do continente euroasiático, regulavam as trocas entre o mundo dos vivos e o dos mortos. Ele vê nos relatos que emergem de maneira descontínua na documentação de épocas e regiões variadas, a "matriz" da crença no sabá das feiticeiras, tal como ela eclode no século XV, fruto de um "compromisso" entre essas antigas crenças populares e as representações eruditas elaboradas no período escolástico. O cânone

Episcopi é uma das mais antigas expressões dessas tradições, mas não são menos notáveis a posteridade e as reinterpretações desse texto: de fato, abandonando a ideia de um puro fantasma, muitos demonólogos e juízes, eclesiásticos e laicos, vão, a partir do fim da Idade Média, aderir eles próprios à ideia de uma realidade objetiva do voo noturno das feiticeiras, a fim de convencê-las de sua participação efetiva no ritual demoníaco do sabá.

O "maleficium"

Nos séculos XI e XII, nossas fontes de informação sobre a feitiçaria dispersaram-se. Mas as referências esparsas que o historiador pode colher nas crônicas, nos manuais de confessor (Tomás de Chobham), em coletâneas de *exempla*, mostram que a feitiçaria é um dado bem presente na vida essencialmente rural dos homens daquele tempo. Os malefícios sexuais, as sortes lançadas sobre o gado, os temporais provocados pelos "fazedores de tempestades" (os *tempestarii*, já evocados no século IX, mas com ceticismo, pelo arcebispo Agobardo de Lyon), são temidos e em certas ocasiões espontaneamente reprimidos pela multidão. Em sua autobiografia, o monge Guiberto de Nogent nos fez conhecer, por exemplo, a propósito de seus próprios pais, um caso preciso de "amarração da agulheta". Mas, no essencial, no século XII e ainda na primeira metade do século XIII, não é a feitiçaria e seus "fantasmas" que estão no centro das preocupações dos clérigos, mas o perigo, novamente ameaçador e bem real naquela época, da heresia. É necessário então vermos como esse grave problema progressivamente cedeu o primeiro posto à formação do que Brian P. Levack designou "conceito cumulativo da feitiçaria".

Gênese da "caça às feiticeiras"

Desde o início do século XIII, deve ser levada em conta a evolução dos procedimentos judiciais da Igreja em relação aos hereges. Em 1215, o IV Concílio de Latrão estimula os bispos a intensificar a perseguição aos hereges, notadamente aos cátaros. Mas, julgando ainda insuficientes os resultados dessa decisão, o papado não tarda a se reservar a perseguição

Feitiçaria

aos hereges e a instituir para tal fim um procedimento e logo depois até mesmo um tribunal específico, distinto das cortes judiciárias eclesiásticas e laicas comuns: a Inquisição. Um primeiro passo nesse sentido é dado, por volta de 1231, por Gregório IX. Em 1233, ele confia às Ordens Mendicantes recentemente criadas, e em especial aos dominicanos, o cuidado de perseguir os hereges em nome da Santa Sé. A centralização pontifícia e o agravamento dos desvios em matéria de fé caminham paralelamente. A consequência desse processo é uma rápida ampliação das competências dos inquisidores. Em 1258-1260, o papa Alexandre IV confia-lhes, além dos casos de heresia, os casos de "sortilégios e divinações com cheiro de heresia". Por volta de 1270, a *Suma do ofício da Inquisição*, elaborada no círculo do bispo Bento de Marselha, consagra todo um capítulo à "forma e maneira de interrogar os áugures e idólatras".

Comparado ao antigo procedimento acusatório, o processo inquisitorial que se impõe pouco a pouco, difundindo-se também nos tribunais laicos, aparenta ser de uma terrível eficácia. Cultivando o sigilo, garante a impunidade aos denunciantes, os quais no antigo procedimento eram, ao contrário, confrontados àqueles que haviam denunciado, correndo, portanto, o risco de serem eles próprios acusados caso fosse evidenciada sua má-fé. Por vezes, ambos deviam mesmo se defrontar em um ordálio ou "juízo de Deus". No novo procedimento, o juiz não espera mais um sinal divino que revele a verdade: ele a busca pela confissão do acusado, procurando extraí-la por meio de tortura. A reintrodução da tortura nas práticas ordinárias da justiça está diretamente relacionada à generalização da Inquisição. Sua primeira utilização regular é atestada pelos estatutos da cidade de Verona, em 1228. A Igreja adota-a oficialmente em 1252, em complemento ao procedimento inquisitório. Ela é a marca de uma total apropriação da justiça pelos homens, que, assim como em outras situações, começam a separar mais claramente a esfera humana (ou natural) da esfera divina. Sem a Inquisição e a tortura, o tema da feitiçaria não teria conhecido na Europa o desenvolvimento que teve a partir do fim da Idade Média. Pode-se mesmo dizer que, sem a Inquisição e a tortura, a "caça às feiticeiras" não teria realmente deslanchado. A prova *a contrario* é dada pela Inglaterra, onde a feitiçaria, como em outros lugares, foi perseguida, mas onde as ins-

Dicionário analítico do Ocidente medieval

tituições judiciais conheceram, com o júri, uma evolução diferente da do continente. Ora, da mesma forma que a Inglaterra pôde evitar a Inquisição e a tortura, ignorou os males da crença no sabá.

As primeiras alterações que observamos no século XIII não são separáveis da evolução da teologia, que nessa época, no âmbito das escolas e posteriormente da Universidade, conhece uma completa mutação de seus métodos e de seu quadro conceitual. Uma renovada reflexão sobre o Mal e o Diabo fornece ao teólogo e ao inquisidor, formados ambos na mesma escola, um quadro conceitual que lhes permite compreender e agir. Em torno de 1230, por exemplo, o teólogo e bispo de Paris Guilherme de Auvergne reflete longamente, em seu tratado *De Universo*, sobre os íncubos e súcubos e sobre a realidade das relações sexuais deles com os humanos. Pouco depois, São Tomás de Aquino aborda a questão do pacto "tácito" ou mesmo "expresso" que Satã poderia estabelecer com seus seguidores, no mesmo momento em que a literatura religiosa e a iconografia dos manuscritos e dos vitrais difundem a lenda, de origem oriental, do *Milagre de Teófilo*, segundo a qual esse monge teria concluído um pacto escrito em boa e devida forma com o Diabo, do qual foi finalmente libertado pela Virgem. Tais questionamentos originam-se de uma profunda rediscussão da concepção de mundo que prevalecera desde Santo Agostinho: uma concepção unificada do mundo como criação de Deus, com base na qual todos os fenômenos (quer os relativos ao curso da natureza, ou os que pareçam contradizê-lo no milagre) estavam imediatamente vinculados ao princípio único da potência divina, é substituída no pensamento erudito – sob a influência da redescoberta da filosofia natural de Aristóteles – pela ideia de uma separação mais nítida entre a "Natureza", à qual se reconhece um certo nível de autonomia, e o "sobrenatural", seja ele divino ou diabólico.

O Diabo tira particularmente proveito desse crescente afastamento: ainda que se continue a ouvir que ele sempre estará subordinado a Deus, e que não poderia de forma alguma – salvo no caso da heresia dualista – pretender o posto de segundo Criador, ele adquire uma maior liberdade de ação no papel de manipulador maléfico das operações da natureza, e mais ainda naquele de hábil falsário a iludir a imaginação dos homens. Mais que no passado, os teólogos, ladeados pelos médicos, debruçam-se com angús-

Feitiçaria

tia sobre os poderes que atribuem aos demônios (e, por delegação, a seus cúmplices humanos que lhes prestaram "homenagem"): poder de metamorfose e, sobretudo, poder de engendrar demônios súcubos e íncubos, os quais, segundo Santo Tomás, retomado pelos demonólogos, extraem o esperma dos homens para inseminar as mulheres sem conhecimento delas. Esse lado negro das relações com o sobrenatural é inseparável da evolução contemporânea de sua versão positiva, marcada pela definição mais precisa do milagre, por uma reflexão mais intensa acerca dos sacramentos, pelo desenvolvimento do culto eucarístico e pela afirmação do dogma da Presença real, solenemente proclamado pelo Concílio de Latrão de 1215. O elo entre as duas faces do "sobrenatural" é cada vez mais estreito, até que, saindo do círculo restrito dos teólogos, a hóstia é percebida como um "objeto mágico" que tanto realiza milagres quanto se presta a sortilégios. Paralelamente, a obrigação sempre reafirmada pelos pregadores de se crer na realidade da Presença do corpo de Cristo sob as espécies do pão e do vinho pôde não parecer muito distanciada da crença na realidade da metamorfose do Diabo em animal ou do voo noturno das feiticeiras.

Os primeiros anos do século XIV foram decisivos para a reaproximação e o encontro de vários fatores que, até então dissociados, viriam a fundir-se pouco a pouco no "estereótipo" (N. Cohn, C. Ginzburg) da feitiçaria moderna. O cerco aos hereges – fossem eles os últimos cátaros pirenaicos (o bispo de Pamiers e inquisidor Jacques Fournier, futuro papa Bento XII, atuou na região de Montaillou entre 1318 e 1325) ou os valdenses refugiados no Delfinado e nos Alpes, ou ainda as novas "seitas", como o Livre-Espírito nas regiões do Reno – não perdeu nem sua virulência, nem sobretudo seu poder de suscitar a angústia das autoridades eclesiásticas, em uma época em que todas as aparições do Mal são freneticamente interpretadas como sinais apocalípticos da aproximação do Anticristo. Diante dos perigos que parecem cada vez mais ameaçar a Cristandade e a Igreja, apura-se a arma da Inquisição: por volta de 1324, Bernardo Gui apresenta sua *Practica officii inquisitionis*, aumentada e aperfeiçoada cinquenta anos mais tarde pelo *Directorium inquisitionis*, do inquisidor catalão Nicolau Eimerico (Avignon, cerca de 1376). O procedimento, a maneira de conduzir os interrogatórios e, em particular, a "questão" – a tortura – foram objeto de uma crescente riqueza de detalhes. Dedica-se aos hereges especial atenção, mas a desconfiança estende-se, e de forma cada vez mais insistente, sobre os "videntes e adivinhos" e outros "demonólatras e invocadores do Diabo".

Nos artigos dos manuais dos inquisidores, os feiticeiros aproximam-se também dos "cristãos que aderem ao judaísmo, judeus convertidos e depois judaizantes". Pois a perseguição aos judeus, com seu cortejo de fantasmas, acrescenta-se desde meados do século XIII às primeiras obsessões assassinas da sociedade medieval. Os judeus são principalmente acusados de conivência com os leprosos, que por sua vez são massacrados em 1321 pelos *pastoureaux* sob o pretexto de que teriam envenenado os poços. Mesmo que todos os fios não se unissem explicitamente (por exemplo, entre as acusações dirigidas contra os judeus e aquelas cada vez mais numerosas que visam aos feiticeiros), é seguro que a exclusão social, a obsessão da poluição física, do sexo, do sangue, da animalidade, do poder do Diabo, conjugaram seus efeitos no curso do século XIV para reforçar o temor dos malefícios e completar o estereótipo da feitiçaria.

Mas esse conjunto de fatores só se cristalizou porque, simultaneamente, o crescimento de instituições políticas e administrativas com frequência rivais – eclesiásticas e seculares, reais e pontificais – permitiu estabelecer contrapoderes, ainda que imaginários, que asseguravam à repressão uma eficácia cada vez mais temível. O conflito entre Filipe, o Belo, e o papa Bonifácio VIII serviu de pano de fundo, a partir de 1300, para vários episódios espantosos. Contra os legistas do reino, que se esforçam por fundamentar a teoria de um Estado soberano independente de todo controle eclesiástico, o papa busca defender os antigos princípios do primado do espiritual e ameaça o rei com a excomunhão. Após a repentina morte de Bonifácio VIII, em 1303, o rei pretendeu mover-lhe um processo póstumo, sob a acusação de que havia se relacionado com vários demônios. Acusações de teor semelhante foram utilizadas na mesma época contra o bispo de Troyes, Guichardo, suspeito de ter pretendido atentar, por meio de malefícios, contra a vida da rainha Joana. Mas o principal episódio refere-se aos cavaleiros do Templo, brutalmente presos em todo o reino, em 1307, acusados de serem apóstatas, de profanarem a cruz, de idolatrarem uma Cabeça diabólica e de praticarem sodomia. Mais de sessenta deles foram levados à fogueira, dentre os quais o grão-mestre Jacques de Molay, e a ordem foi suprimida (1310-1314).

Por sua vez, o papa de Avignon João XXII não se comporta diferentemente: vivendo sob a obsessão do veneno e dos sortilégios, manda executar o bispo de Cahors, Hugo Geraldo, sob acusação de tentativa de envenenamento.

Um traço recorrente a muitos desses eventos diz respeito ao papel que neles desempenham o dinheiro, a riqueza, a moeda e a falsa moeda. Isso é evidente no caso dos templários, que exerciam o ofício de tesoureiros do rei e eram havia muito tempo suspeitos de malversação. O bispo de Troyes também confessa crimes de peculato e de ter tentado, com a ajuda do Diabo, fabricar falsa moeda. As questões financeiras e fiscais, as mutações monetárias, estão, portanto, no centro das preocupações da administração real e do exercício do poder monárquico. Banalizados como instrumentos de pagamento, o ouro e a prata guardam, entretanto, seu poder de fascinação, e parecem de alguma forma vincular-se ao sagrado. A atração contemporânea pela alquimia, ciência da transmutação de vis metais em ouro ou prata, explica-se tanto pelo desejo de penetrar nos mistérios de um saber oculto quanto pelo anseio da riqueza. E os detentores de uma magia "racional", como o franciscano de Oxford Roger Bacon, o grande erudito Miguel Escoto na corte siciliana do imperador Frederico II, e Arnaldo de Vilanova (de uma família de judeus convertidos da Catalunha), sofrem para se defender da acusação de ceder às seduções da "magia negra".

Um novo marco surge em torno de 1430, quando se impôs a ideia da atuação de uma "seita" de feiticeiros, ocorrendo então uma concentração sem precedentes, no espaço e no tempo, de toda uma série de tratados demonológicos e de processos por feitiçaria que não visam mais a indivíduos isolados, mas a grupos. A região mais atingida é, acima de qualquer outra, a da vertente ocidental do arco alpino, de Grenoble a Basileia. São muitas as razões que devem explicar o papel precursor dessas regiões, dentre elas certamente a primordial foi a realização do Concílio da Basileia, de 1431 a 1449: clama-se nele pela Reforma da Igreja, e, portanto, por uma maior disciplina na sociedade cristã; junto com as raízes do Cisma, deseja-se extirpar todos os males que, por instigação do Diabo e seus partidários (os hereges hus-

Dicionário analítico do Ocidente medieval

sitas, mas também os feiticeiros), parecem minar a Igreja há meio século ou mais. Além disso, em um concílio ecumênico há circulação e troca de ideias, os homens se reencontram: ali estavam o dominicano João Nider, autor do *Formicarius*, entre 1435 e 1437, no qual dedica uma grande atenção à feitiçaria, e também o secretário do antipapa Félix V, Martinho, o Franco, preboste do capítulo de Lausanne, que consagra às feiticeiras uma parte de seu *Champion des dames* (1442) negando que elas realmente voem pelos ares, montadas em bastões, até sua "sinagoga" (que não se chama ainda de sabá). Na mesma região são publicados, ao redor de 1430-1440, o anônimo *Errores gazariorum* e, por volta de 1436, o tratado do juiz-mago da região de Briançon, Cláudio Tholosan, *Ut magorum et maleficiorum errores*. Essa região conhece ainda, desde 1397, a primeira onda maciça de perseguição: a dos "valdenses", designação ali dada aos feiticeiros. Em Friburgo, na Suíça, observa-se bem a passagem das acusações por heresia (processos de 1429 e 1430) para as de feitiçaria (processos de 1438 e 1442). Na região de Vaud, os processos de feitiçaria começam por volta de 1420 e em seguida reproduzem-se em 1438, 1441, 1448, 1479-1482 e 1498. Do Alto-Delfinado, onde atuou Cláudio Tholosan, pelo menos 363 nomes de acusados chegaram até nós, perto de três quartos do período 1424-1446. Segundo as estimativas de Pierrette Paravy, 83% das pessoas julgadas culpadas foram condenadas à morte, quase sempre à fogueira, secundariamente à forca, às vezes ao afogamento. A antiga condenação do *maleficium* — o malefício por meio de pó, ou do contato de roupas ou do corpo, que provoca a impotência dos maridos e a esterilidade das mulheres — está sempre presente, mas cede um lugar crescente ao erro da apostasia, ao tema da homenagem prestada a Satã, da "sinagoga" e das orgias alimentares e sexuais. Ora, o juiz não está isolado em sua ação: as comunidades aldeãs conferem-lhe mão forte contra os que elas acusam de as envenenar e que nem sempre vivem, longe disso, às margens da sociedade.

Tudo se passa como se as premissas estabelecidas no primeiro terço do século XV, na esteira do Concílio da Basileia, estivessem consolidadas e mais amplamente difundidas a partir de meados do século. Novas regiões são tocadas tanto pelos processos de feitiçaria quanto pela publicação de novos tratados de demonologia: em 1458, o dominicano Nicolau Jacquier

484

Feitiçaria

publica o *Flagellum haereticorum fascinariorum*, no qual insiste sobre a novidade irredutível da "pior das heresias". Outros países são amplamente tocados pelo debate: a Espanha, com o teólogo franciscano de Salamanca Afonso de Spina (*Fortalicium fidei contra Iudeos, Sarracenos aliosque christianae fidei inimicos*, de 1464-1467); a Itália, com o cardeal João de Torquemada (em seu comentário do *Decreto* de 1445), além do inquisidor de Gênova, Rafael de Pornassio (*De arte magica*, cerca de 1450), que ainda se mantém fiel à tese da ilusão onírica, segundo o cânone *Episcopi*. Citemos também, por volta de 1460, o *Tractatus de secta vaudensium*, de João Tinctor de Tournai, reitor da Universidade de Colônia e, sobretudo, em 1490, o *Flagellum maleficarum*, do teólogo de Poitiers Petrus Mamor, que seria o primeiro autor a utilizar o termo "sabá".

Nesse ínterim, o próprio papa entrou oficialmente no debate: em 5 de dezembro de 1484, Inocêncio VIII, pela bula *Summis desiderantes*, confia a Jacobus Sprenger e a Henrique Institor, dois teólogos e inquisidores dominicanos de Colônia, o cuidado de extirpar o mal no vale do Reno. Considerando os obstáculos encontrados pelos dois juízes na região, impostos por jurisdições locais ciosas de suas prerrogativas, pareceu então urgente centralizar os procedimentos em mãos dos dois inquisidores pontificais. Segundo o papa, os crimes atribuídos aos feiticeiros e feiticeiras são de três tipos: acusa-os de se "entregarem eles próprios aos demônios íncubos e súcubos"; de cometerem um número considerável de *maleficia*; enfim, de renegarem a fé cristã.

Em 1486, os dois dominicanos publicam seu volumoso *Malleus maleficarum* (*O martelo das feiticeiras*), que compila todo o saber demonológico acumulado ao longo dos séculos, descreve as práticas e os malefícios das feiticeiras contemporâneas, e dedica-se a enumerar as medidas radicais para suprimir o mal. Como proclamam desde o início os dois autores, a Igreja confrontou-se com a "heresia das feiticeiras". A novidade do tratado reside de início em seu caráter de massificação e sistematização, que faz dele a verdadeira suma escolástica sobre a feitiçaria. A obra revela também sua misoginia, explícita já no título: mesmo se existem feiticeiros, os culpados seriam, antes de tudo, as mulheres; é *a* mulher que é visada, com exceção de uma única, a Virgem Maria, que os autores chamam de "Mulher imensa". A perseguição às feiticeiras aparece assim como o inverso do crescente culto à Virgem (notadamente a Virgem do Rosário). Não menos clara e decisiva é a refutação, ou melhor, a reinterpretação amplamente argumentada do cânone *Episcopi*: Sprenger e Institor admitem que o Diabo possa "fazer crer" no transporte de corpos, mas estimam que ele também tenha o poder de produzi-lo. Um último traço notável do *Malleus*, favorecido pela invenção contemporânea da tipografia, é sua imensa e rápida difusão: quinze edições entre 1486 e 1520, dezesseis entre 1574 e 1610, e três ainda entre 1660 e 1669. Desde 1497, todas essas edições, ou quase todas, aparecem sob o formato *in octavo,* o que levou Jules Michelet a dizer que *O martelo das feiticeiras* era o "livro de bolso" dos inquisidores. Estima-se em mais de trinta mil o número de seus exemplares postos em circulação, o que torna verossímil a hipótese da influência dessa obra no início da "caça às feiticeiras". Entretanto, a despeito dos vigorosos argumentos contidos em *O martelo das feiticeiras*, algumas vozes ainda se elevam para pôr em dúvida a realidade do sabá, em vez de descriminalizar totalmente as feiticeiras. É o caso, em 1489, de Ulrico Molitor, professor em Constança e autor de um *Tractatus de lamiis et pythonicis mulieribus.*

Se é verdade que a tese realista vai ganhar espaço, de forma alguma ela substituiu de uma vez, em fins do século XV, a tese tradicional, agostiniana, da ilusão demoníaca e onírica. Ela também nunca calou as dúvidas, como as do médico do duque de Clèves, Hans Weyer, que em seus dois tratados, *De praestigiis daemonum* (1563) e *De lamiis* (1582), abordou corajosamente a sistemática perseguição às feiticeiras. Para ele, de fato, os supostos malefícios poderiam explicar-se por causas naturais, e as feiticeiras seriam apenas mulheres tomadas pela melancolia. Preparava-se, assim, um retorno, mas sobre outras bases — médicas, e não mais teológicas — à tese do fantasma.

Não é menos surpreendente o vínculo entre a feitiçaria (e sua perseguição) e a evolução das estruturas políticas na aurora dos tempos modernos. Já se falou sobre a importância do renascimento do direito romano e de sua apropriação pela Igreja e pelos poderes laicos no procedimento da Inquisição e no emprego da tortura. Em princípios do século XV, a acusação pelo crime de "lesa-majestade", que no Império Romano era passível de pena de morte, trilha um novo caminho nos processos de feitiçaria e

Feitiçaria

de magia. Trata-se, inicialmente, de uma questão de "lesa-majestade divina", por exemplo, no processo que conduz ao patíbulo o marechal Gille de Rais, em 1440. À medida que progride o absolutismo dos soberanos em seus novos Estados, a "majestade real" confunde-se paulatinamente com a "majestade divina", e os crimes cometidos contra um são inseparáveis dos crimes cometidos contra o outro. As justiças laicas contentam-se cada vez menos com a função de "braço secular" da justiça da Igreja, e são elas que na época moderna desempenharão o papel principal, se não exclusivo, na caça às feiticeiras.

JEAN-CLAUDE SCHMITT
Tradução de Mário Jorge da Motta Bastos

Ver também

Diabo – Heresia – Justiça e paz – Masculino/feminino

Orientação bibliográfica

BLAUERT, Andreas. *Frühe Hexenverfolgungen*: Ketzer-, Zauberei- und Hexenprozesse des 15. *Jahrhunderts.* Hamburgo: Junius, 1989.

CARDINI, Franco. *Magia, stregoneria, superstizioni nell'Occidente medievale.* Florença: La Nuova Italia, 1979.

COHN, Norman. *Démonolâtrie et sorcellerie au Moyen Âge*: fantasmes et réalités [1975]. Tradução francesa. Paris: Payot, 1982.

FAVRET-SAADA, Jeanne. *Les mots, la mort, les sorts*: la sorcellerie dans le Bocage. Paris: Gallimard, 1977.

GINZBURG, Carlo. *História noturna*: decifrando o sabá [1989]. Tradução brasileira. São Paulo: Companhia das Letras, 1991.

_____. *Os andarilhos do Bem*: feitiçaria e cultos agrários nos séculos XVI e XVII [1966]. Tradução brasileira. São Paulo: Companhia das Letras, 1988.

HANSEN, Johannes. *Quellen und Untersuchungen zur Geschichte des Hexenswahns und der Hexenverfolgung im Mittelalter.* Bonn: Carl Georgi, 1901.

INSTITOR, Henricus; SPRENGER, Jacobus. *Le marteau des sorcières* [1487]. Apresentação e tradução por Armand Danet. Paris: Plon, 1973.

Dicionário analítico do Ocidente medieval

KIECKHEFER, Richard. *Magic in the Middle Ages.* Cambridge: Cambridge University Press, 1990.

_____. *Forbidden Rites*: a Necromancers Manual of the Fifteenth Century. Phoenix Mill: Sutton, 1997.

KRAMER, Heinrich; SPRENGER, James. *O martelo das feiticeiras* [1484]. Tradução brasileira. Rio de Janeiro: Rosa dos Tempos, 1991.

LEVACK, Brian P. *La grande chasse aux sorcières en Europe au début des temps modernes* [1987]. Tradução francesa. Seyssel, Champ Vallon, 1991.

MICHELET, Jules. *A feiticeira* [1862]. Tradução brasileira. Rio de Janeiro: Nova Fronteira, 1992.

OSTORERO, Martine. "Folâtrer avec les démons". Sabbat et chasse aux sorciers à Vevey (1449). *Cahiers Lausannois d'Histoire Médiévale*, Lausanne, n.15, 1995.

PARAVY, Pierrette. À propos de la genèse médiévale des chasses aux sorcières: le traité de Claude Tholosan, juge dauphinois (vers 1436). *Mélanges de l'École Française de Rome*, Roma, n.91, p.333-79, 1979.

_____. *De la Chrétienté romaine à la Réforme en Dauphiné*: evêques, fidèles et déviants (vers 1340-vers 1530). Roma: École Française de Rome, 1993. 2v.

RUSSELL, Jeffrey B. *Witchcraft in the Middle Ages.* Ithaca: Cornell University Press, 1972.

Feudalismo

Os termos *feudalidade, feudalismo, Idade Média* têm inúmeras conotações e mesmo entre os medievalistas seu emprego suscita graves discordâncias. Podemos utilizá-los como sinônimos, ou eles designam realidades distintas? Podemos separar, para cada um deles, um *sentido restrito* e um *sentido amplo*, que seria errado confundir? Pressentimos problemas detrás dessas divergências, mas quais?

A ideia difundida de que se trataria de etiquetas arbitrárias não remetendo a nenhuma realidade histórica definida, inquieta e incita a considerar seriamente a questão historiográfica. As grandes noções desse gênero, que desempenharam e ainda desempenham um papel decisivo para a ciência histórica, também foram e são noções do senso comum e, como tais, estão imbricadas nas estruturas e nas evoluções ideológicas. Escrever a história das obrigações sociais que pesaram e moldaram o sentido dessas noções é um preâmbulo indispensável. Em seguida, tentar-se-á esclarecer o potencial científico atual dos conceitos subjacentes e as ricas perspectivas que eles abrem à pesquisa, se levados em conta.

Historiografia crítica

Enunciemos desde logo o essencial: as representações contemporâneas da Europa feudo-medieval dependem fundamentalmente de fraturas que

Dicionário analítico do Ocidente medieval

se produziram na segunda parte do século XVIII. Nossa visão do sistema feudal não é produto de uma evolução mais ou menos acumulativa ou em ziguezague, mas de uma ruptura que resultou em um novo quadro de referência das relações sociais dentro do qual ocorreram somente variações e que usamos ainda hoje.

Naturalmente, essas fendas não surgiram do nada. Desde meados do século XVII, a lógica de transformação do sistema feudal ainda em vigor produzia efeitos cada vez mais desequilibradores; no plano das representações, pensadores como Spinoza, Locke, Montesquieu sugeriram formas de organização social pouco compatíveis com os princípios nodais da organização feudal. Esse grande movimento não afetou da mesma maneira nem no mesmo momento todas as zonas da Europa; em certos países, na Inglaterra em primeiro lugar, a evolução social desde o século XVII era apenas o enunciado de ideias já amplamente realizadas; em outras regiões, principalmente na Europa meridional, o eco dessas batalhas chegou de início bastante abafado e encontrou estruturas sociais pouco dispostas a compreender sua legitimidade. No entanto, os grandes textos de Adam Smith e de Gibbon, de Voltaire e de Rousseau, apareceram em um lapso de tempo espantosamente curto, seguidos em breve pelas revoluções do final do século XVIII e pela conflagração geral da Europa que se seguiu, e das quais o continente saiu abalado.

Em 1756, o *Ensaio sobre os costumes* colocava os princípios: a história medieval é uma ladainha de fatos insignificantes afogados no obscurantismo imposto pelo papado; graças à luta das cidades e dos burgueses, a luz se fez pouco a pouco, levando a Europa enfim ao seu presente estado de civilização. Em 1762, o *Contrato social* terminava com uma longa definição da "religião civil" e Rousseau acabava declarando: "Deve-se tolerar todas as religiões que toleram as outras, na medida em que os seus dogmas não tenham nada de contraditório com os deveres dos cidadãos. Mas aquele que ousar dizer 'Fora da Igreja não há salvação' deve ser expulso do Estado" (livro IV, cap.VIII). Voltaire, logo depois, dava a essas ideias um tom bem mais mordaz no *Dicionário filosófico* e nas *Questões sobre a Enciclopédia*. Edward Gibbon publicava em 1776-1788 sua *História do declínio e queda do Império Romano*, que pela primeira vez examinava o cristianismo antigo como uma história e não como uma "revelação" e pintava a Idade Média como uma interminável e tenebrosa decadência. Isto se traduziu em breve no artigo 10 da *Declaração dos direitos do homem* de agosto de 1789: "Ninguém deve ser molestado por causa de suas opiniões, inclusive religiosas, contanto que sua manifestação não perturbe a ordem pública estabelecida pela lei". Assim se instaurava, fato inédito na Europa, a equivalência fundamental religião = opinião, de onde saíram a Constituição civil do clero e em seguida a Concordata de 1801, sob cujo modelo ainda vive uma grande parte da Europa. Três pontos interligados são de um alcance incalculável para a evolução posterior da "história da Idade Média":

1. Esse processo conclui com o nascimento de uma estrutura denominada "religião", ao mesmo tempo elemento de representação de uma forma de prática social e conjunto específico de instituições e de atividades, cuja articulação ao todo social não tinha precedente; o uso desse termo para designar ou analisar realidades anteriores ao século XVIII resulta em contrassensos dramáticos. A *ecclesia* no sentido próprio (medieval) do termo desaparecia, e o mito de sua continuidade que os apologistas da fé perene procuram alimentar é uma barreira intransponível diante de qualquer tentativa de análise racional da sociedade medieval.

2. Essa mutação foi acompanhada e ao mesmo tempo traduzida por uma história radicalmente "revista", incompatível com a que vigorava até então. *Gesta Dei*, Providência e Graça deixaram o palco, que passa a ser ocupado pelo longo e heroico combate da burguesia contra a obscurantismo.

3. Essa mutação foi o resultado de um conflito profundo e violento polarizado em torno do tema "liberdade de consciência". Essa noção, fruto do Iluminismo, continua enraizada nas representações atuais, integrada no alicerce que parece fora de qualquer exame crítico. Situação que torna delicada a análise de sociedades como a medieval, onde uma tal noção era inconcebível e onde uma instituição ligada a um credo coativo formava a espinha dorsal da ordem social.

Em 1776, apareceram as *Réflexions sur la formation et la distribution des richesses*, de Turgot, *Le commerce et le gouvernement considérés relativement l'un à l'autre*,

Dicionário analítico do Ocidente medieval

de Condillac, e *An Inquiry into the Nature and Causes of the Wealth of Nations*, de Adam Smith. Conjunção importante, que traduzia o aparecimento de uma nova maneira de encarar as relações sociais do ângulo material, que se denomina liberalismo. Considera-se, em geral, que essa doutrina se exprimiu sobretudo através da expressão-chave "liberdade de comércio", que levou principalmente à supressão dos pedágios e das corporações. Tratava-se mais de criar um vasto mercado de mão de obra sem nenhum elo e sem nenhuma proteção, do que simplesmente deixar circular os cereais; de modo correlato, era necessário que as terras se tornassem transferíveis e livremente exploráveis, razão pela qual os domínios da Igreja foram tão rapidamente confiscados e vendidos a baixo preço. Adam Smith explica tudo isso claramente: o enriquecimento supõe, segundo ele, que a terra agrícola e os contratos de trabalho possam ser objeto de simples transações comerciais; todos os entraves eram considerados como obstáculos ao "curso natural das coisas", resíduos nocivos da demasiadamente longa "anarquia feudal". Nesse ponto, ele tem a mesma visão que Voltaire e Gibbon: a luta da burguesia contra a anarquia feudal era o principal motor da civilização.

O fracasso de várias tentativas de reforma feitas pela monarquia francesa na segunda metade do século XVIII é suficiente para mostrar que muitos elementos definidos como "entraves" pelos liberais ainda faziam parte das estruturas sociais: os domínios aristocráticos ainda não estavam bem convertidos em "propriedades", apesar do esforço agressivo dos juristas para distinguir e separar "direitos reais" e "direitos pessoais"; a reação feudal visava reativar formas de taxação que, embora tivessem alguns traços arcaicos, pareciam proveitosas. No verão de 1789, a abolição dos "direitos feudais" visou antes de tudo firmar o movimento de transformação dos senhores em proprietários.

Os juristas haviam ganho a batalha e, pode-se dizer, Adam Smith com eles. E nesse movimento nasceu a economia no sentido que lhe damos, isto é, um mecanismo social no qual o conjunto das operações de produção e de trocas é governado por uma forma específica de relações sociais que chamamos mercado. Esse advento corresponde a uma fratura profunda. As batalhas do liberalismo engajadas desde o século XVII não eram torneios contra moinhos de vento: tratava-se de derrubar um sistema social fun-

Feudalismo

dado sobre a dominação e a exploração das massas rurais presas ao solo por uma aristocracia fundiária hereditária, sistema que reservava ao comércio uma posição lateral e subordinada, proibindo por consequência qualquer mercado que não fosse setorial e fortemente controlado. Tentar descobrir nesse sistema uma "lógica econômica" no sentido que lhe damos é uma ilusão ridícula, na medida em que toda a estrutura social estava organizada precisamente para evitar deixar qualquer autonomia aos mecanismos "de mercado", e, *a fortiori*, uma influência sobre a evolução da estrutura social. Deve-se, assim, admitir que se tratava do que podemos chamar de uma lógica do *dominium*, forma específica de dominação bífida, que se exercia ao mesmo tempo sobre os homens e sobre as terras, lógica que não foi substituída sem combate pela lógica de mercado, que é a da Europa contemporânea que ainda conhecemos.

Tendo implodido o *dominium* não só na prática mas também nas representações, os liberais produziram uma segunda fratura conceitual que tornava muito difícil qualquer percepção racional da lógica social anterior. Não se deve subestimar o alcance desta fratura no que toca ao devir da história medieval:

1. A Europa do século XIX recebeu como herança numerosos termos de origem medieval que ela continuou empregando, mas dando a eles necessariamente um sentido diferente; falar de "burguês", "preço", "mercado" no século XIX, *a fortiori* no XX, é evocar realidades que não têm nada em comum com as que esses termos designavam nos séculos XII ou XIII.

2. Os historiadores têm ainda mais dificuldade em evitar o anacronismo na medida em que a sociedade contemporânea interpreta, em parte, a história medieval como a de seu surgimento progressivo, de sua laboriosa emergência por meio das lutas da burguesia.

3. A fratura do liberalismo resulta em uma sociedade na qual o mercado é a instituição dominante no sentido em que os "mecanismos do mercado" são tidos como a base da organização social e o fundamento da lógica da evolução. No sistema anterior, a produção e as trocas não constituíam a substância essencial da instituição dominante e o comércio desempenhava um papel apenas marginal; as cobranças

Dicionário analítico do Ocidente medieval

efetuadas pelos grupos dominantes, fundadas sobre estruturas exteriores ao "mercado", tinham, dessa forma, um aspecto radicalmente "extraeconômico". De maneira que a análise do sistema de produção e de trocas anterior ao século XVIII exige um quadro conceitual que não corresponde ao da noção corrente de economia (a menos que se deforme implacavelmente a realidade histórica).

A dupla fratura do século XIX implodiu a *ecclesia* e o *dominium*. A religião e a economia impuseram-se e tornaram quase impensável a Idade Média em termos diferentes dos de anarquia (e noções semelhantes) e/ou gestação lenta e conflituosa da Europa contemporânea: incoerência e/ou teleologia. Como os medievalistas dos séculos XIX e XX administraram essa dupla fratura?

O fenômeno mais marcante, e sem dúvida o mais carregado de consequências, foi o destino inverso das duas fraturas.

O desaparecimento da *ecclesia* e o nascimento da religião quase não deixaram traços. Por certo, perduraram conflitos vigorosos: católicos contra protestantes na área germânica, voltairianos contra ultramontanos na França; mas essas disputas firmavam precisamente a aceitação tácita e unânime dessa nova noção de religião. O sumo pontífice, ao assinar a Concordata, renunciara de fato à ideia de *ecclesia*, e os italianos aproveitaram a primeira ocasião para fazer desaparecer os "Estados do papa" que não tinham mais nenhuma razão de existir. A Cúria romana reconheceu nos anos 1840 a legitimidade do empréstimo a juros. No entanto, o dogma fundador da imutabilidade da Igreja, guardiã da Revelação, tornava inevitável uma reescrita sistemática da história da Igreja, considerada desde então como a história de uma religião. Na França, a burguesia voltairiana que havia ganho a partida e fartamente se aproveitado da dispersão dos bens do clero, deu sua bênção a isso. Na Alemanha, a questão nacional primava sobre todas as outras e a Igreja medieval era comumente identificada com uma potência estrangeira. Em todos os lugares acumularam-se os artifícios e os contrassensos sem que ninguém se importasse.

Ao inverso, a fratura do *dominium* suscitou debates e controvérsias e engendrou uma literatura exuberante. O século XIX europeu foi inteiramente atravessado por discussões sobre a propriedade, sua natureza e suas origens. F. Guizot, teorizando a Revolução, revelou o princípio anterior de uma dominação única sobre os homens e as terras, princípio que fora derrubado pela luta secular dos burgueses, que estabeleceu enfim a liberdade individual para todos e a plena propriedade. Essa visão foi contestada pela reação, fosse pela minimização da importância da Revolução (Tocqueville), fosse pela negação da realidade do *dominium* (Boutaric, Delisle). Mas o evolucionismo, mais ou menos tocado pela influência de Auguste Comte, tendia a vencer no final do século, assimilando o feudalismo a uma "fase" de todas as civilizações: a Terceira República reivindicava sua plena legitimidade de ordem burguesa.

Na Alemanha, a divisão política e a heterogeneidade social representavam grandes dificuldades, com a aristocracia fundiária continuando na posição dominante. Após as esperanças do *Vormärz* e sua queda, o triunfo da Prússia tornou indispensável um compromisso social, o que permitiu considerar os *Junkers* como plenos proprietários. Disto resulta a necessidade, bastante análoga à que se observara na França do século XVIII, de negar a unidade do *dominium* e de definir os "direitos feudais" como relações exclusivamente pessoais. Foi o medievalista Georg Waitz que se encarregou desse trabalho, traduzindo assim a orientação política da "escola prussiana". Em seu artigo "Lehnwesen", de 1861, ele definiu o dogma do elo feudal como relação puramente pessoal, utilizando sua reputação de erudito para encobrir uma lamentável falsificação. Essa ficção satisfazia ao mesmo tempo o formalismo jurídico da burguesia e o desejo dos *Junkers* de legitimar a propriedade de seus domínios.

Na segunda metade do século XIX, os debates sobre a propriedade giraram em torno do mito da primitiva propriedade coletiva, provocando associações surpreendentes. Esse mito obscuro possuía a vantagem de oferecer uma base à contestação do mito contrário, o da eternidade da propriedade individual; ele atraiu, consequentemente, alguns pensadores progressistas e uma plêiade de nostálgicos de uma ordem passada que viram nele um meio de solapar sem muito esforço as pretensões ingênuas e conquistadoras da ordem burguesa.

Façamos uma rápida observação sobre Karl Marx. Hegel, no seu grande esquema da história, identificava os senhores medievais como proprietá-

Dicionário analítico do Ocidente medieval

rios e Marx fez o mesmo, obstruindo dessa maneira o caminho para uma análise necessária. No entanto, a dialética hegeliana *Herr-Knecht* permitia voltar mais de perto ao assunto, e sobre esse ponto encontram-se reflexões úteis, em particular nos *Grundrisse*. Revelando as estruturas do "fetichismo da mercadoria", Marx chegou a uma crítica decisiva dos fundamentos ideológicos da economia política, mas ele não teve nem tempo nem energia para continuar a pesquisa em termos históricos, legando à posteridade somente o alicerce provisório e sem substância que constitui a noção indeterminada de "coação extraeconômica". Análises como as da "pretensa acumulação primitiva" ou da "gênese da renda fundiária" contêm elementos de reflexão decisivos e sempre preciosos, mas nada que forneça sequer um início de hipótese sobre a especificidade da lógica de funcionamento e de evolução da sociedade feudal. Em suma, Marx não construiu nada que poderia ser considerado uma "teoria" da relação de produção feudal.

O final do século XIX foi marcado por um grave recuo do racionalismo aplicado ao estudo das sociedades, recuo cujo divórcio entre a História e a Sociologia foi um dos aspectos mais desastrosos, e quando se considera a medievística do século XX nas suas linhas mais relevantes fica-se espantado com o pequeno número de inovações intelectuais. Na França, Marc Bloch inseriu-se com prudência na herança do evolucionismo, sublinhando sua desconfiança em relação ao formalismo jurídico e seu interesse pela variante comparatista, praticada mais metodicamente por Otto Hintze. No mesmo momento, os medievalistas próximos do nacional-socialismo, como Günther Franz ou Otto Brunner, criticavam asperamente o formalismo jurídico da concepção prussiana do feudalismo, preferindo ver neste último (de maneira igualmente ilusória) um sistema social equilibrado de tipo paternalista, no qual os senhores "protegiam" os camponeses. Mas o fenômeno de consequências mais desastrosas foi a tática dos ideólogos stalinistas que se contentaram com uma síntese malfeita entre o evolucionismo burguês corrente no século XIX e as rápidas observações de Lênin sobre a servidão na Rússia em fins do mesmo século, batizando despudoradamente esse conjunto de "teoria marxista". Uma forma um pouco escolástica da teoria das fases, empregada sobretudo para justificar esta ou aquela atitude geopolítica, foi considerada como reflexão. Em reação a

Feudalismo

isso, e também sem refletir, os historiadores ocidentais erigiram a teoria prussiana como verdade primeira.

A medievística ocidental do século XX, apesar de pungentes negações, foi marcada sobretudo por um sufocante positivismo. Utilizando as aquisições práticas do século XIX (catálogos, inventários, edições de textos, repertórios de todos os tipos), a maioria dos medievalistas empregou toda sua energia em trabalhos descritivos que permitiram de fato esclarecer um pouco vários aspectos da Europa medieval. Mas esses trabalhos, fundados sobre um empirismo de uma miopia catastrófica, estão cheios de contrassensos e erros de perspectiva, e a teimosa recusa em fazer qualquer reflexão mais geral resulta em uma visão da Idade Média completamente caleidoscópica, antípoda de qualquer visão racional ou explicativa. Não existe espírito de síntese pior que o do senso comum, forma de aproximação das realidades sociais que utiliza como ferramentas naturais e acima de qualquer suspeita as grandes categorias do espírito público contemporâneo: política, economia, direito, religião, arte, língua, cultura, família etc. Sintagmas como "lutas políticas", "desenvolvimento econômico", "preocupações religiosas", são ingenuamente considerados como dotados de um valor intrínseco, perpétuo, independente da sociedade considerada. Se pensamos que o historiador deve examinar minuciosamente cada grande forma de sociedade ou de civilização para tentar encontrar as articulações específicas, de maneira a explicitar seu modo de funcionamento original e poder expor assim sua dinâmica própria, não se pode omitir uma fase de crítica radical desse sistema de senso comum. Isto a fim de poder elaborar empiricamente, em cada caso, um repertório das mais importantes formas originais de relações sociais e de atividades, graças ao qual se possa esperar construir um jogo de hipóteses o mais próximo possível da sociedade considerada, permitindo dessa forma obter uma imagem adaptada e realista de seu funcionamento, em suma, uma imagem explicativa. É nisso que reside a importância atual da noção de feudalismo, noção provavelmente menos ruim para servir de enquadramento a tal empreendimento científico. "Se é necessário manter 'feudalismo', é que, de todas as palavras possíveis, ela é a que melhor indica que se trata de um *sistema*" (J. Le Goff).

Dicionário analítico do Ocidente medieval

Tendo aparecido no século XVIII no contexto de queda de uma ordem antiga, a noção de feudalismo (dizia-se então, em francês, *régime féodal*; em inglês, *feudalism* é atestado em 1794) traduzia a concepção de uma ordem global no exato momento em que uma dupla fratura conceitual rompia a possibilidade de uma aproximação direta da coerência dessa forma de organização social, considerada então como caduca. As variadas evoluções da Europa nos séculos XIX e XX fizeram ressurgir várias vezes contextos em que essa noção de ordem social global aparecia (ou aparece) como inoportuna. A tensão permanece exatamente aí: essa noção veicula e implica uma certa maneira de abordar a realidade histórica, que se pode assimilar ao racionalismo crítico no sentido de que consiste em acentuar a profunda historicidade das realidades sociais, a necessidade de construções conceituais livres das ilusões do senso comum e a vontade de excluir qualquer forma de crença ou de conveniência social dos critérios de julgamento.

Construção de um corpo de hipóteses

A pesquisa historiográfica resulta, assim, em duas conclusões muito desestabilizadoras:

1. A própria noção de Europa feudal nasceu em um contexto que fazia dela um objeto contrastante, colocado *a priori* como exterior a qualquer dinâmica; esse contexto evoluiu, mas sua estrutura permaneceu estável: o sistema de representação atual continua sendo um forte obstáculo a toda aproximação racional a esse objeto.

2. A revelação da dupla fratura conceitual leva inevitavelmente a considerar dois modos de enfoque muito comuns como erros irremediáveis:

    a) a definição de relações feudais como relações "puramente pessoais", ou qualquer forma de distinção entre "senhorio fundiário" e "senhorio banal" são contrassensos, já que é a fusão desses dois aspectos que constituía o núcleo daquela organização social;

    b) qualquer quadro da sociedade medieval que coloque a *ecclesia* em outra parte que não seja o centro do dispositivo resulta em uma visão truncada, desequilibrada e totalmente irrealista dessa socie-

Feudalismo

dade, a partir da qual todas as argumentações são meras ficções mais ou menos pitorescas.

A análise historiográfica mostra a necessidade de recuperar o pleno uso das noções ocultas pela dupla fratura do século XVIII, de examinar as estruturas às quais elas remetem, de corrigir os efeitos perversos dos destinos opostos dessas duas fraturas e de tentar mostrar como elas podem servir de base a um esquema de reconstrução da lógica geral da sociedade europeia durante a "longa Idade Média" definida por Jacques Le Goff. Simples hipótese de trabalho, sujeita à crítica.

Propomos chamar de *dominium* uma relação social original constituída pela simultaneidade e unidade de dominação sobre os homens e suas terras. Os dois elementos-chave dessa definição merecem reflexão e elucidação: "dominação" e "simultaneidade". *Dominação* não é um vocábulo límpido, cujo sentido seria evidente, como não o é também seu sinônimo parcial, "poder". Dominação implica uma relação desigual e assimétrica, uma relação de força exercida em sentido único, traduzindo-se em uma certa vantagem tirada pelo dominante do dominado. Nem todas as desigualdades são dominações, nem todas as subordinações são dominações. Dominação depende, em geral, de uma relação coletiva, e, no âmbito social, um fato crucial (contrário à intuição imediata, apesar do hábito que o faz considerar evidente) é a disparidade numérica, os dominantes sendo um ínfima minoria em relação à enorme maioria de dominados. Em termos de analogia material, pode-se falar de um polo dominante em uma sociedade, mas não existe um polo dominado. Essa imagem pode ajudar a compreender por que é inútil imaginar e procurar uma fronteira entre dominantes e dominados; podem-se observar aqui e acolá gradações visíveis, ou alguma barreira, mas a situação habitual é a do *continuum* e da imbricação. É necessário partir da ideia básica de que o *continuum,* ao invés de ser incompatível com uma relação de dominação (ou, em certos casos concretos ou em um certo quadro teórico, com a noção de classe), é seu correlato obrigatório.

Simultaneidade não significa confusão. Mesmo nas épocas consideradas mais "obscuras" da Europa medieval, existia uma divisão do trabalho e uma distinção das funções desenvolvidas. A terra agrícola era, em geral, objeto de

Dicionário analítico do Ocidente medieval

formas de apropriação mais ou menos definidas; os diversos aspectos do poder sobre os homens (manutenção da ordem e da justiça, cobrança de um subproduto, exações diversas e exercício da força armada, imposição de sistemas rituais e controle dos quadros ideológicos) originavam formas variadas de repartição dos papéis, assim como de cooperação (em certos casos, de concorrência ou até de enfrentamento). Mas o grupo dos que exerciam os poderes que acabamos de lembrar brevemente, era quase o mesmo grupo dos que detinham a terra sem trabalhá-la diretamente. E as intermináveis disputas dos medievalistas (sobretudo germânicos) que se perguntaram doutamente se os "altos dignitários francos" o eram porque "grandes proprietários", ou se os "grandes proprietários" o eram porque "altos dignitários", são um exemplo maravilhoso de uma discussão absurda que, além de não fazer avançar o conhecimento, produz um bloqueio particularmente nocivo, contribuindo para fixar uma alternativa que distorce e quebra a realidade histórica considerada. Deve-se, aliás, dizer o mesmo da maioria dos dicionários de língua medieval, que contra todo realismo se esforçam por separar em um sentido "real" e um sentido "pessoal" a significação de uma série de vocábulos que, pelo contrário, têm como especificidade não distinguir os dois sentidos e considerar o *dominium* na sua unidade: *potestas, senioratus, dominium, demaine, poesté, seignorie.* Esses termos não possuem um equivalente nas línguas europeias atuais, pois a relação social que eles designam desapareceu.

Na maior parte da Europa até o século XVII, a produção era essencialmente agrária e a riqueza provinha de uma expropriação direta dos agricultores. Ao contrário da sociedade antiga, a sociedade medieval europeia estava organizada para limitar a amplitude do artesanato, restringir a intensidade das trocas e proibir qualquer interferência entre o comércio e a organização social, confiando esse tipo de atividade a grupos estruturalmente marginalizados. Assim, as formas de organização da classe dominante só podiam ser diferentes, e estruturas muito complexas foram instauradas para assegurar, segundo outras modalidades, a coesão desse pequeno grupo em espaços muito vastos, assim como para assentar uma dominação estável e facilmente reprodutível sobre as populações agrícolas. Nessa perspectiva, o imperativo categórico era fixar os homens ao solo por meio de

Feudalismo

mecanismos eficazes sem ter necessidade de recorrer à violência física. A aristocracia, em todos os seus componentes, não poderia se reproduzir caso a população pudesse se deslocar em massa: tal deslocamento significaria a desertificação dos espaços cultivados (consequentemente, ausência de rendas) e perigo mortal para os pouco numerosos grupos dominantes.

A *ecclesia* foi a instituição dominante do sistema feudal europeu. Entendemos por instituição uma forma social de organização pensada como estável e perene, fundada sobre regras de funcionamento explícitas, distribuindo a seus membros ou aos indivíduos relacionados a ela papéis diferenciados, articulados uns aos outros. A *ecclesia* era uma instituição dominante na medida em que todos os habitantes da Europa medieval estavam obrigatoriamente relacionados com ela, que as regras ditadas por ela tinham um valor geral (pan-europeu) e coativo, e que, acessoriamente, nem de longe suas posses fundiárias e sua capacidade de acumulação material tinham equivalente.

Ecclesia, église, Kirche, church ou *igreja* designavam ao mesmo tempo o conjunto dos cristãos, a hierarquia do clero e um edifício. As línguas germânicas retiveram um vocábulo (derivado do grego *kuriakon*) que designava a "casa de Deus": interessante combinação entre topografia e dominação. A imbricação dos três sentidos é de qualquer forma uma indicação fundamental. Na sua composição e extensão, a *ecclesia* identicava-se à sociedade da Europa medieval na sua totalidade (exceto os grupos judeus) e pertencer à *ecclesia* não era uma opção. Ela dispunha de uma copiosa série de procedimentos dissuasivos contra qualquer contestação: as rejeições individuais conduziam à excomunhão; as rejeições coletivas, rapidamente colocadas na categoria de heresia, desencadeavam uma repressão brutal, em que o "braço secular" estava antecipadamente desculpado de todos os excessos imagináveis.

A característica globalizadora, obrigatória e hierárquica da *ecclesia* era única, e não há dúvida: enquanto instituição dominante, a *ecclesia* constituía a armadura do sistema de dominação medieval, e deve-se reconhecer no alto clero a fração superior da classe dominante feudal. A questão-chave, cuja solução é indispensável para uma compreensão mínima da coerência do sistema feudal, é a seguinte: qual era a relação entre a estrutura do *dominium*

Dicionário analítico do Ocidente medieval

e a instituição eclesiástica? A descrição que demos do *dominium* permitiu mostrar que a relação crucial dessa estrutura (e ao mesmo tempo seu ponto fraco) era a ligação dos homens com o solo, a dominação de conjunto pressupondo que os homens fossem propensos a ser ligados a uma terra por uma estrutura que, tanto quanto possível, mantivesse sua dominação com um mínimo de coerção. Como a *ecclesia* exercia esse papel determinante?

A parte principal da resposta repousa na síntese sólida entre um sistema de representação (dos homens e do mundo) e um sistema de ritos e de atribuição exclusiva dos papéis rituais. O princípio básico que foi elaborado no decorrer do século IV e que encontrou sua expressão quase definitiva na obra de Santo Agostinho consistia, *grosso modo*, no seguinte: o mundo é visto como uma vasta entidade dividida em dois conjuntos opostos e assimétricos, Deus e Satã, o bem e o mal, o espírito e a carne; o homem é fraco, e sozinho não pode escapar do pecado, da morte e de Satã, mas esse antagonismo intransponível é vencido por um terceiro elemento, constituído pela união inefável dos dois outros e que permite, dessa forma, a reconciliação e a salvação – é o que se chama indiferentemente de Cristo ou de *ecclesia*. O elemento principal repousava, portanto, na concepção precisa desse terceiro elemento Cristo-*ecclesia*, já que, através de sua definição, passava diretamente a formulação abstrata do conjunto de estruturas de dominação e de controle da sociedade. Do século IV ao XVI, do arianismo ao calvinismo, a maioria das grandes batalhas internas do sistema feudal, todas as que questionaram sua organização, foram pensadas em termos cristológicos: divindade do Cristo, monofisismo, querela das imagens, *filioque*, catarismo (negação pura e simples!), presença real e transubstanciação. Evidentemente, é necessário juntar a essas concepções cristológicas o conjunto de elementos que definem os objetos do culto: a Trindade, a Virgem e os santos.

A passagem desse esquema abstrato geral ao plano prático efetuava-se por meio da união de duas séries de objetos: as hóstias e as relíquias. Desde o final do século IV, a eucaristia devia ser celebrada sobre um altar que incluísse relíquias. Esses dois objetos eram a figura privilegiada e exclusiva do elo que a *ecclesia* constituía e reproduzia entre o espiritual e o material, entre Deus e os homens pecadores; se o santo era um homem por intermédio de quem a intervenção divina manifestara-se expressa e visivelmente, a relíquia era o objeto material que trazia a marca dessa intervenção divina; quanto à hóstia, era o objeto oferecido aos fiéis e que a ação sacralizadora do clérigo transformava em corpo de Deus, traduzindo assim o monopólio de sua ação de restabelecimento do laço entre os homens e Deus. Esses dois objetos, estritamente ligados aos altares, encerravam todo o sagrado medieval, no sentido de que eles formavam o ponto de passagem obrigatório do elo salvífico de Deus e dos homens. Esse ponto de passagem concreto e obrigatório constituía um potente motor de polarização do espaço, motor cuja eficácia foi reforçada pela concentração (progressiva) do conjunto dos ritos de passagem em um mesmo lugar: o batismo (desde a Alta Idade Média), a inumação, depois o casamento. O batismo e a comunhão ligavam cada cristão a um lugar específico, aquele em que Jesus e um ou vários santos manifestavam-se a ele como agentes exclusivos de sua salvação. Foi inicial e principalmente dessa forma que a *ecclesia* ligava os homens a um *locus*, permitindo o bom funcionamento do *dominium*.

A *ecclesia* dispunha também de uma vasta base fundiária, entre um quinto e um terço das terras que, subtraídas das heranças e outras transmissões, reforçavam a permanência das estruturas fundiárias, sistema de estabilização cujas rendas asseguravam à instituição e ao culto um fausto material e recursos intelectuais que os sustentavam com muita eficiência.

A excepcional longevidade do sistema feudal europeu deve-se, talvez, à surpreendente simplicidade do esquema sobre o qual repousava: afastando *a priori* os fatores de instabilidade e atribuindo a prioridade à fixação espacial dos homens, o sistema feudal definia para si um objetivo que poderia resultar em estagnação ou em involução. A solução totalmente original constituída pela dominação eclesiástica conduziu ao que, retrospectivamente, parece ser uma forma de transformação a longo prazo. Como já lembramos, as próprias condições de aparecimento da noção de sistema feudal (na segunda metade do século XVIII), condições extremamente conflituosas, impediram a compreensão de qualquer dinâmica dessa forma de organização social, pensada então como sendo ao mesmo tempo artificial e anárquica. Os ideólogos da burguesia compuseram a fábula teleológica da

Dicionário analítico do Ocidente medieval

luta dos burgueses medievais pela sua emancipação e pela civilização. Esse mito ingênuo conserva um vigor surpreendente, e a reflexão sobre os móbeis intrínsecos da transformação da sociedade feudal é ainda embrionária.

Do início do século IV a meados do V, o Ocidente romano vive simultaneamente os últimos vislumbres da cidade antiga e a instalação dos elementos de base da estrutura feudal. Os dois primeiros terços do século IV conheceram ainda algumas reconstruções de cidades e de *villae* de tipo antigo, emissões monetárias abundantes; mercadorias ainda circulavam em grande quantidade através do Império. Mas a moeda rareou na segunda metade do século e as cunhagens na Gália caíram a quase nada após 420. A concordância com o balanço das escavações é impressionante: depois de meados do século V não há mais nenhuma reconstrução segundo o modelo antigo. Desde aquela época, a maioria das cidades tinha se transformado em vilas miseráveis. Se a cronologia pode ser discutida para as zonas meridionais, a ruptura material em toda a Europa mediana é clara: falar de mundo antigo além do primeiro terço do século V é um paradoxo fútil. Ao mesmo tempo, a passagem a uma agricultura extensiva foi geral: invasão do centeio e de trigos (espelta, trigo miúdo, espelta da Tartária), desaparecimento de espécies animais romanas de grande porte e forte diminuição do tamanho médio dos animais; apesar das controvérsias, parece que o estatuto do colonato estendeu-se amplamente, reduzindo a quase nada a utilização de escravos. Em suma, o sistema agrário foi arruinado.

Esse também foi o período de instalação das estruturas eclesiásticas. Desde a *ecclesia* reconhecida por Constantino, Cristo foi proclamado Deus (Niceia, 325); o monasticismo nasceu e imediatamente se reforçou. Os defensores da doutrina anterior foram perseguidos sob o epíteto de arianos. O imperador Juliano tentou uma reação que exprimia as resistências do tradicionalismo romano; seu fracasso consuma o triunfo do novo sistema. Em Constantinopla, em 381, foi proclamada a divindade do Espírito Santo, o que praticamente completa a criação da Trindade. Santo Ambrósio organizou o culto dos santos e a presença de relíquias nos altares tornou-se obrigatória. Teodósio proibiu os cultos "pagãos" (391). São Jerônimo traduziu a Bíblia para o latim, e Santo Agostinho elaborou a suntuosa síntese dogmática que recebeu a sanção oficial em Calcedônia em 451. Nesse

Feudalismo

momento, na maior parte do Ocidente, a aristocracia tinha se reestruturado inteiramente com a ajuda dos eclesiásticos, que a partir de então asseguravam o essencial da coesão aristocrática. A organização de um novo sistema de produção e de trocas caminhava de forma exatamente paralela à instalação da *ecclesia*. Essa bela convergência raramente é observada: todo esboço de estudo do sistema feudal que não considerar esse período (e a Alta Idade Média) continua fatalmente incompleto.

Os manuais concedem um ínfimo lugar à dinâmica da Europa da Alta Idade Média. Essa dinâmica, social e não material, pode ser analisada principalmente no referente à melhora das articulações espaciais: erosão das estruturas não espaciais de um lado, fortalecimento dos moldes de fixação espacial de outro lado.

O desenvolvimento do culto das relíquias e a criação contínua de novos santos provocaram uma generalização e um grande aumento das peregrinações. Um sistema hierarquizado instalou-se em poucos séculos, criando uma nova geografia sagrada, geografia de certa maneira ativa, pois se traduzia em amplos e permanentes vaivéns por meio dos quais os fiéis interiorizavam profundamente a articulação do espaço.

A relação entre as inumações e o espaço evoluiu mais lentamente, de maneira menos linear. As inumações antigas nos arredores das zonas urbanas reorganizaram-se nas cidades episcopais em torno dos túmulos dos santos situados *extra muros*. Nas zonas rurais desenvolveram-se vastos alinhamentos em pleno campo ("cemitérios bárbaros"), mas também inumações nas pequenas capelas dominiais. No período carolíngio ocorreu uma grande dispersão das inumações em pequenos grupos, tendendo dessa forma a uma maior homogeneidade. Enfim, o modelo dos cemitérios sistematicamente em volta das igrejas desenvolveu-se a partir do século X, triunfando no XII. E foi justamente nesse momento que se produziu o intenso e decisivo fenômeno denominado por Robert Fossier de "encelulamento", que correspondeu principalmente ao nascimento das comunidades paroquiais tal como subsistiram até o século XVIII.

A tendência a uma homogeneização geral resultou antes de tudo de dois movimentos de erosão das estruturas não espaciais: os estatutos pessoais e o parentesco. O que a historiografia tradicional qualifica de "personalidade das leis" era uma forma de relações sociais resultando principalmente das *Volkerwanderungen* ["migrações", N.T.]. Distinções práticas secundárias serviam de sinalizadores, permitindo fragmentar a população. Paralelamente, as estruturas de parentesco originárias da Antiguidade tendiam a produzir, pelo menos em certas categorias sociais, grupos ditos "discretos" (sem cruzamentos). Os estatutos e o parentesco eram fundamentalmente estruturas independentes de toda coordenada espacial, cujo papel a *ecclesia* procurou restringir com uma inflexível energia. A personalidade das leis foi violentamente atacada e pulverizou-se rapidamente; tudo se passou como se ela tivesse sido em grande parte "substituída" por um sistema de estatutos de dependência fortemente ligados ao solo, com o estatuto do indivíduo correspondendo desde então à sua residência e às terras utilizadas.

Mas o movimento mais importante e de impacto mais decisivo em toda a evolução social da Alta Idade Média tocou as estruturas de parentesco no sentido próprio e em três aspectos principais: a supressão do divórcio e da adoção, a extensão do número de "graus proibidos" para a escolha do cônjuge e o nascimento e a afirmação do parentesco espiritual. Desde o século V tinha desaparecido no Ocidente a adoção e o divórcio (entendido como o repúdio da mulher pelo marido) fora proscrito e violentamente combatido pela *ecclesia*. A supressão dessas duas possibilidades impedia qualquer manipulação da filiação e do parentesco "carnal" (especialmente em caso de ausência de herdeiro), desvalorizando e diminuindo sensivelmente o papel deste último. Do século V ao XII, a *ecclesia* empenhou-se com incrível tenacidade para obrigar toda a população a procurar seus cônjuges cada vez mais longe, no sentido do parentesco, mas também no sentido espacial. A extensão desmesurada do número de graus proibidos marcou os progressos dessa luta. Ao mesmo tempo, o parentesco batismal e o apadrinhamento ganharam uma crescente importância, traduzindo concretamente uma supervalorização das relações espirituais comparativamente às relações carnais.

O parentesco espiritual era um puro artefato controlado pela *ecclesia*: a extensão do parentesco espiritual reforçava o domínio eclesiástico. Ao mesmo tempo, o alargamento dos graus proibidos para o casamento, limitando cada vez mais as práticas de tendências endogâmicas, proibia os agricultores de constituírem pequenos grupos compactos e fechados, e facilitava assim o exercício da dominação. O efeito sobre a aristocracia foi mais ambivalente. Pois se podemos imaginar que a obrigação de contrair alianças longínquas acabava por regenerar permanentemente um tecido de relações a longa distância, o que permitia a toda a aristocracia europeia funcionar como uma vasta rede algo coerente, tal situação só apareceu no segundo momento. No primeiro, essa obrigação de exogamia longínqua conduziu, ao contrário, a uma lenta dissolução das estruturas de grupo ("semitribais") que formavam a principal articulação da aristocracia da Alta Idade Média. De fato, até os séculos IX e X, observam-se grupos cujas posses estão distantes centenas de quilômetros entre si, e que não param de se deslocar de uma a outra, retirando a maior parte de sua força dessa mobilidade, combinada com circuitos de parentesco relativamente restritos. Provavelmente, é preciso atribuir à erosão dessa estrutura e à mudança simultânea em direção a um sistema baseado na fixação (topolinhagens) a sensível transformação da organização da aristocracia em uma grande parte da Europa no século X (daí os outeiros e os castelos). Transformação que, sem dúvida, esteve na origem da modificação das relações de exploração, e de que resultou a primeira fase do "grande desenvolvimento" dos campos europeus nos séculos XI e XII. Seria, portanto, razoável levantar a hipótese de uma ligação direta entre a lógica global em curso durante a Alta Idade Média e a mudança do modo de exploração dos homens e da terra a partir do século X, que provocou transformações materiais sensíveis por um efeito não intencional do jogo das estruturas (o que corresponderia muito bem ao aspecto particularmente lento do movimento).

A partir daí, pode-se mostrar em que o encellulamento dos séculos XII--XIII constituiu uma verdadeira síntese: fixação definitiva da rede de igrejas paroquiais, fixação dos cemitérios em torno dos lugares de culto, fixação da aristocracia (topolinhagens), enfraquecimento dos elos de parentesco carnal, desaparecimento dos estatutos independentes de ligação com a terra e, para coroar o conjunto, aderência desses grupos de parentesco espiritual a um lugar de culto que são as comunidades paroquiais, frequentemente duplicadas e reforçadas por confrarias. Essa reestruturação geral produzia ela mesma um fortalecimento substancial das formas de controle e de dominação, o que permitiu aumentar as taxas, passar a um sistema agrário

Dicionário analítico do Ocidente medieval

menos extensivo e enfim conceder um lugar menos desprezível às operações de troca e de comércio, assim como aos grupos que as efetuavam.

A lógica de fixação ao solo continuou durante vários séculos. A lenta (e desigual) especialização agrícola pode ser facilmente interpretada como uma maneira de evitar a mobilidade e os fluxos de população. Da mesma maneira podem ser interpretadas as múltiplas diferenciações que são muito menos antigas do que se pensa normalmente: infinita variedade de sistemas metrológicos, de idiomas, de costumes sucessórios, de hábitats, de indumentárias. Nas cidades, o que chamamos de modo muito esquemático de sistema corporativo aparece essencialmente como uma transposição das estruturas do campo. Durante esse período, como no período precedente, nada era concebido pensando em seu desenvolvimento, e sim em sua conservação. O crescimento das taxas foi obtido principalmente por cobranças sobre os transportes e as transações, todo comércio permanecendo estreitamente "embutido". O desenvolvimento das especificidades e das especializações gerou, no entanto, um lento e inexorável movimento de progresso técnico. Simultaneamente, esse crescimento dos particularismos locais acompanhava, em cada lugar, uma crescente homogeneização, com as distinções de estatuto no interior das massas dominadas desaparecendo pouco a pouco, à medida que se reforçava o controle eclesiástico sobre os indivíduos: confissão pessoal, casamento obrigatório na igreja, registro sistemático dos batismos, falecimentos e casamentos.

Assim, foi simplesmente a dinâmica intrínseca ao sistema feudal que produziu elementos bem conhecidos, como a homogeneização da população dominada, a melhora das técnicas e o lento aumento da produção, o fortalecimento das categorias sociais ligadas às atividades urbanas. Mas a chegada desses elementos era completamente alheia à lógica do sistema. No entanto, chegou um momento em que a lógica de fixação ao solo e o controle da população pela *ecclesia* entraram em contradição com esses elementos que aos poucos se articulavam.

Essa fase terminal foi o momento de aparecimento de uma série de fenômenos de bloqueio e de involução, visando à conservação das formas de dominação que se tornavam obsoletas. Alguns exemplos: a ideologia do sangue e a prática das genealogias, o direito de primogenitura (*mayorzago* na Espanha, *entails* na Inglaterra), a noção de senhorio como entidade substancial, a oposição supostamente geográfica entre direito romano e direito consuetudinário. Esses fenômenos estavam, no fundo, em contradição com a lógica profunda da Europa feudal, mas, desastradamente, seu desenvolvimento no próprio momento da criação conflituosa da noção de Europa feudal conferiu-lhes uma importância desmesurada que a historiografia não soube, em geral, colocar em seu devido lugar, absolutamente mínimo e secundário.

Ao *dominium* e à instituição eclesiástica foram opostas as duas reivindicações, liberdade de comércio e liberdade de consciência. E aqui estamos de volta ao ponto de partida da análise, após ter esboçado, de maneira esquemática demais, as grandes linhas de um jogo de hipóteses que permite, até certo ponto, mostrar a estreita relação entre a estrutura profunda do sistema feudal e os reflexos de suas lentas transformações: relação bem próxima de uma identidade.

No estado atual da pesquisa, a noção de feudalismo soa antes de tudo como o apelo a uma escolha da qual é inútil pretender se esquivar: ou nos acomodamos ao espírito de síntese mais difundido, o do senso comum, que se refere aos efeitos do acaso e dos grandes homens, que a respeito de tudo invoca a infinita diversidade do real e a eternidade da psicologia humana, que acredita, portanto, na autossuficiência das narrativas e das pequenas construções locais; ou então percebemos a necessidade prévia de esclarecer a lógica geral de uma civilização para poder compreender o sentido de seus elementos e procuramos construir as noções e as hipóteses que permitem, lenta e laboriosamente, apreender fragmentos de coerência nessa civilização, evitando, assim, atribuir relações que lhe são alheias. Cada um que decida. Livremente, se possível.

ALAIN GUERREAU
Tradução de Eliana Magnani

Ver também

Cidade – Clérigos e leigos – Idade Média – Igreja e papado – Ordem(ns) – Senhorio

Dicionário analítico do Ocidente medieval

Orientação bibliográfica

ALTHOFF, Gerd. *Die Deutschen und ihr Mittelalter.* Darmstadt: Wissenschaftliche Bu-chgesellschaft, 1992.

ANDERSON, Perry. *Passagens da Antiguidade ao feudalismo* [1974]. Tradução brasileira. São Paulo: Editora Unesp, 2016.

ASTON, Trevor H.; PHILPIN, C. H. E. (eds.). *The Brenner Debate*: Agrarian Class Structure and Economic Development in Pre-Industrial Europe. Cambridge: Cambridge University Press, 1985.

BARBERO, Abilio; VIGIL, Marcelo. *La formación del feudalismo en la Península Ibérica.* Barcelona: Crítica, 1978.

CLAVERO, Bartolomé. *La Grâce du don*: anthropologie catholique de l'économie mo-derne [1991]. Tradução francesa. Paris: Albin Michel, 1996.

DEISENROTH, Alexander. *Deutsches Mittelalter und deutsche Geschichtswissenschaf im 19. Jahrhundert.* Rheinfelden: Schäuble, 1983.

FOSSIER, Robert. *Enfance de l'Europe*: aspects économiques et sociaux. Paris: Presses Universitaires de France, 1982.

FRIED, Johannes. *Die Formierung Europas, 840-1046.* Munique: Oldenbourg, 1991.

GARCIA DE CORTAZAR, José Angel. *La sociedad rural en la España medieval.* Madri: Siglo XXI de España, 1988.

GUERREAU, Alain. *Le Féodalisme, un horizon théorique.* Paris: Sycomore, 1980.

_____. Fief, féodalité, féodalisme: enjeux sociaux et réflexion historienne. *Annales ESC*, Paris, n.45, 1990. p.137-66.

GUERREAU-JALABERT, Anita. Inceste et sainteté: la *Vie de Saint Grégoire* en français (XIIᵉ siècle). *Annales ESC*, Paris, n.43, 1988. p.1291-319.

_____. *Spiritus et caritas*: le baptême dans la société médiévale. In: HÉRITIER-AUGÉ, Françoise; COPET-ROUGIER,Élisabeth (ed.). *La Parenté spirituelle.* Paris: Edi-tions des Archives Contemporaines, 1995. p.133-203.

KITTSTEINER, Heinz Dieter. *La Naissance de la conscience morale* [1991]. Tradução francesa. Paris: Cerf,1997.

KRIESER, Hannes. *Die Abschaffung des "Feudalismus" in der französischen Revolution.* Frank-furt: Lang, 1984.

KUCHENBUCH, Ludolf. *Bauerliche Gesellschaft und Klosterherrschaf im 9. Jahrhundert*: Studien zur Sozialstruktur der Familia der Abtei Prüm. Wiesbaden, 1978.

_____. Marxens Werkentwicklung und die Mittelalterforshung. In: LÜDTKE, Alf (ed.). *Was bleibt von marxistischen Perspektiven in der Geschichtsforschung?* Gottingen: Wallstein, 1997. p.35-66.

Feudalismo

KUCHENBUCH, Ludolf; MICHAEL, Bernd. _Feudalismus. Materialien zur Theorie und Geschichte._ Frankfurt: Ullstein, 1977.

LE GOFF, Jacques. _A civilização do Ocidente medieval_ [1964]. Tradução brasileira. Petrópolis: Vozes, 2016.

LUBAC, Henri de. _Corpus mysticum: l'Eucharistie et l'Église au Moyen Âge._ Paris: Aubier, 1944.

PASTOR, Reyna et al. _Poder monastico y grupos domesticos en la Galicia foral (siglos XIII-XV):_ la casa, la comunidad. Madri: Consejo Superior de Investigaciones Científicas, 1990.

WICKHAM, Chris. _Land and Power._ Londres: British School at Rome, 1994.

WIRTH, Jean. _L'Image médiévale: naissance et développement (VIᵉ-XVᵉ siècle)._ Paris: Klincksieck, 1989.

WUNDER, Heide. _Feudalismus:_ zehn Aufsatze. Munique: Nymphenburger Verlagshandlung, 1974.

_____. _Die bauerliche Gemeinde in Deutschland._ Gottingen: Vandenhoeck & Ruprecht, 1986.

Flagelos

Homens submetidos aos caprichos da natureza, sofrendo com fomes cruéis, impotentes diante das epidemias, vítimas de guerras perpétuas e joguetes das ambições dos poderosos. Homens aterrorizados que se resguardam na fuga ou nos *pogrons*, presas fáceis dos messianismos e das superstições. Essas imagens caricaturais – que devem ser combatidas ou nuançadas segundo os períodos, as regiões e as diferenças sociais – alimentam ainda frequentemente uma lenda negra que faz da Idade Média uma época maldita, resignada diante das calamidades que a assaltam. Ora, a resistência aos flagelos foi mais forte do que pensamos e também deu origem a modos culturais de ser, que é preciso estudar globalmente, no âmbito da civilização medieval.

O homem medieval: um ser frágil

Certamente o homem medieval é um ser frágil diante da natureza, mesmo estando próximo dela por viver nos campos. Para a grande maioria, as condições de vida ou de sobrevivência permanecem precárias. Os corpos são submetidos aos acasos do meio ambiente. Em razão de uma agricultura fundada essencialmente nos cereais, sem estoques e sem possibilidade de uma rápida transformação, o equilíbrio é difícil. Um "ciclo infernal" pode ser rapidamente desencadeado: más colheitas, carestia, penúria, mortalidade, más colheitas novamente... Mas é preciso desconfiar das fontes que nos informam sobre isso. Essas fontes, sobretudo eclesiásticas como as crônicas, as vidas de santos ou as narrativas exemplares, relatam os flagelos complacentemente para mostrar que a onipotência divina não hesita em castigar os pecados dos homens por meio da fúria da natureza, e assim incitar os cristãos à penitência. De fato, Deus não puniu os homens pelo Dilúvio (Gênesis 7,11)? A fome não é para o homem bíblico um castigo do Céu (Salmos 105,18)? A visão de uma Idade Média triturada pelos desastres provém em grande parte de uma leitura acrítica dos documentos, recheados de referências bíblicas e de lugares-comuns literários, munidos de intenções moralizantes e que infligem importantes distorções à realidade. Tanto que certos períodos, relativamente poupados pelos flagelos, não foram vistos dessa forma pelos contemporâneos: é o caso da época carolíngia, quando a percepção psicológica das calamidades – derivada de uma maior cristianização – foi ampliada e elas eram menores que as dos tempos bárbaros. Além disso, várias "fomes" citadas pelos cronistas são somente casos de escassez de pão (sem morte de homens), mas consideradas intoleráveis. Às vezes, também as fontes são silenciosas: quase nenhum texto descreve a peste negra de meados do século XIV! Boccaccio, no *Decameron*, escreve mais do que descreve a peste; nos pintores daquela época ela foi mais pintada que descrita, mais representada que exprimida.

Catástrofes naturais

As catástrofes ditas "naturais" – *nature hazards*, em inglês – não pouparam a Idade Média. Infelizmente, o conhecimento delas ainda é fragmentário, ainda que sejam testemunhos excelentes das relações entre sistemas sociais e econômicos. Terremotos primeiramente, cujas repercussões (mortes, destruição) crescem com o aumento da população e com a concentração progressiva de importantes grupos humanos nas cidades. Sismos que sacodem a região de Mogúncia de 855 a 895, ou a Inglaterra em 1246 e em 1382. O mais importante tremor de terra ocorrido ao norte dos Alpes na época medieval é o que atinge a cidade e o campo da Basileia, em 18 de outubro de 1356: na própria Basileia, todas as casas são destruídas, exceto talvez

Dicionário analítico do Ocidente medieval

uma centena delas, tão danificadas que desmoronam pouco depois; todas as igrejas caíram, menos duas, embora muito rachadas; a catedral é igualmente muito danificada. Sentido até em Vitry-le-François, Reims, Troyes e Paris, esse terremoto teve efeitos destruidores na Borgonha, no Franco--Condado, na Alsácia. De 1421 a 1433, a Catalunha conhece uma série de abalos sísmicos, alguns muito violentos, como o de 15 de março de 1427, que provoca danos no mosteiro de Santa Maria d'Amer e a destruição da cidade. O tremor de 2 de fevereiro de 1428 destruiu Besalù – 48 grandes edifícios desapareceram nas fendas do solo –, Olot, Puigcerda e, em parte, Gerona. Em Barcelona, a rosácea do portal de Santa Maria del Mar desaba, matando pelo menos vinte pessoas. Também o Oriente é atingido: em 1344, Constantinopla é vítima de um terremoto, o 16º desde 1010. Além dos terremotos, deslizamentos de terra fazem estragos: no final de 1248, o Monte Granier, na Savoia, perto de Chambéry, desmorona sobre a cidade de Saint-André e sobre vários vilarejos. As variações do litoral podem ser dramáticas: terras invadidas, campos salgados e inutilizados, afogamentos. O golfo marinho de Zuyderzee foi criado no século XIII após uma série de terríveis tempestades.

Os rios e riachos conhecem inúmeras cheias, devidas sobretudo às precipitações irregulares e às variações climáticas. Em dezembro de 1296, em Paris, o Sena saiu de seu leito e só retornou em 25 de março de 1297: as pontes de pedra são destruídas, a penúria instala-se, provocando tumultos rapidamente reprimidos. Após o inverno mais rigoroso do século, em 1407-1408, em janeiro o rio Ródano fica completamente congelado em Avignon; um reaquecimento brutal acompanhado de chuvas provoca em toda a França cheias catastróficas; os rios Ródano e Saône unem-se em Lyon entre os bairros de Cordeliers e Confort, nos quais o nível d'água teria atingido a altura de um homem; duzentas casas desabaram ou tiveram que ser derrubadas. Em janeiro de 1497, após quinze dias de chuvas contínuas, os rios Saône e Ródano transbordam ao mesmo tempo e, pela segunda vez num século, misturam suas águas em direção aos Celestins; a ponte sobre o Ródano é levada de roldão. Os invernos rudes, particularmente numerosos no século XV, são uma provação para todos e um perigo mortal para os pobres, com a madeira excessivamente cara, os moinhos inati-

Flagelos

vos, o pão mais caro e o trabalho quase impossível. Na França, do século XI ao começo do XIV, essas calamidades ocorrem em 1043, 1124, 1150, 1225, 1306. A estas frequentemente se acrescenta o perigo dos lobos. Em julho de 1423, eles entram todas as noites em Paris, porque o inverno daquele ano foi muito rigoroso: abundantes quedas de neve, gelo (o Sena ficou congelado durante quinze dias e até os galos e galinhas, relata o Burguês de Paris, ficaram com as cristas geladas...). Em seguida, vêm as chuvas de primavera que apodrecem as semeaduras do outono, as tempestades, os ciclones e as quedas de granizo que devastam as colheitas; enfim, o raio que mata o camponês refugiado sob uma árvore (comportamento que o monge Galand de Reigny, no século XII, com razão condena em seus *Provérbios*).

As secas não eram menos temidas. Em 1442, no vale do Ródano não choveu entre Pentecostes e a vindima; o verão de 1473 foi escaldante e, em quatro ocasiões, entre 1503 e 1534, as nascentes secaram. O mecanismo, descrito por Raul Glaber no século XI num texto célebre, permanece o mesmo: uma má estação, um inverno muito úmido, um verão muito seco e as colheitas ficam comprometidas; o alimento escasseia, as reservas também e os preços — tanto do trigo quanto dos produtos artesanais — aumentam; escassez e mesmo fome atingem as populações. No latim clássico, *calamitas* significa todo flagelo que danifica a seara antes da colheita. De fato, as verdadeiras fomes no Ocidente foram raras, mas violentas. No território que constitui a França atual, entre 406 e 690, contam-se três fomes autênticas, em 410, 450 e 585; quatro no período carolíngio (às vezes com canibalismo): em 845, 873-874, 916 (na Aquitânia), 995 (na Borgonha). Do ano 1000 ao de 1350, ocorrem onze anos de fomes absolutas e generalizadas, sem dúvida devidas, além dos flagelos climáticos, a um desequilíbrio entre uma produção que crescia lentamente e uma população que se tornava pletórica: 1005-1006, 1032-1033 (Raul Glaber conta que se vendia carne humana grelhada no mercado de Tournus, na Borgonha), 1043, 1076-1077, 1095, 1124-1125, 1139, 1145, 1197, 1233-1234, 1315-1316. O final da Idade Média é ainda pontuado por penúrias frequentes: em 1374-1375, a Guiana — fato excepcional — importou trigo da Inglaterra.

Doenças e epidemias

A fragilidade quantitativa e qualitativa dos equilíbrios alimentares provoca deficiências orgânicas graves, agudas (disenteria), crônicas ou congênitas (raquitismo, má-formação, coxalgia, artrose). Tal fragilidade é responsável por intoxicações coletivas espetaculares, como o "mal dos ardentes" que aparece em meados do século X e manifesta-se por queimaduras internas, tetanizações musculares e visões devidas ao consumo de centeio contaminado pelo esporão. Tal vulnerabilidade repercute sobre os equilíbrios imunológicos e expõe as populações, sem clara distinção social, às doenças endêmicas ou parasitárias. A mais célebre das endemias é sem dúvida a lepra, que reina na Europa a partir do século VII e atinge sua maior intensidade no século XII (entre 1% e 5% da população teria sido atingida). Citemos também a tuberculose, as escrófulas tuberculoides, o tracoma, sem falar das "pestilências" ou dos "langores" de toda ordem, dos quais um dos mais propagados é, indiscutivelmente, a malária. E por volta de 1493 aparece no Ocidente a sífilis, talvez vinda da América.

A epidemia que marca a Idade Média, que de certa forma abre e encerra esse período, é a peste, infecção bacteriana comum em roedores e nos homens e causada por um bacilo Gram negativo, isolado em 1894 por Alexandre Yersin. A transmissão do bacilo deu-se de homem a homem na primeira pandemia, e depois do rato negro ao homem na segunda, mas sempre por intermédio de pulgas. O bacilo entra na pele num ponto qualquer do organismo, atinge o gânglio linfático no local da penetração e disso resulta uma adenite aguda que, no caso da peste, recebe o nome de "bubão". De localização habitualmente inguinal ou axilar, ele constitui o principal sinal da doença e deu-lhe o nome de "peste bubônica". Ao lado da forma bubônica, há uma forma pulmonar da peste, na qual o micróbio é transmitido por via aérea (tosse, expectoração) do doente a uma pessoa sã. A primeira pandemia – sob forma bubônica – vinda da África Central (ou, para outros, da Ásia Central) aparece em 541 em Pelusa, porto do Egito, e devasta as regiões urbanas mediterrâneas, acompanha as rotas comerciais e os rios navegáveis mais frequentados: na Gália, pelo vale do Ródano, ela atinge Lyon, depois Reims e Trier. Essa pandemia, dita "peste de Justiniano", não tendo encontrado condições propícias à sua perenização, desaparece espontaneamente por volta de 767. A segunda pandemia, originária da Ásia Central, difunde-se brutalmente a partir da feitoria genovesa de Caffa, na Crimeia; um navio que partiu desse porto transmitiu a todo o Ocidente uma peste a princípio pneumônica. Durante o inverno de 1347-1348, ela devasta a Toscana e a Provença; em sua forma bubônica, atinge Bordeaux, os portos ingleses, depois Londres e Paris; avançando de 30 a 130 km por mês, ela atinge as regiões mais povoadas ao longo dos grandes eixos viários. As únicas regiões que sabemos com certeza que escaparam são as montanhas elevadas da Savoia, o Delfinado e a Provença, bem como a região de Calais. Após ter atacado os países escandinavos e germânicos, a pandemia terminou em 1352 nas estepes da Rússia central. O levantamento será assustador: 11.000 mortos em um mês em Avignon, 750 das 1.800 almas do burgo de Givry, na Borgonha. Em quatro anos, a peste negra matou aproximadamente, segundo J.-N. Biraben, um quarto da população do mundo ocidental, cristão ou muçulmano. Mas, longe de acalmar-se, a peste subsistirá na Europa até o século XVIII, com violentas recorrências a cada dez ou quinze anos. Assim, em Lyon, uma dúzia de ciclos de peste desenvolvem-se entre 1416 e 1550; alguns duram vários meses, outros vários anos: entre 1380 e 1550, no vale do Ródano, apenas 47 dos 170 anos encontram-se isentos de qualquer inquietude.

Dos infortúnios da guerra à opressão fiscal

Os infortúnios da guerra constituem parte importante dos flagelos que oprimem a Idade Média. Os bárbaros avançam no século V, semeando ruína. As incessantes guerras civis sob os Merovíngios, e o recurso à técnica da terra arrasada, instauram um clima de permanente insegurança. Quanto às invasões viking, dinamarquesa ou húngara dos séculos IX e X, arruínam as populações: torturas, massacres e pilhagens são frequentemente empregados como armas psicológicas. O período feudal traz também a chaga dos resgates, das pilhagens e da tirania dos homens de armas: a imagem do cavaleiro oprimindo pobres e igrejas é bem real. No século XIV, as guerras privadas endêmicas são suplantadas pelas lutas entre os reis. Uma nova forma

Dicionário analítico do Ocidente medieval

de combate aparece: a cavalgada, cuja finalidade é clara, esgotar o adversário; a destruição torna-se sistemática e, portanto, mais grave, mais profunda, mais difícil de superar. Sem esquecer que os exércitos amigos podem esgotar uma região tanto quanto os exércitos inimigos. Na França, a Guerra dos Cem Anos vê avançar sobre os campos exércitos de vários milhares de homens. Alain Chartier, em seu *Quadriloge invectif*, composto por volta de 1422, lamenta-se: "Não é uma guerra que se conduz neste reino; por falta de boa ordem e de justiça, é pilhagem e violência pública". Incêndios, assassinatos e êxodos estão sempre presentes. Todas ou quase todas (Lyon jamais foi pilhada, não sofreu nenhum cerco e suas milícias não precisaram combater) as regiões são tocadas; abundam os mercenários e os senhores da guerra controlam as principais vias comerciais. As ruínas agravam-se após 1415 pela conjunção da invasão e da ocupação com a guerra civil e depois com as pilhagens dos Esfoladores.[1] A guerra engendra marasmo, desemprego e ruína; nas cidades, ela leva ao extremo as dificuldades da vida cotidiana, multiplica os riscos de epidemias e de fomes, de vinganças privadas e de uma justiça que muitas vezes faz a infelicidade do mais fraco.

Ao flagelo da guerra, junta-se durante toda a Idade Média o espectro da opressão fiscal. O Estado romano, no século V, esmaga os pobres com impostos, leva os pequenos proprietários a se submeter a poderosos – únicos beneficiários das isenções fiscais – que os fixam ao solo em troca de proteção. Vários camponeses preferem fugir para junto dos bárbaros a pagar o imposto. Nos séculos V e VI, as revoltas antifiscais e a fuga das populações são comuns, como em Limoges em 579, na Córsega, na Sardenha e na Sicília em 595. Na época feudal, o estabelecimento dos senhorios banais é acompanhado pelo progresso das taxas de uso do moinho, uso do forno, talhas e ajudas.[2] A aristocracia, para fazer frente às suas despesas com equipamento militar, resgates e vida de esbanjamento, não refreia mais suas

---

1 Bando de mercenários desempregados pelas várias interrupções que Carlos VII precisou fazer na guerra. As desordens provocadas pelos *écorcheurs* levou aquele rei a reorganizar seu exército em 1445. [HFJ]

2 Naturalmente, essa taxa não pode ser confundida com a obrigação contratual vassálica de mesmo nome (*auxilium*). No caso aqui referido, trata-se de uma espécie de imposto indireto – que incidia especialmente sobre produtos alimentícios

Flagelos

exigências: no século XI, os "costumes" (direitos tanto de origem privada como pública) proliferam, representando uma maior cobrança senhorial. Senhores e cavaleiros não recuam diante da chantagem: começam ameaçando os camponeses com seus ataques antes de oferecer proteção por um alto preço. As cobranças de taxas frequentemente são imprevisíveis e arbitrárias. Os camponeses têm por objetivo essencial obter documentos que estabeleçam o montante e a natureza dessas taxas, mesmo se, às vezes, a talha de valor fixo e pagável todo ano revela-se mais pesada do que a talha arbitrária, intermitente e inesperada.

A afirmação do poder real impõe uma fiscalidade que logo se torna esmagadora. Tomemos o exemplo da França. O rei não vive mais dos rendimentos de seu próprio domínio, mas taxa o reino todo. No final do século XIII e nos primeiros anos do século XIV, o rei da França substitui o serviço armado que lhe é devido ou por um imposto indireto ou por uma talha, isto é, um imposto direto sobre o capital e, às vezes, sobre o rendimento. A invenção da gabela, que inicialmente é uma regulamentação do mercado do sal (1315), imediatamente dá lugar a uma cobrança em proveito do rei, que desde a década de 1330 aumenta a carga fiscal. Os recomeços da guerra, primeiro com os exércitos de Flandres (a partir de 1313), depois com o conflito franco-inglês, favorecem a renovação das exigências fiscais. A Guerra dos Cem Anos é marcada pela cobrança regular de impostos (sobre uma população menor, não esqueçamos), quer fossem diretos (talha, *fouage*)[3] ou indiretos (ajuda). Daí as insurreições antifiscais como a dos Maillotins em Paris ou da Harelle em Rouen (1382). Também é preciso evocar as temidas "mutações" monetárias — ou seja, desvalorizações com a fixação de uma nova cotação para as espécies monetárias — frequentes desde o começo do século XIV e que criam rápidas fortunas ou provocam injustas ruínas. Após o reinado de Filipe, o Belo, a moeda medieval conhece na França dois períodos de intensa instabilidade monetária: um durante o reinado de João, o Bom (1350-1364), outro durante a ocupação inglesa

---

(acima de todos, o vinho) e têxteis — justificado pela necessidade do senhor de defender o senhorio ou, nos séculos XIV-XV, do rei de proteger o reino. [HFJ]

3 Imposto pago por cada lar (*fou* = fogo = casa). [N.T.]

Dicionário analítico do Ocidente medieval

(1413-1422). Essas "perturbações" da moeda não são compreendidas pela população, que se sente enganada. Os parisienses revoltam-se em 1306 para protestar contra um aumento dos aluguéis, fruto de uma reavaliação da moeda. Sem esquecer o fenômeno do endividamento, que no final da Idade Média literalmente corrói o mundo rural.

Os castigos espirituais sofridos coletivamente

Não poderíamos subestimar, enfim, o castigo espiritual sofrido coletivamente e que o indivíduo, em sua consciência, não julga ter merecido. É a pena canônica do interdito, que interrompe toda vida religiosa — litúrgica e sacramental — em um dado território. O papa e seu legado recorrem a essa penalidade em última instância, para fazer os poderosos cederem ao descontentar a população (privada de batismo, casamento e sepultura). Assim, em 1198, para punir Filipe Augusto no caso de Inês de Méranie — que ele esposou depois de ter colocado Ingeburge da Dinamarca em um convento —, o legado Pedro de Cápua lança o interdito sobre o reino da França.

As divisões no seio da Igreja também marcam os espíritos: o Grande Cisma do Ocidente, aberto em 1378 pela eleição de dois papas, exacerba uma situação já muito problemática. Que a cátedra de São Pedro tenha podido ser disputada durante mais de trinta anos (até 1417) por dois pontífices rivais, cada um se apoiando numa fração do mundo católico, foi um acontecimento que atingiu muito os contemporâneos, levando-os a denunciar o desgaste e a fragilidade da Igreja de seu tempo. Da mesma forma, o aparecimento de heresias ou de movimentos religiosos dissidentes, além das divisões possíveis no interior de uma mesma comunidade, acarreta frequentemente uma feroz repressão, como a selvagem cruzada contra os cátaros no Languedoc (1209-1215, 1217-1219, 1242-1244).

Conjunção de flagelos e fases calamitosas

Uma única calamidade pode ser superada, mas a conjunção de vários flagelos geralmente conduz ao drama. "Quando uma calamidade natural junta-se às calamidades provocadas pelos homens, os pobres são levados à fome ou à fuga" (R. Fossier). A peste de 1348 atinge, assim, um meio enfraquecido pela desnutrição causada por um excesso de chuvas e por três más colheitas sucessivas. Os rigorosos invernos de 1362 e 1363 coincidem com a segunda peste e com a sublevação militar. Mas, como acentuou Jean Delumeau, uma história dos infortúnios só é confiável se enfatizarmos os períodos de calma e os tempos de relativa prosperidade. De fato, se a opressão das contingências não se abranda em nenhum século, há certos períodos que foram mais atingidos que outros. Se os tempos merovíngios aparecem como uma época de intensas tribulações (invasões, guerras civis, peste) – as *Histórias*, de Gregório de Tours, refletem isso –, a relativa paz interior carolíngia traz uma trégua às populações. À insegurança dos tempos ditos feudais (séculos X-XII) – a pilhagem é a "chaga dos campos medievais" (R. Fossier) – corresponde também uma fase de crescimento demográfico e de aumento da produção de gêneros alimentícios. O "belo século XIII" (até 1280) é uma época de calmaria. O fim desse século corresponde à inversão da tendência econômica. A primeira verdadeira crise é a de 1314-1316, quando as colheitas não foram mais suficientes para alimentar uma população excessivamente numerosa. O equilíbrio é rompido, e o "outono da Idade Média" (J. Huizinga) é um período de desolação: crises na produção do trigo, queda dos preços agrícolas, peste, penúria, guerras e desestabilização social fazem dos anos 1320-1450 uma "idade de chumbo", segundo as palavras do poeta Eustáquio Deschamps. A crise não atinge ainda de maneira uniforme e concomitante todos os países ocidentais. A Itália é menos atingida que outros. Enfim, de 1450 a 1520, os flagelos e as calamidades desaparecem: a guerra recua, a penúria diminui, a alimentação diversifica-se (carne em maior quantidade), a opressão fiscal é atenuada, a peste ainda paira sempre, mas os contágios são menos virulentos.

A reação dos homens

Qual foi a atitude dos homens diante dessas calamidades? Sem pretender fornecer respostas muito genéricas, tentemos distinguir os fatores constantes. Dentre as primeiras reações, nota-se, em primeiro lugar, o sentimento de impotência, a "submissão a forças indisciplináveis" (M.

Dicionário analítico do Ocidente medieval

Bloch). Com mais razão porque, no século XIV, as calamidades unem-se a mutações econômicas e sociais profundas (estagnação econômica, aumento demográfico, desenvolvimento do Estado monárquico que acarreta a desorganização das velhas estruturas feudais ou comunais): as referências habituais desaparecem e trazem um profundo desânimo. Muitas vezes, as pessoas instintivamente recorrem à fuga, provocada pelo medo (e mesmo o terror) e pela angústia do amanhã. Despontam, como no caso da peste negra, pulsões aparentemente contraditórias "da clausura à fuga, passando pela ruptura das estruturas comuns de sociabilidade e pelo apetite de prazeres imediatos, extravasados na devassidão ou numa rápida progressão da nupcialidade" (Fr.-O. Touati). Assiste-se também a explosões de agressividade, primeiramente pela convicção de um complô. Espontaneamente, são buscados bodes expiatórios, vítimas inocentes que servem de exutório aos infortúnios da maioria. Em 1321, as desgraças que acabam de acometer o reino são atribuídas aos leprosos que teriam tentado, seguindo um boato vindo do Poitou, envenenar os poços e as fontes em toda a Aquitânia. Filipe V lança então a ordem de prender todos eles e interrogá-los. Desde abril de 1348, quando apareceu a peste, matam-se judeus em Toulon. Apesar da intervenção do papa e das autoridades leigas, judeus são massacrados no Languedoc e no Delfinado. Esses massacres atingem a Catalunha e a Espanha, passam pela região de Auvergne e por Paris até Lübeck e Cracóvia. Mais tarde, o ódio volta-se contra os feiticeiros e feiticeiras. A consciência de um erro que devia ser expiado em massa leva também à autoculpabilidade. Daí, quando da peste negra, o renascimento de um ascetismo violento, espetacular e coletivo, cuja origem situa-se na Itália por volta de 1260, em um contexto milenarista. Os movimentos de flagelantes difundem-se rapidamente a partir da Europa central e atingem a Alemanha, Flandres, o nordeste do reino da França e mesmo Avignon. Colocados à margem da Igreja institucional, seus excessos rapidamente fazem dos flagelantes indivíduos suspeitos aos olhos da ortodoxia e inquietantes para a ordem pública. O papa Clemente VI condena-os, o clero é hostil a eles, o rei da França persegue-os: logo eles interrompem toda atividade.

É certo que a peste negra favoreceu uma "cultura da morte", com as danças macabras, a igualdade de todos diante da morte, a representação de

Flagelos

cadáveres em estado de decomposição (os *transis*), as representações sádicas de mártires – Santa Catarina, Santa Ágata –, sem falar do destaque dado na literatura ao tema da Roda da Fortuna. No entanto, é difícil exagerar a importância da epidemia na mudança de comportamento. As manifestações de piedade ardente (repetição obsessiva das missas, por exemplo) são certamente testemunhos de uma angústia visceral diante da peste, agravadas tanto pelo desenraizamento (do campo para as cidades) quanto pela desordem causada pela epidemia (filhos morrendo antes dos pais; mortos pelos quais não se podia guardar o luto).

Quanto à Igreja, se ela reconhece a evidência da cólera divina contra os pecados dos homens, sua interpretação dos flagelos que oprimem a humanidade pecadora está longe de ser simples e unívoca. Diante da tomada de Roma pelos bárbaros, os autores cristãos tinham divergido: os ascetas, como Comodiano, são pessimistas e pregam o desprezo ao mundo; outros, como Santo Agostinho (e mais tarde Gregório Magno), são otimistas: não somente porque o flagelo não é o fim do mundo, é apenas o fim de um mundo, mas também porque a angústia é criativa. Essa tensão entre pessimismo e otimismo – cuja história ainda está por ser feita – é permanente na Idade Média. Ela é alimentada tanto pelos textos proféticos do Antigo Testamento como por um livro de difícil compreensão, o Apocalipse, atribuído a João. Para o Apocalipse (20,1-14), o reino messiânico deve durar mil anos, depois Satã reaparecerá por pouco tempo antes de ser destruído. Então, os mortos sairão de suas tumbas para ser julgados e um novo universo de glória será criado para os eleitos. Esse milenarismo, muito vigoroso no cristianismo dos primeiros séculos, foi refutado pelos teólogos gregos. Santo Agostinho interpretou-o no começo do século V como uma alegoria espiritual (*A Cidade de Deus*, 20, 7): mil significava um grande número, e ele lembrou as palavras do Evangelho de Marcos (13,32): "Quanto a esse dia [da vinda de Cristo] e a essa hora, ninguém sabe nada, nem os anjos no Céu, nem o Filho. Somente o Pai".

Em 431, o Concílio de Éfeso condenou a concepção literal do *millenium*: a Igreja deveria a partir de então insistir na parúsia, o Julgamento Final. Em fins do século X, o interesse pelo livro do Apocalipse é marcado pela importante difusão de *Comentários* provenientes da reforma carolíngia. O mais célebre deles é o de Beato de Liébana, que o compôs em 776 e do qual alguns manuscritos foram ilustrados no final do século X: essas miniaturas moçárabes apresentam um quadro surpreendente dos últimos dias do mundo. Seu sucesso não está necessariamente ligado ao milenarismo "literal", pois os comentários refletem a estrita doutrina da Igreja. Mas ele pode significar que a Igreja procura conter um eventual movimento milenarista. Resumindo, uma leitura pessimista do livro do Apocalipse privilegiando o tempo das tribulações em detrimento do retorno do Cordeiro e do triunfo da Jerusalém terrestre ainda era possível. Os messianismos de todos os tipos alimentam-se aí abundantemente. O livro do Apocalipse não conheceu um grande sucesso nos meios laicos a partir de meados do século XIV? "A precariedade da existência mantém o temor do Apocalipse" (R. Fossier).

Também seria preciso evocar o enorme sucesso literário e artístico, sobretudo no século XV, dos *Quinze sinais do Julgamento Final* (elevação dos mares, seu desaparecimento nas profundezas da terra, monstros marinhos etc.), tema que remonta a Beda, o Venerável, e é atribuído a São Jerônimo. Em todo o período de grandes calamidades, a sensibilidade aos seus sinais fica exacerbada. Os cometas – que os homens da Idade Média ignoram tratar-se de um fenômeno periódico – são, como para a Antiguidade, presságio de flagelos: o de 878 ocorre depois de um incêndio provocado pelos normandos e precede uma mortalidade de homens e gado; os primeiros historiadores da Guerra dos Cem Anos veem no cometa "de Halley" de 1336 um presságio do conflito. Defendendo a influência dos movimentos de corpos celestes sobre os acontecimentos da vida terrestre, a astrologia prestava atenção a esses fenômenos do céu (conjunção de astros, eclipses, cometas) para predizer calamidades.

As reações diante dos flagelos não são todas negativas ou resignadas. Os homens tentaram conjurar as calamidades recorrendo à magia e, no âmbito do cristianismo (muitas superstições foram, aliás, cristianizadas), por intermédio de oferendas, ritos, preces, pelo apelo ao milagre. Na Idade Média, os santos são evocados como protetores e intercessores capazes de transmitir uma parcela do poder divino para aliviar os males naturais que afligem os fiéis. Mas por ocasião das catástrofes naturais, poucos milagres

Flagelos

são associados a uma situação de perigo. O milagre é, primeiramente, atribuído a um diálogo entre o fiel suplicante e o santo. Ora, um cataclisma anula a concentração necessária para rezar. E se os milagres de salvamento de afogados nos rios ou no mar são tão numerosos, é porque os miraculados percebem que vão morrer e têm a presença de espírito de recitar uma fórmula de ajuda. Os santos têm sua "especialidade": Bárbara contra o raio, Paulo contra os naufrágios, Brás contra os furacões etc. Além disso, a valorização do sofrimento que emerge nas mentalidades no século XI pretende participar também da paixão redentora do Cristo. O nascimento do Purgatório não deve ser considerado como um meio de não ser irremediavelmente esmagado pela cólera divina? O maravilhoso (a matéria de Bretanha) ou a utopia (o país da Cocanha) não devem ser negligenciados, mas seria preciso conhecer melhor sua difusão nas diferentes camadas sociais. Devem-se evocar, enfim, os efeitos positivos que puderam ter esses desastres dos séculos XIV e XV, particularmente sobre a conscientização do destino pessoal de indivíduos tão ameaçados e sobre a apoderação de seu destino coletivo. Aquela é, com efeito, uma época decisiva na história da emergência do individualismo no Ocidente.

Mas, sobretudo, os homens aprendem pouco a pouco a se organizar diante das calamidades. E organizar-se é, antes de tudo, compreender. A história cultural das calamidades ainda está por ser feita. Notemos, entretanto, que, para os historiadores da Idade Média, um acontecimento podia ser explicado tanto por razões teológicas e morais como por causas naturais. Razões e causas mais se completavam do que se opunham: as primeiras explicam de forma geral, as segundas de forma específica. O já mencionado desabamento do Monte Granier foi atribuído por um mesmo cronista, o inglês Mateus Paris, a um tremor de terra provocado pelos ventos nas grutas da montanha — segundo uma concepção vinda de Aristóteles — e à vingança divina desencadeada contra os habitantes do local. Desde o século XII, o olhar sobre a natureza torna-se menos temeroso. Quanto à medicina medieval, injustamente vilipendiada — por seu estreito quadro teórico —, não poderíamos negar-lhe a fineza de suas observações, a classificação dos sintomas, das causas e das curas de inúmeras doenças inventariadas, nem mesmo o enunciado de intuições clínicas pertinentes.

Dicionário analítico do Ocidente medieval

A Igreja realiza, pelo seu dever de caridade, uma assistência permanente às vítimas. Nos tempos agitados (séculos IX-X), ela tenta impor a "paz de Deus"; os mosteiros distribuem víveres em épocas de carestia (Raul Glaber testemunha isso) e servem como centros terapêuticos. Os bispos também velam por suas ovelhas. Em setembro de 1219, por exemplo, Grenoble é inundada devido à ruptura de uma barragem natural na extremidade da planície de l'Oisans, a quarenta quilômetros de lá. Logo após o drama, o bispo dirige-se a seus diocesanos numa longa carta implorando a piedade deles a fim de recolher fundos para reparar os estragos. Ele até se reconcilia com o delfim[4] para encorajar o repovoamento da zona devastada, atraindo imigrantes. Outro exemplo: a partir do século XII, a Igreja propõe aos leprosos que assim o desejassem – e que sempre estiveram fora das gafarias – uma "fórmula" de vida em comum sancionada pelas regras dadas a esses estabelecimentos. A pregação, enfim, incita a viver a provação da lepra como uma escola de aperfeiçoamento.

A autoridade pública, em função de seu real poder ou de sua vontade, igualmente intervém. Em 1125, diante da carestia, o conde de Flandres distribui esmola e pães, manda plantar leguminosas, proíbe a fabricação de cerveja (para transformar a aveia em pão), proíbe a estocagem de vinho. Em outro domínio, o imperador Frederico II regulamenta estritamente a prática médica, colocando por exemplo sob a tutela do Estado uma rede de farmácias centrais. A justiça real também é um poderoso meio de luta contra a arbitrariedade. As cidades não ficam atrás: a luta contra a peste é um dos fatores que favoreceram o desenvolvimento, a autonomia e a responsabilidade dos governos urbanos. As cidades adotaram então uma política sanitária e uma política demográfica de múltiplas implicações. Sem falar das solidariedades internas, em torno das confrarias.

Além disso, é preciso confessar com cinismo ou realismo, as calamidades não produziram somente efeitos negativos. Assim, a peste de 541-542 reforçou uma conjuntura favorável à mão de obra – ao torná-la mais escassa,

---

4 Delfim (*dauphin*) é o título usado desde o começo do século XII pelos condes de Viennois, e depois de essa região, conhecida também como Delfinado (Dauphiné), ter passado em 1349 a fazer parte do reino francês, tornou-se o título designativo do primogênito do rei. [HFJ]

Flagelos

proporcionou-lhe melhores salários –, ou seja, àqueles que, em razão de sua capacidade de trabalho e de investimento, serão os melhores vetores de uma retomada da expansão. Também conhecemos a maneira pela qual em Paris, após 1349, a diminuição da mão de obra acarretou um aumento de salários e uma organização mais forte dos assalariados. É preciso ressaltar a obstinação das populações medievais em viver e sobreviver. Mais uma vez, nossas fontes não devem nos enganar. Em Orvieto, esse profundo desejo de luta caracteriza os sobreviventes da peste de 1348 e de 1363, que, no âmbito das instituições existentes, recompõem um tecido social e econômico completamente despedaçado. Michel Mollat descreveu, para a Guerra dos Cem Anos, o "incansável trabalho de Penélope que permite à França sobreviver". Após a fuga, talvez um sobressalto de exasperação e cólera seguido por uma tentativa de resistência e vingança, vem o retorno aos campos, com a reorganização da choupana, das terras e do gado.

As calamidades marcaram a Idade Média: suas consequências sobre a vida econômica e social, seu impacto sobre as mentalidades, foram profundos e inquestionáveis. Mas não deveríamos ter uma visão muito pessimista da época. A vontade de sobreviver, as ações cotidianas e eficazes contra os infortúnios passaram despercebidas por muito tempo aos historiadores pouco críticos para com suas fontes eclesiásticas e inclinados a fazer do medo o motor da história. Diante dos flagelos, o Ocidente deu provas em seu conjunto de um extraordinário dinamismo.

Jacques Berlioz
Tradução de Vivian Coutinho de Almeida

Ver também

Medicina – Milagre – Natureza – Ritos – Violência

Orientação bibliográfica

ALEXANDRE, Pierre. *Le Climat en Europe au Moyen Âge*: contribution à l'histoire des variations climatiques de 1000 à 1425, d'après les sources narratives de l'Europe occidentale. Paris: École des Hautes Études en Sciences Sociales, 1987.

Dicionário analítico do Ocidente medieval

BENNASSAR, Bartolomé (ed.). *Les Catastrophes naturelles dans l'Europe médiévale et moderne.* Toulouse: Presses Universitaire du Mirail, 1996.

BERLIOZ, Jacques. *Catastrophes naturelles et calamités au Moyen Âge.* Florença: Sismel,1998.

BERTHE, Maurice. *Famine et épidémies dans les campagnes navarraises à la fin du Moyen Âge.* Paris: Sfied, 1984.

BIRABEN, Jean-Noël. *Les Hommes et la peste en France et dans les pays européens et Méditerranéens.* Paris e Haia: Mouton, 1975-1976. 2v.

CARPENTIER, Élisabeth. *Une Ville devant la peste:* Orvieto et la peste noire de 1348 [1962]. 2.ed. rev. Bruxelas: De Boeck-Wesmael, 1993.

DELUMEAU, Jean; LEQUIN, Yves (orgs.). *Les Malheurs des temps:* histoire des fléaux et des calamités en France. Paris: Larousse, 1987. (Para a Idade Média, contribuições de Jean-Noël Biraben, Robert Fossier, M. Rouche e Jacques Verger.)

FOSSIER, Robert. *Enfance de l'Europe:* aspects économiques et sociaux. Paris: Presses Universitaires de France, 1982.

HELLY, Bruno; POLLINO, Alex (eds.). Tremblements de terre: histoire et archéologie. In: Encontro Internacional de Arqueologia e de História de Antibes, 4 nov. 1983. Valbonne, 1984.

HILDESHEIMER, Françoise. *Fléaux et société:* de la grande peste au choléra, XIᵉ-XIXᵉ siècle. Paris: Hachette, 1993.

HISTOIRE DES CATASTROPHES NATURELLES: PAYSAGES. ENVIRONNEMENT. *Sources. Travaux historiques,* Paris, n.33, 1993. (Número especial)

JORDAN, William Chester. *The Great Famine. Northern Europe in the Early Fourteenth Century.* Princeton: Princeton University Press, 1996.

LEHNER, Martine. *"Und das Unglück wird von Gott gemacht..."*: Geschichte der Naturkatastrophen in Österreich. Viena: Praesens, 1995.

MEISS, Millard. *La Peinture à Florence et à Sienne après la peste noire:* les arts, la religion, la société au milieu du XIVᵉ siècle [1951]. Tradução francesa. Paris: Fernand Hazan, 1994.

MOLLAT DU JOURDIN, Michel. *La Guerre de Cent Ans vue par ceux qui l'ont vécue.* Paris: Seuil, 1992.

TOUATI, François-Olivier. *Maladie et société au Moyen Age:* la lèpre, lépreux et léproseries dans la province ecclésiastique de Sens jusqu'au milieu du XIVᵉ siècle. Bruxelas: De Boeck Universite, 1998.

VOGT, Jean (org.). *Les Tremblements de terre en France.* Orleans: Éditions du BRGM, 1979.

Guerra e cruzada

Ao tratar do problema da guerra no período plurissecular que chamamos convencionalmente de "Idade Média", convém situá-lo no campo delimitado por duas grandes premissas. Em primeiro lugar, como a Idade Média era época de insegurança endêmica, reconhecia-se na prática das armas uma atividade legítima e necessária, no âmbito da manutenção ou da restauração de um equilíbrio que se via continuamente perturbado ou ameaçado por forças exteriores à Cristandade ou por forças situadas no interior da própria Cristandade mas rebeldes a toda ordem. Em segundo lugar, constata-se ao longo dos séculos na sociedade medieval uma tendência a considerar e resolver conflitos por meio de instituições que, a despeito de sua diversidade, seguiram uma mesma evolução: a passagem de combates desordenados entre os *domini* ("senhores") e entre as mesnadas de seus *milites* ("cavaleiros") durante os séculos X e XI para formas primeiro eclesiásticas, depois feudais e por fim monárquicas de regulamentação e limitação da guerra. Pode-se dizer que o próprio sentido da Idade Média encontra-se plenamente em tal evolução: no princípio, era uma sociedade dividida em *milites* armados e em *rustici* ("camponeses") sem defesa, uma sociedade em que a grande maioria vivia desarmada, mas na qual as poucas pessoas com capacidade de adquirir o equipamento militar muito caro (inclusive o cavalo) são senhores e árbitros da situação; no fim, veio a ser uma sociedade que tendia a exercer sobre as armas e sobre aqueles que as possuíam um controle político, jurídico e moral cada vez mais estreito. Entre os séculos X e XV, a guerra e a prática das armas passam do estatuto de privilégio aristocrático ao de serviço público.

Entre o privilégio aristocrático das guerras "feudais" e o serviço público das guerras monárquicas do século XV (implicando ele próprio a concessão de certos privilégios) existem pelo menos dois traços comuns interligados: de uma parte, a condição e a dignidade cavaleirescas exigem que o uso da força fosse feito com moderação e conforme uma ética de justiça, colocando-a ao serviço de Deus e dos *pauperes* ("pobres", "humildes" ou "fracos"), sacralizando-a por meio de uma cerimônia de iniciação específica, o adubamento; de outra parte, o serviço mercenário constitui um complemento material ao serviço feudal, tendo permitido aos soberanos conservar sob sua autoridade forças que de outro modo escapariam ao seu controle após o período das obrigações militares vassálicas. O recrutamento mercenário, visto por seu beneficiário como uma recompensa, como um "dom" honorífico, mais do que uma promessa de salário, impede ou limita o recurso à pilhagem por parte dos *milites*: torna-se, assim, um fator de ordem, de segurança e de disciplina, favorecendo lentamente a estatização da prática das armas e a passagem de exércitos calcados na experiência comum da pluralidade de direitos e de instituições, para exércitos calcados no profissionalismo dos combatentes e na unidade de um comando submetido à vontade do soberano. A conclusão desse processo histórico assinala o fim da "Idade Média militar". Todavia, também em relação às guerras e aos exércitos pode-se falar de uma "Idade Média das profundezas", pois, ao menos no plano do direito e das mentalidades, a estatização das tropas e dos conflitos jamais será absoluta e total antes do fim do Antigo Regime.

A cruz, a espada e o medo

Três fenômenos maiores podem explicar a concepção e a percepção da guerra na Idade Média, bem como o papel privilegiado reservado às armas e aos homens de armas no plano ético e simbólico: primeiro, o fim do Império Romano do Ocidente e, com ele, o fim de uma época em que a ordem, a paz e a justiça estavam garantidas; em seguida, a rude intromissão no te-

Guerra e cruzada

cido sociocultural, inicialmente romano e cristão, de povos com tradições e concepções germânicas que não permitiam distinguir entre direito civil e uso militar da força; enfim, os longos séculos de desordem e de violência que se abateram sobre a Europa, sobretudo entre os séculos VI-VIII, depois entre os séculos X-XI, acabando por suscitar o desejo difuso de uma força guerreira que reparasse as injustiças e restaurasse a ordem.

O cristianismo afirmou-se no Império Romano e motivou conversões, eliminando a concorrência de cultos de mistério com caráter soteriológico cujo conteúdo era muito pouco diferente do seu (como o mitraísmo), mas também reafirmando sua lealdade às instituições imperiais e, por conseguinte, sua compatibilidade com a *pax romana*. Entre os séculos II e V, época em que a função dos exércitos romanos era antes de tudo defensiva, não foi muito difícil conciliar a fé cristã, e seu grande desejo de paz, com o serviço militar. Os *Atos dos mártires* mostram-nos que as tropas de legionários contavam com bom número de cristãos; é verdade que alguns deles revelavam sua crença ao proclamarem sua recusa a qualquer forma de violência ou sua incapacidade de dedicar respeito absoluto ao Estado, o que seria uma forma de idolatria – *christianus sum, non possum militare* ("sou cristão, não posso ser soldado"): porém, por mais heroica que fosse, tratava-se de uma minoria. Proclamação legitimada por escritos como o *De corona*, de Tertuliano, que as autoridades eclesiásticas evitavam apoiar e defender, sobretudo depois que o cristianismo passou a ser religião de Estado em fins do século IV.

Entre os séculos IV e V, a necessidade de defesa das fronteiras de um império agora cristão contra as ameaças recorrentes das populações bárbaras levou a uma verdadeira sacralização dos exércitos imperiais – como tudo o que dizia respeito ao imperador, desde sua própria pessoa até suas insígnias, palácios e chancelaria – em relação à qual certos grupos, sobretudo os cristãos mais rigoristas, exprimiam suas dúvidas quanto ao direito do fiel de portar armas. Mas na mesma época, para dissipar tais dúvidas, um homem dedicou-se a elaborar uma teologia da guerra cristã que continuaria a ser fundamental no decorrer dos séculos seguintes e alimentaria o debate jurídico: Agostinho estabeleceu uma distinção entre as "guerras justas" e as "guerras injustas", declarando firme e explicitamente que o cristão podia com toda a serenidade tomar parte nas primeiras. Todavia, o *bellum justum*

Dicionário analítico do Ocidente medieval

("guerra justa") não era de modo algum um álibi destinado a tolerar e justificar qualquer forma de guerra. Pelo contrário, era um meio de circunscrever com precisão os raros casos em que o cristão poderia legitimamente recorrer às armas. A guerra justa não podia admitir o desencadeamento da violência: ela devia ser uma oposição da força bem conduzida à violência, tendo por objetivo impedir que esta última destruísse os mais fracos e que a injustiça sobrepujasse a justiça. A guerra justa era um mal, mas um mal menor em vista do triunfo da injustiça, e apenas merecia seu nome ao satisfazer três exigências fundamentais: inicialmente, devia ser defensiva e almejar unicamente a reparação da injustiça; em seguida, devia ser declarada por autoridade oficialmente constituída e reconhecida, e, por conseguinte, não podia resultar da vontade pessoal de ninguém; enfim, seu objetivo devia ser a restauração de uma paz iluminada por uma justiça autêntica. A necessidade de o cristão ser sempre, e em todos os casos, um homem de paz e um homem portador da paz, mesmo manejando armas, era um princípio difícil de colocar em prática, mas sobre o qual Agostinho mostrava-se intransigente. Quando, no fim do século XIII, Guilherme Durand, bispo de Mende, apresentou em seu *Pontificale* a forma definitiva do adubamento cavaleiresco – cerimônia de origem possivelmente pré-cristã, em todo caso laica, adotava daí em diante uma forma litúrgica –, colocou nos lábios do celebrante precisamente uma citação de Agostinho destinada a servir de viático ao novo cavaleiro: *Sis miles pacificus* ("Seja um cavaleiro pacífico").

Essa necessidade de o guerreiro cristão ser *pacificus* dizia respeito não apenas ao objetivo das guerras que seria levado a fazer, e no curso das quais teria por dever buscar primordialmente a conclusão não de qualquer paz, mas de uma justa: por ser *pacificus*, ele precisava adotar uma atitude adequada na maneira de fazer a guerra, quer dizer, evitar toda violência inútil, estar desprovido de todo sentimento de ódio e de todo espírito de vingança, mostrar-se atento para nunca realizar escolhas que pudessem pôr em dificuldade os fracos ou de praticar violência contra eles. Agostinho formulava assim a problemática essencial do futuro direito de guerra: a distinção entre o *jus ad bellum* (o direito que examina as razões pelas quais se chega à guerra) e o *jus in bello* (o direito que reflete a respeito do comportamento a ser adotado durante os conflitos).

Guerra e cruzada

A meditação sobre o estado de espírito com o qual o guerreiro cristão deveria combater, vigiando-se para impedir que vícios, desejos e paixões o dominassem, ocupou boa parte da literatura místico-alegórica medieval, e, passando por Bernardo de Claraval, Raimundo Lúlio, Catarina de Siena e Bernardino de Siena, estendeu-se até o catolicismo da Contrarreforma e mesmo além. Ela provinha da célebre passagem de São Paulo sobre as *arma lucis* ("armas de luz") e em particular sobre a "espada do espírito, que é a palavra de Deus" (Efésios, 6,17). Na Idade Média, essa metáfora abriu um campo imenso à interpretação alegórica das armas e à concepção da luta entre vícios e virtudes como *psychomachia* ("combate da alma") ou *pugna spiritualis* ("combate espiritual"). Entre o fim do século IV e o princípio do V, Prudêncio tinha traduzido em sua *Psicomaquia* a célebre imagem de *Os Sete contra Tebas*, de Ésquilo, retomada depois em termos alegóricos na *Tebaida*, de Estácio: os heróis que tomavam posição para atacar ou defender uma Tebas transformada em símbolo da alma apareciam metamorfoseados em Vícios e em Virtudes cristãs, e a luta do fiel para se manter puro e salvar sua alma e sua vida eterna eram descritos com acentos épicos. Ao longo de toda a Idade Média, afrescos, esculturas e versos de poemas épicos retomarão o tema da luta dos vícios contra as virtudes, única guerra verdadeiramente cristã, da qual as guerras materiais seriam apenas metáforas: no decurso da primeira metade do século XII, Bernardo de Claraval retomará essa metáfora conferindo-lhe maior valor ao aplicá-la à luta contra os infiéis, sustentando que a eliminação de qualquer um deles poderia ser definida não como um *homicidium* ("morte de um homem"), mas como um *malicidium* ("morte de um mal"), já que o pagão que visa oprimir a Cristandade pelas armas é o sustentáculo ativo do mal no mundo.

Mas, na realidade, entre o século V e o XI, a guerra não teve nada em comum com um belo torneio entre Vícios e Virtudes. Um novo tipo de guerra tinha nascido por ocasião das migrações germânicas e ural-altaicas até o centro da Europa; tinha depois se desenvolvido durante o decadente período das incursões normandas, húngaras e sarracenas dos séculos IX e X; enfim, tinha desembocado nos ferozes combates entre os soldados dos séculos X e XI, numa Cristandade cujo poder público encontrava-se fragmentado, e na qual o costume de combater a cavalo e de vestir longas

Dicionário analítico do Ocidente medieval

peças de ferro fizera da condição do guerreiro um custoso privilégio, que exigia, além de força e coragem, a posse de riquezas materiais: essa guerra não era mais o *bellum* organizado dos romanos, mas a *werra*, a *guerra*, o combate tumultuoso entre homens bárbaros e cruéis.

Os homens ficaram parecidos com os lobos, que lutam contra outros lobos; eles se devoram como os peixes no mar: frases desse gênero enchem as atas de sínodos entre os séculos X e XI. A "alegria da guerra" que cantarão um dia os poemas épicos mais cruéis — *Raul de Cambrai*, por exemplo —, assim como os trovadores e os *trouvères*, que amam tingir com a cor do sangue flores e prados de seu doce mês de maio, não era mais do que uma carnificina sem limites, alheia a qualquer interdito. Toda a documentação da época confirma-nos a veracidade da narração dos poetas. Aos escudos quebrados, cotas de malha de ferro cortadas até atingir a carne viva, corpos humanos rachados até a sela dos cavalos, crânios decepados por golpes cortantes e membros separados do tronco voando pelo ar, deve-se acrescentar, talvez sobretudo, o sofrimento dos *pauperes*, as violências infligidas às mulheres e crianças, aldeias incendiadas, colheitas destruídas, igrejas e mosteiros profanados com furor sacrílego.

Por volta de fins do século X e princípios do XI, quando as incursões bárbaras tinham passado e quando, graças à melhoria das condições climáticas, demográficas e sociais, a Europa ocidental começava a se reerguer de um longo torpor, ficou cada vez mais claro que as guerras endêmicas eram o principal obstáculo ao desenvolvimento em curso. Na ausência de poderes centrais fortes, foi a Igreja que impôs novas relações humanas e deu origem a uma nova ética, reunindo concílios e organizando associações que permitissem o desenvolvimento do movimento da *pax Dei* ("paz de Deus") e da *tregua Dei* ("trégua de Deus").

Da "paz de Deus" à "guerra santa"

O *miles* ("soldado") do século XI tinha todas as condições que lhe permitiam vir a ser chamado de "cavaleiro". Tinha a proteção de seu *senior*, de seu *dominus* (o "velho", o "senhor"), que lhe fornecia os meios financeiros indispensáveis para o armamento; em troca de tal proteção, jurava a *fidelitas* ("fidelidade") vassálica, essa relação humana complexa expressada em termos jurídicos, mas que só se pode compreender levando em conta o código mental presente nas canções de gesta. O *miles* montava seu grande cavalo de guerra e dispunha de armas pesadas, ofensivas e defensivas, formidáveis para a época: o grande escudo em forma de amêndoa, o elmo cônico com proteção nasal, a longa cota fabricada com anéis de ferro estreitamente ligados uns aos outros e que se vestia sobre uma camisa de tecido grosso ou de couro, a longa espada de duplo corte, a comprida lança; o cavalo com ferraduras no casco, grande sela provida de estribos, que permitiam ao cavaleiro uma estabilidade até então desconhecida. Quando o *miles* entrava no *comitatus* ("companheirismo"), na *Gefolgschaft* dos guerreiros reunidos em torno de um *senior*, provavelmente recebia, além de suas armas, uma espécie de iniciação ritualmente organizada. Todos esses elementos — desde o armamento e as técnicas de combate até os gestos de fidelidade e de solidariedade em relação a um universo imaginário complexo expresso nas insígnias e nos escudos — são particularmente visíveis num documento excepcional: a tapeçaria da rainha Matilde, conservada na cidade normanda de Bayeux.

Esse *miles* do século XI tinha quase tudo para merecer o nome de "cavaleiro". Faltava-lhe apenas a "cavalaria", quer dizer, não só a solidariedade de grupo ou o firme sentimento de pertencer a uma elite guerreira, mas também uma ética nova fundada no respeito à vontade de Deus (portanto, na deferência para com a Igreja) e na defesa dos *pauperes*, isto é, dos fracos e oprimidos. Muito pelo contrário, os frequentes combates entre os *domini* e entre seus acólitos traduziam-se geralmente em cruéis sofrimentos infligidos precisamente às populações sem defesa, em uma espiral de destruição e massacres que impediam a retomada de uma vida civil e econômica próspera. Ora, após a depressão dos séculos precedentes, uma tal retomada parecia possível em fins do século X.

Para que os frutos dessa melhoria geral pudessem ser plenamente colhidos, era necessário paz: mas a fragmentação dos poderes centrais, tão característica dos séculos IX e X, tinha feito desaparecer ou tornado impotentes os soberanos, aos quais incumbia a obrigação de impor a *justitia* ("justiça") e a *pax*. Foram os bispos que, reunidos em sínodos na França central e meridional e apoiados pela poderosa congregação beneditina de

Dicionário analítico do Ocidente medieval

Cluny, organizaram as comunidades, inclusive os *domini* dispostos a aderir ao seu programa e a impor um novo tipo de paz, que contribuíram para difundir e fazer respeitar as "associações" armadas criadas com esse propósito. Desse modo foi possível estabelecer, de uma parte, a *pax Dei*, destinada a proteger certas categorias de pessoas (clérigos, mercadores, peregrinos e, de maneira geral, gente indefesa) e certas categorias de lugares (santuários, mosteiros, mercados) e, de outra parte, a *tregua Dei*, pela qual o combate em certos períodos do ano (Advento, Quaresma) e mesmo durante certos dias da semana (da noite de quinta-feira à segunda-feira) passou a ser considerado sacrílego. Além disso, os "sínodos da paz" detalharam as normas de comportamento para os *milites* desejosos de se converter aos novos ideais: tais normas continham em germe a "ética cavaleiresca", codificada entre os séculos XI e XIII nos tratados, canções e romances. A Igreja de Roma, então sob controle de um grupo de reformadores inspirados por homens como Hildebrando de Soana (o futuro Gregório VII), incitou daí em diante os guerreiros a adotar um novo tipo de *conversio*: em vez de deporem as armas e ocuparem o claustro dos mosteiros, como se tinha sugerido até então, os guerreiros deveriam conservar seu lugar no mundo e trabalhar para a vitória dos programas de paz. Quem não aceitasse tais programas seria um *tyrannus* ("tirano"), e quem os violasse um *effractor pacis* ("destruidor da paz"), dois tipos de guerreiros que se reprimia lançando contra eles duras campanhas militares. Enfim, em novembro de 1095, ao final de um sínodo realizado em Clermont, no Auvergne, o papa Urbano II – discípulo fiel e sucessor direto de Gregório VII – dirigiu à aristocracia guerreira francesa uma advertência, divulgada a seguir por toda a Europa: aqueles que até então tinham vivido como saqueadores, martirizando seus irmãos cristãos, poderiam ir para o Oriente, onde os cristãos encontravam-se ameaçados pelos muçulmanos, e empregar sua energia contra os infiéis. Assim, com o recurso desse expediente destinado a "exportar a violência", foi assentada a primeira pedra no edifício das futuras cruzadas.

A guerra contra os muçulmanos na Terra Santa ou na Espanha atraiu um número crescente de cavaleiros (no mesmo momento em que se aperfeiçoavam as cerimônias de adubamento e em que nascia uma verdadeira "ética cavaleiresca"): esses guerreiros estavam dispostos tanto a se sacrifi-

Guerra e cruzada

car em nome de Deus na defesa dos santuários cristãos e dos peregrinos, quanto inclinados a se engajar com a expectativa de obter grandes ganhos, aumentando um importante butim de guerra, mas também oferecendo-se como mercenários. Uma atividade mercenária já se desenvolvia no século XI, sobretudo com o concurso dos normandos que se colocavam ao serviço do Império Bizantino. Mas, a partir do século XI, as cruzadas estimularam todos os principais tipos de serviço militar da época: o serviço voluntário, o *servitium debitum* ou "serviço devido" feudal (quer dizer, o *auxilium*, a "ajuda"), e o engajamento mercenário. A figura do "cavaleiro errante" – por muito tempo considerada pelos medievalistas como imagem literária – existia de fato na pessoa dos guerreiros que, em busca de aventuras, alcançavam sucessos concretos: o engajamento mercenário, os prêmios que podiam ganhar participando de justas e torneios (que não tinham apenas valor lúdico, mas também econômico, e que não podem mais ser considerados simples ocasiões de se exercitar para a guerra), e, enfim, a possibilidade de desposar uma dama de condição social mais elevada.

É difícil compreender o que verdadeiramente se escondia por detrás da partida espontânea de tantos guerreiros nas expedições de cruzados. Logo as cruzadas não se limitaram à Terra Santa ou à Espanha, mas também ocorreram no nordeste europeu contra os bálticos e os eslavos, em seguida contra heréticos e mesmo contra inimigos políticos do papado. Em muitos casos, a inspiração religiosa era provavelmente menos determinante que o desejo de aventura e as perspectivas de ganho, mas, noutros, o elemento religioso desempenhava de fato papel fundamental e a dimensão penitencial era, sem nenhuma dúvida, marcante: desde os séculos VII e VIII a Igreja tinha posto em prática a *peregrinatio paenitentialis* ("peregrinação penitencial"). Com base nessa instituição, grande número de cavaleiros comparava-se aos peregrinos, procurando obter nas guerras contra os infiéis a purificação de seus pecados. A Igreja reformadora dos discípulos e sucessores de Gregório VII tinha recomendado aos que queriam servir a Deus não mais ficar no claustro de um mosteiro, e sim usar suas armas na defesa da Igreja e de seus ideais. Uma tal exigência opunha-se, todavia, às aspirações daqueles que teriam preferido conhecer uma verdadeira experiência espiritual. Após a primeira cruzada, por exemplo, viu-se formar espontaneamente na Terra Santa pequenos grupos de cavaleiros que renunciavam voluntariamente a retornar em paz, aceitando continuar por muito mais tempo nos territórios de além-mar para defender os peregrinos e lhes dar assistência. Era uma escolha de valor penitencial, da qual resultou a formação de grupos comparáveis às *societates* ("sociedades") consagradas à devoção e à assistência – que também floresciam na Europa. Bernardo de Claraval, personalidade espiritual dominante em toda a Cristandade no século XII, tornou possível uma experiência inédita, paradoxal e inquietante de vários pontos de vista: a fundação de novas ordens que, em razão de seus objetivos específicos – garantir proteção e assistência aos peregrinos –, contavam em seus quadros com cavaleiros dentre os *fratres* ("irmãos") laicos.

Assim nasceram as *militiae* ("ordens militares") de São João de Jerusalém e do Templo – ordens militar-religiosas. Bernardo redigiu para a Ordem do Templo o *Liber de laude novae militiae*, tratado que distinguia a nova *militia Christi* ("exército de Cristo") da velha *militiae saeculi* ("exército secular") mundana e viciada, e que iria inclusive dar ao combate um significado místico-ascético: os verdadeiros inimigos do templário eram o mal e o pecado, sendo o sarraceno apenas seu símbolo exterior. Essa leitura espiritualista da cavalaria tornou-se rapidamente um dos *topoi* característicos do gênero épico-alegórico: ela está presente em certos romances do ciclo do Graal e em certos opúsculos didáticos relativos à missão cavaleiresca, como o *Livro da Ordem de Cavalaria*, de Raimundo Lúlio. Tais ordens alcançaram largo sucesso e conheceram grande difusão ao longo do século XII. Depois do Templo e dos Hospitalários de São João de Jerusalém, assiste-se no fim daquele século à criação na Terra Santa da Ordem dos Hospitalários de Santa Maria, reservada aos cavaleiros germânicos (por essa razão chamada correntemente de Ordem Teutônica), que continuaria ativa até a Reforma Protestante do mundo báltico-eslavo, enquanto na Espanha e em Portugal a *Reconquista* deu lugar à fundação e ao desenvolvimento de numerosas ordens, como as de Santiago, de Calatrava, de Alcântara, de Montesa e de Avis.

Essas ordens tiveram fortunas diversas. A do Templo – que entre os séculos XII e XIII desenvolveu intensa atividade econômica e financeira – foi dissolvida em 1314, ao término de um processo de heresia movido pelo rei francês Filipe IV, o Belo, com base em acusações que praticamente todos na atualidade são unânimes em considerar falaciosas. A dos Hospitalários de São João de Jerusalém sobreviveu à expulsão dos últimos cruzados da Terra Santa, no fim do século XIII, e, apropriando-se das ilhas de Rodes e de Malta, valeu-se de sua importante frota para mover no Mediterrâneo uma guerra secular contra os turcos e os piratas do Magreb (hoje em dia é uma ordem hospitalária sob a dependência da Santa Sé). A Teutônica foi laicizada com a Reforma Protestante (mas um ramo católico sobreviveu). As espanholas passaram no século XVI para a autoridade da Coroa. Os soberanos de vários reinos europeus miraram-se no modelo das ordens militar-religiosas para organizar a partir do século XIV suas próprias ordens cavaleirescas (chamadas, por essa razão, ordens "de corte"), caso das ordens da Estrela e de Saint-Michel na França, da Jarreteira na Inglaterra, ou do Tosão de Ouro na Borgonha. Famosas por seu ritual elaborado, pelo aparato esplêndido e pelas festas suntuosas que protagonizaram, essas ordens não tinham unicamente valor lúdico. Elas constituíam para os soberanos um meio que lhes permitia ligar mais estreitamente sua própria pessoa ou sua dinastia à aristocracia do país que governavam. De fato, firmava-se progressivamente uma nova concepção de cavalaria, segundo a qual o serviço de Deus e da Igreja e a defesa dos humildes deveriam estar estreitamente associados com a fidelidade devida ao rei. Desse modo, sob vários aspectos, as ordens de corte propiciaram a formação da hierarquia burocrática que se constituiria, a partir dos séculos XV e XVI, no núcleo do Estado absolutista.

A passagem das ordens militar-religiosas às ordens de Corte é um aspecto do processo de laicização do Antigo Regime. Os soberanos europeus envolvidos com a lenta mudança do regime da monarquia feudal para o do Estado absoluto não deixaram de conferir um tom cristão aos símbolos e, em certa medida, à própria substância do discurso cavaleiresco, desse modo revisitado. Entretanto, substituíram a fidelidade devida à Igreja por um novo tipo de fidelidade (e assim, por um novo tipo de honra), aquela devida antes de tudo ao rei.

Durante esse tempo, a Igreja elaborava de maneira aprofundada a ideia de Cruzada. Embora diversas fontes tenham definido a Cruzada como *bellum sacrum* ("guerra sagrada") ou *proelium sanctum* ("combate santo"), o

Dicionário analítico do Ocidente medieval

cristianismo jamais formulou uma verdadeira teologia da "guerra santa". Expedições nascidas do desejo de conquistar, conservar ou recuperar os Lugares Santos, as cruzadas não foram jamais concebidas como "guerras de religião", e menos ainda consideradas um meio para a conversão forçada dos infiéis. Se, apesar de tudo, episódios dessa natureza vieram a ocorrer, jamais receberam o aval da Igreja. Além do mais, esta preocupou-se, de um lado, em organizar de maneira rigorosa um sistema de impostos (as "décimas") que lhe permitisse pôr em andamento as diversas expedições de cruzados e, de outro lado, em definir as condições nas quais a formulação solene do voto de cruzado deveria ser considerado válido. A partir do fim do século XIV, a Cristandade não fez mais verdadeiras tentativas de recuperar a Terra Santa, e na mesma época deixou de pregar a *crux cismarina* ("Cruzada do lado de cá dos mares") contra os hereges e os inimigos políticos do papado. O avanço dos turcos otomanos sobre as penínsulas anatólica e balcânica modificou o significado da Cruzada: esta deixou de ser uma guerra destinada a recobrar a Terra Santa ou a libertar a Península Ibérica da presença "moura", passando a ser uma guerra que visava defender a Europa contra os perigos da conquista otomana. O "mito da Cruzada" — tal como foi definido por Alphonse Dupront — persistiu na cultura europeia quase até os nossos dias, dando lugar a escândalos e mal-entendidos, mas também inspirando obras-primas como a *Jerusalém libertada*, de Tasso.

Rumo a uma nova normalização dos conflitos

Nos concílios de Latrão do século XII, uma arma originária da Ásia Central e capaz de lançar flechas com grande poder de penetração, a besta, foi objeto de repetidas interdições: os cristãos não tinham o direito de utilizá-la em suas guerras internas. Entretanto, o próprio imperador cristianíssimo, Frederico I Barba-Ruiva, serviu-se dela para crivar de flechas e derrubar ao pé das muralhas os defensores das cidades italianas rebeldes. Entre os séculos XV e XVI, anátemas e interditos semelhantes foram lançados contra as armas de fogo, que Ariosto apresentava como engenhos malditos e abomináveis. No entanto, de Luís XII de França a Afonso, duque de Ferrara, todos os cristianíssimos soberanos da Renascença foram entu-

Guerra e cruzada

siastas da artilharia. Parece, aliás, que as interdições eclesiásticas, com seus motivos éticos e humanitários, jamais foram verdadeiramente respeitadas. Que se pense nos torneios, proibidos diversas vezes a partir do século XII sob pena de graves sanções espirituais, mas regularmente organizados até o século XVII.

Entre os séculos XIII e XIV, a cavalaria pesada entrou numa crise de que jamais iria sair, mas seu prestígio ou seu mito não foram afetados: tendo passado por diversos *revivals,* o espírito da cavalaria continuaria intacto até o limiar da Revolução Francesa, e desapareceria apenas às vésperas da Segunda Guerra Mundial. Conservada por séculos como modelo de coragem e vigor, a imagem do cavaleiro pesadamente armado, montado em sua sela e prestes a entrar em choque com um adversário cujo escudo faria sua lança voar em pedaços, quase já não tinha função militar nos campos de batalha do princípio do século XIV: seu lugar era apenas nos torneios. Os arqueiros munidos com o longo arco "à inglesa" ou com o pequeno arco "sírio", os besteiros, as milícias a pé das comunas italianas ou flamengas, depois as bombardas e os arcabuzes, superavam cada vez mais a cavalaria pesada. Na guerra de cavaleiros, de breves combates travados em campo aberto, de longos sítios mantidos até o entorpecimento dos participantes, quase não se morria. A ordem de cavalaria era, no fundo, uma espécie de internacional guerreira que permitia aos membros se reconhecerem como irmãos de armas. Em vez de matar, o cavaleiro procurava derrubar o adversário da sela com um golpe de lança bem desferido, a fim de poder em seguida fazê-lo prisioneiro e obter o resgate apropriado: durante o cativeiro, por vezes uma forma de hospitalidade que podia revelar-se cortês e pomposa, acontecia de se começar a concluir a paz e as futuras alianças.

Por outro lado, o nascimento em toda a Europa de uma sociedade "burguesa" acarretou uma série de modificações no domínio militar. De uma parte, os comerciantes, empresários e banqueiros tinham se tornado a classe dirigente, notadamente nas comunas urbanas italianas, mas não possuíam um estilo de vida próprio. Continuavam fascinados pelo estilo cortês-cavaleiresco e ambicionavam reproduzir em seus palácios urbanos e em suas casas de campo um "gênero de vida" senhorial, do qual as insígnias heráldicas e cavaleirescas, os torneios e os brasões eram parte integrante. Mas, de

Dicionário analítico do Ocidente medieval

outra parte, deviam cuidar de seus negócios e não pretendiam comprometê-los participando das expedições militares periódicas, comuns na época.

Esta foi a principal razão pela qual as "companhias" de mercenários multiplicaram-se na Europa dos séculos XIV e XV. Tratava-se de verdadeiras sociedades que, sob muitos aspectos, apresentavam alguma semelhança com as sociedades comerciais. Nos países em guerra, os chefes das companhias de mercenários propunham prestação de serviço "completo", pois elas possuíam suas próprias armas e seu próprio equipamento, disponíveis de imediato e relativamente em bom estado. Mas o fato de combaterem para viver criava alguns problemas: inicialmente, interessava-lhes prolongar os conflitos, pois paz era sinônimo de inatividade; depois, as batalhas de que participavam acabavam nunca sendo decisivas na medida em que, de comum acordo, elas procuravam economizar homens e meios; enfim, em tempos de paz, as companhias mercenárias desocupadas transformavam-se em terríveis bandos de saqueadores. Eis por que os diversos governos preferiam prolongar indefinidamente as guerras e continuar a empregar com grandes despesas os mercenários, de cujos serviços às vezes não tinham mais necessidade, a fim de afastar o perigo que representavam caso os deixassem circular livremente sem dinheiro. De forma paradoxal, a guerra endêmica dos mercenários era o preço a pagar pelo desenvolvimento suficientemente são e sólido da sociedade civil. Convém, aliás, lembrar que esse período foi marcado por uma crise profunda, inicialmente social e econômica, depois também demográfica em razão das recorrentes epidemias de peste a partir dos anos 1347-1348. As guerras inseriam-se nesse contexto já perturbado e parecem mais mortíferas do que foram na realidade. Isto pode ser observado claramente na longa Guerra dos Cem Anos, entre a França e a Inglaterra, guerra que se tornou endêmica, marcada por tréguas e por episódios militares de menor importância, mas também, e sobretudo, por revoltas que exprimiam o mal-estar social (as Jacqueries na França, o movimento dos Ciompi na Itália central). Em si mesma, aquela guerra não foi particularmente destrutiva, mas provocou uma inquietação contínua e um tal encadeamento de destruições que parte considerável da Europa saiu dela completamente esgotada.

Guerra e cruzada

No plano militar, a Idade Média só foi ultrapassada quando conseguiu organizar o serviço militar dos nobres e do povo, definindo suas características e fixando claramente os níveis de participação. A primeira etapa decisiva para a criação de exércitos profissionais permanentes – ato necessário à fundação do Estado moderno – foi concluída na França no fim da longa guerra contra a Inglaterra. Em 1445, Carlos VII colocou de lado as velhas instituições de recrutamento feudal e de recrutamento geral (o *ban* e o *arrière-ban*), criando quinze companhias compostas cada uma por cem "lanças". A "lança" era uma unidade de combate na qual o número de elementos constitutivos e a estrutura orgânica variaram no tempo e de acordo com o país; todavia, a unidade chamada "fornecimento de lança" compreendia seis homens a cavalo, dos quais um guerreiro propriamente dito, três acólitos e dois servidores. Foi a partir dessa época que se passou a chamar os cavaleiros pesados de "homens de armas". Na companhia de ordenança, a nobreza francesa do fim da Idade Média e do princípio da época moderna conseguiu durante certo tempo conciliar o velho ideal cavaleiresco da "fraternidade de armas" com as novas exigências do serviço hierárquico e da fidelidade à Coroa. Os homens do povo agrupavam-se nos corpos de "franco-atiradores". Maquiavel sustentava que a incapacidade de criar milícias urbanas capazes de liberar os governos do peso dos mercenários teria sido uma das razões principais da fraqueza de Estados como Florença, que assim perdeu sua liberdade.

À medida que a cultura humanística ganhava amplitude, redescobria-se o que os romanos tinham chamado de *disciplina militaris*. A arte da guerra voltava a estar em voga, a ela sendo consagrado um conjunto de textos que tratavam de tática, estratégia, poliorcética, princípios éticos ligados à prática da guerra e ao espírito da cavalaria: a *Arbre des batailles*, de Honório Bonet, a *Art de chevalerie*, de Cristina de Pisano, as biografias (verdadeiros exemplos de "hagiografias cavaleirescas") de Guilherme, o Marechal, de Boucicaut e de Bayard. Essa literatura de contornos por vezes mal definidos expressava, na realidade, a emergência de uma reflexão sobre o direito internacional da guerra. Com efeito, o início da época moderna caracterizou-se por intensa atividade jurídica dedicada aos conflitos: esta, por conseguinte, invalidou o conceito agostiniano de "guerra justa", substituindo-o pelo de "guerra

543

convencional" – guerra legítima na medida em que era juridicamente declarada segundo formas fixas e conduzida de acordo com normas aceitas pelas duas partes em conflito. Mas a ética cavaleiresca continuou a ser o fermento da sistematização jurídica da guerra: eis por que essa longínqua herança medieval constitui ainda hoje o fundamento do aparelho jurídico internacional que tem a função de regular e limitar as guerras.

FRANCO CARDINI
Tradução de José Rivair Macedo

Ver também

Cavalaria – Cidade – Jogo – Justiça e paz – Morte e mortos – Nobreza – Ordem(ns) – Senhorio – Violência

Orientação bibliográfica

ALPHANDÉRY, Paul; DUPRONT, Alphonse. *La Chrétienté et l'idée de Croisade.* Paris: A. Michel, 1954-1959. 2v. Reedição em 1995 (com posfácio de M. Balard).

BUTTIN, François. *Du Costume militaire au Moyen Âge et pendant la Renaissance.* Barcelona: Real Academia de Buenas Letras, 1971.

CARDINI, Franco. *Alle radici della cavalleria medievale.* Florença: La Nuova Italia, 1981.

_____. *Le Crociate fra il mito e la storia.* Roma: Istituto di Cultura Nova Civitas, 1971.

_____. *La Culture de la guerre* [1982]. Tradução francesa. Paris: Gallimard, 1992.

CONTAMINE, Philippe. *Guerre, État et société à la fin du Moyen Âge.* Paris e Haia: Mouton, 1972.

_____. *La Guerre au Moyen Âge.* Paris: Presses Universitaires de France, 1980.

CREPON, Pierre. *Les religions et la guerre.* Paris: Albin Michel, 1991.

DUBY, Georges. *As três ordens ou o imaginário do feudalismo* [1978]. Tradução portuguesa. Lisboa: Estampa, 1982.

DUPRONT, Alphonse. *Du Sacré. Croisades et pèlerinages*: images et langages. Paris: Gallimard, 1987.

_____. *Le Mythe de Croisade.* Paris: Gallimard, 1997.

ERDMANN, Carl. *Die Entstehung des Kreuzzugsgedankens.* 3.ed. Darmstadt: Wissenschaftliche Buchgesellschaft, 1980.

FLORI, Jean. *Chevalier et chevalerie au Moyen Âge.* Paris: Hachette, 1998.

Guerra e cruzada

GAIER, Claude. *Armes et combats dans l'univers médiéval*. Bruxelas: De Boeck-Westmael, 1995.

GUERRE, FORTIFICATION ET HABITAT DANS LE MONDE MÉDITERRANÉEN AU MOYEN ÂGE. Madri; Roma: Publications de la Casa de Velazquez; École Française de Rome, 1988.

Guilda

Podemos considerar a sociedade medieval segundo várias perspectivas. Estas dependem em grande parte da maneira pela qual concebemos a época moderna e, sobretudo, das ideias que fazemos da diferença entre ela e a Idade Média. Pode-se ver a Idade Média como o tempo do feudalismo e considerar a sociedade medieval como uma sociedade de ordens submetida a uma hierarquia estrita, como uma sociedade dominada pela Igreja e submetida à religião, ou então como uma sociedade "arcaica" na qual o indivíduo não podia ainda se afirmar ou estava em vias de emergir. Esse tipo de interpretação permite apresentar a passagem da cultura ocidental da Idade Média para a época moderna de dois ângulos opostos: de um lado, como a história de um progresso; de outro, como a história de uma decadência. Os defensores da primeira tese descreverão uma evolução que vai da "anarquia feudal" ao Estado moderno, de uma sociedade de ordens dominada pela Igreja à emancipação do indivíduo, da brutalidade à civilização (Norbert Elias). Os outros retratarão a história da dissolução dos vínculos sociais do indivíduo medieval integrado nas "coletividades" e de sua substituição por uma sociedade de massa na qual o indivíduo se perde, ou a do abandono da fé em proveito do relativismo secularizado das sociedades modernas.

Outra maneira de abordar a questão consistiria em buscar as condições da modernidade preexistentes na Idade Média. Em interrogar-se, por exemplo, a respeito da constituição de grupos sociais e das formas que tomaram, e verificar como estes puderam favorecer a ação dos indivíduos. Podemos, nesse caso, distinguir dois tipos de grupos. Comecemos pelos grupos nos quais os indivíduos são inseridos por seu nascimento: a "casa", a família, o "sexo" e o parentesco. Os outros grupos são fruto da decisão dos indivíduos; certos homens podem igualmente aderir a esses grupos por sua própria vontade. É o caso da vassalagem ou das comunidades monásticas e espirituais. A existência desse tipo de grupos teve consequências consideráveis e extremamente duráveis. É dessa categoria que depende a associação juramentada em suas diversas manifestações, a guilda e a comuna.

Conceito e definição da "guilda"

O conceito de "guilda" abarca duas noções bem diferentes, quer nos posicionemos do ponto de vista das fontes ou da pesquisa histórica. Essa dualidade sustentou uma certa ambiguidade. O conceito, tal como os pesquisadores o compreendem, encontra seus principais elementos no mais antigo registro da palavra "guilda" designando um grupo social, ou seja, no capitular que Carlos Magno assinou em Herstal, datado de 779: "Quanto aos juramentos entre membros de guildas, eles estão proibidos a todos. Quanto às suas esmolas em caso de incêndio ou de naufrágio, seus acordos não devem envolver juramentos" (c.16, MGH Capit. I, S.51). As guildas são, portanto, grupos criados por acordo, consentimento e contrato; são "associações livres" (O. von Gierke). Consequentemente, elas concluem acordos (*convenientiae*) e dotam-se de um estatuto. O consentimento e o contrato repousam num juramento mútuo promissivo, ou seja, que envolve comportamentos e ações futuros. Esse juramento faz das guildas associações juramentadas — *coniurationes*, para retomar o vocabulário das fontes medievais —, mas elas não agradam ao poder estabelecido, que se empenha em proibi-las. O capitular que nos interessa aqui indica, além disso, que a constituição de uma guilda tem por objetivo o auxílio mútuo em caso de indigência, incêndio e naufrágio. Trata-se, então, de um sistema de socorro mútuo, destinado a remediar todas as situações de angústia, oferecer uma proteção recíproca e uma assistência social em sentido amplo. Estas compreendem, como é o caso aqui, elementos imanentes e profanos, mas também elementos transcendentes e religiosos, sempre presentes. As guildas se constituem e continuam a existir para assegurar auxílio mútuo coletivo numa situação de desordem.

O conceito de guilda, tal como apresentado pelas fontes, é coerente com a estrutura do vocabulário social medieval. Os textos da Alta Idade Média não empregam a palavra (*gilda, gelda, gildonia*) de maneira exclusiva; encontramos preferentemente denominações como *confratria, fraternitas, consortium, societas, coniuratio, amicitia* etc., ou seja, heterônimos que se ligam a certas particularidades inerentes àqueles grupos – por exemplo, uma associação íntima e inclinações fraternais entre os que contraem tais laços. Quanto à palavra *gilda* (em antigo alto-alemão *gelt*, "pagamento", "salário", "oferenda"; em germânico *geldan*, "reembolsar", "pagar"), ela se refere a uma comunidade de pagamento ou de oferenda, quaisquer que sejam suas intenções ou finalidades. Diante da diversidade dos vocábulos empregados nas fontes, a pesquisa recomendou desde o começo do século XIX a utilização do termo "guilda" para designar um tipo definido de grupo constituído. Esse termo rapidamente se impôs no vocabulário científico europeu. Mas com a historiografia alemã foi diferente: por volta de 1900, algumas pesquisas de história econômica e constitucional propuseram que o termo "guilda" fosse reservado às guildas de mercadores. Ela seria, portanto, um equivalente da palavra "corporação".

As guildas na sua função de grupos sociais

Os elementos fundamentais da constituição de uma guilda são o juramento e a refeição. O juramento mútuo é um ato jurídico constitutivo e obrigatório. A refeição tem por função renovar permanentemente a associação juramentada.

O juramento instaura a igualdade (a paridade) entre os membros da guilda e constitui um domínio jurídico próprio, por meio da adoção de estatutos. Trata-se de uma forma de direito positivo, ligado às pessoas e aos grupos: "Ele acompanha o membro do grupo em suas atividades e distingue-o dos outros em qualquer lugar em que se encontre" (P. Michaud-Quantin). As fontes medievais descrevem esse direito falando de *voluntas* ("vontade") e *consuetudo* ("costume"). Essa forma de direito tem por corolário uma jurisdição interna à guilda, que assegura a arbitragem das querelas e a manutenção da paz entre seus membros. Além disso, as guildas têm o direito de se autoadministrar e de eleger seus presidentes bem como os membros de seu tribunal. As associações juramentadas exercem efeitos pacificadores em seu próprio seio e no resto da sociedade. No começo da Idade Média, houve casos em que as guildas pegaram em armas para defender sua ordem jurídica própria ou para ajudar alguns de seus membros em disputas com terceiros.

A refeição coletiva estava ligada ao ofício divino, às obras de caridade e à comemoração dos mortos, e, dessa forma, à rememoração de sua própria história. Essas celebrações religiosas faziam da guilda uma comunidade à parte, que existia paralelamente ao sistema de paróquias e de suas instituições. Assim, a guilda constituía tanto uma ordem jurídica e uma ordem de paz nascidas de uma "conjuração", quanto um grupo religioso. Esses traços só poderiam fazer dela o alvo das autoridades estatais e eclesiásticas, a cujos ataques juntaram-se posteriormente as autoridades municipais. As disputas das guildas com as autoridades, que não hesitaram em empregar a difamação seguida muitas vezes de uma pura e simples proibição, foram durante séculos um elemento importante de sua história no Ocidente medieval. Aliás, esses conflitos frequentemente influenciaram a apreciação das fontes.

A regra espiritual fundamental das guildas sempre foi a solidariedade de grupo e a fraternidade, particularmente em sua acepção cristã. Esta impunha a cada membro um dever de assistência para com seus camaradas.

As guildas caracterizavam-se, portanto, por uma singular combinação de altruísmo e egoísmo, de fraternidade e de paridade internas, e de exclusividade em relação ao mundo exterior. Essa especificidade não é alheia às consequências históricas consideráveis dessa forma de organização.

Origens da guilda

A tese por muito tempo sustentada de uma origem germânica das guildas não é confirmada pelas fontes. Com efeito, o mais antigo testemunho que chegou até nós data de 779. Tal ideia repousava unicamente sobre proibições e posicionamentos negativos com relação às guildas, fatos datados da Alta Idade Média (e essencialmente emanados da Igreja). Esses textos descreviam as guildas como centros de práticas pagãs, de crimes e vícios secretos, de obscuridade, luxúria e assassinato. Eles se situam na tradição das lutas da Igreja primitiva contra as refeições coletivas, a embriaguez, o jogo e a dança. Da mesma forma, os textos retomam as reservas já expressas pela sociedade romana com relação a certos grupos religiosos como os judeus, os cristãos e os adeptos de cultos orientais. Longe de exprimir simples lugares-comuns, esses textos repetem difamações específicas, dirigidas contra um tipo específico de grupo: uma associação constituída por juramento, reunindo homens e mulheres. Mesmo que não houvesse verdadeiras práticas repreensíveis ou pagãs, essa forma social incitava pessoas externas ao grupo a desconfiar de tais usos ou a fazer alusões difamatórias nesse sentido, justificando assim a intervenção das autoridades. Na Igreja franca ocidental, especialmente Hincmar de Reims buscou servir-se de interditos desse gênero para transformar as guildas locais em associações eclesiásticas, cuja existência estava submetida à autorização da Igreja e encontravam-se integradas às estruturas eclesiásticas (paróquia, decanato).

As fontes também não confirmam a tese recente que situa a origem das guildas na Frísia da Alta Idade Média. Em compensação, vários textos revelam na história romana e na história da Antiguidade tardia (séculos V-VI; Itália, Gália) a existência de associações constituídas por juramento promissivo. Mencionemos ainda as interdições pronunciadas contra as guildas clericais (*conjurationes clericorum*) na Gália romana e na Gália franca nos séculos VI e VII. Tratavam-se de associações juramentadas do clero rural. Estas reapareceram "em vários lugares" com objetivo de assistência mútua (*caritas*), como afirma pela primeira vez o Concílio de Orleans, que se apressa em proibi-las. Seu aparecimento devia-se, sem dúvida, à rápida expansão do cristianismo no meio rural, o que provocou a fundação de inúmeras paróquias. Ora, os bispos não tomaram nenhuma medida suscetível de resolver as dificuldades sociais do clero rural, devidas essencialmente ao isolamento dos eclesiásticos ou à integração destes nos senhorios. Os bispos também nada fizeram para remediar a situação insustentável que daí resultava. Esta contrastava profundamente com a vida que na mesma época levava o clero urbano, reunido numa *vita communis* sob a proteção do bispo e junto com ele; essa organização assegurava de fato a assistência material e a proteção social do clero urbano.

As condições que nortearam a criação das guildas clericais na transição da Antiguidade para a Idade Média encontram-se geralmente na origem do nascimento e da expansão das guildas medievais. A associação juramentada (*conjuratio*) certamente remonta à Antiguidade, mas ela sempre tinha estado, sobretudo no Império Romano, submetida a um rigoroso controle do Estado, qualquer que fosse a natureza – profissional, política ou religiosa – dessas associações. O desmoronamento das estruturas estatais antigas acarretou o desaparecimento desses controles. Por outro lado, a ordem estatal tinha-se encarregado de muitos problemas que dali em diante seria preciso resolver de outra forma, quer dizer, pelo auxílio mútuo. A dissolução das estruturas estatais do Ocidente romano libertou as associações de todo tipo de controle, ao mesmo tempo que fornecia novas razões para os homens se associarem em grupos dotados de uma grande força de coesão social. Uma entidade que tinha tido uma existência apenas discreta na Antiguidade – o grupo constituído por juramento mútuo – tornou-se assim, em circunstâncias novas e num mundo diferente, um elemento social ao mesmo tempo familiar e novo. O desenvolvimento das guildas no Ocidente daquele tempo é, portanto, um indício revelador do processo de transição entre a Antiguidade e a Idade Média.

As guildas da Alta Idade Média: guilda e comuna

A exemplo das guildas clericais galo-francas dos séculos VI e VII, é no campo que são encontradas as guildas locais da época carolíngia, que o capitular de Herstal foi o primeiro a criticar. Essas guildas reuniam leigos e eclesiásticos, homens e mulheres, e substituíam as estruturas sociais do vilarejo, da paróquia e do senhorio.

As mais antigas guildas profissionais são as dos mercadores itinerantes, as primeiras das quais aparecem no começo do século XI (Tiel, no Reno inferior, por volta de 1020) e cujos estatutos (final do século XI, Saint-

Dicionário analítico do Ocidente medieval

-Omer, Valenciennes) são os mais antigos da Europa continental que chegaram até nós. Eles provam, uma vez mais, que o primeiro motivo para a constituição de uma guilda era a desorganização local. De fato, aqueles estatutos organizam as questões de proteção e assistência mútuas em matéria de seguro (no caso de perda de mercadorias por confisco, roubo ou acidente ocorridos durante uma viagem), bem como ajuda diante de tribunais estrangeiros. Eles definem também as prerrogativas dos membros da guilda sobre o mercado local e organizam a vida interna do grupo: cooptação, direitos de adesão, lista de membros, leitura regular dos estatutos, celebração de reuniões, bebedeiras, refeições e banquetes, ofício divino e celebração dos mortos, eleição do presidente e dos membros do tribunal da guilda, competências e procedimentos desse tribunal, necessidade de vivenciar sentimentos fraternais e de se comportar e agir de acordo com eles. Enfim, esses estatutos regulamentam as relações do grupo com o ambiente urbano no qual as guildas de mercadores já estão integradas no final do século XI: obras de caridade e participação nas tarefas comunitárias da cidade, como a manutenção das ruas e das fortificações.

As guildas anglo-saxãs da Alta Idade Média, assim como as do território dinamarquês e escandinavo a partir do século XII, caracterizam-se por um desenvolvimento realmente particular. Suas relações com a evolução da Europa central e ocidental são atualmente objeto de um novo debate.

O papel das guildas mercantis nas cidades do século XI leva-nos a abordar a relação entre guilda e comuna municipal. Em um e outro caso, tratam-se de associações juramentadas, mas a comuna distingue-se da guilda, grupamento puramente pessoal, pelo substrato territorial sobre o qual ela repousa. Várias teorias sobre o nascimento das comunas veem nelas um prolongamento direto das guildas mercantis ou fazem-nas derivar das tréguas de Deus do século XI, ou ainda de formas comunais mais antigas. Na realidade, sabemos que as guildas e as *conjurationes*, que não eram mais associações puramente pessoais pois tinham se organizado sobre uma base regional ou local (camponesa), existiram desde o século IX. Esse fenômeno está ligado à expansão dos normandos, com tais *conjurationes* tendo se constituído com fins defensivos, formar grupos armados que asseguravam a paz. É preciso considerar essas associações de paz juramentadas do século

IX como uma forma anterior das comunas urbanas posteriores. Portanto, a união comunal não nasceu na cidade, ela é um legado da sociedade rural do começo da Idade Média.

O aparecimento da comuna urbana exerceu, por sua vez, uma profunda influência na história das guildas. De fato, a comuna retomou a principal missão da antiga guilda, isto é, a proteção e segurança de seus membros, cuja igualdade reconhecia. Ela chegou mesmo a adotar o principal meio de constituição de uma associação, o juramento. "A paz interna, um direito próprio e a responsabilidade perante um tribunal comunitário, isto é, os elementos essenciais da antiga guilda, encontram-se a partir de então nos juramentos dos burgueses e abrangem, portanto, o conjunto da burguesia" (G. Dilcher). Porém, os grupos mais restritos existentes na cidade não abandonaram os elementos constitutivos da antiga guilda. Pelo contrário, notamos nas novas comunas fundadas sobretudo nos séculos XII e XIII um florescimento de agrupamentos e de uniões (guildas, corporações, confrarias), que retomam todas as características da antiga guilda. Podemos até afirmar que a participação de importantes parcelas da população municipal nas guildas, corporações e confrarias no seio da sociedade urbana foi a base do rápido sucesso da paz comunal: a nova sociedade urbana, que "produz imediatamente uma vida intensa em matéria de direito de associação e de cooperação pessoal", encorajou e consolidou "a solidariedade, a associação de paz e de direito constituída pela união dos burgueses, uma coletividade mais vasta cujos efetivos muitas vezes aumentavam de forma impetuosa" (G. Dilcher).

Histórico da guilda no apogeu e no final da Idade Média

A onipresença e as múltiplas funções da associação juramentada que se designa pelo nome de "guilda" caracterizam igualmente a sociedade ocidental em meados da Idade Média. Esse desenvolvimento segue, encorajando-o, o processo de diferenciação social e de constituição de ordens que se desenha continuamente desde o século XI. Uma vez mais, o principal motivo que norteou a formação da guilda é a desorganização social. Depois das mais antigas guildas profissionais, as dos mercadores no século XI, vemos emergir, a partir do final do século XI e durante o XII, associações

Dicionário analítico do Ocidente medieval

de artesãos que chamamos "corporações". Seu aparecimento e sua evolução deram lugar a várias controvérsias entre os pesquisadores, as quais refletem as grandes correntes de pensamento político e social dos séculos XIX e XX. Infelizmente faltam-nos novos estudos aprofundados. Os mercadores, que tinham acabado por se fixar em grandes cidades comerciais, organizaram-se novamente em associações próprias (as hansas) de acordo com seu lugar de origem ou com o destino de suas expedições comerciais.

Vamos nos deter um instante numa forma de associação juramentada que conheceu um sucesso todo particular. Trata-se das associações de professores e de estudantes que se constituíram em Paris e em Bolonha no final do século XII e que no século XIII tomaram o nome de "universidades". Mais uma vez, a força social da *conjuratio* manifesta-se para remediar uma situação de desorganização, e mais precisamente de dissabores que causavam aos mestres ou aos alunos seu estatuto de estrangeiros (crise da habitação, aluguéis excessivos, conflitos com a população local e injustiça dos tribunais locais, responsabilidade coletiva, mas também litígios internos devidos notadamente à virulência dos preconceitos "nacionais" e das difamações que estes engendravam). Os problemas que as autoridades estatais, religiosas e municipais não podiam ou não queriam resolver foram solucionados por meio do auxílio mútuo. Ao se organizarem em *conjuratio*, os mestres (e graças a eles, os estudantes) de Paris obtiveram por volta de 1200 um certo número de privilégios: a proteção jurídica e a segurança de suas condições de vida, a independência de decisão concernente às suas atividades de estudos e, graças ao direito de cooptação, uma importante influência sobre a concessão da *licentia docendi* ("permissão para ensinar").

Além disso, eles contavam com o apoio do papa contra o bispo e o rei de França. A adesão a uma associação juramentada favorecia igualmente algumas ações coletivas, desde que se tratasse de certas reivindicações. Para obter a isenção da jurisdição ordinária, a Universidade de Paris não hesitou em suspender seus cursos e até recorrer, em 1229, à secessão. Esta provocou o nascimento de novas universidades em outras cidades (Angers, Orleans). Paralelamente, a independência da Universidade (*libertas scholastica*) foi responsável pela pouca eficácia que teve a censura pronunciada contra os escritos de Aristóteles (a partir de 1210).

Guilda

Em Bolonha, ao contrário, os mestres gozavam do estatuto de burgueses, que os punha ao abrigo da insegurança. Essa situação explica que, nessa cidade, os estudantes de direito tenham sido os únicos a se reunir em *societas* ou em *universitas*, a fim de poder agir contra a comuna. Como em outros lugares, essa liberdade de ação manifestou-se particularmente, no começo do século XIII, pela afirmação do direito de secessão. Essas associações negociaram em pé de igualdade com as comunas para obter acordos a respeito da organização e dotação de cátedras de ensino, do fornecimento de proteção jurídica e da garantia de sua autonomia e de sua jurisdição própria. Essas negociações podiam mesmo tratar da disponibilização de habitações bem situadas e baratas, da concessão de créditos com taxas vantajosas e da criação de celeiros de trigo destinados a remediar eventuais períodos de escassez. De acordo com o resultado dessas negociações, a universidade decidia permanecer ou não no local em questão, o que acarretava a manutenção ou a imigração de todas as atividades de estudos (*studium*).

Dentre as guildas medievais que agrupavam os membros de uma profissão ou de uma ordem, convém citar, paralelamente às associações do clero ainda pouco estudadas (como as *fratres calendarii*), os *collegia iudicum*. Estes foram muito recentemente objeto de pesquisas aprofundadas, ancoradas numa abundante documentação. Trata-se, de fato, de associações juramentadas de juristas eruditos que aparecem nas cidades do norte da Itália a partir do século XIII. Em fins do mesmo século, notamos nas cidades e localidades de Flandres, do Hainaut, do Brabante, da Picardia e do Artois as primeiras menções a associações ("guildas", "sociedades", "confrarias", "companhias") de defesa que se difundirão até o começo da Era Moderna a partir de seus locais de origem em direção ao sul, leste e norte. Sua missão era a de assegurar um serviço de proteção, assim como a defesa da cidade e do campo.

A partir do começo do século XIV, no contexto da crise do final da Idade Média e em razão da crescente mobilidade regional, vemos aparecer também "guildas de miséria" (*fraternitates* ou *gildae exulum*), que se atribuem a missão de socorrer os estrangeiros (alimentação, habitação, sepultamento, celebração dos mortos); a adesão a essas associações ultrapassava o âmbito das ordens e das profissões. As vezes, até mesmo os pobres faziam parte delas.

No final da Idade Média, devemos conferir uma importância particular às associações de companheiros (guildas de companheiros), que, por respeito às autoridades municipais, substituíram o juramento por um aperto de mão e uma promessa solene. Tais associações nasceram nos séculos XIV e XV. Sob a pressão da crise econômica e no contexto de uma penúria de mão de obra, os companheiros puderam de fato emancipar-se da dominação dos mestres. As guildas de companheiros também dispunham de sua própria jurisdição de arbitragem e faziam para seus membros seguro contra doença e desemprego; tratava-se de comunidades leigas erguidas ao lado de igrejas das Ordens Mendicantes, igrejas paroquiais e hospitais. Elas foram igualmente as primeiras a introduzir no mundo do trabalho meios de luta como a greve e o boicote.

Sobre as associações de pobres e mendigos, ainda sabemos muito pouco; sobre as de nobres e cavaleiros, o estudo mal começou.

As "confrarias"

As "confrarias" merecem ser tratadas à parte. Na linguagem dos pesquisadores, essa denominação designa as associações voluntárias e duradouras de pessoas, tendo objetivos essencialmente religiosos ou caritativos. O termo carece, contudo, de precisão. De fato, as fontes medievais não utilizam a palavra *fraternitas* para designar exclusivamente as intenções fraternais e um grupo que põe em prática tais intenções; ao contrário, elas empregam-na para caracterizar todos os tipos de grupos. É preciso esperar o século XV para que os teólogos se esforcem em dar uma definição específica de confraria. Apenas nestes últimos anos os medievalistas realmente abordaram a questão da confraria na França, na Itália e na Alemanha, em estudos locais e regionais. Eles revelaram a imensa importância do fenômeno, e sobretudo a diversidade de suas manifestações e de seus tipos nas cidades e no campo. As confrarias também, é preciso ressaltar, tiveram um papel social importante na vida das cidades. É o caso, em especial, das cidades italianas do final da Idade Média, como mostraram as novas pesquisas consagradas principalmente a Florença. Na Florença da Baixa Idade Média, as confrarias são associações livres que podemos considerar uma "comuna em miniatura". Elas garantem a seus membros uma importante educação "em matéria de procedimento e de cultura cívica republicana" (R. Weissman). Elas permitem ao indivíduo libertar-se dos laços da família e do domínio, da paróquia e da vizinhança, assim como de suas obrigações profissionais e outras ligadas à ordem à qual ele pertence, e isso em toda a cidade. Ao mesmo tempo, o dever de auxílio mútuo que ele aceita leva-o a estabelecer outros laços de grande alcance, com fundamentos religiosos e rituais. Cada um desses laços representava uma garantia de paz para o conjunto da cidade. Também não é surpreendente que os humanistas, de Coluccio Salutati a Pico della Mirandola e Marcílio Ficino, tenham insistido na importância das confrarias para a comunidade, assim como para o aparecimento de um humanismo cristão. Os humanistas consideraram igualmente que a *caritas* praticada pelas confrarias, bem como as formas de associação e de comunidades adotadas por elas, representavam uma importante contribuição desses grupos à coletividade: a educação para a *pax* e a *concordia*.

A importância das guildas na história ocidental

Os grupos sociais encarnam sempre uma "cultura" específica, sobre a qual se apoiam, garantindo ao mesmo tempo sua continuidade; essa cultura encobre certas normas e valores, engendrando ações sociais que são, por sua vez, função do comportamento alheio. Essas ações têm resultados objetivos, materiais ou imateriais, como as instituições. O *ethos* e os efeitos específicos da associação juramentada repousam sobre a ideia de ajuda mútua (*mutuum adiutorium, mutuum consilium et auxilium*). A associação juramentada tem como membros indivíduos conscientes de sua fraqueza no seio da ordem política ou social, e buscam unir-se porque ficaram muito tempo isolados e ainda estão. O primeiro meio de constituição do grupo é o juramento recíproco, cuja importância é difícil de ser supervalorizada. De fato, somente a força desse juramento e da "conjuração" que ele cria permite ao indivíduo libertar-se dos laços sociais que o prendem, estabelecendo outros. Esses novos laços caracterizam-se por um equilíbrio e uma concordância de interesses, pelo consentimento e pela conclusão de um contrato, e, enfim, pela estipulação de objetivos livremente definidos. As

Dicionário analítico do Ocidente medieval

pessoas externas sempre reconheceram e temeram esses efeitos das associações juramentadas.

Essa profunda ancoragem social e as múltiplas repercussões que as *conjurationes* tiveram na história do Ocidente permitem explicar as consequências que ultrapassam amplamente a história do Ocidente, e cujas formas mais impressionantes são, sem dúvida, a comuna urbana e a Universidade, além da fase de dissolução das corporações ocorrida no final do Antigo Regime e sob a Revolução. Da mesma maneira, as associações de companheiros do final da Idade Média e do começo da época moderna exercerão seus efeitos até sobre o nascente movimento operário. Contrariamente ao que muitas vezes se afirma, não se deve enxergar nos princípios de associação moderna – ingresso espontâneo, igualdade social, regras de conduta independentes – o reflexo das aspirações burguesas à emancipação e um sintoma do processo de modernização que se manifestou no começo do século XIX. Esses elementos, na realidade, acompanharam a evolução da civilização ocidental desde suas origens.

Por outro lado, as associações juramentadas influenciaram os processos mentais, sociais e políticos da época moderna, e em especial marcaram as ideias políticas e sociais. Isso é essencialmente verdade no caso do "republicanismo" e do "movimento comunal" modernos; o papel das associações medievais na constituição delas não foi ainda suficientemente reconhecido e explicado. É sobretudo na história das ideias políticas e sociais que a experiência histórica das guildas e das comunas tomou vários aspectos; basta, para nos convencermos, evocar Jean Bodin e Althusius, Hegel e Tocqueville, Proudhon e Kropotkin. As controvérsias do final do século XVIII e do começo do século XIX sobre a liberdade de empreendimento e a liberdade de associação sempre se referem àquelas experiências históricas. A criação na Europa de uma sociologia da cultura por instigação de Émile Durkheim, Georg Simmel, Ferdinand Tönnies e Max Weber foi feita em grande parte por meio de uma reflexão sobre as guildas e as corporações medievais.

A apreensão dessas realidades históricas permite, em suma, compreender a cultura e a sociedade da Idade Média, afastando-se dos habituais esquemas de interpretação. De fato, continua-se muitas vezes a apresentar a Idade Média como a era da "comunidade", uma época na qual o indivíduo

Guilda

não podia desempenhar nenhum papel na sociedade porque estava subjugado pelas ordens e pelos grupos nos quais ele se dissolvia. Contudo, a história das associações medievais revela que a feitura de contratos independentes e individuais foi desde a origem uma característica da sociedade medieval, profundamente marcada por eles.

Essa constatação permite igualmente abordar a questão do lugar da Idade Média europeia numa perspectiva de estudos culturais comparativos. Max Weber abriu o caminho ao conduzir tais reflexões sobre as culturas comparadas, perguntando-se sobre a tensão entre instituição estatal ou eclesiástica e associação (*Anstalt* e *Verein*), entre o estabelecimento de um contrato ligando indivíduos e a integração destes em ordens e castas, e, enfim, entre família e parentesco de um lado e associações livres de outro. É preciso, entretanto, que as pesquisas sobre a Idade Média abordem esse tipo de estudos de cultura comparada de um novo ângulo.

OTTO GERHARD OEXLE
Tradução de Vivian Coutinho de Almeida

Ver também

Alimentação – Assembleias – Cidade – Mercadores – Ordem(ns) – Universidade

Orientação bibliográfica

ALTHOFF, Gerd. *Amicitiae und pacta*: Bündnis, Einung, Politik und Gebetsgedenken im beginnenden 10. Jahrhundert. Hanover: Hahn, 1992.

ANZ, Christoph. *Gilden im mittelalterlichen Skandinavien*. Göttingen: Vandenhoeck und Ruprecht, 1998.

BLACK, Antony. *Guilds and Civil Society in European Political Thought from the Twelfth Century to the Present*. Ithaca e Nova York: Methuen, 1984.

BLICKLE, Peter (ed.). Landgemeinde und Stadtgemeinde in Mitteleuropa. Munique: Oldenbourg, 1991.

_____. *Theorien kommunaler Ordnung in Europa*. Munique: Oldenbourg, 1996.

COBBAN, Alan B. The Medieval Universities: their Development and Organization. Londres: Methuen, 1975.

COORNAERT, Émile. Les ghildes médiévales (V^e-XIVe siècle). *Révue Historique*, Paris, n.199, p.22-55 e 208- 43, 1948.

_____. Les corporations en France avant 1789. Paris: Éditions Ouvrières, 1968.

DILCHER, Gerhard. Bürgerrecht und Stadtverfassung im europäischen Mittelalter. Colônia: Böhlau, 1996.

HOLENSTEIN, André. Die Huldigung der Untertanen. Stuttgart e Nova York: Oldenbourg, 1991.

KOLMER, Lothar. Promissorische Eide im Mittelalter. Kallmünz: Michael Lassleben, 1989.

LE MARCHAND AU MOYEN ÂGE. Actes du XIXe Congrès de la Société des Historiens Médiévistes de l'Enseignement Supérieur Public. Saint-Herblain: Éditions SHMES, 1992.

MEERSSEMAN, Gilles Gérard. *Ordo fraternitatis*: confraternite e pietà dei laici nel Medioevo. Roma: Herder, 1977. 3v.

MEYER-HOLZ, Ulrich. *Collegia iudicum*. Baden-Baden: Nomos, 1989.

MICHAUD-QUANTIN, Pierre. *Universitas*: expressions du mouvement communautaire dans le Moyen Âge latin. Paris: Vrin, 1970.

LE MOUVEMENT CONFRATERNEL AU MOYEN ÂGE: FRANCE, ITALIE, SUISSE. Roma: École Française de Rome, 1987.

OEXLE, Otto Gerhard. Les groupes sociaux du Moyen Âge et les débuts de la sociologie contemporaine. *Annales ESC*, Paris, n.47, 1992. p.751-65.

_____. Gilde und Kommune: über die Entstehung von "Einung" und "Gemeinde" als Grundformen des Zusammenlebens in Europa. In: BLICKLE, Peter (ed.). *Theorien kommunaler Ordnung*. Munique: Oldenbourg, 1996. p.75-97.

RANFT, Andreas. Adelsgesellschaften. Sigmaringen: J. Thorbecke, 1994.

REININGHAUS, Wilfried. *Die Entstehung der Gesellengilden im Spätmittelalter*. Wiesbaden: Steiner, 1981.

SCHWINEKÖRPER, Berent (ed.). *Gilden und Zünfte*. Sigmaringen: Thorbecke, 1985.

VERMEESCH, Albert. *Essai sur les origines et la signification de la commune dans le nord de la France (XIe et XIIe siècles)*. Heule: UGA, 1996.

VINCENT, Catherine. *Les confréries médiévales dans le royaume de France, XIIIe-XVe siècle*. Paris: Albin Michel, 1994.

WEISSMAN, Ronald F. E. *Ritual Brotherhood in Renaissance Florence*. Nova York: Academic Press, 1982.

Heresia

A falta de clareza da heresia é grande; no entanto, ela está no coração da construção do Ocidente, porque permitiu o nascimento do procedimento inquisitorial, definitivamente instituído pelo papa Gregório IX em 1231: a necessidade de extorquir a qualquer preço uma confissão dava à verdade e, desse modo, ao erro, um novo valor absoluto. Da Igreja, o procedimento deslocou-se para a realeza, e encontra-se na base da exagerada reivindicação de poder total própria ao Estado moderno.

O problema da heresia nasce com o cristianismo. Foi necessário mais de um século para se constituir o corpo canônico do Novo Testamento, ou a coleção dos escritos progressivamente definidos como "ortodoxos", isto é, descendente em linha direta do ensinamento de Cristo fixado definitivamente, o que permitiu formular um credo único e intangível e fundar a Igreja universal ("católica", em grego). Isso aconteceu por meio de inflamadas polêmicas. As divergências eram engrossadas pelas necessidades da polêmica e agravadas pela nascente instituição eclesiástica. Os vitoriosos tornaram seus opositores hereges. Em seguida, a polêmica não acabou. As heresias foram catalogadas desde o fim do século II, a lista estereotipada alongou-se e a Idade Média conheceu-a por intermédio de Santo Agostinho (*De heresibus*, começo do século V: 88 heresias) e do resumo de Isidoro de Sevilha (*Etimologias*, século VII: 70 heresias). "Heresia" significava em grego "ação de pegar" e, no sentido metafórico, "escolha, preferência, visão

Dicionário analítico do Ocidente medieval

particular e discordante". *Haeresis graece*, *Electio latine*, escrevia Isidoro de Sevilha, acrescentando que o herético é aquele que não só está no erro, mas nele se obstina. A palavra grega foi mantida em dois versículos do apóstolo Paulo: "Convém que haja heresias para que se veja o que se deve aprovar" (I Coríntios 11,19) e "Depois de uma primeira e uma segunda advertência, é preciso temer e não frequentar o homem herético" (Tito 3,10).

A partir de Constantino, que havia feito do cristianismo uma religião lícita, a história da heresia esteve intimamente ligada à do Estado. Os que recusavam a autoridade dos Pais da Igreja puderam ser legalmente perseguidos, como anteriormente os cristãos que tinham recusado o culto das imagens imperiais. A história da heresia segue o ritmo da evolução do poder – quanto mais forte ele é, mais seguramente a heresia é identificada, perseguida e condenada. Depois da queda do Império Romano, ela progressivamente desaparece do Ocidente latino. Reaparece no final do século X ao mesmo tempo que o senhorio banal, em um contexto de recuperação geral. Ela continua uma questão secundária até meados do século XII, quando o abade de Cluny, Pedro, o Venerável, e depois o abade de Claraval, São Bernardo, colocam-na em evidência logo após a crise gregoriana. Até aquele momento, estão em jogo os sacramentos da Igreja e o poder que eles conferem aos padres, intermediários obrigatórios entre o fiel laico e Deus. Inocêncio III, por volta de 1200, faz disso um problema maior: os hereges que cristalizam a ofensiva são agora os que questionam as origens do mal e afirmam existir um Deus malvado, embora se considerem dentro do cristianismo. Nos anos 1230, desenvolve-se a Inquisição, quando se dissemina o chavão do herege servidor do Diabo, recorrente desde a Antiguidade. Em 1300, o rei da França e seus legisladores podem lançar processos de heresia e assimilá-los à bruxaria. Então, a heresia perde importância, ao menos no discurso da Igreja.

Somente em meados do século XIII a palavra herético é ouvida diretamente pela primeira vez. Ela permanece rara ainda por muito tempo. Longe de Roma, em fins do século XIV, emergem obras propriamente heréticas; pode-se ouvir a voz dos lolardos em terra inglesa, dos hussitas em terra tcheca e mesmo dos valdenses dispersos pelas terras do Império. Eles prefiguram a Reforma Protestante. Vou me limitar aqui ao período crucial dos séculos XI, XII e XIII.

Heresia

Uma espécie de vulgata da história da heresia está solidamente instalada na historiografia, menos na Itália, fundada sobre a distinção entre as heresias dualistas reunidas sob o nome de catarismo (detectado, conforme os autores, a partir de meados do século XII ou começo do XI), as heresias de retorno à pureza do cristianismo primitivo como o valdeísmo, e as derivadas da esperança escatológica, a partir do fim do século XII. Uma outra perspectiva aqui encarada parte do discurso que a Igreja produziu para denunciar a heresia, a fim de estabelecer a relação entre o saber sobre a heresia e modalidades de luta. Essa conduta leva a distinguir uma sucessão fina de períodos.

Um discurso sobretudo monástico até meados do século XII

A heresia que surge no começo do século XI pensa a si mesma por meio de cinco casos precisos, datados, cujos atores são nomeados, ao que se deve acrescentar a reputação de heresia da Aquitânia. Quase todas os vestígios provêm de narrativas de origem monástica. Quatro delas são contadas pelo monge borgonhês Raul Glaber, nos quatro primeiros livros de suas *Histórias*, escritas de 1031 a 1042; ele procurava na história de seu tempo signos positivos, como as descobertas de relíquias, e signos negativos, dentre os quais a heresia. É o único a mencionar duas histórias significativas, ambas, segundo ele, do ano 1000: a do camponês Leoutardo, em Vertus perto de Châlons, na Champanha, que expulsou sua mulher, quebrou as imagens e a cruz, denunciou o dízimo e começou a pregar; e a do letrado de Ravena, Vilgardo, que se tornou herege por causa de seu amor pela gramática e pelos poetas pagãos.

O caso de Orleans é o único que teve grande repercussão. No Natal de 1022, de dez a catorze clérigos da mais alta hierarquia da catedral de Orleans, entre os quais o mestre de teologia, foram acusados de heresia e queimados, sob as ordens do rei Roberto, o Piedoso. Não conhecemos a explicação. Duas narrativas procedem do grande mosteiro de Fleury-sur--Loire, cujo abade Gauzlin encontrava-se no sínodo de Orleans: logo após os acontecimentos, um monge de Ripoll, na Catalunha, que lá residia, en-

563

Dicionário analítico do Ocidente medieval

viou uma carta ao seu abade, Oliba, na qual dizia que os condenados negavam a graça do batismo, a eucaristia, a remissão dos pecados mortais, desaprovavam o casamento e abstinham-se de comer carne; coisas semelhantes aparecem na *Vida* de Gauzlin, escrita por volta de 1040. Em torno de 1031, o monge Ademar de Chabannes apresenta-os na sua *Crônica* como maniqueus servidores do Diabo – ele é o único a dar essa definição. Enfim, em torno de 1080, o autor do cartulário de Saint-Pierre de Chartres consagrou ao episódio uma longa notícia na qual inclui fábulas sobre orgias noturnas. Naquela sociedade intelectual aberta às mais ousadas especulações teológicas, clãs políticos confrontavam-se de maneira dramática pela atribuição de sedes episcopais. O mestre da catedral de Tours, Berengário, teve mais sorte apesar de levar sua reflexão sobre a eucaristia para o sentido oposto à transubstanciação: ele viu suas obras condenadas e queimadas diversas vezes, mas conservou seu cargo até a morte, numa idade avançada.

Os dois outros casos de heresia que chegaram ao nosso conhecimento são comparativamente de menor importância, mas muito significativos. Um é contado por Raul Glaber e por um cronista de Milão do final do século XI, que transcreveu o interrogatório do heresiarca. Por volta de 1028, o arcebispo de Milão, em visita à diocese de Turim, descobriu no castelo de Monteforte uma fraternidade de homens e mulheres que colocavam seus bens em comum, exaltavam a castidade, rezavam e jejuavam sob a direção de um certo Geraldo e sob a proteção da senhora do local. Ele levou-os para Milão, procedeu ao interrogatório do heresiarca, mas a aristocracia dos *capitanei* apoderou-se deles pois temia seu sucesso e mandou queimá-los. A doutrina deles parece vir da teologia ensinada nas escolas carolíngias do Norte e divulgada na Itália no século X, num momento em que o vocabulário ainda oscilante facilitava as deturpações. Sua regra de vida inspirava-se nos modelos monásticos contemporâneos. Sua busca do martírio inspirava-se no modelo apostólico, e em particular daquele tirado de apócrifos muito lidos na época, como a paixão de Santa Tecla. Tudo indica uma comunidade rural de penitentes, como devem ter aparecido algumas naqueles tempos de crise social, levada ao erro e recusando a autoridade da hierarquia.

Pode-se aproximá-los dos heréticos de Arras, descobertos sem dúvida em 1025, conhecidos graças às atas copiadas em fins do século XII num

Heresia

manuscrito cisterciense consagrado a polêmicas anti-heréticas, única fonte que relata o sínodo reunido com grande pompa por causa delas pelo bispo de Cambrai-Arras. Eles são apresentados como uma comunidade de leigos ignorantes reconduzidos à ortodoxia pelo bispo. Certos historiadores vinculam esses hereges aos mencionados na gesta dos bispos de Liège, por volta de 1045: ao bispo de Châlons, ao qual foi perguntado o que fazer com os heréticos que acabavam de ser descobertos – notáveis porque não queriam comer carne –, o bispo respondeu que era preciso "deixá-los em paz, como um novo São Martinho [que havia protestado contra a condenação de Prisciliano], porque Cristo não condena as ovelhas perdidas, evitar que a violência se manifeste contra eles na França, onde inocentes foram condenados pelo simples fato de serem pálidos". A ambiguidade da acusação de heresia é evidente.

A reputação herética atribuída à Aquitânia em diversos textos vincula-se ao temor que os leigos então inspiravam aos monges. Pareciam-lhes ameaçadores porque queriam imitar os apóstolos levando vida religiosa rezando sem parar e jejuando, porque rejeitavam cruzes, relíquias e imagens santas (que conheciam rápido progresso, favorecidas ou destacadas pelos monges, estimulando assim as doações), porque rejeitavam o sacramento da missa (cuja liturgia eliminava cada vez mais os leigos em proveito dos monges-padres cada vez mais numerosos), porque pretendiam ter acesso aos conhecimentos bíblicos. De cima a baixo da sociedade, do fino letrado ao camponês, o poder sacerdotal progredia, mas encontrava resistências manifestas. O primeiro concílio reformador, reunido em Reims por Leão IX em 1049, parece ter se dado conta disso: "E porque novos heréticos apareceram nas regiões das Gálias, o papa excomungou-os, inclusive quem recebeu deles qualquer presente ou serviço ou lhes deu qualquer defesa ou proteção".

No período seguinte, o contexto é marcado pela reforma da Igreja e pelo cisma imperial. A palavra "heresia" invade os escritos dos reformadores partidários do papa e serve para eles designarem os dois problemas em torno dos quais cristalizam suas críticas, o dos padres casados (a heresia nicolaísta) e o dos padres que compram seu cargo com dinheiro (heresia simoníaca), ao mesmo tempo que os partidários do imperador são, muitas

Dicionário analítico do Ocidente medieval

vezes, designados como heréticos. O papado posiciona-se contra a heresia em termos jamais vistos e manda colocar nos seus programas que "a Igreja romana nunca errou e de acordo com os testemunhos das Escrituras jamais vai errar", e "aquele que não reconhece as decisões da Sé apostólica deve ser visto como herege".

Entretanto, os fanáticos da reforma foram designados por seus adversários como heréticos. Por exemplo, os patarinos de Milão em luta contra seu arcebispo acusado de simonia; o popular Ramirdh, que denunciava o clero simoníaco de Cambrai, queimado pelos servidores do bispo em 1076 ("considera-se que de seu nome deriva a designação daqueles que praticam e ganham a vida com a arte da tecelagem", nota o cronista que relatou a história cinquenta anos depois); o monge Henrique, que prega em Le Mans durante a Quaresma, a chamado do bispo, transtorna a cidade e é expulso (1116); Tanchelm, em Antuérpia (1113). Extremistas, eles adotavam o modo de vida errante e ascético que se atribuía aos apóstolos, daí a acusação de "falsos apóstolos"; eles acolhiam as mulheres com os homens conforme a tradição evangélica, daí a acusação de devassidão.

No entanto, nos anos 1110-1120, dois textos revelam dois casos de heresia que provam a permanência das resistências ao fortalecimento do poder sacerdotal. Um se encontra no *De vita sua*, do monge Guiberto de Nogent, que relata o processo de dois heréticos da aldeia de Bucy como última ilustração dos horrores que se seguiram à comuna de Laon, e das "torpezas" do conde de Soissons, que frequentava os heréticos e os judeus: eles foram submetidos ao ordálio da água e a multidão os queimou. Como não compreendiam latim, Guiberto achou que poderiam ser priscilianistas e atribuiu-lhes os erros baseado em Santo Agostinho. O outro caso ocorreu em Ivoy, na diocese de Trèves, onde dois padres e dois leigos foram acusados de negar o sacrifício da eucaristia e o valor do batismo das crianças, e foram levados diante do bispo.

Mas não se pode falar de nova "explosão herética". Em 1119, pela primeira vez desde 1049, dois concílios foram reunidos pelo papa Calisto II, o primeiro em Toulouse, o segundo em Reims. Mas, se o Concílio de Toulouse consagrou um cânone à heresia que evoca a resistência ao poder sacerdotal, o Concílio de Reims — que retomava determinados preceitos do

Heresia

de Toulouse – denunciou apenas a heresia simoníaca. Da mesma forma, o Concílio de Latrão em 1122. A contestação do sacerdócio ainda não era uma grande questão em torno dos anos 1120 no norte da Gália. Em compensação, alguma coisa acontecia, sem dúvida, na região de Toulouse. De fato, vinte anos mais tarde, começava o alerta geral contra a heresia e a marginalização do sul francês.

A iniciativa partiu do abade de Cluny, Pedro, o Venerável. De 1138 a 1140, ele compôs um tratado contra um certo Pedro de Bruis, que encaminhou aos bispos de Embrun e de Digne e ao arcebispo de Arles. Por volta de 1120, escrevia ele, a região mediterrânea havia sido tocada pela pregação daquele herético, começada ao sul dos Alpes, prosseguida na região do Ródano, depois por todo o Sul, interrompida com sua morte em Saint-Gilles – na fogueira acendida com as cruzes que ele queria queimar –, mas retomada pouco depois por um discípulo de nome Henrique. Esse Henrique era o mesmo que havia agitado Le Mans em 1116; preso em Arles e conduzido ao concílio convocado por Inocêncio II em Pisa, em 1133, ele teria então abjurado e ganho um mosteiro, retomando depois sua pregação contra os padres. Em seu tratado, Pedro, o Venerável, refutava as cinco proposições heréticas de Pedro de Bruis: a nulidade do batismo das crianças, a inutilidade das igrejas, a rejeição da cruz, a refutação da eucaristia, e, por fim, a rejeição das orações e esmolas pelos mortos. Foi talvez por sua influência que o cânone do Concílio de Toulouse contra a heresia foi retomado no segundo Concílio de Latrão em 1139 e completado pela condenação daqueles que recusavam o batismo.

São Bernardo, abade de Claraval, começava então a voltar seu ímpeto contra a heresia. Ele perseguiu obstinadamente dois grandes intelectuais: Abelardo, que ousava raciocinar sobre o texto sagrado, e de quem obteve a condenação no Concílio de Sens em 1141, e Gilberto de la Porrée, que ousava raciocinar sobre a Trindade, e de quem não obteve a condenação no Concílio de Reims em 1148. Do mesmo modo, perseguiu Arnaldo de Brescia, que havia estudado com Abelardo após ter sido obrigado a deixar Brescia devido às pregações demasiado vigorosas contra o clero local, e acabou por se entregar em Roma, onde chegou no decorrer de 1145. Mas é a luta contra as pregações antissacerdotais que São Bernardo pôs em primeiro plano.

567

Dicionário analítico do Ocidente medieval

De Colônia, em 1143, um cônego havia lhe pedido socorro porque se descobrira heréticos que o povo tinha queimado. Uns não estavam organizados, rejeitavam o clero corrompido, condenavam suas riquezas e os sacramentos ministrados por eles, refutavam a intercessão dos santos, não acreditavam no fogo do Purgatório. Outros diziam que sua heresia estivera oculta na Grécia desde os tempos dos mártires, autodenominavam-se apóstolos, eram vegetarianos e dividiam-se em eleitos (que batizavam de espírito e consagravam a refeição pela oração dominical), em crentes (aqueles que haviam recebido a imposição das mãos) e em ouvintes.

Mas é em direção ao Midi[1] "contaminado" por Henrique que São Bernardo se mobiliza: em 1145, Bernardo de Claraval organizou com um legado do papa uma missão voltada para Toulouse. As narrativas são concordantes: ele foi mal recebido, especialmente em Albi. O Midi revelava-se pouco receptivo às missões pontificais. Bem mais tarde, Geoffroy de Auxerre, que o tinha acompanhado, escreveu que se encontraram em Toulouse alguns discípulos de Henrique e, em número mais importante, outros heréticos, "tecelões chamados arianos". Alguns viram nisso a primeira aparição dos cátaros no Midi. Sobre os heréticos, São Bernardo derrama não um conjunto de informações, mas um estilo, a imprecação, e a inspiração de uma política voltada para o Midi. No Concílio de Reims reunido em 1148 pelo papa Eugênio III, antigo monge de Claraval, foi elaborado um cânone contra um novo tipo de heresia: o conteúdo da heresia não é mais evocado, porém duas regiões do Midi são explicitamente designadas, a Gasconha e a Provença, e a ênfase é colocada nas modalidades de luta, com a interdição de se acolher sobre a terra hereges e seus cúmplices.

Primeira ofensiva (1148-1198)

Ao norte de Gália, novas denominações, talvez tiradas da língua vulgar, aparecem a partir de fins da década de 1150 para qualificar não as heresias, mas os homens, destinados à vindita da Igreja. A primeira a aparecer é *Piphili*, em Reims em 1157, onde foi condenada "a seita dos maniqueus que

---

1 O Sul francês. [N.T.]

Heresia

se esconde sob o hábito religioso, propaga-se com os abjetos tecelões que fogem de lugar em lugar acompanhados por mulheres carregadas de pecados e dividem-se em *majores e sequentes*". Seu nome provinha de *popelicani* ou *publicani* (forma latina), termos que se espalham após 1160: perto de Reims em 1162, em Oxford em 1166, em Vézelay em 1167. "Publicano" é o nome dado no Novo Testamento aos pequenos coletores, funcionários do Império, gente de poucas posses e desprezados, associados aos pagãos. Ou então pode advir de "pauliciano", que designava os heréticos do Império Bizantino. "Cátaros" aparece pela primeira vez nos *Sermões contra os cátaros*, do monge Eckbert von Schönau, pronunciados em 1163 em seguida à descoberta em Colônia de uma dúzia de homens e mulheres heréticos vindos de Flandres: "Eles são chamados *cátaros* na Germânia, *piphles* em Flandres, *texerant*, de tecelão, na Gália", e para os descrever ele recopia algumas passagens de Santo Agostinho tiradas de sua descrição dos maniqueus. A palavra vem do grego, significando "puro" ou "perfeito", e havia servido para qualificar os novacianos e os montanistas no século IV. Em torno de 1220, Alain de Lille conta que "cátaro" estava na origem de *Ketzerei*, o termo que designa "heresia" em alemão e que surge nesse momento, a menos que o nome proceda de *Kater*, "gato", figura de Lúcifer. Acrescentemos o nome de *bulgarus* ou *bolgarus*, em francês *bougre, bogre, bougrel*, que aparece somente por volta de 1200 e se estenderá durante os anos 1230-1240 a todos aqueles que a Inquisição persegue ao norte do Loire, com a quase imediata conotação de sodomia. Os nomes tradicionais extraídos do repertório antigo continuavam, entretanto, a ser utilizados, como testemunha o cronista que denomina indistintamente de "maniqueus, arianos e patarinos" os heréticos descobertos em 1182 pelo arcebispo de Reims.

Os novos nomes significam uma extensão, uma vulgarização da heresia, ou exprimem uma política da Igreja? Encobrem novas doutrinas? Para descrever a heresia, Eckbert von Schönau começa por recopiar trechos de Santo Agostinho sobre o maniqueísmo. Suspeita-se da existência de uma espécie de proselitismo encoberto pela itinerância da atividade dos tecelões. Os casos em que esses nomes aparecem são visivelmente controlados e dominados pela instituição eclesiástica (mesmo se, em geral, é o "povo" que acende a fogueira). Melhor ainda, o rei mais avançado da época, pri-

Dicionário analítico do Ocidente medieval

meiro arquiteto do Estado moderno, Henrique II Plantageneta, faz da perseguição aos hereges um assunto de Estado, ao inscrever nas atas de Clarendon um artigo ordenando marcá-los com ferro em brasa e colocá-los fora da lei (1166).

O Midi apresenta-se de maneira completamente diferente. Nossos conhecimentos advêm, quase todos, de documentos longamente citados por cronistas pertencentes ao meio Plantageneta. Percebe-se por eles a debilidade do poder eclesiástico e laico na Aquitânia. Quando de uma assembleia realizada em 1165 ou 1176 no *castrum* de Lombers, próximo a Albi, no meio de numerosos cavaleiros, gente que se fazia chamar de "homens bons" e seu chefe Olivier foram interrogados diante de uma grande multidão, de bispos, do visconde de Béziers-Carcassonne, da mulher do conde de Toulouse. Eles disseram que não aceitavam o Antigo Testamento, mas todo o Novo; sobre o batismo das crianças, o casamento e a confissão, eles recusaram falar mais do que o Novo Testamento; sobre a eucaristia, responderam que dá a salvação se for recebida dignamente, mas que ela pode ser consagrada tanto por um leigo quanto por um clérigo, e acusaram bispos e padres de serem "lobos de rapina"; enfim, recitaram o símbolo dos apóstolos, mas recusaram-se terminantemente a jurá-lo. Um outro cronista cita uma estranha carta enviada em 1177 pelo conde de Toulouse ao capítulo de Cister, na qual pela primeira vez está explicitamente escrito que a heresia dos dois "princípios" propaga-se por toda a parte. Dois cronistas citam os relatos do abade de Claraval e do cardeal-legado sobre a missão contra os hereges que eles dirigem com grande pompa em Toulouse em 1178. Numa atmosfera glacial, interrogaram Pierre Maurand, um importante notável, e puderam constatar seu interesse pelo Evangelho de São João e a existência de reuniões nas quais ele tomava a palavra. Também foram trazidos sob salvo-conduto dois heréticos, interrogados em língua vulgar. É necessário falar, enfim, de uma reunião herética que teria ocorrido em 1167 nas terras do conde de Toulouse, em Saint-Félix de Caraman, de acordo com uma história dos duques de Narbonne escrita no século XVII. Mesmo que forjar documentos tenha sido uma prática corrente, a maioria dos historiadores da heresia ainda faz desse encontro um concílio que eles consideram central na história do catarismo. A notícia da reunião, inserida

Heresia

entre as provas, é um relato bastante seco sobre a organização da hierarquia: com a chegada de um certo papa Niquinta, na presença de muitos homens e mulheres que recebem o *consolamentum* (ou a imposição das mãos), bispos reunidos com seu conselho procederam à nomeação e ordenação de novos bispos no Midi e à divisão das dioceses. É possível que o texto, cheio de incoerências, seja uma falsificação.

Dois grandes concílios aconteceram nesse período, reunidos por Alexandre III, um em Tours em 1163, outro em Latrão em 1179. Tanto um quanto o outro consagram um cânone à heresia. A heresia no sul da Gália é o único alvo geográfico, com a diferença em relação ao Concílio de Reims de 1148, que a Gasconha torna-se a Gasconha albigense e a região de Toulouse substitui a Provença. O afastamento dos heréticos é mais firmemente proclamado em Tours, onde qualquer pequena reunião ("conventículo") torna-se suspeita. As medidas coercitivas assumem um aspecto mais prático no terceiro Concílio de Latrão com o apelo aos bispos para que investiguem as heresias em suas dioceses, e o apelo aos príncipes leigos a quem é pedido confiscar os bens dos heréticos e de seus cúmplices e prometida a indulgência de Cruzada. Ao anátema contra os hereges, pela primeira vez nomeados ("cátaros, patarinos, publicanos e outros"), é associado o anátema contra os viajantes ("brabantinos, aragoneses, bascos, *coterelles, triaverdins*"). A amálgama significa que os heréticos são assimilados aos malfeitores e que a ameaça herética é promovida a assunto de paz. *Negocium pacis et fidei* ("negócio da paz e da fé"), tal será a rigorosa perífrase para designar o caso albigense na correspondência pontifical.

A partir de 1180, o discurso sobre a heresia muda. O clima religioso nas cidades rapidamente se transforma. Testemunha disso é o sucesso da pregação valdense, que em alguns anos ganha, entre outras, as cidades do vale do Pó. Se os casos heréticos expostos até aqui continuam turvos, o dos valdenses é quase claro. Eles retiram sua denominação de Valdo, mercador lionês que se converteu e se despojou de seus bens sem dúvida em 15 de agosto de 1174, mandou traduzir a Bíblia e decidiu pregar o Evangelho. Partiu para Roma para defender sua iniciativa no Concílio de Latrão, onde recebeu autorização para pregar desde que obtivesse consentimento do bispo diocesano, o que o novo eleito em Lyon em 1181 recusou. Valdo

Dicionário analítico do Ocidente medieval

declarou preferir obedecer a Deus que aos homens, e veio a ruptura. Seu movimento propagou-se rapidamente ao longo do eixo do vale do Ródano, e de lá em direção às terras occitânicas e à Itália.

O valdeísmo encontrava um terreno bastante favorável na planície do Pó, onde apareciam os "humilhados", leigos que se associavam para aplicar o modelo evangélico na vida familiar ou na constituição de comunidades. As comunas lombardas acabavam de ser sacudidas por vinte anos de guerras, o poder imperial tivera dificuldade em se fazer reconhecer, a perseguição ao herege podia ser um bom meio de retomar as rédeas. Em 1184, o imperador acertou com o papa Lúcio III, em Verona, o lançamento de um vasto programa de ação repressiva (decretal *Ad abolendam*). A amálgama foi completa, envolvendo toda espécie de adversário da instituição clerical: o decreto denunciou "os cátaros, os patarinos, aqueles que são erradamente chamados de humilhados ou de pobres de Lyon, os *passagini*, os *josepini* e os arnaldistas". Os *josepini* não são conhecidos por outra fonte, os *passagini* (cristãos judaizantes) e os arnaldistas são descritos logo depois dos cátaros num tratado diversas vezes copiado. Precisamente esse tratado é sempre precedido de uma exposição da crença dualista atribuída a um antigo mestre herético, que confessa ter acreditado que a Criação era obra do Diabo, que Cristo não tinha um corpo carnal, que São Silvestre (o primeiro papa do Império já cristianizado) tinha sido o Anticristo. Uma nova veia ligada ao dualismo aparece no que começa a se constituir como uma tradição polêmica.

O Sul da Gália parece ter se tornado então o lugar privilegiado das polêmicas. Três importantes tratados anti-heréticos aparecem nos anos 1190. Um *Contra valdenses et contra arianos*, de um monge premonstratense, Bernardo de Fontcaude, descreve um debate com os valdenses organizado pelo arcebispo de Narbonne em 1189. Um *Liber antiheresis* aparece, sem dúvida, um pouco depois, muito surpreendente porque é de proveniência valdense. No primeiro fólio encontra-se com efeito uma profissão de fé católica de Valdo, perfeitamente explícita: "Em nome do Pai, do Filho e do Espírito Santo e da santa Virgem Maria, que todos os fiéis saibam que eu, Valdo, e meus irmãos...". Metade do livro está consagrada à refutação de proposições dualistas radicais, talvez saídas da cultura erudita do autor e amparadas em abundantes citações bíblicas. A outra metade concerne à eclesiologia: o autor recorre à Sé do apóstolo Pedro, reconhece o poder dos padres, mas defende o bom fundamento da pobreza voluntária e da recusa ao trabalho, opondo-se portanto, de uma só vez, aos hereges e aos ortodoxos. Em torno de 1200 aparece a *Summa quadripartita*, ou *De fide catholica*, dedicada ao senhor de Montpellier, última obra de Alain de Lille, célebre mestre parisiense que tinha se instalado nesse importante *studium* e que morre com o hábito cisterciense por volta de 1202. O tratado apresenta-se sob a forma de questões, contradições e respostas; a primeira parte, a mais longa, visa explicitamente aos cátaros, designados por esse termo, e expõe a doutrina católica da Criação contra um dualismo descrito através dos Pais da Igreja; a segunda parte, mais curta, visa aos valdenses e fornece a última versão da doutrina católica sobre a confissão (debate escolástico desde Abelardo), o juramento e a homilia (debate relançado pelos mestres parisienses); a terceira e a quarta partes visam aos judeus e aos sarracenos.

Doravante circulam diversas coletâneas de textos contra os heréticos. Uma parte, que inclui o *Liber antiheresis*, é atribuída ao aragonês Durando de Huesca, bem conhecido discípulo de Valdo e que retorna à Igreja romana em 1208. Levantou-se a hipótese de que em torno de Durando de Huesca, a partir de 1200, se teria desenvolvido e sido encorajada por Inocêncio III uma "oficina de textos" próxima à cidade de Elne, no Roussillon.

A ofensiva geral

Inocêncio III empreendeu a ofensiva contra a heresia de três maneiras: acabou por definir juridicamente a criminalização da heresia, lançou a Cruzada no Midi e preferiu a tolerância em toda parte onde as novas formas de religiosidade até então rejeitadas podiam ser integradas. Estratégia hábil e possível, porque a Igreja romana tornou-se muito poderosa, e o desafio herético, se de fato existiu, não foi relevado mas sufocado.

A heresia era definida cada vez mais claramente pelo direito canônico. Inocêncio III deu um passo decisivo ao aplicar-lhe o direito romano. Em 1º de março de 1199, ele enviou ao clero, aos cônsules e ao povo de Viterbo uma bula na qual associava a heresia ao crime de lesa-majestade, o que

Dicionário analítico do Ocidente medieval

significava que todo o arsenal das penas previstas para esse caso poderia ser aplicado à heresia, do confisco dos bens e da exclusão das funções públicas ao deserdamento (bula *Vergentis in senium*). Ele ampliava, assim, as medidas já tomadas pelos poderosos reis de Aragão em 1194 e 1196 e, em 1198, por um núncio e arcebispo de Milão na Lombardia. A bula é difundida no Midi a partir de 1200. Paralelamente, um novo ímpeto é dado à investigação canônica episcopal, que doravante pode ser começada a partir de um simples rumor, ou *fama*, quer dizer, denúncias anônimas. O novo tipo de processo é cuidadosamente definido no quarto Concílio de Latrão, em 1215 (cânone 11). De imediato, Inocêncio III dava provas de intransigência, sobretudo com respeito às cidades italianas, mas ele era impotente diante dos governos comunais que se recusavam a colocar a luta contra a heresia em seus estatutos.

No Midi, Inocêncio III preocupou-se de início, num estilo bem gregoriano, com o combate à simonia e às duplas investiduras. Foi necessário aguardar seis anos para vê-lo lançar uma ação anti-herética, o que levanta dúvidas sobre o real estado da heresia nessas regiões. Nas suas primeiras cartas, endereçadas ao conjunto dos arcebispos do Midi, as alusões à heresia são lugares-comuns e aquela região não é o objetivo principal das missões, que simplesmente passam por lá em 1198, 1199 e 1200. Mas o senhor de Montpellier, o íntimo e único aliado do papado na região, morre inesperadamente em novembro de 1202. O papa fez sair do mosteiro cisterciense de Fontfroide o antigo arquidiácono de Maguelone, Pedro de Castelnau, e encarregou-o da missão junto aos bispos da província de Narbonne. Bispos e cônsules desprezaram Pedro de Castelnau. Foi somente então que Inocêncio III lançou a ação anti-herética no Midi. Na primavera de 1204, tomou duas medidas decisivas. De uma parte, nomeou o próprio abade de Cister como legado das províncias de Aix, Arles e Narbonne, com a incumbência da pregação contra os heréticos. De outra parte, solicitou a Filipe Augusto que dirigisse suas armas contra os heréticos do Midi e confiscasse em seu proveito aquelas terras "como presa". O rei não lhe respondeu. O assassinato de Pedro de Castelnau, próximo a Arles, em janeiro de 1208, desencadeou o apelo do papa à cruzada contra os albigenses. O papa acusou o conde de Toulouse de ter ordenado aquela morte e apresentou-o como o

Heresia

pior dos heréticos. A cruzada iniciou-se em 1209 de maneira fulminante com o saque de Béziers (que certamente não pertencia aos heréticos, somente os acolhia) e a tomada de Carcassonne. Os cruzados encontraram apenas um pequeno número de hereges durante os primeiros sítios e somente no viscondado de Béziers-Carcassonne.

Mas, em 1204, Inocêncio III também havia lançado uma missão de pregação cisterciense. O bispo de Osma e o futuro São Domingos, cônego de sua igreja, passaram por Montpellier em 1206, encontraram o abade de Cister e Pedro de Castelnau, que só haviam colecionado fracassos e propuseram-lhes uma mudança na pregação. Inocêncio III autorizou-os a voltar para o Midi e pregar contra a heresia à maneira simples dos que queriam seguir o modelo apostólico; por sua vez, uma missão cisterciense mais imponente retornou à região. Muitos valdenses reintegraram-se então ao seio da Igreja, entre os quais Durando de Huesca. Inocêncio III canalizou todos seus esforços para apoiar os novos convertidos, que adotaram o nome de "pobres católicos". No mesmo momento, na Itália, outros valdenses converteram-se, sendo denominados "pobres reconciliados". Desde os primeiros meses de seu pontificado, Inocêncio III interveio em favor dos "humilhados" de Verona. Da mesma forma, ele havia escrito ao clero e aos fiéis de Metz para lhes recomendar moderação para com os valdenses a fim de não correr o risco de se tornarem impopulares junto aos "simples". E, aliás, nessas regiões do Norte, onde a hierarquia estava pronta a descobrir a heresia, Inocêncio III intervinha para exigir mais tolerância: ele escreveu nesse sentido ao arcebispo de Sens e ao legado e bispo de Paris sobre o deão de Nevers, acusado de heresia. Começava o caso dos heréticos de La Charité-sur-Loire e de Nevers, "burgueses" acusados de praticar a usura, que se defendiam com obstinação em Paris e junto ao papa, que não parou de aconselhar prudência ao bispo de Auxerre, que se obstinava contra eles. Inocêncio III não tinha esperado o caso albigense para escutar a demanda laica, mas foi preciso o fracasso no Midi para que nascesse uma pregação "mendicante".

As Ordens Mendicantes, fundadas cinco anos mais tarde, conheceriam em menos de quinze anos um sucesso fulminante e ocupariam todo o terreno da pregação, em geral respondendo com êxito a uma demanda laica

Dicionário analítico do Ocidente medieval

explosiva, na qual a voz feminina tornava-se, a partir de então, bastante presente. Ao mesmo tempo, elas se impunham como as melhores especialistas na perseguição à heresia, por meio do ofício de inquisidor que lhes foi confiado na maioria das vezes. Os primeiros tribunais da Inquisição tinham começado a tomar forma na Itália desde 1222, por iniciativa do imperador Frederico II, significativamente o mais precoce dos soberanos modernos. Gregório IX organizou-as definitivamente em 1231 (bula *Excommunicamus*). Fundado sobre a investigação lançada a partir de um simples rumor após um sermão de advertência, o processo torna-se extraordinário: instrução sigilosa; ausência de advogado; necessidade, por falta de acusação, de obter um reconhecimento de culpa (ou confissão, a palavra latina é a mesma) através de tortura se fosse preciso. De modo geral, todos os excessos da nova piedade laica foram perseguidos como heresia desde que prejudicassem os membros do clero e contanto que estes fossem sustentados pelo poder político do lugar, por exemplo nas cidades comunais do vale do Pó se os guelfos vencessem os gibelinos. Todos os tipos de movimento laico desenvolveram-se nas cidades mais importantes, em Flandres e sobretudo na Itália, mais ou menos mesclados às pregações de tipo evangélico, sempre vivazes. Assim, a corrente que se denominou globalmente de "Livre-Espírito", começada talvez com o mestre parisiense Amauri de Bène – cujos discípulos procuravam difundir a mensagem em um meio "popular" e foram queimados em 1210, em todo caso alimentada pelas profecias lançadas por Joaquim de Fiore anunciando a próxima chegada da Idade do Espírito, quando as formas sacramentais da Igreja deveriam ser ultrapassadas –, era uma corrente particularmente vigorosa na Itália. Lá, a Inquisição agiu com extrema brutalidade até o século seguinte contra alguns pregadores carismáticos. A Inquisição atacou brutal, mas brevemente (de 1233 a 1239), no reino capetíngio, na Champanha e em Flandres, onde, relatam as crônicas, bastava ser chamado de *bougre* para ser queimado. Na Germânia, o dominicano Conrado de Marburgo havia inflamado o vale do Reno em 1229-1230 realizando julgamentos sumários seguidos de imensas fogueiras. Mas, no Midi, a Inquisição estabeleceu-se lentamente, adaptando-se a muitas das resistências locais, sustentada pelo poder real que soube enviar seus investigadores e corrigir os confiscos abusivos. Os

Crenças e representações

O Além

O "Trono de Graça", figura mais frequente da Trindade. Excepcionalmente, o rosto do Pai está coberto. Saltério. Cambridge, Trinity College, século XIII.

O Diabo, contraponto sem dualismo da onipotência divina. Capitel. Issoire, abacial Saint-Austremoine, século XII (Cl. Atelier du Regard).

A Virgem salva das tentações do demônio. Milagre de Teófilo. *Saltério da rainha Ingeburge.* Chantilly, Museu Condé, c.1200.

A prece aos santos: a monja assemelha-se a São Francisco, que recebe os estigmas da paixão de Cristo. Legendário dominicano. Oxford, Keble College, século XIV.

A criação do homem por Deus: Eva tirada do lado de Adão. *Saltério da rainha Branca de Castela*. Paris, Biblioteca do Arsenal, século XIII.

O batismo marca o verdadeiro nascimento do cristão. *Decreto de Graciano*. Baltimore, Walters Art Gallery, século XIV.

Na morte, a alma separa-se do corpo. Hildegarda de Bingen, *Liber Scivias*. Wiesbaden, Hessische Landesbibliothek (manuscrito perdido), *c.*1179.

O Purgatório, terceiro lugar do Além cristão: as almas purgadas são puxadas para o Paraíso. *Livro de horas de Branca de Borgonha* ou *Horas de Savoia*. New Haven (Conn.), Beinecke Rare Books and Manuscripts Library, Universidade Yale, século XIV.

Judeus e hereges encarnam as duas formas maiores de divergência religiosa.

Cristo ultrajado pelos judeus "deicidas". *Speculum Humanae Salvationis*. Kremsmünster, século XIV.

João Hus conduzido ao suplício (Constança, 1415). Ulrich von Richental, *Crônica do Concílio de Constança*, século XV.

As imagens

As novas imagens de culto em três dimensões

Crucifixo do arcebispo Gero.
Colônia, catedral, c.970.

"Majestade" de Santa Fé de Conques.
Conques, século X.

O sonho e sua interpretação, modos
privilegiados do imaginário.
Sonho de Jacó. Berlim,
Staatsbibliothek, século XII.

O retrato do doador. Rogier Van der Weyden.
Tríptico de Pieter Bladelin. Berlim, Gemälde Gallerie, c.1462.

O primeiro autorretrato
devidamente assinado e datado.
Albrecht Dürer, *Autorretrato com
casaco de pele.* Munique,
Alte Pinakothek, 1500.

Inovação e controle das formas iconográficas. O tipo da "Virgem que se abre" contradiz o dogma da Encarnação. Paris, Museu de Cluny, século XV.

numerosos testemunhos que restam dessa época giram em torno de um só tema, o rito de imposição das mãos; a heresia desaparece devagar, com um ressurgimento bastante famoso mas sem futuro nas montanhas de Ariège, no início do século XIV.

O triunfo da Inquisição passava pela assimilação. No direito, a definição do herege estabelecida pelos maiores juristas é a mais ampla possível. A glosa ordinária define como herético aquele que corrompe os sacramentos, aquele que se afasta da unidade da Igreja, todo excomungado, aquele que se engana nos comentários sobre a Escritura Sagrada, aquele que funda uma nova seita ou a segue, aquele que compreende os artigos da fé de forma diversa da Igreja romana, aquele que fala mal dos sacramentos da Igreja. No imaginário dos perseguidores, os hereges, adoradores de Lúcifer, capazes de todas as infâmias, são definitivamente diabolizados.

O que pensar da ameaça dualista no século XIII?

A heresia existe onde a Igreja quer que ela exista. É nesse sentido que se devem também interpretar os tratados sobre heresia compostos e copiados para uso dos inquisidores a fim de que pudessem realizar mais eficazmente sua tarefa. Os primeiros começam a aparecer desde 1235 na Itália e têm como característica principal quase unanimemente atacar o dualismo, alçado à condição de perigo gravíssimo. Os autores apresentam-se quase sempre como antigos heréticos e ocupam-se sobretudo dos cátaros.

De uma parte, encontra-se nesses tratados uma exposição doutrinal do dualismo, bastante sucinta e simplista, distinguindo um dualismo absoluto (no qual dois deuses são criadores: o deus bom, criador do mundo invisível; o deus mau, criador do mundo visível) de um dualismo moderado ou mitigado (no qual o criador do mundo visível é um anjo decaído de Deus, Satã). Tais exposições inspiraram pequenas sumas de referências bíblicas – opostas àquelas compostas pelos heréticos – chamadas "Sumas das autoridades", que se encontram diversas vezes no início de edições de bolso da Bíblia para uso de pregadores franciscanos e dominicanos a partir de meados do século XIII. Essa argumentação sobre o maniqueísmo está ligada à evolução das técnicas intelectuais que modificam muito a maneira de ler e interpretar a Bíblia, transformada em instrumento escolar (glosada, dividida em capítulos, em breve munida de concordâncias) e objeto de vulgarização (com a multiplicação das traduções).

De outra parte, depara-se com algo novo, uma história do movimento feita de divisões e cismas sucessivos, provocados pelas divisões doutrinais ou pela denúncia desta ou daquela ordenação, distinguindo pessoas e obediências, evocando diferentes laços com os bispos da Bulgária e da Grécia, remontando até uns quarenta anos antes. Tal história do catarismo atinge sua forma quase definitiva com a *Summa contra catharos*, do inquisidor Raynier Sacconi, surgida em 1250. Um pequeno tratado dos anos 1260, cujo autor seria o inquisidor Anselmo de Alexandria, acrescenta que os latinos descobriram a heresia em Constantinopla e levaram-na para a França, e por essa razão os hereges são chamados de *bougres*. Que crédito se deve atribuir ao esquema forjado pelos inquisidores? Estabelecer uma filiação que remonte às origens era uma necessidade lógica que datava do cristianismo primitivo: os heresiólogos da Antiguidade haviam procurado mostrar que, paralelamente à série ininterrupta dos detentores da "verdade" que desde os tempos dos apóstolos formavam uma Igreja una e universal, existia uma contra-Igreja, feita de uma série ininterrupta de adeptos do erro; eles tinham realizado fusões e esfacelamentos para constituir com todas as peças a filiação dos nomes da heresia.

Não há nenhuma dúvida, portanto, que as comunidades heréticas estavam organizadas, que todas dividiam naturalmente seus fiéis em eleitos (ou perfeitos, ou homens bons, ou anciãos...) e crentes (ou ouvintes, ou bons cristãos...), e distinguiam as filiações geográficas; as doutrinas eram objeto de debates provocadores de cisões, debates cada vez mais difíceis de se concluir no contexto das perseguições. Três manuscritos do século XIII trazem a prova de sua ligação com os heréticos: um Novo Testamento acompanhado de um ritual litúrgico em provençal, um outro Novo Testamento precedido de um apócrifo, "Interrogação de João", e uma coletânea composta por textos heréticos anotada pela Inquisição.

O Novo Testamento no rito provençal é anexado às primeiras Bíblias traduzidas em língua vulgar, que exprimem a nova demanda laica; ele data, sem dúvida, de meados do século XIII. O ritual descreve as diferentes fases da liturgia – as preces inaugurais, a confissão geral dos pecados, a preparação da mesa onde era colocado o Evangelho, a genuflexão diante do Ancião, também chamado o Ordenado, a pregação sobre o Pai-Nosso, o batismo pela imposição das mãos – sem manifestar qualquer hostilidade contra Roma nem cair no delito do dualismo; a cerimônia bastante sóbria que ele institui tem semelhanças com as liturgias produzidas pela Reforma Protestante. O outro Novo Testamento é em latim e data do século XII; seria completamente ortodoxo se a ele não tivesse sido acrescentado, com certeza no início do século XIII, em duas folhas deixadas em branco, um apócrifo de João que se encontra entre os papéis da Inquisição sob o título de "Segredo dos hereges", formando um catecismo de orientação dualista moderada.

A única coletânea herética propriamente dita é um pequeno volume conservado nos arquivos de Florença, copiado por dois escribas, o segundo mais experimentado dando continuidade ao primeiro e corrigindo seu predecessor, que data no máximo dos anos 1260-1270 graças a um criptograma que oferece a data e o lugar de um "consolamento", a idade e o nome do "consolado" (2 de novembro de 1254 no povoado de Sirmione, onde 166 habitantes foram presos pela Inquisição em 1276, conduzidos a Verona e queimados). Trata-se de um tratado doutrinal sobre os dois princípios, um resumo "destinado à instrução dos ignorantes", uma refutação dos dualistas mitigados, os autores considerando-se dualistas absolutos, uma discussão sobre o livre-arbítrio, um ritual litúrgico em latim bem próximo do ritual provençal, e, enfim, um *De persecutionibus*, onde os verdadeiros cristãos são exortados a suportar as perseguições e a morte a exemplo dos profetas, de Cristo e dos apóstolos. Todos esses textos baseiam-se unicamente em citações bíblicas. Eles dão uma imagem espantosa das pesquisas bíblicas sobre a questão da onipotência de Deus, do livre-arbítrio e do mal, fundamental para a filosofia medieval. Ao teólogo herdeiro da tradição do cânone das Escrituras fixadas nos primeiros séculos, a afirmação de um princípio do mal parece tão escandalosa que ele não pode interpretar esse texto de outra forma que não como o eco hipócrita de uma voz não cristã. Pode-se ver aí, portanto, os balbucios de uma pesquisa teológica inábil mas cristã, que certos desenvolvimentos da teologia desde os anos 1960 fazem parecer menos aberrantes hoje em dia.

Os cátaros não eram numerosos (Raynier Sacconi contabiliza quatro mil, principalmente na Itália), mas constituíam-se em belo alvo para os inquisidores, que podiam ao mesmo tempo invocar os Pais da Igreja e aproveitar-se de seu domínio das novas técnicas escolares. Pode-se pensar que eles próprios recorreram largamente ao dualismo para demonizar a heresia e insuflar o debate aproveitando um questionamento sobre o mal presente no cristianismo. O novo dualismo não teve tempo de elaborar sabiamente sua doutrina. Ele desmoronou.

Opacidade da heresia

A opacidade da heresia continua grande. Todo ponto de vista sobre a heresia é falseado pelo fato de que os enunciados vêm, salvo raríssimas exceções, da Igreja, ao mesmo tempo árbitro e litigante, ela mesma arrebatada pelo movimento geral da história. Dificuldade suplementar: a evolução da instituição eclesiástica significava reforma da Igreja — onde terminava a reforma, onde começava a heresia? Com o século XI, adentra-se numa civilização na qual a escrita progride rapidamente enquanto a circulação dos homens e o próprio poder ramificam-se ao extremo em favor do crescimento geral e da multiplicação dos laços pessoais entre os homens. Isso produz, ao mesmo tempo, uma abertura para a teologia nas escolas urbanas das catedrais, cada vez mais frequentadas, doravante discutida diante de um público não forçosamente especialista, e que se poderia chamar de um movimento de "vulgarização" do cristianismo, particularmente sensível à mensagem dos Evangelhos em sua simplicidade e em seu universalismo, que um número crescente de simples padres e depois de leigos procura ler por si mesmo e divulgar, arriscando-se a ater-se ao pé da letra. A história do novo dualismo é curta. A longa história do evangelismo, pouco preocupada com a instituição, começa exatamente aí. Ele ganha a Inglaterra e as terras tchecas ao final do XIV e no século XV, a Alemanha no século XVI, e a história ainda não está encerrada (pensamos na "Teologia da Libertação" que agita a América Latina). Ora, o evangelismo é algo que a instituição eclesiástica pode temer acima de tudo, porque a Bíblia é inevitavelmente objeto de interpretações, e a hermenêutica cristã tem se nutrido de uma tradição que tem uma longa

Heresia

história, de acesso difícil e erudito. Discutir como se deu a Criação e o pecado, os dois batismos dos Evangelhos (da água e do espírito), a Santa Ceia e a Encarnação conhecendo mal as "autoridades" provocava escândalo. Recusar os sacramentos que não se acham como tais no Novo Testamento e consequentemente negar o poder sacerdotal era intolerável para uma Igreja e para jovens Estados que buscavam o reforço das instituições e da hierarquia.

Monique Zerner
Tradução de Flavio de Campos

Ver também

Bíblia – Clérigos e leigos – Escatologia e milenarismo – Fé – Igreja e papado – Marginais – Ordem(ns) – Pecado – Pregação – Sexualidade

Orientação bibliográfica

BAUTIER, Robert-Henri. L'hérésie d'Orleans et le mouvement intellectuel au début du XIe siècle, documents et hypothèses. In: *Enseignements et vie intellectuelle (IXe-XVIe siècle). Actes du 95e Congrès des Sociétés Savantes, Philologie et Histoire,* Paris: Bibliothèque Nationale, 1975. p.63-88. t.I.

BONNASSIE, Pierre; LANDES, R. Une nouvelle hérésie est née dans le monde. In: ZIMMERMANN, M. (coord.). *Les Sociétés méridionales autour de l'an mille.* Paris: Publications de la Sorbonne, 1992. p.454-9.

DONDAINE, Antoine. *Les hérésies et l'Inquisition, XIIe-XIIIe siècle.* Documents et études édités par Yves Dossat. Variorum, 1990.

HÉRÉSIES ET SOCIETÉS DANS L'EUROPE PRÉ-INDUSTRIELLE XIe-XVIIIe SIÈCLES. Communications et débats du Colloque de Royaumont présentés par Jacques Le Goff. Paris: Mouton, 1968.

MOORE, Robert I. *La Persécution: sa formation en Europe, Xe-XIIIe siècles* [1987]. Tradução francesa. Paris: Les Belles Lettres, 1991.

TAVIANI, Huguette. Naissance d'une hérésie en Italie du Nord au XIe siècle. *Annales ESC,* Paris, v.29, n.5, 1974. p.1224-52.

THOUZELLIER, Christine. *Catharisme et valdéisme en Languedoc à la fin du XIIe et au début du XIIIe siècle*: politique pontificale et controverses. Paris: Presses Universitaires de France, 1966.

Dicionário analítico do Ocidente medieval

THOUZELLIER, Christine. *Livre des deux principes*: introduction, texte critique, traduction, notes et index. Paris: Cerf, 1973.

_____. *Rituel cathare*: introduction, texte critique, traduction et notes. Paris: Cerf, 1977.

ZERNER, Monique. Du court moment ou on appela les hérétiques des bougres et quelques dédutions. *Cahiers de Civilisation Médiévale*, Poitiers, v.32, n.128, 1989. p.305-24.

_____ (ed.). *Inventer l'hérésie? Discours polémiques et pouvoirs avant l'Inquisition.* Nice: Faculté Nice Lettres-Sciences Humaines, 1998. (Coll. Centre d'Études Médiévales, 2.)

História

Para conhecer a Idade Média, o medievalista dispõe de vários tipos de fontes e, entre elas, as fontes narrativas. Alguns desses relatos podem ser testemunhos ingênuos do que alguém viu ou ouviu. Mas muitos são também obras elaboradas, em que o autor pôs todos os cuidados para transmitir à posteridade a lembrança do passado, próximo ou remoto. Houve, na Idade Média, muitos historiadores.

Os historiadores dos séculos XIX e XX, orgulhosos de sua ciência, que acreditavam nova, tiveram certa dificuldade em admitir que aqueles fossem simplesmente seus predecessores, sábios e eruditos que se consideravam, como eles, bons operários do passado. Por muito tempo, viram em suas obras apenas sequências de fatos. Em decorrência, explorando-as, multiplicaram os contrassensos. Porque as obras dos historiadores que viveram e trabalharam na Idade Média são construções eruditas, de que é perigoso ignorar as ambições e os limites. Antes de utilizar as obras históricas medievais, é prudente perguntar quem eram os historiadores na Idade Média, em que se assemelhavam aos historiadores de hoje, em que eram diferentes.

Uma diferença fundamental é que o historiador de hoje o é, normalmente, o tempo todo. A história é uma profissão. Na Idade Média, ela quase nunca o é. Dizer-se ou ser considerado historiador marca uma atividade, não um estado. A história é uma atividade secundária. Contudo, o perfil do historiador evoluiu muito ao longo do milênio medieval. Assim, Gregório, bispo de Tours, concluiu, pouco antes de sua morte em 594, o décimo livro das *Histórias*, na qual tinha contado a história do mundo, da Criação a 591. Havia que ser um prelado da importância de Gregório para ter a cultura necessária, para dispor de livros, arquivos e testemunhos orais que lhe permitiram escrever essas *Histórias*, sem as quais não saberíamos grande coisa do século VI merovíngio. Depois, ainda houve bispos historiadores. Como Fréculfo, bispo de Lisieux, no século IX. Como Oto, bispo de Freising, no século XII. Porém, um bispo era normalmente um prelado ocupado demais para poder consagrar-se à erudição e à escrita históricas. À sombra das catedrais, foram com frequência os cônegos que cultivaram a história. Desse modo, em Reims, no século X, Flodoardo foi um fecundo e notável historiador, que pôde e soube aproveitar-se dos arquivos da Igreja de Reims e da grande biblioteca reunida pelo arcebispo Hincmar.

Em seguida, as medíocres bibliotecas capitulares foram incapazes de alimentar um grande esforço historiográfico. E os melhores historiadores viveram à sombra dos claustros, perto dos *scriptoria* e das bibliotecas monásticas. Com certeza, nem todos os mosteiros eram lugares de cultura e, quando aí havia cultura, a teologia, a hagiografia, a liturgia eram naturalmente as componentes essenciais. Mas alguns grandes centros, em particular os beneditinos, às vezes os cistercienses, foram ativas sedes historiográficas. Como Fleury, o atual Saint-Benoît-sur-Loire, nos séculos XI e XII. Como Saint-Denis, onde a história era cultivada desde antes do século XII, mas que floresceu só depois que o abade Suger enriqueceu a biblioteca do mosteiro com numerosas obras históricas. E Saint-Denis era ainda um grande ateliê de história no século XV.

As obras históricas produzidas nesses mosteiros eram obras de erudição, obras livrescas, obras coletivas, em que um mestre de obra,[1] que aliás estava na direção da escola ou do *scriptorium* ou da biblioteca, organizava as leituras de uma equipe competente e presidia à reunião das sínteses por ela realizadas. Por outro lado, quando se dedicavam à história, os monges sabiam muito bem que se entregavam a uma atividade específica, com exigências

---

1 *Maitre d'oeuvre* : chefe de um ateliê, de uma oficina, pessoa que dirige algum trabalho intelectual. [N.T.]

História

próprias. Porém, em suas perspectivas e mesmo suas palavras, tal história estava próxima da teologia, da hagiografia e da liturgia, que continuavam a ser o essencial de sua cultura.

Nos últimos séculos da Idade Média, a produção histórica dos mosteiros não deixou de prosperar. Contudo, perdeu bastante sua importância relativa. Porque os frades das Ordens Mendicantes, nascidas no século XIII, cultivaram muito a história. Não tanto os franciscanos, que gostavam pouco de livros e preferiam testemunhar, mais ou menos ingenuamente, o que tinham visto ao longo de suas viagens através do vasto mundo, mas principalmente os dominicanos. A vocação desses era instruir-se e instruir. Suas bibliotecas lhes permitiam compor os grandes Espelhos que refletiam toda a cultura do mundo, ou manuais mais concisos. Vicente de Beauvais dirigiu a composição de um imenso *Speculum majus*, de que o *Speculum historiale* (*Espelho historial*) foi uma parte, contando a história do mundo, da Criação ao fim. Bernardo Gui (1261-1331), herdeiro de uma grande escola histórica do Limousin, foi autor de numerosas e importantes obras históricas.

Desde o século XII, as cortes de reis e príncipes haviam se tornado centros de cultura, onde a história tinha seu espaço. Mas uma história bem diferente da história monástica e conventual. Ouvindo-a, senhores e damas procuravam com certeza instruir-se; procuravam, mais ainda, divertir-se. Os clérigos que lhes retinham a atenção não eram decerto ignorantes. Liam em língua vulgar para serem compreendidos pelo público, mas sabiam o latim; tinham lido livros e, sobretudo, sua memória carregava uma rica cultura oral. No entanto, o público exigia deles menos exposições eruditas do que relatos vivos e coloridos. A fronteira oscilava entre poesia e verdade. As canções de gesta, que pretendiam contar o que realmente aconteceu (*gesta*), estavam, no entanto, muito enganadas. Aqui, a história aproximava-se mais da literatura que da erudição.

Contudo, os progressos do Estado propiciaram, no final da Idade Média, o surgimento de novo tipo de erudição. Os arautos, por exemplo, que tiveram inicialmente a simples tarefa de identificar os brasões, acabaram por fazer pesquisas genealógicas e heráldicas que proveram as histórias de uma rica e precisa erudição. Da mesma maneira, os escrivães de chancelarias possuíam cultura e experiência indispensáveis para bem conduzir sólidas investigações.

Dicionário analítico do Ocidente medieval

Surpreendente, em suma, é quão diversos podiam ser os tipos de historiadores na Idade Média. Muitos tinham apurada instrução, outros menos. Uns estavam mais voltados para a teologia, outros para o direito. Assim, a história acompanhava, muito naturalmente, os progressos das grandes disciplinas intelectuais. Entender a obra de um historiador é pois, de início, situá-la em uma cultura. É também definir seu público. Um escritor monástico trabalhava para o abade e seus monges. Mas, além disso, às vezes se dirigia a um poderoso. De maneira geral, importa saber por qual patrono um historiador era estimulado ou coagido. As numerosas obras históricas, latinas e francesas, compostas na corte de Henrique II Plantageneta (1154-1189), têm traços bem singulares. Duas grandes sínteses históricas foram realizadas na França no século XIII. Uma é o *Speculum historiale*, de Vicente de Beauvais, uma grande história universal devida ao labor dominicano; a outra, as *Grandes crônicas de França*, uma ampla história da França, escrita em francês por Primato, é puro produto do ateliê historiográfico de Saint-Denis. As duas foram encomendadas e estimuladas por São Luís. É bom lembrar disso para entender tanto as ideias do santo rei quanto as obras de Vicente de Beauvais e de Primato. Uma obra histórica nasce, assim, do encontro de uma cultura, de um autor e de um público.

Metas e métodos do historiador

Na Idade Média, o historiador frequentemente se oculta atrás de sua obra. Para compreender o que ele quis fazer, não há outro recurso senão analisá-la. Porém, com mais frequência do que se poderia imaginar, o autor aparece na narrativa e, sobretudo, cuida de dizer, em um Prólogo, quais foram suas metas e métodos. Esses prólogos dos historiadores foram por muito tempo negligenciados. Via-se aí apenas um punhado de lugares-comuns, de que se podia até dispensar a leitura e a publicação. Na verdade, só o estudo atento dos prólogos permite perceber a que ponto a obra histórica era uma construção consciente. Graças a eles, vê-se bem melhor o que era a história para os historiadores e como a fizeram.

A história é um relato simples e verdadeiro, visando transmitir à posteridade a memória do que passou. A liturgia também tinha por tarefa, a cada

História

ano, restituir à lembrança a vida de Cristo e dos santos. Como a liturgia, a história é instrumento da memória. Naquele tempo que queria se edificar sobre o passado, a tradição e a memória, não é de surpreender que se tenha podido fazer da história "o fundamento de toda ciência". O paradoxo é que, nas escolas e universidades, ensinavam-se as sete artes liberais, a teologia, o direito e a medicina; a história nunca foi aí considerada uma disciplina completa. É um bem? É um mal? A história aproveita apenas indireta e incompletamente os enormes progressos que a produção intelectual então conheceu. Porém, soube melhor preservar suas perspectivas e sua especificidade.

Naturalmente, a história não podia conservar a memória de tudo o que havia passado. Só devia fixar o que era digno de lembrança e relatar coisas memoráveis. Isto é, os prodígios, as guerras, os atos de príncipes e santos. No fim do século XII, Geraldo de Gales, em sua *Topographia hibernica*, pretendia também estudar os costumes dos irlandeses. Curiosidades antropológicas semelhantes emergiram depois, aqui e ali, entre alguns franciscanos e mercadores. Nunca foram preocupação da erudição histórica.

Frequentemente, é para dizer o que Deus havia feito, *gesta Dei*, que o historiador escrevia. Podia também, muito simplesmente, querer conservar a memória do passado para obedecer a sua natureza de homem. "Um homem sem cultura, que ignora o passado, não passa de um estúpido bestial", dizia Mateus Paris, no século XIII. Mais precisamente, o historiador podia querer extrair exemplos do passado. Na Idade Média, muitas outras espécies de obras tiveram a mesma preocupação com o exemplo. Em particular, hoje se conhece bem a importância das recolhas de *exempla*, que os clérigos usavam para alimentar seus sermões. Porém, numerosos livros de história, a começar pelo *Livro de ações e palavras memoráveis*, de Valério Máximo, que tanto sucesso teve na Idade Média, nada mais foram, para seus autores e leitores, do que recolhas de exemplos. Revelando os nomes dos que tinham sido heróis de algum exemplo por seguir, o historiador tinha um outro objetivo: salvá-los do esquecimento, colocar ao abrigo do tempo sua honra e renome. Igualmente, em relação aos heróis desgraçados, os exemplos por evitar: a história estava lá para perpetuar a infâmia deles. O historiador tinha, pois, um formidável poder. E escrevendo os nomes no grande livro da memória, ele era, para a eternidade, o artesão da glória e da vergonha.

As fontes dos historiadores

O historiador compunha sua narrativa com aquilo que tinha visto, ouvido e lido. Por muito tempo, ele preferiu a tradição oral às fontes escritas. Quando Flodoardo, no século X, dispunha de um testemunho oral, negligenciava os arquivos, que lhe estavam, contudo, facilmente acessíveis. No século XII, para falar de um passado remoto, os historiadores não hesitavam em utilizar as tradições orais. Não era ingenuidade. É que sua erudição não censurava isso. Por que, aliás, em tempos de oralidade, teriam eles reagido como um sábio do século XIX ou XX? E nossa crítica não demonstrou que os escritos de que eles dispunham eram frequentemente tão pouco confiáveis como os relatos orais?

Ainda assim, os historiadores dos séculos XII e XIII, mesmo confiando mais na memória dos homens do que atualmente ousaríamos, estavam cada vez mais convencidos de que a memória era frágil (*labilis memoria*), era fugaz (*fugitiva memoria*). Por isso, os historiadores tinham o dever de confiar à escrita a lembrança do passado, a fim de transmiti-lo à posteridade. E se, naturalmente, utilizavam os testemunhos orais para contar o passado recente, quanto mais dele se afastavam, mais deploravam as falhas da memória. Planejando no início do século XIV escrever a história de sua ordem, o dominicano Bernardo Gui confessava sua amargura: "Há um certo número de coisas que eu queria saber sobre os primeiros [de nós], mas não encontrei ninguém de quem pudesse obter a verdade, porque os primeiros, que presenciaram as coisas, estão mortos, e o tempo passado faz que certos anciãos que ainda vivem tenham perdido a memória ou se lembrem apenas através de uma névoa, como em sonho". Desde o final do século XII, Gautier Map notara que a memória oral cobria no máximo cem anos. É o que ele chamava seu tempo, a época moderna. E, nos últimos séculos da Idade Média, os historiadores com frequência distinguiam os tempos modernos, que a frágil memória dos homens podia ainda alcançar, dos tempos antigos, cuja obscuridade só a escrita podia penetrar.

Exatamente como hoje, os historiadores pretendiam utilizar documentos de arquivos. Além disso, eram sempre eles que, para defender os direitos de seu mosteiro, nele guardavam os documentos originais, classificavam-nos

História

e recopiavam-nos em cartulários. Porém, a leitura e interpretação desses velhos pergaminhos não avançavam sem colocar difíceis problemas. Seja como for, o historiador podia usufruir de um único fundo de arquivos, o de seu mosteiro. Uma história original e documentada só podia ser local. Quanto ao resto, o historiador dependia de histórias já escritas por seus predecessores. Não há historiador sem biblioteca e não há bons historiadores sem boas bibliotecas.

Ora, durante muito tempo as bibliotecas medievais não foram tão ricas. Elas contavam quase sempre com apenas algumas centenas de volumes. Só uns poucos eram livros de história. E tanto melhor se estivessem inventariados e acessíveis. Quem desejasse narrar a história do mundo a partir da Criação, dispunha então, com bastante facilidade, de alguns livros que Cassiodoro, no século VI, recomendara e que toda boa biblioteca devia possuir. A Bíblia, é óbvio. E a *História eclesiástica*, que Eusébio de Cesareia escreveu em grego e que Rufino traduziu para o latim e ampliou. E a *História contra os pagãos*, que o latino Orósio escreveu em 415-417. E alguns outros. Para tempos posteriores, o historiador dependia de raras obras, cuja difusão era lenta e espacialmente limitada, muito devendo ao acaso. Sigeberto havia terminado sua crônica universal em Gembloux, em 1112. Orderico Vital estava feliz em ver uma cópia dela em Cambrai, pouco antes de 1132, porque era uma dessas obras "modernas" que "muito dificilmente" se encontravam. Em 1147, a crônica de Sigeberto estava em Beauvais. Foi lá que Roberto de Torigny a encontrou. Esse achado foi a origem do sucesso normando e inglês da crônica. Contudo, ao que parece, ela não foi conhecida em Londres antes do século XII.

Com o tempo, o peso do acaso diminuiu na difusão do conhecimento histórico. Pesquisadores mais bem preparados multiplicavam as pesquisas que lhes permitissem reencontrar velhos textos perdidos. As bibliotecas eram mais numerosas e os volumes mais abundantes e acessíveis. Em meados do século XIV, a peste negra fazia desaparecer as pessoas, não os livros. Menos procurados, tornavam-se menos caros. Um simples particular podia agora esperar reunir algumas dezenas, mesmo algumas centenas de volumes. A organização quase industrial da produção do livro manuscrito já permitira a extensa e rápida difusão de uma obra, quando a invenção da imprensa resultou na fabricação de livros às centenas (mas não ainda aos milhares). No início do século XVI, em alguns meses um historiador tinha em mãos uma obra às vezes escrita muito longe. Desde então, o problema do historiador sempre tem sido dominar uma documentação abundante demais. É preciso entender bem que antes o historiador esbarrava em muitas outras dificuldades. A Idade Média foi o tempo da documentação escassa.

Credibilidade e verossimilhança

O que também faltou aos historiadores da Idade Média, diz-se muitas vezes, foi o espírito crítico. E observa-se com gosto a ingenuidade com que podiam repetir histórias errôneas ou inverossímeis e a facilidade com que tantas mentiras mais ou menos grosseiras puderam impor-se.

De fato, as falsificações são inúmeras do início ao fim da Idade Média. No século IX, particularmente sob Carlos, o Calvo, apareceram falsificações que marcaram toda a cultura medieval. No fim do século XV, João Nanni, também conhecido por Annio de Viterbo, publicou em Roma as obras de vários autores da Antiguidade que se acreditavam perdidas: ele tinha escrito todas. Seguramente, a falsificação marca a Idade Média. Resta saber se ela revela uma certa ingenuidade.

Observemos, inicialmente, que as grandes fábricas de falsificações da Idade Média sempre foram grandes centros de cultura e erudição. Os historiadores de hoje muitas vezes têm alguma dificuldade em admitir que respeitáveis prelados e distintos sábios tivessem podido fabricar falsificações que nossa consciência condena. Mas o fato aí está. Como a falsa moeda, o falso texto é atividade de especialistas. Por outro lado, se há historiadores ingênuos, a muitos outros não falta espírito crítico. Eles sabem muito bem comparar as fontes e constatar, se existirem, as diferenças (*varietas, diversitas, dissonantia*). Simplesmente, eles não se sentem no direito de resolver essa diversidade. Oferecem todas as versões de que dispõem e convidam expressamente o leitor a escolher. Só que, às vezes, orientam sua escolha silenciando sobre a versão que lhes parece falha. É preciso saber entender o silêncio dos historiadores. Para julgá-los, não é suficiente encontrar a proveniência do que dizem; é necessário também ver o que sabiam e não disseram.

História

Preocupados em avaliar os textos, os historiadores da Idade Média não tinham, contudo, os mesmos critérios que nós. Primeiramente, eram enganados pela fraqueza de seus conhecimentos e pela falta de instrumentos eruditos. Temos, atualmente, todos esses instrumentos de trabalho que nos permitem, não sem fadiga, ir ao encontro da verdade. Eles tinham, quando muito, alguns catálogos, algumas genealogias mais ou menos falsas; permaneciam, diante das suas fontes, quase desarmados. Portanto, sua crítica devia basear-se na verossimilhança? Mas a verossimilhança é uma noção ambígua. O critério moral da verossimilhança foi, durante um tempo, primordial. Perdeu sua força no transcorrer dos séculos. Quando Lourenço Valla descreve o rei Martinho adormecendo durante uma audiência, ainda no século XV, reprova-lhe dizer uma coisa inverossímil, porque é contrário à dignidade de um rei adormecer durante uma audiência. Lourenço Valla não deixa de lhe responder que talvez não seja digno de um rei adormecer durante uma audiência, mas que não há nada de inverossímil em que um indivíduo, seja ele rei, adormeça durante uma audiência. A ordem natural das coisas tornava-se, pouco a pouco, a pedra de toque da verossimilhança.

Mas um milagre era sempre possível. Se bem que o único critério com que o historiador podia realmente contar era o da autoridade da fonte. Havia textos que tinham autoridade e textos que não. Havia textos que tinham mais ou menos autoridade. Deviam-na ao seu autor ou ao seu fiador. Um texto aprovado por um príncipe tinha menos autoridade que um texto aprovado por um rei. Um texto aprovado por um bispo tinha menos autoridade que um texto aprovado pelo papa e menos autoridade que um texto aprovado pela Igreja. Um texto aprovado pela Igreja tinha tanto mais autoridade quanto mais velho fosse.

Desse amplo princípio crítico provinham várias consequências. Nos primeiros séculos da Idade Média, quem queria melhor convencer podia tentar abrigar sua obra sob a autoridade de um homem vetusto e de prestígio. Mais tarde, para impor um texto no qual nada levava alguém a crer, o historiador algumas vezes teve a ideia de buscar a aprovação de uma autoridade. Por iniciativa própria, Caffaro havia escrito a história de Gênova desde 1100. Em 1152, apresentou-a aos cônsules de Gênova, que, ordenando que fosse transcrita por um escrivão público e depositada em arquivos públicos, fizeram dela um documento autêntico, em que se devia acreditar. Em 13 de abril de 1362, o notário Rolandino de Pádua acabou de escrever sua crônica. Fez então que fosse lida diante dos veneráveis mestres da Universidade de Pádua, que a aprovaram com sua autoridade magistral e validaram-na. Na França, os historiadores de Saint-Denis estavam havia muito tempo preocupados em colocar sua obra sob a autoridade do abade e do rei. Em 18 de novembro de 1437, quando retomou Paris e começou a restaurar suas funções, Carlos VII até criou um cargo de cronista da França. Confiou-o a um monge de Saint-Denis, João Chartier, que prestou juramento e recebeu salário, como todo oficial. Outros príncipes do Ocidente imitaram o rei de França. A história oficial nascia, na Idade Média, com toda a naturalidade do respeito que as autoridades inspiravam.

Se era condenável não respeitar um texto "católico", "autêntico", aprovado pela Igreja, cortar, resumir, modificar ou interpolar um texto era falha tanto mais perdoável quanto menor fosse sua autoridade. Assim, há obras respeitáveis de que a Idade Média escrupulosamente nos transmitiu o texto original, e outras que cada um podia, ao copiá-las, tratar como bem quisesse. Numerosas obras históricas eram dessas obras vivas, às quais cada geração, cada leitor, acrescentava sua pedra.

Enfim, desde que o critério não era o verdadeiro, mas o autêntico, não faltam exemplos em que um documento foi fabricado por um autor que bem sabia não ser ele verdadeiro, mas esperava que a aprovação de uma autoridade o tornasse autêntico.

Os historiadores eram muito estimulados a ir nessa direção, porque, se proclamavam sua vontade de dizer o que realmente tinha acontecido, frequentemente também pensavam que, sendo seu dever fornecer os melhores exemplos, era melhor relatar o que deveria ter acontecido. Miguel Pintoin, que escreveu em latim essa grande história do reinado de Carlos VI, conhecida com o nome de *Crônica dos religiosos de Saint-Denis*, tomou por tarefa, entre outras, descrever as cerimônias da corte nas quais se manifestava a majestade real. Se, por infelicidade, em tal circunstância um incidente a tinha denegrido, o Religioso não hesitava em transmitir à posteridade, como ainda o desejava Bartolomeu Facio um pouco mais tarde, somente a lembrança do que deveria ter sido.

História

Essas omissões em relação à verdade, essas mentiras, enfim, eram tão mais tentadoras quanto maior o contraste entre a ciência dos eruditos que ousavam fazê-las e a ignorância do público a quem se dirigiam. Os avanços da cultura histórica restringiam, pouco a pouco, o privilégio que por muito tempo tiveram os sábios de impor suas convicções como verdades.

O gênero histórico: a crônica

Uma vez reunida e elaborada a matéria, restava ao historiador colocá-la em obra. Primeiro, precisava escolher o gênero em que pretendia vertê-la. Muitas vezes, informava o leitor de sua escolha, seja pelo título dado expressamente no prólogo, seja pelas primeiras palavras do texto. Eusébio de Cesareia havia escrito em grego, no século IV, de um lado uma *História eclesiástica*, de outro, uma *Crônica.* Durante séculos, a exemplo dele, o historiador teve que escolher entre a história, que era um relato pomposo mas sem muitas datas, e a crônica, na qual o essencial eram as datas, cada uma seguida de breve menção do ou dos acontecimentos ocorridos. E como a ambição de muitos historiadores era apreender a história do mundo no todo, da Criação até seu tempo, o modelo mais utilizado foi, sem dúvida, o da crônica universal.

Longe de ser a exposição ingênua de conhecimentos elementares, uma crônica é frequentemente, ao contrário, o fruto elaborado de uma erudição para a qual o tempo é essencial. Durante séculos, na historiografia medieval, a preocupação com o espaço permaneceu secundária e rotineira. Mas história e tempo sempre estiveram indissoluvelmente ligados. Hugo de Fleury pôde dizer que os fatos, se não fossem situados no tempo, não eram históricos. E as conclusões dos historiadores da Idade Média, no difícil âmbito da cronologia, foram realmente notáveis. Continuamos seus devedores.

Inicialmente, devemos à Idade Média a elaboração de nosso sistema cronológico. Foi no século VI que Dioniso, o Pequeno, achou pouco conveniente usar referências pagãs no tempo e fez do nascimento, ou mais precisamente, segundo seus cálculos, da morte de Cristo, a referência fundamental. Beda foi o primeiro, no século VIII, a adotar em sua *História ecle-*

siástica do povo inglês o ano da encarnação de Cristo. Contudo, o costume de situar os acontecimentos em relação à encarnação de Cristo só se tornou usual no século XII. E apenas no final do século XIII apareceu, aqui ou ali, o hábito sistemático de datar os acontecimentos anteriores a Cristo em relação a ele. Esse uso retrospectivo da era da Encarnação espalhou-se realmente com o sucesso do *best-seller* que foi o *Fasciculus temporum*, de Werner Rolevinck, no final do século XV. Foram necessários os dez séculos de Idade Média para construir e difundir o sistema cronológico que é o nosso.

Antes que a era da Encarnação se tornasse corrente, e mesmo depois, eram os reinados dos papas, dos imperadores, dos reis etc. que permitiam situar os acontecimentos. E cada tipo de documento ou de crônica tinha seu sistema de datação tradicional. Uma crônica universal, por exemplo, era organizada em função da sucessão imperial. Ainda em meados do século XIII, Vicente de Beauvais, um francês protegido pelo rei da França, não via qualquer inconveniente, no seu *Speculum historiale*, em fazer dos reinados dos imperadores a espinha dorsal da cronologia.

A grande conclusão da erudição medieval foi situar todos esses dados dispersos unicamente na era da Encarnação. Porém, essa prodigiosa simplificação e esse admirável domínio do tempo exigiram muitos esforços. O historiador devia dispor de catálogos onde estivessem arroladas a sucessão dos reinados e sua duração. Após o quê, precisava desfazer as armadilhas da homonímia e outras dificuldades. No fim das contas, oferecia em sua crônica datas sabiamente reconstruídas. Nossa erudição, mais bem equipada, frequentemente encontra defeitos nelas. Constatamos que essas datas são muitas vezes falsas, com diferença de alguns anos. Corrigimo-las. Mas reconhecemos que os historiadores da Idade Média, dentro de suas possibilidades, foram virtuoses da cronologia.

Veio um tempo em que os traços originais dos gêneros históricos se confundiram. Os franceses opuseram-se a organizar a história em função dos reinados imperiais e, aliás, quase não compuseram mais crônicas universais. Os cronistas quiseram preferencialmente narrar. Os historiadores introduziram datas em suas narrativas. O passado tendeu a inserir-se em um só modelo, que se chamou história ou crônica. O principal problema do historiador ao compor sua obra foi, nesse caso, a delicada decisão que se impunha entre a cronologia (*ordo temporum*) e o acontecimento, cujos desdobramentos a lógica obrigava a examinar (*casus*).

Tratando de um passado recente, no qual caminhava sem guia, o historiador devia resignar-se a ser original. Contudo, para os tempos mais remotos, punha toda sua atenção em recuperar as ideias, frases e palavras de suas fontes, para abrigar-se sob sua autoridade. A compilação era o arremate da erudição. Depois de ter reunido as fontes e selecionado seus trechos, sua arte consistia em ordená-los criteriosamente. Escolher uma fonte principal e acrescentar-lhe breves passagens de outras fontes, ou, ao contrário, combinar em partes iguais vários relatos anteriores; optar aqui por uma fonte, ali por outra; decidir aqui por abreviar, ali por seguir o texto ao pé da letra; omitir uma palavra, acrescentar outra, eis o que fazia o compilador. E não é suficiente ter assinalado as fontes de um historiador. É preciso ver como as utiliza. Somente então aparecem as intenções dessa sábia construção que é a compilação.

A recepção dos historiadores

Na segunda metade do século XIII, Primato compunha suas *Grandes crônicas da França* compilando e traduzindo obras anteriores escritas em latim. Em 1920, Jules Viard começava a edição crítica desse soberbo conjunto historiográfico. Comentando o primeiro volume, Louis Halphen perguntava-se, já que ainda temos os textos originais das fontes de Primato, se essa publicação era de fato útil. Sem dúvida, Primato nada nos ensina, hoje, sobre os Merovíngios, não mais que Aimon, que havia escrito por volta do ano 1000 e a quem Primato seguia. Para os Merovíngios, Gregório de Tours nos basta. Porém, saber como um súdito de São Luís enxergava a França e os primeiros tempos de sua história é essencial para entender o século XIII. Um historiador é, de qualquer modo, uma testemunha.

Mas ele é um ator? Sua obra pode marcar o curso da história? Para responder a essa pergunta, primeiro é necessário mudar nossas perspectivas sobre a historiografia medieval. Há 150 anos, quem fala na França dos historiadores da Idade Média tradicionalmente pensa, de início, em Geoffroy de Villehardouin, João de Joinville, João Froissart e Filipe de Commynes.

Dicionário analítico do Ocidente medieval

O primeiro critério dessa seleção é, evidentemente, a língua. Esquecendo que esse tempo é essencialmente bilíngue, a tradição mutilou-o ao negligenciar Miguel Pintoin ou Tomás Basin, por exemplo, historiadores de primeira grandeza que escreveram em latim. O segundo critério é um critério de qualidade. Se Joinville, por exemplo, é lido e estudado com paixão, é porque nos fornece acerca de São Luís um testemunho excepcional. Mas o fato é que a obra de Joinville é quase desconhecida na Idade Média. Sobrou, atualmente, apenas um manuscrito. Na imensa produção historiográfica medieval, Joinville não conta.

Para perceber o que foi, na verdade, a cultura histórica na Idade Média e quais historiadores foram então lidos, nosso critério só pode ser quantitativo. Primeiro, importa saber, para cada obra, o número de manuscritos hoje subsistentes: 245 manuscritos da *História*, de Orósio; 164 manuscritos da *História eclesiástica do povo inglês*, de Beda; mais de 100 manuscritos do *Espelho historial*, de Vicente de Beauvais, ou das *Grandes crônicas da França*, eis uma indicação grosseira. Outras pesquisas podem melhorá-la. Contudo, ela nos informa, com segurança, sobre o grande sucesso dessas obras na Idade Média. E ajuda-nos a escrever a história da produção e da cultura históricas medievais, resgatando particularmente as obras-encruzilhada, para as quais converge uma erudição secular e que marcam por muito tempo as gerações posteriores. Para o historiador da historiografia e da cultura medievais francesas, não é Joinville que importa, é Vicente de Beauvais, é Primato, cujas obras foram copiadas durante mais de dois séculos e conservadas em numerosas bibliotecas.

Mas em que medida as obras cuja importância é revelada pela história da produção e da cultura históricas terão marcado os espíritos e pesado sobre o fluxo dos acontecimentos? Observemos, em primeiro lugar, que se 60 ou 100 manuscritos representam um grande sucesso de livraria, mesmo assim não é grande coisa, pela escala do Ocidente ou da França. Se um tema de uma obra histórica teve algum peso, é porque foi retomado pelo poder, adotado pelas chancelarias, repetido nas cortes e nas esquinas das cidades. Uma obra histórica não é um texto de propaganda. Pode fornecer materiais para uma propaganda. É preciso tempo para ela se impor. Não são os assuntos de Filipe III, o Ousado (1270-1285), mas os de Carlos V

História

(1364-1380) e Carlos VI (1380-1422), que marcaram os temas das *Grandes crônicas da França*.

Em suma, se o público instruído podia acompanhar a minúcia de um relato histórico, esse público era bem restrito. Para impressionar mais profundamente, o conhecimento histórico devia fazer-se mais simples. Logo, ele se limitou a alguns grandes temas, a algumas grandes figuras que ainda brilhavam na noite do passado. A origem troiana dos francos, a imagem de Clóvis ou de Carlos Magno, ajudaram a construir a unidade francesa; porém, na verdade, o que sobrou dos traços do Clóvis e do Carlos Magno históricos? A história, para marcar a história, devia se tornar mito.

BERNARD GUENÉE
Tradução de Lênia Márcia Mongelli

Ver também

Escatologia e milenarismo – Estado – Memória – Rei – Tempo

Orientação bibliográfica

BORST, Arno. *Geschichte an mittelalterlichen Universitaten.* Constância: Universitätsverlag, 1969.

BUSCHINGER, D. (ed.). *Chroniques nationales et chroniques universelles* (Colloque de Amiens, 1988). Göttingen, 1990.

DAVIS, R. H. C.; WALLACE-HADRILL, J. M. (eds.). *The Writing of History in the Middle Ages.* Oxford: Clarendon, 1981.

GRUNDMANN, Herbert. *Geschichtsschreibung im Mittelalter*: Gattungen, Epochen, Eigenart. Göttingen: Vandenhoeck und Ruprecht, 1965.

GUENÉE, Bernard (org.). *Le Métier d'historien au Moyen Âge*: études sur l'historiographie médiévale. Paris: Publications de la Sorbonne, 1977.

_____. *Politique et histoire au Moyen Âge*: recueil d'études sur l'histoire politique et l'historiographie médiévales (1956-1980). Paris: Publications de la Sorbonne, 1981.

_____. *Histoire et culture historique dans l'Occident médiéval.* Paris: Aubier, 1991.

LACROIX, Bruno. *L'historien au Moyen Âge.* Montreal e Paris: Vrin, 1971.

Dicionário analítico do Ocidente medieval

MITRE FERNANDEZ, Emilio. *Historiografia y mentalidades históricas en la Europa medieval.* Madri: Universidad Complutense, 1982.

PATZE, H. (ed.). *Geschichtsschreibung und Geschichtsbewusstsein im Späten Mittelalter.* Sigmaringen: Thorbecke, 1987.

POIRION, Daniel (ed.). *La Chronique et l'histoire au Moyen Âge.* Paris: Presses de l'Université de Paris-Sorbonne, 1984.

LA STORIOGRAFIA ALTOMEDIEVALE. Spoleto: Fondazione Cisam, 1970. 2v.

Idade Média

A Idade Média não existe. Esse período de quase mil anos, que se estende da conquista da Gália por Clóvis até o fim da Guerra dos Cem Anos, é uma fabricação, uma construção, um mito, quer dizer, um conjunto de representações e de imagens em perpétuo movimento, amplamente difundidas na sociedade, de geração em geração, em particular pelos professores do primário, os "hussardos negros" da República, para dar à comunidade nacional uma forte identidade cultural, social e política. Tentaremos perceber a trama desse mito, do fim da Idade Média tradicional ao fim do segundo milênio. A fim de conservar a coerência deste estudo, privilegiamos o caso francês, embora fornecendo amplas visões europeias ou mesmo planetárias. A França é, provavelmente, o único país ocidental em que, na época contemporânea, sua memória medieval esteve tanto tempo e tão profundamente dividida no plano cultural, político e religioso, e no qual a Idade Média ainda hoje constitui um excelente indicador das *Paixões francesas*, como, de resto, se pôde verificar em 1996, por ocasião dos intensos debates sobre as origens nacionais suscitados pelo "ano Clóvis", em contraposição ao bicentenário da Revolução.

Do humanismo ao neoclassicismo

A aparição de um conceito desvalorizante de "idade média", quer dizer, literalmente, de "época intermediária", é consequência de um duplo fenô-

Dicionário analítico do Ocidente medieval

meno cultural e religioso. Resulta da vontade manifesta dos humanistas italianos, desde o século XIV, de retornar às fontes da Antiguidade clássica em sua pureza e autenticidade filológicas, livre das escórias e das alterações linguísticas provocadas pelas glosas posteriores aos "Sorbonnards". Como observa Jean-Marie Goulemont, a *scienza nuova* de Petrarca constitui, sobretudo, "um esforço para limpar o pó do tempo, perceber sob as rugas da idade o frescor dos primeiros sorrisos do mundo". Essa abordagem filológica também favorece a tentativa da Reforma Protestante de retornar ao texto sagrado, reencontrar o cristianismo das origens e denunciar uma Igreja Católica presa ao visco da cidade terrestre e que se tornou indiferente aos ideais evangélicos da Cidade de Deus. Posta entre dois cumes da civilização – a Antiguidade clássica e o Renascimento – a transição medieval será doravante, por muitos séculos, considerada com desprezo, como um período de profunda decadência no domínio cultural, intelectual e artístico (a arte "gótica" denegrida por Michelângelo), e como uma interminável noite que os raios de sol do século XVI enfim dissiparam.

A terminologia inventada por Petrarca e os humanistas italianos do século XIV – *medium tempus* ou *media tempora* – desenvolve-se na segunda metade do século XVII entre os eruditos alemães e franceses. Em 1676, Christophe Cellarius (ou Keller), professor em Halle, publica em Iena a primeira verdadeira história medieval em latim. Em 1681, Charles du Cange edita seu famoso *Glossarium ad scriptores mediae et infimae latinitatis* (*Glossário da latinidade medieval e tardia*). O século XVIII assume e aperfeiçoa – com as principais línguas europeias substituindo o latim – essa divisão ternária da história (Antiguidade, Idade Média, tempos modernos) para melhor celebrar, como o faz Voltaire nos *Ensaios sobre os costumes* (1756), a vitória das Luzes sobre o obscurantismo clerical e o triunfo de uma civilização refinada sobre a grosseria e a barbárie desses longínquos séculos de ferro. No entanto, às vésperas da Revolução, a expressão "Idade Média" começa a tornar-se, entre os eruditos europeus, um termo técnico mais neutro, desprovido de conotação pejorativa, confortável para designar um período recuado no tempo.

Por outro lado, ao contrário do que se costuma pensar, na França não foi preciso esperar a época romântica para que houvesse interesse pela Idade

Média e se buscassem nela temas de inspiração literária e musical. O próprio Voltaire, esse cáustico acusador das trevas medievais, é autor, em 1734, de *Adélaïde Duguesclin,* obra cuja ação se desenrola no reinado de Carlos VII. Na sequência, a maior parte dos grandes dramaturgos do século XVIII pôs em cena figuras de proa ou eventos da Idade Média: Dormont de Belloy, *La Siège de Calais* (1765); La Harpe, *Pharamond* (1765); Louis Sébastien Mercier, *Childéric* (1774), *La Mort de Louis XI* (1784), *Jeanne d'Arc* (1789); Sedaine, *Maillard ou Paris sauvé* (1782). Em 1782, Sedaine, associado ao compositor Grétry, monta a ópera *Richard Cœur de Lion,* da qual o famoso recitativo "Oh, Ricardo! Oh, meu rei! O universo te abandona!" torna-se uma senha realista durante a Revolução. Em 1791, Jean-François Ducis encena no Théâtre-Français *Jean-sans-Terre, ou la Mort d'Arthur.* Rouget de Lisle, imortalizado por *La Marseillaise,* é também autor de um outro cântico de guerra: *Roland à Roncevaux.* O sucesso dos *Templiers,* de Raynouard, em 1805, constituiu o coroamento de toda essa corrente neoclássica.

Quanto à partilha implícita dos temas que se costuma propor a partir de 1820 na literatura – os ouropéis antigos para o drama clássico, a inspiração medieval para os palcos românticos –, trata-se de uma visão redutora que não corresponde à realidade. Ponsard, encarniçado adversário do teatro romântico, encena, em 1846, um drama de inspiração medieval, *Agnès de Méranie.* Enfim, por ironia da história, "Hugoth" é eleito, em 1841, para a Academia Francesa na cadeira de um "antiquado", Népomucène Lemercier, do qual boa parte da obra dramática também apresenta uma fachada medieval, embora mantendo uma arquitetura rigorosamente clássica. Portanto, é preciso procurar noutro lugar as características da visão romântica da Idade Média...

A idade de ouro da Idade Média romântica no século XIX

O século XVIII detesta a Idade Média que o romantismo venera. Provavelmente é o traumatismo revolucionário e seu vandalismo, ferindo ao mesmo tempo a arquitetura e o patrimônio escrito – como reconhece Michelet, os arquivos também tiveram seu Tribunal Revolucionário –, que revela aos criadores românticos, que a ignoravam, a Idade Média aos pedaços,

Dicionário analítico do Ocidente medieval

a Idade Média ultrajada; "reencontram a Idade Média do mesmo modo que os primeiros humanistas haviam reencontrado a Antiguidade: é certo que a reencontram, mas como alguma coisa definitivamente perdida" (Ch.-O. Carbonell). E o choque que a maior parte dos românticos sofreu durante a infância no Museu dos Monumentos Franceses – aberto por Alexandre Lenoir em 1795 e fechado em 1816 pela Restauração – teve profundas consequências: suscita uma nova relação com o tempo; desemboca na proclamação revolucionária de que o *Povo* é o ator privilegiado da história, encarnação viva da *Nação* francesa; contribui, enfim, para a sagração do *Herói*.

À universalidade da razão e da natureza humana afirmada pelos clássicos, os românticos opõem o sentimento de que cada momento da história é único, irredutível ao que o precede e ao que o segue, e que é preciso restituí-lo com sua cor própria, respeitando seu tempo particular, como o faz com imenso sucesso Augustin Thierry, em 1840, nos seus célebres *Récits des temps mérovingiens.* Os românticos são igualmente apaixonados pelos períodos de transição e de ruptura nos quais o tempo estremece. Assim, pode-se ler *Notre-Dame de Paris*, de Hugo (1831), como a crônica de uma revolução anunciada, a de 1789, preparada pelo rápido crescimento da imprensa sob Luís XI e pela ascensão da burguesia, que, ao cabo, ameaça a hegemonia cultural e política da Igreja. "Isso matará aquilo": o Livro matará o catolicismo simbolizado pela catedral gótica. Nesse interesse apaixonado pelas fraturas temporais enxerta-se a busca obsedante pelas origens. Em Michelet, essa busca toma um aspecto quase biológico e carnal. Nessa pesquisa de talhe antropológico, Michelet assimila a Idade Média à infância do povo, a uma etapa capital de seu desenvolvimento psíquico e moral.

No canteiro de obras da *Histoire de France* aberto por Michelet após 1833, numa perspectiva de ressurreição integral do passado, a aventura comum da Nação Francesa, do ano 1000 à época de Joana d'Arc, substitui a enfiada monótona e repetitiva dos reinos que vão de Faramonde a Luís XI; o longo combate da Liberdade contra a Fatalidade toma o lugar da crônica anedótica das cabeças coroadas. Assim, do mais longínquo passado medieval surgem heróis trágicos que encarnam as virtudes eternas da França (bravura, senso de dever e de sacrifício, generosidade, combate pela liberdade etc.): Rolando, Estêvão Marcel, Du Guesclin e, claro, Joana d'Arc. A sacralização das figuras de proa dos tempos medievais exprime-se igualmente pelo pincel de artistas visionários como Eugène Delacroix: com Dante e Virgílio em *La barque de Dante* (1822), João, o Bom, na *Bataille de Poitiers* (1830), Carlos, o Temerário na *Bataille de Nancy* (1831), São Luís na *Bataille de Taillebourg* (1837) ou na *Entrée des croisés à Constantinople* (1840), Delacroix ressuscita, numa mistura confusa de cavalos revestidos de couraça, de lanças e de auriflamas, o *Grande Exército* dos cavaleiros da Idade Média.

A redescoberta da história medieval manifesta-se, enfim, pela proteção e reabilitação do patrimônio monumental, tarefas assumidas pelo Estado na segunda metade do século XIX, que confia a Viollet-le-Duc a direção dos canteiros de restauração de Vézelay, Carcassonne, Toulouse, Pierrefonds. Embora as audácias arquitetônicas de Viollet-le-Duc provoquem o ódio dos especialistas, elas encantam o grande público. Como nota ironicamente Marcel Proust em *Sodoma e Gomorra*, "para o pequeno comerciante que, no domingo, vai às vezes visitar edifícios dos 'velhos bons tempos', muitas vezes é naqueles em que todas as pedras são do nosso tempo [...] que ele sente melhor a sensação da Idade Média". Além-Reno, esse fenômeno monumental e patrimonial reveste-se de dimensão nacionalista: a conclusão da catedral de Colônia em 1880 e o desenvolvimento do Museu Nacional Germânico de Nuremberg simbolizam a unificação da Alemanha, vitoriosa sobre a França em 1870, e o estabelecimento de um novo Sacro Império Romano-Germânico.

O culto nacional de Joana d'Arc

Na França, a Idade Média invadiu a praça pública, a escola e o lar para responder às exigências da Revanche e, sobretudo, legitimar os combates políticos e religiosos que ritmam a vida da III República. A aspereza dessas "batalhas pela memória" medieval é, de resto, bem resumida pelas controvérsias sobre o destino de Joana, a Donzela. Para a esquerda, Joana *Darc* — com essa ortografia valorizando sua origem popular, fazendo-a irmã de Zé Ninguém — continua a ser a filha do povo, a encarnação viva da nação, a mártir de sua independência, a fundadora de sua unidade. E, com certeza, a vítima simbólica da Igreja, seu suplício sendo a prova mais acabrunhante

Dicionário analítico do Ocidente medieval

da impostura dessa instituição criminosa e bárbara. Os católicos, ao contrário, saúdam na época de Joana *d'Arc* – a grande Francesa, a grande Cristã, a grande Santa, segundo os pregadores – o testemunho mais intenso da sustentação indefectível que a divina Providência acorda à "filha primogênita da Igreja", promotora das cruzadas, esta *Gesta Dei per Francos* ("os grandes feitos de Deus por intermédio dos francos"). Dessa perspectiva sobrenatural, os católicos conferem a Joana uma dimensão quase cristológica: assim como Jesus morreu na cruz para expiar os pecados dos homens, Joana foi queimada em Rouen para expiar os sacrilégios e crimes de Filipe, o Belo – o atentado de Anagni contra Bonifácio VIII, em 1303 – e de Isabel da Baviera: o "vergonhoso" tratado de Troyes de 1420.

A impotência do parlamentar republicano Joseph Fabre em fazer adotar pela Câmara dos Deputados, em 1884, depois pelo Senado, em 1894, 8 de maio como festa nacional ilustra até a caricatura as divisões que a heroína da Lorena suscita na sociedade francesa entre 1880 e 1914. Do seu lado, a Igreja proclama Joana Venerável em 1894 e Beata em 1909. É verdade que o Parlamento francês consagra, em 1920, 8 de maio à lembrança nacional da heroína, no mesmo ano em que Roma a põe sobre os altares, mas essa lei é obra da Câmara *"bleu horizon"*, eleita em 1919 e dominada pelo Bloco Nacional, que reúne a direita moderada.

Os manuais escolares de duas escolas rivais, a dos "hussardos negros da República" e a dos frades, contribuíram para difundir na França profunda duas interpretações conflituosas da Idade Média. Os das escolas confessionais valorizam os tempos fortes da Cristandade: o batismo da França com Clóvis em 496, o coroamento imperial de Carlos Magno em Roma no ano de 800, a tomada de Jerusalém pelos cruzados em 1099, o século XIII, considerado globalmente como o apogeu da civilização cristã em razão da vida exemplar de São Luís, do prestígio intelectual dos doutores da Sorbonne e da difusão artística da arte gótica na Europa. Os das escolas laicas exumam do passado medieval todos os eventos que prenunciam a grande Revolução Francesa: o movimento comunal do século XII, os Estados Gerais e as revoluções parisienses do século XIV. Em certa literatura progressista, Estêvão Marcel é, desse modo, considerado como uma espécie de Danton medieval que, no relógio da história, tentou fazer soar 1789 em 1358!

Idade média

No entanto, malgrado essas querelas de família, existe também, na III República, uma Idade Média patriótica e nacional suscetível de reconciliar as duas Franças: embora os leigos julguem com condescendência a devoção monástica de São Luís e sua participação na Cruzada, eles celebram sem se fazer de rogados a vitória de Luís IX sobre os ingleses em Taillebourg e em Saintes, e a inclusão do Languedoc no domínio real com o "sangue, suor e lágrimas" da cruzada contra os albigenses. Nos dois campos, enfim, Filipe Augusto, o vencedor dos alemães em Bouvines, e Luís XI, que derrotou Carlos, o Temerário, são considerados infatigáveis artesãos da unidade nacional que fizeram por merecer o reconhecimento da pátria...

Além das controvérsias sobre o passado medieval, os manuais das duas escolas sobretudo legaram aos pequenos franceses do século XX uma braçada de imagens mitológicas que constitui o que Gaston Bonheur qualificou em 1963 de "álbum de família de todos os franceses" e que povoa ainda o inconsciente coletivo: o episódio do vaso de Soissons, Rolando soando sua trompa em Roncevaux, Carlos Magno felicitando os bons estudantes e exortando os preguiçosos, São Luís distribuindo justiça familiarmente sob o carvalho de Vincennes, Carlos VI tomado de loucura na floresta de Mans, Joana d'Arc reconhecendo Carlos VII em Chinon, Luís XI em Plessis-lès--Tours visitando suas "menininhas" ou aterrorizado com a aproximação da morte. Embora logo após a Grande Guerra, prolongando a "União Sagrada", as polêmicas políticas e religiosas acerca da Idade Média tenham se interrompido na França, elas encontram um novo vigor na Europa totalitária, que busca numa Idade Média reinterpretada de modo preconceituoso as inquietantes legitimações históricas da construção de uma terrificante ordem nova.

Os usos da Idade Média de 1920 a 1945

Os velhos mitos que exaltam a memória do Sacro Império Romano Germânico são habilmente reatualizados e explorados por Hitler a serviço de seus negros desígnios. Para reforçar o liame entre o Führer e os antigos soberanos germânicos e apresentar o fundador do III Reich como o herdeiro natural daqueles, a propaganda nazista não se contentou em organizar na embandeirada cidade medieval de Nuremberg os congressos do Partido

Nacional-Socialista. Ela usou igualmente a monumental biografia que, fascinado pelo poder dos heróis medievais, o historiador Ernst Kantorowicz tinha consagrado, em 1927, ao imperador Frederico II de Hohenstaufen, construtor de um Estado Absoluto fortemente centralizado, no qual os nazistas saúdam a matriz do "Reich de mil anos" prometido pelo guia carismático da Alemanha eterna. Em 1939, o próprio Kantorowicz, desiludido e refugiado nos Estados Unidos, denuncia a recuperação totalitária do passado, enfatizando, numa nota das *Laudes regiae*, como a aclamação que desde a Anschluss de março de 1938 acolhia Hitler em suas paradas militares diante de multidões exaltadas – *ein Reich, ein Volk, ein Führer* ("um só Império, um só povo, um só chefe") – é um eco sinistro da divisa do imperador Frederico Barba-Ruiva: *unus Deus, unus papa, unus imperator* ("um só Deus, um só papa, um só imperador").

Para melhor denunciar os crimes nazistas, os artistas antifascistas também recuperaram a Idade Média. Em 1934, o comunista alemão John Heartfield alfineta a barbárie de camisa parda com uma fotomontagem impactante composta de duas janelas horizontais superpostas: na de cima, a fotografia de um alto-relevo medieval mostrando um homem supliciado sobre a roda; na de baixo, um cadáver nu sobre uma cruz gamada, numa posição parecida à do primeiro corpo martirizado. A legenda indica sobriamente: "Como na Idade Média". Entretanto, o próprio Stálin, às vésperas de um conflito com o III Reich que ele pressente inevitável, não hesita em exumar do passado russo mitos fundadores suscetíveis de galvanizar o patriotismo nacional: o esmagamento dos cavaleiros teutônicos na "batalha do gelo", na Livônia, em 1242, reconstituída por Eisenstein na famosa cena de *Alexandre Nevski* (1938), parece prefigurar assim a heroica resistência dos combatentes russos à invasão estrangeira.

Na mesma época, no Ocidente, a Idade Média constitui uma inesgotável reserva de imagens dramáticas cuja exploração, em especial pela indústria cinematográfica americana, contribuirá para criar um imaginário universal.

A Idade Média no tempo da cultura de massa

Após 1920, as novas mídias prolongam a visão romântica da Idade Média. Durante mais de quarenta anos, as superproduções medievais realizadas por Hollywood, essa máquina de fabricar sonhos para o mundo todo, apresenta características comuns, do *Robin Hood*, de Allan Dwan, com Douglas Fairbanks, em 1922, ao *Cid*, de Anthony Mann, em 1960: o cenário colossal, a abundância de figurantes, a beleza e o luxo das vestes e, sobretudo, a absoluta indiferença em relação à "concordância dos tempos"! Quando Hollywood se apropria da herança cultural europeia, ignora soberbamente a verossimilhança histórica e não hesita em jogar abertamente com o anacronismo. Em 1935, *As cruzadas*, de Cecil B. de Mille, celebram sem complexo o imperialismo americano; em 1950, *O gavião e a flecha*, de Jacques Tourneau, faz clara referência, por meio do relato de uma luta de libertação nacional no século XII, à resistência à ocupação alemã da Europa. *As Aventuras de Robin Hood*, de Michael Curtiz (1938), com Errol Flynn, e sobretudo a trilogia memorável de Richard Thorpe – *Ivanhoé* (1952), *Os cavaleiros da Távola Redonda* (1954) e *A coroa e a espada* (1955) – exaltam, em plena Guerra Fria, diante do Império Soviético, os valores de uma América dominadora e segura de si: o individualismo criador, a fraternidade viril, o impulso conquistador de uma nação jovem e dinâmica, a defesa da liberdade oprimida, o espírito de empreendimento, a tolerância religiosa etc. Ao mesmo tempo, Hollywood não tem o monopólio do sonho medieval e duas das maiores obras-primas concernentes à Idade Média são criações escandinavas: o inesquecível *A paixão de Joana d'Arc*, de Dreyer, em 1928, e *O sétimo selo*, de Ingmar Bergman, em 1956, visão amarga e desencantada da Cruzada, em que transparece a obsessão da peste contemporânea, o apocalipse nuclear.

Desde a década de 1970, nossa relação com o passado medieval mudou tão profundamente que se pôde comparar o retorno da Idade Média àquele da geração de 1830. Assim como a monumental *Notre-Dame de Paris*, de Victor Hugo, sobressai sobre os Trinta Gloriosos românticos, o pantagruélico *O nome da rosa*, de Umberto Eco, "policial" metafísico medieval, domina livremente a maré de romances históricos, em geral cor-de-rosa, que desde 1979 segue *La chambre des dames*...

Novas imagens, novos relatos

Distanciados por mais de 150 anos, os dois períodos apresentam curiosas analogias. Como na época romântica, a Idade Média suscita um conjunto de imagens frescas. O triunfo da tradução francesa de *O nome da rosa*, em 1982, longe de ser um fenômeno isolado, prolonga o sucesso das novas produções culturais originais, surgidas em meados dos anos 1970, em especial no cinema, nas revistas em quadrinhos, nos romances, às vezes na música e na ópera...

Desde então, o cinema e a televisão viraram deliberadamente as costas à superprodução medieval: com *Lancelote do Lago* (1974) e *Perceval, o Galês* (1978), por exemplo, Robert Bresson e Éric Rohmer propuseram uma releitura ao mesmo tempo muito pessoal e muito sóbria e rigorosa da lenda arturiana. Dando continuidade a essas obras "minimalistas" das quais o espetacular está voluntariamente banido, a década de 1980 é dominada por projetos ambiciosos. Na televisão, Jean-Dominique de La Rochefoucauld realiza, em 1987, *O ano mil*; Serge Moati, *A Cruzada das Crianças*, em 1988; e Philippe Monnier, *O menino dos lobos*, em 1990, baseado em *La revolte des nonnes*, de Régine Deforges. No cinema, a atitude austera de Suzanne Schiffman em *O monge e a feiticeira*, em 1986, ou crepuscular em *A paixão de Beatriz*, de Bertrand Tavernier, em 1987 – visão desesperante, mas inspirada e apaixonada, de "o outono da Idade Média" –, provavelmente desencorajaram o grande público, que acolheu, por outro lado, a adaptação colorida – mas vazia de seu substancial tutano – de *O nome da rosa* por Jean-Jacques Arnnaud, em 1986, e sobretudo a comédia comportada, desprovida de qualquer pretensão histórica, proposta por Jean-Marie Poiré em *Os visitantes*, que fez rir mais de treze milhões de pessoas em 1993!...

Entretanto, em 1994, Jacques Rivette demonstrou brilhantemente, com *Joana, a Donzela* – filme em duas partes: *As batalhas* e *As prisões* –, que com meios relativamente limitados e sem efeitos especiais pode-se perceber de maneira sensível, a milhas dos clichês escolares e das litografias, uma Idade Média ao mesmo tempo concreta e poética. Sandrine Bonnaire encarna de modo muito convincente uma Joana "em carne e em voz, em gestos e arrepios" (Jean-Michel Frodon, *Le Monde*, 10 de fevereiro de 1994, p.VI), síntese viva do mito e do cotidiano, do banal e do lendário, do real e do sagrado. E mesmo quando os cineastas americanos – como Kevin Reynolds, com *Robin Hood, príncipe dos ladrões*, em 1990 – voltam ao grande espetáculo hollywoodiano, o tom adotado é muito próximo do estilo paródico da história em quadrinhos... Uma Idade Média humorística fez o sucesso de *Monty Python, o Cálice Sagrado* (1974).

A história em quadrinhos não fica de fora: longe do estilo clássico da "linha clara", desenvolvido por um dos mestres da escola franco-belga, Jacques Martin, nas aventuras de *Jhen,* reencarnação medieval de Alix na época do inquietante Gille de Rais, François Bourgeon lança o leitor de *Os companheiros do crepúsculo* – envolvente trilogia composta por *O sortilégio do bosque das brumas* (1984), *Os olhos de estanho da cidade glauca* (1986) e *O último cântico dos Malaterre* (1990) – numa visão desordenada da Idade Média, a meio caminho entre o sonho e a realidade, à qual o grande público reservou um acolhimento caloroso: foram vendidos mais de cem mil exemplares do terceiro álbum...

Esse sucesso é, no entanto, eclipsado pela voga dos romances medievais de Jeanne Bourin. De *La Chambre des dames*, em 1979, aos *Compagnons d'éternité*, em 1992, passando por *Le Jeu de la tentation*, em 1981, Jeanne Bourin, romancista hábil, explora um verdadeiro filão medieval contrariando sistematicamente a visão de pesadelo difundida pelos epígonos de Victor Hugo e celebrando uma Idade Média idealizada, vestida de cândida probidade e de branco. Seu quadro otimista da condição da mulher no tempo das catedrais (*A mulher no tempo das catedrais*, Régine Pernoud), embora vigorosamente contestado pelos especialistas da Idade Média masculina (*Idade Média, idade dos homens*, Georges Duby), nem por isso deixou de fazer chorar as leitoras populares. Em 1985, a crônica da família Brunel, ourives parisiense do século XIII, evocado em *La Chambre des dames*, atinge, com mais de 1.650.0000 exemplares vendidos (sem contar as edições de bolso), as cifras de venda vertiginosas dos *best-sellers* de verão. Quanto a *Le Jeu de la tentation,* ultrapassa os dois milhões de exemplares...

Mesmo a música de hoje reata com a inspiração medieval. No século XIX, os mestres de ópera encontraram material para suas criações líricas numa Idade Média atormentada sobre a qual projetavam os reflexos dos dramas contemporâneos (guerras civis, revoluções, complôs, sangrentos golpes de Estado etc.). Em *Guilherme Tell* (1929) e *Rienzi* (1840) – transposição do destino trágico do tribuno romano Cola de Rienzo –, Rossini e Wagner celebram o combate solitário, em geral incompreendido e vão, do

Dicionário analítico do Ocidente medieval

herói romântico pela liberdade do povo. *Átila* (1846) e *As vésperas sicilianas* (1855), de Verdi, ressoam inflamados apelos patrióticos pela independência e unidade italianas. Em 1879, com *Étienne Marcel*, Saint-Saëns celebra, no início da III República, um fulminante precursor da democracia. Ora, no fim do século XX, Olivier Messiæn e Marcel Landowski reatualizam essas raízes medievais, o primeiro em 1983, com *Saint François d'Assis,* o segundo em 1985, com *Montségur*, a partir do romance do duque de Levis-Mirepoix, que recria o trágico destino de Romeu e Julieta na região cátara. Paralelamente, manifesta-se uma verdadeira mania do canto gregoriano e da música medieval tocada em instrumentos antigos, de que é testemunho o sucesso internacional, em 1994, de *Canto gregoriano*, uma compilação de 32 cantos gregorianos entoados pelos beneditinos do mosteiro de São Domingo de Silos, na Espanha.

Entretanto, apesar das aparências, o grande retorno da Idade Média na cena contemporânea distingue-se radicalmente da ressurreição romântica anterior por duas razões principais. Em primeiro lugar, os românticos e seus epígonos da III República, horrorizados pelo fulgor sinistro das fogueiras acesas no Languedoc por inquisidores fanáticos, frequentemente se metamorfosearam em "justiceiros", para condenar retrospectivamente essa época maldita. Hoje, felizmente, mantemos uma relação mais serena com nosso passado. Temos tendência a perceber a "barbárie" medieval não em nós, mas fora de nós, a projetá-la nos países fundamentalistas, como Bangladesh, entre outros povos islâmicos, nos quais as mulheres, como lembra Taslima Nasreen, "são atadas a uma fogueira e queimadas vivas, como as feiticeiras da Europa na Idade Média" (*Le Monde,* 8 de março de 1996, p.15).

Por outro lado, enquanto os românticos eram indiferentes à pesquisa histórica, contentando-se, como Alexandre Dumas, em plagiar sem escrúpulos as crônicas medievais publicadas e considerando a Idade Média como um espaço de ambientação exótica quase infinito, os autores contemporâneos mantêm, ao contrário, um respeito escrupuloso, quase maníaco, pelo contexto histórico, fundado sobre o conhecimento da uma documentação histórica irreprochável. Na época romântica, o romancista não dava a mínima atenção para a verdade histórica e zombava do rato de biblioteca eru-

Idade média

dito; hoje, o autor, para evitar o pecado mortal do anacronismo, tornou-se especialista, e a aparência dos heróis e dos figurantes das obras de ficção, sejam romanescas ou cinematográficas, são a réplica exata daquela das personagens das miniaturas medievais.

A "nova Idade Média" dos historiadores

Os criadores contemporâneos mostram-se atentos mesmo a uma nova maneira de "fazer a história", simbolizada por três obras maiores: *O domingo de Bouvines*, de George Duby, em 1973, *Montaillou, povoado occitânico*, de Emmanuel Le Roy Ladurie, em 1975, e *O nascimento do Purgatório*, de Jacques Le Goff, em 1981, que delineiam a face de uma "outra Idade Média", Idade Média das profundezas, dos fundamentos, das estruturas, ressuscitada, desde 1964, por Jacques Le Goff em *A civilização do Ocidente medieval*. Essa "Nova História" prolonga e aprofunda as fulgurantes intuições formuladas em 1860 por Michelet em *A feiticeira*, relativas à história dos corpos, dos marginais, das mulheres, das sensibilidades coletivas. Desenvolve, sobretudo, a renovação da história social operada por Marc Bloch – fundada sobre os empréstimos metodológicos recebidos das jovens ciências sociais: a sociologia, a etnologia e sobretudo a antropologia –, que desemboca, com *Os reis taumaturgos*, em 1924, num esboço de história das mentalidades, bosquejo de uma antropologia histórica. Aplicada à história medieval, a "revolução cultural" provocada pela fundação da revista *Annales* por Lucien Febvre e Marc Bloch em Estrasburgo, em 1929, teve por consequência a aparição de novas problemáticas e de novos objetos, a destruição de velhos mitos românticos, enfim, uma nova visão da cronologia medieval inspirada pela "longa duração" braudeliana.

Entre os grandes canteiros abertos pela Escola dos Annales, três são particularmente mais inovadores: 1) o dos sistemas de parentesco, no qual se sobressai a influência de *Antropologia estrutural*, de Claude Lévi-Straus, e da história das mulheres, continente por muito tempo injustamente ignorado e ao qual Georges Duby consagrou suas últimas publicações; 2) a história dos corpos, cujas principais orientações articulam-se em torno dos comportamentos alimentares e vestimentais, as relações amorosas, as atitudes

611

Dicionário analítico do Ocidente medieval

diante da doença, do sofrimento e da morte; 3) os sistemas de representações, enfim, que constituem o coração, o "núcleo duro" da história das mentalidades, desse imaginário medieval que Jacques Le Goff foi um dos primeiros a explorar, enquanto Jean-Claude Schmitt propunha uma Idade Média dos gestos e das imagens. De seu lado, Georges Duby passou do estudo do mundo rural do Ocidente medieval ao mergulho nas mentalidades medievais evocadas por meio das produções artísticas e estéticas do *Tempo das catedrais* (1976).

Revisando a Idade Média, os autores da Nova História desembaraçaram-na de todas as escórias, de todos os clichês folclóricos que a haviam desfigurado. Em *Le Droit de cuissage*, por exemplo, Alain Boureau "quebrou o pescoço", em 1995, de um dos mais célebres mitos românticos. No plano cronológico, os românticos haviam valorizado do início ao fim duas rupturas assustadoras: a derrocada da Antiguidade romana sob a vaga das hordas bárbaras vindas das estepes da Ásia Central, e as trevas da noite medieval varridas pela aurora da Renascença. Ora, a historiografia mais recente substituiu a noção de ruptura brutal pela de evolução e transição lenta, no mesmo momento em que a reflexão política repudiou o desejo de *tábula rasa* revolucionária nascida da fascinação cega dos intelectuais por "esse grande clarão no Leste". A partir do conceito de "Antiguidade tardia", pelo qual Henri-Irénée Marrou e Peter Brown substituíram o de "Baixo Império", Jacques Le Goff propõe uma cronologia provocativa, fundada sobre o conceito braudeliano de "longa duração". Trata-se de uma Idade Média muito longa, nascida de uma Antiguidade tardia prolongada até o século X, dividida em três sequências temporais: uma Idade Média central, que vai do ano 1000, desembaraçado de seus pretensos terrores, à grande peste de 1348; uma Idade Média tardia, da Guerra dos Cem Anos à Reforma Protestante; por fim, um longuíssimo *Outono da Idade Média* (Huizinga) terminando, no nível das estruturas políticas, com a Revolução Francesa e, no plano das mentalidades, com a Revolução Industrial do século XIX...

Em 1982, um autor de excepcional envergadura intelectual, Umberto Eco, medievalista, semiólogo e romancista – que seduziu mais de onze milhões de leitores por todo o mundo com um erudito e sutil romance a meio caminho entre Rabelais e sir Arthur Conan Doyle –, realiza com *O nome da rosa* a síntese entre ressurreição romântica da Idade Média, tal como o fizera Victor Hugo com *Notre-Dame de Paris*, e a tentativa de percepção global da sociedade medieval operada pela Escola dos Annales a partir da década de 1960.

Há, por fim, um último fenômeno graças ao qual a França do "fim do século" distingue-se, na sua abordagem da Idade Média, da época românica. Há 150 anos, a redescoberta desse longínquo "planeta" só concernia à elite cultivada e afortunada da sociedade francesa. Hoje, é quase que ao conjunto da população que se endereça, se não a renovação dos estudos medievais, ao menos o grande retorno da Idade Média, sob a dupla forma do turismo cultural e da pseudofesta de fantasias medievalescas, da qual a moda se propagou como um rastilho de pólvora, na década de 1980, na França profunda.

No começo, essa situação foi, talvez, o resultado de um concurso de circunstâncias: em 1975, o inesperado sucesso de *Montaillou, povoado occitânico*, obra de um erudito professor do Collège de France, publicada pela editora Gallimard na austera coleção Bibliothèque des Histoires, dirigida por Pierre Nora, foi levada pela onda do regionalismo occitano e bretão – o triunfo de *Montaillou* é contemporâneo ao de *Cheval d'orgueil*, de Pierre-Jakez Hélias – no momento em que se questionavam os efeitos negativos do crescimento (poluição desastrosa, êxodo rural, desertificação dos campos, desaparição de espécies animais e vegetais etc.), trazendo retrospectivamente a redescoberta um pouco idealizada das raízes rurais e medievais da civilização moderna, desse "mundo que perdemos" e a contestação do papel centralizador do Estado jacobino, especialmente nas regiões do planalto de Larzac e no Sul da França. Dessa perspectiva, *Montaillou* prolonga e acompanha o sucesso editorial do belo afresco que Michel Roquebert consagrou, de 1970 a 1996, na editora Privat de Toulouse, à *Épopée cathare* e a este lugar de memória fundador para a identidade occitana que constitui *Montségur*, tornado, a partir da década de 1970, uma espécie de local de peregrinação emblemática...

Por outro lado, para tornar mais acessível a um maior número de leitores os avanços da pesquisa científica, os representantes da Nova História reatam com sucesso a relação com um gênero histórico que os fundadores da revista *Annales* votavam à execração pública, mas que, fora da França, os historiadores – em especial nos países anglo-saxônicos – sempre praticaram de maneira fecunda: a biografia. Abandonando anedotas pitorescas e *faits divers*, a biografia torna-se atualmente um quadro cronológico útil para apreender o passado na sua globalidade.

Por fim, os clássicos da literatura medieval estão atualmente acessíveis ao grande público em edições bilíngue de bolso: nas prateleiras das livrarias eles estão ao lado de uma seleção de clássicos da literatura romântica inspirada pelos tempos medievais que, para os apaixonados pela história, permanecem uma fonte de emoções sempre vivas. Em 1981, resenhando, em *Temps immobile,* a publicação de um volume de Michelet na coleção Bouquins, Claude Mauriac observa: "simplesmente li Michelet, sobre a *Idade Média*, em estado de arrebatamento, tomando a palavra no sentido de êxtase, encantamento, exaltação".

O mais importante, no entanto, é outra coisa: na aurora do terceiro milênio, a Europa, com a ampliação do seu espaço comunitário e a aceleração de sua construção, reencontra a face da Cristandade medieval sem o pior – as epidemias de peste, as fomes, as guerras civis, as cruzadas religiosas – e sim com o melhor, em particular a intensidade das trocas comerciais, artísticas, culturais e intelectuais...

CHRISTIAN AMALVI
Tradução de José Carlos Estêvão

Orientação bibliográfica

AMALVI, Christian. *Le goût du Moyen Âge.* Paris: Plon, 1996.

APPRENDRE LE MOYEN ÂGE AUJOURD'HUI. *Médiévales*, Vincennes, n.13, 1987. (Número especial.)

ATSMA, Hartmut; BURGUIÈRE, André (eds.). *Marc Bloch aujourd'hui*: histoire comparée et sciences sociales. Paris: Éditions de l'École des Hautes Études en Sciences Sociales, 1990.

BAUMGARTNER, F.; LEDUC-ADINE, J.-P. (eds.). *Moyen Âge et XXe siècle*: le mirage des origines. Actes du Colloque de mai 1988. *Littérales,* Nanterre, n.6, 1990.

BRANCA, Vittore (ed.). *Concetto, storia, miti e immagini del Medio Evo.* Florença: Sansoni, 1973.

CAPITANI, Ovidio. *Medioevo passato prossimo: appunti storiografici, tra due guerre e molte crisi.* Bolonha: Il Mulino, 1979.

CLARK, Kenneth. *The Gothic Revival*: a Study in the History of Taste. Londres: Constable, 1928.

ECO, Umberto. Dieci modi di sognare il medioevo. In: *Sugli specchi e altri saggi.* Milão: Bompiani, 1985. p.78-89.

_____. Le nouveau Moyen Âge. In: *La Guerre du faux.* Paris: Grasset, 1985. p.87-116.

FUHRMANN, Horst. *Überall ist Mittelalter. Von der Gegenwart einer vergangenen Zeit.* Munique: C. H. Beck, 1996.

GENTRY, Francis G.; KLEINHENZ, Christopher (eds.). *Medieval Studies in North America*: Past, Present and Future. Kalamazoo: Medieval Institute, 1982.

GOSSMAN, Lionel. *Medievalism and the Ideologies of the Enlightment*: the World and Work of La Curne de Sainte Palaye. Baltimore: Johns Hopkins, 1968.

LE GOTHIQUE RETROUVÉ AVANT VIOLLET-LE-DUC. Paris: Caisse Nationale des Monuments Historiques et des Sites, 1979.

HARTMANN, Wilfried (ed.). *Mittelalter, Annäherungen an eine fremde Zeit.* Regensburg: Universitätsverlag *Regensburg*, 1993.

L'HISTORIE MÉDIÉVALE EN FRANCE: Bilan et perspectives. Paris: Seuil, 1991.

KAHL, Hans Dietrich. Was bedeuter Mittelalter? *Saeculum*, n.40, p.15-38, 1989.

LA BRETÈQUE, François de. Le regard du cinéma sur le Moyen Âge. In: LE GOFF, J.; LOBRICHON, G. (eds.). *Le Moyen Âge aujourd'hui. Trois regards sur le Moyen Âge*: histoire, théologie, cinema. Paris: Leopard d'Or, 1998, p.283-326. (Cerisy-la--Salle, 1991).

LE GOFF, Jacques. As Idades Médias de Michelet. In: *Para um novo conceito de Idade Média* [1997]. Tradução portuguesa. Lisboa: Estampa, 1980. p.19-42.

_____. Pour un long Moyen Âge. *Europe*, Paris, out. 1983. (Número especial, *Le Moyen Âge maintenant.*)

LIRE LE MOYEN ÂGE. Equinoxes, *Providence*, n.16, 1996. (Número especial.)

LE MOYEN ÂGE AU CINÉMA. *Cahiers de la Cinémathèque*, Paris, n.42-3, 1985. (Número especial.)

MOYEN ÂGE, MODE D'EMPLOI. *Médiévales*, Vincennes, n.7,1984. (Número especial.)

NEDDERMEYER, Uwe. *Das Mittelalter in der deutschen Historiographie vom 15. bis zum 18. Jahrhundert*: Geschichtsgliederung und Epochenverständnis in der frühen. Neuzeit: Böhlau, 1988.

Dicionário analítico do Ocidente medieval

PERRIN, Michel (ed.). *Dire le Moyen Âge hier et aujourd'hui*. Actes du Coloque de Laon (1987). Amiens, 1990.

VOSS, Jurgen. *Das Mittelalter im historischen Denken Frankreichs*: Untersuchungen zur Geschichte des Mittelalterbegriffes von der zweiten Halfte des 16. bis zur Mitte des 19. Jahrhunderts. Munique: W. Fink, 1972.

WARD, Patricia A. *The Medievalism of Victor Hugo*. Filadélfia: Pennsylvania State University Press, 1975.

WORKMAN, Leslie J. (ed.). *Medievalism in Europe* (Germany, Italy, France). Cambridge: Brewer, 1994.

Idades da vida

Na Idade Média, a duração da vida era pensada a partir de alguns esquemas que, em conjunto, constituíam uma verdadeira categoria do saber. A maior parte desses esquemas era uma herança da Antiguidade greco-romana. Muito cedo, entretanto, o cristianismo submeteu-os a uma reinterpretação simbólica e propôs mesmo novos esquemas. Essa dupla corrente de pensamento permitiu que a cultura ocidental salvaguardasse uma reflexão geral sobre a vida em suas manifestações fisiológicas e biológicas, e inseriu, ao mesmo tempo, a vida do homem numa perspectiva de história da salvação. Os esquemas da vida que mais influenciaram os homens da Idade Média baseiam-se nos números 3, 4, 5, 6, 7 e 12.

As três idades da vida

Na *Retórica* (II, 12-4), Aristóteles divide a vida em três períodos, sendo a idade madura considerada intermediária entre dois extremos: "Todas as qualidades úteis que a juventude e a velhice têm separadamente, a maturidade as possui reunidas; mas, em relação aos excessos e às faltas, ela está na medida média e conveniente". Aristóteles retomava as ideias dos pitagóricos, segundo os quais começo, meio e fim constituem o todo, e o 3 é um número perfeito (*De caelo*, I, 1). Seu raciocínio, entretanto, era antes de tudo de ordem biológica, insistindo na capacidade que todos os seres vivos têm de crescer, desenvolver-se e reproduzir-se, como também em seu inelutável declínio. A vida é, então, uma sucessão de três fases: crescimento, estabilidade e declínio (*augmentum, status et decrementum*, segundo a tradução latina do *De anima*, III, 12, feita por Guilherme de Moerbeke por volta de 1260).

Esses três estágios da vida do homem (e de toda a natureza) constituem um arco, uma imagem de que Dante se serve em *Il Convivio* (IV, XXIII; 8-9) para comentar Aristóteles, "que percebeu [...] que nossa vida é só um subir e um descer". Para o poeta florentino, o ápice do arco da vida, difícil de reconhecer, situa-se entre os 30 e os 40 anos e é no 35º ano que "possuímos uma natureza perfeita". A duração da vida do homem, setenta anos, divide-se em três períodos: crescimento (*adolescenza*, até a idade de 25 anos), maturidade (*gioventute*, de 25 a 45 anos) e declínio (*senettute*, de 45 a 70 anos). A vida é como um arco que sobe e desce, porque o "curso da idade" corresponde ao curso do sol. Quando aparece, o deus Sol é como uma criança: na metade de sua marcha, corresponde a um homem adulto, e em seu declínio a um ancião (Marciano Capela, *Núpcias de Mercúrio e da Filologia*, I, 76, século V). Chaucer comparará as três idades da vida com os planetas: Saturno, pai de Júpiter e avô de Vênus. Segundo um poema alemão do século XII, as três idades da vida correspondem, em vez disso, às três fases da lua.

A tradição cristã apossou-se bem cedo do esquema antigo das três idades da vida. Essa tripartição via-se corroborada pelo trio agostiniano de nascimento, trabalho e morte. A admoestação de Cristo (Lucas 12,38) – "E caso venha pela segunda ou pela terceira vigília, felizes serão se assim os encontrar!" – incitou Gregório Magno a identificar as três vigílias com as idades da vida: infância, adolescência e velhice (*pueritia, adolescentia* ou *iuventus* e *senectus*). Esse esquema foi retomado por todos os grandes autores da Alta Idade Média (Beda, Smaragde, Aimon de Auxerre, Honório Augustodunensis) e encontra-se mesmo nos liturgistas, para quem o ritmo litúrgico é reflexo da vida: "Como nas vigílias, durante as três idades da vida somos seduzidos pelo demônio, mas devemos perseverar, e a cada vigília, louvar a Deus" (João Beleth, século XII).

Já no século VIII, um texto irlandês (*Collectanea*) identifica os Magos que vieram adorar o Cristo menino com as três idades do homem: Melquior, o rei que oferece ouro, é descrito como um homem idoso que exibe uma longa barba e longos cabelos; Gaspar, que traz o incenso, é imberbe e ruivo; Baltazar, o rei que oferece a mirra, tem uma barba escura e cheia e veste uma túnica vermelha, um curto manto branco e sapatos verdes. No célebre saltério de Stuttgart, os reis têm idades diferentes: um mago tem uma barba branca, o segundo uma barba escura e o terceiro é imberbe. Este é o jovem Gaspar, ruivo. Às idades dos três Magos correspondem as túnicas de cores diferentes: púrpura para o mais velho, vermelho para o rei de meia-idade, verde para o mago mais jovem. Num outro texto irlandês, a *Viagem de São Brandão* (século X), o santo encontra numa ilha três grupos de indivíduos que cantam: o primeiro é composto por crianças vestidas de branco, o segundo por jovens vestidos de jacinto, o terceiro (os *seniores*) está de púrpura (capítulo 17). As cores simbólicas exprimem os sentimentos inspirados na sociedade medieval pelas três idades da vida: vermelho, branco ou preto, cores prestigiosas, para a maturidade e a velhice; ruivo e verde, cores suspeitas, para a juventude. O branco (inocência) pode também ser atribuído à infância, e o azul-violeta (jacinto) à juventude. As idades dos Reis constituem uma escala que conduz à busca de Deus: "A idade avançada do primeiro nos ensina a guardar um caráter sóbrio; a juventude do segundo nos incita a seguir os mandamentos de Deus; a idade perfeita do terceiro nos aconselha a levar uma vida perfeita em todas coisas" (*Cathechesis celtica*, séculos IX-X). Os restos mortais atribuídos aos três Magos, descobertos na igreja de Santo Eustórguio em Milão, em 1158, e transferidos para Colônia em 1164 por iniciativa de Reinaldo de Dassel, arcebispo de Colônia e chanceler de Frederico Barba-Ruiva, permaneceram inalterados, com a pele e os cabelos intactos; eles pareciam ter respectivamente 15, 30 e 60 anos (*Crônica*, de Roberto de Torigny, 1182).

As quatro idades da vida

Segundo a tradição, Pitágoras parece ter sido o primeiro a observar uma correspondência entre as quatro estações do ano e as quatro idades do homem. Segundo Diógenes Laércio, Pitágoras "divide a vida do homem em quatro partes, atribuindo vinte anos a cada parte". Para Hesíodo e Sólon, a vida é uma sucessão de quatro fases. Ovídio coloca no final das *Metamor-*

foses (XV, 199-202) um "sermão" de Pitágoras sobre a vida do homem dividida em quatro segmentos. Essa repartição foi igualmente acolhida bem cedo na tradição médica grega. Hipócrates afirma que um bom regime de saúde deve observar as diferenças de estação e de idade. As idades da vida são analisadas segundo os quatro humores: a criança é úmida e quente, o jovem quente e seco, o homem adulto seco e frio, o idoso frio e úmido (*Sobre a natureza do homem*). Ao paralelismo entre humores e idades, Celso e Galeno acrescentaram a correspondência com os elementos (água, terra, ar e fogo) e os temperamentos (sangue, bile, pituíta e atrabílis). A correspondência com os planetas é sugerida pela primeira vez por Ptolomeu: a primeira idade é úmida como a primavera, a idade da maturidade é quente como o verão, a idade do declínio é seca como o outono e o envelhecimento corresponde ao frio do inverno.

O ensinamento dos antigos reaparece em Beda (*De temporum ratione*, composto em 725) e num dos mais importantes representantes da Escola de Chartres, Guilherme de Conches. No começo do século XI, Byrthferth, monge em Ramsey, estabeleceu em seu tetragrama, que reúne todos os elementos da natureza e do cosmos fundados sobre o número 4, uma correspondência entre idades, humores e temperamentos.

A teoria dos humores adquire maior autoridade, sobretudo com a difusão no Ocidente medieval da tradução ou retradução dos *Aforismos*, de Hipócrates (com seus comentários galênicos), e das obras do próprio Galeno (*Dos elementos segundo Hipócrates* e *Dos temperamentos*). Os principais mediadores foram o *Pantegni* (ou *Livro real*), de Haly Abbas, traduzido no século XI por Constantino, o Africano, e o *Cânone*, de Avicena, traduzido no século seguinte por Geraldo de Cremona. O primeiro estudava a mutação das compleições segundo as quatro idades da vida (*pueritia*, *iuventus*, *senectus* e *senium*), cujas idades-pivô estavam fixadas em 30, 40 e 60 anos; a *pueritia*, subdividida em *infantia* e *pueritia*, durava quinze anos. O esquema proposto por Avicena (livro I, I, 3, cap. III) é praticamente idêntico. Somente os nomes diferem: a idade do crescimento, dividida em três fases, estende-se até 30 anos; a idade da beleza (35-40) é a da estabilidade; a idade da velhice é a do começo do declínio; a "idade dos anciões" (*etas senium*) dura até o fim da vida. O esquema de Avicena difundiu-se muito rapidamente graças às enciclopédias (Vicente de Beauvais, *Speculum naturale*, livro XXXI, cap. LXXV).

Constantino, o Africano, traduziu igualmente a *Isagoge ad Tegni Galieni*, de Johannitius (Hunain ibn Ishaq): aqui, o esquema de divisão da vida segundo as quatro fases tradicionais (*adolescentia, iuventus, senectus e senium*) era baseado em conceitos de crescimento, estabilidade e declínio. A perfeição da idade é atingida após a juventude, que termina aos 35-40 anos, uma vez que o corpo é quente e seco; a velhice (60 anos) constitui o começo do declínio que conduz finalmente à morte.

Baseando-se na tradição greco-romana, os teóricos árabes deram um novo impulso ao sistema humoral que o Ocidente conhecia havia muito, mas propuseram, ao mesmo tempo, distinções mais sutis: segundo Haly Abbas, a primeira idade divide-se em duas fases; segundo Avicena, em cinco. O fato de a velhice ocupar dois períodos distintos (*senectus e senium*) significa que a teoria das quatro idades corresponde, em suma, a uma tripartição da vida, sendo o período médio, o da perfeição ou da beleza (a *iuventus*), mais curto (30-40 anos) que os dois outros. Segundo Alberto Magno (*De aetate*, trat. I, cap. II), o ciclo da vida é dividido em quatro idades: a primeira acumula substância e força; a segunda é a idade da estabilidade, na qual substância e força estão em igualdade; segue-se a idade em que a potência declina sem diminuição da substância; e enfim a idade na qual substância e potência diminuem ao mesmo tempo. Essas teorias tinham a vantagem de levar em consideração mudanças importantes do corpo humano e uma visão biológica mais cadenciada (30, 40 e 60 anos).

O esquema das quatro idades propagou-se na Idade Média graças a todo tipo de obras, de Beda a Johannitius ou ao *Segredo dos segredos*: o número 4 não estava somente em perfeita harmonia com a especulação dos antigos e de Pitágoras sobre a natureza, mas também com o Gênesis. Deus não tinha criado as quatro estações no quarto dia da Criação? O número 4 permitia então a mais perfeita combinação com o próprio fundamento da antropologia antiga e medieval, segundo a qual o homem é um microcosmo, ou seja, um cosmos em miniatura. O homem, inclusive o ritmo de sua vida, faz parte da ordem da natureza e de Deus. Bem cedo, em todo caso, os autores cristãos inseriram o esquema antigo das quatro idades da vida no simbolismo cristão baseado no número 4, compreendendo o quarto dia da Criação, as quatro criaturas diante do trono de Deus (Apocalipse 4,6), os quatro Evangelhos, os quatro rios do Paraíso, as quatro gerações dos povos (de Adão a Noé, de Noé a Abraão, de Abraão a Moisés, de Moisés ao Cristo), assim como os quatro animais místicos (Vitorino, *De fabrica mundi*, 49, 4). Ambrósio (*De Abraham*, II, 9, 65-6) acrescentou os quatro pontos cardeais; às quatro idades do homem, ele deu os nomes de *pueritia, adolescentia, iuventus, maturitas*. Essa tradição foi retomada por Marciano Capela: às quatro estações e às quatro idades da vida correspondem as quatro regiões do céu, e, aqui embaixo, os quatro vícios e as quatro virtudes. Todas essas relações conhecerão um sucesso duradouro a partir do século XIII graças ao renascimento da astrologia.

O papel didático e mnemônico do número 4 reforçava ainda mais o sucesso de todos os esquemas relacionados a ele, como provam os diagramas ingleses extremamente complexos produzidos no começo do século XI. E é talvez também por essa razão que tal esquema será frequentemente adotado pela literatura vernácula e pela pregação, particularmente ligando-o ao discurso moral em torno dos vícios e virtudes. Filipe de Novara (*As quatro idades do homem*, cerca de 1265) divide a vida do homem em *enfance, jovens, moien aage, viellesce*. Cada fase compreende vinte anos. A adoção do esquema quaternário é um motivo recorrente que perpassa toda a obra. Quatro valores morais – *souffrance, servise, valor* e *honor* – devem se aplicar a cada uma das quatro idades. Também aqui, a tétrade é, de fato, uma tríade: a juventude (*jovens*), idade perigosa (excesso de *joie*, II, 56), é seguida pela "idade média", idealmente dominada pela força de caráter, sabedoria e bondade. *O regime do corpo*, de Aldebrandino de Siena, dedicado a Beatriz de Savoia, contribui para propagar na literatura vernácula o esquema do *Isagoga*. Aldebrandino prescreve conselhos para cada estado da vida sem insistir em suas implicações morais. Depois de ter tratado dos cuidados das crianças no nascimento, Aldebrandino se pergunta "como devemos cuidar do corpo em cada idade e retardar a velhice mantendo-se jovem". No *Roman de Fauvel*, completado em 1314, Dama Fortuna fala da mutabilidade do universo e explica como as quatro qualidades guerreiam entre si no homem-microcosmo e como elas o fazem no macrocosmo. As idades da vida são postas

Idades da vida

em paralelo com as quatro idades do mundo (a primeira, até o rei Davi, é fleumática como a criança...), o que ilustra bem a que ponto as ideias eruditas sobre a ordem natural das idades tinham se tornado a partir de então familiares à literatura laica e profana.

As cinco e as seis idades da vida

Orígenes foi o primeiro a interpretar a parábola de Cristo no vinhedo (Mateus 20,1-8) relacionando-a com as idades da vida: Deus chama alguns homens para trabalhar em seu reino na pequena infância, alguns na juventude, alguns na maturidade e alguns ainda em idade extrema, quando estão perto da morte. Trata-se de uma relativa novidade, sendo o esquema das idades baseado no número 5 praticamente desconhecido da cultura antiga (Varrão permanece a autoridade mais citada). O paralelo proposto por Orígenes foi rapidamente adotado pela cultura cristã medieval: ele se encontra em Gregório Magno e, durante o renascimento carolíngio, em Paulo Diácono, Rábano Mauro e Aimon de Auxerre; na Baixa Idade Média, esse paralelo é constantemente adotado por pregadores e exegetas.

A relação entre idades da vida e idades do mundo foi proposta de maneira explícita e ampla por Santo Agostinho (*De diversis quaestionibus* LXXXIII, 58, 2 e 64; *De Genesi contra Manichaeos*, I, 36-9). É no comentário agostiniano sobre o livro do Gênesis que se encontra a exposição mais completa: o mundo passa por seis idades (Adão-Noé, Noé-Abraão, Abraão-Davi, Davi-Babilônia, Babilônia-Cristo, Cristo-fim dos tempos) que correspondem às idades dos indivíduos (*infantia, pueritia, adolescentia, iuventus, gravitas e senectus*). Seis períodos de trabalho encontram seu final num tempo de repouso infinito, coincidindo a sétima idade com o dia da Criação, no qual o próprio Deus repousou. No começo da sétima idade, os homens de boa vontade encontrarão seu repouso no Senhor. Esse esquema estabelecia uma correspondência perfeita entre a vinda do Cristo à terra (a sexta idade) e o sexto dia da Criação, aquele durante o qual Deus "criou o homem à sua imagem e semelhança" (LVIII, 2). A velhice, então, não é mais somente a idade na qual começa o declínio físico do homem, mas a idade na qual começa sua *renovatio* espiritual, uma idade "durante a qual o homem interior se renova a cada dia", quando se deve realizar a passagem do homem exterior ao homem interior. Os paralelos entre as *aetates hominis* e as *aetates mundi* são corroborados por uma interpretação alegórica do número de gerações em cada idade: como o povo de Israel declina após o cativeiro da Babilônia, da mesma forma o homem, em sua quinta idade, declina em direção à velhice.

Na Antiguidade, a divisão da história humana em seis idades não tinha sido tradicional. Lactâncio (*Institutiones christianae*, 7, 14, 14) oferecia um esboço falando de Roma e do mundo (paralelo retomado mais tarde por Dante, *Il Convivio*, IV, XXIV, 1). Agostinho parece ter sido inspirado pela tradição judaica hexameral, que conhecia o paralelo entre as seis idades do homem, as seis idades do mundo e os seis dias da Criação. Autores cristãos como Dracôntio, Eugênio de Toledo e, sobretudo, Isidoro de Sevilha (*Etimologias*, V, 38, 3-5; XI, II; *Differentiae*, II, XIX: *infantia* até 7 anos; *pueritia* até 14 anos; *adolescentia* até 24 anos; *iuventus* até 50 anos; *aetas seniores* ou *gravitas* até 70 anos; *senectus* até a morte) garantirão o sucesso desse esquema agostiniano. Beda, que descreve as seis idades no *De temporum ratione* e mais brevemente no *De temporibus,* chama a quinta idade de *senectus* e a sexta de *aetas decrepita*, o que constitui uma variante em relação a Agostinho e Isidoro. No século XII, autores tão diferentes como Honório Augustodunensis (*Imago mundi*), Lamberto de Saint-Omer (*Liber floridus*) e Romualdo de Salerno (em seu *Chronicon*) confirmam a força da tradição agostiniana e isidoriana. Foi essa dupla autoridade que induziu os mais importantes lexicógrafos – Papias de Pavia, João de Gales, Uguccio de Pisa e João Balbo de Gênova – a acolher em seus glossários um longo relato sobre as seis idades. No século XIII, certos enciclopedistas (Bartolomeu, o Inglês, e Vicente de Beauvais) tentarão, não sem dificuldade, colocar esse esquema em paralelo com aquele das quatro idades da vida.

Agostinho tinha igualmente interpretado os "seis potes de pedra" que Cristo tinha ordenado encher em Caná (João 2,1-11) como símbolo das seis idades do mundo que a vinda de Cristo devia concluir. Essa exegese inspiraria por volta de 1180 o mestre vidreiro da catedral da Cantuária: seis figuras masculinas de idades crescentes, chamadas "seis idades do homem" representam a *infantia*, a *pueritia*, a *adolescentia*, a *iuventus*, a *virilitas* e, finalmente, a *senectus*. A transformação da água em vinho (Bodas de Caná) significa a passagem do vício à virtude, tornada possível por Deus. Cada idade deve possuir virtudes para o bem; na velhice, o homem antigo desperta o homem novo. A iconografia da Bíblia moralizada mostra a força da tradição agostiniana junto aos exegetas e teólogos parisienses. Para Pedro Abelardo, os seis dias da Criação correspondem às seis idades durante as quais a salvação será concluída, idades que passam como a vida de cada homem. Essa comparação tinha entrado na prática das escolas (reencontramo-la em Boaventura, na segunda metade do século XIII).

As sete idades da vida

O número 7 em relação com as idades da vida remonta à cultura grega. Sólon escreveu um poema (*Contre Mimnermos*) sobre as dez idades do homem, cada uma durando sete anos, ideia reencontrada parcialmente na Bíblia: "Setenta anos é o tempo da nossa vida, oitenta anos se ela for vigorosa" (Salmo 90 [89], 10). Foi depois de ter descrito as sete estações (*seminatio, hiems, plantatio, ver, aestus, autumnus, postautumnus*) que o autor do *De hebdomadibus* fala das sete estações da natureza do homem, que é definido como *puerulus* (até 7 anos), *puer* (até a emissão da semente, com 14 anos), *adolescens* (até o aparecimento da barba, com 21 anos), *iuvenis* (até 35 anos), *vir* (até 49 anos), *senior* (até 63 anos) e *senex* (até 98 anos). O tratado, do qual só conhecemos duas cópias em latim, está incluído no *corpus* hipocrático, mas a data de sua composição e a natureza das fontes são sujeitos a discussão: o número 7 desempenha um papel determinante na formação do universo (as sete esferas, as sete estrelas do céu que controlam o ciclo das estações, os sete ventos, as sete estações, as sete idades do homem, as sete partes do corpo humano, as sete funções da cabeça, as sete vogais, as sete partes da alma e as sete partes da terra). O esquema foi retomado por vários autores romanos (Varrão, segundo Aulo-Gelo; Calcídio, em seu comentário sobre o *Timeu*). Em Marciano Capela (*Bodas de Mercúrio e da Filologia*, VII, 739), a infância e a juventude são divididas em cinco períodos. No comentário de Macróbio ao *Sonho de Scipião*, de Cícero (I, 6, 62), a profecia da morte de Scipião com 56 anos (7×8) é um pretexto para uma digressão numerológica no mesmo sentido.

A *Tetrabible*, de Ptolomeu (IV, 10), desempenhou um papel determinante. Nela, cada idade da vida do homem é conforme à natureza dos planetas. A Lua é responsável pelo crescimento rápido e pela alma incompleta da infância; Mercúrio modela a parte racional do espírito e semeia os primeiros germes da ciência; Vênus estimula a atividade dos canais seminais, assim como o entusiasmo, o ardor e a astúcia da juventude; o Sol confere à quarta idade o controle sobre as ações da alma; Marte introduz rigidez e sofrimento na vida, enraíza no espírito e no corpo angústias e lacerações; Júpiter incita à renúncia aos trabalhos manuais, provoca um excesso de cansaço assim como o desejo de honras, de louvores e de independência; Saturno introduz ao enfraquecimento do espírito e à perda de prazer e desejo. Copiadas pelos bizantinos, traduzidas e comentadas pelos árabes (Abu Mashar, *De revolutionibus nativitatum*), essas teorias só aparecem no século XII. Já em 1143, no *De essentiis,* Hermann de Caríntia apresenta uma visão do universo como um todo harmonioso: o mundo sublunar, composto de quatro elementos, corresponde aos movimentos musicais dos corpos celestes; os sete planetas, em seus papéis de mediadores, estimulam a geração. Desde a concepção da criança, eles exercem sua influência.

As dozes idades da vida

Os esquemas das doze idades da vida é uma criação que aparece apenas no final da Idade Média. Num poema anônimo do século XIV (*Les douze Moiz Figurez*), o homem muda doze vezes, em grupos de seis anos, antes de completar sua vida com 72. Durante seis anos, a criança, como o mês de janeiro, não tem força. Como o ano avança em direção à primavera, a criança cresce entre 12 e 18 anos em beleza e em calor. Aos 24 anos, uma idade que corresponde ao "abril da vida", o homem é forte, nobre e apaixonado. Como maio reina sobre os meses, o homem de 30 anos está apto a portar a espada. Aos 36 anos, ele é apaixonado como o mês de junho; aos 42 anos, ele começa a declinar. O declínio dura até outubro (48 anos). Com 60 anos, ele se torna velho e "desespera-se se é pobre". Aos 66 anos, como em novembro quando as árvores perdem suas folhas, seus herdeiros desejam sua morte. Aos 72 anos, como em dezembro, nenhum prazer resta mais nele.

Esse esquema é o que pressupõe o maior número de subdivisões da vida humana. Ele demonstra, *a contrario*, a superioridade das estações sobre os meses. No esquema de doze idades, a sucessão biológica é das mais fragmentadas e o tempo do declínio aparece como longo e inexorável. O tom geral é melancólico, o que poderia explicar seu relativo sucesso no "outono da Idade Média". Chegado tardiamente no cenário cultural medieval, ele conheceu um sucesso enorme na França e na Inglaterra, onde foi frequentemente copiado nos calendários populares (para a França, ver por exemplo *Le grant Kalendrier et compost des bergiers*, Paris, 1491).

Herança antiga e inovações medievais

A cultura medieval acolheu todos os grandes esquemas das idades da vida que tinham sido desenvolvidos pelos antigos, particularmente aqueles que se baseavam nos números 3, 4 e 7. A Idade Média igualmente dedicou muita atenção aos Pais da Igreja que tinham proposto novos esquemas, os das cinco e seis idades. Apenas um esquema foi criado na Idade Média, o das duas idades, que só circula no final do período medieval, mas que então conheceu um grande sucesso. Todos os esquemas antigos foram recobertos de um simbolismo cristão, que tendia a orientar a vida do homem para a história da salvação. Sobre esse plano, o número 4 desempenhou o papel mais importante, pois permitia fazer coincidir homem, natureza e simbolismo quaternário cristão.

Um duplo feixe de influências marca então a história dos esquemas das idades da vida na Idade Média. A herança antiga punha o acento na evolução biológica da vida humana; o cristianismo, ao contrário, em sua inserção na história da salvação. O homem aparece, portanto, como o reflexo microcósmico dos mundos terrestre e celeste, uma combinação dos quatro elementos: seu corpo deriva da terra, seu sangue da água, sua respiração do ar e seu calor do fogo. Mas o homem é também um microcosmo porque foi criado à imagem de Deus: seus olhos estão voltados para o céu; o homem é o mediador entre o visível e o invisível. Segundo Guilherme de Conches, no século XII, "o homem é chamado microcosmo em grego, ou seja, um pequeno mundo, porque sua cabeça é redonda como uma esfera, na qual

Dicionário analítico do Ocidente medieval

seus dois olhos brilham como o Sol e a Lua [...]. Como os anjos, ele possui a razão, o que o torna imortal. Como o homem é um microcosmo, ele não é indigno de comparar a roda do nascimento humano ao movimento do tempo". Citando o *Timeu*, de Platão, fonte da cosmologia cristã do século XII, ele compara as idades do homem à cera que, muito mole ou muito dura (como na infância ou na velhice), não pode receber o sinete.

Se a divisão da vida em diferentes idades foi um tipo de "estrutura estética" que permitia pensar o desenvolvimento biológico do homem, o cristianismo antigo e medieval utilizou as idades da vida sobretudo para construir um modelo que se destaca daquele herdado da Antiguidade greco-romana, baseado na vida biológica do homem, feita de crescimento, de estabilidade e de declínio. A interpretação cristã das idades da vida, que encontrou sua mais alta expressão na identificação com as idades do mundo, não conhece a ideia de declínio e se funda numa progressão contínua dos valores morais e espirituais, cujo apogeu coincide com a idade da velhice. Segundo Santo Agostinho, a sexta idade corresponde à velhice, à época em que nasce o novo homem que deseja viver no Espírito, idade em que nos preparamos para a vida eterna. O sétimo dia da Criação não encontra paralelo completo nas idades do homem sobre esta terra, mas remete ao repouso eterno após a morte. No final do século XII, Geoffroy de Saint-Victor exprime a ideia segundo a qual o progresso da alma é marcado por evoluções análogas às vicissitudes da idade. As idades do homem ilustram o fato de que a Criação foi desejada por Deus segundo as mesmas leis que governam nascimento, crescimento e morte. O mundo da natureza é, antes de tudo, fonte de princípios morais, particularmente para a pregação dos Mendicantes. O dominicano Guilherme Pérauld, no século XIII, fala da sabedoria adquirida no curso das quatro idades, que permite uma mais completa compreensão de Deus. Depois de ter analisado as implicações dos seis dias da Criação, Roberto Grosseteste, no século XIII, descreve o desenvolvimento mental do homem: na infância, a luz da consciência penetra no corpo do recém--nascido; a juventude (*iuventus* ou *virilitas*) é caracterizada por uma combinação de saber e de ação; na velhice, atinge-se a sabedoria divina.

Apesar dessa releitura simbólica, os esquemas da vida na Idade Média conseguiram perpetuar as concepções fisiológicas e biológicas fundamentais fundadas sobre a ideia de crescimento, de estabilidade e de declínio. É mesmo essa ideia central que subentende, em resumo, os esquemas das três, quatro e sete idades. Retomando Aristóteles, Dante afirmava que é aos 35 anos que "nós possuímos uma natureza perfeita". Também nesse sentido, o cristianismo conseguiu estabelecer um paralelismo perfeito. Graças a uma passagem da carta aos Efésios (4,13: "a meta é que todos juntos nos encontremos unidos na mesma fé e no conhecimento do Filho de Deus, para chegarmos a ser o homem perfeito que, na maturidade do seu desenvolvimento, é a plenitude de Cristo"), a ideia segundo a qual o Cristo tinha sido batizado e morto numa "idade perfeita" pôde se impor. Essa idade, a da estabilidade e da maturidade física ideal, tornou-se logo a idade da perfeição espiritual e da Ressureição. Para Jerônimo, aqueles que vivem na fé e no reconhecimento do Cristo como seu senhor conhecerão a "completa perfeição da única idade ressuscitada". O Cristo morreu na idade perfeita, "completando o tempo de duração de sua vida e seu tempo no corpo", mas ele ressuscitou também da morte numa idade perfeita. A ideia segundo a qual o Cristo tinha morrido numa idade perfeita e não precisou experimentar o declínio físico foi constante durante toda a Idade Média. Na *Viagem de São Brandão*, a "idade perfeita do terceiro Mago nos admoesta a conduzir uma vida perfeita em todas as coisas". Abelardo chama "a idade perfeita e madura" a maturidade que se detém aos 30 anos, em associação com a idade do batismo do Cristo. É por essas razões que se impôs a ideia de que a idade perfeita do padre fosse 30 anos e que é a idade que teriam os homens em sua ressureição no final dos tempos.

A meia-idade tornou-se também a idade da juventude eterna. Na lenda de Alexandre, quatro anciões tinham indicado a Alexandre três fontes miraculosas, capazes de restituir a vida à morte, de conferir a imortalidade e de rejuvenescer. Alexandre e seus companheiros nela mergulharam e reencontraram assim a condição de homens de 30 anos. O reino do Preste João, feito de abundância e de prosperidade, está isento de toda corrupção física e moral: "Se uma pessoa utiliza essa fonte três vezes em jejum, ele não terá nenhuma enfermidade e terá sempre 32 anos". Os mesmos conceitos estão na base do mito da prolongação da vida tal como foi reescrito no Ocidente latino desde os primeiros decênios do século XIII, graças a um melhor conhecimento da alquimia árabe e das teorias de Avicena sobre os mecanismos biológicos que conduzem à velhice. O autor do primeiro tratado ocidental inteiramente consagrado aos "acidentes da velhice" e à maneira de "retardá-los" (o *De retardatione accidentium senectutis*, que foi por muito tempo atribuído a Roger Bacon, mas que deve ser considerado como obra de um misterioso *dominus castri Goet*) pensa, seguindo Avicena, que a velhice é provocada pela perda progressiva de dois dos quatro elementos que compõem o corpo do homem (quente, úmido) em favor dos dois outros (frio, seco). Para deter o envelhecimento é preciso retardar a perda do "calor inato" e a "dissolução da umidade". Apenas as substâncias ocultas permitem retardar o envelhecimento: o ouro que jaz escondido na terra, o âmbar que se encontra no mar, a víbora que se arrasta sobre a terra, o alecrim que cresce no ar, o "eflúvio da juventude", o sangue humano e a madeira de aloés.

O ouro como elixir está igualmente no centro das teorias de Roger Bacon sobre uma possível extensão da vida humana. O alquimista deve preparar ouro a fim de que possa ser utilizado nos alimentos e nas bebidas: transformado assim em natureza humana, o ouro poderá proteger o corpo contra toda enfermidade e prolongar sua vida. É graças à alquimia que o corpo obtém um equilíbrio perfeito (*equalis complexio*). Como no ouro nenhum dos elementos domina o outro, num corpo que teria reencontrado esse equilíbrio nenhuma *corruptio* é mais possível. O corpo do homem poderá, assim, aproximar-se do estado incorruptível do corpo ressuscitado, ou seja, assemelhar-se ao corpo de Adão, que "tinha quase uma compleição perfeita e teria podido permanecer imortal". A ciência árabe e o conceito de elixir, do qual Roger Bacon foi um dos mais ardentes propagadores, tinham permitido utilizar-se do conceito de meia-idade para nutrir uma nova fase de aspiração mítica a uma saúde perfeita, a ultrapassar — mesmo que apenas na aspiração e no sonho — o quadro restringente dos esquemas da vida, fechados a qualquer ideia de uma possível extensão da vida do homem.

Agostino Paravicini Bagliani
Tradução de Vivian Coutinho de Almeida

Idades da vida

Ver também

Medicina – Natureza – Números – Símbolo

Orientação bibliográfica

BECCHI, Egle; JULIA, Dominique (eds.). *Histoire de l'enfance en Occident.* Paris: Seuil, 1998. 2v.

BURROW, John A. *The Ages of Man*: a Study in Medieval Writing and Thought. Oxford: Oxford University Press, 1986.

DOVE, Mary. *The Perfect Age of Man's Life.* Cambridge: Cambridge University Press, 1986.

GOODICH, Michael E. *From Birth to Old Age*: the Human Life Cycle in Medieval Thought, 1250-1350. Lanham: University Press of America, 1989.

LETT, Didier. *L'enfant des miracles: enfance et société au Moyen Age (XIIe-XIIIe siècle).* Paris: Aubier, 1997.

LEVI, Giovanni; SCHMITT, Jean-Claude (eds.). *História dos jovens no Ocidente* [1996]. Tradução brasileira. São Paulo: Companhia das Letras, 1996.

PARAVICINI BAGLIANI, Agostino. *Le corps du pape* [1994]. Tradução francesa. Paris: Seuil, 1996.

PEREIRA, Michela. Un tesoro inestimabile: elixir e "prolongatio vitae" nell'alchimia del '300. *Micrologus. Nature, Sciences and Medieval Societies*, Lausanne, n.1, p.161-87, 1992.

SEARS, Elizabeth. *The Ages of Man*: Medieval Interpretations of the Life Cycle. Princeton: Princeton University Press, 1986.

SEARS, Robert S.; FELDMAN, Shirley (orgs.). *The Seven Ages of Man.* Los Altos (Califórnia): W. Kaufmann, 1973.

SPRANDEL, Rudolf. *Alterschicksal und Altersmoral: die Geschichte der Einstellungen zum Altern nach der Pariser Bibelexegese des 12.-16. Jahrhunderts.* Stuttgart: A. Hiersemann, 1981.

Igreja e papado

A história da Igreja na Idade Média caracteriza-se pela presença simultânea de dois modelos elaborados na Antiguidade: a "Igreja dos apóstolos" e a "Igreja imperial" de Constantino, o Grande (306-377), e seus sucessores. Eis como a Igreja primitiva é descrita por São Lucas nos Atos dos Apóstolos 4,32-5: "A multidão dos que haviam criado era um só coração e uma só alma. Ninguém considerava exclusivamente seu o que possuía, mas tudo entre eles era comum [...]. Não havia entre eles necessitado algum. De fato, os que possuíam terrenos ou casas, vendendo-os, traziam os valores das vendas e os depunham aos pés dos apóstolos. Distribuía-se então, a cada um, segundo a sua necessidade". Foi Eusébio, bispo de Cesareia, quem dois séculos e meio mais tarde traçou a fisionomia da nascente Igreja imperial: "Do mesmo modo que há um só Deus, e não dois, três ou mais — o politeísmo não é nada além de ateísmo —, não há senão um único imperador; a lei imperial é única...". Assim, como ele é o primeiro na terra como Deus o é nos Céus, o imperador "diretamente investido por Deus" via sua autoridade estender-se igualmente ao clero e aos fiéis dessa Igreja cujas fileiras ele integrava, de sorte que se tornou uma espécie de papa sem esse título, mesmo sem celebrar o sacrifício eucarístico. Era ele que promulgava leis favoráveis aos cristãos, era dele que "os bispos recebiam cartas, honras e doações em dinheiro".

Igreja e papado

As contradições originais da Igreja medieval

Esses dois modelos comportavam, porém, subdivisões que se contradiziam ou limitavam a inspiração principal. Assim, a dimensão comunitária da Igreja primitiva era desmentida caso se creia ainda no testemunho de Lucas, pela posição preeminente que Pedro ocupava na comunidade-mãe de Jerusalém. Desde o século II, os chefes das diferentes comunidades cristãs, aí compreendida a de Roma, deixaram de ser *primi inter pares*[1] para se tornarem "bispos" (ou seja, literalmente, "vigilantes"). Em compensação, o "concílio" forneceu um contrapeso à estrutura vertical da Igreja imperial. Desde o século II, os bispos que tinham como sede a capital ou a "metrópole" de uma província (daí o nome de "metropolita") reuniam periodicamente todos os outros bispos da província em um "sínodo (ou concílio) provincial". Mas o que deu impulso decisivo à afirmação de uma dimensão conciliar da Igreja foi a convocação de concílios "ecumênicos" abertos aos bispos de toda a Cristandade. O primeiro realizou-se em Niceia, na Bitínia, em 325, agrupando 220 ou 250 bispos conciliares que pela primeira vez deram toda a visibilidade à "Igreja católica", isto é, à Igreja universal. Ora, foi precisamente o imperador Constantino quem se encarregou de convocar, organizar e depois presidir tão considerável assembleia.

Essa iniciativa inaugurou uma tradição plurissecular. Na realidade, os oito primeiros dos 22 concílios ecumênicos – de Niceia I a Constantinopla IV (869-870) – foram determinados por imperadores do Oriente e reuniram-se nas cidades do seu império. Os papas irritaram-se com os oito, mas aos seus legados sempre se reservava lugar de honra.

O progressivo desenvolvimento do primado do bispo de Roma, evidentemente, é um aspecto maior da história do papado na Idade Média. Para significar a autoridade daquele que, enquanto sucessor de Pedro, se considerava como responsável pela Igreja universal, o papa Gelásio I (492-496) empregou o termo *principatus* (principado), derivado de *princeps* (o "primeiro", o "príncipe"). O primado do papa foi de longe o resultado mais considerável da *imitatio imperii* ("imitação do Império") que a Igreja romana

---

1 "Os primeiros entre os pares." [N.T.]

Dicionário analítico do Ocidente medieval

havia praticado. Essa fórmula remonta à falsa "Doação de Constantino", redigida em Roma no pontificado de Paulo I (757-767), e pretendia que, exatamente *ad imitationem imperii* ("à imitação do Império"), Constantino havia atribuído ao papa Silvestre I e a seus sucessores os elementos constitutivos do cerimonial imperial a fim de fazer deles quase imperadores. Pelo documento, supunha-se, também era cedido a eles "nosso Palácio [de Latrão], bem como a cidade de Roma e todas as províncias, regiões e cidades da Itália e de todo o Ocidente". Todavia, à medida que progredia a construção da "monarquia papal" durante a Idade Média central e a Baixa Idade Média, os Estados nacionais começaram, ao mesmo tempo, o processo inverso da *imitatio sacerdotii* ("imitação do sacerdócio").

As decisões dos concílios dificilmente podiam contentar a todos. Em vista disso, os imperadores adquiriram o hábito de publicar decretos em que propunham sutis "interpretações evolutivas" dos cânones conciliares mais controvertidos.

Foi precisamente para defender a *Definitio fidei* ("Definição da fé") do Concílio de Calcedônia (451) contra o edito da União do imperador Zenão (482), que o papa Gelásio I enunciou o que iria passar à posteridade com o nome de "doutrina dos dois poderes": de uma parte, a *auctoritas sacrata pontificum* (a "autoridade santa dos pontífices"), de outra, a *regalis potestas* (o "poder real"). Segundo essa doutrina, os bispos tinham responsabilidades superiores na medida em que deviam responder, diante de Deus, pelos próprios detentores do poder real. O imperador ultrapassava em dignidade o conjunto do gênero humano, já que seu poder era de origem divina. Em matéria de religião, entretanto, mesmo os imperadores deviam submeter-se aos homens da Igreja, e especialmente ao bispo de Roma. Em compensação, no tocante à "organização da disciplina pública", mesmo os mais altos dignitários eclesiásticos deviam obedecer às leis do Império. Antes da vinda de Cristo, os judeus haviam certamente tido reis-sacerdotes, mas esses apenas tinham anunciado o filho de Deus, o único a verdadeiramente ser rei e sacerdote. Quanto aos imperadores romanos que usavam o título de "sumos pontífices", não foram na realidade senão diabólicas contrafações de Cristo. Consciente das fraquezas da natureza humana, o papa dedicou-se a que o imperador renunciasse ao título de

Igreja e papado

pontífice e o pontífice à dignidade real, a fim de que não pudessem passar um pelo outro nos domínios de suas respectivas competências.

Para os *sacerdotes* ("padres"), em geral, e para o bispo de Roma, em particular, Gelásio I contentou-se em reivindicar um campo de ação claramente determinado no qual o prelado supremo pudesse colocar-se como guardião do que, segundo uma expressão paulina retomada no século XVI, seria definida como o *depositum fidei* ("depósito da fé"). Mesmo o imperador não tinha o direito de invadir as atribuições nesse domínio reservado. De fato, os papas da Antiguidade tardia e da Alta Idade Média esforçaram-se para que os concílios ecumênicos, manifestações supremas e imutáveis em matéria de fé da Igreja imperial, conseguissem limitar o poder que o imperador pretendia exercer livremente nesse domínio.

As modalidades da cristianização do Império nos séculos IV e V levaram particularmente a três consequências que irão condicionar a história da Igreja medieval.

Enraizamento urbano, catolicismo de Estado e monasticismo

A comunidade de Jerusalém serviu de modelo a outras comunidades, mas sempre em um quadro urbano – o que era natural em um império constituído essencialmente de cidades. Encontra-se uma confirmação indireta disso no fato de que era usual designar os não cristãos pelo nome de *pagani* ("camponeses" e/ou "pagãos"), identificando-os, assim, aos habitantes dos *pagi* ("aldeias" ou "regiões"). Além do que, outro fator contribuiu para reforçar esse caráter urbano da Igreja: a cristianização estava estreitamente ligada à alfabetização, a Igreja tinha necessidade de escolas. Enquanto as escolas públicas continuaram a funcionar, ela não hesitou de servir-se delas, depois cuidou de dotar-se de suas próprias escolas nas igrejas episcopais, sempre em ambiente urbano.

A legislação dos séculos IV e V atribuiu aos bispos numerosos poderes temporais. A clericalização do Estado foi então consumada, sob a forma de rigorosa integração do episcopado católico à organização burocrática do Império. No Ocidente da Alta Idade Média, caracterizado pela persistência de numerosos traços herdados do período precedente, mas destacados de seu contexto estatal e imperial original, assiste-se ao estabelecimento de um vínculo cada vez mais complexo e ambíguo entre os novos poderes públicos e a organização eclesiástica oriunda da cultura romana. O Império do Ocidente renovado esforçou-se para normalizar esse laço e utilizá-lo em seu benefício, colocando-se como legatário e sucessor do Império Romano cristão.

Em reação a essas disposições sempre mais "imperiais" da Igreja, o século IV viu nascer uma verdadeira Igreja dentro da Igreja (ou ao lado da Igreja): a comunidade dos monges. Tratava-se de cristãos que abandonavam as cidades para ir a lugares cada vez mais recuados dos desertos líbio e egípcio, com o objetivo de consagrar-se à contemplação e à prece, rapidamente imitados pelos cristãos do Ocidente que, de sua parte, logo escolheram recolher-se nas florestas. Desde então, uma "Igreja regular" — assim chamada em virtude das "regras" que governavam a vida dos monges, fossem eremitas ou cenobitas — veio solidamente se estabelecer ao lado da "Igreja secular", assim chamada porque reunia todos os que se punham ao serviço de Deus permanecendo no "século" [mundo].

Às vésperas da queda do Império Romano do Ocidente, no sermão dirigido a Roma, o papa Leão I (440-461) anunciou o nascimento de um novo império *sui generis*: "Foram eles [o apóstolo Pedro e o apóstolo Paulo, este também martirizado e sepultado em Roma] que o elevaram a essa glória, de modo que [...], tornada capital do mundo na qualidade de sede do bem-aventurado Pedro, pudesse, apoiando-se na religião divina, governar um espaço muito mais amplo do que o apoiasse na dominação terrestre. Na verdade, ainda que [...] tenha estendido sobre a terra e sobre o mar a lei do seu império, o que você submeteu pelo esforço guerreiro é menor do que o que foi submetido pela paz de Cristo".

Autoridade pontifícia e Igrejas "nacionais"

A universalidade romano-papal não passava naquele momento de uma ideia, que não se traduzia em uma autoridade efetiva e jurisdicional da Igreja de Roma sobre as outras Igrejas. Nessa perspectiva, é necessário distinguir

Igreja e papado

três zonas territoriais. A primeira, que pode ser considerada como a província eclesiástica do bispo de Roma, compreendia toda a Itália; em seguida, reduziu-se à Itália peninsular e às ilhas, depois que uma nova província eclesiástica foi constituída em torno de Milão, no século IV. O papa ordenava os bispos eleitos pelo clero e pelo povo da diocese, às vezes os nomeava, ou os depunha, em determinadas circunstâncias. A segunda zona coincidia com o resto do mundo ocidental, inclusive a África. Seus bispos procuravam estar de acordo com Roma nas questões tocantes à fé e também em matéria disciplinar conduziam-se segundo as normas romanas. Na terceira zona, enfim, a do Oriente, o polo unificador das Igrejas que era a Sé Apostólica, concorria com a que o imperador havia constituído. Se aceitavam a ideia de que Roma tornara-se a "morada dos apóstolos", os bispos orientais não podiam esquecer que Pedro e Paulo tinham ido para lá provenientes do Oriente.

O papa Leão I podia afirmar que o Império submetido pela paz de Cristo era maior que o dominado pelas armas: era verdade que, de um modo que ele julgava providencial, foi a união de "numerosos reinos" em um só e mesmo império que tinha tornado os povos acessíveis à evangelização. Seus sucessores, em compensação, defrontaram-se com uma multiplicidade de reinos em que os invasores germânicos foram se juntar às populações nativas mais ou menos romanizadas e cristianizadas: ora, esses recém-chegados eram na maioria pagãos, mesmo quando seus chefes haviam abraçado o cristianismo, sempre escolhendo, aliás, o "arianismo" condenado em Niceia, em 325. Como as relações entre Roma e as Igrejas do Ocidente tinham se tornado raras, essas Igrejas tiveram tendência a se organizar em torno do soberano do reino no qual elas estavam estabelecidas. De sua parte, o monarca, que se considerava herdeiro do governo ou do general romano ao qual havia sucedido, tendia a se imiscuir – como seu predecessor havia feito na sua época – nos negócios da Igreja, e especialmente na nomeação dos bispos. Tudo se passava, então, no Ocidente, como se o modelo da Igreja imperial tivesse se dividido juntamente com o próprio Império, e como se esse modelo tivesse se reproduzido em numerosos exemplares, que perpetuavam seus traços essenciais de maneira deformante e em escala reduzida.

Seria, então, um contrassenso histórico pretender que a Igreja da Alta Idade Média estivesse dotada de um governo central sólido, capaz de or-

Dicionário analítico do Ocidente medieval

ganizar uma atividade missionária: Gregório Magno enviou missionários à Bretanha anglo-saxã, mas isso não foi senão "um pormenor do quadro total, um pormenor que não refletia a fisionomia característica daquele período" (Th. Schieffer). Contudo, o prestígio que os papas que se proclamavam sucessores de São Pedro acabaram por acumular, em especial durante o século V, permitiu-lhes, a despeito da nova situação política e eclesiástica, continuar a constituir um polo de referência para as "Igreja nacionais" do Ocidente romano-bárbaro.

No curso desse período, os papas foram cada vez mais absorvidos pela necessidade de suprir a autoridade imperial, especialmente nos domínios da defesa e do aprovisionamento da cidade de Roma. Eles racionalizaram a exploração dos *patrimonia sancti Petri* ("patrimônios de São Pedro"), isto é, as grandes propriedades territoriais da Igreja romana. Dessa maneira, foram levados, contrariamente ao resto do mundo ocidental, a fazer abundante uso da documentação escrita. Mas, nos *scrinia* ("escritórios") do palácio de Latrão, os clérigos dedicavam-se também a redigir as cartas papais (antes de transcrevê-las nos registros) e a arquivar as atas dos concílios e das cartas enviadas ao papado: esse sistemático acúmulo de papiros e de pergaminhos permitiria, no futuro, exercer mais firmemente o poder jurisdicional do papa, de modo a facilitar a consulta de casos precedentes. Mas, desde aquele momento, já atendia as necessidades de quem há muito esperava que Roma indicasse as regras que deviam ser seguidas para resolver as dúvidas de tal ou qual caso. Desde o período compreendido entre o final do século V e o início do século VI, começaram a ser compiladas em Roma as primeiras coleções de "decretais", cartas papais às quais se atribuía o mesmo valor que às *responsa* (decisões) imperiais.

O papado e os francos: uma aliança fecunda e ambígua

Convertendo-se ao cristianismo ortodoxo, Clóvis, rei dos francos (481-511), impeliu os soberanos dos outros povos invasores a seguir seu exemplo – o último a fazê-lo foi o rei dos lombardos. A escolha de Clóvis conferiu aos francos o direito de primogenitura na Cristandade ocidental. A semente que ele havia plantado deveria dar seus frutos cerca de 250 anos

Igreja e papado

mais tarde, em grande parte graças ao caráter romano-católico que o monge anglo-saxão Wynfrith-Bonifácio (c.675-754) iria imprimir a suas ações de apostolado e de reforma eclesiástica na Frísia, no Hesse, na Turíngia e no vizinho reino franco. Bonifácio beneficiou-se do apoio interessado do prefeito do palácio, Carlos Martel, depois de seus filhos Carlomano e Pepino, mas voltava-se regularmente a Roma para que esta legitimasse sua obra, e trabalhou sobretudo para que as Igrejas que havia fundado permanecessem na obediência ao sucessor de Pedro e constituíssem uma província eclesiástica segundo o modelo da Antiguidade tardia. Em seguida, procurou persuadir as Igrejas do reino franco, que então se perdiam em espantosa desordem, a melhorar sua conduta, mas seu propósito chocou-se com a lógica que sustentava a situação político-eclesiástica da Igreja nacional. Entretanto, o estabelecimento de relações com a Sé Apostólica e o sucesso da empresa de evangelização conduzida além do antigo *limes* ("fronteira") renano valeram uma grande glória ao reino franco, contribuindo assim para assegurar-lhe um destino imperial.

O processo de formação da Igreja, do papado e do Império no Ocidente medieval, provocou reação com os decretos iconoclastas do *basileus* ("imperador") Leão III Isáurico (726 e 730). A oposição do papa Gregório II (715-731) a essa "inovação" no domínio da fé e do culto teve reflexo imediato entre as populações e mesmo entre as guarnições bizantinas, que se sublevaram contra as autoridades imperiais. Leão III replicou, confiscando os *patrimonia sancti Petri* da Calábria e da Sicília, e excluindo da obediência a Roma não somente as dioceses da Ilíria mas também as da Calábria e da Sicília. Isso bastava para arruinar o equilíbrio que havia tornado possível manter a Igreja romana na órbita do Império. Os lombardos propuseram-se a restabelecê-la em novas bases: mas, desde havia algum tempo, os bispos de Roma alimentavam o projeto de pedir ajuda aos francos.

Perto de 150 anos depois que Gregório Magno se declarou horrorizado com a ideia de tornar-se "o bispo não mais dos romanos, e sim dos lombardos", seus sucessores correram o risco de reduzir seu estatuto ao de "primeiro bispo da Igreja territorial franca". Se tal submissão finalmente não ocorreu foi porque, indo no sentido que Bonifácio havia indicado, a Igreja territorial (ou, se se prefere, nacional) franca tendia a colocar-se como

Dicionário analítico do Ocidente medieval

Igreja universal, e espontaneamente se reconheceu no culto de São Pedro e reivindicou sem restrição o ensinamento de Roma. Em um ponto, porém, os francos contradiziam a concepção de Leão I: Carlos Magno, tornado rei único em 771, considerava que a ele, e não ao papa, devia a Igreja ser "confiada para que pudesse governá-la nas correntes tumultuosas do século".

Mas o Concílio de Frankfurt, determinado e presidido por Carlos, em junho de 794, seis anos antes do Natal de 800, não inaugurou uma nova série ocidental de concílios ecumênicos imperiais. Apenas momentaneamente, até a morte de Carlos, é que a restauração do Império no Ocidente pareceu fazer ressurgir o modelo de Igreja imperial. Desde meados do século IX, essa eventualidade podia ser considerada definitivamente exorcizada, mesmo se, em seguida, numerosas tentativas fizeram que ela recrudescesse.

A atenção que os sucessores de Gregório II concederam à situação italiana propiciou um estreitamento de seu horizonte político eclesiástico, especialmente quando a dominação bizantina no ducado de Roma terminou, e eles continuaram por seu turno a exercer direitos concretos que significavam sua soberania sobre o território correspondente ao Lácio atual. É essa a origem do "domínio temporal dos papas", que nada tem a ver com a "Doação de Constantino".

Se a coroação imperial de 800 pôde acontecer em Roma, foi porque esta tinha sabido guardar intacta, graças à presença do papado, sua natureza de *urbs regia* ("cidade real"). Entretanto, no momento mais oportuno, os papas não tiveram força para se tornar imperadores do restaurado Império do Ocidente e realizar, assim, o desígnio implícito da "Doação de Constantino".

Hesitante em enfatizar o caráter "romano" do Império dos francos, Carlos Magno, em contrapartida, aplicou-se por todos os meios em tornar romana – isto é, universal – a Igreja franca. Assim, livros litúrgicos utilizados em Roma, mas também a principal coleção romana de antigos cânones conciliares e de antigas decretais papais cruzaram os Alpes e foram enviados à corte de Carlos. O mesmo ocorreu com uma das numerosas regras monásticas então em circulação: a que era atribuída a Bento de Núrsia. Somente depois que Carlos a descobriu no Monte Cassino, em 787, e levou uma cópia para Aix-la-Chapelle, foi que ela se impôs às outras regras. Na época de Luís, o Piedoso, Bento, abade de Aniana (c.750-821), reuniu várias regras monásticas e comparou-as com a de seu homônimo, e demonstrou a superioridade desta.

Essa operação, que objetivava uniformizar ritos e regras das igrejas e mosteiros do Império do Ocidente, contribuiu para colocar em evidência o estatuto que Carlos pretendia: o de "regente" incontestado da *ecclesia universalis* ("Igreja universal"). O papel que os bispos de Roma desempenharam nessa decisão quase foi o de simples transmissor. Mas Carlos agia sempre em nome de Pedro e de Roma, e estava certo de que sua atividade acabaria, cedo ou tarde, trazendo proveito à Igreja, que se proclamava de Pedro, e benefício à autoridade de seu chefe visível.

A conquista da África setentrional e da Espanha tinha eliminado todos os concorrentes suscetíveis de contestar o primado da Sé Apostólica na zona do antigo Império Romano do Ocidente. É verdade que o papado deveria ter em consideração duas formas insulares de cristianismo que se afirmavam cada vez mais: a corrente céltico-irlandesa e a corrente anglo--saxã. Mas se a primeira, com seus abades-bispos, apresentava características que estavam pouco de acordo com a tradição urbano-centrista do catolicismo mediterrâneo, a segunda, em compensação, especialmente porque conservava a lembrança da primitiva cristianização da Bretanha encorajada por Gregório Magno, não tardou em nitidamente optar em favor da Igreja de Pedro.

A nova situação, que resultou dos acontecimentos do ano 800, convidava nitidamente a um completo restabelecimento das relações entre as Igrejas do Ocidente e a Sé Apostólica. Mas foi preciso esperar a segunda metade do século IX, com os pontificados de Nicolau I (858-867) e João VIII (872-882), para que o prestígio do papado, que permanecia inalterável, se traduzisse no exercício de uma real autoridade sobre as Igrejas da segunda das três zonas que distinguimos há pouco e, de modo geral, na retomada de uma participação ativa nos destinos da Igreja universal.

Tal mudança foi contemporânea ao agravamento da crise do Império Carolíngio e é natural que se tenda a estabelecer uma correlação entre os dois fatos. Na realidade, não foi o enfraquecimento do poder imperial que favo-

Dicionário analítico do Ocidente medieval

receu o crescimento do poder pontifício, mas o concurso de circunstâncias de natureza diversa, e particularmente a existência de um fator institucional capital. Realmente, entre as reformas carolíngias deve-se particularmente considerar a sistemática restauração das províncias eclesiásticas e, em consequência, o restabelecimento da autoridade dos arcebispos em detrimento da dos bispos sufragâneos. Estes buscaram defender-se, organizando uma coleção de falsas decretais — as *Decretais Pseudo-Isidorianas* — segundo as quais alguns papas dos primeiros séculos teriam autorizado os bispos sufragâneos não somente a apelar a Roma contra decisões de um sínodo provincial, mas também que as causas que lhes dissessem respeito fossem igualmente julgadas em primeira instância pelo papa. No primeiro momento, a Sé Apostólica hesitou em autenticar uma falsificação tão clara, mas as coleções canônicas do século XI iriam fartamente extrair dali material muito útil para o estabelecimento do primado jurisdicional do bispo de Roma. Seja como for, desde o momento em que tinham começado a circular, as *Decretais Pseudo-Isidorianas* influíram no comportamento dos papas, que, cada vez mais frequentemente pressionados a intervir nos negócios referentes às igrejas locais, não se furtaram a tais convites.

O século X: entre a lenda negra e a realidade histórica

A crise de autoridade, que tinha primeiramente atingido o aparelho público carolíngio, não poderia deixar de estender-se igualmente à Igreja, desde a cúpula romana até as subdivisões territoriais. O processo de centralização eclesiástica ainda não tinha tido tempo de desembocar em estruturas de governo bem definidas, capazes de garantir sua continuidade apesar do desaparecimento do quadro político geral que havia favorecido seu advento. No momento em que esse quadro se fragmentou, a relação entre o centro e a periferia se ressentiu, e mesmo a cátedra de Pedro, como tantas outras arquidioceses e dioceses do antigo Império Carolíngio, ficou à mercê de "forças locais", às vezes mal definidas.

No centro da lenda negra, que apresenta o século X como um "século de ferro", encontra-se exatamente o papado, que estava particularmente exposto aos contragolpes da crise. Além do terrível precedente do "sínodo do cadáver" – no curso do qual o papa Estêvão VI (896-897) fez o processo do papa Formoso (891-896) após sua morte –, essa lenda baseia-se especialmente nas vicissitudes do *Adelpapsttum* ("papado aristocrático"), quando uma aristocracia laico-eclesiástica que se revestiu do título de "senado" tornou-se o árbitro do destino da Sé Apostólica. Mas a crise prejudicou também, sob duplo ponto de vista, o bom funcionamento das igrejas locais.

Em sua origem, a *cura animarum* (o "cuidado das almas") era assegurada pela presença da "catedral" em cada cidade, isto é, da igreja em que se encontrava a cátedra do bispo e que abrigava nela ou em um edifício adjacente (o "batistério"), as únicas fontes batismais de toda a diocese. Desde a Antiguidade tardia, depois no curso da Alta Idade Média, as dificuldades encontradas nas cidades mais populosas, mas sobretudo nas regiões menos urbanizadas, mostraram a necessidade de melhor distribuição das fontes batismais pelo território. Nasceram assim as "paróquias", citadinas ou rurais, que permitiam assegurar longe do centro a *cura animarum*. Essas igrejas não episcopais apresentavam-se como subdivisões territoriais da diocese. Outras igrejas tinham um estatuto diferente, porque seu vínculo com o território era substituído por um laço pessoal com o indivíduo que havia decidido construir uma igreja em terreno de sua propriedade e para uso particular (daí a denominação de "igreja própria"). À força de multiplicar-se, as igrejas fundadas por leigos – sobretudo nos séculos IX e X – deram origem em território diocesano a enclaves subtraídos à jurisdição episcopal.

Na época carolíngia, cada mosteiro estava submetido ao bispo da diocese, ainda que mosteiros de dioceses diferentes fossem às vezes reunidos pela observância a uma mesma ordem (*ordo*), isto é, ao mesmo estilo de vida. Na época pós-carolíngia, assiste-se à constituição da primeira grande "congregação" de mosteiros, embora não se tratasse ainda de uma "ordem monástica" no sentido moderno do termo. Ela se constituiu, com uma rapidez surpreendente, em torno do mosteiro de Cluny, fundado em 910 por Guilherme da Aquitânia, que o havia concebido inicialmente como um "mosteiro particular", dotando-o de um patrimônio territorial considerável. Sob o patrocínio do abade, surgiram em toda a parte numerosos "priorados", dirigidos por "priores" nomeados pela casa-mãe. Ao mesmo tempo, numerosos mosteiros já existentes igualmente se associaram a

Dicionário analítico do Ocidente medieval

Cluny, conservando sua autonomia, mas adotando os costumes cluniacenses, destinados a restaurar a observância da regra beneditina, que eles inovaram sobretudo nos domínios da especialização litúrgica e da intercessão em favor dos defuntos. O combate que a congregação cluniacense conduziu vitoriosamente para que todos os mosteiros associados ficassem isentos da obrigação de recorrer ao bispo da diocese e para que pudessem escolher seu tutor eclesiástico no lugar que quisessem provocou uma ferida suplementar na coesão das jurisdições episcopais. Ao mesmo tempo, Cluny deliberou que dependeria diretamente da autoridade romana, sem que isso constituísse, entretanto, como outrora se acreditou, um precedente da futura ação reformadora do papado.

Quando Oto I foi coroado imperador em Roma, em 2 de fevereiro de 962, os presentes espantaram-se ao verificar que a coroa colocada sobre sua cabeça deixava ver as duas pontas da mitra episcopal que ele usava por baixo. Quando, em 999, o imperador Oto III pediu ao seu antigo preceptor e amigo Gerberto de Aurillac, então arcebispo de Ravena, para suceder ao papa Gregório V (996-999), que tinha igualmente sido escolhido pelo imperador, Gerberto tomou o nome de "Silvestre" (Silvestre II, 999-1003) em lembrança do papa contemporâneo de Constantino, a fim de indicar que a restauração do Império Romano estava em marcha.

A Igreja revestiu-se cada vez mais de um caráter "imperial" sob os imperadores alemães pertencentes à casa da Saxônia e às dinastias seguintes, não apenas porque tinham o hábito de fazer e desfazer papas, concorrendo assim com a aristocracia romana, mas também porque concediam uma crescente importância política e econômica aos bispos do Império. De fato, não tendo confiança no pessoal laico, que buscava firmar seu próprio domínio territorial, os soberanos preferiam servir-se dos bispos: eles cumulavam de benefícios as igrejas episcopais porque o episcopado não era hereditário e havia sempre a possibilidade de intervir no momento da sucessão, favorecendo ou mesmo impondo o candidato que lhes convinha. De sua parte, os bispos constituíam-se em clientelas vassálicas prontas a se colocar à disposição do soberano. Em certos casos, eles tendiam a atribuir-se o direito de exercer a jurisdição pública em todo um condado, ainda que, mais frequentemente, a exercessem na cidade em que residiam. Em certa medida, o aumento do poder temporal dos bispos e seus efeitos sobre o processo de sua eleição não interessavam somente às terras do Império, mas também ao resto da Europa.

A reforma da Igreja no século XI

Quando a morte prematura de Oto III (1002) fez malograr seu projeto de *renovatio imperii Romanorum* ("renovação do Império dos romanos"), a Sé Pontifícia novamente se encontrou à mercê das famílias aristocráticas romanas. Diante do escândalo suscitado pela presença simultânea de três papas, o imperador Henrique III (1039-1056) impôs em 1046 seu próprio candidato, o bispo de Bamberg, Suidger (Clemente II, 1046-1047), o primeiro dos quatro papas alemães que deveria nomear no decorrer de seu reinado. Essa intervenção, que parecia transladar definitivamente a Sé Apostólica para a órbita da Igreja imperial, marcou, ao contrário, inspirada em sinceras exigências religiosas, um movimento que inaugurou o que se convencionou chamar de "reforma da Igreja". Efetivamente, a condenação da simonia, do concubinato eclesiástico e da alienação dos bens da Igreja, assim como a reafirmação do cânone estipulando a eleição dos bispos pelo clero e pelo povo, foram alguns temas martelados pelos papas nomeados por Henrique III. Leão IX (1049-1054) participou especialmente de uma série de concílios para difundir fora dos limites do Império as grandes linhas do novo empreendimento reformador da Sé Apostólica. Ele havia reunido em torno de si, em um conselho restrito que anunciava a futura cúria internacionalizada, alguns dos protagonistas do movimento da reforma, desde o toscano Hildebrando (em breve eleito papa com o nome de Gregório VII, 1073-1085) até o loreno Humberto de Moyenmoutier (em seguida cardeal-bispo de Silva Candida, falecido em 1061). Ao final do pontificado, a intransigência de Humberto, que era o plenipotenciário do papa em Constantinopla, e a do patriarca Cerulário, chefe do lado oposto, transformaram o desentendimento plurissecular das duas Igrejas no que foi chamado de "Cisma do Oriente". A ruptura se mostrará definitiva e foram inúteis as posteriores tentativas de reconciliação – particularmente nos concílios de Lyon, em 1274, e de Ferrara-Florença, em 1438-1439.

645

Dicionário analítico do Ocidente medieval

Como a maioria dos cardeais-bispos de Leão IX e de seus sucessores, Hildebrando e Humberto eram oriundos das fileiras de monges, bem como o eremita Pedro Damiano (1007-1072), que se tornou, apesar de não querer, bispo de Óstia. Ora, nos séculos precedentes tinha sido precisamente nesse meio, e depois, a partir da época carolíngia, no dos cônegos regulares (clérigos limitados pela regra de Aix-la-Chapelle, de 816, a um refeitório e a um dormitório comuns), que se cultivou a lembrança da comunidade de Jerusalém, considerada a origem dessas duas formas perfeitas de vida cristã. Com os reformadores do século XI, a *forma primitivae ecclesiae* ("forma", ou "constituição", "da Igreja primitiva"), que tinha evocado até então "um estado de perfeição reservado a uma seleção excepcional de raros eleitos, tornou-se ao mesmo tempo uma pedra de toque que permitia avaliar a situação doutrinária e disciplinar da Igreja, e um mito ou uma ideia-força que se perseguia e se procurava pôr em prática fora do quadro demasiado estreito da instituição" (G. Miccoli).

Essa insistente incitação para retornar às origens, longe da realidade presente de um *mundus senescens* ("mundo que envelhece, decadente") e afastado da Igreja que nele se encontrava envolvida, galvanizava em toda a parte a energia reformadora, inclusive a dos leigos – em Milão, por exemplo. Realmente, ao contrário de toda a tradição, a proposição XXIV dos *Dictatus papae* ("Declarações do papa") de Gregório VII afirmava que, "com a exortação e a autorização do papa, os subordinados podem se fazer de acusadores", o que podia ser interpretado em favor dos leigos contra bispos indignos. Além de favorecer o saneamento do clero, o papa tinha igualmente em vista enquadrar os movimentos espontâneos capazes de perturbar a instituição eclesiástica. A reforma reforçou o primado do bispo de Roma sobre uma Igreja tornada mais virtuosa, porém, em dois aspectos, ela se situou nos antípodas do modelo, ou do mito hierosolimitano: de uma parte, a delicada questão da posse dos bens materiais permanecia pendente; de outra, a demarcação estava doravante bastante visível entre o clero, distribuidor dos sacramentos (cujo número foi definitivamente fixado em sete), e a população de fiéis. "A comunidade de todos os cristãos, leigos e eclesiásticos, chama-se doravante e se chamará no futuro *cristianitas* ("cristandade"), e não mais Igreja" (H. Fuhrmann). A Igreja primitiva volta a ser o mode-

Igreja e papado

lo dos monges e dos cônegos, assim como a imitação da *vita vere apostolica* ("vida verdadeiramente apostólica") – que consistia em levar a vida não mais conforme as normas da instituição eclesiástica, mas de acordo com o Evangelho – mostraria a que ponto os milhares de *pauperes Christi* ("pobres de Cristo"), pregadores itinerantes que trabalhavam no limite da heresia, e frequentemente além dele, haviam se distanciado da "Igreja clerical".

Nessa mesma época teve lugar o divórcio litigioso entre o *sacerdotium* ("sacerdócio") e o *imperium* ("império"), divórcio consumado pelo papa com o nome de *libertas ecclesiae* ("libertação da Igreja") contra ingerências externas no procedimento de nomeação de seu pessoal. Nicolau II deu um primeiro passo, em abril de 1059, com o decreto que reservava aos cardeais-bispos o direito de escolher o papa. Mas o gesto decisivo foi de Gregório VII, que proibiu o soberano – na ocasião, Henrique IV (1056-1106) – de investir bispos com anel e cruz. Efetivamente, como os bispos eleitos recebiam ao mesmo tempo os *regalia* (domínios e direitos públicos), a investidura arriscava parecer um ato que, antes mesmo da consagração, os autorizaria não somente a exercer seus poderes temporais, mas também suas funções de pastores de almas. Durante a "querela das investiduras", todos os golpes foram permitidos: de um lado, repetidamente fulminaram-se excomunhões contra Henrique IV e estimulou-se seus súditos à desobediência; do outro, decidiu-se pela deposição de Gregório VII e eleição de um antipapa. A querela pareceu terminada em fevereiro de 1111, quando Pascoal II (1099-1118) propôs ao novo imperador Henrique V (1106-1125) uma renúncia à investidura em troca de uma renúncia dos bispos aos *regalia*. Mas essa solução radical, bem no espírito da Igreja primitiva, foi recusada por todos. Somente em Worms, em setembro de 1122, no pontificado de Calisto II (1119-1124), as duas partes chegaram a um acordo: estipulou-se essencialmente que o imperador fazia a investidura pelo cetro e a Igreja a investidura com anel e cruz.

Esse compromisso não resolvia o problema da "investidura laica", o que poria em risco a própria estrutura do poder no reino germânico. Do conflito, o Império saiu definitivamente dessacralizado (e desde então buscaria nova legitimação no direito romano ensinado em Bolonha). De seu lado, o papado governaria doravante a Igreja do Ocidente "um pouco como uma

647

Dicionário analítico do Ocidente medieval

única e mesma diocese" (G. Miccoli) e reclamaria por sua vez o modelo de Igreja imperial, exprimindo sua nostalgia da unidade entre o governo temporal e o governo espiritual, mas invertendo os termos dessa unidade (o papocesarismo no lugar do cesaripapismo): pretendia assim governar ao mesmo tempo a Igreja, o conjunto do Ocidente, se possível a totalidade do mundo. Segundo a oitava proposição dos *Dictatus papae* gregoriano, "somente o papa [podia] usar as insígnias imperiais" (e, de fato, Bonifácio VIII [1294-1303] as usava em certas ocasiões); na *Summa Perusina* ("Suma de Perúgia", 1160-1170), lê-se que "o papa é o verdadeiro imperador". Ao substituir oficialmente seu título de *vicarius Petri* ("vigário de Pedro") pelo de *vicarius Christi* ("vigário de Cristo"), Inocêncio III (1198-1216) pretendia ter acesso de uma só vez à dignidade sacerdotal e real do Senhor, mesmo se a reivindicação da autoridade terrestre estivesse naquela época reduzida a mera afirmação de princípio, salvo no que concernia ao domínio temporal da Sé Apostólica.

A monarquia papal

No decorrer do século XIII, esse domínio estendia-se do Lácio à Romagna, às Marcas e ao ducado de Spoleto. Houve no Ocidente outros principados eclesiásticos, mas o do papa revestia-se de uma importância particular. Na verdade, fazia o papa aparecer, notadamente durante a Baixa Idade Média e início da era moderna, como o soberano temporal de um dos Estados regionais da Itália. Na Idade Média, entretanto, o problema de um papado dotado de um corpo e de duas almas (espiritual e temporal) não foi percebido como tal, mas aceito como uma realidade de fato.

Além de um território apropriado, a "monarquia papal" muniu-se no século XIII de dois instrumentos que a fizeram aparecer como um Estado *sui generis:* de uma parte, uma organização financeira que lhe permitia ter receitas provenientes tanto de seus direitos soberanos sobre o Estado Pontifício, como de outras fontes; de outra parte, um corpo orgânico de leis. A esse respeito, um grande passo ocorreu quando às coleções canônicas do século XI veio juntar-se a *Concordia discordantium canonum* ("Concordância dos cânones discordantes"), que harmonizava as regras canônicas heterogêneas e discordantes (cânones conciliares, decretais papais, extratos dos Pais da Igreja, textos do direito romano etc.) e que havia sido redigida por volta de 1140 em Bolonha por iniciativa do suposto monge Graciano. No correr desse mesmo século, "o número de decretais [foi multiplicado], o eixo normativo [deslocado] para a atividade pontifícia como fonte do direito". E, no século XIII, Gregório IX (1227-1241), com os cinco livros do seu *Liber extra* (1234), depois Bonifácio VIII, com seu *Liber sextus* (1298), "organizaram a massa de decretais [...] que representava a nova visão do direito canônico, [...] no seu esforço para se erigir em norma de uma Igreja dominadora e expansionista" (P. Grossi).

Sempre no século XIII, confrontado com um desabrochar da heresia de massa, que era fruto de desilusões e frustrações da era pós-gregoriana, o papado dotou-se de seu próprio aparelho de repressão, que começou por apoiar, depois acabou por superar a ação anti-herética tradicionalmente reservada aos bispos. Aparecido progressivamente, o *officium inquisitionis* — assim designado pela primeira vez na bula *Ad extirpandam* (1252), de Inocêncio IV (1243-1254) — tirava seu nome do procedimento *ex officio* ("de ofício") e *per inquisitionem* ("com investigação") que, independentemente de sua aplicação à luta contra a heresia, estava substituindo nos tribunais o processo baseado na acusação formal em que o ônus da prova cabia ao acusador. Na busca de provas, Inocêncio IV autorizou o recurso à tortura, cuja aplicação, contudo, cabia às autoridades civis.

As Ordens Mendicantes

Os *inquisitores heraeticae pravitatis* ("inquisidores do vício da heresia") eram normalmente recrutados entre os dominicanos, depois, numa segunda fase, entre os franciscanos. Essas duas Ordens Mendicantes nasceram nos primeiros decênios do século XIII, fora da tradição monástica, consagrando-se à pregação itinerante (como os heréticos) e, no caso dos franciscanos — pelo menos enquanto permaneceram fiéis ao exemplo de São Francisco —, praticando a *vita vere apostolica* e respeitando os votos de pobreza à maneira da Igreja primitiva. Estando a serviço do papado, que durante o século XIII cumulou-os de privilégios porque rapidamente compreendeu todas as vantagens que poderia tirar para sua política centralizadora, esses religiosos de um novo gênero com frequência entraram em conflito com o clero secular.

Um episódio espetacular dessa querela ocorreu em Paris quando, se chocando com mestres seculares, professores mendicantes pretenderam ocupar algumas cadeiras das faculdades de Teologia do *Studium* sem jurar respeitar os estatutos universitários (1253-1259). Terminado com a vitória dos mendicantes, graças ao apoio de Roma, esse conflito (e mais ainda o que irrompeu depois na faculdade de Artes por razões doutrinais) acabou provocando a derrota do projeto que o papa havia carinhosamente alimentado: fazer da faculdade de Teologia de Paris o único centro de formação em que se poderia doutorar na disciplina então considerada a *regina scientiarum* ("rainha das ciências").

O sentido da Cruzada

Em 1095, a Cristandade conquistadora pós-gregoriana respondeu com entusiasmo ao apelo lançado por Urbano II (27 de novembro de 1095, em Clermont) para a libertação dos lugares santos. O *miles Christi* ("combatente de Cristo"), que de início tinha sido encarnados pelo mártir, depois pelo monge lutando contra o demônio, tornou-se um *miles* no sentido próprio, quem "tomava a cruz" e usava a insígnia no peito (donde o termo "cruzado"), e que empunhava a espada para levar a "guerra santa" contra os infiéis. Houve algumas cruzadas espontâneas e autogeradas. O mais frequente, porém, era os grandes senhores feudais e os soberanos tomarem a iniciativa de lançar as cruzadas. No século XII, e sobretudo no XIII, o papado procurou assumir a liderança do movimento, instituindo o pagamento de contribuições destinadas (em teoria, mas nem sempre na prática) a financiar expedições e que tinham como contrapartida a concessão aos participantes de indulgências cada vez mais generosas. Ele não hesita em lançar cruzadas não mais no ultramar, e sim contra os heréticos (cruzada dos albigenses) e contra seus próprios inimigos políticos (Frederico II, por exemplo), que ele comparava aos heréticos.

650

Igreja e papado

Papado e santidade

A proposição XXIII dos *Dictatus papae* de Gregório VII afirmava que "o bispo de Roma, com a condição de ser canonicamente consagrado, torna-se indubitavelmente santificado graças ao bem-aventurado Pedro". Essa santidade hereditária e atribuída a uma pessoa ainda em vida estava baseada na função exercida pelo pontífice: ela se distingue da santidade fundada no duplo critério de virtudes manifestadas no decorrer da existência e dos milagres proporcionados por sua intercessão, após sua morte. Dos 270 papas da história, apenas 68 foram considerados santos, dos quais 63 viveram no primeiro milênio e apenas dois após o século XVI. A partir da segunda metade do século XII, o papa se acredita o único habilitado (assim como o afirmou especial e explicitamente Alexandre III, 1159-1181) a exercer uma função que os bispos haviam até então executado com ele: a proclamação dos santos. Isso ocorre ao final de um processo complexo ("processo de canonização") que se estabeleceu na primeira metade do século XIII e que visava verificar se os candidatos propostos pelos postulantes locais, eclesiásticos ou leigos, possuíam as qualidades requeridas.

O ano de 1122 não pôs fim ao conflito entre *sacerdotium* e *imperium*. A discussão tornou-se cada vez menos ideológica e mais política, na medida em que – a morte de Frederico II, da Suábia, em 1250, tinha sido o ocaso das ambições universalistas do Império – se transformou, com algumas exceções, em um combate entre o papado e determinados reinos, como, aliás, já havia ocorrido anteriormente.

Crise da Igreja na Baixa Idade Média

Celestino V, o eremita do Monte Morrone, abdicou ao fim de alguns meses (julho-dezembro de 1294). Suas maneiras haviam sido tão comoventes que, após sua morte, iria ser considerado pelos espirituais franciscanos o *pastor angelicus* ("pastor angélico") de uma difusa expectativa escatológica: seu sucessor Bonifácio VIII, bem ao contrário, foi o papa que desejava ser também imperador. Ele levou seu paroxismo à reivindicação – já expressa com moderação por Inocêncio III – de uma *plenitudo potestatis* ("plenitude do poder") para a Sé Apostólica, que era chamada por Deus a exercê-la por meio das "duas espadas": a espada espiritual, dirigida *pela* Igreja, e a espada temporal, manejada *para* a Igreja, pelos reis e cavaleiros, com o acordo e a permissão do pontífice. Bonifácio VIII não teve de enfrentar um sucessor de Constantino, de Carlos Magno ou de Henrique IV, mas o soberano de um reino específico: Filipe, o Belo, rei da França. Este recusou, vitoriosamente, obedecer ao papa, que lhe proibia taxar o clero de seu reino e aprisionar o indócil bispo de Pamiers. Se, no segundo caso, era ainda a *libertas ecclesiae* que de certo modo estava em jogo, no primeiro, em compensação, tratava-se apenas de decidir se o clero francês devia contribuir para as despesas militares de Filipe contra a Inglaterra ou para as que permitiam a Bonifácio financiar a reconquista da Sicília pelos Angevinos de Nápoles. As derrotas sofridas por esses últimos mancharam, aliás, o sucesso que Bonifácio tinha obtido com a convocação do primeiro jubileu, quando concedeu indulgência plenária aos peregrinos que acorreram em massa durante o ano de 1300, num movimento de início espontâneo, para se recolherem *ad limina apostolorum* ("sobre os túmulos dos apóstolos Pedro e Paulo").

Para os bispos, na verdade, a viagem *ad limina* consistia havia muito em fazer uma visita regulamentar ao papa. Sinibaldo Fieschi (futuro Inocêncio IV) foi mais longe: segundo ele, os *limina apostolorum* encontravam-se *ubi papa est* ("onde está o papa"), isto é, não necessariamente em Roma. Quando, em 1309, Bertrand de Got, arcebispo de Bordeaux, foi, sem saber, eleito papa em Perúgia (ele não era cardeal) e, em razão das pressões exercidas por Filipe IV, renunciou a imediatamente ir para Roma, estabelecendo-se provisoriamente em Avignon, sua decisão não provocou protesto. Sem o desejar, Clemente V (1305-1314) levava, contudo, o papado para os 67 anos (1309-1376) do pretenso "cativeiro da Babilônia". De fato, a cidade escolhida por Clemente não pertencia ao rei da França, mas ao rei da Sicília, conde da Provença. Sua população era tranquila, nada rebelde; a cidade confinava com o Condado Venaissin, que era no além-Alpes o único apêndice do Estado da Igreja. Ela ocupava, enfim, posição muito favorável na rede de vias de comunicação terrestres, fluviais e marítimas do Ocidente. Por todas essas razões, Avignon, adquirida pelo papado em 1348, acabou

Igreja e papado

se tornando a residência permanente de seis papas (ou, pelo menos, de quatro dos seis papas), eles também franceses e sulistas, que sucederam a Clemente V: sobretudo lá se encontrava a Cúria, que continuava a ser chamada de "romana", e jamais deixava a cidade, enquanto os papas itinerantes do século XIII tinham-na levado com eles quando de suas prolongadas estadas nas cidades do Lácio e da Úmbria. Esse sedentarismo favoreceu o reforço e o desenvolvimento dos órgãos do governo e da "monarquia papal" (câmara apostólica, chancelaria, tribunal eclesiástico etc.), à frente da qual se sucederam papas que, com exceção de Bento XII (1334-1342), tinham todos formação jurídica. Foi a partir de Avignon que o papado praticou em grande escala a colação direta de benefícios (especialmente episcopais e abaciais) e que foi criado um novo sistema fiscal que exigia, entre outras, o pagamento do "ano", isto é, do rendimento do primeiro ano de cada benefício eclesiástico. Essas transformações foram criticadas — a ponto de suscitar nova celebração do modelo da Igreja primitiva — não somente por boa parte dos franciscanos, mas ainda por não eclesiásticos, como Marcílio de Pádua, que desejava que os leigos reencontrassem seu lugar na vida da Igreja, e cujas ideias foram retomadas por Guilherme de Ockham e João Wyclif.

Por outro lado, romanos e italianos de modo geral (especialmente Petrarca e Catarina de Siena), de forma cada vez mais aberta, alimentavam a esperança do retorno do papado *ad limina apostolorum* — na acepção estrita desses termos — mesmo se esse projeto era continuamente rechaçado, à espera do restabelecimento da soberania pontifícia no Estado da Igreja e do fim do conflito entre a França e a Inglaterra. Quando essas duas condições foram parcial e provisoriamente reunidas, Urbano V (1362-1370) deixou Avignon por Roma antes de lá voltar pouco mais de três anos depois. Gregório XI (1370-1378) estabeleceu-se definitivamente em Roma, em setembro de 1376. Nos dois casos, boa parte da Cúria permaneceu às margens do Ródano.

Foi em Roma que morreu Gregório XI. Também em Roma foi eleito seu sucessor, o napolitano Urbano VI (1378-1389), entre os clamores de uma massa furiosa ao ver que o novo papa não era romano. Em resposta, os cardeais, que estavam retirados em Fondi, no reino de Nápoles, elegeram outro papa: o cardeal Roberto de Gênova tomou o nome de Clemente VII (1378-1394) e voltou a estabelecer-se em Avignon, que era mais do que nunca uma segunda Roma. Assim começava o Cisma do Ocidente (1378-1417).

Nos *Dictatus papae* de Gregório VII, a proposição XVI estipulava que "nenhum concílio [podia] ser chamado de 'geral' sem a autorização [*absque precepto*] do papa". Tal proposição, evidentemente, dizia respeito aos concílios que reuniam várias províncias eclesiásticas. Com mais forte razão, reconhecia como "gerais" os numerosos concílios que, na segunda metade do século XI, aconteceram em Roma ou em qualquer outro lugar pela vontade e com a presença do papa. Ainda que esses concílios tenham tomado decisões que valiam para o conjunto da Igreja, não se pensou logo em assimilá-los aos oito concílios ecumênicos da Antiguidade tardia ou da Alta Idade Média. Em seguida, os concílios papais foram sediados em Latrão, "mãe de todas as Igrejas". No Concílio de Latrão que se abriu em 11 de novembro de 1215, Inocêncio III convidou, "conforme o antigo uso dos Santos Padres" (*juxta priscam sanctorum patrum consuetudinem*), os bispos do Oriente e do Ocidente, os superiores das grandes ordens religiosas, os representantes dos capítulos das catedrais, assim como os soberanos de toda a Europa – o que, em compensação, constituía quase uma novidade. Esse concílio foi então, desde o início, deliberadamente concebido como "ecumênico". Ele foi o 12º da série de concílios ecumênicos – já que, depois, os três precedentes concílios de Latrão (1123, 1139 e 1179) foram igualmente inseridos na série. Esses quatro concílios foram seguidos por três outros concílios ecumênicos papais, que se reuniram fora de Roma: Lyon I (1245), Lyon II (1274) e Viena (1311), 15º da série.

Referindo-se a essa retomada da tradição conciliar, alguns canonistas levantaram o problema das relações entre o papa e o concílio, e chegaram a conclusões diferentes, que frequentemente refletiam uma atitude de oposição aos plenos poderes do bispo de Roma. Na sua formulação mais radical, a doutrina do "conciliarismo" provavelmente permaneceria como uma simples hipótese de trabalho se o Cisma do Ocidente não tivesse acontecido.

Igreja e papado

Mas quando malograram todas as tentativas para persuadir o papa de Roma e o de Avignon a abdicar, ou a submeter-se a um colégio arbitral, vinte anos após o início do cisma a solução conciliar apareceu como o único meio possível para resolver a crise. Treze cardeais das duas partes, que haviam abandonado suas respectivas "obediências", convocaram um concílio em Pisa, em 1409, que se declarou ecumênico, depôs os dois papas e autorizou os cardeais presentes a reunir-se em conclave para eleger um novo papa. Os dois papas depostos, porém, por contumácia, recusaram-se a ouvir a razão, de sorte que o "dualismo facínora" foi substituído por um "trinômio maldito".

A solução conciliar foi relançada com mais autoridade por Sigismundo, rei dos romanos desde 1411 e futuro imperador (1433-1437), que maliciosamente obrigou o antipapa João XXIII (1410-1415), sucessor bolonhês do papa eleito pelos cardeais de Pisa, a convocar novo concílio em 1413. Apresentando, ao menos em seu início, um caráter imperial e papal, o Concílio de Constança (novembro de 1414-abril de 1418) foi o 16º da lista de concílios ecumênicos. Ingleses, alemães e franceses impuseram o voto por nações ("nações conciliares", tão artificiais quanto as "nações universitárias"), em substituição ao voto por cabeça, o que impediu aos numerosos italianos presentes de confirmar João XXIII como o único papa. Vendo que as coisas andavam mal para ele, João XXIII decidiu fugir de Constança, fornecendo assim aos seus inimigos um pretexto perfeito para depô-lo. Sob a pressão de Sigismundo, e após ter sido convencido por uma intervenção de João Gerson, chanceler da Universidade de Paris (falecido em 1429), os participantes do concílio prosseguiram seus trabalhos na ausência do papa que o havia convocado. O essencial do "conciliarismo" foi validado pelo decreto *Sacrosancta* (6 de abril de 1415). Em Roma, Gregório XII (1406-1415) aceitou abdicar, enquanto, em Avignon, Bento XIII (1394-1417) recusou e foi deposto. As convicções dos que não compreendiam que se fizesse a eleição de novo papa sem antes se ter assegurado uma reforma da Igreja "na sua cabeça e nos seus membros" pareciam minoritárias. Concordou-se em aprovar, quando muito, alguns decretos já preparados, especialmente o decreto *Frequens,* que previa a reunião de concílios em épocas fixas, estabelecendo assim um contrapoder sólido à autoridade do papa. Em 11 de novembro de 1417, os cardeais e o conjunto dos delegados (à razão de seis por "nação") elegeram papa o cardeal romano Odo Colonna.

Foi justamente Martinho V (1417-1431) quem convocou, algumas semanas antes de sua morte, e de conformidade com os acordos celebrados anteriormente, o Concílio de Basileia: atendendo à expectativa geral, esse concílio deveria bem conduzir uma reforma da Igreja de que Martinho (de volta a Roma em 1320) se limitaria a esboçar as grandes linhas durante as últimas sessões conciliares, empenhado sobretudo em salvaguardar ou restaurar o prestígio extremamente comprometido do "soberano pontífice". Seu sucessor, o indeciso e fraco Eugênio IV (1431-1447), colaborou certamente com o colégio cardinalício, mas mostrou desde o princípio que se identificava com a posição fundamentalmente antirreformista de seu predecessor. Sua tarefa foi, aliás, facilitada pelo desacordo que reinava entre os reformadores reunidos no Concílio de Basileia desde 23 de julho de 1431, e pelo radicalismo crescente, mas estéril, que acabou por prevalecer nas suas fileiras. A ruptura entre o papa e o concílio consumou-se quando Eugênio IV quis convocar um concílio de união com os gregos em uma cidade italiana, e não transalpina, como desejava a maioria dos participantes do Concílio de Basileia. Quando, em 18 de setembro de 1438, o papa promulgou o decreto de transferência do Concílio de Basileia para Ferrara, a maior parte dos "adeptos de Basileia" replicou depondo Eugênio IV e nomeando um antipapa. De seu lado, Eugênio IV, que havia novamente deslocado o concílio de união de Ferrara para Florença, obteve um efêmero mas brilhante sucesso, realizando a reunificação baseada nas posições de Roma. O Concílio de Basileia terminou sem ter chegado a nenhum resultado, após ser transferido para Lausanne. O último antipapa da história abdicou em 1449.

Na aurora da época moderna, o papado medieval cedia lugar ao fausto do papado da Renascença. O primado da Sé Apostólica, que havia tomado proporções desmedidas ao longo da Idade Média, permanecia aparentemente intato, mas a indispensável reforma da Igreja ainda estava por vir.

GIROLAMO ARNALDI
Tradução de Daniel Valle Ribeiro

Igreja e papado

Ver também

Bizâncio e o Ocidente – Clérigos e leigos – Jerusalém e as cruzadas – Monges e religiosos – Roma – Santidade

Orientação bibliográfica

BATIFFOL, Pierre. *Cathedra Petri*: études d'histoire ancienne de l'Eglise. Paris: Cerf, 1938.

CLASSEN, Peter. *Karl der Grosse, das Papsttum und Byzanz: die Begründung des karolingischen Kaisertums.* Sigmaringen: Jan Thorbecke, 1988.

DRAGON, Gilbert; RICHÉ, Pierre; VAUCHEZ, André (eds.). *Évêques, moines et empereurs (610-1054).* Paris: Desclée, 1993.

FUHRMANN, Horst. *Einladung ins Mittelalter.* Munique: C. H. Beck, 1987.

GROSSI, Paolo. *L'ordine giuridico medievale.* Roma e Bari: Laterza, 1995.

GUILLEMAIN, Bernard. *Les papes d'Avignon. 1309-1376.* Paris: Cerf, 1998.

JEDIN, Hubert. *Brève histoire des conciles* [1959]. Tradução francesa. Tournai: Desclée, 1960.

MICCOLI, Giovanni [1966]. *Chiesa gregoriana.* Roma: Herder, 1999.

MOLLAT DU JORDIN, Michel; VAUCHEZ, André (eds.). *Un temps d'épreuves (1274-1449).* Paris: Desclées-Fayard, 1990.

PARAVICINI BAGLIANI, Agostino. *La cour des papes au XIIIe siècle.* Paris: Hachette, 1995.

_____. *Il trono di Pietro*: l'universalità del papato da Alessandro III a Bonifacio VIII. Roma: NIS, 1996.

PRODI, Paolo. *Il sovrano pontefice. Un corpo e due anime*: la monarchia papale nella prima étà moderna. Bolonha: Il Mulino, 1982.

SCHIEFFER, Theodor. La chiesa nazionale di osservanza romana: l'opera di Willibrord e di Bonifacio. In: *LE CHIESE DEI REGNI DELL'EUROPA OCCIDENTALE E I LORO RAPPORTI CON ROMA FINO ALL'800* (Settimane di Studio del Centro Italiano di Studi sull'Alto Medioevo, VII). Spoleto: Centro Italiano di Studi sull'Alto Medioevo, 1960. p.73-94.

VAUCHEZ, André (ed.). *Apogée de la papauté et expansion de la Chrétienté (1054-1274).* Paris: Desclée, 1993.

Imagens

Foi no século XIX, na Alemanha, que a história da arte nasceu como uma disciplina científica. A essa criação estão ligados os nomes dos eruditos Heinrich Wölfflin e Alois Riegl, que definiram os objetivos da disciplina, assim como seus métodos e seu questionário: eles deram uma importância especial à *Stilfrage*, a questão do estilo, que devia guiar gerações de historiadores da arte na identificação dos artistas, das escolas e dos ateliês e na datação das obras. Esses princípios permitiram o estudo rigoroso de todos os domínios concernentes, da arquitetura até as artes "maiores" (pintura, escultura), sem esquecer a iluminura dos manuscritos e as artes decorativas. Mas a necessidade de fundar a disciplina sobre bases científicas também conduziu os historiadores da arte a se fecharem em limites às vezes demasiados estreitos, considerando particularmente que a "vida das formas" – para citar o título de uma obra de Henri Focillon de 1934 – podia se desenvolver numa quase autonomia em relação às forças profundas que regem o conjunto da sociedade. Houve, entretanto, reações contra essa tendência, como, na França, a de Émile Mâle, cuja *L'Art religieux au XIIIe siècle en France*, publicada pela primeira vez em 1898, é reeditada ainda hoje. Mesmo se essa obra não pode mais satisfazer hoje em dia o historiador das sociedades medievais pela sua maneira de "reduzir" a evolução artística à cultura letrada contemporânea, em primeiro lugar sobre o *Speculum*, de Vicente de Beauvais, é preciso reconhecer o papel positivo que ela exerceu na sensibilização de historiadores, como Marc Bloch, para os problemas estéticos.

Entretanto, na mesma época surgiram outras abordagens, cuja fecundidade, com o recuo de que dispomos hoje, nos parece ainda maior. Entre 1920 e 1933, na Alemanha, foi proposta por Aby Warburg e seus discípulos uma concepção da história da arte intimamente associada ao estudo mais amplo da civilização, integrada numa *Kulturwissenschaft* inspirada na "filosofia das formas simbólicas" de Ernst Cassirer. Essa nova iniciativa permitiu, dentre outras coisas, compreender melhor a arte do Renascimento em sua relação com o conjunto das tradições eruditas – neoplatonismo, hermetismo, astrologia etc. – que a fecundaram. Um discípulo de Warburg, Erwin Panofsky, interrogou-se sobre os laços existentes entre a invenção da perspectiva e os progressos da geometria e da óptica no final da Idade Média. E recuando ainda mais nos séculos, lá onde Émile Mâle pensava em termos de analogias formais, Panofsky tentou fazer uma análise estrutural das relações entre arquitetura gótica e pensamento escolástico. O exílio dessa escola de pensamento na Inglaterra e nos Estados Unidos durante o nazismo e a Segunda Guerra Mundial adiou a recepção desses conceitos pelos historiadores e mesmo pelos historiadores da arte, especialmente na França. Nesse país, entretanto, um "sociólogo da arte", Pierre Francastel, trabalhou após a guerra para que enfim se reencontrassem as heranças de Aby Warburg e de Marc Bloch e Lucien Febvre: exatamente contemporâneos (os *Annales* foram fundados em 1929) e bastante complementares em suas perspectivas antropológicas, eles eram até então completamente ignorados. Juntos, podem servir agora para repensar o estudo das imagens por parte dos historiadores.

O tempo e o espaço da "imago"

Qual é a situação atual? Alguns seriam tentados a proclamar o "fim da história da arte" e celebrar, ao contrário, as promessas da "história das imagens". Hans Belting e David Freedberg notam que o vocábulo "imagem" – mais amplo e não associado unicamente a valores estéticos como acontece com "arte" – permitiu nos últimos anos aos historiadores, ainda mais do que aos historiadores da arte, colocarem-se novas questões sobre o funcionamento social, as funções ideológicas, o poder das imagens do passado. Essa evolução historiográfica é, certamente, em parte explicada pela invasão de nossa própria sociedade por "novas imagens", imagens "virtuais" que convidam a repensar as questões do suporte, da criação, da relação entre a obra e o espectador, independentemente de uma história da arte habituada a objetos mais tradicionais. Ora, simultaneamente, um sentido mais agudo da relatividade das situações históricas e antropológicas impede-nos hoje de projetar sobre outras sociedades (inclusive as da Idade Média europeia) nossa noção de arte, com suas produções, seus usos e suas funções, tal como foi forjada no Renascimento, quando Vasari estabeleceu os primeiros fundamentos de um estudo da evolução da arte por intermédio da história dos artistas.

Antes da "época da arte" e da " invenção do quadro", teria havido, segundo Hans Belting, o "tempo das imagens e do culto", ou seja, das concepções e das práticas não essencialmente estéticas, mas primeiramente cultuais e rituais das "imagens". De fato, em se tratando da Cristandade medieval, a noção de "imagem" parece ser de uma singular fecundidade, mesmo que compreendamos pouco todos os sentidos correlatos do termo latino *imago*. Essa noção está, com efeito, no centro da concepção medieval do mundo e do homem: ela remete não somente aos objetos figurados (retábulos, esculturas, vitrais, miniaturas etc.), mas também às "imagens" da linguagem, metáforas, alegorias, *similitudines*, das obras literárias ou da pregação. Ela se refere também à *imaginatio*, às "imagens mentais" da meditação e da memória, dos sonhos e das visões, tão importantes na experiência religiosa do cristianismo e que são muitas vezes desenvolvidas em íntima relação com as imagens materiais que serviam à devoção dos clérigos e dos fiéis. A noção de imagem diz respeito, enfim, à antropologia cristã como um todo, pois é o homem – nada menos que isso – que a Bíblia, desde suas primeiras palavras, qualifica como "imagem": Deus diz que modela o homem *"ad imaginem et similitudinem nostram"* (Gênesis 1,26). Segundo o Novo Testamento, a Encarnação completou essa relação de imagem entre homem, Deus e Cristo. Pela fé, diz São Paulo, "somos transfigurados nessa mesma imagem, cada vez mais resplandecente, pela ação do Senhor, que é o

Espírito" (2 Coríntios 3,18) e, aliás, Cristo é a "imagem do Deus invisível" (Colossenses 1,15), como Ele mesmo disse: "Quem me vê, vê o Pai" (João 14,9). Os teólogos da Idade Média tirarão dessas passagens bíblicas argumentos para legitimar a representação antropomórfica não somente do Filho, mas do Deus Pai, ultrapassando assim a proibição do Antigo Testamento referente a toda figuração de Deus e da Criatura.

É sobre essa complexa noção de *imago* que a cultura medieval se constituiu e justificou suas escolhas em matéria de imagens durante séculos. Pode-se, portanto, com justiça, ver na cultura medieval uma "cultura das imagens" que apresenta características originais, já que o cristianismo deixou sua marca no repertório iconográfico, na teoria e na finalidade das imagens. De um lado, as imagens cristãs da Idade Média deviam opor-se aos "ídolos" pagãos da Antiguidade e qualquer retorno à "idolatria" devia ser banido, uma vez que a crescente veneração das imagens despertava suspeitas. De outro lado, a hostilidade do judaísmo para com as imagens foi cada vez mais interpretada como uma consequência da obstinação dos judeus em não querer reconhecer no Cristo "a imagem do Deus invisível". Mas a "cultura das imagens" da Cristandade latina conheceu igualmente uma via original em relação ao cristianismo grego de Bizâncio, tanto em seus ritmos de desenvolvimento (ignorando a maioria das tensões da crise iconoclasta e depois o triunfo da iconodulia entre os séculos VIII e IX) como em seu repertório, adotando livremente para suas próprias imagens uma variedade de formas, suportes, temas que contrastam com a relativa fixidez dos ícones ortodoxos. Um dos aspectos mais surpreendentes dessa diferença diz respeito à maneira pela qual o Ocidente, a partir do século IX, muniu-se de imagens cultuais em três dimensões (crucifixo de madeira ou de pedra em relevo, imagens-relicário ou *majestates* de santos tronantes ou da Virgem com o Menino), enquanto Bizâncio permanecia exclusivamente fiel aos ícones. Não menos notável foi a capacidade do Ocidente em inventar permanentemente novas imagens, enquanto os pintores bizantinos permaneciam ligados aos cânones da iconografia antiga: por exemplo, a representação da Trindade, no Oriente, continuou a seguir o modelo da "Trindade de Abraão", isto é, a transposição em imagens da exegese trinitária do relato do aparecimento de três anjos a Abraão e Sara (Gênesis 18,1-12). Pelo contrário, desde o século XII, impõem-se no Ocidente novas fórmulas, explicitamente neotestamentárias e crísticas, dentre as quais, no primeiro plano, o motivo do "Trono de Graça" que mostra Deus Pai entronizado de frente e tendo diante de si seu Filho crucificado, ambos ligados pela pomba do Espírito Santo. Uma outra marca da flexibilidade das imagens ocidentais foi sua permeabilidade às influências externas, quer se tratasse da arte antiga (isto é evidente nas iluminuras e nos marfins carolíngios, e depois a partir do século XII na estatuária italiana) ou da arte bizantina (cujas contribuições são sensíveis na miniatura otoniana do começo do século XI ou, a partir do século XIII, na difusão dos retábulos italianos concebidos segundo o modelo dos ícones gregos, a princípio importados, depois amplamente imitados).

O valor indicial das imagens cristãs

O historiador deve, sobretudo, convencer-se da especificidade das imagens medievais com relação às nossas próprias imagens atuais: primeiro, porque vivemos há um século no tempo das imagens móveis (cinema, televisão e computador), ao passo que as imagens medievais (miniaturas, pinturas murais etc.) eram imagens fixas – que, é verdade, não ignoravam os problemas ligados à representação do tempo, do movimento, da *historia* ou representação de uma narrativa. Mais ainda, porque as imagens medievais tratam a relação entre figura e fundo de maneira totalmente diversa daquela das imagens com as quais estamos familiarizados desde o Renascimento: elas ignoram a construção do espaço segundo as regras da perspectiva e privilegiam, ao contrário, um "folhado" de figuras que se superpõem sobre uma "superfície de inscrição". Esse modo de construção da imagem medieval caracteriza particularmente a iluminura, que, com seu suporte – o livro manuscrito –, é uma das grandes invenções da civilização medieval (O. Pacht). Frequentemente, nas miniaturas (mas também nos retábulos pintados do final da Idade Média), o fundo sobre o qual se inscrevem as figuras de diversas cores é dourado. O brilho e o preço desse ouro já mostram que tal fundo não é um mero expediente utilizado para realçar as figuras que se destacam sobre ele. Ele preenche uma função simbólica, é o

Imagens

indício de uma transcendência da imagem além de sua presença sensível; graças a ele, toda imagem aparenta-se a uma epifania. É também essa a razão pela qual a disposição das figuras inscritas sobre essa brilhante superfície dourada, de trás para a frente e do centro para a periferia, sua hierarquia, seus respectivos tamanhos, a alternância ritmada de suas cores, seu grau de imobilidade ou ao contrário sua gesticulação, não visam nunca ao realismo da representação, mas conformam-se, não sem uma grande liberdade de interpretação, aos códigos simbólicos. A imagem medieval não "representa" Deus, os patriarcas ou os santos, nem mesmo a vida contemporânea dos homens, embora o historiador das *realia* possa se beneficiar ao examiná-la de perto na sua busca de representações de arados, moinhos ou casas. A imagem medieval "presentifica", sob as aparências do antropomorfo e do familiar, o invisível no visível, Deus no homem, o ausente no presente, o passado ou o futuro no atual. Ela reitera assim, à sua maneira, o mistério da Encarnação, pois dá presença, identidade, matéria e corpo àquilo que é transcendente e inacessível.

Da mesma forma que não se pode reduzir a imagem a uma representação da realidade sensível, é preciso evitar considerá-la como simples ilustração de um texto, mesmo se a relação entre imagem e texto é uma das características maiores das imagens medievais: seja o texto dado ao mesmo tempo que a imagem (nos manuscritos iluminados), ou faça parte dela (por exemplo, no caso das letras iniciais ornadas, figuradas ou historiadas, ou no caso das inscrições que se estendem sobre um tímpano esculpido ou uma pintura mural), ou enfim permaneça implícito, já que uma Crucificação, por exemplo, refere-se ao texto dos Evangelhos conhecido por todos, sem que sua presença material seja necessária. Uma das consequências dessa observação é de ordem metodológica: a imagem, mesmo quando participa de um texto, nunca é um texto a "ser lido" e o historiador deve banir de seu vocabulário a expressão demasiado frequente de "leitura das imagens". É o percurso diacrônico de um texto escrito ou oral que permite apreender o sentido deste. Ao contrário, o sentido de uma imagem é dado na sincronia de um espaço que é preciso apreender na sua estrutura, na disposição das figuras sobre sua "superfície de inscrição", nas relações ao mesmo tempo formais e simbólicas que elas mantêm entre si.

Dicionário analítico do Ocidente medieval

O fato de que o sentido da imagem deva ser buscado sempre além daquilo que ela parece "representar", "ilustrar" ou "dizer" contribui para mostrar o parentesco entre a imagem material e as "imagens mentais", em particular as imagens oníricas cujo nome ela compartilha, *imago*. O sonho, na Idade Média, é o grande meio de ultrapassar as fronteiras da experiência sensível e da contingência humana. O sonho figura a ausência (principalmente dos mortos da família), o passado, o que é transcendente (os anjos, os demônios, os santos), e permite antecipar o futuro. Como as imagens materiais, ele participa de um mundo visual, de um mundo imaginário, cujos poderes e condições ultrapassam de longe o plano único do visível e do sensível. É por isso que os modos de funcionamento das imagens materiais e das imagens oníricas apresentam várias analogias: umas e outras cultivam a ambivalência (um gesto, uma figura, raramente são unívocos, na maioria das vezes apresentam vários sentidos simultaneamente), prestam-se aos mesmos fenômenos de condensação (quando duas imagens se combinam para produzir uma terceira) e de descontinuidade (cada elemento concentrando uma sequência narrativa completa). Ademais, esse parentesco entre o sonho e a imagem atrai a atenção sobre a especificidade da representação medieval dos sonhos: tais imagens, que contam particularmente com um rico repertório bíblico (sonhos de Jacó, José, Daniel etc), representam sempre, ao mesmo tempo que o objeto do sonho (por exemplo, a escada de Jacó ou as vacas gordas e magras do sonho do faraó), o próprio sonhador na posição horizontal, com os olhos fechados, mas às vezes também abertos, pois trata-se dos "olhos da alma". Como os objetos oníricos que essas imagens representam diante do sonhador, o sonho é, de certa forma, exterior ao homem, ele se impõe a este a partir de fora (quer tenha uma origem divina ou diabólica) em vez de vir, como pensamos hoje, das profundezas do inconsciente. Ora, da mesma maneira, a imagem material apresenta sempre um resto irredutível à nossa apreensão sensível, essa parte de transcendência que a faz vir de outro lugar.

Toda imagem medieval não deveria estar incluída entre as imagens insígnes e milagrosas que os gregos chamavam *achiropoïètes* ("não feitas pela mão do homem"), de origem divina e milagrosa? O protótipo de toda imagem cristã é o retrato da Virgem que São Lucas teria pintado, ou ainda o *Mandy-*

lion (a Sagrada Face) que o próprio Cristo teria dado ao rei Abgar de Edessa para atender suas preces, e do qual a Verônica (*Vera icona*) constituirá, no Ocidente medieval, a réplica tardia. Na verdade, o papel dos artistas era reconhecido no Ocidente (certamente melhor e mais precocemente do que em Bizâncio) e conhecemos, desde a época românica, o nome de vários deles. Mas é notável que, ao inscreverem o nome em sua obra, eles pareciam querer se esconder atrás dela: a imagem esculpida que, sobre a inscrição que ela traz, afirma, na primeira pessoa, *Guillelmus me fecit* ("Guilherme me fez"), também afirma que não é Guilherme que diz ter esculpido a imagem. Assim como na Idade Média o sujeito do sonho entretinha com uma relação de estranheza, da mesma forma, antes do Renascimento, o artista podia de uma certa maneira sentir-se despossuído de sua obra mesmo que reivindicasse sua efetiva autoria. Também não conhecemos autorretratos de artistas anteriores ao século XV (ainda que, desde o final do século XI, monges tenham escrito sua "autobiografia" seguindo o modelo das *Confissões*, de Santo Agostinho). Dürer foi o primeiro a retratar a si mesmo de maneira repetida desde sua juventude. Entretanto, no mais célebre de seus autorretratos, de 1500, ele se atribui os traços da Sagrada Face, a *Veronica*, como se tivesse desejado dissimular atrás dela seu verdadeiro rosto e relembrar o princípio da antropologia cristã segundo a qual o homem foi criado *ad imaginem Dei*. Mas, dessa imagem eminentemente ambivalente, podemos propor a interpretação exatamente inversa, e à humildade cristã do artista opor, ao contrário, o orgulho prometeico do homem do Renascimento: o artista, para Dürer, não seria aquele que se descobre, enfim, capaz de criar Deus à sua própria imagem?

Os fatores que definem globalmente as imagens cristãs não devem dissimular a extrema diversidade de suas formas, suportes, materiais e dimensões. Excetuando a cena representada, tudo separa uma Crucificação pintada na página de um missal daquela que foi esculpida no centro de um retábulo de grandes dimensões no coro de uma igreja, ou daquela que é finamente talhada no marfim de um pequeno altar portátil parisiense do século XIII, ou fundida no esmalte multicolorido de uma arca limusina do século XII, ou impressa na cera de um selo ou no bronze de uma moeda. Assim, parece demasiado simples falar-se em "imagem" em geral sem associar a essa palavra outros vocábulos que precisarão suas formas, contextos

Dicionário analítico do Ocidente medieval

e usos. Jérôme Baschet propôs falar em "imagens-objetos" para atrair a atenção sobre as características materiais e, em relação com estas, sobre os modos de manipulação ritual de várias imagens, quer sejam móveis (por exemplo, um crucifixo processional) ou fixas (tal como o conjunto de pinturas murais de uma igreja cuja disposição é comandada pelo calendário litúrgico, pela divisão espacial do clero e dos fiéis e pelo ordenamento ritual das procissões que acontecem em certas festas do ano em volta do coro e da nave). Essas imagens são objetos nos aspectos mais concretos dos materiais que as compõem, na escolha dos pigmentos, no grão da pedra esculpida. Algumas imagens tornam-se objetos seriais, seja em razão de seu suporte (como a série de miniaturas de um mesmo manuscrito, que deve sempre ser estudado em sua totalidade), ou do método do historiador, que, para analisar as imagens, constrói séries temáticas, cronológicas etc.

Nem todas as imagens são inteiramente figurativas, e algumas não "representam" nada: é preciso, com Jean-Claude Bonne, insistir na importância da dimensão ornamental das imagens medievais. Ela consiste na infinita variedade de motivos geométricos ou vegetais, de ecos formais ou cromáticos sem valor semântico, mas que não são menos essenciais à dinâmica, ao ritmo, ao simbolismo, à função da imagem. Por exemplo, a moldura de um marfim carolíngio constituída por uma série de folhas de acanto (cujo motivo ecoa no espaço da figuração) pode ser interpretada como uma referência ideológica à Antiguidade romana destinada a sustentar as pretensões reais ou imperiais de quem encomendou a obra. As "páginas-tapete" dos manuscritos insulares da Alta Idade Média (*Book of Durrow, Book of Kells*) "ornamentalizaram" o motivo recorrente da Cruz em um emaranhado ordenado (mas indecifrável à primeira vista) de cordões entrelaçados, pássaros fantásticos e monstros que testemunham a surpreendente "substituição" das artes bárbaras pela nova ideologia do cristianismo. A primazia do ornamental sobre o figurativo manifesta-se também na ourivesaria pela profusão de metais preciosos e pedras que não figuram nada e, contudo, "fazem imagem", são o indício da "corporalidade" sagrada das relíquias contidas na arca ou do mistério da Paixão que simboliza a Cruz, mesmo que a imagem do Salvador não esteja figurada. Para designar essa primazia dos valores simbólicos sobre os conteúdos semânticos no ornamental, Jean-Claude Bonne propôs o termo "imagem-coisa": a "coisidade" da imagem é aquilo que nela, sua matéria, suas formas não figurativas, escapa em última análise a qualquer tentativa de semantização; por exemplo, a matéria de uma gema que, no cruzamento dos braços de uma cruz, evoca o corpo do Redentor, mas não o figura. Ainda uma vez, a imagem medieval pertence mais à ordem do visual, do indício e mesmo da coisa, do que à ordem da representação.

As imagens são inseparáveis de seus usos. Materiais, dimensões, preços, são funções da destinação de cada imagem, quer se trate de uma miniatura num manuscrito, de um selo de cera pendurado numa carta, da estátua de um santo que uma confraria encomendou para levar em procissão por ocasião das festas da comuna ou da paróquia. A imagem, portanto, não é neutra, e quanto mais é valorizada e singularizada pelos usos aos quais está destinada, mais parece afirmar sua autonomia com relação aos homens e seu poder sobre eles. Há imagens que se venera e ama, e outras — às vezes, as mesmas — que suscitam temor e assombro, tal como o crucifixo, que tem a reputação de castigar os blasfemadores. Em vários manuscritos, as miniaturas que figuram o Diabo foram raspadas, como se os leitores tivessem pretendido apagar para sempre o olhar malévolo que os ameaçava. Algumas imagens eram consideradas como pessoas, não como a imagem de São Tiago mas como o próprio São Tiago. Tais imagens não eram vistas como inertes; aos fiéis que se dirigiam a elas, pareciam responder fazendo um sinal com os olhos ou a cabeça, chorando, sangrando, às vezes até falando. Proponho chamá-las de "imagens-corpo". Nem todas as imagens estavam assim dotadas de uma aparência de corporeidade, de vida e de poder milagroso. Mas não se podia prejulgar a capacidade de alguma delas tornar-se ou não imagem-corpo, pois tudo era função das expectativas que a imagem era capaz de satisfazer e dos interesses econômicos, políticos, dinásticos etc., aos quais a posse de uma imagem milagrosa podia localmente servir.

As funções sociais das imagens religiosas

Para explicar qual era a função das imagens na Idade Média, é comum citar-se a famosa carta que o papa Gregório Magno dirigiu no ano 600 ao

Dicionário analítico do Ocidente medieval

bispo Sereno de Marselha. Este último, por temor à idolatria, tinha ordenado a destruição de pinturas em sua diocese. O papa reprovou essa atitude iconoclasta mostrando-lhe a utilidade das imagens, mas também os limites dentro dos quais convinha encerrar sua utilização: as imagens não devem ser "adoradas" como o são os ídolos pelos pagãos, mas também não devem ser destruídas. Elas têm, de fato, uma tripla função: lembram a história sagrada; suscitam o arrependimento dos pecadores; e, por fim, instruem os iletrados, que, ao contrário dos clérigos, não têm acesso direto à Bíblia. Desde então, frequentemente se insistiu neste ponto: as imagens seriam a "Bíblia dos iletrados". De fato, a repetição das cenas mais importantes da iconografia cristã – Anunciação, Visitação, Natividade, Crucificação, Julgamento Final – facilitava seu reconhecimento pelos fiéis e tornava-os mais familiarizados com os fundamentos da crença cristã. Em meados do século XIII, o bispo Guilherme Durand de Mende nota em seu *Rationale divinorum officiorum* que, em seu tempo, dá-se mais valor às imagens do que aos textos, justamente em razão de sua eficácia pedagógica.

Evitemos, contudo, simplificar a enumeração das funções das imagens cristãs. É preciso prestar atenção, por exemplo, na localização dos programas pintados, que muitas vezes concerniam mais ao coro da igreja, reservado ao clero, do que à nave, onde ficavam acantonados os leigos: a instrução destes, separados dos clérigos por uma cancela, não dependia sempre das imagens. Deve-se também levar em conta a pouca visibilidade de muitas dessas imagens, em primeiro lugar dos vitrais, que não podiam ser decifrados em detalhe. Para um bispo, para os cônegos do capítulo, para uma comunidade de religiosos, para o magistrado de uma cidade ou ainda um príncipe, o fato de construir uma igreja e de decorar toda a superfície de suas paredes com pinturas, vitrais e esculturas, de coroar altares com retábulos pintados ou esculpidos, de se munir de manuscritos iluminados, visavam a outros fins além da instrução dos iletrados. Era, primeiramente, um meio de cumprir um contrato feito com Deus, sacrificando-lhe consideráveis somas de dinheiro, necessárias à escolha dos materiais mais preciosos e do pagamento do salário dos pintores, escultores, mestres vidreiros, ourives. Ordenar a realização de uma ou mais imagens era uma obra piedosa, um meio de adquirir méritos junto ao Juiz supremo e aos santos intercessores, de expiar um pecado ou simplesmente de se penitenciar por ter gostado em demasia dos bens deste mundo, dos quais uma parte era assim convertida para a salvação de sua alma. Então, era preciso que a obra fosse bela, ou seja, rica e de grande preço, coerente com sua finalidade religiosa, digna de Deus, a quem ela se destinava, instalada num local adequado. Assim, certas obras não eram mesmo destinadas a ser vistas e os tesouros das igrejas acumulavam peças de ourivesaria, tecidos decorados, relicários em ouro cinzelados e cravados de pedras que, no melhor dos casos, seriam exibidos somente nas grandes festas. Da mesma forma, as mais finas miniaturas dormiam escondidas em manuscritos que raramente eram abertos, a não ser ao sabor de uma liturgia que não deixava a ninguém, nem mesmo ao padre, tempo de contemplá-las.

Falar da função das imagens supõe, naturalmente, uma distinção conforme as épocas, os lugares, os tipos de objetos. É preciso, sobretudo, evitar a pretensão de identificar de maneira unívoca *a* função de uma imagem: determinado programa de pinturas murais podia exaltar o santo patrono local e servir para implorar sua intercessão e sua proteção, e, simultaneamente, podia desempenhar uma função política e marcar, pela escolha de seus temas – por exemplo, reservando um lugar de honra a São Pedro e a São Paulo –, a adesão de uma igreja dos séculos XI-XII ao ideal romano da reforma gregoriana. Um comanditário privado podia, da mesma forma, exprimir sua devoção pessoal e seu cuidado em preparar-se para a morte, e ao mesmo tempo querer deixar na memória dos homens uma lembrança de seu poder: em 1460, o financista do duque da Borgonha, Pieter Bladelin, encomendou a Rogier Van der Weiden um tríptico pintado para a capela onde pretendia ser sepultado depois de sua morte. O comanditário fez-se representar no retábulo rezando de joelhos junto aos três personagens da Natividade. Sua humilde devoção, ressaltada pela austeridade de seu hábito negro, surpreende o espectador do retábulo. E, no entanto, simultaneamente, Pieter Bladelin exibe os sinais de seu sucesso mundano, pois no fundo vê-se a silhueta da igreja e da cidade que ele mesmo tinha construído graças à sua imensa fortuna.

A já citada carta de Gregório Magno sofreu no século VIII, no momento em que chegavam ao Ocidente os ecos da crise iconoclasta de Bizâncio, a interpolação de uma outra carta de Gregório. Esta tinha sido escrita a um eremita, Secundinus, que havia pedido ao bispo de Roma que lhe mandasse, dentre diversos objetos de piedade, relíquias e uma imagem do Salvador. Em sua resposta, o papa compara o desejo do eremita de contemplar a santa imagem ao desejo profano de um apaixonado que espia a mulher que ama. Entretanto, ele aprova sua atitude e satisfaz seu pedido. Portanto, Gregório Magno não via nas imagens só a "Bíblia dos iletrados". Desde essa época são reconhecidas a possibilidade de uma abordagem mais pessoal e afetiva das imagens, e a capacidade de pelo menos algumas delas sustentar a devoção, assegurar uma passagem, um *transitus* (como dirá o abade Suger de Saint--Denis no século XII), permitir uma "elevação" do visível para o invisível. E a tradição viu uma só carta nos dois escritos de Gregório, sustentando assim com a autoridade desse Pai da Igreja vários modos diferentes de justificação das imagens.

As atitudes mais favoráveis ao papel das imagens como instrumentos de piedade e devoção foram reforçadas com o passar dos séculos em resposta às contestações das imagens religiosas. No final do século VIII, Carlos Magno e os teólogos que o cercam, como o bispo Teodulfo de Orleans, autor dos *Libri carolini* (790-794), criticam a iconodulia dos gregos sob pretexto de que estes, seguindo os termos do Concílio de Niceia II (787), que acabava de pôr fim ao iconoclasmo, consagrariam às imagens uma "adoração" reservada somente a Deus. Ainda mais radical, por volta de 825-840, o bispo Cláudio de Turim reata com o iconoclasmo de Sereno de Marselha. Mas sua crítica às imagens obriga os prelados carolíngios, como o bispo Jonas de Orleans, a esquecer as reservas dos *Libri carolini* e a defender as imagens colocando-as em posição quase igual às de outros objetos do culto cristão: as Escrituras, as relíquias dos santos, a cruz, os vasos sagrados utilizados na liturgia. A partir do século XI, a refutação dos hereges e os debates com os judeus, ambos os grupos criticando a "idolatria" dos cristãos, levam os clérigos a elaborar com firmeza, razões e autoridades a justificação das imagens e de seu uso no culto. Por exemplo, o abade beneditino Ruperto de Deutz opõe aos judeus todas as passagens do Antigo Testamento — os serafins e os querubins esculpidos sobre a Arca da Aliança, a Serpente de bronze etc. — que lhe pareciam anunciar e justificar antecipadamente o uso das imagens pela Igreja de Cristo. Ele expõe as visões extáticas do Cristo vivenciadas por ele próprio quando se encontrava em adoração diante do crucifixo, que apertava em seus braços e cobria de beijos. Tal experiência também é atribuída a São Bernardo por seus hagiógrafos a partir do começo do século XIII, enquanto sua *Apologia de Guilherme de Saint-Thierry* testemunhava, na verdade, sua reticência quanto ao uso de imagens nos mosteiros. Para os teólogos escolásticos e em particular São Tomás de Aquino, uma certa forma de culto das imagens é legítima, na medida em que Deus, através de sua forma visível, é o único beneficiário. No final da Idade Média, os ambientes tocados pela *devotio moderna* e pela mística, especialmente os mosteiros femininos de Flandres e Alemanha, dão uma importância sem precedentes às imagens, suportes privilegiados de práticas devocionais tanto individuais como coletivas. Mas eles privilegiam, sobretudo, a ajuda que a imagem religiosa pode proporcionar ao desejo de assimilação da alma devotada ao Cristo e aos seus sofrimentos. As "imagens interiores" adquirem, então, maior importância, enquanto se difundem novas "imagens exteriores", suporte de experiências extáticas e visionárias: Virgem das Sete Dores, *Arma Christi*, Flagelação, Jesus representado junto a São João – modelo do amor espiritual –, *Imago pietatis* do Cristo morto-vivo semierguido em seu sepulcro etc. A miniaturização e apropriação de imagens de piedade caracterizam esses mesmos ambientes: a cisterciense Hedwige de Trebnicz, na Silésia, não se separava nunca de uma estatueta ereta da Virgem com o Menino, que ela fazia ser beijada pelos pobres que imploravam sua ajuda; quando a santa abadessa morreu, a estatueta foi sepultada ao mesmo tempo que seu corpo para ser posteriormente considerada como uma de suas relíquias corporais. Tanto na Toscana como na Renânia, as freiras veneravam também o *Jesulus*, um boneco do Menino Jesus que elas mimavam, vestiam, colocavam sobre o peito e cobriam de beijos como se fosse uma verdadeira criança e elas fossem sua mãe.

Imagens profanas

Durante todo o período medieval, as imagens foram profundamente marcadas pelo cristianismo em seus temas iconográficos (amplamente tirados das Escrituras ou das *Vidas* de santos), em seus suportes e utilizações (manuscritos iluminados da Bíblia ou dos livros litúrgicos, decoração

Dicionário analítico do Ocidente medieval

pintada ou esculpida das igrejas e claustros, ourivesaria dos objetos litúrgicos), em suas funções diversas (instrução cristã, veneração das imagens sagradas, contemplação). A dependência de todas essas imagens em relação à Igreja – instituição dominante e perene dessa sociedade – possibilitou, apesar de inúmeras destruições, a conservação de uma parte delas até os dias de hoje, a ponto de ocultar o papel desempenhado por outras imagens, de inspiração profana, produzidas para e pelos leigos e mais sujeitas aos acasos do tempo: são as pinturas murais e as tapeçarias dos castelos ou mesmo de moradas mais simples, ou ainda a decoração dos objetos da vida cotidiana. A _Tapeçaria de Bayeux_ (na realidade, um bordado datando de 1080 aproximadamente, que ilustra a conquista da Inglaterra pelo duque Guilherme da Normandia, em 1066) pode ser considerada como o mais antigo e importante conjunto de imagens profanas que subsistiu da Idade Média. Sabemos pelos textos literários e pelas crônicas que as moradas principescas possuíam vários outros tecidos decorados da mesma natureza e envergadura. Outros tipos de imagens podem ainda ser citadas: desde o século XII, a heráldica teve um grande desenvolvimento; logo, todas as linhagens, não somente as famílias nobres, e todas as instituições, inclusive as da Igreja, possuíam seus brasões, cujas formas e cores organizavam-se segundo um código estritamente regulamentado. Pensemos também no uso jurídico das imagens que se contam às centenas de milhares, quer se trate de selos que autenticavam os documentos ou moedas cunhadas com as armas ou a efígie dos soberanos e das cidades.

Depois do castelo, as cidades e as comunas (com a prefeitura e as moradas dos patrícios) constituíam os lugares privilegiados de produção e de utilização de imagens profanas na Idade Média. Orgulhosa de seus direitos ou mesmo de sua autonomia, a cidade é pródiga em emblemas; ela confia aos pintores, como Lorenzetti em Siena, a tarefa de glorificar seu "Bom Governo". Nas cidades, como atestam dentre outros, na Paris do século XIII, o _Livre des métiers_, de Estêvão Boileau, os _ymagiers_ de todos os tipos formam "corporações" extremamente especializadas. Seus clientes são clérigos e leigos, e seu repertório pode ser tanto religioso como profano: das mesmas oficinas de copistas e de iluminadores saem livros de horas ou cópias do _Roman de la Rose_ ou do _Roman d'Alexandre_ ricamente providos de miniaturas. Além disso, tanto nas imagens medievais como na sociedade em geral, não há divisão estrita entre "profano" e "sagrado": nas margens dos manuscritos religiosos e até da Bíblia, como sob as cadeiras do coro de certas igrejas, infiltram-se "gracejos" folclóricos e obscenos cuja ligação com a religião é difícil de hoje compreendermos. Mais importante ainda é a maneira pela qual, no final da Idade Média, os leigos apropriam-se, especialmente pelas imagens, de pelo menos uma parte das formas de expressão da vida religiosa. Um dos aspectos dessa evolução é a voga dos livros de horas iluminados, pelo menos dentre os leigos mais ricos e mais letrados. Mas os humildes também, graças ao início da imprensa, podiam possuir, pregada na parede, uma cópia da Verônica, a Sagrada Face sobre a qual bastava pousar o olhar para estar garantido do benefício de um número incalculável de indulgências após a morte.

A Reforma Protestante do início do século XVI foi em grande parte o resultado da vontade dos leigos de assumir suas responsabilidades numa Igreja confiscada pelos clérigos. Em sua cidade, Nuremberg, que acabava de se unir a Lutero e de expulsar os padres, Dürer decidiu pintar, sem que lhe tivesse sido encomendado, imensas figuras dos apóstolos que ele ofereceu ao magistrado da cidade a fim de recordar-lhe que, a partir de então, ele estava encarregado das almas e não somente dos negócios temporais de seus concidadãos. As exigências religiosas dos reformados, bem como antes deles as dos lolardos da Inglaterra e dos hussitas na Boêmia, reavivaram o radicalismo iconoclasta: as imagens materiais poderiam desviar os fiéis das "imagens interiores" alimentadas pela palavra de Deus e pela meditação da Bíblia. Elas pareciam excessivamente ligadas à instituição eclesiástica e aos lucros materiais que esta tirava de seu culto (qualificado de idólatra), e também excessivamente ligadas ao culto dos santos e a outros "erros" da Igreja. Em certas regiões, as destruições dos iconoclastas foram consideráveis. Mas a crítica protestante suscitou uma profunda renovação das imagens católicas, defendidas pelo Concílio de Trento, difundidas pela Igreja barroca, mas confinadas em limites mais estreitos e mais bem definidos do que se pode chamar, a partir de então, de "arte religiosa".

Jean-Claude Schmitt
Tradução de Vivian Coutinho de Almeida

Dicionário analítico do Ocidente medieval

Ver também

Bíblia – Bizâncio e o Ocidente – Catedral – Clérigos e leigos – Símbolo – Sonhos

Orientação bibliográfica

BASCHET, Jérome; SCHMITT, Jean-Claude (eds.). *L'Image*: fonctions et usages des images dans l'occident medieval. Paris: Léopard d'Or, 1996.

BELTING, Hans. *Image et culte*: une histoire de l'art avant l'époque de l'art [1990]. Tradução francesa. Paris: Cerf, 1998.

BOESPFLUG, François (ed.). *Nicée II, 787-1987*: douze siècles d'images religieuses. Paris: Cerf, 1987.

CAMILLE, Michael. *Images dans les marges: aux limites de l'art médiéval* [1992]. Tradução francesa. Paris: Gallimard, 1997.

FRANCASTEL, Pierre. *La Figure et le lieu*: l'ordre visuel du Quattrocento. Paris: Gallimard, 1967.

FREEDBERG, David. *The Power of Images*: Studies in the History and Theory of Response. Chicago: University of Chicago Press, 1989.

HAMBURGER, Jeffrey F. *The Visual and the Visionary*: Art and Female Spirituality in Late Medieval Germany. Nova York: Zone Books, 1998.

HASKELL, Francis. *L'Historien et les images* [1993]. Tradução francesa. Paris: Gallimard, 1995.

LADNER, Gerhard B. *Ad imaginem Dei*: the Image of Man in Medieval Art. Latrobe (Pensilvânia): Archabbey Press, 1965.

PÄCHT, Otto. *L'Enluminure médiévale*: une introduction [1984]. Tradução francesa. Paris: Macula, 1997.

PANOFSKY, Erwin. *Architecture gothique et pensée scolastique* [1951]. Tradução francesa (com introdução de Pierre Bourdieu). Paris: Minuit, 1967.

PASTOUREAU, Michel. *Couleurs, images, symboles*: études d'histoire et d'anthropologie. Paris: Le Léopard d'Or, 1989.

SCHAPIRO, Meyer. *Words and Pictures*. Haia: Mouton, 1973.

_____. *Romanesque Art*: Selected Papers. Londres: Chatto and Windus, 1977.

SCHMITT, Jean-Claude et al. Images médiévales. *Annales. Histoire, Sciences sociales*, Paris, 1996. p.3-133.

WIRTH, Jean. *L'image médiévale*: naissance et développement (VIe-XVe siècle). Paris: Klincksieck, 1989.

Império

A noção de Império é complexa e convém definir os diferentes sentidos e mostrar as diversas concepções, a dos alemães e a dos outros povos. Existiram na história numerosos impérios. Aqui, trata-se somente do Império Romano e do Império Germânico da Idade Média. Uma primeira lacuna existe entre as fontes medievais e os historiadores modernos: a palavra latina *imperium* tem, como "império", simultaneamente, o sentido de poder e de território sobre o qual esse poder se exerce. Mas a ela se acrescenta, na Idade Média, a ideia de poder universal, disputado entre imperadores e papas e definido regularmente pelos teóricos, clérigos ou leigos, de forma diferente segundo o contexto político em que viviam.

Esse império teve uma história própria, frequentemente confundida com a dos países germânicos, pois os reis designados pelos príncipes alemães do século X ao século XIII foram titulares do Império. Entre as pessoas comuns e os historiadores da Idade Média, foi habitual chamar de império territórios governados pelo imperador de origem alemã e considerados como equivalentes a um reino. Por "oposição entre Sacerdócio e Império" entende-se o conflito entre o poder sacerdotal, representado pelo papa, e o poder temporal, representado pelo imperador. Por "França e Império", entende-se de um lado o reino dos francos, depois dos franceses, de outro o Estado germânico ou alemão. Ora, mesmo se a distinção era difícil de se fazer na Idade Média, deve ser considerada aqui, para evitar lamentáveis confusões, bem como se

Dicionário analítico do Ocidente medieval

deve admitir que a ideia que se faz do Império e do papel do imperador foi muito diferente para um francês, um italiano ou um alemão.

A ideia de império permaneceu viva em todo o Ocidente ao longo da Idade Média; o título de imperador foi cobiçado, mas o território do exercício do seu poder não estava claramente definido. Uma discordância incontestável manifesta-se entre, de uma parte, a ideia que os teóricos, os cronistas universais e os teólogos faziam do poder, e, de outra parte, a realidade verificada através da transmissão do título, as discussões eleitorais, o real exercício do poder imperial.

O Império Romano de Augusto e de Constantino não morreu definitivamente com a deposição de Rômulo Augusto, em 476, pelo chefe bárbaro Odoacro. De início, sobreviveu na parte oriental, que se chamou Império Bizantino (do nome de sua capital, Bizâncio ou Constantinopla); depois foi recriado, no ano 800, em benefício de Carlos Magno e sobreviveu no Ocidente até 1806, enquanto o do Oriente desaparecia em 1453.

O Império Romano na época carolíngia

A data de 25 de dezembro de 800 permaneceu na memória de todos como a do renascimento do Império Romano com a coroação do rei franco Carlos Magno pelo papa Leão III, na igreja de São Pedro, em Roma. Esse acontecimento, embora preparado nos espíritos, parece ter surpreendido alguns no momento de sua efetivação. Carlos Magno era o único rei dos francos e seu poder estendia-se a grande parte da Europa, da Frísia ao norte da Espanha, do Atlântico à Turíngia. Excetuadas as Ilhas Britânicas, alongava-se pelo interior do *limes* (fronteira) do Baixo Império. Vencedor dos lombardos, cuja coroa de ferro usa, Carlos Magno recebeu o título de "patrício dos romanos" e apresenta-se como protetor da Igreja cristã e do papado.

A ideia de promover o renascimento do império desaparecido propagou-se no reino franco, em Roma e em Aix-la-Chapelle, no meio curial impregnado de noções antigas. Entre 750 e 760, um falsário criativo compôs um documento chamado "Doação de Constantino", no qual relatava as condições em que se teria operado entre o imperador e o papa Silvestre I uma divisão do mundo e do poder sobre o mundo: ao soldado, o poder temporal; ao sacerdote, o poder espiritual. Esse texto preparou os acontecimentos que se seguiram e deu a eles, antecipadamente, um aspecto particular. Carlos Magno encontrava-se em Roma, a pedido do papa Leão III, e recebeu deste a coroa que fazia dele o novo imperador. Tal gesto, inteiramente novo, parecia reproduzir o de Silvestre coroando Constantino. Na realidade, criava uma prática, a entrega da coroa imperial por parte do papa ao príncipe eleito para reinar no mundo terrestre.

O círculo de Carlos Magno elaborou uma fórmula para lhe dar um título e ele se ajustou a uma titulatura explícita e prudente: *Carlos, seréníssimo augusto, coroado por Deus, grande e pacífico imperador, governante do Império Romano, igualmente pela misericórdia de Deus, rei dos francos e dos lombardos.* Carlos Magno foi primeiramente rei dos francos, não dos romanos. Entretanto, ele sentia encarnar uma ideia nova e exigia de todos um juramento de fidelidade à causa que representava. Não ignorava a existência do imperador bizantino, cujas ambições eram universais. A intervenção pontifícia fazia do rei dos francos um imperador cristão e dava-lhe uma autoridade suplementar. Ele não hesitou em assegurar a sobrevivência do novo império, fazendo coroar seu filho Luís, em 813, enquanto vivia, e sem a intervenção do soberano pontífice. Desde esse período, distingue-se novamente o Império oriental do Império ocidental. Recriava-se a situação do Baixo Império Romano.

Luís, o Piedoso, mostrou-se mais decidido, tomando o título simples e expressivo de "imperador augusto" e recebendo a unção pontifícia das mãos do papa Estêvão IV, em 816, em Reims. Um ano mais tarde, pela *ordinatio imperii*, Luís apresentou sua concepção de Império: um único de seus descendentes poderia sucedê-lo e usar o título imperial, os outros reis francos eram-lhe subordinados; o papa devia ainda coroar o eleito, que foi Lotário, seu filho primogênito. Nessa época, o reino franco ainda era único e confundia-se com o Império; o que Luís instituía era a noção nova de um imperador reinando acima dos reis, separando assim o *imperium* dos *regna* que lhe eram submissos. A situação degradou-se lentamente. Com a morte de Luís, o Piedoso (840), seu sucessor ao título imperial, Lotário I, reinou em Roma e em Aix-la-Chapelle, mas não sobre as terras atribuídas aos seus irmãos Luís, o Germânico, e Carlos, o Calvo. A ficção da unidade imperial mantinha-se, entretanto, graças aos frequentes encontros dos reis irmãos.

Lotário deixou também a coroa imperial a seu filho primogênito, Luís, que não dispunha senão da Itália e não teve descendentes. O papel do papado tornou-se, então, decisivo. João VIII (872-882) declarou que os reinos estavam submetidos ao Império e que este era concedido pela Igreja, o que efetivamente ocorreu quando entregou a coroa imperial ao mais poderoso ou ao que mais ofereceu: Carlos, o Calvo, rei da Francia Ocidental, por dois anos (875-877), depois Carlos, o Gordo, rei da Francia Oriental (879--888). Este teve a oportunidade de pela última vez reunir sob sua autoridade única os reinos francos, reconstituindo, assim, o Império de seu avô Luís, o Piedoso. Após sua morte, em 888, o Império Romano dos carolíngios, moribundo, transmitiu-se como um título já vazio de poder efetivo, na Germânia, a Arnoldo, depois na Itália, a Lamberto de Spoleto (morto em 898), Luís da Provença (901) e Berengário do Friuli (915-924).

O "Império Carolíngio" não havia durado um século, mas teve o grande mérito de fazer renascer na terra uma instituição sempre presente nos espíritos. A ascensão do rei dos francos ao Império não era estranha, ela reproduzia outros acontecimentos de generais bárbaros vencedores, que também tinham vindo à frente de suas tropas tomar o título em Roma. Esse renascimento respondia a uma necessidade de que se ressentiam os pensadores e os historiadores. A Igreja cristã tinha necessidade dele porque desde Constantino identificava-se com o Império, e só podia ganhar em prestígio se um imperador a assistisse e a amparasse. Como foi o papa o impulsionador do movimento, a Igreja conheceu um acréscimo de poder, que iria obstinadamente defender enquanto pudesse. Ela desejava reconstituir o Império cristão universal, que lhe permitiria fazer frente à Igreja do Oriente. A estreia de Carlos Magno no poder imperial não tinha sido a intervenção na querela das imagens que ensanguentava Constantinopla? Não havia ele mandado compor os livros que ditavam a doutrina aos fiéis de Roma?

O Império Romano Germânico

A coroação imperial do rei Oto I (que se dizia apenas imperador, sem determinante), em 2 de fevereiro de 962 pelo papa João XII, seguia a mesma linha de Carlos Magno. A Francia oriental foi anexada em 925 à Lotaríngia, ainda chamada *Gallia* ou *Francia.* O soberano havia conquistado a coroa de ferro dos lombardos, em 952, depois se impôs em Lechfeld contra os húngaros, em 955, como Carlos diante dos saxões. Desde então, na corte real, o título imperial estava em todas as bocas e esperava-se sua concretização em Roma. Oto foi naturalmente conduzido para lá. O papa também continuava a desempenhar papel decisivo. Em 12 de fevereiro, João XII enfatizava o papel da Igreja romana, que esperava grandes serviços daquele a quem havia distinguido. A coroação realizada em Roma tinha valor constitutivo, o governo da Itália e a ocupação da Cidade Eterna estavam indissoluvelmente ligados ao título imperial. O Império guardou, entretanto, seu caráter universal, mas dessa vez, se a ideia e o título estavam ainda presentes, era outro o espaço: o Império Otônida estendia-se apenas sobre as terras alemãs e lotaríngias e o norte da Itália. Não tinha mais o reino franco, separação com a "Francia ocidental" que iria continuar no futuro. A França encontrava-se definitivamente excluída. A noção de império também era retomada em outras regiões do Ocidente, mas de maneira efêmera, pelo reino de Leão, na Espanha, e por Aethelstan nas Ilhas Britânicas.

Como em 800, alguns contemporâneos do imperador ficaram perplexos e não admitiam limitar o papel do soldado diante do sacerdote. Oto olhava de soslaio para Bizâncio e sonhava unir seu filho e herdeiro a uma princesa bizantina. Oto II, que recebeu a coroa imperial em 25 de fevereiro de 967, coimperador de seu pai, casou-se com uma parente de João Tzimiskes, Teófano. Ele inovou, tomando, a partir de 976, o título mais completo de *Romanorum imperator augustus*, que se enraizava mais na tradição reverenciada e igualava o imperador do Ocidente ao *basileus Romaion* de Constantinopla.

Foi de Oto III que o Império recebeu o maior impulso. O filho de Oto II e Teófano havia recebido rara e primorosa formação, que compreendia o grego e alimentava-se de diversas ideologias. Se Bernward, o futuro bispo de Hildesheim, havia-lhe inculcado princípios saxônicos, João Philagathos o tinha iniciado na história dos impérios antigos e no papel desempenhado por Roma. Aos 16 anos, Oto III escolheu o dia da Ascensão, 21 de maio de 996, para ser coroado imperador pelo seu primo Bruno de Caríntia, que ele tinha feito papa alguns dias antes, sob o nome de Gregório V. Roma devia tornar-se o centro do mundo, do Império universal, da Cristandade, com

Dicionário analítico do Ocidente medieval

a aliança do trono e do altar. *Renovatio imperii Romanorum*, a intenção era claramente anunciada, tudo o comprovava: o traje do imperador, o globo na sua mão, a bula que pendurava nos seus diplomas com a representação de Roma, *aurea Roma*. A ideologia foi levada ainda mais longe com a ascensão de Gerberto de Aurillac, Silvestre II, ao trono de São Pedro. Constantino e Silvestre I, Oto III e Silvestre II. O imperador não estava enganado e conhecia a falsidade da "Doação de Constantino". Não havia necessidade de apoiar-se em tal texto, ele fundava um novo Império, ele que se dizia também "servidor de Jesus Cristo", como seu compadre era "servo dos servos de Deus". Nenhum rei estava em condição de rivalizar com ele, ainda menos Hugo Capeto. Oto podia peregrinar até Gniezno, criar metrópoles, dar o título real aos príncipes da Polônia e da Hungria. Ele era o imperador cristão por excelência.

O sonho de Oto III foi claramente rompido com sua morte prematura. O lugar da Itália no Império tomou, desde então, um destino pouco brilhante. Esse reino estava doravante e por muito tempo indissoluvelmente ligado aos ducados germânicos, porque era a chave de Roma e do título imperial. Desde então, os candidatos ao Império deviam se sacrificar e ir à Itália, fato absolutamente necessário para que sua autoridade ao sul dos Alpes não fosse apenas simbólica. O título imperial mudava de dinastia segundo a vontade dos príncipes alemães eleitores. Com a morte de Henrique II (1024), a coroa voltou aos Sálios; em Kamba, a designação do arcebispo de Mogúncia favoreceu Conrado, cujo filho, Henrique (III), foi o primeiro a usar o título de "rei dos romanos", prelúdio necessário ao de "Augusto". De pai para em filho, em 1046, 1084, 1111, ele foi retomado por Henrique III, Henrique IV e Henrique V.

O reinado de Oto III deu considerável impulso à ideia de Império e inúmeros sinais manifestavam seu singular desenvolvimento. Assim, por exemplo, em torno de 1030 foi composto em Roma um "Livro de cerimônias na corte imperial" muito singular, porque o Império jamais teve capital fixa nem corte organizada além daquela que cercava o rei alemão. Fundamentando-se em tradições da "Doação de Constantino", o autor do tratado faz minuciosa descrição dos ritos imperiais, da pompa semelhante à do *basileus* bizantino (túnica, manto, cetro, cabelo, penteado). Um *ordo* da

Império

consagração imperial havia sido elaborado desde o início do século X, foi retomado no XII (chamado Cencius, do nome do cardeal que conservou o texto). A sagração aí descrita demonstra a analogia da cerimônia com a que consagrava os pontífices cristãos: unção, como a do batismo, consagração por três prelados. Depois, a entrega de uma coroa simbólica, formada de um diadema de oito plaquetas de ouro, para quem se designava "príncipe cristianíssimo", e objetos igualmente simbólicos: o gládio, o cetro, a vara e o anel (os dois últimos desapareceram depois da querela das investiduras). A fixação germânica em Roma foi consagrada pela manutenção do uso da bula com a *aurea Roma,* com o desenvolvimento da expressão *Imperium Romanorum* e com a adoção do título de "rei dos romanos", que exprime bem o que Wipo, biógrafo de Conrado II, interpretou quando via no eleito dos príncipes alemães um "futuro César". Acrescentemos que a noção de espaço imperial enriqueceu-se com a anexação do reino da Borgonha (1032) aos dois outros, da Germânia e da Itália, formando a Tríade. Tem-se, então, o sentimento de uma progressão lenta e segura da noção de Império, de sua confusão com os reinos do rei germânico, de sua ligação mais estreita com os rituais de consagração, do controle que ele exercia sobre o papado e sobre Roma.

O período seguinte devia transtornar muitos desses dados, na aparência solidamente estabelecidos, e pôr novamente em questão as vantagens obtidas, caso se tenha em mente a expressão "querela do Sacerdócio e do Império", mais exata para essa região do que "querela das Investiduras", consagrada pelo uso. Como o período sálio (1024-1125) foi determinante para a ideia imperial, o afrontamento com o Sacerdócio, representado pelo papado, foi de grande intensidade. Henrique III, como anteriormente Oto III, tinha ido a Roma impor seu papa, Clemente II, que o fez imperador no dia seguinte ao de sua entronização, 25 de dezembro de 1046. O rei é que tinha feito o papa, mas um rei que era um imperador em embrião. A Igreja não podia admitir por muito mais tempo tal situação. Com Gregório VII, o combate foi violento. Nos *Dictatus papae,* o papa declarava que faria o imperador a seu modo, e também que dispunha de meios para destituir reis, se o desejasse, já que no conflito que irrompeu entre Henrique IV e ele, a partir de janeiro de 1076, lançou uma excomunhão cuja consequência prática devia ser a deposição do soberano, caso não se submetesse. Gregório VII teve parte na progressiva fusão que se operou entre *imperium* e *regnum,* entre Império e reino (alemão): ele designou Henrique IV como *rex Teutonicorum,* desejando reduzir o rei a uma dimensão germânica, o que era novo e ia contra o habitual título romano. Essa limitação geográfica à Alemanha consumava a ruptura com a França e ao mesmo tempo aprofundava a ligação do Império com o reino "teutônico".

Apesar do que se diz, Henrique IV foi o vencido de Canossa e o Império perdeu muito com ele. Ele tinha, contudo, ganho terreno, caso se julgue pelo fato de que podia servir de referência fora de seus Estados: em 1066, um ato autêntico de Guilherme, duque da Normandia, fundador da abadia da Trindade de Caen, citava-o: "Filipe, rei felizmente reinante na França, Henrique, que governa o país romano por direito imperial, o piedosíssimo papa Alexandre, ocupante da cátedra da Sé Apostólica". Essa menção mostra que o nome daquele a quem estava prometido o Império era conhecido fora da Germânia não como soberano dos ducados alemães, mas como rei dos romanos. Sabia-se, contudo, na França e em toda a parte, que o Império era universal, mesmo se o imperador alemão reinava sobre um espaço limitado. A ideia geral de império mantinha, portanto, sua força. Mas a Igreja apossava-se dela cada vez mais com energia, insistindo em seu aspecto católico e romano. Desde o reinado de Leão IX (1049-1054), o cardeal Ioreno Humberto, inimigo mortal dos simoníacos e que participou do decreto de Nicolau II que instituiu a eleição do papa pelos cardeais (1059), referia-se ao império universal de Leão I (cuja lembrança tinha sido reavivada pela escolha do nome de Leão IX) e não concebia império que não fosse o da Igreja de Roma, cuja cabeça era a Sé Apostólica. Para completar esse açambarcamento, a cúria pontifícia, em via de constituição, tomou o lugar da inexistente cúria imperial e o uso das insígnias imperiais foi reivindicada por Gregório VII (um gorro branco simboliza o *regnum* e anuncia a mitra, já usada por Leão IX e destinada a tornar-se a tríplice tiara: o papa tornava-se um senhor temporal). "O ornato do Império é fixado pelo papado" (R. Folz). Mais: Gregório VII considerava que o poder espiritual de um leigo (o imperador) não podia exceder o de um clérigo exorcista (um nível das ordens menores); o imperador perdia na nova unção da coroação tudo o que podia assemelhar-se à unção episcopal. E, para a sagração, abandonou-se o santo óleo dos prelados pelo óleo bento dos simples catecúmenos. O recuo era considerável.

O Sacerdócio e o Império defrontavam-se, então, para saber quem devia dominar, quem era o verdadeiro senhor do mundo, quem fazia o outro. Desde Oto I, e sobretudo Oto III, o vento tinha virado, e Henrique IV não teve meios de prevalecer. Suas vitórias militares não tiveram futuro. Foi um papa não reconhecido por todos, Clemente III, quem o fez imperador em 1084. Henrique V, que ganhou o poder contra seu pai, também obteve a coroa imperial em condições de desordem política, lutando passo a passo contra Pascoal II, fazendo concessões rapidamente retomadas. Não se tratava tanto da questão de domínio do mundo, mas de controle das investiduras dos bispos. O grandioso enfrentamento de Canossa teve por continuação as deploráveis negociações de Worms (1122), quando se separaram claramente o *imperium* e o *regnum teutonicum*.

O Império dos Staufen

Com Frederico I Barba-Ruiva e Frederico II, o Império Romano Germânico conheceu novos momentos de glória. Entretanto, desde sua ascensão, o papa cisterciense Eugênio III chamou à ordem Frederico I, porque o eleito, que se dizia rei dos romanos, deveria ter solicitado sua confirmação a Roma. O Staufen não estava decidido a dobrar-se. Sua concepção era a de um império independente, ligado à realeza que tinha recebido diretamente de Deus por intermédio dos príncipes, sem recurso ao papado. Indo à Itália, em 1155, para aí receber a coroação (o que aconteceu em 18 de junho, um sábado comum), pretendia submeter a cidade à sua autoridade. Dois anos mais tarde, o imperador, coroado "rei da Borgonha", reuniu a Dieta em Besançon. Um erro de tradução, sem dúvida provocado pelo chanceler Reinaldo de Dassel, sobre o sentido de "benefícios" concedidos pelo papa ao imperador, provocou tensão com Roma e conduziu ao cisma de 1159: o cardeal Bandinelli, que estava em Besançon, tornou-se papa com o nome de Alexandre III, a ele o imperador opôs Vítor IV. Esse cisma da Igreja do Ocidente era consequência do confronto violento sobre os respectivos

Dicionário analítico do Ocidente medieval

papéis do Sacerdócio e do Império. As teorias que sustentavam um e outro se refinavam. Barba-Ruiva tinha à sua disposição especialmente a teoria de seu tio Oto de Freising, autor de uma profunda reflexão sobre as "duas cidades". Para esse autor, que, olhando a história universal, vê nos francos o povo eleito para continuar o Império Romano, a direção deste está confiada ao soberano franco-germânico, que é igual ao soberano pontífice como representante de Cristo e chefe da Igreja. Desde 1157, foi usada a expressão *sacrum imperium*, que enfatizava o caráter sagrado do Império, o que não é corretamente traduzido pela expressão francesa "Sacro Império". Da mesma maneira, o adjetivo "romano" reproduzia mal a fórmula "dos romanos", distinção que não é inútil, como se vê na utilização da expressão "rei alemão", que não é a mesma coisa que "rei dos alemães", que nunca existiu.

Em 29 de dezembro de 1165, a canonização de Carlos Magno atestava a continuidade do poder imperial desde o grande imperador franco até seu remoto sucessor do século XII. Convém lembrar a sucessão genealógica em linha direta do imperador de Aix até Frederico. Era também o momento em que o direito antigo recobrava seu vigor, inspirava os reis do Ocidente: os mestres de Bolonha estavam lá para ajudar o imperador a definir seus direitos, como estiveram sob Justiniano e Teodósio. O imperador recebia seu poder de Deus, certamente, mas pela eleição dos príncipes: a sagração pontifícia ratificava uma escolha que escapava ao papa. Por volta do ano 1200, instalaram-se os primeiros elementos de um colégio eleitoral germânico, do qual saiu mais tarde o grupo dos sete grandes eleitores, um colégio cujo papel era especificamente o de designar o imperador.

O filho e sucessor de Frederico I, Henrique VI, acrescentou aos três reinos (a Tríade) o da Sicília, que lhe abria o acesso ao Mediterrâneo romano. Ele não podia obter novas vantagens e desapareceu (setembro de 1197) pouco tempo antes da ascensão ao trono pontifício daquele que melhor iria estabelecer em base cristã e romana a ideia de Império, Inocêncio III (janeiro de 1198). Cabe ao papa designar quem seria o imperador legítimo, tendo os príncipes alemães eleito sucessivamente Filipe da Suábia e Oto de Brunswick. Após longas hesitações, tendo optado por Oto IV, reagiu diante das ambições italianas desse último, colocando em primeiro plano Frederico de Hohenstaufen, filho de Henrique VI. A eleição podia

Império

ser a expressão da vontade dos príncipes, mas apenas ao papa competia a decisão de coroar ou não o imperador. A opção feita por Inocêncio III foi confirmada por seus sucessores, Gregório IX e Inocêncio IV. A ideia que prevalecia então era a de que o Império havia sido delegado a Carlos Magno, mas que o papa era seu verdadeiro depositário. Este entregava, por conseguinte, ao leigo a espada temporal a serviço do mundo cristão. Sustentado pelo direito romano, o papado adotava o cerimonial imperial, pretendia, sozinho, a dominação universal. Os dois gládios estavam em suas mãos. As fortes teorias do tempo de Frederico I estavam arruinadas, eliminadas.

As vantagens do papado eram tais, que as opções de Frederico II tinham pouca probabilidade de êxito. O destino excepcional desse soberano foi o último sobressalto do Império, e os meados do século XIII marcam o fim de uma época. No plano espacial, o "rei dos romanos" havia ganho terreno. Aos reinos de seus predecessores, aumentados da Sicília, que era seu berço, ele soube anexar a coroa de Jerusalém e alimentou um sonho mediterrâneo, realizável porque o império de Constantinopla estava nas mãos dos venezianos e de uma dinastia ocidental. O "espaço imperial" era, em suma, mais verossímil que no tempo de Carlos Magno. Mas, no plano teórico, sofria com o recuo recente de seus predecessores. Cerca de 1220-1230, os canonistas confirmaram que o gládio temporal era entregue pelo papa e que esse último era o verdadeiro imperador. Frederico foi coroado em 22 de novembro de 1220, mas as tergiversações já começavam a respeito de sua participação na cruzada de reconquista da Terra Santa, e foi um imperador excomungado que tomou junto ao Santo Sepulcro a coroa de Jerusalém. Herdeiro distante de Oto III, Frederico II não se sentia alemão e abandonou aos príncipes eclesiásticos e laicos da Germânia privilégios consideráveis que destruíram definitivamente a possibilidade de dar origem a um verdadeiro reino alemão. Uma vez mais, ressentia-se a anomalia que representava a confusão entre o eleito dos príncipes alemães e o imperador. O Império era cada vez mais uma noção vazia e cada vez menos um governo. A ideia de um império universal, no sentido temporal do termo, era fortemente contra-atacada pela existência de um reino como o de Filipe Augusto e de São Luís. Fazia um bom tempo que a França balbuciante

Dicionário analítico do Ocidente medieval

de Hugo Capeto tinha se tornado um reino coerente e bem governado. A preeminência do imperador sobre os reis não existia mais e admitia-se, no início do século XIII, que "o rei era imperador em seu reino".

Durante essa época, entretanto, os teóricos, aqueles que escreviam histórias universais, continuavam a considerar o Império com os olhos da tradição. Os ensinamentos que nos trazem o *Speculum historiale*, de Vicente de Beauvais, próximo de São Luís, são significativos a esse respeito. Como Oto de Freising no século precedente, ele relata a sucessão de impérios desde a origem do mundo. Sucessivas translações fizeram o poder supremo passar dos hebreus aos gregos, aos romanos, depois aos francos. Quando escreveu, em 1244, ele sabia, por exemplo, que se estava "no 33º ano do império de Frederico" (II) e, em 1250, nota que "o império romano está vacante". O império universal permanece uma referência obrigatória. É normal que a atitude dos clérigos e dos monges historiadores não seja a da corte do rei da França.

O Sacro Império Romano Germânico na Baixa Idade Média

O interregno (1250-1273) foi ainda mais nefasto ao destino do Império temporal. O teórico da cúria, Tolomeu de Luca, fazia do papa o senhor do mundo e o lugar-tenente de Cristo. A deposição de Frederico II de seu título imperial abriu caminho a eleições que lançam sobre o trono personagens escolhidos fora da dinastia reinante, inicialmente Guilherme da Holanda, depois dois estrangeiros, Ricardo da Cornualha e Afonso de Castela. Compreende-se, desde então, que esses últimos candidatos não podiam em nenhum caso ser tidos como soberanos reinantes na Alemanha; podiam tomar o título de "rei dos romanos" e esperar a coroa em Roma. A ruptura com o *regnum teutonicum* ao qual fora assimilado o Império tornava-se total. No entanto, ela não dura e cabe ao papa Gregório X apoiar a eleição de Rodolfo de Habsburgo, em 1273. Nem esse último nem seu sucessor foram, entretanto, coroados em Roma. Em compensação, Henrique VII, da família de Luxemburgo, desejoso de retomar a tradição foi à Itália, onde encontrou a morte.

Império

A primeira metade do século XIV é marcada por um fato novo – o desenvolvimento do patriotismo alemão. A noção de um "reino alemão" nasceu tarde, no final do século X, mas, como se viu, jamais houve rei que usasse o título de "rei dos alemães". Efetivamente, eles se reconheciam no imperador. Alexandre de Roes, antigo cônego de Colônia, fez-se apologista de um império alemão: *regnum* (Reich alemão, entenda-se o poder real) e *imperium* confundem-se. *Imperium* e *sacerdotium* são iguais; a história imperial é cada vez mais confundida com a da Alemanha. Governar o Império é um dever para os alemães, que se acreditavam sucessores diretos dos francos, assim como se fazia de Carlos Magno um imperador alemão, e, dos alemães, irmãos dos romanos. Do mesmo modo que outrora se tinha visto nos francos um povo eleito para governar o Império, assim faziam também os alemães.

Durante o reinado de Luís IV da Baviera (1314-1347), as teorias imperiais foram as de Marcílio de Pádua (*Defensor pacis*) e de Guilherme de Ockham, o primeiro conferindo um papel ao povo, o segundo mantendo o caráter romano do Império. A partir de 1338, os príncipes eleitores agiram sem autorização pontifícia. Depuseram o imperador, elegeram Carlos de Luxemburgo e da Boêmia. Este, publicando a Bula de Ouro, em Metz – escolha simbólica da Lotaríngia –, em 1356, criou raízes para a evolução recente do Império: sete príncipes alemães são os senhores da escolha do imperador. Na Tríade antiga, o reino alemão tinha a prioridade e constituía a força dirigente.

O Império existia, mas que força tinha ele? Cada imperador não possuía realmente senão seus bens patrimoniais. Em geral, devia dispor do que tradicionalmente na Alemanha formava o fisco, o que os historiadores chamam os *Reichsgüter*, os bens da Coroa, cidades, abadias, direitos. De fato, todos esses bens já eram ou iriam ser empenhados sem esperança de recuperação, e o príncipe foi, assim, pouco a pouco despojado de todo recurso de origem pública. Carlos IV foi o grande responsável pela "liquidação" dos bens imperiais e precisou pagar muito para ganhar outras eleições. O imperador não tinha verdadeiramente poder, não tinha exército, não tinha residência oficial. Mas, aos olhos do povo alemão, ele existia, e devia mesmo "imperativamente" existir. A eleição era seguida com paixão e o dia da coroação era festejada por toda a parte porque marcava o retorno à ordem normal do mundo. Não há mundo sem imperador. Ademais, no início do século XV – a primeira menção é de 1409, mas a confirmação é somente de 1474 –, a expressão "Império Sagrado dos Romanos", ou mais comumente "Sacro Império Romano" completa-se com a expressão "da nação germânica", também mal traduzida em francês pelo único adjetivo "germânico". Desde então, e somente então, a expressão está completa: "Sacro Império Romano Germânico", em latim *sacrum imperium romanum germanicum*, em alemão, *Heiliges Romisches Reich deutscher Nation*. É anacronismo empregá-la para um período anterior, anacronismo que desconhece a lenta evolução que acaba de ser relatada. Em relação a Roma, a distância aumenta. O rei dos romanos, que logo se diz imperador eleito, retarda a viagem para a coroação na cidade santa e um belo dia deixa de fazê-la para transferir os ritos para a cidade de Carlos Magno, Aix-la-Chapelle, no próprio reino alemão.

A participação dos príncipes eleitores aumenta sem parar. As negociações que precediam as eleições eram regateios sem fim. Os eleitores não hesitaram em depor Venceslau, filho de Carlos IV. Como teriam, antes, podido considerar em depor o imperador? Na primeira metade do século XV, Sigismundo realçou o título imperial pelo papel que desempenhou na resolução da crise da Igreja no Concílio de Constança. Constata-se que ele usava então um título venerável e que o Império continuava a ser venerado, mesmo sem representar nenhum poder temporal real. Designa-se comodamente desde então por "Império" as terras alemãs e foi assim que ele absorveu as distantes conquistas da Ordem Teutônica no leste. Chegava-se, desse modo, ao fim de uma evolução lenta que começara com Oto I. Quando alguns historiadores são tentados a contar a história do "Sacro Império Romano Germânico" entre 962, ascensão de Oto I ao Império, e 1273, morte do último Staufen, cometem numerosos erros: o de suprimir o caminho progressivo que levou à confusão de *imperium* com *regnum* depois com *regnum teutonicum*, riscar da história a noção de Império, à qual os alemães permaneceram muito ligados mesmo bem depois do grande interregno. Mesmo se Frederico III (1442-1493) é um imperador sem grandes poderes, não o é menos que Carlos, o Temerário, duque da Borgonha, que espera a elevação de seus Estados a reino. A simples recusa de Frederico destruiu as ambições do borgonhês.

Império

Com Maximiliano alcançam-se novas etapas, a da administração institucional do Império, a ligação entre este e a casa da Áustria. Em Worms, em 1495, Maximiliano consagrou o "dualismo", a separação entre o imperador e o reino, e a sociedade alemã. Na Dieta, as forças políticas agiam sem ou contra o rei. O imperador não tem mais nenhuma política territorial. Totalmente privado de recursos, solicita a cobrança geral do *gemeiner Pfennig* (o dízimo geral) para ter meios de constituir a Câmara de justiça imperial, o *Reichskammergericht,* como cria também a Câmara imperial, o *Reichstag* (que sucede ao *Hoftag*; a Dieta do Império substitui a antiga cúria real). Em 1519, o mesmo príncipe desenvolve ainda um programa imperial. Ele encontra-se nas vésperas de um período crucial, em que o imperador deve intervir no destino da Igreja, sustentando ou condenando novas teorias de reformadores protestantes. Impotente, o imperador não estava morto.

Anexando o Império, Oto I, sólido rei eleito dos ducados germânicos, havia tocado os sinos da agonia de um futuro Estado (alemão), enquanto, por seu lado, o simples rei dos francos pôde constituir outro. Os soberanos, que jamais foram chamados de rei dos alemães, perderam, além disso, grande parte de sua energia nas descidas militares à Itália e nos conflitos com o papado. O Império Romano de vocação universal reduziu-se pouco a pouco, até confundir-se com o reino alemão, mas sem dar a esse um verdadeiro soberano. Em condições diferentes, o Império cristão-romano-grego manteve-se com mais sucesso em Constantinopla, ao menos até que os turcos lhe confiscassem seu território e sua capital.

Michel Parisse
Tradução de Daniel Valle Ribeiro

Ver também

Direito(s) – Igreja e papado – Rei – Roma

Orientação bibliográfica

DUVERGER, Maurice (org.). *Le Concept d'empire.* Paris: Presses Universitaires de France, 1980.

Dicionário analítico do Ocidente medieval

FOLZ, Robert. *L'Idée d'empire en Occident du Ve au XIVe siècle.* Paris: Aubier, 1953.

LES GRANDS EMPIRES. Bruxelas: Éditions de la Librairie Encyclopedique , 1973. (Recueils de la Société Jean Bodin, 31.)

HERKENRATH, Rainer Maria. Regnum und Imperium in den Diplomen der ersten Regierungsjahre Friedrichs I [1969]. In: WOLF, Gunther (ed.). *Friedrich Barbarossa.* Darmstadt: Wissenschaftliche Buchgesellschaft, 1975. p.323-59.

MORAW, Peter. Reich. In: BRUNNER, Otto; CONZE, Werner; KOSELLECK, Reinhart (orgs.). *Geschichtliche Grundbegriffe.* Stuttgart: Klett-Cotta, 1972-1997. v.V, p.430-56.

RAPP, Francis. *Les Origines médiévales de l'Allemagne moderne:* de Charles IV à Charles Quint (1346-1519). Paris: Aubier, 1989.

SCHRAMM, Percy Ernest. *Kaiser, Rom und Renovatio:* Studien und Texte zur Geschichte des rômischen Erneuerungsgedankens vom Ende des Karolingischen Reiches bis zum Investiturstreit. Darmstadt: Wissenschaftliche Buchgesellschaft, 1957.

SCHUBERT, Ernest. *König und Reich:* Studien zur spätmittelalterlichen deutschen Verfassungsgeschichte. Göttingen: Vandenhoeck & Rupprecht, 1979.

Indivíduo

O problema do indivíduo comporta, acreditamos, dois aspectos diferentes, ainda que muito ligados: o da pessoa e o da individualidade. A pessoa pode ser definida como um "elo intermediário" entre sociedade e cultura. O indivíduo torna-se uma pessoa ao interiorizar a cultura, o sistema de valores, a visão de mundo que são próprios de uma sociedade ou de um grupo social. Nesse sentido, toda sociedade, em qualquer época, é feita de pessoas. De seu lado, a individualidade é uma pessoa que se voltou a uma autorreflexão e que se pensa como um eu particular, único.

Autobiografia e confissão

A história e, mais amplamente, as ciências humanas, fizeram dessas duas noções objetos de estudo distintos. Os historiadores que procuram descobrir a individualidade nas obras da Idade Média e da Renascença dedicam-se aos textos – autobiografias e confissões – cujos autores tentaram refletir sobre eles mesmos e se revelar. A questão sobre a qual se detêm os historiadores e os filólogos pode ser formulada assim: quando e como o homem medieval revela-se capaz de "descobrir" sua própria individualidade? De outro lado, o estudo da pessoa pressupõe uma análise das mentalidades, da parte de consciência que um indivíduo partilha com outros indivíduos

Dicionário analítico do Ocidente medieval

ou grupos, esteja ele consciente de sua unicidade em relação aos outros ou se submeta aos valores do grupo social ou da família.

Mas seria um erro reduzir o estudo da pessoa ao da individualidade. Isso seria aplicar à Idade Média conceitos e critérios anacrônicos, porque eles procedem de uma imagem do indivíduo que só foi elaborada na Europa ao final da época medieval, e mesmo no decorrer do período seguinte.

Por ter estudado as mentalidades e as representações medievais, sinto-me mais próximo da primeira problemática. Entretanto, gostaria de salientar aqui os aspectos que tocam a questão da individualidade.

Antes de mais nada, o historiador da individualidade pesquisa textos do tipo "autobiografia" e "confissão", nos quais, à primeira vista, o indivíduo não pode deixar de revelar os mistérios de sua vida interior. Mas tais textos são de acesso extraordinariamente difícil, quer se trate das confissões de Otlo de Saint-Emmeran ou do bispo Rathier de Verona, do abade Guiberto de Nogent ou do abade Suger, de Abelardo ou de Heloísa, do bardo islandês Egill Skalagrimmson ou do rei e impostor norueguês Sverrir, do monge Salimbene ou enfim de Dante e de Petrarca. A pessoa busca meios para se exprimir, mas aqueles que a cultura põe à sua disposição são frequentemente, ou quase sempre, obstáculos para o conhecimento de si mesmo. O texto da "autobiografia", da "confissão" ou da saga jamais é transparente; a poética, as regras do gênero, são tais que todo elemento pessoal e único é dissimulado pelos *topoi*, os lugares-comuns tradicionais e as citações dos escritos autorizados, de maneira que uma tela opaca e dificilmente identificável separa o pesquisador do objeto de sua pesquisa.

Ao tomar consciência de si, o autor medieval identifica-se constantemente com modelos ou "exemplos" emprestados das obras antigas, da Bíblia ou dos textos patrísticos. A frequência com que essas identificações se repetem entre os mais diferentes indivíduos permite supor que não se trata aqui somente de uma homenagem forçada. Parece que o indivíduo medieval só pôde se formar "assimilando" os fragmentos de outros indivíduos que ele podia captar nos textos.

Na sua *Autobiografia*, Guiberto de Nogent procura se exprimir imitando as *Confissões*, de Santo Agostinho, e pretende representar sua própria mãe recorrendo ao modelo de Mônica (a mãe de Agostinho). Quando Abe-

Indivíduo

lardo evoca os momentos críticos de sua existência, ele se compara a São Jerônimo: "a malevolência dos francos levou-me para o Ocidente [do seu retiro do Paráclito], como a dos romanos havia feito outrora com Jerônimo em relação ao Oriente". Ele descreve sua condenação no Concílio de Soissons praticamente nos mesmos termos de que se serve o evangelista ao relatar a condenação de Cristo pelo sinédrio. Certamente, a personalidade de Abelardo é original e pode-se seguir G. P. Fedotov quando ele escreve que "o historiador não pode passar ao largo dessa catastrófica explosão da consciência individual que nos vem das profundezas da Idade Média", mas é preciso reconhecer que essa "explosão" segue os cânones do século XII e que Abelardo "constrói" sua individualidade a partir de modelos "arquetípicos". A mesma coisa para Heloísa. A fim de exprimir seu amor por Abelardo, ela usa imagens e palavras tiradas do Cântico dos cânticos. Ela também se identifica a Cornélia, a mulher de Pompeu, que acabava de voltar para casa após sua derrota: Cornélia oferece sua vida a seu marido a fim de apaziguar a cólera dos deuses que o atinge, da mesma forma que Heloísa, antecipando Abelardo, torna-se monja.

Paradoxalmente, a originalidade da personalidade afirmava-se por sua negação. É sem dúvida o que Georg Misch tinha em vista quando evocava o caráter "centrífugo" da personalidade medieval, que se construíra, segundo ele, de acordo com o princípio da "individuação morfológica" (as manifestações decisivas da personalidade referem-se às representações e às formas preestabelecidas que lhe parecem exteriores), contrariamente à personalidade "centrípeta" dos tempos modernos, que contém seu próprio centro ("individuação orgânica").

Não se trata somente de procedimentos formais aos quais estavam sujeitos os autores das "confissões", "vidas" e "autobiografias", mas, na mesma medida, de cânones religiosos e éticos que eles eram obrigados a seguir. O cristão medieval que estava talvez altamente consciente de sua importância, até mesmo de seu valor excepcional, não podia exprimir espontaneamente esse sentimento, porque deveria a todo preço reprimir ou camuflar de todas as maneiras o pecado capital do orgulho. Bem no início da Idade Média, Gregório de Tours pede ao leitor que o desculpe pela rusticidade de sua língua, sua estupidez e seu precário conhecimento de latim. Se ele empreende a descrição da vida de São Martinho, é somente, escreve ele, porque sua falecida mãe convenceu-o em sonho que esse modo de escrever era o único acessível ao povo, sem o que ele jamais teria se lançado em semelhante empreendimento que excedia suas forças e suas capacidades. No último capítulo de sua *História dos francos*, o mesmo Gregório exorta os futuros bispos de Tours a não mudarem uma só palavra de seu texto e a preservarem suas obras na íntegra. Desde quando se pode dizer que ele estava movido por uma humildade sincera ou por um sentimento de autor que a etiqueta literária e o medo do pecado conspiravam para refrear?

Estranho modo de fazer sua própria apologia, aquele que consiste em condenar seu orgulho e a ver em seus próprios infortúnios um castigo de Deus. É, contudo, o que fez Abelardo na *História de minhas calamidades*, porque, a despeito de todas as suas negações, ele de modo algum havia renunciado à ideia de que era o primeiro, até mesmo o único filósofo de seu tempo. Contemporâneo de Abelardo, Suger "diluiu" de certa forma seu eu no filho querido que é a abadia de Saint-Denis. Mas essa identificação é tamanha que a personalidade de Suger cintila por toda a abadia até absorvê-la completamente. A renúncia a si transforma-se em autossublimação...

É, portanto, difícil se aproximar da personalidade medieval, dificuldade que de resto era experimentada pelos contemporâneos. Eis aqui dois depoimentos sobre Abelardo, deixados por homens que o conheceram pessoalmente. Um pertence ao seu pior adversário, Bernardo de Claraval: "É um homem diferente de si mesmo, Herodes no interior, João no exterior; ele é inteiramente ambíguo e de monge só tem o nome e o hábito". O outro é o seu epitáfio, redigido por seus amigos: "Aqui jaz Pedro Abelardo. Somente ele teria podido dizer o que era". Para seus amigos, como para seus inimigos, Abelardo permanecia um enigma.

Tentou-se explicar a personalidade medieval em termos da psicanálise. Ela é de grande auxílio nesse caso? Ela não identifica uma doença quando há uma crise de individualidade provocada pelas condições específicas da vida religiosa? Um homem que se sentisse diferente de seu meio por seu comportamento ou sua vida intelectual (o que era, sem dúvida, o caso se ele era levado a escrever sobre si mesmo), naturalmente se achava muito instável, tanto no plano moral quanto no social. A fonte desse desconforto podia ser sua originalidade e não uma disfunção psíquica. As personalidades fortes jamais são portadoras de normas. Na Idade Média, quando a originalidade era considerada com suspeição, ela podia passar por uma anomalia tanto aos olhos do indivíduo em questão quanto aos de seu círculo de relações.

Admitamos, entretanto, que tal ou qual indivíduo efetivamente sofresse de perturbações psíquicas. O historiador interessa-se pouco pelas neuroses e psicoses. Se havia mesmo a perturbação, sua tarefa é estabelecer um elo entre ela e a cultura da época considerada. O que lhe importa saber, é justamente de que maneira aquele homem era louco.

O caso de Opicínio de Canistris

Esse clérigo, que viveu na primeira metade do século XIV, merece uma atenção particular porque, embora único de várias maneiras, salienta certos traços daquela época. Atormentado pela ideia de que o mundo era pecador e pelo temor da danação eterna, Opicínio não cessava de se atormentar e de mergulhar em si próprio. Entretanto, apesar de toda sua marginalidade, sua obra é significativa de uma época de transição, tanto mais que, diferentemente de seus contemporâneos ilustres, ele se entregou a uma autoanálise cujo produto não estava destinado à leitura. Portanto, temos aí uma ocasião quase única para nos aproximarmos dos mistérios do eu que são geralmente dissimulados ao olhar do historiador.

Opicínio (1296-c.1350), conhecido igualmente sob o nome de Anonymus Ticinensis (o Anônimo de Pávia), era oriundo de uma família modesta da Itália do Norte. Recebeu uma educação religiosa, depois ganhou sua vida exercendo o ofício de preceptor, de copista e de miniaturista – existência difícil que era o destino da maioria dos intelectuais do ocaso da Idade Média.

Mas as principais dificuldades que Opicínio afrontou eram antes de ordem psicológica, porque sua própria personalidade era a fonte de suas desgraças. Ele adoeceu e, a se acreditar nele, permaneceu em estado inconsciente durante dez dias. Quando voltou a si, viveu um "segundo nascimento", de maneira que tinha "esquecido tudo e nem sabia mais a que se assemelhava o mundo exterior". Em sonho, viu a Virgem e o Menino, que o recompensou com um "conhecimento espiritual" em lugar de seu saber livresco (*memória litteralis*) que ele havia parcialmente esquecido como consequência de seu mal. Ele havia igualmente perdido os movimentos do braço direito, de maneira que não podia mais ser copista. Entretanto, conseguiu, milagrosamente, realizar uma grande série de desenhos acompanhados de notas e explicações, e deu a entender que devia ao Céu esse novo talento.

De tudo isso resultou um curioso conjunto de desenhos, mapas e esquemas acompanhados de esboços e autorretratos. Com uma obstinação que beira a mania, Opicínio volta sempre às mesmas ideias e figuras que oferecem ao historiador uma ocasião única para aproximar-se dos estratos da personalidade que somente o discurso pouco deixaria entrever. Trata-se de um testemunho psicológico extremamente original, fruto de um "renascimento interior" que seu editor moderno qualifica de "autobiografia", mas de uma autobiografia como quase não se encontra nem na Idade Média, nem mesmo, sem dúvida, nos tempos modernos.

Para expor sua "autobiografia", Opicínio utiliza um procedimento inusual. Ele desenha um esquema representando quarenta círculos concêntricos no qual cada um corresponde a um ano de sua vida, à imagem dos anéis de um tronco de árvore. O esquema é dividido em semanas – um tipo de calendário relacionado aos signos do zodíaco como era habitual na Idade Média. Ali se encontram, igualmente, os retratos dos quatro evangelistas. Os círculos são entremeados de textos que relatam, ano a ano, os acontecimentos da vida de Opicínio. O centro é ocupado por seu autorretrato. Além disso, essa "autobiografia" está provida de quatro outros autorretratos, estilizados e esquemáticos, que o representam em períodos diferentes de sua existência: aos 10, 20, 30 e 40 anos. Certamente, esses "autorretratos" não procuram imitar seus traços individuais e respeitam a tradição pictórica medieval, mas a ideia de uma representação múltipla de sua própria pessoa em idades diferentes pertence, sem nenhuma dúvida, a Opicínio e jamais tinha ocorrido a alguém antes dele. Essa série de "autorretratos" é a prova concreta da concentração de seu espírito sobre o próprio indivíduo.

Opicínio vê na sua autobiografia uma evolução e, nesse sentido, ele se afasta da tradição medieval para a qual, ao contrário, o indivíduo não muda, não fazendo mais do que descobrir pouco a pouco as qualidades que estavam presentes em si desde o início, a menos, como na hagiografia, que ele se beneficie de uma repentina e total regeneração.

Indivíduo

Opicínio lança mão do tradicional esquema medieval do macrocosmo-microcosmo: o homem está relacionado ao Universo e lhe é análogo. Mas, para ele, esse esquema tradicional é de alguma forma invertido. Não é o homem, o microcosmo, que se inscreve no macrocosmo, mas, ao contrário, o "grande mundo", totalmente antropomórfico, que se acha inscrito no "pequeno mundo". E, sobretudo, esse microcosmo não é outro senão Opicínio em pessoa.

Está convencido de que o mundo está impregnado pelo pecado e ele simboliza tal situação pela figura dominante do Príncipe das Trevas. Mas o mapa tem igualmente uma significação mais pessoal e profundamente dramática: o mal não se contenta em estar por toda a parte, ele concentra-se na alma de Opicínio. Seu ser está marcado pelo Pecado Original e a geografia do Universo representa, ao mesmo tempo, a "topografia" de seu mundo interior e a decodificação de sua personalidade profundamente, irremediavelmente pecadora.

Em diversos desenhos, ele situa o Inferno no centro do mundo. O Diabo, de quem distinguiu os contornos no mapa, o induz em tentação com as mesmas expressões com as quais pretendeu tentar Cristo. Assim, o remorso e o arrependimento avizinham-se em Opicínio a uma extraordinária exacerbação de sua personalidade.

O problema do "homem interior" e "exterior" que se vê aparecer nas epístolas de São Paulo (o primeiro está relacionado com o Senhor, enquanto o segundo pertence ao mundo terreno, com suas paixões e seus desatinos), é aqui invertido, da mesma maneira que o mundo foi invertido no mapa simbólico inscrito no peito de Opicínio.

Estaria tal configuração de acordo com a tradição medieval? Lembremo-nos do exemplo de Hildegarda de Bingen (segunda metade do século XII). Em suas visões, perpetuadas por seus desenhos, a paz, a ordem e o equilíbrio reinam entre o microcosmo e o macrocosmo, que são reunidos numa síntese harmoniosa. Hildegarda está ali igualmente figurada, mas situada fora do conjunto, aos pés da figura humana que representa o microcosmo, na posição contemplativa de uma observadora que desenha o que viu. Hildegarda é uma espectadora interessada, mas externa, ela não participa do mistério dessa harmonia dos mundos, que ela só testemunha pela graça do Criador.

Dicionário analítico do Ocidente medieval

Isso ocorre diferentemente com Opicínio. Como Hildegarda, de quem não podia conhecer as obras, seus esquemas compreendem círculos e elipses nas quais são inscritos macrocosmo e microcosmo, mas nele essas figuras se multiplicam, se entremeiam e se recobrem. Sobretudo, seu sistema é marcado por uma desarmonia angustiada que reflete os tormentos de sua alma. Não é mais uma revelação que tenha sido dada ao profeta numa visão, mas tentativas obstinadas e recorrentes de exprimir os medos e as esperanças pessoais. Se Hildegarda contenta-se em ser uma intermediária de piedade, pela qual passa uma comunicação entre os mundos celeste e terrestre, Opicínio cria, ele mesmo, as imagens de um outro mundo e permanece constantemente, sistematicamente subjetivo.

O mapa antropomórfico do Mar Mediterrâneo que está inscrito no peito de Opicínio porta a inscrição: *Revelatio cogitationum mearum* ("Revelação de meus pensamentos"). O sentimento do pecado e a exacerbada consciência da culpabilidade que, precisamente, se difundem então bastante no Ocidente e que são sustentados pelos pregadores, cristalizam-se na personalidade de Opicínio e projetam-se ao mesmo tempo sobre o mundo inteiro. O Universo transborda de pecados, mas eles concentram-se na alma do indivíduo. Opicínio coloca-se no centro do mundo, contendo-o por completo, e as emanações de seu estado de espírito propagam-se pelo Universo inteiro.

Se podemos legitimamente considerar as iluminações de Hildegarda de Bingen e as visões de Opicínio como fenômenos que refletiram, respectivamente, as tendências espirituais e emocionais dominantes dos séculos XII e XIV, compreenderemos melhor as mudanças que se produziram no decurso desses aproximadamente dois séculos que os separam, na maneira pela qual o indivíduo tinha consciência de si mesmo. A harmonia deu lugar à desarmonia; o cosmos divino cede o passo à imagem de um mundo demonizado.

Os desenhos de Opicínio podem ser considerados uma confissão que, entretanto, não lhe permite estar em paz com Deus. Suas representações geográficas simbólicas são inteiramente moralizadas e, repitamos, demonizadas. A personalidade e a obra de Opicínio são um exemplo impressionante de alienação do indivíduo na sua relação com o mundo e de sua separação de Deus.

Indivíduo

É necessário destacar que, ao executar o esquema de sua vida ano por ano, ao representar seu retrato em idades diferentes e ao profetizar seus anos futuros, Opicínio não se pensa tanto como uma essência imutável, mas como um ser histórico, submetido à mudança e a uma certa evolução. Mesmo que sob uma forma simbólica, ele se aproxima da ideia de autobiografia, quer dizer, de uma evolução do eu, e é nesta que se pode falar de sua novidade em relação a seus predecessores.

"Que cada um explique sua existência no sentido espiritual, conforme a sua memória, e que descubra o sentido de sua família, dos atos desta última assim como de todos os sonhos que conseguir lembrar da mesma maneira [ou seja, espiritual, simbólica]. Que ele julgue tudo isto com a ajuda de sua consciência. Então, compreendendo todas as coisas à luz da verdade que lhe terá sido dada para a confrontação entre o erro e a fé, ele estará em condição de formular, com a ajuda de Deus, um justo julgamento sobre sua própria pessoa seguindo nisso meu exemplo [*exemplo mei ipsius*]". De fato, Opicínio interpreta sistematicamente todos os fatos de sua vida, mesmo os mais insignificantes, atribuindo-lhes um sentido espiritual ou vendo neles uma antecipação dos acontecimentos por vir. Tais interpretações simbólicas são um lugar-comum na literatura erudita medieval; a originalidade de Opicínio é que essas analogias surgem sempre em relação direta com sua pessoa.

O conflito entre a razão (*ratio*) e o medo irracional, entre a fé e a desesperança, entre o sentimento profundo do pecado e o da dignidade, entre a mortificação de si e a supervalorização, conflito que às vezes ganhava o aspecto de uma colisão entre a lógica e a loucura, tal era o contexto no qual o indivíduo tomava consciência de sua própria personalidade. A cultura medieval via na alma, desde havia muito tempo, a arena de um combate entre o bem e o mal, tão verdade que esse enfrentamento era imanente à visão cristã do mundo. Não é esse conflito que observamos nos escritos de Otlo de Saint-Emmeran e de Rathier de Verona, de Abelardo e de Guiberto de Nogent? Tantos autores, tantas maneiras de pôr em cena esse embate, conforme a individualidade, a situação em que eles se encontram e, *last but no least*, as regras do gênero que podiam favorecer a representação desse conflito ou então, ao contrário, dissimulá-lo detrás de uma cortina impenetrável de imagens literárias e de clichês religiosos.

Dicionário analítico do Ocidente medieval

O essencial, contudo, está em outro lugar: para tomar consciência de si, Opicínio, que está bem inserido na tradição erudita de sua época, tem necessidade de "exteriorizar" seu próprio eu, de projetar sobre ele um mapa que, devido ao próprio caráter dessa operação, torna-se imediatamente a imagem simbólica de seu estado psíquico, uma "topografia" de sua alma, uma história de sua enfermidade. É muito possível que o diagnóstico de Ernst Kris seja justo e que tenhamos nos ocupado de um esquizofrênico, possuído pela mania de criar ou de harmonizar o mundo e pelo medo de sua destruição. Entretanto, repitamos, não é essa enfermidade mental que conta aos olhos do historiador, mas a maneira na qual ela se refrata na cultura.

Como todos os demais autores medievais que construíram suas "confissões", "apologias" ou "autobiografias" a partir de fragmentos de outras vidas, Opicínio apressa-se em assimilar um arquétipo, um "exemplo", uma autoridade, com o único objetivo de descobrir sua própria identidade. Sua demência deixa transparecer uma lógica, a da pessoa medieval que "juntava peças" segundo as regras prescritas pela cultura de sua época. Podemos constatar com que dificuldades insustentáveis as pessoas daquele tempo inseriam-se nas molduras éticas que lhes eram dadas pela religião. Estamos bem na saída da Idade Média.

Patologia?

Pode-se supor que a tomada de consciência da pessoa encontrou na Idade Média grandes obstáculos e foi às vezes acompanhada de psicopatologias. A exigência religiosa de humildade, arrependimento, expiação, a condenação da originalidade individual na qual se via uma fonte de orgulho, tantos fatores incitavam o indivíduo a se exprimir ou sob a forma paradoxal da renúncia de si ou da automortificação, ou de uma extensão de seu eu às dimensões do Universo: a escala humana era-lhe inaplicável, porque ainda permanecia desconhecida.

Mesmo quando uma personalidade não é esmagada pelo peso da religião e do sentimento de culpa que dele decorre, tais conflitos impedem-no de se afirmar, a não ser sob formas que nos parecem pertencer à psicopatologia.

Concluindo, é preciso retornar a um outro parodoxo, metodológico. A pessoa é a categoria central do estudo das mentalidades, cujos principais

Indivíduo

assuntos de interesse – percepção do tempo, do espaço, da natureza e do mundo sobrenatural, concepção das diferentes idades do homem, ética do trabalho, ideias de riqueza e de pobreza, consciência do direito ou das relações entre a sociedade e os grupos que a compõem, enfim toda a vasta esfera emocional – não são nada mais do que manifestações da pessoa humana. Nela, esses diferentes elementos formam um sistema que se exprimem na sua consciência e no seu subconsciente, determinando seu comportamento e atribuindo-lhe as cores específicas de cada cultura.

Mas o todo não se reduz à adição de suas diferentes partes, de maneira que é preciso tentar compreender o centro que as estrutura. Já dissemos, o estudo da personalidade medieval choca-se com obstáculos metodológicos dificilmente superáveis. As personagens que se encontram nos textos são pouco numerosas e suas personalidades dissimulam-se tão depressa nas suas conchas que continuam quase sempre inacessíveis.

Nesse sentido, a herança deixada por Opicínio, de certa forma "presa" entre Dante e os humanistas, perdida na fronteira entre Idade Média e Renascimento, retoma todo o interesse. Não se trata somente de um caso patológico, porque seus escritos e seus mapas ou desenhos não se contentam em exprimir o mal interior de um clérigo anônimo de Avignon: justamente porque seu autor sofria de um desequilíbrio psíquico, porque era incapaz de conter as expressões extremas de seu eu, seu contrapeso oscilou entre uma extrema humildade de um lado e uma extrema sublimação de outro, e essas oscilações, que são características da personalidade medieval, atingiram uma amplitude máxima, de maneira que aquela pessoa se exprimiu, sob uma forma patológica certamente, mas com a vantagem da franqueza e da espontaneidade que não seriam permitidas a uma pessoa mais equilibrada.

Aaron Gourevitch
Tradução de Flavio de Campos

Ver também

Guilda – Ordem(ns) – Parentesco

Dicionário analítico do Ocidente medieval

Orientação bibliográfica

AERTSEN, Jan; SPEER, Andreas (eds.). *Individuum und Individualität im Mittelalter*. Berlim: De Gruyter, 1996. (Miscellanea Mediaevalia, 24)

BAGGE, Sverre. The autobiography of Abelard and Medieval Individualism. *Journal of Medieval History*, 19, p.327-50, 1993.

BATKIN, Leonid Mikhailovich. Les lettres d'Héloïse à Abélard: sentiment personnel et médiation culturelle. *L'Homme et la culture*: l'individualité dans l'histoire de la culture (em russo). Moscou, 1990.

BENTON, John F. Consciousness of Self and Perception of Individualism. In: *Culture, Power and Personality in Medieval France*. Londres: Bloomsbury, 1991. p.327-56.

BYNUM, Caroline W. Did the Twelfth Century Discover the Individual? In: *Jesus as Mother*: Studies in the Spirituality of the High Middle Ages. Berkeley: University of California Press, 1982. p.82-109.

CARRUTHERS, Mary. *The Book of Memory*: a Study of Memory in Medieval Culture. Cambridge: Cambridge University Press, 1990.

CLANCHY, M. T. *Abélard*: a Medieval Life. Oxford: Blackwell, 1997.

GUIBERT DE NOGENT. *Autobiographie*. Ed. por E.-R. Labande. Paris: Les Belles Lettres, 1981.

KRIS, Ernst. *Psychoanalytic Explorations in Art*. Nova York: International Universities Press, 1952.

LADNER, Gerhard B. Homo Viator: Medieval Ideas on Alienation and Order. *Speculum*, Chicago, n.42, 1967.

LIEBESCHÜTZ, Hans. *Das allegorische Weltbild der heiligen Hildegard von Bingen*. Leipzig e Berlim: B. G. Teubner, 1930.

MISCH, Georg. *Geschichte der Autobiographie*. 2.ed. Frankfurt: G. Schulte-Bulmke, 1949-1962.

MORRIS, Colin. *The Discovery of the Individual*. Toronto: University of Toronto Press, 1987.

SALOMON, Richard. Opicinus de Canistris: Weltbild und Bekenntnisse eines avignonesischen Klerikers des 14. Jahrhunderts. In: *Studies of the Warburg Institute*. Londres, 1936. t.IA.

_____. A New Discovered Manuscrip of Opicinus de Canastris. *Journal of the Warburg and Courtauld Institutes*, Londres, v.XVI, 1953.

SCHMITT, Jean-Claude. La 'découverte de l'individu', une fiction historiographique? In: MENGAL, Paul; PAROT, Françoise (orgs.). *La Fabrique, la figure et la feinte*. Paris: Vrin, 1989. p.213-35.

Islã

E difícil determinar com precisão o alcance histórico do primeiro contato brutal entre a Europa cristã e o Islã,[1] na Espanha, em princípio do século VIII (711). A consequência imediata foi a queda do reino visigodo aparentemente em crise profunda, e do qual não é possível saber o alcance de sua influência na Europa cristã caso não tivesse sucumbido. Talvez a integração de certos elementos de sua tradição cultural (Isidoro de Sevilha) ao legado da Cristandade ocidental tenha sido favorecida pela dispersão de suas elites, já que uma parte refugiou-se no Império Carolíngio. Inversamente, com o reino de Oviedo, no noroeste da Espanha, constituía-se a partir de 718 um "reduto cristão" muito isolado culturalmente onde essa mesma tradição se manteria de forma mais homogênea (a liturgia moçárabe e o código visigótico perpetuaram-se no direito asturiano, depois no leonês).

Primeiros contatos: séculos VIII-X

Ao rechaçar o Islã para fora da Francia ocidental, os Carolíngios impuseram duramente a autoridade franca austrasiana às regiões que os muçul-

---

1 Em francês, como em português, islame/islã indica ao mesmo tempo a religião e a civilização nela baseada. Mas, para evitar ambiguidades, por Islã, com maiúscula, entendemos o conjunto territorial e cultural fundamentado em uma religião, o islamismo – correspondente ao que é "Cristandade" para o mundo do cristianismo. [HFJ]

Dicionário analítico do Ocidente medieval

manos tinham temporariamente dominado, inclusive a antiga Septimânia visigótica (Languedoc mediterrâneo, do Ródano ao Roussillon). Lá ainda, na fronteira de territórios reconquistados ao Islã, em torno da velha cidade fortificada de Barcelona (ocupada em 801), surgiram as bases de uma região ligada politicamente ao domínio franco, mas com forte individualidade humana (os *hispani*) e jurídica (direito de origem visigótica), fundamento da futura Catalunha. Um pouco mais tarde, no século VIII e princípio do IX, aparecem na zona pirenaica entidades políticas autônomas ainda mais frágeis: os condados pirenaicos, dos quais o principal é Aragão, enquanto a Navarra, país dos bascos, realmente se constituirá como reino apenas no século X.

A luta vitoriosa contra a ameaça árabo-muçulmana certamente favoreceu a afirmação da dinastia carolíngia, com o apoio do papado, portanto a formação do império de Carlos Magno e da "Cristandade latina". É difícil saber se o caráter decisivo desses acontecimentos foi plenamente percebido pelos contemporâneos. A esse respeito, cita-se por vezes o termo *Europenses* que a *Crônica moçárabe* de 754 emprega para designar os francos na batalha de Poitiers, o que poderia levar a supor que existia (circunstancialmente entre os cristãos submetidos ao Islã) uma certa percepção da dimensão do "choque de civilizações" que estava acontecendo.

Se o processo de repovoamento iniciado a partir de células cristãs do norte da Península Ibérica (os "núcleos da Reconquista" dos historiadores espanhóis) estende lentamente o território cristão em direção ao sul a partir do fim do século VIII, nos extensos territórios despovoados da bacia do Douro, os limites do mundo muçulmano, que se fixam imprecisamente no vale médio do Tejo e, no vale do Ebro, nos confins da cadeia pirenaica, não variarão substancialmente até o século XI. Passada a grande crise política que afetou o mundo islâmico (*Dar al-Islam*) em meados do século VIII com a substituição do califado omíada de Damasco pelo califado abássida de Bagdá, o Islã, absorvido por sua reorganização interior e por seus próprios problemas político-religiosos, não mais manifestará seu dinamismo expansionista a não ser em algumas zonas limitadas (conquista da Sicília pelos aglábidas de Kairuan entre 827 e o fim do século IX). É então que, além de eventos militares marginais, alguns contatos diplomáti-

Islã

cos começam a ser estabelecidos de um lado entre os soberanos carolíngios e otônidas e, de outro, o califado de Bagdá, os emirados aglábida e omíada da Ifrîqiya e da Espanha.

Contudo, nos séculos IX e X, o fenômeno que domina a história das relações entre a Europa e o mundo muçulmano é o da pirataria sarracena no Mediterrâneo ocidental. As expedições de frotas oficiais da época do califado omíada, interrompidas desde meados do século VIII, dão lugar, por volta de 800, aos ataques contra as ilhas do Mediterrâneo, o litoral do Império Carolíngio, da Itália central e meridional, desencadeados principalmente de al-Andalus, mas também do Magreb. Acredita-se que essa pirataria, que se desenvolve nos séculos IX e X, tenha sido organizada fora do âmbito dos poderes estatais. Parece que tais incursões tinham o objetivo de capturar escravos, cuja demanda era grande no mundo muçulmano. A única região em que os ataques estiveram sob controle de um poder político era a Sicília, cuja conquista pelos aglábidas começou em 827.

Pouco depois, entre 834 e 839, bandos de ifrîqiyanos e de andaluzes apareceram no sul da Itália. Esses muçulmanos tomaram Tarento em 840 e Bari em 841, constituindo dois pequenos "emirados" que duraram apenas até a reocupação bizantina em 871 (Bari) e 880 (Tarento). Mas as depredações levadas a cabo a partir de pequenas bases estabelecidas perto das costas continuaram a ocorrer na Calábria, Campânia e Itália central. Grandes mosteiros como Farfa e Monte Cassino foram despovoados, enquanto a própria Roma tinha sido atacada e parcialmente pilhada em 846.

Na Provença, os ataques culminaram com o estabelecimento de uma colônia sarracena em Fraxinetum por volta de 890 (La Garde-Freinet). As devastações provocadas pelos piratas alastraram-se por uma área geográfica impressionante, até os Alpes, onde interceptavam caravanas de mercadores e peregrinos que viajavam entre a Germânia e a Itália. Os poderes cristãos locais ou distantes (italianos, germânicos) revelaram-se incapazes de expulsá-los até que uma reação da aristocracia provençal, consecutiva à captura do abade São Maiol de Cluny, pôs fim a ocupação em 972.

Nesse mesmo período, a fraqueza dos poderes políticos na Itália levou o papado em diversas ocasiões a tomar a iniciativa na luta contra os bandos e incursões sarracenos – que constituíam a principal ameaça no flanco

Dicionário analítico do Ocidente medieval

meridional da Cristandade –, vindo a delinear uma espécie de embrião da doutrina da "guerra santa", cujos desdobramentos levariam à Cruzada. O perigo sarraceno acabou por se atenuar tanto em razão da resistência dos cristãos quanto devido a fatores internos ao Islã. Em fins do século X, o pior momento tinha passado, não mais restando estabelecimentos muçulmanos no litoral da Gália e da Itália. Entretanto, a ameaça continuava a existir no sul da Itália, desde a Sicília.

Em 982, os kalbidas da Sicília vencem mesmo o exército enviado pelo imperador Oto II para combater os bandos de sarracenos que tinham invadido a Calábria (Cabo Colonna). A Espanha muçulmana é, então, governada pelo poderoso ministro do califado, o *hadjib* al-Mansur, que, de 980 até sua morte em 1002, aterroriza os Estados cristãos do norte com poderosas expedições no curso das quais ele pilha Barcelona em 985 e Santiago de Compostela em 997. Mas o dinamismo muçulmano chega ao fim com a crise política instaurada em Córdoba a partir de 1009 e em Palermo após 1036. Apenas um dos príncipes das *taifas* andaluzas que sucedem ao califado, Mudjahid de Denia, que controla as Baleares, tenta prolongar a atividade guerreira ao empreender a conquista da Sardenha em 1015-1016, tendo sido prontamente rechaçado por pisanos e genoveses. O acontecimento simboliza a alteração na relação de forças em proveito dos cristãos.

Outras formas de contato entre o Islã e a Cristandade parecem ter sido pouco importantes nesse período. Apenas se pode citar, em 953, a visita a Córdoba do abade João de Gorze, da Lorena, como embaixador de Oto I para pedir a interrupção dos ataques sarracenos a partir de Fraxinetum, e o envio ao mesmo Oto, pelo califa Abd al-Rahman III, do moçárabe Recemundo (ao qual Liutprando dedica seu *Antapodosis*). Na Espanha, as relações diplomáticas eram mais frequentes. O envio por parte do mesmo califa em 958 do médico judeu Hasday ben Shaprut à rainha Toda de Navarra ficou célebre: tinha a missão de fazer emagrecer o neto de Toda, o rei de Leão, Sancho, o Gordo, destronado pelos súditos devido à sua obesidade, e de ajudá-lo a recuperar o poder.

É nos limites do califado de Córdoba e de Leão, nas partes meridionais desse reino, onde se tinham instalado núcleos de populações cristãs arabizadas independentes da autoridade muçulmana, e nos mosteiros dessas regiões, que se desenvolve nos séculos IX e X a arte extremamente original qualificada de "moçárabe". Trata-se, sobretudo, de belos manuscritos religiosos iluminados e de igrejas influenciadas por formas arquitetônicas então valorizadas no califado (arcos com ferro duplo, abóbadas com nervuras). Menos espetaculares são as primeiras infiltrações de elementos da ciência árabe no Ocidente cristão. Sabe-se que o monge francês Gerberto de Aurillac, o futuro papa Silvestre II, estudou em 967-970 nos mosteiros catalães e aí obteve uma formação matemática de nível muito superior à dos seus contemporâneos, utilizando as primeiras traduções latinas de obras árabes feitas na Espanha em meados do século X.

Parece, entretanto, que as trocas ou correntes de influência foram muito tênues na Alta Idade Média, e que tiveram por agentes sobretudo grupos marginais, comerciantes moçárabes e em especial judeus. O comércio resumia-se essencialmente a produtos de valor, como peles e armas, mas também a escravos brancos vindos da Europa (eslavos, ou *saqaliba*), cuja demanda era insuficientemente atendida pela pirataria.

A conquista árabe fechou o Mediterrâneo (H. Pirenne) ou, ao contrário, estimulou o desenvolvimento econômico do Ocidente cristão (M. Lombard)? Os testemunhos arqueológicos tendem a confirmar as teses do historiador escandinavo Sture Bolin, para quem a produção maciça e a circulação de moedas de prata muçulmana abássida até o norte da Europa tinham influenciado o "Renascimento Carolíngio" e seu monometalismo argênteo. Mas essas conexões não parecem ter durado além das duas primeiras décadas do século IX. A entrada de prata muçulmana no norte da Europa diminui em seguida, enquanto o Império Carolíngio e o Império Abássida entram numa fase de desmembramento político cada vez mais acentuado.

A época da Reconquista e da Cruzada

A monarquia asturo-leonesa desenvolveu desde o fim do século VIII uma ideologia "neogótica", considerando-se herdeira do reino visigodo. Nos séculos IX e X, a ideia de uma "restauração da ordem gótica" tinha acompanhado o esforço para o repovoamento de vastos territórios pratica-

Dicionário analítico do Ocidente medieval

mente despovoados da bacia do Douro. Mas, ao aproximar-se de territórios densamente ocupados pelo povoamento muçulmano, o avanço cristão, momentaneamente contido pelo poder do califado de Córdoba, tornou-se "reconquistador", e pôde-se pensar na aplicação de um programa de reunião dos territórios cristãos da *Hispania*, separados pela invasão muçulmana. A crise em que estava mergulhado o califado de Córdoba entre 1009 e 1031 permitiu aos cristãos tomar consciência de sua força. A partir de aproximadamente 1050, os soberanos cristãos impuseram sistematicamente aos governantes das *taifas* o pagamento de tributos, ou *parias*, forma de exploração da riqueza muçulmana que enfraqueceu Estados já divididos, reforçando o vigor – e os apetites – das monarquias e aristocracias do Norte.

No reino castelhano-leonês, os primeiros avanços territoriais significativos ocorrem entre 1057 (tomada de Lamego e de Viseu) e 1064 (Coimbra) sob o rei Fernando I. Nos mesmos anos, o papado, estimulado pelo desenvolvimento de seu ideal teocrático e contando com o apoio dos cluniacenses, começa a tomar parte ativa nesse esforço. Quando, em 1059, Nicolau II reconheceu em Roberto Guiscardo o "futuro duque da Sicília", tinha-lhe confiado uma missão de reconquista. Com a morte de Ramiro I de Aragão em 1063, em combate contra os muçulmanos, o mesmo papa colocou o jovem rei Sancho Ramirez sob sua tutela e decidiu o envio da grande "cruzada" francesa de 1064 – a primeira expedição desse gênero, para a qual foram prometidas recompensas espirituais – que acabou por se apropriar de Barbastro, na fronteira pirenaica do emirado muçulmano de Saragoça.

A mesma alteração da relação de forças começou também a ocorrer no princípio do século no Mediterrâneo central. Em 1015-1016, com o encorajamento do papado, Pisa e Gênova obrigam o emir Mudjahid de Denia a evacuar a Sardenha, que ele tinha desejado poder controlar. Em 1034, os pisanos atacam pela primeira vez uma cidade do litoral magrebino (Bône) e em 1063 tentam um ataque contra Palermo. Em 1087, pisanos e genoveses recebem o *vexillum Sancti Petri* (a auriflama de São Pedro) para uma expedição contra Mahdia.

Mas o episódio determinante nas últimas décadas do século XI na Península Ibérica é a ocupação de Toledo por Afonso VI de Castela. Ponto

Islã

culminante da Reconquista do século XI, esse fato marca também a interrupção do avanço castelhano-leonês, pois provoca a entrada dos almorávidas em al-Andalus a chamado dos reis das *taifas*, apavorados com a queda de Toledo: os muçulmanos alcançam então sobre os castelhanos a grande vitória de Sagrajas, ou Zalaca (1086). Apenas em Aragão, protegido da ameaça almorávida em virtude do domínio do Cid sobre toda a parte norte-oriental de al-Andalus, de Saragoça a Valência, é que a progressão cristã pode continuar a se consolidar com a tomada de Huesca em 1096.

No ano anterior, Urbano II havia lançado em Clermont o apelo à Cruzada, cujos mecanismos e a própria ideia tinham sido elaborados na Espanha. O paralelismo entre os movimentos de Cruzada e de Reconquista é evidente não apenas do ponto de vista cronológico. Tanto no leste quanto no oeste, a Cristandade, cada vez mais consciente de sua força espiritual e militar, defronta-se com um Islã cuja composição étnica, política e cultural está se modificando em benefício de povos não árabes – mas rapidamente arabizados – que aparecem como uma ameaça ao mundo cristão: turcos seldjúcidas de um lado, berberes almorávidas de outro. Na realidade, toda a zona de contato mediterrânea entre os dois mundos encontra-se afetada; também no Mediterrâneo central assiste-se à expansão dos normandos da Sicília em direção às costas do Magreb oriental: tomada de Malta em 1127, de Djerba em 1134, de Trípoli (já atacada em 1143) em 1146, depois de bom número de outros portos de Ifrîqiya, dos quais o mais importante é Mahdia (já atacado em 1123 e 1140) em 1156.

O contato brutal entre o Islã e a Cristandade evolui em cada front a um ritmo próprio. A expansão no Oriente consolida-se entre 1098 (tomada de Antioquia e de Edessa) e 1109 (tomada de Trípoli), tendo como ponto culminante a sangrenta ocupação de Jerusalém (1099), estagnando e recuando em seguida devido ao rearmamento moral, religioso e político do Islã no Oriente. A longa fase de declínio dos Estados latinos do Oriente começa com sucessos obtidos pelo regime zêngida (retomada de Edessa em 1144-1146). Em 1187, Saladino alcança a esmagadora vitória de Hattin, retomando Jerusalém e a maior parte do reino. A segunda (1147-1148) e a terceira (1190-1191) cruzadas, assim como as expedições do século XIII, são tentativas ocidentais, em sua maior parte muito mal coordenadas,

Dicionário analítico do Ocidente medieval

visando amenizar a pressão muçulmana bastante forte diante das fracas possibilidades demográficas das colônias latinas do Oriente, e não fazem mais que retardar o avanço muçulmano.

No Mediterrâneo central, a dominação normanda de cidades do litoral da Ifrîqiya teve curta duração. Algumas revoltas locais libertaram cidades como Sfax em 1156 e Trípoli em 1159, mas o acontecimento decisivo foi a grande invasão da Ifrîqiya pelos almôadas em 1159, que eliminou a presença normanda (Mahdia caiu depois de seis meses de assédio, em janeiro de 1160). Na Espanha, pelo contrário, a expansão cristã, refreada após Zalaca, volta a ser retomada na primeira metade do século XII. Os catalães, com a ajuda dos pisanos – que tinham recebido as Baleares em feudo do papa Gregório VII –, lançam em 1113-1114 uma expedição naval contra aquelas ilhas, onde a cidade de Madina Mayurqa é pilhada.

Aragão, sempre contando com a ajuda de forças provenientes da França meridional, completa uma etapa muito importante de sua expansão com a conquista de Saragoça em 1118. A dinastia portuguesa, em vias de fundar um poder independente, apoia-se na vitória de Ourique (1139) para obter o título real. O desmoronamento do Império Almorávida permitiu aos cristãos obter sucessos notáveis em meados do século: em 1147, Afonso Henriques, de Portugal, conquistou Lisboa e Santarém, e no ano seguinte os catalano-aragoneses, desde então unidos sob a dinastia de Barcelona, conquistaram Tortosa e Lérida. Tais avanços importantes devem ser situados no quadro da mobilização da Cristandade à época da segunda cruzada. A caminho da Terra Santa, cruzados ingleses e flamengos deram importante contribuição aos portugueses na conquista de Lisboa.

Enquanto zêngidas e aiúbidas obtinham sucessos decisivos no Oriente, o Império Almôada, cujo desenvolvimento parece ser paralelo (grande vitória de Alarcos, em 1195), chega ao esgotamento no princípio do século XIII. Em 1212, a grande derrota que os exércitos dos soberanos espanhóis infligem ao califa Muhammad al-Nasir em Las Navas de Tolosa marca o início de um período de crise inicialmente encoberta, depois aberta, que possibilita aos reinos cristãos lançar o avanço decisivo dos anos 1229-1248, quando foram sucessivamente conquistadas Badajoz, Mérida, as Baleares, Córdoba, Valência, Márcia, Jaen e Sevilha. O espírito de cruzada

Islã

inspira ainda os combatentes espanhóis de 1212, instigados pelo grande arcebispo de Toledo, Rodrigo Jiménez de Rada, mas é gradativamente substituído no decurso do século por um espírito "pré-nacional" que delineia, em torno das dinastias hispânicas, as configurações políticas fundadoras das "Espanhas" do fim da Idade Média. O êxito obtido por essas monarquias cristãs contrastam com o insucesso das contemporâneas cruzadas de São Luís.

O Ocidente e o Islã nos séculos XIII-XV

Ao menos pelo que se pode depreender das fontes escritas, durante a Alta Idade Média o desconhecimento do Islã era quase total. Essa situação modifica-se lentamente apenas na época da Reconquista e da Cruzada. No princípio do século XII, Guiberto de Nogent reclama não ter podido encontrar maiores informações a respeito do desenvolvimento histórico do Islã. Ao contrário de uma opinião difundida entre seus contemporâneos, que tomam Maomé por um Deus, ele realça o caráter humano do profeta. A ideia de que os muçulmanos (geralmente chamados de "pagãos") cultuam ídolos é frequente no século XII, em particular nas canções de gesta que veiculam uma imagem bastante deformada do Islã.

As cruzadas do Oriente produziram relações essencialmente militares (nascimento das Ordens Militares) e não parecem ter enriquecido os conhecimentos do Ocidente, nem suas condições materiais. Habituava-se, contudo, ao contato com os muçulmanos. Nas margens meridionais da Cristandade, populações muçulmanas relativamente numerosas foram integradas aos Estados criados ou aumentados às custas do Islã. O caso mais notável é, sem dúvida, o da Sicília árabo-normanda, onde foram voluntariamente conservados em proveito da nova dinastia não apenas um povoamento muçulmano necessário para a valorização da ilha, mas também estruturas governamentais e administrativas, em particular no domínio fiscal, e elementos da própria concepção de monarquia.

Do "arabismo" da corte de Palermo, são bons testemunhos tanto as *muqarnas* pintadas no teto da capela palatina (em torno de 1143) quanto a obra geográfica de al-Idrisi. Entretanto, essa civilização original não foi

711

exportada. A coexistência entre muçulmanos e cristãos durou apenas um século, degradando-se progressivamente no fim do século XII e nas primeiras décadas do XIII, quando revoltas e a subsequente repressão esvaziaram totalmente a ilha de sua população muçulmana. Num aparente paradoxo, os episódios mais dramáticos e a definitiva expulsão em massa ocorreram em 1221-1223, sob o reinado do mais "filoárabe" dos soberanos da Idade Média, o imperador Frederico II.

Quanto à permanência de comunidades *mudejares* na Espanha, esta só veio a ser posta em causa depois do fim da Idade Média. Entretanto, ao contrário do que tem sido feito muitas vezes, convém não considerar sua integração aos Estados cristãos em expansão como o fruto de uma convivência quase harmoniosa. A conquista foi em toda parte militar e, embora raramente tenha sido acompanhada de massacres (Lisboa), sempre teve como resultado destruir as estruturas urbanas da sociedade muçulmana (as cidades foram repovoadas por cristãos e a maior parte das elites urbanas emigrou). Nas cidades subsistiram apenas pequenas *morerías*, povoadas essencialmente por artesãos, e somente no campo continuaram a existir populações importantes. Nas *huertas* do leste e do sul da península, tais populações conservaram as técnicas de irrigação, transmitindo-as aos cristãos. Sem subestimar a dimensão dos contatos de civilização produzidos nesse ambiente (a arte dita *mudéjar* que se desenvolveu a partir do século XIII em diversas regiões, particularmente em Aragão, testemunha tais influências), é preciso constatar que a própria natureza das sociedades cristãs peninsulares, sem dúvida ligadas ao conjunto de culturas e de formações políticas europeias, não foi alterada.

Situação diversa ocorreu no âmbito intelectual. A Europa rapidamente se deu conta da riqueza cultural islâmica, herdeira de uma Antiguidade com a qual procurava restabelecer contato e apropriar-se em seu proveito. Os contatos diretos com autores árabes eram evidentemente raros, sobretudo em razão da barreira linguística. Pode-se, entretanto, citar o catalão Raimundo Lúlio, originário de Maiorca, como um bom exemplo dos sentimentos de fascínio e repulsa que o Islã inspirava em alguns ocidentais. Impregnado de intelectualidade árabo-muçulmana, ele foi tanto o defensor zeloso da Cruzada, tratando o Islã com desprezo, quanto o partidá-

Islã

rio "moderno" da aprendizagem do árabe e de um diálogo islamo-cristão destinado à conversão dos muçulmanos. No fim, morreu como mártir em Bugia, tentando, como já tinha feito anteriormente, pregar a conversão à massa muçulmana. No princípio do século XIV, Anselmo Turmeda, outro maiorquino, chegou a converter-se ao Islã. Antes deles, já se destacara a surpreendente figura do imperador Frederico II, que, como seus predecessores normandos, cerca-se de uma guarda sarracena, mantém letrados árabes em sua corte e interessa-se muito pela cultura árabe, a ponto de formular questões científicas e filosóficas a eruditos do mundo muçulmano.

Mas o fato mais marcante do contato intelectual entre a Europa e o Islã é o "movimento das traduções" do árabe para o latim, que aconteceu nos séculos XII e XIII nas zonas de contato com o Islã, onde as condições culturais favoreciam tal empreendimento. As primeiras traduções ocorreram na segunda metade do século XI na Itália meridional, em Salerno e em Monte Cassino, sobretudo de obras de medicina, e foram realizadas por um cristão ou muçulmano convertido originário da Ifrîqiya chamado Constantino, o Africano. O trabalho iniciado pela "escola de Salerno" prosseguiu no círculo dos reis normandos, depois sob seus sucessores suábios e angevinos, mas na maior parte dos casos era de textos gregos.

Na Espanha, pelo contrário, as traduções do século XII foram essencialmente de textos árabes adquiridos em al-Andalus ou encontrados nas cidades conquistadas no vale do Ebro e sobretudo em Toledo. Tudo indica terem sido principalmente os judeus — capazes de traduzir o árabe para a língua românica vulgar — que serviram de intermediários aos tradutores em latim antes que eles próprios, ou pelo menos alguns deles, aprendessem o árabe. Entre os grandes tradutores, cabe citar Adelardo de Bath, que traduziu em 1126 as tabelas astronômicas de al-Khuwarizmi (do nome desse autor derivarão os termos "algoritmo" e "logaritmo"), e Geraldo de Cremona. Este último foi até Toledo em busca de uma tradução árabe do *Almagesto*, de Ptolomeu, fixou-se na cidade como cônego da catedral, aprendeu o árabe e traduziu inúmeras obras antes de morrer em 1187. É somente nessa época que se pode falar de uma "escola de Toledo".

A importância cultural do movimento das traduções é considerável: acompanhou e estimulou o renascimento intelectual da Europa nos sécu-

Dicionário analítico do Ocidente medieval

los XII e XIII; fundou em larga medida a modernidade do pensamento, contribuindo para provocar na Europa um desenvolvimento intelectual verdadeiramente revolucionário. Para Alain de Libéra (*Penser au Moyen Age*, 1991), é do contato com o pensamento árabe, em particular com o pensador andaluz Ibn Ruchd (Averróis), grande comentador de Aristóteles no século XII, que nasce o "intelectual" ocidental, portador de uma primeira visão laica do mundo.

Desenvolvendo a ideia de progresso e a preocupação com as aplicações técnicas da ciência, o Ocidente tirou o melhor partido das inovações que conheceu por intermédio do mundo árabe, ou, em todo caso, paralelamente a ele (papel, algarismos arábicos e uso do zero, bússola e cartografia, pólvora...), valendo-se delas para dar suporte a um desenvolvimento cumulativo que o colocaria rapidamente em posição de superioridade em relação ao *Dar al-Islam*.

O momento decisivo da assimilação das ciências e técnicas emprestadas do mundo árabe foi certamente o século XIII, época de Frederico II. Para Roger Bacon, a filosofia era domínio por excelência dos gregos e árabes, e a Cristandade recebeu-a quase totalmente deles. Para os eruditos de meados do mesmo século, a discussão das próprias realidades teológicas não se podia fazer senão nos termos da filosofia árabe. No início do século XIV, Dante, cuja *Divina comédia* deve muito à escatologia muçulmana, livra do Inferno e coloca no Limbo Avicena e Averróis, únicos "modernos" ao lado dos heróis e sábios da Antiguidade. Com seu contemporâneo Mestre Eckhart, Dante situa-se entre os pensadores da passagem do século XIII para o XIV que reformulam para uso de um público mais amplo que o da faculdade de Artes a ideia aviceniana de santidade, núcleo da concepção medieval do enobrecimento do homem pelo exercício do pensamento (A. de Libéra).

W. Montgomery Watt destaca, entretanto, que, embora influenciado por temas islâmicos e consciente da dívida do pensamento europeu com o Islã, Dante coloca Maomé no Inferno entre os semeadores de discórdia, reservando ao Islã espaço ínfimo na ampla visão do mundo antigo e moderno que seu poema nos dá. Para ele, "Dante fixou à sua maneira a imagem de uma fase desse processo em gestação, no qual a Europa pro-

Islã

curava conceber-se por oposição ao mundo islâmico e identificar-se com a herança clássica". Essas diferentes interpretações da relação da obra de Dante com o Islã são talvez significativas da relação da própria Europa com o mundo islâmico. Em 1277, Estêvão Tempier, bispo de Paris, condenou, a pedido do papa, 219 proposições filosóficas "averroístas" julgadas perigosas. Petrarca, que exprime com vigor sua aversão por obras árabes e sua oposição ao averroísmo, é alguém já plenamente representativo do novo tempo "renascente" no qual a Europa prepara sua entrada. O humanismo e o Renascimento desprezarão as traduções do grego por intermédio do árabe, vendo-as como símbolos de falsificação por parte do espírito "gótico" da Idade Média.

Enquanto a Cruzada continua a ser um ideal essencialmente aristocrático, ações missionárias começam a se desenvolver, encarnadas por franciscanos e dominicanos. O próprio papado começa uma diplomacia com os príncipes muçulmanos, recomendando-lhes por correspondência escrita em árabe os frades enviados em missão aos territórios islâmicos, mas os esforços não logram sucesso. A pregação em terra muçulmana demonstrou ser quase impossível. Os missionários dirigem-se a outros terrenos de evangelização no mesmo momento em que a expansão mongol, a partir da terceira década do século XIII, e as viagens de Marco Polo, na segunda metade do mesmo século, revelam aos europeus a imensidão do mundo asiático que se estendia para além do Islã. Na Cristandade, esboçam-se então planos quiméricos de aliança mongol contra o Islã.

O próprio mundo muçulmano modifica-se consideravelmente no fim da Idade Média. No Mediterrâneo ocidental, os Estados pós-almôadas de al-Andalus e do Magreb acabam enfraquecidos, mais ou menos submetidos do ponto de vista econômico e político aos poderes cristãos, sobretudo ibéricos e italianos (assim como a presença econômica genovesa em Granada, que está oficialmente na vassalagem do rei de Castela; as milícias cristãs mantidas por soberanos do Magreb; a onipresença dos interesses mercantis europeus em Tlemcen ou em Túnis). O poderio dos mamelucos no Egito, vitoriosos sobre os mongóis em Ayn Djalut no ano de 1260, elimina os últimos vestígios da presença militar franca na Terra Santa (tomada de São João d'Acre em 1291). Entretanto, o Estado mameluco estabelece densas

Dicionário analítico do Ocidente medieval

relações comerciais com os cristãos do Ocidente, pois, não dispondo de frota naval, depende delas para seu aprovisionamento de ferro, madeira e mesmo escravos, necessários para a renovação de seu estranho exército servil. Globalmente, a dominação cristã parece ter se estabelecido em todo o Mediterrâneo diante de um Islã árabe em declínio. No Ocidente do século XIV, sonha-se com planos de Cruzada a fim de organizar o bloqueio comercial dos países muçulmanos para obrigá-los a devolver a Terra Santa à Cristandade.

Agora o perigo vem do Islã turco. Os sultões otomanos de Brousse constituem no segundo quarto do século XIV outro exército servil, o dos janízaros, que na segunda metade do mesmo século entra nos Bálcãs provocando séria inquietação em Constantinopla. A ameaça turca provoca a renovação do espírito de Cruzada na aristocracia ocidental, cuja principal manifestação veio a ser a cruzada de Nicópolis de 1396, em que a cavalaria francesa e o exército húngaro foram massacrados pelo sultão Bayazid. Uma frota francesa ainda salva Constantinopla em 1399, mas, em 1453, a cidade é tomada por Mehmet II, que utiliza amplamente a artilharia. Aos olhos dos ocidentais, o perigo muçulmano vem, doravante, dos turcos, e não mais dos árabes. Com efeito, na outra extremidade da Europa, o Islã árabe é expulso da Península Ibérica com os mesmos meios (artilharia) que os turcos empregaram contra Constantinopla, e Granada é conquistada em 1492.

Apesar da inquietação gerada na Europa oriental pelos turcos, o Islã deixou de ser concebido pelos cristãos como um corpo político unificado contra o qual era necessário se unir, e sim como um conjunto de poderes mediterrâneos inserido num jogo diplomático e militar dominado por poderes rivais da Europa meridional. O próprio papado, durante muito tempo o principal sustentáculo da corrente "cruzadista", acabou por participar ativamente nesse complexo de relações. Em 1490-1494, o papa Alexandre VI, firme defensor da ideia de Cruzada, opondo-se às ambições do rei Carlos VIII da França — que deseja quimericamente conquistar a Itália para fazer dela a base de uma cruzada visando reconquistar Constantinopla e Jerusalém —, aliou-se abertamente ao sultão de Constantinopla Bayazid, para que este compelisse os venezianos a se opor à empresa francesa. Foi

Islã

esse mesmo papa que, em 1493, dividiu os novos mundos descobertos entre a Espanha e Portugal através das bulas *Aeterni Patris* e *Inter Coetera*, prolongadas no ano seguinte pelo tratado de Tordesilhas. A Europa, que com o episódio mongol começara a alargar seus horizontes para além do Islã, entra numa nova era, a da conquista do mundo, e o Mediterrâneo, um "lago" entre o Islã e a Cristandade, nada mais é, nessa perspectiva, do que um setor secundário.

O Islã e o progresso da Europa

Desde o fulgurante avanço muçulmano sobre a Península Ibérica e a Gália no século VIII até a conquista dos Bálcãs pelos otomanos nos séculos XIV e XV, a ameaça do Islã pairou sobre a Europa, periodicamente reavivada, por diversas razões, com maior ou menor intensidade. Se a expansão ocidental a partir do fim do século XI fez o Islã recuar no oeste, na Sicília e na Espanha, o mesmo não ocorreu no leste da Europa, onde os otomanos, senhores dos Bálcãs, sitiaram Viena em 1529.

As aventuras transoceânicas iriam oferecer ao Ocidente condições para a dominação mundial, no quadro da qual a ameaça islâmica seria refreada, depois reduzida, e o próprio mundo muçulmano viria a ficar exposto aos empreendimentos europeus. Ao considerar-se esse longo processo histórico a partir da Europa ocidental, há uma incontestável continuidade entre o recuo do Islã no Mediterrâneo ocidental, a consolidação do poder europeu e sua expansão oceânica. Devem-se aos mediterrâneos os primeiros empreendimentos atlânticos significativos em fins do século XIII e na primeira metade do século XIV, no mesmo momento em que a expansão militar de Castela abria definitivamente o estreito de Gibraltar às frotas ocidentais (tomada de Algeciras em 1344). Por essa via é que o capitalismo mediterrâneo e as técnicas marítimas atlânticas iriam se associar.

A luta contra o Islã contribuiu para a unidade da Europa do século VIII ao XV. Europeus do Mediterrâneo e do Atlântico aprenderiam em seguida a dominar o mar ocidental, e caberia a um genovês o privilégio de pôr fim à Idade Média ao descobrir a América. A exploração e a tomada de posse das imensidões que se abriam diante deles foram em parte motivadas pelo desejo

717

Dicionário analítico do Ocidente medieval

de flanquear o Islã pelo sul da África ou pelo oeste, e de continuar a Cruzada ao descobrir os domínios do mítico "Preste João". Para tanto, "serviram-se em boa parte do saber do inimigo muçulmano e da experiência adquirida graças aos contatos medievais que tinham ocasionado a Cruzada, e graças às muitas traduções de obras árabes em latim efetuadas na Espanha, Itália e França durante os séculos XII e XIII" (A. Hamdani). Cristóvão Colombo mostrou aos Reis Católicos que as riquezas trazidas da Índia serviriam para a reconquista de Jerusalém, mas apoiava-se num conhecimento geográfico herdado quase sempre dos árabes e das traduções que estes tinham feito dos sábios da Antiguidade.

O saber árabe teve importância considerável na formação da ciência e da cultura europeias. Entretanto, convém lembrar que a referida transferência não resultou de um processo pacífico de transmissão do saber. O movimento das traduções acompanhou a Reconquista. Os ocidentais enriqueceram os conhecimentos necessários ao seu desenvolvimento científico com a espada em punho, selecionando o que lhes parecia útil no próprio momento em que o pensamento árabe, incapaz de se renovar, esclerosava--se na fidelidade aos antigos mestres e fechava-se em suas preocupações exclusivamente religiosas e místicas. O sucesso extraordinário e quase imediato de Averróis no Ocidente – morto em 1198, ele está traduzido para o latim desde a segunda década do século XIII – ilustra bem o distanciamento entre as duas culturas: no mundo muçulmano, ele "fechou" por assim dizer o ciclo da filosofia aristotélica, da qual representa ao mesmo tempo o apogeu e o fim; no mundo cristão, pelo contrário, constituiu o ponto de partida da renovação do pensamento europeu.

Que dizer dos contatos em princípio mais pacíficos, em particular dos contatos comerciais? Costuma-se acentuar a fraca contribuição das cruzadas no que respeita a aportes culturais ao Ocidente. Mas, também nisso, as coisas são talvez um pouco mais complexas. Embora as expedições na Terra Santa tenham propiciado poucos enriquecimentos diretos, e embora as influências orientais já se fizessem notar bem antes na Europa, por intermédio das cidades comerciais da Itália meridional, foram os "setentrionais" – cristãos do norte da Espanha, normandos instalados na Itália, marinheiros e guerreiros dos portos da Toscana, Ligúria e Venécia – que

Islã

tiraram maior proveito do contato com o Oriente ao participar das empresas guerreiras contra o Islã desde o século XI.

Os pisanos do século XII, enriquecidos seja devido às suas participações em incursões antimuçulmanas e nas cruzadas, seja devido ao desenvolvimento de atividades comerciais, decoram as fachadas de suas igrejas com azulejos provenientes da Espanha, Baleares, Magreb e Egito, e colocam na abside de sua catedral um soberbo grifo de bronze, um dos mais belos exemplos da metalurgia muçulmana. Tais objetos eram, sem dúvida, troféus adquiridos por pilhagem, e não o fruto de um comércio pacífico. Enquanto as influências islâmicas aparecem de modo bastante visível na arte da Itália meridional e, evidentemente, na Sicília "árabo-normanda", em Pisa e de maneira geral na Itália do Norte – numa arte românica local muito precoce e que nada deve ao Islã –, os objetos de arte muçulmana constituem tão somente lembranças de triunfos militares em além-mar.

Com efeito, um curioso texto do geógrafo andaluz al-Zuhri, escrito na segunda metade do século XII, apresenta os pisanos antes de tudo como guerreiros admiráveis, e apenas em segundo lugar como mercadores. Nesse complexo de atividades, em que guerra e comércio aparecem como dois aspectos de um mesmo dinamismo do Ocidente, as trocas mediterrâneas – largamente dominadas pelos cristãos – continuam, entretanto, a ser uma das principais causas da penetração de ideias, produtos e técnicas, eventualmente até de modas orientais – árabes, mas também bizantinas –, no Ocidente. Sabe-se bem a maneira como o cálculo numérico de posição, emprestado aos árabes, penetrou na Europa a partir do *Liber abaci*, escrito em 1202 pelo matemático pisano Fibonacci, filho de comerciante, educado em Bugia e impregnado de matemática árabe. Muitas outras inovações importadas do mundo muçulmano ou levadas por seu intermédio penetraram na Europa nos séculos centrais da Idade Média, embora frequentemente seja difícil acompanhar a introdução do papel, da cerâmica esmaltada, de numerosas produções agrícolas e, sem dúvida, das armas de fogo.

É preciso reconhecer a contribuição do Islã e tentar avaliá-la de modo exato, mas convém não a superestimar. No domínio da cartografia, por exemplo, após a elaboração da "carta pisana" de 1285 – provavelmente desenhada em Gênova –, os portulanos do século XIV, com especial des-

719

Dicionário analítico do Ocidente medieval

taque, por sua habilidade, para a família judia maiorquina dos Cresques, sem dúvida devem algo aos contatos mediterrâneos com o mundo árabe. Tal contato também desempenhou – embora seja menos certo – algum papel na difusão da bússola no Ocidente. No caso de outras inovações – exceurtuadas as técnicas agrárias responsáveis pela "revolução agrícola" europeia, que por evidentes razões ecológicas não podiam vir do Oriente –, o desenvolvimento do Ocidente é sem dúvida "endógeno". Por exemplo, o leme de cadaste com toda a certeza não foi transmitido pelos árabes, como muito apressadamente se escreveu algumas vezes.

Tentar demarcar com a maior exatidão possível o impacto do Oriente muçulmano no Ocidente cristão, eliminando quando necessário as imprecisões em que recaíram partidários muito entusiastas de uma "influência árabe" onipresente, não significa desconhecer a grandeza da civilização muçulmana medieval. Trata-se apenas de responder às exigências da objetividade histórica. Esta é necessária para que se conheçam as interações recíprocas entre as grandes civilizações e a "dívida" de umas para com as outras, mas também é indispensável na avaliação da especificidade de cada uma e na melhor apreciação das condições de seu desenvolvimento.

Pierre Guichard
Tradução de José Rivair Macedo

Ver também

Bizâncio – Jerusalém e as cruzadas – Medicina – Números – Peregrinação

Orientação bibliográfica

BUSSE, Heribert. *Die theologischen Beziehungen des Islams zu Judentum und Christentum.* Darmstadt: Wissenschaftliche Buchgesellschaft, 1988.

DANIEL, Norman. *The Arabs and Medieval Europe.* Londres: Longman, 1975.

_____. *Islam et Occident* [1960]. Tradução francesa. Paris: Cerf, 1993.

DJAIT, Hichem. *L'Europe et Islam.* Paris: Seuil, 1978.

GUICHARD, Pierre. *Structures sociales "orientales" et "occidentales" dans l'Espagne musulmane.* Paris: Mouton, 1977.

GUICHARD, Pierre. *Les Musulmans de Valence et la Reconquête.* Damasco: Institut Français de Damas, 1991. 2v.

HAMESSE, Jacqueline; FATTORI, Marta (eds.). *Rencontres de culture dans la philosophie médiévale*: traductions et traducteurs de l'Antiquité tardive au XIVe siècle. Louvain--la-Neuve: Institut d'Études Médiévales, 1990.

HODGES, Richard; WHITEHOUSE, David. *Mahomet, Charlemagne et les origines de l'Europe* [1983]. Tradução francesa. Paris: P. Lethielleux, 1996.

JACQUART, Danielle; MICHEAU, Françoise. *La Médecine arabe et l'Occident médiéval.* Paris: Maisonneuve et Larose, 1990.

KRITZECK, James. *Peter the Venerable and Islam.* Princeton: Princeton University Press, 1964.

LEWIS, Bernard. *Comment l'Islam a découvert l'Europe* [1982]. Tradução francesa. Paris: La Découverte, 1984.

LOMBARD, Maurice. *L'Islam dans sa première splendeur, VIIIe-Xe siècle.* Paris: Flammarion, 1971.

MAALOUF, Amin. *As cruzadas vistas pelos árabes* [1983]. Tradução brasileira. São Paulo: Brasiliense, 1988.

MONNERET DE VILLARD, Ugo. *Lo studio dell'Islam in Europa nel X e nel XIII secolo.* Cidade do Vaticano: Biblioteca Apostolica Vaticana, 1944.

MORABIA, Alfred. *Le Gihâd dans l'Islam médiéval*: le combat sacré des origines au XIIe siècle. Paris: Albin Michel, 1993.

MUSCA, Giosuè. *Carlo Magno e Harun al-Rashid.* Bari: Dedalo, 1996.

L'OCCIDENTE E L'ISLAM NELL'ALTO MEDIOEVO. Settimane di Studio del Centro Italiano di Studi sull'Alto Medioevo (8 aprile 1964). Spoleto: Centro Italiano di Studi sull'Alto Medioevo, 1965.

PIRENNE, Henri. *Maomé e Carlos Magno* [1935]. Tradução portuguesa. Lisboa: Dom Quixote, 1970.

RODINSON, Maxime. *La Fascination de l'Islam.* Paris: Maspero, 1980.

SOUTHERN, Richard W. *Western Views of Islam in the Middle Ages.* Cambridge (Mass.): Harvard University Press, 1962.

VERNET, Juan. *Ce que la Culture doit aux Arabes d'Espagne.* Paris: Sindbad, 1985.

Índice onomástico[1]

A

Abbas, Haly, 620-1

Abelardo, Pedro, 133, 259, 280, 346, 413, 462, 466-7, 470, 567, 573, 625, 629, 692-4, 699

Abu, Mashar, 626

Achard de Saint-Victor, 297

Adalberon de Laon, 203, 217

Adão de la Halle, 260

Adelardo de Bath, 713

Ademar de Chabannes, 564

Adorno, Jorge, 141

Adson de Montier-en-Der, 369, 398

Aelfrico de Eynsham, 130

Aethelstan, 679

Afonso de Ferrara, 540

Afonso de Spina, 485

Afonso Henriques de Portugal, 710

---

[1] Os nomes próprios sempre colocam problemas aos tradutores, com alguns defendendo o aportuguesamento geral e outros o respeito ao idioma de origem. Optou-se aqui por um triplo critério intermediário: manter no original os nomes de personagens históricos pós-medievais (com exceções consolidadas pelo uso, como Nicolau Copérnico) e os de estudiosos modernos; utilizar as fórmulas já consagradas em português para topônimos (Cantuária ou Estrasburgo, por exemplo) e antropônimos (como Rábano Mauro ou Godofredo de Bulhão); traduzir nomes que, apesar de inusuais, não colocam problemas eufônicos (caso de Agobardo ou Fulco) nem, sobretudo, de clareza na identificação do personagem (por exemplo, Bertoldo de Ratisbona ou Eustáquio Deschamps). Quando a tradução seria linguisticamente fácil, mas rejeitada pela tradição (quem associaria "Pedro da Francisca" ao grande artista Piero della Francesca ou "Jaime Coração" ao mercador Jacques Coeur?) ou potencialmente ambígua (o bispo Avito é de Vienne, cidade do sudeste francês e não de Viena, hoje capital austríaca), preferimos manter a grafia original. [HFJ]

Dicionário analítico do Ocidente medieval

Afonso V de Aragão (o Grande), 143-4
Afonso VI de Leão e Castela, 237, 686, 708
Agobardo de Lyon, 478
Agostinho (Santo), 29, 360, 80, 82, 84,
  126, 217, 229-30, 239, 247, 287-8,
  297-8, 345-6, 359, 361-3, 395, 399,
  419-20, 430, 461, 468, 476, 480,
  502, 504, 523, 531-2, 561, 566, 569,
  623-4, 628, 665, 692
Aimon de Auxerre, 127, 618, 623
Aimon de Fleury, 595
Alain de Lille, 347, 569, 573
Alberico de Settefrati, 32
Alberto Magno, 88, 298, 621
Alcher de Claraval, 297
Alcuíno, 124, 303-4, 431, 448, 462
Aldebrandino de Siena, 622
Aleixo I Comneno, 137, 153
Alexandre de Roes, 687
Alexandre III (Rolando Bandinelli), 130,
  571, 651, 682-3
Alexandre IV, 418, 479
Alexandre Magno, 211, 223-4, 629
Alexandre Neckam, 298
Alexandre VI, 716
Alfonso X, o Sábio, 236
Alighieri, Dante, 35, 38, 147, 370, 603,
  618, 624, 629, 692, 701, 714-5
Althusius, Johannes, 558
Álvaro de Luna, 144
Amauri de Bène, 403, 412, 576
Ambrósio de Milão, 504, 622
Anastácio, 148, 446
André de Saint-Victor, 128
André, o Capelão, 56, 60, 308, 422
Andrônico II, 136, 155
Anselmo (Santo), 85-6, 346-7, 466
Anselmo de Alexandria, 578
Anselmo de Laon, 127
Antônio de Pádua, 249

Ariosto, Ludovico, 540
Aristóteles, 87, 247, 260, 286-7, 345,
  347-8, 412-3, 415-6, 419, 421-2,
  427, 436, 456, 465, 468, 480, 525,
  554, 617-8, 629, 714
Arnaldo de Brescia, 567
Arnaldo de Vilanova, 402, 483
Arnoldo (Santo), 447
Arnoldo de Guines, 433, 438
Astulfo, 149
Atanásio, 359, 469
Átila, 137, 610
Augusto, 446, 676
Augustodunensis, Honório, 86-7, 618, 624
Aulo-Gelo, 625
Averróis (Ibn Ruchd), 87, 348, 413, 422,
  714, 718
Avicena (Ibn Sina), 87, 298, 413, 620-1,
  630, 714

B
Bacon, Roger, 412, 419, 421, 483, 630,
  714
Bakhtin, Mikhail, 282, 367
Baldung Grien, Hans, 167
Barontus, 32
Bartolomeu, o Inglês, 624
Basílio I, 150
Basin, Tomás, 596
Bayard, 73, 543
Bayazid I (Bajazet), 716
Beato de Liébana, 524
Beda, o Venerável, 32, 83, 396, 524, 593,
  596, 618, 620-1, 624
Bédier, Joseph, 435-6
Beleth, João, 618
Bellini, Giovanni, 75
ben Luca, Costa, 298
ben Shaprut, Hasday 706
Bento de Marselha, 479

Índice onomástico

Bento de Núrsia, 640
Bento XI, 401
Bento XII (Jacques Fournier), 481, 653
Bento XIII, 407, 655
Berengário de Tours, 564
Berengário do Friuli, 678
Bernardino de Siena, 407, 533
Bernardo de Claraval, 38, 86-7, 127, 132, 162, 244, 259, 397, 462, 497, 533, 538, 562, 567-8, 671, 694
Bernardo de Fontcaude, 572
Bernardo de Ventadour, 59
Bernward de Hildesheim, 679
Béroul, 60-1
Bessarion, João, 144, 156-7
Bladelin, Pieter, 669
Bloch, Marc, 18, 21, 248, 256, 373, 496, 522, 611, 659
Boaventura (São), 88, 230, 418-20, 470, 625
Boccaccio, Giovanni, 513
Bodin, Jean, 118, 558
Boécio, 464-6
Boemundo I, 138, 153
Boileau, Estêvão, 672
Bonellus, 32
Bonet, Honório, 543
Bonifácio (Wynfrith), 124, 639
Bonifácio VIII (Benedito Caetani), 114, 281, 401, 455, 482, 604, 648-9, 651-2
Bonvesino de la Riva, 48, 232, 256
Bóris I da Bulgária, 152
Boucicaut (João II), 156, 543
Bourdieu, Pierre, 373
Boutaric, François de, 495
Bradwardine, Tomás, 425
Braudel, Fernand, 11, 72, 229-30
Bresson, Robert, 608
Brígida da Suécia, 243, 282
Bruno de Caríntia, 679

Bruno de Segni, 127
Bruno, o Cartuxo, 127
Brut, Walter, 282
Buchardo de Bellevaux, 273
Burchardo de Worms, 477
Byrthferth de Ramsey, 620

C

Caboche, 263
Caffaro de Caschifellone, 154, 591
Calcídio, 625
Calisto II, 566, 647
Cange, Charles du, 600
Cantacuzeno, João, 136, 140
Carlomano, 639
Carlos de Anjou, 139, 156
Carlos III, o Gordo, 32, 678
Carlos IV da Boêmia, 687-8
Carlos Magno, 14, 73, 77-8, 83, 122, 124, 137, 142, 150-1, 176, 188, 224, 302-5, 431, 438, 447-8, 547, 597, 604-5, 640, 652, 670, 676-8, 684-5, 687-8, 704
Carlos Martel, 447, 639
Carlos V, 75, 131, 186, 189, 313-4, 425, 433
Carlos VI, 143, 314, 592, 597, 605
Carlos VII, 455, 518n.1, 543, 592, 601, 605
Carlos VIII, 314, 716
Carlos, o Calvo, 303-4, 431, 590, 677-8
Carlos, o Temerário, 77, 313, 603, 605, 688
Carpaccio, Vittore, 75
Cassiano, João, 367
Cassiodoro, 122, 589
Cassirer, Ernst, 589
Castel, Tomás, 433
Castiglione, Baldasar, 315
Catão, 75
Catarina de Siena, 283, 523, 533, 653

Dicionário analítico do Ocidente medieval

Celestino V, 65

Cellarius (Keller), Cristóvão, 600

Celso, 620

Cerulário, Miguel, 152, 645

Cervantes, Miguel de, 211

Cesário (São), 199, 274, 476

Cesário de Heisterbach, 283

Chalkokondylis, Demétrio, 156

Chalkokondylis, Laônico, 141, 145

Chartier, Alain, 63, 518

Chartier, João, 592

Châteaumorant, 156

Chaucer, Geoffrey, 618

Chenu, Marie-Dominique, 298, 465

Chilperico, 148

Chiquart (Mestre), 314

Chomatenos, Demétrio, 139

Chrétien de Troyes, 55, 62, 78, 221, 224, 242, 255, 276

Chrodegang de Metz, 200-1

Cícero, 247, 625

Cimabue, 89

Ciríaco de Ancona, 142

Cirilo (São), 152, 229

Clara de Montefalco, 283

Clarembault de Arras, 465

Cláudio de Turim, 670

Clemente I, 270

Clemente II, 645, 681

Clemente III, 683

Clemente V (Bertrand de Got), 652-3

Clemente VI, 522

Clemente VII (Roberto de Gênova), 654

Clóvis, 148, 174, 446, 597, 599, 604, 638

Cola de Rienzo, 609

Colombano (São), 85

Colombo, Cristóvão, 718

Commynes, Filipe de, 595

Comneno, Ana, 136-8

Comodiano, 523

Comte, Auguste, 495

Condillac, Étienne de, 492

Conon de Béthune, 433

Conrado de Marburgo, 576

Conrado II, o Sálico, 680-1

Conrado Schmid, 404

Constantino I, o Grande, 150, 155, 197-8, 340, 444, 448, 504, 562, 632-4, 640, 644, 652, 676-8, 680

Constantino V, 150

Constantino VII Porfirogêneta, 135

Constantino, o Africano, 620-1

Copérnico, Nicolau, 230

Cornélio, 163

Cristina de Pisano, 313, 543

Cuberto (São), 85

D

Dagoberto I, 148

Damasceno, João, 464

Damiano, Pedro, 85, 462

Dândolo, André, 151, 155

Dândolo, Henrique, 154

Datini, Francisco, 277

Davi de Dinant, 412

de la Sale, Antônio, 63

Delacroix, Eugène, 603

Delfina de Puymichel, 283

Delisle, Léopold, 495

Deschamps, Eustáquio, 407, 521, 723n.1

Dietrich de Niem, 406

Diógenes Laércio, 619

Dioniso, o Pequeno, 593

Dolcino, 403-4

Domingos (São), 162, 575

Donato, 412

Donizon de Canossa, 432

Doroteia de Montau, 283

726

Índice onomástico

Doukas, 140-1
Dracôntio, 624
Dreyer, Carl, 607
Drythelm, 32
Du Guesclin, Bertrand, 602
Duby, Georges, 18, 62, 64, 258, 377, 609, 611-2
Duccio, 89
Dumas, Alexandre, 610
Durand, Guilherme, 532, 668
Durando de Huesca, 573, 575
Dürer, Albrecht, 665, 673
Durkheim, Émile, 18, 558

E

Ebbon de Reims, 201
Ebendorfer, Tomás, 407
Eckbert von Schonau, 569
Eckhart, Johannes (Mestre Eckhart), 423, 714
Eco, Umberto, 607, 612
Eduardo I da Inglaterra, 453, 454
Eduardo III da Inglaterra, 425
Edvige da Polônia, 243
Egill Skalagrimmson, 692
Eginhardo, 304
Eisenstein, Serge M., 606
Eleonora da Aquitânia, 453
Eleonora de Poitiers, 314
Elias, Norbert, 238, 546
Enguerrand III de Coucy, 186
Érico da Suécia, 243
Escoto Erígena, João, 82
Escoto, Miguel, 483
Ésquilo, 533
Estácio, 533
Estêvão da Hungria, 243
Estêvão de Blois, 180
Estêvão de Tournai, 260
Estêvão II, 150

Estêvão IV, 677
Estêvão VI, 643
Euclides, 423
Eudes de Deuil, 153
Eugênio de Toledo, 624
Eugênio III, 568, 683
Eugênio IV, 117, 656
Eusébio de Cesareia, 123, 589, 593, 635
Eximenis, Francisco, 90

F

Facio de Cremona, 279
Facio, Bartolomeu, 592
Faral, Edmond, 435
Febvre, Lucien, 459, 611, 659
Félix V (Amadeu VIII da Savoia), 117, 484
Fernando I de Castela (o Grande), 708
Ferrer, Vicente, 90-1, 407
Fibonacci (Leonardo de Pisa), 719
Ficino, Marcílio, 557
Filiberto, o Belo, duque da Savoia, 168
Filipe da Suábia, 684
Filipe de Harvengt, 259
Filipe de Novara, 622
Filipe I, 682
Filipe II Augusto, 115, 128, 185, 189, 223, 310-1, 343, 454, 520, 574, 605, 685
Filipe III, o Ousado, 281, 596
Filipe IV, o Belo, 114, 188, 281, 387-8, 453-4, 482, 519, 538, 604, 652
Filipe V, 522
Fishacre, Ricardo, 470
Flodoardo, 584, 588
Focillon, Henri, 588
Fócio, 152
Formoso, 643
Foscari, Francisco, 141
Foulet, Lucien, 435
Francisca Romana, 92

Dicionário analítico do Ocidente medieval

Francisco de Assis, 87, 89, 130, 278, 292, 353, 401-2, 423, 649
Francisco de Estaing, 91
Francisco II da Bretanha, 313
Frappier, Jean, 56, 58
Fréculfo de Lisieux, 584
Frederico I Barba-Ruiva, 154, 253, 540, 606, 619, 683-5
Frederico II, 77, 108, 161, 185, 234, 314, 402, 420, 450, 483, 526, 576, 606, 650-1, 683, 685-6, 712-4
Frederico III, 406, 688
Freud, Sigmund, 18, 368
Froissart, João, 224, 595
Fulberto de Chartres, 126, 202
Fulco III Nerra, 183

G
Gace de la Buigne, 159
Galand de Reigny, 515
Galeno, 620
Galilei, Galileu, 230, 424
Gauzlin de Fleury, 563-4
Gelásio I, 633-5
Geoffroy de Auxerre, 568
Geoffroy de Saint-Victor, 628
Geoffroy de Villehardouin, 595
Geraldo de Aurillac, 279
Geraldo de Barri (Geraldo de Gales), 587
Geraldo de Cremona, 620, 713
Gerberto de Aurillac. *Ver* Silvestre II
Gerhoh de Reichersberg, 399-400
Gerson, João, 91, 118, 426-7, 655
Gertrude de Helfta, 89
Gibbon, Edward, 490-2
Gierke, Otto von, 547
Gilberto de la Porrée, 462, 465, 467, 567
Giotto, 89, 368
Giustiniani, João, 156

Glaber, Raul, 349-50, 362, 515, 526, 534, 563-4
Godofredo de Bulhão, 224
Gottfried de Estrasburgo, 61
Gozzoli, Benozzo, 75
Graciano, 125, 127, 270, 385, 413, 467, 477, 649
Grégoras, Nicéforo, 139-40
Gregório (Mestre), 256
Gregório de Tours, 148, 431, 521, 583-4, 595, 693-4
Gregório I Magno, 36, 80, 82, 84, 126, 149, 203, 462, 469, 523, 618, 623, 638-9, 641, 667, 669-70
Gregório II, 151, 639-40
Gregório III, 151
Gregório IX, 479, 561, 576, 649, 685
Gregório V, 432, 644, 679
Gregório VII (Hildebrando), 138, 384, 397, 536-7, 645-7, 651, 654, 681-2, 710
Gregório X, 156, 686
Gregório XI, 653
Gregório XII, 655
Grosseteste, Roberto, 88, 628
Grundmann, Herbert, 276
Gualberto, João, 86
Gui, Bernardo, 481, 585, 588
Guiart des Moulins, 131
Guiberto de Nogent, 255, 291, 349-50, 362, 368, 433, 478, 566, 692, 699, 711
Guichardo de Troyes, 482
Guilherme da Holanda, 686
Guilherme de Auvergne, 87, 260, 362, 480
Guilherme de Chartres, 434
Guilherme de Conches, 620, 627
Guilherme de Digulleville, 91
Guilherme de Lorris, 62
Guilherme de Middletown, 128
Guilherme de Moerbeke, 618

728

Índice onomástico

Guilherme de Ockham, 423, 470, 653, 687
Guilherme I da Aquitânia, 73, 643
Guilherme I, o Conquistador, 203
Guilherme II da Sicília, 138
Guilherme IX da Aquitânia, 59
Guilherme, o Marechal, 543
Guiscardo, Roberto, 138, 153, 708
Guizot, François, 373, 495
Guy de Thourotte, 61

H

Haakon V Magnusson, 131
Halphen, Louis, 595
Hegel, Georg Wilhelm Friedrich, 495, 558
Heiric de Auxerre, 127
Heitz, Carol, 83
Helena (Santa), 198
Heloísa, 692-3
Henrique de Langenstein, 406, 472
Henrique de Mans, 567-8
Henrique I Beauclerc, 253
Henrique II Plantageneta (da Inglaterra),
    77, 253, 309, 370, 387, 453, 570,
    586, 680
Henrique III, o Negro, 645, 680-1
Henrique IV, 137-8, 397, 399, 647, 652,
    680-3
Henrique V, 647, 680, 683
Henrique VI, 139, 154, 684
Henrique VII de Luxemburgo, 686
Henrique, o Leão, 129
Heráclio, 148, 444
Herman de Valenciennes, 131
Hermann da Caríntia, 626
Hesíodo, 619
Hildegarda de Bingen, 86, 127, 283, 296,
    399-400, 697-8
Hincmar de Reims, 304, 550, 584
Hipócrates, 620
Hitler, Adolf, 605-6

Holcot, Roberto, 128
Homobonus de Cremona, 279
Hugo Capeto, 680, 686
Hugo de Fleury, 593
Hugo de Saint-Cher, 128, 470
Hugo de Saint-Victor, 88, 128, 281, 295,
    297, 346
Hugo Geraldo, 483
Hugo, Victor, 602, 607, 609, 613
Humberto de Moyenmoutier, 645
Hus, João, 405, 426
Huska, Martinek, 405

I

al-Idrisi, 711
Indicopleustas, Cosmas, 135
Inês de Méranie, 520
Ingeburge da Dinamarca, 115, 520
Inocêncio II, 562
Inocêncio III (João Lotário), 278, 562,
    573-5, 648, 651, 654, 684-5
Inocêncio IV (Sinibaldo Fieschi), 389,
    649, 652, 685
Inocêncio VIII, 485
Institor, Henrique, 485-6
Irnerius, 385
Isaac da Estrela, 298
Isaac II Ângelo, 153
Isabel da Baviera, 604
Isabel da Hungria, 243
Isabel de Schönau, 283
Isidoro de Kiev, 156
Isidoro de Sevilha, 83, 126, 230-1, 379,
    476, 561-2, 624, 703

J

Jacques de Fouilloux, 170
Jacquier, Nicolau, 484
Jakemes, 61
Jaufré Rudel, 56, 59

Dicionário analítico do Ocidente medieval

Jerônimo (São), 78, 123, 126, 275, 396, 431, 504, 524, 629, 693

Jiménez de Rada, Rodrigo, 711

Joana (papisa), 144

Joana d'Arc, 14, 143, 282, 602-5, 607-8

João (Preste), 629, 718

João Balbo de Gênova, 624

João Batista (São), 71, 293, 477

João de Chastillon, 433

João de Fécamp, 86

João de Francières, 170

João de Gales, 624

João de Gorze, 706

João de Joinville, 595-6

João de Montaigu, 314

João de Roquetaille, 402-3, 406

João de Salisbury, 170, 299, 309, 315

João de Toledo, 298

João de Torquemada, 485

João de Winterthur, 402-3

João Esmoler (São), 278, 538-9

João Evangelista (São), 395, 570, 671

João II de Castela, 144

João II, o Bom, 519, 603

João VIII, 140, 641, 678

João XII, 678-9

João XXII, 404, 471, 483

João XXIII (antipapa), 655

Joaquim de Fiore, 87, 352, 400, 403-4, 470, 576

Johannitius (Hunain ibn Ishaq), 621

Jonas de Orleans, 670

Jorge Acropólita, 139

Juliano, o Apóstata, 174, 504

Justiniano, 78, 122n.2, 136, 147, 149, 385-6, 464, 517, 684

K

Kantorowicz, Ernst, 606

Kempe, Margarida, 92

al-Khuwarizmi, Muhammad ibn Musa, 713

Kilwardby, Roberto, 470

Kropotkin, Petr Alekseievitch, 558

Kydonès, 156

L

Lactâncio, 624

Lamberto de Ardres, 184, 437

Lamberto de Saint-Omer, 624

Lamberto de Spoleto, 678

Langton, Estêvão, 123

Lascaris, Júlio, 157

Leão I, 636-7, 640, 682

Leão III Isáurico, 151, 639

Leão III, 676-7

Leão IX, 565, 645-6, 682

Lemaire des Belges, João, 168

Lênin, 496

Lenoir, Alexandre, 602

Leutardo de Vertus, 125

Limbourg (irmãos), 70

Liutprando de Cremona, 44, 151, 706

Locke, John, 490

Lombard, Maurice, 250-1, 262, 707

Lombardo, Pedro, 128, 368, 413, 466

Lord, Albert Bates, 435

Lorenz, Konrad, 68

Lorenzetti, Ambrósio, 370, 672

Lotário I, 677-8

Lotário II, 476

Lúcio III, 572

Ludolfo da Saxônia, 91

Ludovico, o Mouro, 75

Luís da Provença, 678

Luís II, o Gago, 150

Luís IV da Baviera, 314, 450, 684

Luís IX (São Luís), 97, 189, 191, 243, 310-1, 313, 353, 380, 387, 434, 453, 586, 595-6, 603-5, 685-6, 711

Índice onomástico

Luís VI, o Gordo, 128, 179, 452
Luís VII, 153, 452
Luís XI, 74-5, 97, 602
Luís XII, 540
Luís, o Germânico, 677
Luís, o Piedoso, 448, 641, 677-8
Lúlio, Raimundo, 231, 533, 538, 712
Lutero, Martinho, 39, 426, 462, 673

M

Macróbio, 436, 625
Maiol (São), 705
Mâle, Émile, 658-9
Manfredo de Vercelli, 407
Manfredo, 139
Mani, 359
al-Mansur, 706
Manucio, Aldo, 157
Manuel Crisoloras, 156
Manuel I Comneno, 138, 153-4
Manuel II Paleólogo, 136, 140, 155
Maomé, 711, 714
Map, Gautier, 302, 309, 370, 588
Maquiavel, Nicolau, 543
Marcabru, 56, 59
Marcel, Estevão, 263, 602, 604
Marciano Capela, 618, 622, 625
Marcílio de Pádua, 314, 653, 687
Margarida da Áustria, 168
Margarida da Hungria, 243
Margarida de Cortona, 283
Maria de Champanhe, 68, 60, 131
Maria de França, 59, 61, 162, 168
Maria de Oignies, 261
Martinho (São), 303, 565, 694
Martinho de Braga, 476
Martinho V (Odo Colonna), 426, 656
Martinho, o Franco, 484
Marx, Karl, 495-6
Matias de Janov, 406

Matias I Corvino, 142, 237
Maurício de Sully, 204-5
Maximiliano, 689
Máximo, o Confessor, 464
Mechtilde de Hackeborn, 89
Mehmet II, 716
Metódio (São), 152, 229, 398
Michaud-Quantin, Pierre, 548
Michelet, Jules, 373, 486, 601-2, 611, 614
Michelangelo, 600
Miguel I Rangabe, 150
Miguel VIII Paleólogo, 136, 139, 156
Miquelina de Pesaro, 261
Misch, Georg, 693
Molay, Jacques de, 483
Molitor, Ulrico, 486
Montesquieu, Charles de, 490
Mudjahid de Denia, 706, 708

N

Nanni, João (Annio de Viterbo), 590
al-Nasir, Muhammad, 710
Nicéforo Focas, 150
Nicolau de Cusa, 118, 348-9
Nicolau de Lyre, 128
Nicolau Eimerico, 481
Nicolau I, 641
Nicolau II, 647, 682, 708
Nider, João, 484
Nilo de Rossano (São), 153

O

Odilon de Cluny, 344, 350
Odo de Cluny, 396
Odoacro, 148, 476
Olavo da Noruega, 243
Oliba de Ripoll, 564
Olivi, Pedro João, 401
Opicínio de Canistris, 695-701

Dicionário analítico do Ocidente medieval

Orderico Vital, 589
Orígenes, 82, 286, 290, 623
Orósio, Paulo, 589, 596
Otaviano de Saint-Gelais, 168
Otlo de Saint-Emmeran, 692, 699
Oto de Freising, 256, 397, 684, 686
Oto I, 150-1, 450, 584, 644, 678-9,
    688-9, 706
Oto II, 679, 706
Oto III, 644-5, 679-81, 683, 685
Oto IV de Brunswick, 684
Ovídio, 308, 619

P

Pacht, Otto, 662
Panofsky, Erwin, 659
Papias de Pavia, 624
Paquímero, 139-40
Paris, Gaston, 55, 307
Paris, Mateus, 525, 587
Parry, Milman, 435
Pascal, Blaise, 230, 461
Pascoal II, 647, 683
Patrício (São), 32
Paulino de Pela, 161
Paulo (São), 27, 29, 31, 128, 212, 231,
    282, 286, 289, 294, 297, 340, 352,
    358, 396, 460-2, 525, 533, 562, 636-
    7, 652, 660, 669, 697, 471, 520, 573
Paulo Diácono, 303, 448, 623
Paulo I, 634
Pedro (São), 29, 31, 33, 36, 150, 203,
    231, 342, 361, 366, 450, 633-4, 637-
    42, 648, 651-2, 669, 676, 680, 708
Pedro Comestor (Pedro, o Devorador),
    128
Pedro de Abano, 424
Pedro de Ailly, 116, 118, 426
Pedro de Bruis, 567
Pedro de Cápua, 520

Pedro de Castelnau, 574-5
Pedro Eremita, 277
Pedro, o Cantor, 128
Pedro, o Venerável, 562, 567
Pepino II, 447
Pepino III, o Breve, 73, 150, 200, 447, 639
Pérauld, Guilherme, 628
Petrarca, Francesco, 424, 600, 653, 692,
    715
Petrus Mamor, 485
Pettinaio, Pedro, 279
Philagathos, João, 679
Pico della Mirandola, Giovanni, 557
Pintoin, Miguel, 592, 596
Pio II (Enéas Sílvio Piccolomini), 118,
    136, 156
Pirenne, Henri, 250-2, 707
Pisanello, 75
Pitágoras, 619, 621
Platão, 157, 345, 417, 628
Pleton, Gemisto, 144
Polo, Marco, 715
Pompeu, 693
Porete, Margarida, 282
Porfírio, 412, 465
Primato, 586, 595-6
Prisciano, 412
Procópio de Cesareia, 74, 137
Proudhon, Pierre Joseph, 558
Proust, Marcel, 603
Prudêncio, 131, 533
Psellos, 135
Pseudo-Dioniso, o Areopagita, 35, 82,
    88, 156, 346, 348
Pseudo-Metódio, 398
Ptolomeu, Cláudio, 239, 413, 620, 626,
    713

Q

Quesnay, François, 95

Índice onomástico

R

Rábano Mauro, 85, 127, 623
Rabelais, François, 612
al-Rachid, Harun, 78
Rafael de Pornassio, 485
al-Rahman III, Abd, 706
Rais, Gille de, 487, 609
Ramirdh, 566
Ramiro I de Aragão, 708
Rathier de Verona, 692, 699
Recemundo, 706
Reginon de Prüm, 477
Reinaldo de Dassel, 619, 683
Remígio de Auxerre, 396
René I, o Bom, 186
Renouard, Yves, 254
Ricardo Coração-de-Leão, 138, 185
Ricardo da Cornualha, 686
Ricardo de Saint-Victor, 128
Riegl, Alois, 658
Riga, Pedro, 128
Roberto de Arbrissel, 308
Roberto de Courson, 411
Roberto de Torigny, 589, 619
Roberto, o Piedoso, 563
Rodolfo de Habsburgo, 686
Rogério II da Sicília, 83, 138, 154, 387
Rohmer, Éric, 608
Rolandino de Pádua, 592
Rolevinck, Werner, 594
Romano III, 137
Romualdo de Salerno, 624
Rômulo Augusto, 676
Rousseau, Jean-Jacques, 490
Rufino, 589
Ruperto de Deutz, 127, 469, 670

S

Sacconi, Raynier, 578, 580
Saladino, 709
Salimbene, 692
Salutati, Coluccio, 557
Samson de Nanteuil, 131
Sancho I Ramirez de Aragão, 708
Sancho, o Gordo, de Leão, 706
Savigny, Friedrich Karl von, 376
Schongauer, Martinho, 167
Scot, Duns, 423
Sereno de Marselha, 668, 670
Sidônio Apolinário, 161
Sigeberto de Gembloux, 589
Siger de Brabante, 348
Sigismundo, 117, 142, 655, 688
Silvestre I, 150, 198, 572, 634, 676-7,
680
Silvestre II, 644, 680, 707
Simmel, Georg, 558
Smaragde de Saint-Mihiel, 618
Smith, Adam, 490, 492
Sólon, 619, 625
Sphrantzis, 141-2
Spinoza, Baruch, 490
Sprenger, Jacobus, 485-6
Stálin, Joseph, 606
Suger de Saint-Denis, 387, 452, 584,
670, 692, 694
Sverrir, 692

T

Taciano, 130
Taillevent, 314
Tanchelm, 566
Tasso, Torquato, 540
Telésforo de Cosenza, 406
Tempier, Estêvão, 348, 421, 467, 471, 715
Teobaldo de Champanhe, 167
Teodorico, 148, 465-6
Teodósio, 504, 684
Teodulfo de Orleans, 124, 670
Teófano, 679

Dicionário analítico do Ocidente medieval

Teófilo, 363, 365, 370, 480

Tertuliano, 288, 383, 531

Thierry de Chartres, 465

Tholosan, Cláudio, 484

Thurkill, 32

Tinctor, João, 485

Tnugdal (Túndalo), 32

Tocqueville, Alexis de, 495, 558

Toda de Navarra, 706

Tolomeu de Luca, 686

Tomás de Aquino, 33, 38, 88, 128, 260, 298, 347, 361-2, 370, 418-9, 422-3, 466, 470, 480-1, 671

Tomás de Cantimpré, 298

Tomás de Celano, 292

Tomás de Chobham, 478

Tönnies, Ferdinand, 558

Turgot, Anne Robert Jacques, 491

Turmeda, Anselmo, 713

Tyler, Wat, 263

Tzimiskes, João, 679

U

Ubertino de Casale, 401

Uguccio de Pisa, 624

Urbano II, 219, 433, 536, 650, 709

Urbano V, 653

Urbano VI, 653

V

Valdo, 125, 130, 278, 571-3

Valério Máximo, 587

Valfrido Estrabão, 127

Valla, Lourenço, 591

van Artevelde, Jacó, 263

van der Weiden, Rogier, 669

Varrão, 75, 623, 625

Vasari, Giorgio, 660

Venceslau da Boêmia, 131, 688

Verhulst, Adrian, 251

Verlinden, Charles, 251

Viard, Jules, 595

Vicente de Beauvais, 88, 131, 585-6, 594, 596, 621, 624, 658, 686

Vilgardo de Ravena, 563

Viollet-le-Duc, Eugène Emmanuel, 603

Virgílio, 32, 38, 436, 603

Vítor IV, 683

Vitorino, 622

Voltaire, 157, 490, 492, 600-1

von Ems, Rodolfo, 131

von Laber, Hadamar, 167

W

Wagner, Richard, 609

Waitz, Georg, 495

Warburg, Aby, 659

Weber, Max, 18, 558-9

Wetti de Reichenau, 32

Weyer, Hans, 32

Wipo, 681

Wölfflin, Heinrich, 658

Wyclif, João, 131, 276, 425-6, 653

Y

Yersin, Alexandre, 516

Yver, Jean, 380

Z

Zabarella, Francisco, 116

Zenão, 634

Zizka, Jan, 405

al-Zuhri, 719

Zumthor, Paul, 231, 438-41

734

Sumário iconográfico

As imagens constituem um dos modos pelos quais os homens tornam presente seu mundo material e imaginário. Elas têm seus próprios códigos de funcionamento, diferentes dos da linguagem oral ou escrita, e preenchem funções sociais e ideológicas particulares. Os três cadernos de imagens, tiradas de manuscritos iluminados, de esculturas, de retábulos pintados, de tapeçarias da Idade Média, cruzam mais de uma vez os percursos próprios aos verbetes do dicionário e pretendem sugerir um outro percurso possível através das representações da sociedade e do poder, das crenças, da visão da natureza e dos espaços que os homens daquele tempo buscavam dominar pela ferramenta ou pelo sonho.

Os estados da sociedade

Grupos sociais

– O casamento cristão assegura a reprodução da sociedade da Idade Média. Michael Pacher, *Casamento da Virgem.* Viena, Österreichische Gallerie. Século XV (Cl. Ritter).

– Os *oratores* – os que rezam – consideram-se no topo da sociedade cristã. São Bernardo pregando aos monges cistercienses. *Horas de Étienne Chevalier.* Chantilly, Museu Condé. Após 1461.

– Os *bellatores* – os que guerreiam – identificam-se na sociedade feudal com os cavaleiros. Soldados adormecidos diante do túmulo de Cris-

Dicionário analítico do Ocidente medieval

to. Issoire, abacial Saint-Austremoine, capitel. Século XII (Cl. Atelier du Regard).

— Armamento pesado e cavalo com armadura, brasões e divisa são os emblemas e o orgulho dos nobres. *Armorial Bellenville*. Paris, BnF. Cerca de 1380.

— Os *laboratores* — os que trabalham — são na esmagadora maioria camponeses. Ceifeiro e batedor. Margem de manuscrito. Oxford, Bodleian Library. Século XIV.

Poderes

— O imperador Oto III encarna na terra a "majestade" de Deus. *Evangeliário de Oto III*. Munique, Bayerische Staatsbibliothek. Século XI.

— O bispo e o rei: superioridade do espiritual, necessidade do temporal. Inicial H. *Decreto* de Graciano. Troyes, Biblioteca Municipal. Século XIII.

— Novas relações entre Igreja e Estado: São Luís ajoelha-se diante do papa, mas recebe sentado a homenagem dos bispos de seu reino. *Grandes crônicas da França*. Paris, BnF. Século XIV.

A cidade e as mercadorias

— As pontes de Paris, os moinhos e a navegação no Sena. Yves, monge de Saint-Denis, *Vida de São Dioniso*. Paris, BnF. 1317.

— Balcão de um açougueiro. Trabalho e comércio de tecidos. *Tacuinum sanitatis*. Viena, Österreichische Nationalbibliothek. Século XIV.

— O comércio de dinheiro. Inicial S. *Vidal Major*. Malibu, The Paul Getty Museum. Século XIII.

A cidade e o saber

— Os estudantes rezam e aprendem. *Estatutos do colégio Hubant*. Paris, Arquivos Nacionais. 1387.

— Ensino magistral e *disputatio* universitária. *Liber de instructione*. Toulouse, Biblioteca Municipal. Século XIV.

Sumário iconográfico

Crenças e representações

O Além

– O "Trono de Graça", figura mais frequente da Trindade. Excepcionalmente, o rosto do Pai está coberto. Saltério. Cambridge, Trinity College. Século XIII.

– O Diabo, contraponto sem dualismo da onipotência divina. Capitel. Issoire, abacial Saint-Austremoine. Século XII (Cl. Atelier du Regard).

– A Virgem salva das tentações do demônio. Milagre de Teófilo. *Saltério da rainha Ingeburge.* Chantilly, Museu Condé. Cerca de 1200.

– A prece aos santos: a monja assemelha-se a São Francisco, que recebe os estigmas da paixão de Cristo. Legendário dominicano. Oxford, Keble College. Século XIV.

– A criação do homem por Deus: Eva tirada do lado de Adão. *Saltério da rainha Branca de Castela.* Paris, Biblioteca do Arsenal. Século XIII.

– O batismo marca o verdadeiro nascimento do cristão. *Decreto* de Graciano. Baltimore, Walters Art Gallery. Século XIV.

– Na morte, a alma separa-se do corpo. Hildegarda de Bingen, *Liber Scivias.* Wiesbaden, Hessische Landesbibliothek (manuscrito perdido). Cerca de 1179.

– O Purgatório, terceiro lugar do Além cristão: as almas purgadas são puxadas para o Paraíso. *Livro de Horas de Branca de Borgonha* ou *Horas de Savoia.* New Haven (Conn.), Beinecke Rare Books and Manuscripts Library, Universidade Yale. Século XIV.

– Judeus e hereges encarnam as duas formas maiores de divergência religiosa. Cristo ultrajado pelos judeus "deicidas". *Speculum Humanae Salvationis.* Kremsmünster. Século XIV.

– João Hus conduzido ao suplício (Constança, 1415). Ulrich von Richental, *Crônica do concílio de Constança.* Século XV.

As imagens

– As novas imagens de culto em três dimensões. Crucifixo do arcebispo Gero. Colônia, catedral. Cerca de 970. "Majestade" de Santa Fé de Conques. Conques. Século X.

Dicionário analítico do Ocidente medieval

— O sonho e sua interpretação, modos privilegiados do imaginário. Sonho de Jacó. Berlim, Staatsbibliothek. Século XII.

— O retrato do doador. Rogier Van der Weiden, *Tríptico de Pieter Bladelin*. Berlim, Gemälde Gallerie. Cerca de 1462.

— O primeiro autorretrato devidamente assinado e datado. Albrecht Dürer, *Autorretrato com casaco de pele*. Munique, Alte Pinakothek. 1500.

— Inovação e controle das formas iconográficas. O tipo da "Virgem que se abre" contradiz o dogma da Encarnação. Paris, Museu de Cluny. Século XV.

Natureza e espaço

Um mundo criado

— A criação do mundo e dos animais. *Bíblia*. Oxford, Bodleian Library. Manuscrito. Século XII.

— O homem microcosmo. Hildegarda de Bingen, *Liber operum divinorum*. Luca, Biblioteca Statale. Século XIII.

— A terra é toda rodeada de água. Beato de Liébana, *Comentário do Apocalipse*. Paris, BnF. Século XI.

— Visão da Jerusalém celeste. Hildegarda de Bingen, *Liber operum divinorum*. Luca, Biblioteca Statale. Século XIII.

— A cidade de Jerusalém, centro do mundo. *Aviso diretivo para efetuar a passagem de ultramar*. Paris, BnF. Século XV.

— Ásia, Europa, África no mapa-múndi em T de Isidoro de Sevilha. Paris, BnF. Século XI.

— A previsão de um eclipse do Sol. *Imagens do mundo*. Paris, BnF. Século XIII.

— O astrônomo e seu astrolábio. *Saltério da rainha Branca de Castela*. Paris, Biblioteca do Arsenal. Século XIII.

O domínio do espaço

— O mar. A arca de Noé. Oxford, Bodleian Library. Século XIV.

Sumário iconográfico

— O mar: navios e galeras. *Tacuinum sanitatis.* Viena, Osterreichische Nationalbibliothek. Século XIV.

— O papel dos monges cistercienses nos desmatamentos. Gregório Magno, *Moralia in Job.* Dijon, Biblioteca Municipal. Cerca de 1111.

— A caça ao falcão. *Tapeçaria da rainha Mathilde.* Bayeux. Cerca de 1080.

— A caça na floresta com cães. Pol de Limbourg, *Très riches heures du duc Jean de Berry.* Calendário: mês de dezembro. Chantilly, Museu Condé. Século XV.

— A natureza "estetizada": bosquezinhos, flores e pássaros. *Série de nobres pastorais. A dança.* Tapeçaria. Paris, Museu do Louvre. 1551.

— A natureza domesticada: lavouras e cercados no castelo dos Lusignan. Pol de Limbourg, *Très riches heures du duc Jean de Berry.* Calendário: mês de março. Chantilly, Museu Condé. Século XV.

Lista de autores

Aaron GOUREVITCH, Academia das Ciências de Moscou: "Indivíduo".

Agostino PARAVICINI BAGLIANI, Universidade de Lausanne: "Idades da vida".

Alain BOUREAU, École des Hautes Études en Sciences Sociales: "Fé".

Alain DUCELLIER, Universidade de Toulouse II (Le Mirail): "Bizâncio visto do Ocidente".

Alain ERLANDE-BRANDENBURG, École des Chartes: "Catedral".

Alain GUERREAU, CNRS (Centre National de la Recherche Scientifique): "Caça"; "Feudalismo".

André VAUCHEZ, École Française de Rome: "Milagre".

Bernard GUENÉE, Universidade de Paris I (Panthéon-Sorbonne): "Corte"; "História".

Bernhard TÖPFER, Humboldt Universität zu Berlin: "Escatologia e milenarismo".

Christian AMALVI, Universidade de Montpellier III (Paul-Valéry): "Idade Média".

Danielle RÉGNIER BOHLER, Universidade de Bordeaux III (Michel--de-Montaigne): "Amor cortês".

Franco ALESSIO, Universidade de Pávia: "Escolástica".

Dicionário analítico do Ocidente medieval

Franco CARDINI, Universidade de Florença: "Guerra e cruzada".

Françoise PIPONNIER, École des Hautes Études en Sciences Sociales: "Cotidiano".

Girolamo ARNALDI, Universidade de Roma: "Igreja e papado".

Hélène MILLET, CNRS (Centre National de la Recherche Scientifique): "Assembleias".

Jacques BERLIOZ, CNRS (Centre National de la Recherche Scientifique): "Flagelos".

Jacques CHIFFOLEAU, Universidade de Avignon: "Direito(s)".

Jacques LE GOFF, École des Hautes Études en Sciences Sociales: "Além", "Centro/periferia", "Cidade".

Jean BATANY, Universidade de Avignon: "Escrito/oral".

Jean-Claude SCHMITT, École des Hautes Études en Sciences Sociales: "Clérigos e leigos", "Corpo e alma", "Deus", "Feitiçaria", "Imagens".

Jean-Marie PESEZ, École des Hautes Études en Sciences Sociales: "Castelo".

Jean-Philippe GENET, Universidade de Paris I (Panthéon-Sorbonne): "Estado".

Jérôme BASCHET, École des Hautes Études en Sciences Sociales: "Diabo".

John NORTH, Universidade de Groningue: "Universo".

Massimo MONTANARI, Universidade de Bolonha: "Alimentação".

Michel BALARD, Universidade de Paris I (Panthéon-Sorbonne): "Bizâncio e o Ocidente", "Bizâncio visto do Ocidente".

Michel PARISSE, Universidade de Paris I (Panthéon-Sorbonne): "Império".

Monique ZERNER, Universidade de Nice-Sophia Antipolis: "Heresia".

Otto Gerhard OEXLE, Max-Planck Institut für Geschichte: "Guilda".

Philippe BRAUNSTEIN, École des Hautes Études en Sciences Sociales: "Artesãos".

Philippe FAURE, Universidade de Orléans: "Anjos".

Lista de autores

Pierre GUICHARD, Universidade de Lyon II (Lumière): "Islã".

Pierre MONNET, Mission Historique Française en Allemagne: "Mercadores".

Robert DELORT, Universidade de Paris VIII (Vincennes-Saint-Denis): "Animais".

Silvana VECCHIO, Universidade de Pávia: "Pecado".

Lista de tradutores

Daniel VALLE RIBEIRO, Universidade Federal de Minas Gerais: "Corte"; "Direito(s)"; "Estado"; "Igreja e papado"; "Império"; "Justiça e paz"; "Rei"; "Roma".

Eliana MAGNANI SOARES-CHRISTEN, CNRS (Centre National de la Recherche Scientifique)-Auxerre: "Clérigos e leigos"; "Feudalismo"; "Masculino/feminino"; "Memória"; "Milagre"; "Monges e religiosos"; "Morte e mortos"; "Nobreza"; "Ordem(ns)"; "Parentesco"; "Ritos"; "Santidade".

Flavio de CAMPOS, Universidade de São Paulo: "Centro/periferia"; "Cidade"; "Heresia"; "Indivíduo"; "Jogo"; "Judeus"; "Marginais"; "Violência".

Hilário FRANCO JÚNIOR, Universidade de São Paulo: coordenação e revisão técnica da tradução de todos os verbetes.

José Carlos ESTÊVÃO, Universidade de São Paulo: "Além"; "Anjos"; "Corpo e alma"; "Deus"; "Diabo"; "Escatologia e milenarismo"; "Escolástica"; "Fé"; "Idade Média"; "Razão"; "Tempo"; "Universo".

José Rivair MACEDO, Universidade Federal do Rio Grande do Sul: "Bizâncio e o Ocidente"; "Bizâncio visto do Ocidente"; "Guerra e cruzada"; "Islã"; "Jerusalém e as cruzadas"; "Mar"; "Peregrinação"; "Pregação".

Lênia Márcia de Medeiros MONGELLI, Universidade de São Paulo: "Amor cortês"; "Bíblia"; "Cavalaria"; "Escrito/oral"; "História"; "Literatura(s)"; "Natureza"; "Pecado"; "Símbolo"; "Universidade".

Dicionário analítico do Ocidente medieval

Mário Jorge da MOTTA BASTOS, Universidade Federal Fluminense: "Cotidiano"; "Feitiçaria"; "Liberdade e servidão"; "Maravilhoso"; "Medicina"; "Senhorio"; "Sexualidade"; "Trabalho".

Vivian Patrícia CARIELLO COUTINHO DE ALMEIDA, Universidade de São Paulo: "Prefácio"; "Alimentação"; "Animais"; "Artesãos"; "Assembleias"; "Caça"; "Castelo"; "Catedral"; "Flagelos"; "Guilda"; "Idades da vida"; "Imagens"; "Mercadores"; "Moeda"; "Números"; "Sonhos"; "Terra".

SOBRE O LIVRO

Formato: 16 x 23 cm
Mancha: 27,8 x 48 paicas
Tipologia: Venetian 301 12,5/16
Papel: Off-white 80 g/m² (miolo)
Cartão Supremo 250 g/m² (capa)

1ª edição Editora Unesp: 2017

EQUIPE DE REALIZAÇÃO

Edição de texto
Tulio Kawata (Copidesque)
Beatriz Freitas de Moreira, Nair Hitomi Kaio,
Tomoe Moroizumi, Tulio Kawata (Revisão)

Capa
Negrito Editorial

Editoração eletrônica
Eduardo Seiji Seki

Assistência editorial
Alberto Bononi
Richard Sanches

IMPRESSÃO E ACABAMENTO
Hawaií Gráfica e Editora